BARRON'S
FOREIGN LANGUAGE GUIDES

501
SPANISH
VERBS

SIXTH EDITION

Fully conjugated in all the tenses in a new,
easy-to-learn format, alphabetically arranged

by

Christopher Kendris
B.S., M.S., Columbia University
M.A., Ph.D., Northwestern University
Diplômé, Faculté des Lettres, Sorbonne

Former Chairman,
Department of Foreign Languages
Farmingdale High School,
Farmingdale, New York

and
Theodore Kendris
B.A., Union College
M.A., Northwestern University
Ph.D., Université Laval, Québec, Canada

BARRON'S

All inquiries should be addressed to:
Barron's Educational Series, Inc.
250 Wireless Boulevard
Hauppauge, New York 11788
www.barronseduc.com

ISBN-13: 978-0-7641-3559-0 (Book)
ISBN-10: 0-7641-3559-7 (Book)

ISBN-13: 978-0-7641-7984-5 (Book/CD-Rom package)
ISBN-10: 0-7641-7984-6 (Book/CD-Rom package)

Library of Congress Catalog Card No. 2006025877

Library of Congress Cataloging-in-Publication Data

Kendris, Christopher.
    [501 Spanish verbs fully conjugated in all the tenses in a new easy-to-learn
format, alphabetically arranged]
    501 Spanish verbs / by Christopher Kendris & Theodore Kendris.—6th ed.
    p.   cm.
    Includes indexes.
    ISBN-13: 978-0-7641-3559-0 (alk. paper)
    ISBN-10: 0-7641-3559-7 (alk. paper)
    ISBN-13: 978-0-7641-7984-5
    ISBN-10: 0-7641-7984-6
    1. Spanish language—Verb—Tables. I. Kendris, Theodore. II. Title.
III. Title: Five hundred and one Spanish verbs. IV. Title: Five hundred one
Spanish verbs.

PC4271.K38 2006
468.2'421—dc22   2006025877

PRINTED IN CANADA
9 8 7 6 5 4 3

Contents

About the Authors

Dr. Christopher Kendris has worked as interpreter and translator of French for the U.S. State Department at the American Embassy in Paris. He earned his B.S. and M.S. degrees at Columbia University in the City of New York, where he held a New York State Scholarship, and his M.A. and Ph.D. degrees at Northwestern University in Evanston, Illinois, where he held a Teaching Assistantship and Tutorial Fellowship for four years. He also earned two diplomas with *Mention très Honorable* at the Université de Paris (en Sorbonne), Faculté des Lettres, École Supérieure de Préparation et de Perfectionnement des Professeurs de Français à l'Étranger, and at the Institut de Phonétique, Paris. In 1986, he was one of 95 teachers in the United States who was awarded a Rockefeller Foundation Fellowship for Teachers of Foreign Languages in American High Schools. He has taught French at the College of The University of Chicago as visiting summer lecturer, at Colby College, Duke University, Rutgers—The State University of New Jersey, and the State University of New York at Albany. He was Chairman of the Department of Foreign Languages and Supervisor of 16 foreign language teachers on the secondary level at Farmingdale High School, Farmingdale, New York, where he was also a teacher of all levels of French and Spanish, and prepared students for the New York State French and Spanish Regents, SAT exams, and AP tests. Dr. Kendris is the author of 22 school and college books, workbooks, and other language guides of French and Spanish. He is listed in *Contemporary Authors* and *Directory of American Scholars.*

Dr. Theodore Kendris earned his B.A. degree in Modern Languages at Union College, Schenectady, New York, where he received the Thomas J. Judson Memorial Book Prize for modern language study. He went on to earn his M.A. degree in French Language and Literature at Northwestern University, Evanston, Illinois, where he held a Teaching Assistantship. He earned his Ph.D. degree in French Literature at Université Laval in Quebec City, where he studied the Middle Ages and Renaissance. While at Université Laval, he taught French writing skills as a *chargé de cours* in the French as a Second Language program and, in 1997, he was awarded a doctoral scholarship by the *Fondation de l'Université Laval.* Dr. Kendris is coauthor of *Spanish Fundamentals,* published by Barron's in 1992. He has also taught in the Department of English and Foreign Languages at the University of St. Francis in Joliet, Illinois as well as at the Hazleton Campus of Penn State University.

Preface to the Sixth Edition

This new edition of *501 Spanish Verbs* has been updated so that it is easier to use than ever! All of the verb lists that you need are in the back pages of the book with handy tabs so that you can find the list you need quickly and easily. We hope that you will also take the time to practice your conjugations and grammar with the new verb drills and tests with answers explained on CD-ROM. The model verbs themselves have been revised and include extra material for certain Essential Verbs. These are verbs that we believe will be helpful to students because they represent an important conjugation group or because they are useful in many everyday situations and idiomatic expressions. We have also taken into account the many technological advances that have taken place over the past several years, as well as the increased globalization and social change in the 21st century. We hope that *501 Spanish Verbs* will continue to provide the guidance that students and travelers like you have come to expect over the years.

We have, therefore, added a number of related words and idiomatic expressions, along with English meanings, at the bottom of every verb page from 97 to 648. We also hope that you will take advantage of the section on verb drills and tests with answers explained, beginning on page 45. There, you will find a lot of practice in Spanish verb forms and tenses in a variety of tests and word games to determine your strengths and weaknesses yourself and to make some things clearer in your mind. Also, it would be a good idea to get acquainted with the section on definitions of basic grammatical terms. It's on page 33. Many students who study a foreign language have problems because they do not understand certain grammatical terms. If you know what they are, what they are called, and how they are used in the grammatical structure of a sentence, you will improve your skill in speaking and writing Spanish.

Don't miss the expanded Spanish-English index at the end of the book. There are now over 2,100 verbs—in addition to the 501 in the main listing. The English-Spanish list, which begins on page 682, is a handy tool if you can't remember the Spanish verb you need to use.

Have you ever wondered what preposition goes with what verb? Many people do. Check out page 669 for the section on verbs with prepositions. On page 666, there is a simple system of sound transcriptions to help you pronounce Spanish words effectively.

In this edition, we have put all the Defective and Impersonal Verbs in one convenient place, at the end of the main listing. This gave us room to give you more fully conjugated verbs in the main list.

We hope that you will make full use of all the features of this new edition of *501 Spanish Verbs* and that you will enjoy your exploration of Spanish language and culture.

Christopher Kendris and Theodore Kendris

To St. Sophia Greek Orthodox Church
of Albany, New York, our parish

and

To the eternal memory of our beloved
YOLANDA FENYO KENDRIS
who is always by our side

With love

Introduction

This self-teaching book of 501 commonly used Spanish verbs for students and travelers provides fingertip access to correct verb forms.

Verb conjugations are usually found scattered in Spanish grammar books and they are difficult to find quickly when needed. Verbs have always been a major problem for students no matter what system or approach the teacher uses. You will master Spanish verb forms if you study this book for a few minutes every day, especially the pages before and after the alphabetical listing of the 501 verbs.

This book will help make your work easier and at the same time will teach you Spanish verb forms systematically. It is a useful book because it provides a quick and easy way to find the full conjugation of many Spanish verbs.

The 501 verbs included here are arranged alphabetically by infinitive at the top of each page. The book contains many common verbs of high frequency, both reflexive and nonreflexive, which you need to know. It also contains many other frequently used verbs which are irregular in some way. Beginning on page 707, there are over 2,100 Spanish verbs that can be conjugated in the same way as model verbs among the 501. If the verb you have in mind is not given among the 501, consult this list.

The subject pronouns have been omitted from the conjugations in order to emphasize the verb forms. The subject pronouns are given on page 92. Turn to that page now and become acquainted with them.

The first thing to do when you use this book is to become familiar with it from cover to cover—in particular, the front and back pages, where you will find valuable and useful information to make your work easier and more enjoyable. Take a minute right now and turn to the table of contents at the beginning of this book as we guide you in the following way:

(a) Beginning on page 3, you can learn how to form a present participle regularly in Spanish with examples. There, you will find the common irregular present participles and the many uses of the present participle.

(b) Beginning on page 5, you can learn how to form a past participle regularly in Spanish with examples. There, you will find the common irregular past participles and the many uses of the past participle.

(c) On page 7, the Passive and Active voices are explained with numerous examples.

(d) Beginning on page 9, you will find the principal parts of some important Spanish verbs. This is useful because, if you know these, you are well on your way to mastering Spanish verb forms.

(e) Beginning on page 11, we give you a sample English verb conjugation so that you can get an idea of the way a verb is expressed in the English tenses. Many people do not know one tense from another because they have never learned the use of verb tenses in a systematic and organized way—not even in English! How can you, for example, know that you need the conditional form of a verb in Spanish when you want to say *"I would go to the movies if . . ."* or the pluperfect tense in Spanish if you want to say *"I had gone . . . ."*? The sample English verb conjugation with the names of the tenses and their numerical ranking will help you to distinguish one tense from another so that you will know what tense you need in order to express a verb in Spanish.

(f) On page 13, you will find a summary of meanings and uses of Spanish verb tenses and moods as related to English verb tenses and moods. That section is very important and useful because the seven simple tenses are separated from the seven compound tenses. You are given the name of each tense in Spanish and English starting with the present indicative, which we call tense number one because it is the tense most frequently used. We assign a number to each tense name so that you can fix each one in your mind and associate the tense names and numbers in their logical order. We explain briefly what each tense is, when you use it, and we give examples using verbs in sentences in Spanish and English. At the end of each tense, you are shown how to form that tense for regular verbs.

(g) Beginning on page 27, we explain the Imperative, which is a mood, not a tense, and give numerous examples using it.

(h) Beginning on page 4, the progressive forms of tenses are explained with examples. Also note the future subjunctive and the future perfect subjunctive on page 30. We explain how these two rarely used tenses are formed, and we give examples of what tenses are used in place of them in informal writing and in conversation.

(i) Beginning on page 14, we give you a summary of all of the fourteen tenses in Spanish with English equivalents, which we have divided into the seven simple tenses and the seven compound tenses. After referring to that summary frequently, you will soon know that tense number 1 is the present indicative, tense number 2 is the imperfect indicative, and so on. We also explain how each compound tense is based on each simple tense. Try to see these two divisions as two frames, two pictures, with the seven simple tenses in one frame and the seven compound tenses in another frame. Place them side by side in your mind, and you will see how tense number 8 is related to tense number 1, tense number 9 to tense number 2, and so on. If you study the numerical arrangement of each of the seven simple tenses and associate the tense number with the tense name, you will find it very easy to learn the names of the seven compound tenses, how they rank numerically according to use, how they are formed, and when they are used. Spend at least ten minutes every day studying these preliminary pages to help you better understand the fourteen tenses in Spanish.

Finally, in the back pages of this book, there are useful indexes: an index of English-Spanish verbs, an index of common irregular Spanish verb forms identified by infinitive, and a list of over 2,100 Spanish verbs that are conjugated like model verbs among the 501.

Note that each verb is listed in the Alphabetical Listing of *501 Spanish Verbs* is followed by a number in parentheses. This number is the verb number for the purpose of easy cross-referencing in this book. If you refer to the many features of this book each time you look up verb tense forms for a particular verb, you will increase your knowledge of Spanish vocabulary and Spanish idioms by leaps and bounds.

We sincerely hope that this new edition of *501 Spanish Verbs* will be of great help to you in learning and using Spanish verbs.

Christopher Kendris and Theodore Kendris

Formation of the Present and Past Participles in Spanish

Formation of the present participle in Spanish

A present participle is a verb form which, in English, ends in *-ing*; for example, *singing, eating, receiving*. In Spanish, a present participle is regularly formed as follows:

drop the **ar** of an **-ar** ending verb, like **cantar,** and add **ando: cantando**/singing

drop the **er** of an **-er** ending verb, like **comer,** and add **iendo: comiendo**/eating

drop the **ir** of an **-ir** ending verb, like **recibir,** and add **iendo: recibiendo**/receiving

In English, a gerund also ends in **-ing**, but there is a distinct difference in use between a gerund and a present participle in English. In brief, it is this: in English, when a present participle is used as a noun it is called a gerund; for example, *Reading is good.* As a present participle in English, it would be used as follows: *While reading,* the boy fell asleep.

In the first example (*Reading is good*), *reading* is a gerund because it is the subject of the verb *is.* In Spanish, however, we do not use the present participle form as a noun to serve as a subject; we use the infinitive form of the verb: *Leer es bueno.*

Comer es Satisfaction.

Common irregular present participles

INFINITIVE		PRESENT PARTICIPLE	
caer	to fall	**cayendo**	falling
conseguir	to attain, to achieve	**consiguiendo**	attaining, achieving
construir	to construct	**construyendo**	constructing
corregir	to correct	**corrigiendo**	correcting
creer	to believe	**creyendo**	believing
decir	to say, to tell	**diciendo**	saying, telling
despedirse	to say good-bye	**despidiéndose**	saying good-bye
destruir	to destroy	**destruyendo**	destroying
divertirse	to enjoy oneself	**divirtiéndose**	enjoying oneself
dormir	to sleep	**durmiendo**	sleeping
huir	to flee	**huyendo**	fleeing
ir	to go	**yendo**	going
leer	to read	**leyendo**	reading
mentir	to lie (tell a falsehood)	**mintiendo**	lying
morir	to die	**muriendo**	dying
oír	to hear	**oyendo**	hearing
pedir	to ask (for), to request	**pidiendo**	asking (for), requesting
poder	to be able	**pudiendo**	being able
reír	to laugh	**riendo**	laughing
repetir	to repeat	**repitiendo**	repeating
seguir	to follow	**siguiendo**	following
sentir	to feel	**sintiendo**	feeling

Common irregular present participles (continued)

INFINITIVE	PRESENT PARTICIPLE
servir to serve	sirviendo serving
traer to bring	trayendo bringing
venir to come	viniendo coming
vestir to dress	vistiendo dressing
vestirse to dress oneself	vistiéndose dressing oneself

Uses of the present participle

1. To form the progressive tenses: **The Progressive Present** is formed by using estar in the present tense plus the present participle of the main verb you are using. **The Progressive Past** is formed by using **estar** in the imperfect indicative plus the present participle of the main verb you are using. (See below and on page 5 for a complete description of the uses and formation of the progressive tenses with examples.)

2. To express vividly an action that occurred (preterit + present participle): *El niño entró llorando en la casa/*The little boy came into the house crying.

3. To express the English use of *by* + present participle in Spanish, we use the gerund form, which has the same ending as a present participle explained above: *Trabajando, se gana dinero/*By working, one earns (a person earns) money; *Estudiando mucho, Pepe recibió buenas notas/*By studying hard, Joe received good grades.

   Note that no preposition is used in front of the present participle (the Spanish gerund) even though it is expressed in English as *by* + present participle.

   Note, too, that in Spanish we use al + inf. (not + present part.) to express *on* or *upon* + present part. in English: *Al entrar en la casa, el niño comenzó a llorar/*Upon entering the house, the little boy began to cry.

4. To form the Perfect Participle: **habiendo hablado**/having talked.

The Progressive forms of tenses

(1) In Spanish, there are progressive forms of tenses. They are the Progressive Present and the Progressive Past.

(2) The **Progressive Present** is formed by using *estar* in the present tense plus the present participle of your main verb; e.g., *Estoy hablando/*I am talking, i.e., I am (in the act of) talking (right now). Here is how you would form the progressive present of *hablar* (to talk) using *estar* in the present tense plus the present participle of **hablar**:

estoy hablando	estamos hablando
estás hablando	estáis hablando
está hablando	están hablando

(3) The **Progressive Past** is formed by using *estar* in the imperfect indicative plus the present participle of your main verb; e.g., *Estaba hablando*/I was talking, i.e., I was (in the act of) talking (right then). Here is how you would form the progressive past of *hablar* (to talk) using *estar* in the imperfect indicative plus the present participle of **hablar**:

estaba hablando	estábamos hablando
estabas hablando	estabais hablando
estaba hablando	estaban hablando

(4) The progressive forms are generally used when you want to emphasize or intensify an action; if you don't want to do that, then simply use the present or imperfect; e.g., say *Hablo*, not *Estoy hablando*; or *Hablaba*, not *Estaba hablando*.

(5) Sometimes *ir* is used instead of *estar* to form the progressive tenses; e.g., *Va hablando*/He (she) keeps right on talking, *Iba hablando*/He (she) kept right on talking. Note that they do not have the exact same meaning as *Está hablando* and *Estaba hablando*. See (2) and (3) above.

(6) Also, at times *andar, continuar, seguir,* and *venir* are used as helping verbs in the present or imperfect indicative tenses plus the present participle to express the progressive forms: *Los muchachos andaban cantando*/The boys were walking along singing; *La maestra seguía leyendo a la clase*/The teacher kept right on reading to the class.

Formation of the past participle in Spanish

A past participle is a verb form which, in English, usually ends in *-ed*: for example, *worked, talked, arrived,* as in *I have worked, I have talked, I have arrived.* There are many irregular past participles in English; for example, *gone, sung,* as in *She has gone, We have sung.* In Spanish, a past participle is regularly formed as follows:

drop the **ar** of an **-ar** ending verb, like **cantar,** and add **ado: cantado**/sung

drop the **er** of an **-er** ending verb, like **comer,** and add **ido: comido**/eaten

drop the **ir** of an **-ir** ending verb, like **recibir,** and add **ido: recibido**/received

Common irregular past participles

INFINITIVE	PAST PARTICIPLE
abrir to open	abierto opened
caer to fall	caído fallen
creer to believe	creído believed
cubrir to cover	cubierto covered
decir to say, to tell	dicho said, told
descubrir to discover	descubierto discovered
deshacer to undo	deshecho undone
devolver to return (something)	devuelto returned (something)
escribir to write	escrito written
hacer to do, to make	hecho done, made
imponer to impose	impuesto imposed
imprimir to print	impreso printed
ir to go	ido gone
leer to read	leído read
morir to die	muerto died
oír to hear	oído heard
poner to put	puesto put
poseer to possess	poseído possessed
rehacer to redo, to remake	rehecho redone, remade
reír to laugh	reído laughed
resolver to resolve, to solve	resuelto resolved, solved
romper to break	roto broken
sonreír to smile	sonreído smiled
traer to bring	traído brought
ver to see	visto seen
volver to return	vuelto returned

Uses of the past participle

1. To form the seven compound tenses

2. To form the Perfect Infinitive: *haber hablado*/to have spoken.

3. To form the Perfect Participle: *habiendo hablado*/having spoken.

4. To serve as an adjective, which must agree in gender and number with the noun it modifies: *El señor Molina es muy respetado por todos los alumnos*/ Mr. Molina is very respected by all the students; *La señora González es muy conocida*/Mrs. González is very well known.

5. To express the result of an action with **estar** and sometimes with **quedar** or **quedarse**: *La puerta está abierta*/The door is open; *Las cartas están escritas*/The letters are written; *Los niños se quedaron asustados*/The children remained frightened.

6. To express the passive voice with **ser**: *La ventana fue abierta por el ladrón*/ The window was opened by the robber.

Passive voice means that the action of the verb falls on the subject; in other words, the subject receives the action: *La ventana fue abierta por el ladrón*/The window was opened by the robber. Note that *abierta* (really a form of the past part. *abrir/abierto*) is used as an adjective and it must agree in gender and number with the subject that it describes.

Active voice means that the subject performs the action and the subject is always stated: *El ladrón abrió la ventana*/The robber opened the window.

To form the true passive, use **ser** + the past part. of the verb you have in mind; the past part. then serves as an adjective and it must agree in gender and number with the subject that it describes. In the true passive, the agent (the doer) is always expressed with the prep. **por** in front of it. The formula for the true passive construction is: subject + tense of **ser** + past part. + **por** + the agent (the doer): *Estas composiciones fueron escritas por Juan*/These compositions were written by John.

The reflexive pronoun **se** may be used to substitute for the true passive voice construction. When you use the **se** construction, the subject is a thing (not a person) and the doer (agent) is not stated: *Aquí se habla español*/Spanish is spoken here; *Aquí se hablan español e inglés*/Spanish and English are spoken here; *Se venden libros en esta tienda*/Books are sold in this store.

There are a few standard idiomatic expressions that are commonly used with the pronoun **se**. These expressions are not truly passive, the pronoun **se** is not truly a reflexive pronoun, and the verb form is in the 3rd pers. sing. only. In this construction, there is no subject expressed; the subject is contained in the use of **se** + the 3rd pers. sing. of the verb at all times and the common translations into English are: it is . . . , people . . . , they . . . , one . . .

Se cree que . . . It is believed that . . . , people believe that . . . , they believe that . . . , one believes that . . .

Se cree que este criminal es culpable. It is believed that this criminal is guilty.

Se dice que . . . It is said that . . . , people say that . . . , they say that . . . , one says that . . . , you say . . .

Se dice que va a nevar esta noche. They say that it's going to snow tonight. *¿Cómo se dice en español "ice cream"?* How do you say *ice cream* in Spanish?

Se sabe que . . . It is known that . . . , people know that . . . , they know that . . . , one knows that . . .

Se sabe que María va a casarse con Juan./People know that Mary is going to marry John.

The **se** reflexive pronoun construction is avoided if the subject is a person because there can be ambiguity in meaning. For example, how would you translate the following into English? **Se da un regalo.** Which of the following two meanings is intended? She (he) is being given a present, *or* She (he) is giving a present to himself (to herself). In correct Spanish, you would have to say: **Le da** (a María, a Juan, etc.) un regalo/He (she) is giving a present to Mary (to John, etc.). Avoid using the se construction in the passive when the subject is a person; change your sentence around and state it in the active voice to make the meaning clear. Otherwise, the pronoun se seems to go with the verb, as if the verb is reflexive, which gives an entirely different meaning. Another example: Se miró would mean *He (she) looked at himself (herself)*, not *He (she) was looked at!* If you mean to say *He (she) looked at her*, say: La miró or, if in the plural, say: La miraron/They looked at her.

The Spanish Infinitive and Its Principal Uses

An infinitive is a verb that is not inflected; in other words, it does not change in form by inflection. In grammar, inflection takes place when a verb changes in form according to whether the subject of the sentence is singular in the 1st (yo), 2nd (tú), or 3rd (Ud., él, ella) person, or plural (nosotros, etc.), and according to the conjugated form of the verb in a particular tense, such as the present, preterit, imperfect, future, etc. An infinitive is generally considered to be a mood and it does not refer to a particular person, number, or tense. It is indeterminate and general. It is not conjugated in the tenses. The verb, however, is inflected because it is conjugated in the various tenses and changes in form. An infinitive remains in the same form: hablar, comer, vivir. In English, an infinitive is recognized by the preposition *to* in front of it, as in *to speak, to eat, to live*. When conjugated, *to speak* changes to *he, she speaks, I spoke, we have spoken*, etc. The change in the verb form is called inflection. The form of an infinitive is always the same because it is not conjugated and it is not inflected.

Here are three principal uses of the Spanish infinitive. For more examples in Spanish and English, please turn to page 669 where you will find an outline of what preposition (if any) goes with what verb plus an infinitive.

1. An infinitive can be used as a noun and it is masculine in gender. In English we use the present participle of a verb to function as a noun, in which case, we call it a *gerund*. In Spanish, however, the infinitive form of a verb is used. Examples:
   Leer es bueno/El leer es bueno/Reading is good.
   Fumar no es bueno para la salud/Smoking is not good for one's health.

2. An infinitive is used with some finite verbs (those that are conjugated in the various tenses) when affirmation or belief is conveyed. Examples:
   María siempre cree tener razón/Mary always believes she is right.
   Nosotros podemos venir a tu casa esta noche/We can come to your house tonight (this evening).

3. An infinitive can be used with idiomatic expressions that contain que or de. Examples:
   Tengo mucho que hacer esta mañana/I have a lot to do this morning.
   Mis amigos acaban de llegar/My friends have just arrived.

INFINITIVE	(GERUNDIO) PRESENT PARTICIPLE	PAST PARTICIPLE	PRESENT INDICATIVE	PRETERIT
abrir	abriendo	abierto	abro	abrí
andar	andando	andado	ando	anduve
caber	cabiendo	cabido	quepo	cupe
caer	cayendo	caído	caigo	caí
conseguir	consiguiendo	conseguido	consigo	conseguí
construir	construyendo	construido	construyo	construí
corregir	corrigiendo	corregido	corrijo	corregí
creer	creyendo	creído	creo	creí
cubrir	cubriendo	cubierto	cubro	cubrí
dar	dando	dado	doy	di
decir	diciendo	dicho	digo	dije
descubrir	descubriendo	descubierto	descubro	descubrí
deshacer	deshaciendo	deshecho	deshago	deshice
despedirse	despidiéndose	despedido	me despido	me despedí
destruir	destruyendo	destruido	destruyo	destruí
devolver	devolviendo	devuelto	devuelvo	devolví
divertirse	divirtiéndose	divertido	me divierto	me divertí
dormir	durmiendo	dormido	duermo	dormí
escribir	escribiendo	escrito	escribo	escribí
estar	estando	estado	estoy	estuve
haber	habiendo	habido	he	hube
hacer	haciendo	hecho	hago	hice
huir	huyendo	huido	huyo	huí
ir	yendo	ido	voy	fui
irse	yéndose	ido	me voy	me fui
leer	leyendo	leído	leo	leí
mentir	mintiendo	mentido	miento	mentí
morir	muriendo	muerto	muero	morí
oír	oyendo	oído	oigo	oí
oler	oliendo	olido	huelo	olí
pedir	pidiendo	pedido	pido	pedí
poder	pudiendo	podido	puedo	pude
poner	poniendo	puesto	pongo	puse
querer	queriendo	querido	quiero	quise
reír	riendo	reído	río	reí
repetir	repitiendo	repetido	repito	repetí
resolver	resolviendo	resuelto	resuelvo	resolví
romper	rompiendo	roto	rompo	rompí
saber	sabiendo	sabido	sé	supe
salir	saliendo	salido	salgo	salí

INFINITIVE	(GERUNDIO) PRESENT PARTICIPLE	PAST PARTICIPLE	PRESENT INDICATIVE	PRETERIT
seguir	siguiendo	seguido	sigo	seguí
sentir	sintiendo	sentido	siento	sentí
ser	siendo	sido	soy	fui
servir	sirviendo	servido	sirvo	serví
tener	teniendo	tenido	tengo	tuve
traer	trayendo	traído	traigo	traje
venir	viniendo	venido	vengo	vine
ver	viendo	visto	veo	vi
vestir	vistiendo	vestido	visto	vestí
volver	volviendo	vuelto	vuelvo	volví

TIP

In the present indicative and the preterit columns above, only the 1st person singular (**yo**) forms are given to get you started. If you cannot recall the remaining verb forms in the present indicative and the preterit tenses of the verbs listed above in the first column under **infinitive**, please practice them by looking them up in this book, where the infinitive form of the verb is listed alphabetically at the top of each model verb from 1 to 501. When you find them, say them aloud at the same time you practice writing them in Spanish. This is a very useful exercise.

Sample English Verb Conjugation

INFINITIVE **to eat**
PRESENT PARTICIPLE **eating**   PAST PARTICIPLE **eaten**

Tense no.	The seven simple tenses
1 *Present Indicative*	I eat, you eat, he (she, it) eats; we eat, you eat, they eat
	or: I do eat, you do eat, he (she, it) does eat; we do eat, you do eat, they do eat
	or: I am eating, you are eating, he (she, it) is eating; we are eating, you are eating, they are eating
2 *Imperfect Indicative*	I was eating, you were eating, he (she, it) was eating; we were eating, you were eating, they were eating
	or: I ate, you ate, he (she, it) ate; we ate, you ate, they ate
	or: I used to eat, you used to eat, he (she, it) used to eat: we used to eat, you used to eat, they used to eat
3 *Preterit*	I ate, you ate, he (she, it) ate; we ate, you ate, they ate
	or: I did eat, you did eat, he (she, it) did eat; we did eat, you did eat, they did eat
4 *Future*	I shall eat, you will eat, he (she, it) will eat; we shall eat, you will eat, they will eat
5 *Conditional*	I would eat, you would eat, he (she, it) would eat; we would eat, you would eat, they would eat
6 *Present Subjunctive*	that I may eat, that you may eat, that he (she, it) may eat; that we may eat, that you may eat, that they may eat
7 *Imperfect or Past Subjunctive*	that I might eat, that you might eat, that he (she, it) might eat; that we might eat, that you might eat, that they might eat

Tense no.	The seven compound tenses
8 *Past Perfect or Past Indefinite*	I have eaten, you have eaten, he (she, it) has eaten; we have eaten, you have eaten, they have eaten
9 *Pluperfect Indic. or Past Perfect*	I had eaten, you had eaten, he (she, it) had eaten; we had eaten, you had eaten, they had eaten
10 *Past Anterior or Preterit Perfect*	I had eaten, you had eaten, he (she, it) had eaten; we had eaten, you had eaten, they had eaten
11 *Future Perfect or Future Anterior*	I shall have eaten, you will have eaten, he (she, it) will have eaten; we shall have eaten, you will have eaten, they will have eaten
12 *Conditional Perfect*	I would have eaten, you would have eaten, he (she, it) would have eaten; we would have eaten, you would have eaten, they would have eaten
13 *Present Perfect or Past Subjunctive*	that I may have eaten, that you may have eaten, that he (she, it) may have eaten; that we may have eaten, that you may have eaten that they may have eaten
14 *Pluperfect or Past Perfect Subjunctive*	that I might have eaten, that you might have eaten, that he (she, it) might have eaten; that we might have eaten, that you might have eaten, that they might have eaten
Imperative or Command	—— eat, let him (her) eat; let us eat, eat, let them eat

A Summary of Meanings and Uses of Spanish Verb Tenses and Moods as Related to English Verb Tenses and Moods

A verb is where the action is! A verb is a word that expresses an action (like *go, eat, write*) or a state of being (like *think, believe, be*). Tense means time. Spanish and English verb tenses are divided into three main groups of time: past, present, and future. A verb tense shows if an action or state of being took place, is taking place, or will take place.

Spanish and English verbs are also used in moods, or modes. Mood has to do with the *way* a person regards an action or a state of being that he expresses. For example, a person may merely make a statement or ask a question—this is the Indicative Mood, which we use most of the time in Spanish and English. A person may say that he *would do* something if something else were possible or that he *would have* done something if something else had been possible—this is the Conditional. A person may use a verb *in such a way* that he indicates a wish, a fear, a regret, a joy, a request, a supposition, or something of this sort—this is the Subjunctive Mood. The Subjunctive Mood is used in Spanish much more than in English. Finally, a person may command someone to do something or demand that something be done—this is the Imperative Mood. English Conditional is not a mood. (There is also the Infinitive Mood, but we are not concerned with that here.)

There are six tenses in English: Present, Past, Future, Present Perfect, Past Perfect, and Future Perfect. The first three are simple tenses. The other three are compound tenses and are based on the simple tenses. In Spanish, however, there are fourteen tenses, seven of which are simple and seven of which are compound. The seven compound tenses are based on the seven simple tenses. In Spanish and English, a verb tense is simple if it consists of one verb form, e.g., *estudio.* A verb tense is compound if it consists of two parts—the auxiliary (or helping) verb plus the past participle, e.g., *he estudiado.* See the Summary of verb tenses and moods in Spanish with English equivalents on page 31. We have numbered each tense name for easy reference and recognition.

In Spanish, there is also another tense which is used to express an action in the present. It is called the Progressive Present. It is used only if an action is actually in progress at the time; for example, *Estoy leyendo*/I am reading (right now). It is formed by using the Present Indicative of *estar* plus the present participle of the verb. There is still another tense in Spanish which is used to express an action that was taking place in the past. It is called the Progressive Past. It is used if an action was actually in progress at a certain moment in the past; for example, *Estaba leyendo cuando mi hermano entró*/I was reading when my brother came in. The Progressive Past is formed by using the Imperfect Indicative of *estar* plus the present participle of the verb. See pages 4 and 5 for more on the Progressive forms.

In the pages that follow, the tenses and moods are given in Spanish and the equivalent name or names in English are given in parentheses. Although some of the names given in English are not considered to be tenses (there are only six), they are given for the purpose of identification as they are related to the Spanish names. The comparison includes only the essential points you need to know about the meanings and uses of Spanish verb tenses and moods as related to English usage. We shall use examples to illustrate their meanings and uses. This is not intended to be a detailed treatise. It is merely a summary. We hope you find it helpful.

Tense No. 1 Presente de Indicativo
(Present Indicative)

This tense is used most of the time in Spanish and English. It indicates:

(a) An action or a state of being at the present time.
EXAMPLES:
1. **Hablo** español. *I speak* Spanish.
I am speaking Spanish.
I do speak Spanish.
2. **Creo en** Dios. *I believe* in God.

(b) Habitual action.
EXAMPLE:
Voy a la biblioteca todos los días.
I go to the library every day.
I do go to the library every day.

(c) A general truth, something which is permanently true.
EXAMPLES:
1. Seis menos dos **son** cuatro.
Six minus two *are* four.
2. El ejercicio **hace** maestro al novicio.
Practice *makes* perfect.

(d) Vividness when talking or writing about past events.
EXAMPLE:
El asesino **se pone** pálido. **Tiene** miedo. **Sale** de la casa y **corre** a lo largo del río.
The murderer *turns* pale. *He is* afraid. *He goes out* of the house and *runs* along the river.

(e) A near future.
EXAMPLES:
1. Mi hermano **llega** mañana.
My brother *arrives* tomorrow.
2. ¿**Escuchamos** un disco ahora?
Shall we *listen* to a record now?

(f) An action or state of being that occurred in the past and *continues up to the present.* In Spanish, this is an idiomatic use of the present tense of a verb with **hace,** which is also in the present.
EXAMPLE:
Hace tres horas que **miro** la televisión.
I have been watching television for three hours.

(g) The meaning of *almost* or *nearly* when used with **por poco.**
EXAMPLE:
Por poco me **matan.**
They almost *killed* me.

This tense is regularly formed as follows:

Drop the **-ar** ending of an infinitive, like **hablar**, and add the following endings: **o, as, a; amos, áis, an.**

You then get: hablo, hablas, habla;
hablamos, habláis, hablan

Drop the **-er** ending of an infinitive, like **beber**, and add the following endings: **o, es, e; emos, éis, en.**

You then get: bebo, bebes, bebe;
bebemos, bebéis, beben

Drop the **-ir** ending of an infinitive, like **recibir**, and add the following endings: **o, es, e; imos, ís, en.**

You then get: recibo, recibes, recibe;
recibimos, recibís, reciben

Tense No. 2   Imperfecto de Indicativo
(Imperfect Indicative)

This is a past tense. Imperfect suggests incomplete. The imperfect tense expresses an action or a state of being that was continuous in the past and its completion is not indicated. This tense is used, therefore, to express:

(a) An action that was going on in the past at the same time as another action.
EXAMPLE:
Mi hermano **leía** y mi padre **hablaba.**
My brother *was reading* and my father *was talking.*

(b) An action that was going on in the past when another action occurred.
EXAMPLE:
Mi hermana **cantaba** cuando yo entré.
My sister *was singing* when I came in.

(c) A habitual action in the past.
EXAMPLE:
1. Cuando **estábamos** en Nueva York, **íbamos** al cine todos los sábados.
When *we were* in New York, *we went* to the movies every Saturday.
When *we were* in New York, *we used to go* to the movies every Saturday.
2. Cuando **vivíamos** en California, **íbamos** a la playa todos los días.
When *we used to live* in California, *we would go* to the beach every day.
NOTE: In this last example, *we would go* looks like the conditional, but it is not. It is the imperfect tense in this sentence because habitual action in the past is expressed.

(d) A description of a mental, emotional, or physical condition in the past.
EXAMPLES:
1. (mental condition) **Quería** ir al cine.
I *wanted* to go to the movies.
Common verbs in this use are **creer, desear, pensar, poder, preferir, querer, saber, sentir.**
2. (emotional condition) **Estaba** contento de verlo.
I *was* happy to see him.
3. (physical condition) Mi madre **era** hermosa cuando **era** pequeña.
My mother *was* beautiful when she *was* young.

(e) The time of day in the past.

    EXAMPLES:

    1. ¿Qué hora **era**?
       What time *was* it?

    2. **Eran** las tres.
       It was three o'clock.

(f) An action or state of being that occurred in the past and *lasted for a certain length of time* prior to another past action. In English it is usually translated as a pluperfect tense and is formed with *had been* plus the present participle of the verb you are using. It is like the special use of the presente de indicativo explained in the above section in paragraph (f), except that the action or state of being no longer exists at present. This is an idiomatic use of the imperfect tense of a verb with **hacía**, which is also in the imperfect.

    EXAMPLE:

    Hacía tres horas que **miraba** la televisión cuando mi hermano entró.
    I had been watching television for three hours when my brother came in.

(g) An indirect quotation in the past.

    EXAMPLE:

    Present: Dice que **quiere** venir a mi casa.
                He says *he want*s to come to my house.

    Past: Dijo que **quería** venir a mi casa.
                He said *he wanted* to come to my house.

This tense is regularly formed as follows:

Drop the -ar ending of an infinitive, like **hablar**, and add the following endings: **aba, abas, aba; ábamos, abais, aban.**

You then get: **hablaba, hablabas, hablaba;**
                 hablábamos, hablabais, hablaban

The usual equivalent in English is: I was talking OR I used to talk OR I talked; you were talking OR you used to talk OR you talked, etc.

Drop the -er ending of an infinitive, like **beber**, or the -ir ending of an infinitive, like **recibir**, and add the following endings: **ía, ías, ía; íamos, íais, ían.**

You then get: **bebía, bebías, bebía;**
                 bebíamos, bebíais, bebían

                 recibía, recibías, recibía;
                 recibíamos, recibíais, recibían

The usual equivalent in English is: I was drinking OR I used to drink OR I drank; you were drinking OR you used to drink OR you drank, etc.; I was receiving OR I used to receive OR I received; you were receiving OR you used to receive OR you received, etc.

Verbs irregular in the imperfect indicative:

ir/to go   **iba, ibas, iba;** (I was going, I used to go, etc.)
                        íbamos, ibais, iban

ser/to be   **era, eras, era;** (I was, I used to be, etc.)
                        éramos, erais, eran

ver/to see   **veía, veías, veía;** (I was seeing, I used to see, etc.)
                        veíamos, veíais, veían

Tense No. 3 Pretérito
(Preterit)

This tense expresses an action that was completed at some time in the past.

EXAMPLES:
1. Mi padre **llegó** ayer.
   My father *arrived* yesterday.
   My father *did arrive* yesterday.
2. María **fue** a la iglesia esta mañana.
   Mary *went* to church this morning.
   Mary *did go* to church this morning.
3. ¿Qué **pasó**?
   What *happened*?
   What *did happen*?
4. **Tomé** el desayuno a las siete.
   I *had* breakfast at seven o'clock.
   I *did have* breakfast at seven o'clock.
5. **Salí** de casa, **tomé** el autobús y **llegué** a la escuela a las ocho.
   I left the house, *I took* the bus, and *I arrived* at school at eight o'clock.

In Spanish, some verbs that express a mental state have a different meaning when used in the preterit.

EXAMPLES:
1. La **conocí** la semana pasada en el baile.
   I *met* her last week at the dance.
   (**Conocer**, which means *to know* or *be acquainted with*, means *met*, that is, introduced to for the first time, in the preterit.)
2. **Pude** hacerlo.
   I *succeeded* in doing it.
   (**Poder**, which means *to be able*, means *succeeded* in the preterit.)
3. **No pude** hacerlo.
   I *failed* to do it.
   (**Poder**, when used in the negative in the preterit, means *failed* or *did not succeed*.)
4. **Quise** llamarle.
   I *tried* to call you.
   (**Querer**, which means *to wish* or *want*, means *tried* in the preterit.)
5. **No quise** hacerlo.
   I *refused* to do it.
   (**Querer**, when used in the negative in the preterit, means *refused*.)
6. **Supe** la verdad.
   I *found out* the truth.
   (**Saber**, which means *to know*, means *found out* in the preterit.)
7. **Tuve** una carta de mi amigo Roberto.
   I *received* a letter from my friend Robert.
   (**Tener**, which means *to have*, means *received* in the preterit.)

This tense is regularly formed as follows:

Drop the -ar ending of an infinitive, like **hablar**, and add the following endings: **é, aste, ó; amos, asteis, aron.**
You then get: **hablé, hablaste, habló;**
                hablamos, hablasteis, hablaron

The usual equivalent in English is: I talked OR I did talk; you talked OR you did talk, etc. OR I spoke OR I did speak; you spoke OR you did speak, etc.

Drop the -er ending of an infinitive, like beber, or the -ir ending of an infinitive, like recibir, and add the following endings: í, iste, ió; imos, isteis, ieron.

You then get: **bebí, bebiste, bebió;**
               bebimos, bebisteis, bebieron

               recibí, recibiste, recibió;
               recibimos, recibisteis, recibieron

The usual equivalent in English is: I drank OR I did drink; you drank OR you did drink, etc.; I received OR I did receive, etc.

Tense No. 4   Futuro
(Future)

In Spanish and English, the future tense is used to express an action or a state of being that will take place at some time in the future.

        EXAMPLES:
        1. Lo **haré.**
          I shall do it.
          I will do it.
        2. **Iremos** al campo la semana que viene.
          We shall go to the country next week.
          We will go to the country next week.

Also, in Spanish the future tense is used to indicate:

    (a) Conjecture regarding the present.
        EXAMPLES:
        1. ¿Qué hora **será?**
          I wonder what time *it is.*
        2. ¿Quién **será** a la puerta?
          Who *can that be* at the door?
          I wonder who is at the door.

    (b) Probability regarding the present.
        EXAMPLES:
        1. **Serán** las cinco.
          It is probably five o'clock.
          It must be five o'clock.
        2. **Tendrá** muchos amigos.
          He probably has many friends.
          He must have many friends.
        3. María **estará** enferma.
          Mary *is probably* sick.
          Mary *must be* sick.

    (c) An indirect quotation.
        EXAMPLE:
        María dice que **vendrá** mañana.
        Mary says that she *will come* tomorrow.

Finally, remember that the future is never used in Spanish after *si* when *si* means *if.*

This tense is regularly formed as follows:

Add the following endings to the whole infinitive: **é, ás, á; emos, éis, án.**

Note that these Future endings happen to be the endings of **haber** in the present indicative: **he, has, ha; hemos, habéis, han.** Also note the accent marks on the Future endings, except for **emos.**

You then get: **hablaré, hablarás, hablará;**
hablaremos, hablaréis, hablarán

beberé, beberás, beberá;
beberemos, beberéis, beberán

recibiré, recibirás, recibirá;
recibiremos, recibiréis, recibirán

Tense No. 5   Potencial Simple
(Conditional)

The conditional is used in Spanish and in English to express:

(a)   An action that you *would do* if something else were possible.
EXAMPLE:
Iría a España si tuviera dinero.
I would go to Spain if I had money.

(b)   A conditional desire. This is a conditional of courtesy.
EXAMPLE:
Me **gustaría** tomar una limonada.
I would like (I should like) to have a lemonade . . . (if you are willing to let me have it).

(c)   An indirect quotation.
EXAMPLES:
1. María **dijo** que **vendría** mañana.
   Mary *said* that she *would come* tomorrow.
2. María **decía** que **vendría** mañana.
   Mary *was saying* that she *would come* tomorrow.
3. María **había dicho** que **vendría** mañana.
   Mary *had said* that she *would come* tomorrow.

(d)   Conjecture regarding the past.
EXAMPLE:
¿Quién **sería?**
I wonder who that was.

(e)   Probability regarding the past.
EXAMPLE:
Serían las cinco cuando salieron.
It was probably five o'clock when they went out.

This tense is regularly formed as follows:

Add the following endings to the whole infinitive:

ía, ías, ía; íamos, íais, ían

Note that these conditional endings are the same endings of the imperfect indicative for **-er** and **-ir** verbs.

You then get:	hablaría, hablarías, hablaría;
	hablaríamos, hablaríais, hablarían
	bebería, beberías, bebería;
	beberíamos, beberíais, beberían
	recibiría, recibirías, recibiría;
	recibiríamos, recibiríais, recibirían

The usual translation in English is: I would talk, you would talk, etc.; I would drink, you would drink, etc.; I would receive, you would receive, etc.

Tense No. 6   Presente de Subjuntivo
(Present Subjunctive)

The subjunctive mood is used in Spanish much more than in English. In Spanish, the present subjunctive is used:

(a) To express a command in the **usted** or **ustedes** form, either in the affirmative or negative.

EXAMPLES:
1. Siéntese Ud. *Sit down.*
2. No se siente Ud. *Don't sit down.*
3. Cierren Uds. la puerta. *Close the door.*
4. No cierren Uds. la puerta. *Don't close the door.*
5. Dígame Ud. la verdad. *Tell me the truth.*

(b) To express a negative command in the familiar form (**tú**).

EXAMPLES:
1. No te sientes. *Don't sit down.*   3. No duermas. *Don't sleep.*
2. No entres. *Don't come in.*   4. No lo hagas. *Don't do it.*

(c) To express a negative command in the second person plural (**vosotros**).

EXAMPLES:
1. No os sentéis. *Don't sit down.*   3. No durmáis. *Don't sleep.*
2. No entréis. *Don't come in.*   4. No lo hagáis. *Don't do it.*

(d) To express a command in the first person plural, either in the affirmative or negative (**nosotros**).

EXAMPLES:
1. Sentémonos. *Let's sit down.*
2. No entremos. *Let's not go in.*

See also **Imperativo** (Imperative) farther on.

(e) After a verb that expresses some kind of wish, insistence, preference, suggestion, or request.

EXAMPLES:
1. *Quiero* que María lo **haga.**
I want Mary to do it.
NOTE: In this example, English uses the infinitive form, *to do.* In Spanish, however, a new clause is needed introduced by *que* because there is a new subject, María. The present subjunctive of *hacer* is used (haga) because the main verb is *Quiero,* which indicates a wish. If there were no change in subject, Spanish would use the infinitive form, as we do in English, for example, *Quiero hacerlo*/I want to do it.

2. *Insisto* en que María lo **haga.**
   I insist that Mary *do* it.
3. *Prefiero* que María lo **haga.**
   I prefer that Mary *do* it.
4. *Pido* que María lo **haga.**
   I ask that Mary *do* it.
NOTE: In examples 2, 3, and 4 here, English also uses the subjunctive form *do.*
Not so in example no. 1, however.

(f) After a verb that expresses doubt, fear, joy, hope, sorrow, or some other emotion.
   Notice in the following examples, however, that the subjunctive is not used in English.
   EXAMPLES:
   1. *Dudo* que María lo **haga.**
      I doubt that Mary *is doing* it.
      I doubt that Mary *will do* it.
   2. *No creo* que María **venga.**
      I don't believe (I doubt) that Mary *is coming.*
      I don't believe (I doubt) that Mary *will come.*
   3. *Temo* que María **esté** enferma.
      I fear that Mary *is* ill.
   4. *Me alegro* de que **venga** María.
      I'm glad that Mary *is coming.*
      I'm glad that Mary *will come.*
   5. *Espero* que María no **esté** enferma.
      I hope that Mary *is* not ill.

(g) After certain impersonal expressions that show necessity, doubt, regret, importance, urgency, or possibility. Notice, however, that the subjunctive is not used in
   English in some of the following examples.
   EXAMPLES:
   1. *Es necesario que* María lo **haga.**
      It is necessary for Mary to do it.
      It is necessary that Mary *do* it.
   2. *No es cierto que* María **venga.**
      It is doubtful (not certain) that Mary *is coming.*
      It is doubtful (not certain) that Mary *will come.*
   3. *Es lástima que* María no **venga.**
      It's too bad (a pity) that Mary *isn't coming.*
   4. *Es importante que* María **venga.**
      It is important for Mary to come.
      It is important that Mary *come.*
   5. *Es preciso que* María **venga.**
      It is necessary for Mary to come.
      It is necessary that Mary *come.*
   6. *Es urgente que* María **venga.**
      It is urgent for Mary to come.
      It is urgent that Mary *come.*

(h) After certain conjunctions of time, such as, **antes (de) que, cuando, en cuanto,
   después (de) que, hasta que, mientras,** and the like. The subjunctive form of the
   verb is used when introduced by any of these time conjunctions if the time
   referred to is either indefinite or is expected to take place in the future. However,
   if the action was completed in the past, the indicative mood is used.

EXAMPLES:
1. Le hablaré a María cuando **venga.**
   I shall talk to Mary when she *comes.*
2. Vámonos antes (de) que **llueva.**
   Let's go before *it rains.*
3. En cuanto la **vea** yo, le hablaré.
   As soon as *I see her,* I shall talk to her.
4. Me quedo aquí hasta que **vuelva.**
   I'm staying here until *he returns.*
NOTE: In the above examples, the subjunctive is not used in English.

(i)   After certain conjunctions that express a condition, negation, purpose, such as **a menos que, con tal que, para que, a fin de que, sin que, en caso (de) que,** and the like. Notice, however, that the subjunctive is not used in English in the following examples.
   EXAMPLES:
   1. Démelo con tal que **sea** bueno.
      Give it to me provided that *it is* good.
   2. Me voy a menos que **venga.**
      I'm leaving unless *he comes.*

(j)   After certain adverbs, such as **acaso, quizá,** and **tal vez.**
   EXAMPLE:
   Acaso **venga** mañana.
   Perhaps *he will come* tomorrow.
   Perhaps *he is coming* tomorrow.

(k)   After **aunque** if the action has not yet occurred.
   EXAMPLE:
   Aunque María **venga** esta noche, no me quedo.
   Although Mary *may come* tonight, I'm not staying.
   Although Mary *is coming* tonight, I'm not staying.

(l)   In an adjectival clause if the antecedent is something or someone that is indefinite, negative, vague, or nonexistent.
   EXAMPLES:
   1. Busco un libro que **sea** interesante.
      I'm looking for a book that *is* interesting.
      NOTE: In this example, *que* (which is the relative pronoun) refers to *un libro* (which is the antecedent). Since *un libro* is indefinite, the verb in the following clause must be in the subjunctive *(sea).* Notice, however, that the subjunctive is not used in English.
   2. ¿Hay alguien aquí que **hable** francés?
      Is there anyone here who *speaks* French?
      NOTE: In this example, *que* (which is the relative pronoun) refers to *alguien* (which is the antecedent). Since *alguien* is indefinite and somewhat vague—we do not know who this anyone might be—the verb in the following clause must be in the subjunctive *(hable).* Notice, however, that the subjunctive is not used in English.
   3. No hay nadie que **pueda** hacerlo.
      There is no one who *can* do it.
      NOTE: In this example, *que* (which is the relative pronoun) refers to *nadie* (which is the antecedent). Since *nadie* is nonexistent, the verb in the following clause must be in the subjunctive *(pueda).* Notice, however, that the subjunctive is not used in English.

(m) After **por más que** or **por mucho que.**

EXAMPLES:

1. **Por más que hable usted,** no quiero escuchar.
   No matter how much you talk, I don't want to listen.
2. **Por mucho que se alegre,** no me importa.
   No matter how glad he is, I don't care.

(n) After the expression **ojalá (que),** which expresses a great desire. This interjection means *would to God!* or *may God grant!* . . . It is derived from the Arabic, *ya Allah!* (Oh, God!)

EXAMPLE:

¡Ojalá que vengan mañana!
Would to God that they come tomorrow!
May God grant that they come tomorrow!
How I wish that they would come tomorrow!
If only they would come tomorrow!

Finally, remember that the present subjunctive is never used in Spanish after *si* when *si* means *if.*

The present subjunctive of regular verbs and many irregular verbs is normally formed as follows:

Go to the present indicative, 1st pers. sing., of the verb you have in mind, drop the ending **o,** and

    for an **-ar** ending type, add: **e, es, e; emos, éis, en**
    for an **-er** or **-ir** ending type, add: **a, as, a; amos, áis, an**

As you can see, the characteristic vowel in the present subjunctive endings for an **-ar** type verb is **e** in the six persons.

As you can see, the characteristic vowel in the present subjunctive endings for an **-er** or **-ir** type verb is **a** in the six persons.

Since the present subjunctive of some irregular verbs is not normally formed as stated above (*e.g.,* **dar, dormir, haber, ir, secar, sentir, ser, tocar**), you must look up the verb you have in mind in the alphabetical listing in this book.

Tense No. 7   Imperfecto de Subjuntivo
(Imperfect Subjunctive)

This past tense is used for the same reasons as the presente de subjuntivo—that is, after certain verbs, conjunctions, impersonal expressions, etc., which were explained and illustrated above in tense no. 6. The main difference between these two tenses is the time of the action.

If the verb in the main clause is in the present indicative or future or present perfect indicative or imperative, the *present subjunctive* or the *present perfect subjunctive* is used in the dependent clause—provided, of course, that there is some element which requires the use of the subjunctive.

However, if the verb in the main clause is in the imperfect indicative, preterit, conditional, or pluperfect indicative, the *imperfect subjunctive* (this tense) or *pluperfect subjunctive* is ordinarily used in the dependent clause—provided, of course, that there is some element which requires the use of the subjunctive.

EXAMPLES:

1. *Insistí* en que María lo **hiciera.**
   I insisted that Mary *do* it.
2. Se lo *explicaba* a María **para que lo comprendiera.**
   I was explaining it to Mary *so that she might understand it.*

Note that the imperfect subjunctive is used after **como si** to express a condition contrary to fact.

> EXAMPLE:
> Me habla como si **fuera** un niño.
> He speaks to me as if *I were* a child.
> NOTE: In this last example, the subjunctive is used in English also for the same reason.

Finally, note that **quisiera** (the imperfect subjunctive of **querer**) can be used to express politely a wish or desire, as in *I should like*: **Quisiera hablar ahora**/I should like to speak now.

The imperfect subjunctive is regularly formed as follows:

For all verbs, drop the **ron** ending of the 3rd pers. pl. of the preterit and add the following endings:

ra, ras, ra;	OR	**se, ses, se;**
ramos, rais, ran		**semos, seis, sen**

The only accent mark on the forms of the imperfect subjunctive is on the 1st pers. pl. form (**nosotros**) and it is placed on the vowel which is right in front of the ending **ramos** or **semos**.

THE SEVEN COMPOUND TENSES

Tense No. 8 Perfecto de Indicativo
(Present Perfect Indicative)

This is the first of the seven compound tenses that follow here. This tense expresses an action that took place at no definite time in the past. It is also called the past indefinite. It is a compound tense because it is formed with the present indicative of **haber** (the auxiliary or helping verb) plus the past participle of your main verb. Note the translation into English in the examples that follow. Then compare this tense with the **perfecto de subjuntivo,** which is tense no. 13. For the seven simple tenses of **haber** (which you need to know to form these seven compound tenses), see **haber** listed alphabetically among the 501 verbs in this book.

> EXAMPLES:
> 1. (Yo) **he hablado.**
>   *I have spoken.*
> 2. (Tú) no **has venido** a verme.
>   *You have not come* to see me.
> 3. Elena **ha ganado** el premio.
>   Helen *has won* the prize.

Tense No. 9 Pluscuamperfecto de Indicativo
(Pluperfect *or* Past Perfect Indicative)

This is the second of the compound tenses. In Spanish and English, this past tense is used to express an action which happened in the past *before* another past action. Since it is used in relation to another past action, the other past action is ordinarily expressed in the preterit. However, it is not always necessary to have the other past action expressed, as in example 2 on the following page.

In English, this tense is formed with the past tense of *to have* (had) plus the past participle of your main verb. In Spanish, this tense is formed with the imperfect indicative of **haber** plus the past participle of the verb you have in mind. Note the translation into English in the examples that follow. Then compare this tense with the **pluscuamperfecto de subjuntivo,** which is tense no. 14. For the seven simples tenses of **haber** (which you need to know to form these seven compound tenses), see **haber** listed alphabetically among the 501 verbs in this book.

EXAMPLES:

1. Cuando **llegué a casa, mi hermano había salido.**
When I *arrived* home, my brother *had gone out.*
NOTE: *First,* my brother went out; *then,* I arrived home. Both actions happened in the past. The action that occurred in the past *before* the other past action is in the pluperfect, and, in this example, it is *my brother had gone out* (**mi hermano había salido**).
NOTE also that **llegué** *(I arrived)* is in the preterit because it is an action that happened in the past and it was completed.
2. Juan lo **había perdido** en la calle.
John *had lost* it in the street.
NOTE: In this example, the pluperfect indicative is used even though no other past action is expressed. It is assumed that John *had lost* something *before* some other past action.

Tense No. 10   Pretérito Anterior **or** Pretérito Perfecto
                  (Past Anterior *or* Preterit Perfect)

This is the third of the compound tenses. This past tense is compound because it is formed with the preterit of **haber** plus the past participle of the verb you are using. It is translated into English like the pluperfect indicative, which is tense no. 9. This tense is not used much in spoken Spanish. Ordinarily, the pluperfect indicative is used in spoken Spanish (and sometimes even the simple preterit) in place of the past anterior.

This tense is ordinarily used in formal writing, such as history and literature. It is normally used after certain conjunctions of time, e.g., **después que, cuando, apenas, luego que, en cuanto.**

EXAMPLE:
Después que **hubo hablado,** salió.
After *he had spoken,* he left.

Tense No. 11   Futuro Perfecto
                  (Future Perfect *or* Future Anterior)

This is the fourth of the compound tenses. This compound tense is formed with the future of **haber** plus the past participle of the verb you have in mind. In Spanish and in English, this tense is used to express an action that will happen in the future *before* another future action. In English, this tense is formed by using *shall have* or *will have* plus the past participle of the verb you have in mind.

EXAMPLE:
María llegará mañana y **habré terminado** mi trabajo.
Mary will arrive tomorrow and *I shall have finished* my work.

NOTE: *First,* I shall finish my work; *then,* Mary will arrive. The action that will occur in the future *before* the other future action is in the **Futuro perfecto,** and in this example it is (yo) **habré terminado mi trabajo.**

Also, in Spanish, the future perfect is used to indicate conjecture or probability regarding recent past time.

EXAMPLES:
1. María **se habrá acostado.**
Mary *has probably gone to bed*
Mary *must have gone to bed.*
2. José **habrá llegado.**
Joseph *has probably arrived.*
Joseph *must have arrived.*

Tense No. 12   Potencial Compuesto
               (Conditional Perfect)

This is the fifth of the compound tenses. It is formed with the conditional of **haber** plus the past participle of your main verb. It is used in Spanish and English to express an action that you *would have done* if something else had been possible; that is, you would have done something *on condition* that something else had been possible.

In English, it is formed by using *would have* plus the past participle of the verb you have in mind. Observe the difference between the following example and the one given for the use of the potencial simple.

EXAMPLE:
Habría ido a España si hubiera tenido dinero.
I would have gone to Spain if I had had money.

Also, in Spanish, the conditional perfect is used to indicate probability or conjecture in the past.

EXAMPLES:
1. **Habrían sido** las cinco cuando salieron.
It must have been five o'clock when they went out.
(Compare this with the example given for the simple conditional.)
2. ¿Quién **habría sido**?
Who *could that have been*? (*or* I wonder *who that could have been.*)
(Compare this with the example given for the simple conditional.)

Tense No. 13   Perfecto de Subjuntivo
               (Present Perfect *or* Past Subjunctive)

This is the sixth of the compound tenses. It is formed by using the present subjunctive of **haber** as the helping verb plus the past participle of the verb you have in mind.

If the verb in the main clause is in the present indicative, future, or present perfect tense, the present subjunctive is used *or* this tense is used in the dependent clause—provided, of course, that there is some element which requires the use of the subjunctive.

The present subjunctive is used if the action is not past. However, if the action is past, this tense (present perfect subjunctive) is used, as in the examples given below.

EXAMPLES:
1. María duda que yo le **haya hablado** al profesor.
   Mary doubts that *I have spoken* to the professor.
2. Siento que tú no **hayas venido** a verme.
   I am sorry that you *have not come* to see me.
3. Me alegro de que Elena **haya ganado** el premio.
   I am glad that Helen *has won* the prize.

In these three examples, the auxiliary verb **haber** is used in the present subjunctive because the main verb in the clause that precedes is one that requires the subjunctive mood of the verb in the dependent clause.

Tense No. 14 Pluscuamperfecto de Subjuntivo
(Pluperfect *or* Past Perfect Subjunctive)

This is the seventh of the compound tenses. It is formed by using the imperfect subjunctive of **haber** as the helping verb plus the past participle of your main verb.

The translation of this tense into English is often like the pluperfect indicative.

If the verb in the main clause is in a past tense, this tense is used in the dependent clause—provided, of course, that there is some element which requires the use of the subjunctive.

EXAMPLES:
1. Sentí mucho que **no hubiera venido** María.
   I was very sorry that Mary *had not come.*
2. Me alegraba de que **hubiera venido** María.
   I was glad that Mary *had come.*
3. No creía que María **hubiera llegado.**
   I did not believe that Mary *had arrived.*

So much for the seven simple tenses and the seven compound tenses. Now, let's look at the Imperative Mood.

Imperativo
(Imperative *or* Command)

The imperative mood is used in Spanish and in English to express a command. We saw earlier that the subjunctive mood is used to express commands in the **Ud.** and **Uds.** forms, in addition to other uses of the subjunctive mood.

Here are other points you ought to know about the imperative.

(a) An indirect command or deep desire expressed in the third pers. sing. or pl. is in the subjunctive. Notice the use of *Let* or *May* in the English translations. **Que** introduces this kind of command.

EXAMPLES:
1. ¡Que lo **haga** Jorge!
   Let George do it!
2. ¡Que Dios se lo **pague!**
   May God reward you!
3. ¡Que **vengan** pronto!
   Let them come quickly!
4. ¡Que **entre** Roberto!
   Let Robert enter!
5. ¡Que **salgan!**
   Let them leave!
6. ¡Que **entren** las muchachas!
   Let the girls come in!

(b) In some indirect commands, **que** is omitted. Here, too, the subjunctive is used.
EXAMPLE:
¡**Viva** el presidente!
Long live the president!

(c) The verb form of the affirmative sing. familiar (**tú**) is the same as the 3rd pers. sing. of the present indicative when expressing a command.
EXAMPLE:
1. ¡**Entra** pronto!
   Come in quickly!
2. ¡**Sigue** leyendo!
   Keep on reading!
   Continue reading!

(d) There are some exceptions, however, to (c) above. The following verb forms are irregular in the affirmative sing. imperative (**tú** form only).
di (decir)   **sal** (salir)   **val** (valer)
haz (hacer)   **sé** (ser)   **ve** (ir)
hé (haber)   **ten** (tener)   **ven** (venir)
pon (poner)

(e) In the affirmative command, 1st pers. pl., instead of using the present subjunctive hortatory command, **vamos a** (*Let's* or *Let us*) + **inf.** may be used.
EXAMPLES:
1. **Vamos a** comer/Let's eat.
   or: Comamos (1st pers. pl., present subj., hortatory command)
2. **Vamos a** cantar/Let's sing.
   or: Cantemos (1st pers. pl., present subj., hortatory command)

(f) In the affirmative command, 1st pers. pl., **vamos** may be used to mean *Let's go:*
Vamos al cine/Let's go to the movies.

(g) However, if in the negative *(Let's not go),* the present subjunctive of **ir** must be used: **No vayamos** al cine/Let's not go to the movies.

(h) Note that **vámonos** (1st pers. pl. of **irse,** imperative) means *Let's go,* or *Let's go away,* or *Let's leave.* See (m) below.

(i) Also note that **no nos vayamos** (1st pers. pl. of **irse,** present subjunctive) means *Let's not go,* or *Let's not go away,* or *Let's not leave.*

(j) The imperative in the affirmative familiar plural (**vosotros, vosotras**) is formed by dropping the final **r** of the inf. and adding **d.**
EXAMPLES:
1. ¡**Hablad!**/Speak!   3. ¡**Id!**/Go!
2. ¡**Comed!**/Eat!   4. ¡**Venid!**/Come!

(k) When forming the affirmative familiar plural (**vosotros, vosotras**) imperative of a reflexive verb, the final **d** on the inf. must be dropped before the reflexive pronoun **os** is added, and both elements are joined to make one word.
EXAMPLES:
1. ¡**Levantaos!**/Get up!   2. ¡**Sentaos!**/Sit down!

(l) Referring to (k) above, when the final **d** is dropped in a reflexive verb ending in **-ir,** an accent mark must be written on the **i.**
EXAMPLES:
1. ¡Vestíos!/Get dressed!   2.¡Divertíos!/Have a good time!

(m) When forming the 1st pers. pl. affirmative imperative of a reflexive verb, final **s** must drop before the reflexive pronoun **os** is added, and both elements are joined to make one word. This requires an accent mark on the vowel of the syllable that was stressed before **os** was added.
EXAMPLE:
Vamos + nos changes to: ¡Vámonos!/*Let's go!* or *Let's go away!* or *Let's leave!* See (h) above.

(n) All negative imperatives in the familiar 2nd pers. sing. (**tú**) and plural (**vosotros, vosotras**) are expressed in the present subjunctive.
EXAMPLES:
1. ¡No corras (tú)!/Don't run!
2. ¡No corráis (vosotros or vosotras)!/Don't run!
3. ¡No vengas (tú)!/Don't come!
4. ¡No vengáis (vosotros or vosotras)!/Don't come!

(o) Object pronouns (direct, indirect, or reflexive) with an imperative verb form in the **affirmative** are attached to the verb form.
EXAMPLES:
1. ¡Hágalo (Ud.)!/Do it!
2. ¡Díganoslo (Ud.)!/Tell it to us!
3. ¡Dímelo (tú)!/Tell it to me!
4. ¡Levántate (tú)!/Get up!
5. ¡Siéntese (Ud.)!/Sit down!
6. ¡Hacedlo (vosotros, vosotras)!/Do it!
7. ¡Démelo (Ud.)!/Give it to me!

(p) Object pronouns (direct, indirect, or reflexive) with an imperative verb form in the **negative** are placed in front of the verb form. Compare the following examples with those given in (o) above:
EXAMPLES:
1. ¡No lo haga (Ud.)!/Don't do it!
2. ¡No nos lo diga (Ud.)!/Don't tell it to us!
3. ¡No me lo digas (tú)!/Don't tell it to me!
4. ¡No te levantes (tú)!/Don't get up!
5. ¡No se siente (Ud.)!/Don't sit down!
6. ¡No lo hagáis (vosotros, vosotras)!/Don't do it!
7. ¡No me lo dé (Ud.)!/Don't give it to me!

(q) Note that in some Latin American countries, the 2nd pers. pl. familiar (**vosotros, vosotras**) forms are avoided. In place of them, the 3rd pers. pl. **Uds.** forms are customarily used.

The Future Subjunctive and the Future Perfect Subjunctive: A note

The future subjunctive and the future perfect subjunctive exist in Spanish, but they are rarely used. Nowadays, instead of using the future subjunctive, one uses the present subjunctive of the present indicative. Instead of using the future perfect subjunctive, one uses the future perfect indicative or the present perfect subjunctive. However, if you are curious to know how to form the future subjunctive and the future perfect subjunctive in Spanish, the following is offered:

(1) To form the future subjunctive, take the third person plural of the preterit of any Spanish verb and change the ending -ron to **re, res, re; remos, reis, ren**. An accent mark is needed as shown below on the first person plural form to preserve the stress.

EXAMPLES:

amar	**amare, amares, amare;** **amáremos, amareis, amaren**
comer	**comiere, comieres, comiere;** **comiéremos, comiereis, comieren**
dar	**diere, dieres, diere;** **diéremos, diereis, dieren**
haber	**hubiere, hubieres, hubiere;** **hubiéremos, hubiereis, hubieren**
hablar	**hablare, hablares, hablare;** **habláremos, hablareis, hablaren**
ir *or* ser	**fuere, fueres, fuere;** **fuéremos, fuereis, fueren**

(2) Let's look at the forms of **amar** above to see what the English translation is of this tense:

(que) yo amare, (that) I love . . .
(que) tú amares, (that) you love . . .
(que) Ud. (él, ella) amare, (that) you (he, she) love . . .
(que) nosotros (-tras) amáremos, (that) we love . . .
(que) vosotros (-tras) amareis, (that) you love . . .
(que) Uds. (ellos, ellas) amaren, (that) you (they) love . . .

(3) To form the future perfect subjunctive, use the future subjunctive form of **haber** (shown above) as your auxiliary plus the past participle of the verb you have in mind.

EXAMPLES:
(que) hubiere amado, hubieres amado, hubiere amado;
(que) hubiéremos amado, hubiereis amado, hubieren amado

English translation:
(that) I have *or* I shall have loved, (that) you have *or* will have loved, etc.

Summary of verb tenses and moods in Spanish with English equivalents

Los siete tiempos simples *The seven simple tenses*		Los siete tiempos compuestos *The seven compound tenses*	
Tense No.	Tense Name	Tense No.	Tense Name
1	**Presente de indicativo** *Present indicative*	**8**	**Perfecto de indicativo** *Present perfect indicative*
2	**Imperfecto de indicativo** *Imperfect indicative*	**9**	**Pluscuamperfecto de indicativo** *Pluperfect or Past perfect indicative*
3	**Pretérito** *Preterit*	**10**	**Pretérito anterior (Pret. perfecto)** *Past anterior or Preterit perfect*
4	**Futuro** *Future*	**11**	**Futuro perfecto** *Future perfect or Future anterior*
5	**Potencial simple** *Conditional*	**12**	**Potencial compuesto** *Conditional perfect*
6	**Presente de subjuntivo** *Present subjunctive*	**13**	**Perfecto de subjuntivo** *Present perfect or Past subjunctive*
7	**Imperfecto de subjuntivo** *Imperfect subjunctive*	**14**	**Pluscuamperfecto de subjuntivo** *Pluperfect or Past perfect subjunctive*

The imperative is not a tense; it is a mood.

In Spanish, there are 7 simple tenses and 7 compound tenses. A simple tense means that the verb form consists of one word. A compound tense means that the verb form consists of two words (the auxiliary verb and the past participle). The auxiliary verb is also called a helping verb and in Spanish, as you know, it is any of the 7 simple tenses of **haber** *(to have)*.

Each compound tense is based on each simple tense. The 14 tenses given on the previous page are arranged in the following logical order:

Tense number 8 is based on Tense number 1 of **haber**; in other words, you form the **Perfecto de indicativo** by using the auxiliary **haber** in the **Presente de indicativo** plus the past participle of the verb you are dealing with.

Tense number 9 is based on Tense number 2 of **haber**; in other words, you form the **Pluscuamperfecto de indicativo** by using the auxiliary **haber** in the **Imperfecto de indicativo** plus the past participle of the verb you are dealing with.

Tense number 10 is based on Tense number 3 of **haber**; in other words, you form the **Pretérito anterior** by using the auxiliary **haber** in the **Pretérito** plus the past participle of the verb you are dealing with.

Tense number 11 is based on Tense number 4 of **haber**; in other words, you form the **Futuro perfecto** by using the auxiliary **haber** in the **Futuro** plus the past participle of the verb you are dealing with.

Tense number 12 is based on Tense number 5 of **haber**; in other words, you form the **Potencial compuesto** by using the auxiliary **haber** in the **Potencial simple** plus the past participle of the verb you are dealing with.

Tense number 13 is based on Tense number 6 of **haber**; in other words, you form the **Perfecto de subjuntivo** by using the auxiliary **haber** in the **Presente de subjuntivo** plus the past participle of the verb you are dealing with.

Tense number 14 is based on Tense number 7 of **haber**; in other words, you form the **Pluscuamperfecto de subjuntivo** by using the auxiliary **haber** in the **Imperfecto de subjuntivo** plus the past participle of the verb you are dealing with.

What does all the above mean? This: If you ever expect to know or even recognize the meaning of any of the 7 compound tenses, you certainly have to know **haber** in the 7 simple tenses. If you do not, you cannot form the 7 compound tenses. This is one perfect example to illustrate that learning Spanish verb forms is a cumulative experience. Look up **haber** where it is listed alphabetically among the 501 verbs in this book and study the 7 simple tenses.

active voice When we speak or write in the active voice, the subject of the verb performs the action. The action falls on the direct object.

The robber opened the window/El ladrón abrió la ventana.

The subject is *the robber.* The verb is *opened.* The direct object is *the window. See also passive voice* in this list. Compare the above sentence with the example in the passive voice. Review the section on passive voice and active voice on page 7. *See also* page 6, example 6.

adjective An adjective is a word that modifies a noun or a pronoun. In grammar, to modify a word means to describe, limit, expand, or make the meaning particular.

a beautiful garden/un jardín hermoso; she is pretty/ella es bonita

The adjective *beautiful/hermoso* modifies the noun *garden/jardín.* The adjective *pretty/bonita* modifies the pronoun *she/ella.* In Spanish, there are different kinds of adjectives. *See also* comparative adjective, demonstrative adjective, descriptive adjective, interrogative adjective, limiting adjective, possessive adjective, superlative adjective.

adverb An adverb is a word that modifies a verb, an adjective, or another adverb. An adverb says something about how, when, where, to what extent, or in what way.

Mary runs swiftly/María corre rápidamente.

The adverb *swiftly/rápidamente* modifies the verb *runs/corre.* The adverb shows *how* she runs.

John is very handsome/Juan es muy guapo.

The adverb *very/muy* modifies the adjective *handsome/guapo.* The adverb shows *how* handsome he is.

The boy is talking very fast now/El muchacho habla muy rápidamente ahora.

The adverb *very/muy* modifies the adverb *fast/rápidamente.* The adverb shows *to what extent* he is talking *fast.* The adverb *now/ahora* tells us *when.*

The post office is there/La oficina de correos está allá.

The adverb *there/allá* modifies the verb *is/está.* It tells us *where* the post office is.

Mary writes meticulously/María escribe meticulosamente.

The adverb *meticulously/meticulosamente* modifies the verb *writes/escribe.* It tells us *in what way* she writes.

affirmative statement, negative statement A statement in the affirmative is the opposite of a statement in the negative. To negate an affirmative statement is to make it negative.

Affirmative: *I like ice cream/Me gusta el helado.*

Negative: *I do not like ice cream/No me gusta el helado.*

Review **gustar.**

agreement of adjective with noun Agreement is made on the adjective with the noun it modifies in gender (masculine or feminine) and number (singular or plural).

a white house/una casa blanca.

The adjective **blanca** is feminine singular because the noun **una casa** is feminine singular

many white houses/muchas casas blancas.

The adjective **blancas** is feminine plural because the noun **casas** is feminine plural.

agreement of verb with its subject A verb agrees in person (1st, 2nd, or 3rd) and in number (singular or plural) with its subject.

Paul tells the truth/Pablo dice la verdad.

The verb **dice** (of **decir**) is 3rd person singular because the subject *Pablo/Paul* is 3rd person singular.

Where are the tourists going?/¿Adónde van los turistas?

The verb **van** (of **ir**) is 3rd person plural because the subject *los turistas/the tourists* is 3rd person plural. For subject pronouns in the singular and plural, review page 92.

antecedent   An antecedent is a word to which a relative pronoun refers. It comes *before* the pronoun.

The girl who is laughing loudly is my sister/
La muchacha que está riendo a carcajadas es mi hermana.

The antecedent is *girl/la muchacha*. The relative pronoun *who/que* refers to the girl.

The car that I bought is very expensive/
El carro que yo compré es muy costoso.

The antecedent is *car/el carro*. The relative pronoun *that/que* refers to the car. Review **comprar** and **reír** among the 501 verbs in this book. Note that **está riendo** is the progressive present. Review example 1 in the section on uses of the present participle as well as examples 1 and 2 in the section on the Progressive forms of tenses. Both sections are on page 4. *See also* relative pronoun.

auxiliary verb   An auxiliary verb is a helping verb. In English grammar it is *to have*. In Spanish grammar it is *haber/to have*. An auxiliary verb is used to help form the compound tenses.

I have eaten/(Yo) he comido.

Review the forms of **haber** (verb 257) in the seven simple tenses. You need to know them to form the seven compound tenses. Also, review **comer** among the 501 verbs in this book.

cardinal number   A cardinal number is a number that expresses an amount, such as *one, two, three,* and so on. *See also* ordinal number.

clause   A clause is a group of words that contains a subject and a predicate. A predicate may contain more than one word. A conjugated verb form is revealed in the predicate.

Mrs. Gómez lives in a large apartment/
La señora Gómez vive en un gran apartamento.

The subject is *Mrs. Gómez/la señora Gómez*. The predicate is *lives in a large apartment/vive en un gran apartamento*. The verb is *lives/vive*. Review **vivir** among the 501 verbs in this book. *See also* dependent clause, independent clause, predicate.

comparative adjective   When making a comparison between two persons or things, an adjective is used to express the degree of comparison in the following ways.
Same degree of comparison:

Helen is as tall as Mary/Elena es tan alta como María.

Lesser degree of comparison

Jane is less intelligent than Eva/Juana es menos inteligente que Eva.

Higher degree of comparison:

This apple is more delicious than that one/Esta manzana es más deliciosa que ésa.

See also superlative adjective.

comparative adverb   An adverb is compared in the same way as an adjective is compared. *See* comparative adjective above.
Same degree of comparison:

Mr. Robles speaks as well as Mr. Vega/
El señor Robles habla tan bien como el señor Vega.

Lesser degree of comparison:

Alice studies less diligently than her sister/
Alicia estudia menos diligentemente que su hermana.

Higher degree of comparison:

Albert works more slowly than his brother/
Alberto trabaja más lentamente que su hermano.

See also superlative adverb.

complex sentence   A complex sentence contains one independent clause and one or more dependent clauses.

One independent clause and one dependent clause:

Joseph works but his brother doesn't/
José trabaja pero su hermano no trabaja.

The independent clause is *Joseph works.* It makes sense when it stands alone because it expresses a complete thought. The dependent clause is *but his brother doesn't.* The dependent clause, which is introduced by the conjunction *but/pero,* does not make complete sense when it stands alone because it *depends* on the thought expressed in the independent clause.

One independent clause and two dependent clauses:

Anna is a good student because she studies but her sister never studies/
Ana es una buena alumna porque estudia pero su hermana nunca estudia.

The independent clause is *Anna is a good student.* It makes sense when it stands alone because it expresses a complete thought. The first dependent clause is *because she studies.* The dependent clause, which is introduced by the conjunction *because/porque,* does not make complete sense when it stands alone because it *depends* on the thought expressed in the independent clause. The second dependent clause is *but her sister never studies.* That dependent clause, which is introduced by the conjunction *but/pero,* does not make complete sense, either, when it stands alone because it *depends* on the thought expressed in the independent clause. *See also* dependent clause, independent clause.

compound sentence   A compound sentence contains two or more independent clauses.

Mrs. Fuentes went to the supermarket, she bought a few
things, and then she went home/
La señora Fuentes fue al supermercado, compró
algunas cosas, y entonces fue a casa.

This compound sentence contains three independent clauses. They are independent because they make sense when they stand alone. Review the explanation, uses, and examples of the **pretérito** (Tense No. 3) on page 17. Review **comprar** and **ir** among the 501 verbs in this book. *See also* independent clause.

conditional perfect tense   In Spanish grammar, the conditional (**el potencial**) is considered a mood. This tense is defined with examples on page 26.

conditional present tense   In Spanish grammar, the conditional (**el potencial**) is considered a mood. This tense is defined with examples on pages 19 and 20.

conjugation   The conjugation of a verb is the fixed order of all its forms showing their inflections (changes) in the three persons of the singular and plural in a particular tense. *See also* number and person (1st, 2nd, 3rd).

conjunction   A conjunction is a word that connects words or groups of words.

and/y, or/o, but/pero, because/porque
Charles and Charlotte/Carlos y Carlota

> *You can stay home or you can come with me/*
> *(Tú) peudes quedarte en casa o venir conmigo.*

contrary to fact   This term refers to an "if" clause. *See* if (si) clause.

declarative sentence   A declarative sentence makes a statement.

Review the **perfecto de indicativo** (Tense No. 8) on page 24 and **terminar** among the 501 verbs in this book.

definite article   The definite article in Spanish has four forms and they all mean *the*. They are **el, la, los, las.**

> *el libro/the book, la casa/the house,*
> *los libros/the books, las casas/the houses.*

The definite articles **la, los, las** are also used as direct object pronouns. *See* direct object pronoun.

demonstrative adjective   A demonstrative adjective is an adjective that points out. It is placed in front of a noun.

> *this book/este libro; these books/estos libros;*
> *this cup/esta taza; these flowers/estas flores.*

demonstrative pronoun   A demonstrative pronoun is a pronoun that points out. It takes the place of a noun. It agrees in gender and number with the noun it replaces.

> *I have two oranges; do you prefer this one or that one?/*
> *Tengo dos naranjas; ¿prefiere usted ésta o ésa?*
> *I prefer those [over there]/Prefiero aquéllas.*

For demonstrative pronouns that are neuter, *see* neuter.

dependent clause   A dependent clause is a group of words that contains a subject and a predicate. It does not express a complete thought when it stands alone. It is called *dependent* because it depends on the independent clause for a complete meaning. Subordinate clause is another term for dependent clause.

> *Edward is absent today because he is sick/*
> *Eduardo está ausente hoy porque está enfermo.*

The independent clause is *Edward is absent today.* The dependent clause is *because he is sick. See also* clause, independent clause.

descriptive adjective   A descriptive adjective is an adjective that describes a person, place, or thing.

> *a pretty girl/una muchacha bonita; a big house/una casa grande;*
> *an expensive car/un carro costoso.*

See also adjective.

direct object noun   A direct object noun receives the action of the verb *directly.* That is why it is called a direct object, as opposed to an indirect object. A direct object noun is normally placed *after* the verb.

> *I am writing a letter/Escribo una carta.*

The direct object is the noun *letter/una carta. See also* direct object pronoun.

direct object pronoun   A direct object pronoun receives the action of the verb *directly.* It takes the place of a direct object noun. In Spanish, a pronoun that is a direct object of a verb is ordinarily placed *in front of* the verb.

> *I am writing it [the letter]/La escribo.*

In the *affirmative imperative,* a direct object pronoun is placed *after* the verb and is joined to it, resulting in one word.

Write it [the letter] now!/¡Escríbala [Ud.] ahora!

An accent mark is added on the vowel **i** [**í**] in order to keep the emphasis on that vowel as it was in **escriba** before the direct object pronoun **la** was added to the verb form. Review the Imperative section (o) on page 29.

disjunctive pronoun   A disjunctive pronoun is a pronoun that is stressed; in other words, emphasis is placed on it. It is usually an object of a preposition. In Spanish usage, prepositional pronoun is another term for disjunctive pronoun.

for me/para mí; for you (fam.)/para ti;
con usted/with you; con él/with him; con ella/with her

Note the following exceptions with **con:**

conmigo/with me; contigo/with you (fam.);
consigo/with yourself (yourselves, himself, herself, themselves)

ending of a verb   In Spanish grammar, the ending of a verb form changes according to the person and number of the subject and the tense of the verb.

To form the present indicative tense of a regular -ar type verb like **hablar,** drop **ar** of the infinitive and add the following endings; **-o, -as, -a** for the 1st, 2nd, and 3rd persons of the singular; **-amos, -áis, -an** for the 1st, 2nd, and 3rd persons of the plural. You then get: **hablo, hablas, habla; hablamos, habláis, hablan.** Review at the top of page 15. *See also* stem of a verb.

feminine   In Spanish grammar, the gender of a noun, pronoun, or adjective is feminine or masculine, not male or female.

Masculine			Feminine		
noun	*pronoun*	*adjective*	*noun*	*pronoun*	*adjective*
el hombre	**él**	**guapo**	**la mujer**	**ella**	**hermosa**
the man	he	handsome	the woman	she	beautiful

See also gender.

future perfect tense   This tense is defined with examples on pages 25 and 26. It is also called the future anterior.

future tense   This tense is defined with examples on pages 18 and 19.

gender   Gender means masculine or feminine.

Masculine: *the boy/el muchacho; the book/el libro*
Feminine: *the girl/la muchacha; the house/la casa*

gerund   In English grammar, a gerund is a word formed from a verb. It ends in *ing.* Actually, it is the present participle of a verb. However, it is not used as a verb. It is used as a noun.

Seeing is believing/Ver es creer/[to see is to believe].

However, in Spanish grammar, the infinitive form of the verb is used, as in the above example, when the verb is used as a noun.

The Spanish gerund is also a word formed from a verb. It is the present participle of a verb. The Spanish gerund [**el gerundio**] regularly ends in **ando** for **ar** type verbs (of the 1st conjugation), in **iendo** for **er** type verbs (of the 2nd conjugation), and **iendo** for **ir** type verbs (of the 3rd conjugation). There are also irregular present participles that end in **yendo.**

hablando/talking   comiendo/eating   viviendo/living

See also present participle.

if (si) clause   An "if" clause is defined with an example at the top of page 24, where **como si** (as if) is used. Another term for an "if" clause is contrary to fact, as in English, if I were king . . ., if I were rich . . .

Si yo tuviera bastante dinreo, iría a España/
If I had enough money, I would go to Spain.

Review the **imperfecto de subjuntivo** (Tense No. 7) of **tener** (verb 468) and the **potencial simple** (Tense No. 5) of **ir** (verb 280). *See also* clause.

imperative   The imperative is a mood, not a tense. It is used to express a command. In Spanish it is used in the 2nd person of the singular (**tú**), the 3rd person of the singular (**usted**), the 1st person of the plural (**nosotros, nosotras**), the 2nd person of the plural (**vosotros, vosotras**), and in the 3rd person of the plural (**ustedes**). As an example, review the **imperativo** of **comer** among the 501 verbs in this book. Review the explanation of the **imperativo** with examples on pages 27 to 29. *See also* person (1st, 2nd, 3rd).

imperfect indicative tense   This tense is defined with examples on pages 15 and 16.

imperfect subjunctive tense   This tense is defined with examples on pages 23 and 24.

indefinite article   In English, the indefinite articles are *a, an,* as in *a book, an apple.*
They are indefinite because they do not refer to any definite or particular noun.
In Spanish, there are two indefinite articles in the singular: one in the masculine form (**un**) and one in the feminine form (**una**).

Masculine singular: *un libro/a book*
Feminine singular: *una manzana/an apple*

In the plural they change to **unos** and **unas**.

unos libros/some books; unas manzanas/some apples

See also definite article.

indefinite pronoun   An indefinite pronoun is a pronoun that does not refer to any definite or particular noun.

something/algo; someone, somebody/alguien

independent clause   An independent clause is a group of words that contains a subject and a predicate. It expresses a complete thought when it stands alone.

The cat is sleeping on the bed/El gato está durmiendo sobre la cama.

See also clause, dependent clause, predicate.

indicative mood   The indicative mood is used in sentences that make a statement or ask a question. The indicative mood is used most of the time when we speak or write in English or Spanish.

I am going to the movies now/Voy al cine ahora.
When are you going?/¿Adónde vas?

indirect object noun   An indirect object noun receives the action of the verb *indirectly.*

I am writing a letter to Christine or *I am writing Christine a letter/*
Estoy escribiendo una carta a Cristina.

The verb is *am writing/estoy escribiendo.* The direct object noun is *a letter/una carta.*
The indirect object noun is *Cristina/Christine. See also* indirect object pronoun.

indirect object pronoun   An indirect object pronoun takes the place of an indirect object noun. It receives the action of the verb *indirectly.*

I am writing a letter to her or *I am writing her a letter/*
Le escribo una carta (a ella).

The indirect object pronoun is *(to) her/le. See also* indirect object noun.

infinitive   An infinitive is a verb form. In English, it is normally stated with the preposition to, as in *to talk, to drink, to receive*. In Spanish, the infinitive form of a verb consists of three major types: those of the 1st conjugation that end in **-ar,** the 2nd conjugation that end in **-er,** and the 3rd conjugation that end in **-ir.** In Spanish grammar, the infinitive **(el infinitivo)** is considered a mood.

hablar/to talk, to speak; beber/to drink; recibir/to receive

All the verbs in this book on pages 97 to 648 are given in the infinitive form at the top of each page where they are arranged alphabetically.

interjection   An interjection is a word that expresses emotion, a feeling of joy, of sadness, an exclamation of surprise, and other exclamations consisting of one or two words.

Ah!/¡Ah! Ouch!/¡Ay! Darn it!/¡Caramba!! My God!/¡Dios mío!

interrogative adjective   In Spanish, an interrogative adjective is an adjective that is used in a question. As an adjective, it is placed in front of a noun.

What book do you want?/¿Qué libro desea usted?

What time is it?/¿Qué hora es?

interrogative adverb   In Spanish, an interrogative adverb is an adverb that introduces a question. As an adverb, it modifies the verb.

How are you?/¿Cómo está usted?

How much does this book cost?/¿Cuánto cuesta este libro?

When will you arrive?/¿Cuándo llegará usted?

interrogative pronoun   An interrogative pronoun is a pronoun that asks a question. There are interrogative pronouns that refer to persons and those that refer to things.

Who is it?/¿Quién es?

What are you saying?/¿Qué dice usted?

interrogative sentence   An interrogative sentence asks a question.

What are you doing?/¿Qué hace usted?

intransitive verb   An intransitive verb is a verb that does not take a direct object.

The professor is talking/El profesor habla.

An intransitive verb takes an indirect object.

The professor is talking to us/El profesor nos habla.

See also direct object pronoun, indirect object pronoun, transitive verb.

irregular verb   An irregular verb is a verb that does not follow a fixed pattern in its conjugation in the various verb tenses. Basic irregular verbs in Spanish:

estar/to be   hacer/to do, to make   ir/to go   ser/to be

See also conjugation, regular verb.

limiting adjective   A limiting adjective is an adjective that limits a quantity.

three lemons/tres limones; a few candies/ algunos dulces

main clause   Main clause is another term for independent clause. *See* independent clause.

masculine   In Spanish grammar, the gender of a noun, pronoun, or adjective is masculine or feminine, not male or female. *See also* feminine, gender.

mood of verbs   Some grammarians use the term *the mode* instead of *the mood* of a verb. Either term means *the manner or way* a verb is expressed. In English and Spanish grammar, a verb expresses an action or state of being in a particular mood. In Spanish grammar, there are five moods **(modos);** the infinitive **(el infinitivo),** the indicative **(el indicativo),** the imperative **(el imperativo),** the conditional **(el potencial),** and the subjunctive **(el subjuntivo).** In English grammar, there are three moods: the indicative mood, the imperative mood, and the subjunctive mood. Most of the time, in English and Spanish, we speak and write in the indicative mood.

negative statement, affirmative statement
    See affirmative statement, negative statement.

neuter   A word that is neuter is neither masculine nor feminine. Common neuter demonstrative pronouns in Spanish are *esto/this, eso/that, aquello/that* [farther away].

        What's this?/¿Qué es esto? What's that?/¿Qué es eso?

For demonstrative pronouns that are not neuter, *see* demonstrative pronoun. There is also the neuter pronoun **lo**. It usually refers to an idea or statement. It is not normally translated into English but often the translation is *so*.

        ¿Estás enferma, María?/Are you sick, Mary? Sí, lo estoy/Yes, I am.

        No lo creo/I don't think so.

        Lo parece/It seems so.

noun   A noun is a word that names a person, animal, place, thing, condition or state, or quality.

        the man/el hombre, the woman/la mujer, the horse/el caballo,

        the house/la casa, the pencil/el lápiz,

        happiness/la felicidad, excellence/la excelencia

In Spanish the noun **el nombre** is the word for name and noun. Another word for noun in Spanish is *el sustantivo/substantive.*

number   In English and Spanish grammar, number means singular or plural.
    Masc. sing.:

        the boy/el muchacho; the pencil/el lápiz; the eye/el ojo

    Masc. pl.:

        the boys/los muchachos; the pencils/los lápices; the eyes/los ojos

    Fem. sing.:

        the girl/la muchacha; the house/la casa; the cow/la vaca

    Fem. pl.:

        the girls/las muchachas; the houses/las casas; the cows/las vacas

ordinal number   An ordinal number is a number that expresses position in a series, such as *first, second, third,* and so on. In English and Spanish grammar we talk about 1st person, 2nd person, 3rd person singular or plural regarding subjects and verbs. *See also* cardinal number and person (1st, 2nd, 3rd).

orthographical changes in verb forms   An orthographical change in a verb form is a change in spelling.

    The verb *conocer/to know, to be acquainted with* changes in spelling in the 1st person singular of the present indicative. The letter z is inserted in front of the second c. When formed regularly, the ending **er** of the infinitive drops and **o** is added for the 1st person singular form of the present indicative. That would result in **conoco,** a peculiar sound to the Spanish ear for a verb form of **conocer.** The letter z is added to keep the sound of s as it is in the infinitive **conocer.** Therefore, the spelling changes and the form is **yo conozco.** In other forms of **conocer** in the present indicative, z is not inserted because the sound of s is retained.

There are many verb forms in Spanish that contain orthographical changes. Review the verb **conocer** in the present indicative tense among the 501 verbs.

passive voice   When we speak or write in the active voice and change to the passive voice, the direct object becomes the subject, the subject becomes the object of a preposition, and the verb becomes *to be* plus the past participle of the active verb. The past participle functions as an adjective.

The window was opened by the robber/La ventana fue abierta por el ladrón.
The subject is *la ventana.* The verb is *fue.* The word *abierta* is a feminine adjective agreeing with *la ventana.* Actually, it is the past participle of *abrir/to open* but here it serves as an adjective. The object of the preposition *by/por* is the *robber/el ladrón. See also* active voice in this list. Compare the above sentence with the examples in the active voice. Review the section on passive voice and active voice on pages 7 and 8. *See also* page 6, example 6.

past anterior tense   This tense is defined with examples on page 25. It is also called the *preterit perfect.*

past participle   A past participle is derived from a verb. It is used to form the compound tenses. Its auxiliary verb in English is *to have.* In Spanish, the auxiliary verb is *haber/to have.* It is part of the verb tense.

hablar/to speak, to talk	*I have spoken/he hablado*
comer/to eat	*I have eaten/he comido*
recibir/to receive	*I have received/he recibido*

Review pages 5 and 6 for the regular formation of a past participle and a list of common irregular past participles. *See also* auxiliary verb.

past perfect tense   This tense is defined with examples on pages 24 and 25. It is also called the pluperfect indicative tense.

past subjunctive tense   This tense is defined with examples on pages 26 and 27. It is also called the present perfect subjunctive.

person (1st, 2nd, 3rd)   Verb forms in a particular tense are learned systematically according to person (1st, 2nd, 3rd) and number (singular, plural).

Example, showing the present indicative tense of the verb *ir*/to go:

Singular	Plural
1st person: *(yo) voy*	1st person: *(nosotros, nosotras) vamos*
2nd person: *(tú) vas*	2nd person: *(vosotros, vosotras) vais*
3rd person: *(Ud., él, ella) va*	3rd person: *(Uds., ellos, ellas) van*

personal pronoun   A personal pronoun is a pronoun that refers to a person. Review the subject pronouns on page 92. For examples of other types of pronouns, *see also* demonstrative pronoun, direct object pronoun, disjunctive pronoun, indefinite pronoun, indirect object pronoun, interrogative pronoun, possessive pronoun, reflexive pronoun, relative pronoun.

pluperfect indicative tense   This tense is defined with examples on pages 24 and 25. It is also called the past perfect indicative tense.

pluperfect subjunctive tense   This tense is defined with examples on page 27. It is also called the past perfect subjunctive tense.

plural   Plural means more than one. *See also* person (1st, 2nd, 3rd) and singular.

possessive adjective   A possessive adjective is an adjective that is placed in front of a noun to show possession.

my book/mi libro   my friend/mis amigos   our school/nuestra escuela

possessive pronoun   A possessive pronoun is a pronoun that shows possession. It takes the place of a possessive adjective with the noun. Its form agrees in gender (masculine or feminine) and number (singular or plural) with what it is replacing.
English:

mine, yours, his, hers, its, ours, theirs

Spanish:

	Possessive Adjective	Possessive Pronoun
	my book/mi libro	*mine/el mío*
	my house/mi casa	*mine/la mía*
	my shoes/mis zapatos	*mine/los míos*

predicate   The predicate is that part of the sentence that tells us something about the subject. The main word of the predicate is the verb.

Today the tourists are going to the Prado Museum/
Hoy los turistas van al Museo del Prado.

The subject is the *tourists/los turistas*. The predicate is *are going to the Prado Museum/ van al Museo del Prado*. The verb is *are going/van*.

preposition   A preposition is a word that establishes a rapport between words.

with, without, to, at, between

with her/con ella   without money/sin dinero   to Spain/a España
at six o'clock/a las seis   between you and me/entre tú y yo

Review verbs with prepositions beginning on page 669.

prepositional pronoun   A prepositional pronoun is a pronoun that is an object of a preposition. The term disjunctive pronoun is also used. For examples, *see* disjunctive pronoun.

present indicative tense   This tense is defined with examples on pages 14 and 15.

present participle   A present participle is derived from a verb form. In English a present participle ends in *ing*. In Spanish a present participle is called **un gerundio.**

cantando/singing comiendo/eating yendo/going

Review pages 3 and 4 for regular and irregular present participles and their uses. *See also* gerund.

present perfect indicative tense   This tense is defined with examples on page 24.

present subjunctive tense   This tense is defined with examples on pages 20 to 23.

preterit tense   This tense is defined with examples on pages 17 and 18.

preterit perfect tense   This tense is defined with examples on page 25. It is also called the past anterior.

pronoun   A pronoun is a word that takes the place of a noun.

el hombre/él   la mujer/ella
the man/he   the woman/she

reflexive pronoun and reflexive verb   In English, a reflexive pronoun is a personal pronoun that contains *self* or *selves*. In Spanish and English, a reflexive pronoun is used with a verb that is called reflexive because the action of the verb falls on the reflexive pronoun. In Spanish, there is a required set of reflexive pronouns for a reflexive verb.

lavarse	*(Yo) me lavo.*	*afeitarse*	*Pablo se ha afeitado.*
to wash oneself	*I wash myself.*	*to shave oneself*	*Paul has shaved himself.*

Review, for example, the reflexive verbs **afeitarse, lavarse, levantarse, llamarse** among the 501 verbs in this book to become familiar with the reflexive pronouns that go with reflexive verbs in the three persons of the singular and plural.

regular verb   A regular verb is a verb that is conjugated in the various tenses according to a fixed pattern. For examples, review page 15 at the top and page 16 at the bottom. *See also* conjugation, irregular verb.

relative pronoun   A relative pronoun is a pronoun that refers to its antecedent.

The girl who is talking with John is my sister/
La muchacha que está hablando con Juan es mi hermana.

The antecedent is *girl/la muchacha.* The relative pronoun *who/que* refers to the girl. *See also* antecedent.

sentence   A sentence is a group of words that contains a subject and a predicate. The verb is contained in the predicate. A sentence expresses a complete thought.

The train leaves at two o'clock in the afternoon/
El tren sale a las dos de la tarde.

The subject is *train/el tren.* The predicate is *leaves at two o'clock in the afternoon/sale a las dos de la tarde.* The verb is *leaves/sale. See also* complex sentence, compound sentence, simple sentence.

simple sentence   A simple sentence is a sentence that contains one subject and one predicate. The verb is the core of the predicate. The verb is the most important word in a sentence because it tells us what the subject is doing.

Mary is eating an apple from her garden/
María está comiendo una manzana de su jardín.

The subject is *Mary/María.* The predicate is *is eating an apple from her garden/está comiendo una manzana de su jardín.* The verb is *is eating/está comiendo.* The direct object is *an apple/una manzana. From her garden/de su jardín* is an adverbial phrase. It tells you from where the apple came. *See also* complex sentence, compound sentence.

singular   Singular means one. *See also* plural.

stem of a verb   The stem of a verb is what is left after we drop the ending of its infinitive form. It is needed to add to it the required endings of a regular verb in a particular verb tense.

Infinitive	Stem	Ending of infinitive
hablar/to talk	*habl*	*ar*
comer/to eat	*com*	*er*
escribir/to write	*escrib*	*ir*

See also ending of a verb.

stem-changing verb   In Spanish, there are many verb forms that change in the stem. The verb *dormir/to sleep* changes the vowel **o** in the stem to **ue** when the stress (emphasis, accent) falls on that **o**; for example, **(yo) duermo.** When the stress does not fall on that **o**, it does not change; for example, **(nosotros) dormimos.** Here, the stress is on the vowel **i.**

Review the present indicative tense of **dormir** among the 501 verbs.

subject   A subject is that part of a sentence that is related to its verb. The verb says something about the subject.

Clara and Isabel are beautiful/Clara e Isabel son hermosas.

subjunctive mood   The subjunctive mood is the mood of a verb that is used in specific cases, e.g., after certain verbs expressing a wish, doubt, emotion, fear, joy, uncertainty, an indefinite expression, an indefinite antecedent, certain conjunctions, and others. The subjunctive mood is used more frequently in Spanish than in English. Review the uses of the subjunctive mood with examples on pages 20 to 23, pages 26 to 27, and page 30. *See also* mood of verbs.

subordinate clause   Subordinate clause is another term for dependent clause. *See* dependent clause.

superlative adjective   A superlative adjective is an adjective that expresses the highest degree when making a comparison of more than two persons or things.

Adjective	Comparative	Superlative
bueno/good	*mejor/better*	*el mejor/best*
alto/tall	*más alto/taller*	*el más alto/tallest*

See also comparative adjective.

superlative adverb   A superlative adverb is an adverb that expresses the highest degree when making a comparison of more than two persons or things.

Adjective	Comparative	Superlative
lentamente	*más lentamente*	*lo más lentamente*
slowly	*more slowly*	*most slowly*

See also comparative adverb.

tense of verb   In English and Spanish grammar, tense means time. The tense of the verb indicates the time of the action or state of being. The three major segments of time are past, present, and future. In Spanish, there are fourteen major verb tenses, of which seven are simple tenses and seven are compound. Review pages 31 and 92 for the names of the fourteen tenses in Spanish and English.

transitive verb   A transitive verb is a verb that takes a direct object.

> *I am closing the window/Cierro la ventana.*

The subject is *I/(Yo)*. The verb is *am closing/cierro*. The direct object is *the window/la ventana*. *See also* intransitive verb.

verb   A verb is a word that expresses action or a state of being.

Action:

> *Los pájaros están volando/The birds are flying.*

The verb is *están volando/are flying*.

State of being:

> *La señora López está contenta/Mrs. López is happy.*

The verb is *está/is*.

The hundreds of verb forms in this part of the book will immerse you in the practice and improvement of your knowledge of Spanish verb forms, tenses, and uses. You will find a variety of types of questions to make your experience interesting, challenging, and rewarding. All verb forms used in the drills and tests are found in the preliminary pages, among the 501 verbs, and in the back pages of this book.

The answers and explanations begin on page 78. The explanations are brief and to the point, including references to pages in this book for study and review.

Tips: To figure out the correct verb form of the required tense, examine each sentence carefully. Take a good look at the subject of the verb. Is it 1st, 2nd, or 3rd person? Is it singular or plural? Is it masculine or feminine? Look for key elements that precede or follow the verb to determine the verb form and tense, for example, such words as yesterday, last week, today, at this moment, tomorrow, next year, a preposition, a certain conjunction, and other key words that indicate the need for an infinitive, present participle (**gerundio**), past participle, or the indicative or subjunctive moods in the required tense. The correct verb form depends on the sense and grammatical structure of the sentence.

The best way to learn irregular forms in the seven simple tenses is from study, practice, and experience. For the information of present and past participles, including irregulars, consult pages 3 to 6. As for the formation of regular verb forms, consult pages 14 to 32. For an easy way to form the seven compound tenses in Spanish, consult page 92 from time to time.

Verb Test 1

SENTENCE COMPLETION

Directions: Each of the following sentences contains a missing verb form. From the choices given, select the verb form of the tense that is required, according to the sense of the sentence, and write the letter of your choice on the line. At times, only the infinitive form is needed or a present or past participle. Answers and answer explanations begin on page 78.

1. Margarita acaba de _____ una falda.
   A. compró   B. compré   C. comprar   D. compraste

2. Aquel hombre no _____ nadar.
   A. supe   B. sepa   C. sé   D. sabe

3. Hace mal tiempo. Está _____ .
   A. llover   B. lloviendo   C. llorando   D. llovido

4. Te _____ mañana, José. ¡Adiós!
   A. verá   B. veré   C. ver   D. vi

5. Me parece que María _____ pálida hoy.
   A. está   B. es   C. estuve   D. fue

6. Ricardo y Dora _____ cansados.
   A. son   B. están   C. fueron   D. fuimos

7. Voy a _____ temprano porque tomo el tren a las seis de la mañana.
   A. acostarse   B. me acuesto C. acostarme   D. se acuesta

8. No _____ ganas de comer porque no me gusta esta sopa.
   A. tengo   B. quiero   C. tuvo   D. pago

9. Tengo que _____ la cocina y necesito una escoba.
   A. limpiar   B. limpio   C. limpiara   D. limpie

10. La madre ha _____ el cabello de la niña.
    A. lavado   B. lavando   C. lavar   D. lava

11. Mi abuelito _____ anoche.
    A. muere   B. murió   C. morí   D. morir

12. Aquí tiene usted el dinero que le _____ .
    A. quiero   B. necesito   C. debo   D. conozco

13. No se olviden ustedes que mañana la tienda _____ cerrada.
    A. será   B. estará   C. es   D. estuve

14. La maestra dijo a los alumnos: "_____ los libros en la página diez, por favor."
    A. Abren   B. Abrid   C. Abrieron   d. Abrían

15. En la ciudad de Madrid _____ divertirme porque hay muchos teatros y cines.
    A. puedes   B. puede   C. puedo   D. podemos

16. Los Reyes Magos han _____ muchos regalos a los niños.
    A. traemos   B. traen   C. traído   D. trajeran

17. Miguel _____ de escribir una carta.
    A. acaba   B. acabé   C. acabaré   D. acabar

18. Hace tres horas que (yo) _____ la televisión.
    A. miré   B. miró   C. miro   D. miraré

19. Cuando yo entré en la sala de estar, mi madre _____ y mi padre escribía.
    A. leía   B. leí   C. leyó   D. lee

20. Esta mañana mi hermana _____ en el cuarto de baño cuando me desperté.
    A. canté   B. cantará   C. cantaría   D. cantaba

DIALOGUE

Directions: *In the following dialogue, there are blank spaces indicating missing verb forms. Select the appropriate verb form according to the sense of what the speakers are saying and write the letter of your choice on the line. The situation is given below. First, read the entire selection once. During the second reading, make your choices.*

Situation: You are on the telephone talking to a clerk at the Teatro Colón. You are asking about a ticket for a show.

La señorita: ¡Teatro Colón! ¡Información y reservas!
Usted: ¿ _____ entradas para el sábado?

  1. A. Había   B. Haber   C. Hubo   D. Hay

La señorita: Sí. Hay entradas de varios precios.
Usted: _____ una por cien pesos, por favor.

  2. A. Quise   B. Quiso   C. Quiera   D. Quisiera

La señorita: ¡Qué suerte tiene usted! Es la última entrada a este precio.
Usted: ¡Qué bueno! ¿Cómo _____ ?

  3. A. pago   B. pagué   C. pagó   D. pagaba

La señorita: Si usted nos envía un cheque hoy, llegará mañana y le enviaremos la entrada.
Usted: ¿A qué hora _____ la función?

  4. A. empecé   B. empezó   C. empieza   D. empiece

La señorita: A las dos y media de la tarde.
Usted: Muchas gracias. Usted _____ muy amable.

  5. A. es   B. está   C. sea   D. fuera

PATTERN RESPONSES

Directions: *Answer the following questions in Spanish in complete sentences in the affirmative, using a pronoun for the subject. Add **también** (also). See page 678 for irregular verb forms that you cannot identify.*

Model: **Francisco comprende bien. ¿Y sus hermanos?**
             (Francis understands well. And his brothers?)

You write: **Ellos comprenden bien, también.** (They understand well, also.)

1. Pedro estudia bien. ¿Y los otros alumnos?

_____

2. Roberto escribe bien. ¿Y sus hermanas?

_____

3. Sofía está leyendo un libro en la cama. ¿Y tú?

_____

4. Isabel va de compras. ¿Y tus amigos?

_____

5. Ricardo fue al cine. ¿Y tú?

_____

6. Juan ha comido bien. ¿Y nosotros?

_____

7. Ana está bien. ¿Y sus padres?

_____

8. Juana se sentó. ¿Y las otras muchachas?

_____

9. Mariana se lavó la cara. ¿Y tú?

_____

10. Carlos sabe nadar. ¿Y tú?

_____

11. Tú has cantado bien. ¿Y Luis?

_____

12. El sénor Fuentes escogió un carro costoso. ¿Y usted?

_____

13. Tú has terminado la lección. ¿Y los otros alumnos?

_____

14. Yo escribí una carta. ¿Y Felipe?

_____

15. Roberto tiene que estudiar. ¿Y tú?

_____

16. Yo he devuelto los libros a la biblioteca. ¿Y María?

_____

17. Manuel ha dicho la verdad. ¿Y nosotros?

_____

18. Tú te acuestas a las diez. ¿Y tus amigos?

_____

19. José ha leído un libro. ¿Y usted?

_____

20. Adolfo quiere hacerlo. ¿Y nosotros?

_____

Verb Test 4

SENTENCE COMPLETION

Directions: _Each of the following sentences contains a missing verb form. From the choices given, select the verb form of the tense that is required, according to the sense of the sentence, and write the letter of your choice on the line. At times, only the infinitive form is needed or a present or past participle._

1. Cuando estábamos en Barcelona, _____ al cine todos los sábados.
  A. vamos   B. iremos   C. vayamos   D. íbamos

2. Cuando _____ en Málaga, íbamos a la playa todos los días.
  A. vivíamos   B. viviremos   C. vivamos   D. viviéramos

3. Mi madre era hermosa cuando _____ pequeña.
  A. es   B. fui   C. fue   D. era

4. ¿Qué hora _____ cuando usted telefoneó?
  A. era   B. fue   C. fuí   D. es

5. Cuando yo telefoneé, _____ las tres.
  A. fue   B. fueron   C. eran   D. son

6. Hacía dos horas que yo _____ la televisión cuando mi hermano entró.
  A. miraba   B. miró   C. miraré   D. miraría

7. Roberto dice que quiere _____ a mi casa.
  A. venir   B. viene   C. vendrá   D. vendría

8. ¿Has _____ mis guantes?

    A. ve   B. ver   C. visto   D. veía

9. Casandra dijo que _____ venir a mi casa.

    A. quería   B. quise   C. querrá   D. quiera

10. Ayer mi amigo _____ de Madrid.

    A. llegué   B. llegaste   C. llegó   D. llegará

11. Anoche María _____ a la iglesia.

    A. fui   B. fue   C. irá   D. iría

12. ¿Qué _____ en la calle ayer por la tarde?

    A. pasa   B. pasó   C. pasé   D. pasará

13. Antes de salir de casa esta mañana, yo _____ un buen desayuno.

    A. tomó   B. tomé   C. tome   D. tomara

14. Esta mañana salí de casa, tomé el autobús, y _____ a la escuela a las ocho.

    A. llego   B. llegó   C. llegué   D. llegaré

15. Yo _____ a Elena la semana pasada en el baile.

    A. conozco   B. conocí   C. conoció   D. conocería

16. ¿Cuándo _____ la verdad, José?

    A. sepa   B. supe   C. supiste   D. supiera

17. ¿El trabajo? Yo lo _____ la semana que viene.

    A. haré   B. hará   C. hice   D. hizo

18. El verano que viene nosotros _____ al campo.

    A. iremos   B. fuimos   C. vayamos   D. íbamos

19. María dice que _____ mañana.

    A. vine   B. vino   C. vendrá   D. venga

20. Si Miguel tuviera dinero, _____ a España.

    A. irá   B. iría   C. iré   D. va

DIALOGUE

Directions: *In the following dialogue, there are blank spaces indicating missing verb forms. Select the appropriate verb form according to the sense of what the speakers are saying and write the letter of your choice on the line. The situation is given below. First, read the entire selection once. During the second reading, make your choices.*

Situation: **Dolores, an exchange student from Barcelona, is visiting your school. The school principal has asked you to accompany her as a guide.**

Dolores: ¡Qué escuela tan moderna! Me _____ mucho.
  1. A. gusto   B. gusta   C. gustaría   D. guste
Tú: Sí, es muy moderna.

Dolores: ¿Cuántos años hace que _____ (tú) a esta escuela?
  2. A. asistes   B. asiste   C. asistí   D. asistió

Tú: Ya _____ tres años.
  3. A. hace   B. hacen   C. haría   D. harían

Dolores: ¿A qué hora empieza y termina el día escolar?
Tú: _____ a las ocho y termina a las dos y media.
  4. A. Empieza   B. Empecé   C. Empezó   D. Empezará

Dolores: Me gustaría mucho asistir a unas clases.
Tú: Puedes _____ a mi clase de biología.
  5. A. viene   B. vine   C. venir   D. vino

Dolores: Me interesan más las lenguas extranjeras.
Tú: Entonces, _____ a mi clase de español.
  6. A. voy   B. vas   C. vamos   D. iríamos

CHANGING FROM ONE VERB TO ANOTHER

Directions: *The verb forms in the following statements are all in the imperative. Change each sentence by replacing the verb with the proper form of the verb in parentheses, keeping the imperative form. The verb form you write must be in the same person as the one you are replacing. In other words, you must recognize if the given verb form is 2nd person singular (tú), 3rd person singular (usted) or plural (ustedes), or 1st person plural (nosotros). See page 678 for irregular verb forms that you cannot identify.*

Model: **Lea la oración. (escribir)** (Read the sentence.)

You write: **Escriba la oración.** (Write the sentence.)

1. Lea la palabra. (decir)

   _____

2. Toma la leche. (beber)

   _____

3. Venga inmediatamente. (partir)

   _____

4. Abre la ventana. (cerrar)

   _____

5. Ponga la maleta sobre la cama. (tomar)

   _____

6. Pronuncie la palabra. (escribir)

   _____

7. Leamos la carta. (enviar)

   _____

8. Aprendan el poema. (leer)

   _____

9. Partamos ahora. (salir)

   _____

10. Siéntese, por favor. (levantarse)

    _____

11. Venda la casa. (comprar)

    _____

12. Salgan ahora. (venir)

    _____

13. Lávate. (secarse)

    _____

14. Compre estos guantes. (escoger)

_____

15. Cómalo. (beber)

_____

CHANGING FROM ONE TENSE TO ANOTHER

Directions: _The following verb forms are all in the **future tense**. Change them to the **conditional**, keeping the same subject. See page 678 for irregular verb forms that you cannot identify._

Model: Yo iré.   You write: Yo iría.

1. Yo saldré.

_____

2. Ud. tendrá.

_____

3. Nosotros seremos.

_____

4. Uds. estarán.

_____

5. María querrá.

_____

6. Tú ganarás.

_____

7. Ellos harán.

_____

8. Ella cantará.

_____

9. José bailará.

_____

10. Tú escribirás.

_____

11. Él será.

_____

12. Yo me lavaré.

_____

13. Alberto se sentará.

_____

14. Nosotros nos sentiremos.

_____

15. Nosotros nos sentaremos.

_____

16. Yo aprenderé.

_____

17. Tú beberás.

_____

18. Ud. sabrá.

_____

19. Miguel leerá.

_____

20. Nosotros iremos.

_____

21. Vosotros iréis.

_____

22. Uds. dirán.

_____

23. Ellos vendrán.

_____

24. Ellas venderán.

_____

25. José y Dora serán.

26. Los chicos comerán.

27. María y yo haremos.

28. Elena y Ana pondrán.

29. Vosotros veréis.

30. Yo estudiaré.

Verb Test 8

PATTERN RESPONSES

Directions: Answer the following questions in the negative in complete Spanish sentences. In answer (a), use **No.** *In answer (b), use* ***tampoco*** *(either). Study models (a) and (b) carefully. Use a pronoun as subject in your answers. Place* ***tampoco*** *at the end of the sentence. See page 678 for irregular verb forms that you cannot identify.*

Model:　(a) **¿Trabaja Ud.?**　You write:　(a) **No. Yo no trabajo.**
　　　　　(Do you work?)　　　　　　　　　　(No. I don't work.)
　　　　(b) **¿Y Carlos?**　　　　　　　　　(b) **Él no trabaja tampoco.**
　　　　　(And Charles?)　　　　　　　　　　(He does not work, either.)

1. (a) ¿Saldrá Ud. de casa esta noche?

(b) ¿Y sus amigos?

2. (a) ¿Quieres venir a mi casa esta tarde?

(b) ¿Y vosotros?

3. (a) ¿Cantaste esta mañana?

(b) ¿Y María y José?

4. (a) ¿Dices mentiras?

(b) ¿Y Francisca?

5. (a) ¿Fue Ud. al cine ayer?

(b) ¿Y sus padres?

CHANGING FROM ONE TENSE TO ANOTHER

Directions: *The following verb forms are all in the **imperfect indicative tense.** Change them to the **preterit tense,** keeping the same subject. See page 678 for irregular verb forms that you cannot identify.*

Model: Yo trabajaba. (I was working *or* I used to work.)

You write: Yo trabajé. (I worked.)

  1. Yo iba al parque.

_____

  2. Elisa miraba la televisión.

_____

  3. El niño bebía la leche.

_____

  4. Margarita hacía la lección.

_____

  5. José hablaba mucho.

_____

  6. Mi amigo pagaba la cuenta.

_____

  7. Nosotros tomábamos el desayuno a las ocho.

_____

  8. Luis escribía cartas.

_____

  9. Marta aprendía la lección.

_____

 10. Los Señores López vivían en esta casa.

_____

 11. Yo hacía el trabajo.

_____

 12. La señorita traía el plato.

_____

 13. Pablo leía el poema.

_____

 14. Carlota decía la verdad.

_____

 15. La profesora abría el libro.

_____

SENTENCE COMPLETION

Directions: Each of the following sentences contains a missing verb form. From the choices given, select the verb form of the tense that is required, according to the sense of the sentence, and write the letter of your choice on the line. At times, only the infinitive form is needed or a present or past participle.

1. Me _____ tomar una limonada ahora.
   A. gustaría   B. gusto   C. gusté   D. guste

2. Si mis padres tuvieran dinero, _____ a Barcelona.
   A. irían   B. irán   C. fueron   D. iban

3. María había _____ que vendría mañana.
   A. dijo   B. dice   C. dicho   D. decir

4. Claudia decía que _____ a mi casa esta tarde.
   A. vendría   B. viene   C. vine   D. venir

5. No se _____ aquí, Señor Robles, por favor.
   A. siente   B. sientes   C. sienta   D. sentó

6. Quiero que Jorge lo _____.
   A. hace   B. hacía   C. haga   D. hizo

7. Yo voy a _____ un café.
   A. tomo   B. tomar   C. tomando   D. tomado

8. En este momento, estoy _____ mis lecciones.
   A. estudiar   B. estudio   C. estudié   D. estudiando

9. El niño entró _____ en la casa.
   A. llorando   B. llorar   C. lloré   D. lloró

10. Prefiero que Juan lo _____ .
    A. hace   B. hizo   C. hice   D. haga

11. Dudo que Julia _____ a verme.
    A. viene   B. venga   C. vino   D. vendrá

12. Es necesario que Inés _____ bien.
    A. come   B. coma   C. comer   D. comiera

13. Le hablaré a Juan cuando _____ .
    A. llega   B. llegará   C. llegó   D. llegue

14. Me quedo aquí hasta que el Señor Hildago _____ .
   A. vuelve   B. volverá   C. vuelva   D. volvería

15. Démelo con tal que _____ bueno.
   A. sea   B. es   C. era   D. fue

16. Aunque Pablo _____ esta noche, no me quedo.
   A. viene   B. viniera   C. vendrá   D. venga

17. Busco un libro que _____ interesante.
   A. es   B. sea   C. será   D. sería

18. ¿Hay alguien aquí que _____ francés?
   A. hable   B. habla   C. hablara   D. hablaría

19. No hay nadie que _____ hacerlo.
   A. poder   B. puede   C. pueda   D. podrá

20. Yo insistí en que María lo _____ .
   A. hace   B. haga   C. hiciera   D. hará

Verb Test 11

CHANGING FROM ONE TENSE TO ANOTHER

Directions: *The following verb forms are all in the present indicative tense. Change them to the **pretérito**. Keep the same subject, of course. Consult page 678 for irregular verb forms that you cannot identify.*

Model: Ella estudia.

You write: Ella estudió.

1. Yo hablo.

_____

2. Tú aprendes.

_____

3. Ud. vive aquí.

_____

4. Él trabaja.

_____

5. Ella dice algo.

_____

6. Uds. van al cine.

_____

7. Vosotros pedís algo.

   _____

8. Ellos son.

   _____

9. Ellas beben café.

   _____

10. Juana juega.

    _____

11. Tú tocas.

    _____

12. El perro muerde.

    _____

13. Ellos oyen algo.

    _____

14. Uds. escuchan.

    _____

15. Yo estoy en casa.

    _____

16. Gabriela viene.

    _____

17. El niño duerme.

    _____

18. Los alumnos leen.

    _____

19. Nosotros comemos.

    _____

20. Vosotros hacéis la lección.

    _____

21. Nosotros vamos al teatro.

    _____

22. Ellos piensan.

    _____

23. Ellas tienen dinero.

    _____

24. Alberto escribe.

_____

25. Ella muere.

_____

26. María y José comen.

_____

27. Yo oigo la música.

_____

28. Yo quiero comer.

_____

29. Ella está en la escuela.

_____

30. Yo voy a casa.

_____

Verb Test 12

COMPLETION OF VERB FORMS
(in the Seven Simple Tenses)

**Directions:** _Complete each verb form in the tenses indicated by writing the correct letter or letters on the blank lines._

Presente de indicativo (Tense No. 1)

1. (hablar) Yo habl ___
2. (beber) Tú beb ___
3. (recibir) Ud. recib ___
4. (abrir) Uds. abr ___
5. (hacer) Ellos hac ___

6. (aprender) Nostros aprend ___
7. (leer) María le ___
8. (aceptar) Ellos acept ___
9. (amar) Yo am ___
10. (escribir) Tú escrib ___

Imperfecto de indicativo (Tense No. 2)

1. (cantar) Yo cant ___
2. (dar) Uds. d ___
3. (bañarse) Tú te bañ ___
4. (hacer) Nosotros hac ___
5. (hablar) Ud. habl ___

6. (hallar) Nosotros hall ___
7. (comprender) Yo comprend ___
8. (comer) Uds. com ___
9. (levantarse) Yo me levant ___
10. (vivir) Ella viv ___

Pretérito (Tense No. 3)

1. (hablar) Yo habl ___
2. (comprar) Tú compr ___
3. (aprender) Ud. aprend ___
4. (correr) Nosotros corr ___
5. (recibir) Uds. recib ___

6. (cantar) Él cant ___
7. (apresurarse) Ellos se apresur ___
8. (traer) Uds. traj ___
9. (vivir) Ella viv ___
10. (lavarse) Ellas se lav ___

Futuro (Tense No. 4)

1. (bailar) Yo bailar ___
2. (aprender) Tú aprender ___
3. (ir) Ud. ir ___
4. (venir) Uds. vendr ___
5. (irse) Nosotros nos ir ___

6. (recibir) Ud. recibir ___
7. (dar) Yo dar ___
8. (cantar) Ellos cantar ___
9. (comprender) Ella comprender ___
10. (vivir) Uds. vivir ___

Potencial simple (Tense No. 5)

1. (comprender) Ella comprender ___
2. (vivir) Uds. vivir ___
3. (comprar) Ellos comprar ___
4. (dar) Yo dar ___
5. (recibir) Ud. recibir ___

6. (saltar) Nosotros saltar ___
7. (dormir) Ella dormir ___
8. (entender) Ellos entender ___
9. (estar) Yo estar ___
10. (ser) Yo ser ___

Presente de subjuntivo (Tense No. 6)

1. (hablar) que yo habl ___
2. (aprender) que tú aprend ___
3. (recibir) que Ud. recib ___
4. (tener) que él teng ___
5. (estar) que ella est ___

6. (ser) que Ud. se ___
7. (cantar) que Uds. cant ___
8. (casarse) que nosotros nos cas ___
9. (venir) que ella veng ___
10. (comprender) que yo comprend ___

Imperfecto de subjuntivo (Tense No. 7)

1. (hablar) que yo habla ___
2. (aprender) que él aprendie ___
3. (vivir) que Ud. vivie ___

4. (bailar) que nosotros bailá ___
5. (bajar) que ella baja ___
6. (comprender) que ellos comprendie ___

PAST PARTICIPLES

Directions: *In this acrostic* ***(un acróstico)****, complete each word in Spanish by writing the past participle of the infinitive given for each row. When you write the past participles for the infinitives given below, write them across next to the numbers. The first letter of each past participle is given. If you read the printed letters down from 1 to 9, you will read the Spanish word* ***enamorado****, which means* in love.

1.	E	
2.	N	
3.	A	
4.	M	
5.	O	
6.	R	
7.	A	
8.	D	
9.	O	

1.	escribir	**4.**	morir	**7.**	aprender
2.	nacer	**5.**	oír	**8.**	decir
3.	abrir	**6.**	reír	**9.**	obtener

DRILLING THE VERB HABER
(in the Seven Simple Tenses)

Note: You must know the verb **haber** (to have) in the seven simple tenses because they are needed to form the seven compound tenses, for example, the **perfecto de indicativo** (Tense No. 8), as in **yo he comido** (I have eaten). Practice these by writing them every day until you know them thoroughly. If you don't know them, see verb 257. Also, review pages 31 and 32.

Directions: *Write the verb forms of* ***haber*** *in the seven simple tenses indicated.*

1. Presente de indicativo (Tense No. 1)

Singular	*Plural*
yo _____	nosotros (nosotras)_____
tú _____	vosotros (vosotras) _____
Ud./él/ella/*(or a noun)* _____	Uds./ellos/ellas/*(or a noun)*_____

2. Imperfecto de indicativo (Tense No. 2)

yo _____ nosotros (nosotras)_____

tú _____ vosotros (vosotras) _____

Ud./él/ella/*(or a noun)* _____ Uds./ellos/ellas/*(or a noun)*_____

3. Pretérito (Tense No. 3)

yo _____ nosotros (nosotras)_____

tú _____ vosotros (vosotras) _____

Ud./él/ella/*(or a noun)* _____ Uds./ellos/ellas/*(or a noun)*_____

4. Futuro (Tense No. 4)

yo _____ nosotros (nosotras)_____

tú _____ vosotros (vosotras) _____

Ud./él/ella/*(or a noun)* _____ Uds./ellos/ellas/*(or a noun)*_____

5. Potencial simple (Tense No. 5)

yo _____ nosotros (nosotras)_____

tú _____ vosotros (vosotras) _____

Ud./él/ella/*(or a noun)* _____ Uds./ellos/ellas/*(or a noun)*_____

6. Presente de subjuntivo (Tense No. 6)

que yo_____ que nosotros (nosotras)_____

que tú _____ que vosotros (vosotras) _____

que Ud./él/ella/*(or a noun)*_____ que Uds./ellos/ellas/*(or a noun)*_____

7. Imperfecto de subjuntivo (Tense No. 7)

que yo_____ que nosotros (nosotras)_____

que tú _____ que vosotros (vosotras) _____

que Ud./él/ella/*(or a noun)*_____ que Uds./ellos/ellas/*(or a noun)*_____

DRILLING THE VERB ESTAR
(in the Seven Simple Tenses)

Note: You must know the verb estar (to be) in the seven simple tenses because it is a commonly used verb. Besides, the present indicative tense of estar is needed to form the progressive present, as in **estoy estudiando** (I am studying). The imperfect indicative tense of estar is needed to form the progressive past, as in **estaba estudiando** (I was studying). Review no. 1 at the top of page 4. Also, review the progressive forms of tenses on pages 4 and 5. Review the formation of the present participles on page 3 so that you may be able to form the progressive present and progressive past.

Directions: Write the verb forms of estar in the seven simple tenses indicated.

1. Presente de indicativo (Tense No. 1)

Singular	*Plural*
yo _____	nosotros (nosotras)_____
tú _____	vosotros (vosotras) _____
Ud./él/ella/*(or a noun)* _____	Uds./ellos/ellas/*(or a noun)*_____

2. Imperfecto de indicativo (Tense No. 2)

yo _____	nosotros (nosotras)_____
tú _____	vosotros (vosotras) _____
Ud./él/ella/*(or a noun)* _____	Uds./ellos/ellas/*(or a noun)*_____

3. Pretérito (Tense No. 3)

yo _____	nosotros (nosotras)_____
tú _____	vosotros (vosotras) _____
Ud./él/ella/*(or a noun)* _____	Uds./ellos/ellas/*(or a noun)*_____

4. Futuro (Tense No. 4)

yo _____	nosotros (nosotras)_____
tú _____	vosotros (vosotras) _____
Ud./él/ella/*(or a noun)* _____	Uds./ellos/ellas/*(or a noun)*_____

5. Potencial simple (Tense No. 5)

yo _____   nosotros (nosotras)_____

tú _____   vosotros (vosotras) _____

Ud./él/ella/(or a noun) _____   Uds./ellos/ellas/(or a noun)_____

6. Presente de subjuntivo (Tense No. 6)

que yo_____   que nosotros (nosotras)_____

que tú _____   que vosotros (vosotras) _____

que Ud./él/ella/(or a noun)_____   que Uds./ellos/ellas/(or a noun)_____

7. Imperfecto de subjuntivo (Tense No. 7)

que yo_____   que nosotros (nosotras)_____

que tú _____   que vosotros (vosotras) _____

que Ud./él/ella/(or a noun)_____   que Uds./ellos/ellas/(or a noun)_____

Verb Test 16

CHANGING FROM ONE TENSE TO ANOTHER

Directions: *The following verb forms are all in the **perfecto de indicativo** (Tense No. 8). Change them to the **pluscuamperfecto de indicativo** (Tense No. 9), keeping the same subject. Keep in mind that to form the **pluscuamperfecto de indicativo**, you need to use the imperfect indicative tense of **haber** plus the past participle of the verb you are working with. Review the formation of the past participles on pages 5 and 6. Also, review Verb Test 14.*

	Perfecto de indicativo		*Pluscuamperfecto de indicativo*
Model:	**María ha comido.**	You write:	**María había comido.**
	(Mary has eaten.)		(Mary had eaten.)

1. Yo he hablado.

_____

2. Tú has aprendido.

_____

3. Ud. ha salido.

_____

4. Él ha comprendido.

_____

5. Ella ha comprado.

_____

6. El chico ha comido.

_____

7. Nosotros hemos ido.

_____

8. Yo he abierto.

_____

9. Uds. han hecho.

_____

10. Ellas han caído.

_____

11. Yo he llegado.

_____

12. Tú has escrito.

_____

13. Ud. ha creído.

_____

14. Él ha dicho.

_____

15. Ella ha dado.

_____

16. La chica ha bebido.

_____

17. Nosotros hemos oído.

_____

18. Uds. han tenido.

_____

19. Ellos han puesto.

_____

20. Ellas han cubierto.

_____

Verb Test 17

SENTENCE COMPLETION

Directions: Each of the following sentences contains a missing verb form. From the choices given, select the verb form of the tense that is required, according to the sense of the sentence, and write the letter of your choice on the line. At times, only the infinitive form is needed or a present or past participle.

1. ¡Ojalá que _____ los niños mañana!
A. vienen   B. vendrán   C. vengan   D. vendrían

2. Yo se lo explicaba a Roberto para que lo _____ .
A. comprender   B. comprende   C. comprenderá   D. comprendiera

3. Sí, sí. Yo he _____ con ella.
A. hablando   B. hablado   C. hablo   D. hablé

4. Este profesor me habla como si _____ un niño.
A. soy   B. fuera   C. fui   D. fue

5. ¿Quién ha _____ el premio?
A. ganado   B. ganando   C. gana   D. ganó

6. No quiero _____ porque está lloviendo.
A. salgo   B. salir   C. saliendo   D. sale

7. Juanito, ¿cuándo vas a _____ el ruido?
A. terminar   B. terminando   C. terminas   D. terminado

8. ¿Qué quiere _____ este muchacho?
A. dice   B. decir   C. diciendo   D. dicho

9. ¡Qué tiempo espléndido! ¡Está _____ !
A. nevar   B. nevando   C. nevado   D. nevó

10. Cuando llegué a casa, mi hermano había _____ .
A. salir   B. salido   C. saliendo   D. salía

PRESENT PARTICIPLES

Directions: *In this word puzzle, find the present participle of each of the verbs listed below and draw a line around each one. To get you started, the first verb on the list (comer), whose present participle is comiendo, is already done. The present participles are written horizontally or vertically. If you need to, review page 3 before you start.*

```
H  A  B  L  A  N  D  O  D
C  V  S  E  C  O  M  I  I
O  I  I  Y  E  N  D  O  C
M  V  E  E  V  I  V  R  I
I  I  N  N  B  L  A  I  E
E  E  D  D  A  N  D  E  N
N  N  O  O  E  S  T  N  D
D  D  E  S  T  A  N  D  O
O  O  Y  E  S  A  D  O  H
```

comer	hablar	reír
decir	ir	ser
estar	leer	vivir

DIALOGUE

Directions: *In the following dialogue, there are blank spaces indicating missing verb forms. Select the appropriate verb form according to the sense of what the speakers are saying and write the letter of your choice on the line. The situation is given below.*

Situation: You and your sister Julia are in a veterinarian's waiting room because your dog, Rojo, needs a rabies shot.

Julia :   ¡Diós mío! ¡Qué rido! ¿Por qué ladran todos los perros a la vez?
Tú: Me parece que _____ miedo.

1. A. tiene   B. tienes   C. tienen   D. teniendo

| Julia : | Ese gatito precioso allí parece dormido. |
| Tú: | Verdad. Debe _____ enfermo. |

2. A. ser   B. estar   C. tener   D. estando

| Julia : | Mira a aquel chico tan pequeño con el perro enorme. |
| Tú: | Sí. ¡ _____ muy cómico! |

3. A. Es   B. Está   C. Son   D. Están

| Julia : | ¡Qué quieto está Rojo! En casa siempre salta por todas partes. |
| Tú: | _____ en un lugar extraño. |

4. A. Es   B. Está   C. Son   D. Están

| Julia : | Ya nos llaman. Y ahora Rojo quiere correr como siempre. ¿Qué haremos? |
| Tú: | Yo lo _____ adentro. |

5. A. llevo   B. llevaba   C. llevé   D. llevó

Verb Test 20

CHANGING FROM ONE VERB TO ANOTHER

Directions: *The verb forms in the following statements are all in the **pretérito**. Change each sentence by replacing the verb in the sentence with the proper form of the verb in parentheses, keeping the **pretérito**. Rewrite the statement in Spanish.*

| Model: | Claudia habló. (cantar) (Claudia spoke.) |
| You write: | Claudia cantó. (Claudia sang.) |

1. Roberto *aprendió* la lección. (escribir)

_____

2. La Señora Fuentes *se sentó*. (levantarse)

_____

3. Yo *recibí* un regalo. (ofrecer)

_____

4. María *pensó.* (trabajar)

_____

5. El alumno *escribió* una carta. (leer)

_____

6. El Señor Robles *llegó.* (morir)

_____

7. Margarita *entró.* (salir)

_____

8. Ricardo *cantó.* (hablar)

_____

9. Yo *vi* a María. (saludar)

_____

10. Mi padre *vio* un accidente. (tener)

_____

11. Mi hermana *comió* la comida. (hacer)

_____

12. ¿*Viajó* usted a España? (ir)

_____

13. ¿*Se levantaron* los chicos? (vestirse)

_____

14. Esta mañana yo *me apresuré.* (lavarse)

_____

15. Yo no *pude* hacerlo. (querer)

_____

MATCHING SPANISH VERB FORMS WITH ENGLISH VERB FORMS

Directions: *Match the following Spanish verb forms with the English equivalent verb forms by writing the number in column one on the blank line in column two.*

Column One	*Column Two*
1. Yo he comido	____ I came
2. Ud. puso	____ I have eaten
3. Ella quiere	____ You said
4. Ellos hicieron	____ You put
5. Tú ganas	____ She wants
6. Yo me afeito	____ You will buy
7. Nosotros dimos	____ We give
8. Uds. dieron	____ They made (did)
9. Está lloviendo	____ He became frightened
10. Ellos murieron	____ You win
11. Él se asustó	____ We gave
12. Nosotros damos	____ I am shaving myself
13. Uds. comprarán	____ You gave
14. Tú dijiste	____ It is raining
15. Yo vine	____ They died

CHANGING FROM ONE TENSE TO ANOTHER

Directions: *The verb forms are all in the **presente de indicativo** (Tense No. 1). Change them to the **pretérito** (Tense No. 3), keeping the same subject.*

	Presente de indicativo		*Pretérito*
Model:	**Yo como bien.**	**You write:**	**Yo comí bien.**
	(I eat well.)		(I ate well.)

1. Yo cojo la pelota.

_____

2. Ud. duerme demasiado.

_____

3. Tú vas al cine.

_____

4. Él habla mucho.

_____

5. Ella escribe una tarjeta.

_____

6. Nosotros comemos en este restaurante.

_____

7. Vosotros aceptáis el dinero.

_____

8. Uds. dan de comer a los pájaros.

_____

9. Yo voy al teatro.

_____

10. Ellas van a casa.

_____

11. Ellos están en la piscina.

_____

12. Yo me siento cerca de la ventana.

_____

13. Ud. se levanta.

_____

14. Nosotros nos apresuramos.

_____

15. Los muchahcos vienen a verme.

_____

16. Berta está enferma.

_____

17. Mi madre hace un bizcocho.

_____

18. Yo busco mis libros.

_____

19. La profesora abre la puerta.

_____

20. Me gusta el helado.

_____

Verb Test 23

PRETERIT PERFECT

Directions: *In this word puzzle, find the **pretérito perfecto** (also known as the **pretérito anterior**), which is Tense No. 10, of the three verbs given below. When you find those three verb forms, draw a line around each one. One is printed horizontally, another one is printed vertically, and another is printed backwards. To refresh your memory of what the **pretérito perfecto** is, review page 25.*

```
B  U  H  O  H  B  U  T  O
H  B  U  A  G  I  R  O  T
H  U  B  E  V  I  S  T  O
R  I  O  E  S  C  I  R  T
H  U  E  B  I  M  O  E  S
O  R  S  E  I  B  U  I  H
E  S  C  R  I  O  T  B  U
V  I  R  T  O  A  B  A  E
H  A  I  B  A  B  I  E  R
I  S  T  O  V  H  U  B  E
R  O  O  T  R  O  T  U  I
R  C  S  E  E  B  U  H  O
```

abrir   escribir   ver

DRILLING AGAIN THE VERB HABER
(in the Seven Simple Tenses)

Note: In Test 14, you drilled the verb **haber** in the seven simple tenses. Now, do it again here because you must know those verb forms in order to form the seven compound tenses (Tense Nos. 8 to 14). Practice these by writing them every day until you know them thoroughly. If you don't know them yet, see verb 257. Also, review pages 24 to 27 and pages 31 and 32.

Directions: Write the verb forms of haber in the seven simple tenses indicated.

1. Presente de indicativo (Tense No. 1)

	Singular		*Plural*
yo	_____	nosotros (nosotras)	_____
tú	_____	vosotros (vosotras)	_____
Ud./él/ella/*(or a noun)*	_____	Uds./ellos/ellas/*(or a noun)*	_____

2. Imperfecto de indicativo (Tense No. 2)

yo	_____	nosotros (nosotras)	_____
tú	_____	vosotros (vosotras)	_____
Ud./él/ella/*(or a noun)*	_____	Uds./ellos/ellas/*(or a noun)*	_____

3. Pretérito (Tense No. 3)

yo	_____	nosotros (nosotras)	_____
tú	_____	vosotros (vosotras)	_____
Ud./él/ella/*(or a noun)*	_____	Uds./ellos/ellas/*(or a noun)*	_____

4. Futuro (Tense No. 4)

yo	_____	nosotros (nosotras)	_____
tú	_____	vosotros (vosotras)	_____
Ud./él/ella/*(or a noun)*	_____	Uds./ellos/ellas/*(or a noun)*	_____

5. Potencial simple (Tense No. 5)

yo	_____	nosotros (nosotras)	_____
tú	_____	vosotros (vosotras)	_____
Ud./él/ella/*(or a noun)*	_____	Uds./ellos/ellas/*(or a noun)*	_____

6. Presente de subjuntivo (Tense No. 6)

que yo_____   que nosotros (nosotras)_____

que tú _____   que vosotros (vosotras) _____

que Ud./él/ella/*(or a noun)*_____   que Uds./ellos/ellas/*(or a noun)*_____

7. Imperfecto de subjuntivo (Tense No. 7)

que yo_____   que nosotros (nosotras)_____

que tú _____   que vosotros (vosotras) _____

que Ud./él/ella/*(or a noun)*_____   que Uds./ellos/ellas/*(or a noun)*_____

Verb Test 25

PATTERN RESPONSES

Directions: *Answer the following questions in Spanish in complete sentences in the affirmative, using a pronoun for the subject. Add **también** (also). See page 678 for irregular verb forms that you cannot identify.*

Model: Pedro escribe bien. ¿Y los otros alumnos?
            (Peter writes well. And the other students?)

You write: Ellos escriben bien, también.
            (They write well, also.)

1. María sabe nadar. ¿Y tú?

   _____

2. Tú sales de la escuela a las tres. ¿Y los profesores?

   _____

3. Yo estoy sentado. ¿Y Juanita?

   _____

4. Tú eres inteligente. ¿Y tus hermanos?

   _____

5. Ud. sonríe de vez en cuando. ¿Y Pedro y Juana?

   _____

6. Isabel leyó el libro. ¿Y María y José?

_____

7. Ester recibió muchos regalos. ¿Y nosotros?

_____

8. Yo bebí café con leche. ¿Y Andrés?

_____

9. Los alumnos oyeron la música. ¿Y Ud.?

_____

10. Susana durmió mucho. ¿Y los niños?

_____

11. Pablo fue al cine. ¿Y tus amigos?

_____

12. Tú te acuestas a las diez. ¿Y tus padres?

_____

13. José ha dicho la verdad. ¿Y Gabriela y Margarita?

_____

14. Yo hice la lección. ¿Y los otros alumnos?

_____

15. Tú has cantado bien. ¿Y Luis?

_____

IDENTIFYING VERB FORMS IN A PASSAGE
FROM SPANISH LITERATURE

Directions: *Read the following literary passage twice. Then, identify the verb forms with their subjects printed in* **bold face** *by giving (a) the infinitive of the verb form, (b) the name of the tense in Spanish, and (c) the person and number of the verb form.*

Example: son   You write: (a) ser
                                    (b) presente de indicativo
                                    (c) 3rd person plural

Al ruido, **salió** Sancho, **diciendo:**

    —**Señor don Quixote,** bien **puede** entrar, que al punto que **yo llegué se direon todos** por vencidos. **Baje, baje,** que **todos son** amigos y **hemos echado** pelillos a la mar, y nos **están aguardando** con una muy gentil olla de vaca, tocino, carnero, nabos y berzas, que **está diciendo:** "¡**Cóme**me, **cóme**me!"

Selection from *Don Quixote de la Mancha,*
by Miguel de Cervantes

1. salió

   (a) _____

   (b) _____

   (c) _____

2. diciendo

   (a) _____

   (b) _____

   (c) _____

3. puede

   (a) _____

   (b) _____

   (c) _____

4. llegué

   (a) _____

   (b) _____

   (c) _____

5. se dieron

   (a) _____

   (b) _____

   (c) _____

6. baje

   (a) _____

   (b) _____

   (c) _____

7. son

   (a) _____

   (b) _____

   (c) _____

8. hemos echado

   (a) _____

   (b) _____

   (c) _____

9. están aguardando

    (a) _____

    (b) _____

    (c) _____

10. está diciendo

    (a) _____

    (b) _____

    (c) _____

11. come

    (a) _____

    (b) _____

    (c) _____

Answers to Verb Tests with Explanations

1. C   You need the infinitive form of the verb in C because of the preceding preposition **de**. Review section F on page 672. The forms of **comprar** (verb 130) in A, B, and D are in the preterit.

2. D   You need the 3rd person singular, pres. ind. of the verb in D because the subject **hombre** is 3rd person singular. Review the other forms of **saber** (verb 423) in A, B, and C.

3. B   You need to complete the progressive present with the present participle **lloviendo** in B. Review pages 4 and 5. Review **llorar** (verb 300) and **llover**, a defective verb on page 660.

4. B   The 1st person singular, future, of **ver** is needed because future time is implied in the word **mañana**. You are telling José, "I will see you tomorrow." Choice A is 3rd person singular, future. Review the forms of **ver** (verb 489).

5. A   A form of **estar** is needed because a temporary state or condition is indicated in the sentence: Mary is pale. Review the uses of **estar** on pages 345–347. As for the other choices, review the forms of **estar** (verb 230) and **ser** (verb 438).

6. B   Here, too, a form of **estar** is needed because a temporary state or condition is indicated in the sentence: Ricardo and Dora are tired. Review the uses of **estar** beginning on page 346, specifically in (c) (1). Review the forms of **estar** (verb 230). Review the forms of **ser** (verb 438) in A, C, and D.

7. C   You are dealing with the verb **acostarse**. You need the infinitive form **acostarme** in C because of the preceding preposition **a**. The **me** in **acostarme** is needed because **voy** (I am going) is stated. Review the examples in section A on page 669 where **ir**, a verb of motion, requires the preposition **a** + inf. Review the forms of **acostarse** (verb 21) in choices B and D.

8. A   You must know the idiomatic expression **tener ganas de** + inf. As for **tuvo** in C, it is preterit, 3rd person singular. Study the forms of **tener** (verb 468). As for **quiero** in B, study **querer** (verb 390). Regarding choice D, **pago** is a form of **pagar** (verb 341).

9. A   You need the infinitive form **limpiar** because of the idiomatic expression **tener que** + inf. See **tener** (verb 468). Review the other forms of **limpiar** (verb 293) in B, C, and D.

10. A   You need to complete the **perfecto de indicativo** (Tense No. 8) because **ha** is given as the helping verb. Review this tense and the other forms of **lavar** (verb 288) in choices B, C, and D. Also, review the formation of the **perfecto de indicativo** on page 24.

11. B   The subject is 3rd person singular. You need the 3rd person singular of **morir** in the preterit, which is in choice B, because **anoche** (last night) is stated. Review the other forms of **morir** (verb 319) in choices A, C, and D.

12. C   According to the meaning of the sentence, you are dealing with the verb **deber** (verb 159). The other verbs in A, B, and D would make no sense in this sentence. Review verbs 134, 326, and 390.

13. B   A form of **estar** is needed because a temporary state or condition is indicated in the sentence: the store will be closed. The future tense is needed because **mañana** (tomorrow) is stated. The subject **la tienda** is 3rd person singular and so is the verb **estará**. Review the uses of **estar** (verb 230), in particular, the example in (d) (5). Review the preterit of **estar** in choice D and the forms of **ser** (verb 438) in choices A and C.

14. **B** You need the imperative of **abrir** because the teacher told the pupils, "Open" the books. The 2nd person plural familiar form of **vosotros** is needed because the teacher talked to her pupils in the familiar form. Review **abrid** in the imperative as well as the other forms of **abrir** (verb 4).

15. **C** The form **puedo** (1st person singular, pres. ind.) is the correct choice because right after it is **divertirme** and they must agree in person; in other words, the statement is saying, "I can enjoy myself." Review **poder** (verb 363) on pages 494 and 495 for the forms in choices A, B, C, and D.

16. **C** You need to complete the **perfecto de indicativo** (Tense No. 8) by selecting the past participle **traído** because **han** is given as the helping verb. The sentence is saying that The Three Wise Men *have brought* many presents to the children. Review the forms of **traer** (verb 477).

17. **A** You are dealing with the idiomatic expression **acabar de** + inf. Review the forms of **acabar** (verb 9).

18. **C** The sentence states **"hace tres horas"** and it requires the pres. ind. of **mirar**. Review the explanation in (f) on page 14. Review the other forms of **mirar** (verb 314) in A, B, and D.

19. **A** The sentence states that when I entered the living room, my mother *was reading* and my father *was writing*. Review the uses of the **imperfecto de indicativo** in such a sentence structure and the explanation in (b) on page 15. Review the other forms of **leer** (verb 290) in B, C, and D.

20. **D** The sentence states that this morning my sister *was singing* in the bathroom when I woke up. The explanation here is the same as in no. 19 above. Review the other forms of **cantar** (verb 109) in A, B, and C.

Test 2

1. **D** You are asking the clerk if *there are* tickets for Saturday. **Hay** is the word for *there are* or *there is*. Review the forms of **haber** (verb 257) in choices A, B, and C.

2. **D** The polite form of saying *I would like* or *I should like* is **quisiera,** which is the **imperfecto de subjuntivo** of **querer**. Review it at the top of page 24. Also, study the other forms of **querer** (verb 390) in choices A, B, and C.

3. **A** You are asking the clerk, *How do I pay?* That means you need the 1st person singular of the **presente de indicativo** in A. Review the other forms of **pagar** (verb 341) in choices B, C, and D.

4. **C** You need the 3rd pers. sing. **empieza** in C because the subject, **la función** (the performance) is 3rd pers. sing. Study the other forms of **empezar** (verb 205) in choices A, B, and D.

5. **A** Review the uses of **ser** (verb 438) and **estar** (verb 230) listed with those verbs. There is nothing in the sentence that requires a form of **estar** in B, or the **presente de subjuntivo** in C, and nothing that requires the **imperfecto de subjuntivo** in D. Review the forms of **estar** and **ser**.

Test 3

1. **Ellos estudian bien, también.** Study the **presente de indicativo** of **estudiar** (verb 232).
2. **Ellas escriben bien, también.** Study the **presente de indicativo** of **escribir** (verb 224).
3. **Yo estoy leyendo un libro en la cama, también.** Study the formation of the progressive present beginning on page 4. Note the irregular present participle **(gerundio)** of **leer** (**leyendo**; verb 290) on page 3.
4. **Ellos van de compras, también.** Study the **presente de indicativo** of **ir** on page 402 and the idiomatic expression **ir de compras** on the following page.
5. **Yo fui al cine, también.** Study the **pretérito** of **ir** (verb 280).
6. **Nosotros hemos comido bien, también.** Study the **perfecto de indicativo** (Tense No. 8) of **comer** (verb 128).
7. **Ellos están bien, también.** Study the **presente de indicativo** of **estar** (verb 230).
8. **Ellas se sentaron, también.** Study the **pretérito** of **sentarse** (verb 434).
9. **Yo me lavé la cara, también.** Study the **pretérito** of **lavarse** (verb 289).
10. **Yo sé nadar, también.** Study the **presente de indicativo** of **saber** (verb 423).
11. **Él ha cantado bien, también.** Study the **perfecto de indicativo** of **cantar** (verb 109).
12. **Yo escogí un carro costoso, también.** Study the **pretérito** of **escoger** (verb 223).
13. **Ellos han terminado la lección, también.** Study the **perfecto de indicativo** of **terminar** (verb 470).
14. **Él escribió una carta, también.** Study the **pretérito** of **escribir** (verb 224).
15. **Yo tengo que estudiar, también.** Study the **presente de indicativo** of **tener** (verb 468) and the idiomatic expression **tener que** + inf. on the following page.
16. **Ella ha devuelto los libros a la biblioteca, también.** Study the **perfecto de indicativo** of **devolver** (verb 186). Note on page 6 that the past participle is irregular.
17. **Nosotros hemos dicho la verdad, también.** Study the **perfecto de indicativo** of **decir** (verb 161) and the irregular past participle **dicho** on page 6.
18. **Ellos se acuestan a las diez, también.** Study the **presente de indicativo** of **acostarse** (verb 21) and note the change in spelling in the stem for **o** to **ue** when **o** in **acostarse** is stressed.
19. **Yo he leído un libro, también.** Study the **perfecto de indicativo** of **leer** (verb 290). Note the irregular past participle **leído** on page 6.
20. **Nosotros queremos hacerlo, también.** Study the **presente de indicativo** of **querer** (verb 390) and note the change in spelling in the stem of this verb when it is stressed.

Test 4

1. **D** You need the **imperfecto de indicativo** of **ir** because, according to the sense of the statement, the action was performed habitually in the past. Study the explanation and examples in (c) on page 15. Also, review the forms of **ir** (verb 280) in choices A, B, and C.
2. **A** You need the **imperfecto de indicativo** of **vivir** (verb 495) for the same reason and explanation given in the preceding statment no. 1 above. Review the forms of **vivir** in choices B, C, and D.
3. **D** You need the **imperfecto de indicativo** of **ser** (verb 438) because, according to the sense of the statement, there is a description of a physical condition in the past. Study the explanation and examples in (d) on page 15. Also, review the forms of **ser** in choices A, B, and C.
4. **A** You need the **imperfecto de indicativo** of **ser** (verb 438) because you are asking what time it was in the past. Study the explanation and examples in (e) at the top of page 16. Also, review the forms of **ser**.

5. C You need the **imperfecto de indicativo** of **ser** (verb 438) in the 3rd person plural because the time stated is plural (**tres**). Study again the explanation and examples in (e) at the top of page 16. Review the **pretérito** of **telefonear** (verb 463).

6. A And here, too, you need the **imperfecto de indicativo** of **mirar** (verb 314). Study the explanation and examples in (f) on page 16. Also, review the forms of **mirar** in choices B, C, and D.

7. A You need the infinitive form of **venir** (verb 488) because in front of it there is a verb form (**quiere**). Robert says that *he wants to come* to my house. Review verbs that take no preposition + infinitive in section K, beginning on page 676. On page 677 **querer** + inf. is listed. Also, review the other forms of **venir** in choices B, C, and D.

8. C You must complete the **perfecto de indicativo** tense by using the past participle **visto** because the helping verb **has** is stated in front of the missing verb form. Review this tense of **ver** (verb 489) and the choices in A, B, and D. Also study the irregular past participles on page 6.

9. A You need the **imperfecto de indicativo** of **querer** (verb 390) because you are dealing with an indirect quotation in the past. Casandra said that *she wanted* to come to my house. Compare this sentence with the one in number 7 above. Study the explanation and example in (g) on page 16. Also, review the other forms of **querer** in choices B, C, and D.

10. C The adverb **ayer** (yesterday) tells us that the verb is in the past. The subject is **amigo** (friend), 3rd person singular; therefore, the verb must be 3rd person singular also. Choice C is 3rd person singular in the **pretérito** of **llegar** (verb 297). Review the other forms of **llegar** in choices A, B, and D.

11. B The adverb **anoche** (last night) tells us that the verb is in the past. The subject is **María,** which is 3rd person singular; therefore, the verb must also be 3rd person singular. Choice B is 3rd person singular in the **pretérito** or **ir** (verb 280). Review the other forms of **ir** in choices A, C, and D.

12. B **Ayer por la tarde** (yesterday afternoon) tells us that the verb is in the past. The statement asks *what happened* in the street. Review the forms of **pasar** (verb 347) in the **presente de indicativo** (choice A), the **pretérito** (choices B and C), and in the **futuro** (choice D). Also, check out example 3 at the top of page 17.

13. B According to the sense of the sentence, the verb must be in the past. The subject is **yo,** 1st person singular; therefore, the verb must also be 1st person singular. Review the **pretérito** of **tomar** (verb 473) in choices A and B, as well as the choices in C and D.

14. C The two verbs in the sentence (**salí** and **tomé**) are in the **pretérito**. The missing verb form must also be in the same tense and person because of the sense indicated in the statement. Review the forms of **llegar** (verb 297), **salir** (verb 426), and **tomar** (verb 473). Also, check out example 5 at the top of page 17.

15. B Because of the subject **yo,** you need the 1st person singular of **conocer** (verb 134) in the **pretérito**. According to the sense of the statement, **la semana pasada** (last week) indicates a past tense. Review the other choices of verb forms of **conocer**. Also, examine example number 1 in the middle of page 17.

16. C You are talking to José and are using the familiar **tú** form of the verb in the 2nd person singular. You are asking him when he found out the truth. The only **tú** form in the **pretérito** among the choices is in C. Review the other forms of **saber** (verb 423) in the other choices. Also, note the special use of **saber** in the **pretérito** in example number 6 on page 17.

17. A The subject is **yo**. You need the **futuro**, 1st person singular of **hacer** (verb 260) because **la semana que viene** (next week) is stated. Review the **futuro** and **pretérito** of **hacer**. Also, review the uses and formation of the future tense, with many examples, on pages 18 and 19.

18. A The subject is **nosotros**. You need the **futuro,** 1st person plural of **ir** (verb 280) because **el verano que viene** (next summer) is stated. Review the other forms of **ir** in choices B, C, and D.

19. C Mary say that she *will come* tomorrow. The **futuro** of **venir** (verb 488) is needed in the 3rd person singular because **María** is 3rd person singular. Review the forms of **venir** among the other choices. It would make no sense to use the **pretérito** of **venir** in A and B because **mañana** (tomorrow) implies future time. Also, review the uses of the future tense on page 18, in particular example (c), and the formation of that tense on page 19.

20. B If Miguel had money, he *would go* to Spain. The only conditional form of **ir** (verb 280) is in B. A and C are future tense. D is the present tense. Review the forms of **ir**. Also, review the uses of the **potencial simple** (conditional) with examples on page 19, in particular example (a).

Let's look at the dependent clause in this sentence: **Si Miguel** *tuviera* **dinero . . .** (If Miguel *had* money . . .). The form *tuviera* is the **imperfecto de subjuntivo** (Tense No. 7) of **tener** (verb 468). That form is used because **si** (if) introduces the clause. Typical examples in English of this sort of thing are the following: If *I were* king, if *I were* you, he talks to me as if *I were* a child. These are contrary to fact conditions. Review the uses and formation of the **imperfecto de subjuntivo,** with examples, on page 23, in particular, the example at the top of page 24.

Test 5

1. B Review the explanation and examples of the use of **gustar** (def. and imp.) and the usual forms of the verb, as well as the examples that follow.

2. A The subject **tú** agrees with the verb **asistes** because they are both 2nd person singular, present indicative. Review the other tenses of **asistir** (verb 74).

3. A Review the explanation and use of **hace** + length of time in example (f) on page 14, and with the verb **hacer** (verb 260).

4. A The use of **empieza** is in the question, as well as in the answer. Study the forms of **empezar** (verb 205) in choices A, B, C, and D. Note that the second e in this verb changes to ie when it is stressed. Also, z changes to c when the vowel e follows it.

5. C You need the infinitive form **venir** because a verb form (**puedes**) precedes it. Review verbs that take no preposition + infinitive in section K, beginning on page 676. On page 676, **poder** + inf. is listed. What you are saying to Dolores is "You can come" (You *are able to come*). Review the forms of **venir** (verb 488) in choices A, B, C, and D.

6. C You are telling Dolores, "Then, *let's go* to my Spanish class." Review the forms of **ir** (verb 280) in the four choices, giving special attention to **vamos** *(let's go)* in the imperative near the bottom of that page. When you are not sure of the translation into English of a Spanish verb tense, review pages 11 and 12 where there is a sample English verb conjugated in all the tenses.

Test 6

Note: In this test, the verb form given in each sentence is in the imperative (command) mood. You are also given a verb in parentheses to use in place of the one in the sentence. Review the imperativo on pages 27 to 29. If you had any difficulty with the imperative forms of the verbs used in this test, you must turn to the page in this book among the 501 verbs and review the forms that are given near the bottom of each page under imperativo.

1. Diga la palabra.
2. Bebe la leche.
3. Parta inmediatamente.
4. Cierra la ventana.
5. Tome la maleta sobre la cama.
6. Escriba la palabra.
7. Enviemos la carta.
8. Lean el poema.
9. Salgamos ahora.
10. Levántese, por favor.
11. Compre la casa.
12. Vengan ahora.
13. Sécate.
14. Escoja estos guantes.
15. Bébalo.

Test 7

Note: Review the formation of regular verbs in the future (futuro) (Tense No. 4) at the top of page 19 and the conditional (potencial simple) (Tense No. 5) at the bottom of page 19.

1. Yo saldría.
2. Ud. tendría.
3. Nosotros seríamos.
4. Uds. estarían.
5. María querría.
6. Tú ganarías.
7. Ellos harían.
8. Ella cantaría.
9. José bailaría.
10. Tú escribirías.
11. Él sería.
12. Yo me lavaría.
13. Alberto se sentaría.
14. Nosotros nos sentiríamos.
15. Nosotros nos sentaríamos.
16. Yo aprendería.
17. Tú beberías.
18. Ud. sabría.
19. Miguel leería.
20. Nosotros iríamos.
21. Vosotros iríais.
22. Uds. dirían.
23. Ellos vendrían.
24. Ellas venderían.
25. José y Dora serían.
26. Los chicos comerían.
27. María y yo haríamos.
28. Elena y Ana pondrían.
29. Vosotros veríais.
30. Yo estudiaría.

Test 8

1. (a) No. Yo no saldré de casa esta noche.
   (b) Ellos no saldrán de casa esta noche tampoco.
   Review the futuro of salir among the 501 verbs in this book.
2. (a) No. Yo no quiero venir a tu casa esta tarde.
   (b) Nosotros no queremos venir a tu casa esta tarde tampoco.
   Review the presente de indicativo of querer among the 501 verbs.
3. (a) No. Yo no canté esta mañana.
   (b) Ellos no cantaron esta mañana tampoco.
   Review the pretérito of cantar among the 501 verbs.
4. (a) No. Yo no digo mentiras.
   (b) Ella no dice mentiras tampoco.
   Review the presente de indicativo of decir among the 501 verbs.
5. (a) No. Yo no fui al cine ayer.
   (b) Ellos no fueron al cine ayer tampoco.
   Review the pretérito of ir among the 501 verbs.

Test 9

1. Yo fui al parque.
2. Elisa miró la televisión.
3. El niño bebió la leche.
4. Margarita hizo la lección.
5. José habló mucho.
6. Mi amigo pagó la cuenta.
7. Nosotros tomamos el desayuno a las ocho.
8. Luis escribió cartas.
9. Marta aprendió la lección.
10. Los Señores López vivieron en esta casa.
11. Yo hice el trabajo.
12. La señorita trajo el plato.
13. Pablo leyó el poema.
14. Carlota dijo la verdad.
15. La profesora abrió el libro.

Test 10

1. A Review the explanations and examples of the **potencial simple** (Tense No. 5), in particular, example (b) on page 19. Review the other forms of **gustar** (def. and imp.) and the examples that follow. Also, review the explanations and examples of **gustar**.

2. A Review the explanation and examples in question number 20 in **Test 4.** The idea is the same here.

3. C You need to complete the **pluscuamperfecto de indicativo** (Tense No. 9) because **había** is given as the helping verb. Review this tense and the other forms of **decir** (verb 161) in choices A, B, and D. Also, review the formation of the **pluscuamperfecto de indicativo** on pages 24 and 25. From time to time, refer to the regular formation of past participles and the list of irregular past participles on pages 5 and 6 where you will find **dicho.** Study example (c) 3 on page 19.

4. A Review the **potencial simple** (Tense No. 5) on page 19, in particular, example (c) 2. Review the other forms of **venir** among the 501 verbs.

5. A Review the **imperativo** on pages 27 to 29 and at the bottom of the page where **sentarse** is listed among the 501 verbs.

6. C Study the explanations and examples of the uses of the **presente de subjuntivo** (Tense No. 6) on pages 20 to 23. See example (e) on page 20. Review the other forms of **hacer** among the 501 verbs.

7. B Review the verbs of motion that take the preposition **a** + infinitive in section A on page 669. Study the other forms of **tomar** among the 501 verbs.

8. D Review the formation of the progressive present beginning at the bottom of page 4. Study the regular formation of present participles and irregular present participles on pages 3 and 4. Study the other forms of **estudiar** among the 501 verbs.

9. A Review example 2 on page 4. Also, review the other forms of **llorar** among the 501 verbs.

10. D Study the explanations and examples of the uses of the **presente de subjuntivo** (Tense No. 6) on pages 20 to 23. See statement (e) on page 20 and example 3 at the top of page 21.

11. B See explanation (f), example 1 on page 21. Review the other forms of **venir** among the 501 verbs.

12. B See explanation (g), example 1 on page 21. Review the other forms of **comer** among the 501 verbs.

13. D See explanation (h) on page 21 and example 1 at the top of page 22. Review the other forms of **llegar** among the 501 verbs.

14. C See explanation (h) on page 21 and example 4 at the top of page 22. Review the other forms of **volver** among the 501 verbs.

15. A See explanation (i), example 1 on page 22. Review the other forms of ser among the 501 verbs.
16. D See explanation (k) and the example on page 22. Review the other forms of venir among the 501 verbs.
17. B See explanation (l), example 1 on page 22. Review the other forms of ser among the 501 verbs.
18. A See explanation (l), example 2 on page 22. Review the other forms of hablar among the 501 verbs.
19. C See explanation (l), example 3 on page 22. Review the other forms of poder among the 501 verbs.
20. C Review the explanation, formation, and uses of the **imperfecto de subjuntivo** (Tense No. 7) on pages 23 and 24. See example 1 at the bottom of page 23. Review the other forms of **hacer** among the 501 verbs.

Test 11

Note: The infinitive form of the verb is given in parentheses in front of the following answers in case you had difficulty identifying any of the irregular verb forms. They are given so you may verify the forms in the **presente de indicativo** and the **pretérito** by turning to the page where the verbs are arranged alphabetically among the 501 verbs in this book.

1. (hablar) Yo hablé.
2. (aprender) Tú aprendiste.
3. (vivir) Ud. vivió aquí.
4. (trabajar) Él trabajó.
5. (decir) Ella dijo algo.
6. (ir) Uds. fueron al cine.
7. (pedir) Vosotros pedisteis algo.
8. (ser) Ellos fueron.
9. (beber) Ellas bebieron café.
10. (jugar) Juana jugó.
11. (tocar) Tú tocaste.
12. (morder) El perro mordió.
13. (oír) Ellos oyeron algo.
14. (escuchar) Uds. escucharon.
15. (estar) Yo estuve en casa.
16. (venir) Gabriela vino.
17. (dormir) El niño durmió.
18. (leer) Los alumnos leyeron.
19. (comer) Nosotros comimos.
20. (hacer) Vosotros hicisteis la lección.
21. (ir) Nosotros fuimos al teatro.
22. (pensar) Ellos pensaron.
23. (tener) Ellos tuvieron dinero.
24. (escribir) Alberto escribió.
25. (morir) Ella murió.
26. (comer) María y José comieron.
27. (oír) Yo oí la música.
28. (querer) Yo quise comer.
29. (estar) Ella estuvo en la escuela.
30. (ir) Yo fui a casa.

Test 12

Presente de indicativo
1. Yo hablo.
2. Tú bebes.
3. Ud. recibe.
4. Uds. abren.
5. Ellos hacen.
6. Nosotros aprendemos.
7. María lee.
8. Ellos aceptan.
9. Yo amo.
10. Tú escribes.

Imperfecto de indicativo
1. Yo cantaba.
2. Uds. daban.
3. Tú te bañabas.
4. Nosotros hacíamos.
5. Ud. hablaba.
6. Nosotros hallábamos.
7. Yo comprendía.
8. Uds. comían.
9. Yo me levantaba.
10. Ella vivía.

Pretérito

1. Yo hablé.
2. Tú compraste.
3. Ud. aprendió.
4. Nosotros corrimos.
5. Uds. recibieron.
6. Él cantó.
7. Ellos se apresuraron.
8. Uds. trajeron.
9. Ella vivió.
10. Ellas se lavaron.

Futuro

1. Yo bailaré.
2. Tú aprenderás.
3. Ud. irá.
4. Uds. vendrán.
5. Nosotros nos iremos.
6. Ud. recibirá.
7. Yo daré.
8. Ellos cantarán.
9. Ella comprenderá.
10. Uds. vivirán.

Potencial simple

1. Ella comprendería.
2. Uds. vivirían.
3. Ellos comprarían.
4. Yo daría.
5. Ud. recibiría.
6. Nosotros saltaríamos.
7. Ella dormiría.
8. Ellos entenderían.
9. Yo estaría.
10. Yo sería.

Presente de subjuntivo

1. que yo hable
2. que tú aprendas
3. que Ud. reciba
4. que él tanga
5. que ella esté
6. que Ud. sea
7. que Uds. canten
8. que nosotros nos casemos
9. que ella venga
10. que yo comprenda

Imperfecto de subjuntivo

1. que yo hablara *or* hablase
2. que él aprendiera *or* aprendiese
3. que Ud. viviera *or* viviese
4. que nosotros bailáramos *or* bailásemos
5. que ella bajara *or* bajase
6. que ellos comprendieran *or* comprendiesen

Test 13

1. E S C R I T O
2. N A C I D O
3. A B I E R T O
4. M U E R T O
5. O Í D O
6. R E Í D O
7. A P R E N D I D O
8. D I C H O
9. O B T E N I D O

Test 14
Note: All the forms of haber (verb 257) in the seven simple tenses are given in the book. Verify your work by consulting that page. Remember that these verb forms are needed to form the seven compound tenses that are also on that page.

Test 15
Note: All the forms of estar (verb 230) in the seven simple tenses are given in the book. Verify your work by consulting that page. Remember that the verb forms in the **presente de indicativo** (Tense No. 1) of estar are needed to form the progressive present, as in **estoy trabajando** (I am working). The verb forms in the **imperfecto de indicativo** (Tense No. 2) of estar are needed to form the progressive past, as in **estaba trabajando** (I was working). Review page 4 to page 5. Review the formation of the present participles on pages 3 and 4 so that you may be able to form the progressive present and progressive past.

Test 16
Note: Keep in mind that to form the **pluscuamperfecto de indicativo** (Tense No. 9), you need to use the **imperfecto de indicativo** (Tense No. 2) of haber plus the past participle of the verb you are working with. Review the formation of the past participles on pages 5 and 6. Also, review Test 14.

1. Yo había hablado.
2. Tú habías aprendido.
3. Ud. había salido.
4. Él había comprendido.
5. Ella había comprado.
6. El chico había comido.
7. Nosotros habíamos ido.
8. Yo había abierto.
9. Uds. habían hecho.
10. Ellas habían caído.
11. Yo había llegado.
12. Tú habías escrito.
13. Ud. había creído.
14. Él había dicho.
15. Ella había dado.
16. La chica había bebido.
17. Nosotros habíamos oído.
18. Uds. habían tenido.
19. Ellos habían puesto.
20. Ellas habían cubierto.

Test 17
1. **C** See explanation (n) and the example on page 23. Review the other forms of venir among the 501 verbs.
2. **D** See the explanation, examples, and regular formation of the **imperfecto de subjuntivo** (Tense No. 7) on pages 23 and 24. Review the other forms of comprender among the 501 verbs.
3. **B** You need to complete the **perfecto de indicativo** (Tense No. 8) by selecting the past participle hablado because he is given in front of the missing verb form. Review the other verb forms of hablar among the 501 verbs.
4. **B** See the explanation, examples, and regular formation of the **imperfecto de subjuntivo** (Tense No. 7) on pages 23 and 24, in particular, the example at the top of page 24. Review the other forms of ser among the 501 verbs.
5. **A** You need to complete the **perfecto de indicativo** (Tense No. 8) by selecting the past participle ganado because ha is given in front of the missing verb form. See the explanation, examples, and regular formation of the **perfecto de**

indicativo on page 24, in particular, example 3. Review the other forms of **ganar** among the 501 verbs.

6. **B** The infinitive form **salir** is needed because a verb form (**quiero**) precedes it. Review section K on pages 676 and 677, where you will find **querer** + infinitive. Review the other forms of **salir** among the 501 verbs.

7. **A** You need the infinitive form **terminar** because the preposition **a** precedes the missing verb form. Review section A on page 669, where you will find **ir** and other verbs of motion that take the preposition **a** + infinitive. Also, review the other forms of **terminar** among the 501 verbs.

8. **B** The infinitive form **decir** is needed because a verb form (**quiere**) precedes the missing verb form. Review section K on pages 676 and 677 where you will find **querer** + infinitive. See also the two examples given there. Review the other forms of **decir** among the 501 verbs.

9. **B** You need to complete the progressive present by selecting the present participle **nevando** because **está** is given in front of the missing verb form. Review the formation of the progressive forms on pages 4 and 5. Also, review the present participles on pages 3 and 4. As for the other forms of **nevar** in the choices, turn to the page where **nevar** is given among the 501 verbs.

10. **B** The sentence means, *When I arrived home, my brother had gone out.* You need to complete the **pluscuamperfecto de indicativo** (Tense No. 9) by selecting the past participle **salido** because the helping verb **había** is given in front of the missing verb form. Review the explanation, formation, and examples of this tense on pages 24 and 25, in particular, example l. As for the other forms of **salir** in the choices, turn to the page where **salir** is given among the 501 verbs.

Test 18

Test 19

1. **C** You need the 3rd person plural, **presente de indicativo** of **tener** because you are telling Julia it seems to you that *they* (the dogs/**los perros**) *are* afraid. Note the idiomatic expression **tener miedo** (to be afraid), which is listed after **tener**. Review the other forms of **tener** among the 501 verbs.

2. B You need estar because you are saying that the little cat must *be* sick. Review the uses of estar on the pages following that verb. Also, the infinitive form estar is needed because debe is a verb that precedes the missing verb form. Generally speaking, the infinitive form of a verb is used when it is preceded by a conjugated verb form. Review the forms of the verbs in the choices among the 501 verbs: estar, ser, tener.

3. A Review again the difference in the uses of ser and estar. See the pages that follow each verb. Also, review the forms of these two verbs among the 501 verbs.

4. B You are telling Julia that Rojo, the dog, is quiet because he *is* in a strange place. Review the reason for estar in (b) on the pages that follow the verb conjugation.

5. A You need the presente de indicativo of llevar because the situation is taking place at the present time. Review the other choices of forms and tenses of llevar where the verb appears among the 501 verbs.

Test 20

Note: If you are still not sure of verb forms in the pretérito, you must review all the verbs used in this test by turning to the page where they appear among the 501 verbs.

1. Roberto escribió la lección.
2. La Señora Fuentes se levantó.
3. Yo ofrecí un regalo.
4. María trabajó.
5. El alumno leyó una carta.
6. El Señor Robles murió.
7. Margarita salió.
8. Ricardo habló.
9. Yo saludé a María.
10. Mi padre tuvo un accidente.
11. Mi hermana hizo la comida.
12. ¿Fue usted a España?
13. ¿Se vistieron los chicos?
14. Esta mañana yo me lavé.
15. Yo no quise hacerlo.

Test 21

15, 1, 14, 2, 3, 13, 12, 4, 11, 5, 7, 6, 8, 9, 10

Test 22

Note: Review all the verbs used in the sentences in this test in the presente de indicativo (Tense No. 1) and in the pretérito (Tense No. 3) by turning to the page where they appear among the 501 verbs in this book. If you were not able to identify some of the irregular verb forms in the sentences, consult the index of common irregular Spanish verb forms identified by infinitive beginning on page 678. For example, in the first sentence, cojo is given as an irregular form of coger. Then, look up coger among the 501 verbs.

1. Yo cogí la pelota.
2. Ud. durmió demasiado.
3. Tú fuiste al cine.
4. Él habló mucho.
5. Ella escribió una tarjeta.
6. Nosotros comimos en este restaurante.
7. Vosotros aceptasteis el dinero.
8. Uds. dieron de comer a los pájaros.
9. Yo fui al teatro.
10. Ellas fueron a casa.
11. Ellos estuvieron en la piscina.
12. Yo me senté cerca de la ventana.
13. Ud. se levantó.
14. Nosotros nos apresuramos.
15. Los muchachos vinieron a verme.
16. Berta estuvo enferma.
17. Mi madre hizo un bizcocho.
18. Yo busqué mis libros.
19. La profesora brió la puerta.
20. Me gustó el helado. *[The subject in this sentence is el helado. See gustar.]*

Test 23

B	U	H	O	H	B	U	T	O
H	B	U	A	G	I	R	O	T
H	U	B	E	V	I	S	T	O
R	I	O	E	S	C	I	R	T
H	U	E	B	I	M	O	E	S
O	R	S	E	I	B	U	I	H
E	S	C	R	I	O	T	B	U
V	I	R	T	O	A	B	A	E
H	A	I	B	A	B	I	E	R
I	S	T	O	V	H	U	B	E
R	O	O	T	R	O	T	U	I
R	C	S	E	E	B	U	H	O

Test 24

Note: All the forms of **haber** (verb 257) in the seven simple tenses are given in the book. Verify your work by consulting that page. Remember that these verb forms are needed to form the seven compound tenses (Tense Nos. 8 to 14). Review again page 32.

Test 25

1. Yo sé nadar, también.
2. Ellos salen de la escuela a las tres, trambién.
3. Ella está sentada, también.
4. Ellos son inteligentes, también.
5. Ellos sonríen, también.
6. Ellos leyeron el libro, también.
7. Nosotros recibimos muchos regalos, también.
8. Él bebió café con leche, también.
9. Yo oí la música, también.
10. Ellos durmieron mucho, también.
11. Ellos fueron al cine, también.
12. Ellos se acuestan a las diez, también.
13. Ellas han dicho la verdad, también.
14. Ellos hicieron la lección, también.
15. Él ha cantado bien, también.

Test 26

Note: Turn to the page among the 501 verbs and verify the form of the verb given in (a) in the following answers. Also, consult the page references that are given here.

1. (a) **salir**
   (b) **pretérito**
   (c) 3rd pers., sing. (The subject is Sancho.)
2. (a) **decir**
   (b) **gerundio** (pres. part.)
   (c) Review present participles on page 3.

3. (a) **poder**
   (b) **presente de indicativo**
   (c) 3rd pers., sing. (**Ud.** understood. Sancho is talking to **Don Quixote.**)
4. (a) **llegar**
   (b) **pretérito**
   (c) 1st pers., sing.
5. (a) **darse**
   (b) **pretérito**
   (c) 3rd pers., pl. See **darse** on the page that follows **dar** (verb 158).
6. (a) **bajar**
   (b) **imperativo**
   (c) 3rd pers., sing. (**Ud.**) (**baje, baje**/come down, come down)
7. (a) **ser**
   (b) **presente de indicativo**
   (c) 3rd pers., pl.
8. (a) **echar**
   (b) **perfecto de indicativo**
   (c) 1st pers., pl. (we have thrown)
9. (a) **aguardar**
   (b) progressive present
   (c) Review example 1 in the section on uses of the present participle as well as examples 1 and 2 in the section on the Progressive forms of tenses. Both sections are on page 4. (**nos están aguardando**/they are waiting for us)
10. (a) **decir**
    (b) progressive present
    (c) Review example 1 in the section on uses of the present participle as well as examples 1 and 2 in the section on the Progressive forms of tenses. Both sections are on page 4. (**la olla que está diciendo**/the pot that is saying)
11. (a) **comer**
    (b) **imperativo**
    (c) 2nd pers., sing. (**tú**)
    (**come, come**/eat, eat; ¡**cómeme, cómeme!**/eat me! eat me!)

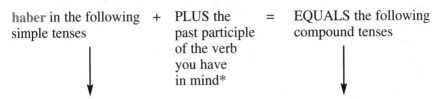

| haber in the following
simple tenses | + | PLUS the
past participle
of the verb
you have
in mind* | = | EQUALS the following
compound tenses |

1. Presente de indicativo
2. Imperfecto de indicativo
3. Pretérito
4. Futuro
5. Potencial simple
6. Presente de subjuntivo
7. Imperfecto de subjuntivo

8. Perfecto de indicativo
9. Pluscuamperfecto de indicativo
10. Pretérito anterior (Pret. perfecto)
11. Futuro perfecto
12. Potencial compuesto
13. Perfecto de subjuntivo
14. Pluscuamperfecto de subjuntivo

*To know how to form a past participle, see page 5.

Subject Pronouns

(a) The subject pronouns for all verb forms on the following pages have been omitted in order to emphasize the verb forms, which is what this book is all about.

(b) The subject pronouns that have been omitted are, as you know, as follows:

singular	plural
yo	nosotros (nosotras)
tú	vosotros (vosotras)
Ud. (él, ella)	Uds. (ellos, ellas)

The Spanish Alphabet and the New System of Alphabetizing

The Association of Spanish Language Academies met in Madrid for its 10th Annual Congress on April 27, 1994 and voted to eliminate CH and LL as separate letters of the Spanish alphabet.

Words beginning with CH will be listed alphabetically under the letter C. Words beginning with LL will be listed alphabetically under the letter L. The two separate letters historically have had separate headings in dictionaries and alphabetized word lists. Spanish words that contain the letter ñ are now alphabetized accordingly with words that do not contain the tilde over the n. For example, the Spanish system of alphabetizing used to place the word andar before añadir because the ñ would fall in after all words containing n. According to the new system, añadir is placed before andar because alphabetizing is now done letter by letter. The same applies to words containing rr.

The move was taken to simplify dictionaries, to make Spanish more compatible with English, and to aid translation and computer standardization. The vote was 17 in favor, 1 opposed, and 3 abstentions. Ecuador voted "no" and Panama, Nicaragua, and Uruguay abstained. (*The New York Times,* International Section, May 1, 1994, p. 16).

Essential 55 verb list

Beginning students should pay careful attention to the 55 verbs in this list. We have chosen them because they are useful for learning essential conjugations, tricky spelling changes, and common usage. We have also highlighted certain pairs of verbs to help you understand the difference between a reflexive and a nonreflexive verb. If you study the verbs on this list, you will be able to conjugate just about any verb you come across and you will be able to express yourself in correct idiomatic Spanish.

acabar
andar
aprender
caer/caerse
  (Verb Pair)
cantar
comenzar
comer
comprar
conducir
conocer
construir
contar
creer
dar
deber
decir
dormir
entrar
escribir
estar
estudiar
gustar *(See*
  Defective and
  Impersonal
  Verbs)
haber
hablar
hacer

ir/irse
  (Verb Pair)
leer
llamar/llamarse
  (Verb Pair)
llevar
mirar/mirarse
  (Verb Pair)
oír
pagar
pensar
perder
poder
poner/ponerse
  (Verb Pair)
quedarse
querer
saber
salir
sentir/sentirse
  (Verb Pair)
ser
tener
tomar
traer
venir
ver
vivir
volver

Subject Pronouns

singular	*plural*
yo	nosotros (nosotras)
tú	vosotros (vosotras)
Ud. (él, ella)	Uds. (ellos, ellas)

Abbreviations

adj. adjetivo (adjective)
ant. anterior
comp. compuesto (compound, perfect)
e.g. for example
fut. futuro (future)
i.e. that is, that is to say
imp. imperfecto (imperfect)
ind. indicativo (indicative)
inf. infinitivo (infinitive)
p. página (page)
part. participio (participle)
part. pas. participio de pasado, participio pasivo (past participle)
part. pr. participio de presente, participio activo, gerundio (present participle)
pas. pasado, pasivo (past, passive)
perf. perfecto (perfect)
perf. ind. perfecto de indicativo (present perfect indicative)
perf. subj. perfecto de subjuntivo (present perfect or past subjunctive)
plpf. pluscuamperfecto (pluperfect)
pot. potencial (conditional)
pot. comp. potencial compuesto (conditional perfect)
pr. or *pres.* presente (present)
prep. preposición (preposition)
pres. or *pr.* presente (present)
pret. pretérito (preterit)
subj. subjuntivo (subjunctive)

Alphabetical Listing of
501 Spanish Verbs
Fully Conjugated in
All the Tenses and Moods

Regular **-ir** verb   to knock down, to overthrow, to throw down

The Seven Simple Tenses		The Seven Compound Tenses	
Singular	Plural	Singular	Plural
1 presente de indicativo		8 perfecto de indicativo	
abato	abatimos	he abatido	hemos abatido
abates	abatís	has abatido	habéis abatido
abate	abaten	ha abatido	han abatido
2 imperfecto de indicativo		9 pluscuamperfecto de indicativo	
abatía	abatíamos	había abatido	habíamos abatido
abatías	abatíais	habías abatido	habíais abatido
abatía	abatían	había abatido	habían abatido
3 pretérito		10 pretérito anterior	
abatí	abatimos	hube abatido	hubimos abatido
abatiste	abatisteis	hubiste abatido	hubisteis abatido
abatió	abatieron	hubo abatido	hubieron abatido
4 futuro		11 futuro perfecto	
abatiré	abatiremos	habré abatido	habremos abatido
abatirás	abatiréis	habrás abatido	habréis abatido
abatirá	abatirán	habrá abatido	habrán abatido
5 potencial simple		12 potencial compuesto	
abatiría	abatiríamos	habría abatido	habríamos abatido
abatirías	abatiríais	habrías abatido	habríais abatido
abatiría	abatirían	habría abatido	habrían abatido
6 presente de subjuntivo		13 perfecto de subjuntivo	
abata	abatamos	haya abatido	hayamos abatido
abatas	abatáis	hayas abatido	hayáis abatido
abata	abatan	haya abatido	hayan abatido
7 imperfecto de subjuntivo		14 pluscuamperfecto de subjuntivo	
abatiera	abatiéramos	hubiera abatido	hubiéramos abatido
abatieras	abatierais	hubieras abatido	hubierais abatido
abatiera	abatieran	hubiera abatido	hubieran abatido
OR		OR	
abatiese	abatiésemos	hubiese abatido	hubiésemos abatido
abatieses	abatieseis	hubieses abatido	hubieseis abatido
abatiese	abatiesen	hubiese abatido	hubiesen abatido

imperativo

—	**abatamos**
abate; no abatas	**abatid; no abatáis**
abata	**abatan**

Words and expressions related to this verb

abatidamente   dejectedly
el abatimiento   abasement, depression, discouragement
abatir el ánimo   to feel discouraged, low in spirit

batir   to beat, strike
batir palmas   to applaud, clap
abatido, abatida   dejected

Can't find the verb you're looking for?
Check the back pages of this book for a list of over 2,100 additional verbs!

The subject pronouns are found on page 93.

abrasar (2)

Gerundio **abrasando** Part. pas. **abrasado**

to burn, to set on fire

Regular **-ar** verb

The Seven Simple Tenses		The Seven Compound Tenses	
Singular	Plural	Singular	Plural
1 presente de indicativo		8 perfecto de indicativo	
abraso	abrasamos	he abrasado	hemos abrasado
abrasas	abrasáis	has abrasado	habéis abrasado
abrasa	abrasan	ha abrasado	han abrasado
2 imperfecto de indicativo		9 pluscuamperfecto de indicativo	
abrasaba	abrasábamos	había abrasado	habíamos abrasado
abrasabas	abrasabais	habías abrasado	habíais abrasado
abrasaba	abrasaban	había abrasado	habían abrasado
3 pretérito		10 pretérito anterior	
abrasé	abrasamos	hube abrasado	hubimos abrasado
abrasaste	abrasasteis	hubiste abrasado	hubisteis abrasado
abrasó	abrasaron	hubo abrasado	hubieron abrasado
4 futuro		11 futuro perfecto	
abrasaré	abrasaremos	habré abrasado	habremos abrasado
abrasarás	abrasaréis	habrás abrasado	habréis abrasado
abrasará	abrasarán	habrá abrasado	habrán abrasado
5 potencial simple		12 potencial compuesto	
abrasaría	abrasaríamos	habría abrasado	habríamos abrasado
abrasarías	abrasaríais	habrías abrasado	habríais abrasado
abrasaría	abrasarían	habría abrasado	habrían abrasado
6 presente de subjuntivo		13 perfecto de subjuntivo	
abrase	abrasemos	haya abrasado	hayamos abrasado
abrases	abraséis	hayas abrasado	hayáis abrasado
abrase	abrasen	haya abrasado	hayan abrasado
7 imperfecto de subjuntivo		14 pluscuamperfecto de subjuntivo	
abrasara	abrasáramos	hubiera abrasado	hubiéramos abrasado
abrasaras	abrasarais	hubieras abrasado	hubierais abrasado
abrasara	abrasaran	hubiera abrasado	hubieran abrasado
OR		OR	
abrasase	abrasásemos	hubiese abrasado	hubiésemos abrasado
abrasases	abrasaseis	hubieses abrasado	hubieseis abrasado
abrasase	abrasasen	hubiese abrasado	hubiesen abrasado

imperativo	
—	abrasemos
abrasa; no abrases	abrasad; no abraséis
abrase	abrasen

Words and expressions related to this verb

abrasadamente ardently, fervently
abrasado, abrasada burning; flushed with anger
el abrasamiento burning, excessive passion

abrasarse vivo to burn with passion
abrasarse de amor to be passionately in love
abrasarse en deseos to become full of desire

Get acquainted with what preposition goes with what verb on pages 669–677.

Regular **-ar** verb endings with spelling change: to embrace, to hug; to clamp
z becomes **c** before **e**

The Seven Simple Tenses		The Seven Compound Tenses	
Singular	Plural	Singular	Plural
1 presente de indicativo		8 perfecto de indicativo	
abrazo	**abrazamos**	**he abrazado**	**hemos abrazado**
abrazas	**abrazáis**	**has abrazado**	**habéis abrazado**
abraza	**abrazan**	**ha abrazado**	**han abrazado**
2 imperfecto de indicativo		9 pluscuamperfecto de indicativo	
abrazaba	**abrazábamos**	**había abrazado**	**habíamos abrazado**
abrazabas	**abrazabais**	**habías abrazado**	**habíais abrazado**
abrazaba	**abrazaban**	**había abrazado**	**habían abrazado**
3 pretérito		10 pretérito anterior	
abracé	**abrazamos**	**hube abrazado**	**hubimos abrazado**
abrazaste	**abrazasteis**	**hubiste abrazado**	**hubisteis abrazado**
abrazó	**abrazaron**	**hubo abrazado**	**hubieron abrazado**
4 futuro		11 futuro perfecto	
abrazaré	**abrazaremos**	**habré abrazado**	**habremos abrazado**
abrazarás	**abrazaréis**	**habrás abrazado**	**habréis abrazado**
abrazará	**abrazarán**	**habrá abrazado**	**habrán abrazado**
5 potencial simple		12 potencial compuesto	
abrazaría	**abrazaríamos**	**habría abrazado**	**habríamos abrazado**
abrazarías	**abrazaríais**	**habrías abrazado**	**habríais abrazado**
abrazaría	**abrazarían**	**habría abrazado**	**habrían abrazado**
6 presente de subjuntivo		13 perfecto de subjuntivo	
abrace	**abracemos**	**haya abrazado**	**hayamos abrazado**
abraces	**abracéis**	**hayas abrazado**	**hayáis abrazado**
abrace	**abracen**	**haya abrazado**	**hayan abrazado**
7 imperfecto de subjuntivo		14 pluscuamperfecto de subjuntivo	
abrazara	**abrazáramos**	**hubiera abrazado**	**hubiéramos abrazado**
abrazaras	**abrazarais**	**hubieras abrazado**	**hubierais abrazado**
abrazara	**abrazaran**	**hubiera abrazado**	**hubieran abrazado**
OR		OR	
abrazase	**abrazásemos**	**hubiese abrazado**	**hubiésemos abrazado**
abrazases	**abrazaseis**	**hubieses abrazado**	**hubieseis abrazado**
abrazase	**abrazasen**	**hubiese abrazado**	**hubiesen abrazado**

	imperativo	
	—	**abracemos**
	abraza; no abraces	**abrazad; no abracéis**
	abrace	**abracen**

Words related to this verb
un abrazo   embrace, hug   **una abrazada**   embrace
el abrazamiento   embracing   **una abrazadera**   clamp, clasp
un abrazo de Juanita   Love, Juanita

Don't forget to study the section on defective and impersonal verbs. It's right after this main list.

The subject pronouns are found on page 93.

abrir (4)

to open

Regular **-ir** verb endings with spelling
change: irregular past participle

The Seven Simple Tenses		The Seven Compound Tenses	
Singular	Plural	Singular	Plural
1 presente de indicativo		8 perfecto de indicativo	
abro	abrimos	he abierto	hemos abierto
abres	abrís	has abierto	habéis abierto
abre	abren	ha abierto	han abierto
2 imperfecto de indicativo		9 pluscuamperfecto de indicativo	
abría	abríamos	había abierto	habíamos abierto
abrías	abríais	habías abierto	habíais abierto
abría	abrían	había abierto	habían abierto
3 pretérito		10 pretérito anterior	
abrí	abrimos	hube abierto	hubimos abierto
abriste	abristeis	hubiste abierto	hubisteis abierto
abrió	abrieron	hubo abierto	hubieron abierto
4 futuro		11 futuro perfecto	
abriré	abriremos	habré abierto	habremos abierto
abrirás	abriréis	habrás abierto	habréis abierto
abrirá	abrirán	habrá abierto	habrán abierto
5 potencial simple		12 potencial compuesto	
abriría	abriríamos	habría abierto	habríamos abierto
abrirías	abriríais	habrías abierto	habríais abierto
abriría	abrirían	habría abierto	habrían abierto
6 presente de subjuntivo		13 perfecto de subjuntivo	
abra	abramos	haya abierto	hayamos abierto
abras	abráis	hayas abierto	hayáis abierto
abra	abran	haya abierto	hayan abierto
7 imperfecto de subjuntivo		14 pluscuamperfecto de subjuntivo	
abriera	abriéramos	hubiera abierto	hubiéramos abierto
abrieras	abrierais	hubieras abierto	hubierais abierto
abriera	abrieran	hubiera abierto	hubieran abierto
OR		OR	
abriese	abriésemos	hubiese abierto	hubiésemos abierto
abrieses	abrieseis	hubieses abierto	hubieseis abierto
abriese	abriesen	hubiese abierto	hubiesen abierto

	imperativo
—	abramos
abre; no abras	abrid; no abráis
abra	abran

Sentences using this verb and words related to it
La maestra dijo a los alumnos: — Abrid los libros en la página diez, por favor.
Todos los alumnos abrieron los libros en la página diez y Pablo comenzó a leer la lectura.

un abrimiento   opening
abrir paso   to make way

La puerta está abierta.   The door is open.
Los libros están abiertos.   The books are open.
en un abrir y cerrar de ojos   in a wink

Gerundio **absolviendo**   Part. pas. **absuelto**   **absolver (5)**

Regular **-er** verb endings with spelling change: irregular   to absolve, to acquit
past participle; stem change: Tenses 1, 6, Imperative

The Seven Simple Tenses		The Seven Compound Tenses	

Singular	Plural	Singular	Plural
1 presente de indicativo		8 perfecto de indicativo	
absuelvo	**absolvemos**	**he absuelto**	**hemos absuelto**
absuelves	**absolvéis**	**has absuelto**	**habéis absuelto**
absuelve	**absuelven**	**ha absuelto**	**han absuelto**
2 imperfecto de indicativo		9 pluscuamperfecto de indicativo	
absolvía	**absolvíamos**	**había absuelto**	**habíamos absuelto**
absolvías	**absolvíais**	**habías absuelto**	**habíais absuelto**
absolvía	**absolvían**	**había absuelto**	**habían absuelto**
3 pretérito		10 pretérito anterior	
absolví	**absolvimos**	**hube absuelto**	**hubimos absuelto**
absolviste	**absolvisteis**	**hubiste absuelto**	**hubisteis absuelto**
absolvió	**absolvieron**	**hubo absuelto**	**hubieron absuelto**
4 futuro		11 futuro perfecto	
absolveré	**absolveremos**	**habré absuelto**	**habremos absuelto**
absolverás	**absolveréis**	**habrás absuelto**	**habréis absuelto**
absolverá	**absolverán**	**habrá absuelto**	**habrán absuelto**
5 potencial simple		12 potencial compuesto	
absolvería	**absolveríamos**	**habría absuelto**	**habríamos absuelto**
absolverías	**absolveríais**	**habrías absuelto**	**habríais absuelto**
absolvería	**absolverían**	**habría absuelto**	**habrían absuelto**
6 presente de subjuntivo		13 perfecto de subjuntivo	
absuelva	**absolvamos**	**haya absuelto**	**hayamos absuelto**
absuelvas	**absolváis**	**hayas absuelto**	**hayáis absuelto**
absuelva	**absuelvan**	**haya absuelto**	**hayan absuelto**
7 imperfecto de subjuntivo		14 pluscuamperfecto de subjuntivo	
absolviera	**absolviéramos**	**hubiera absuelto**	**hubiéramos absuelto**
absolvieras	**absolvierais**	**hubieras absuelto**	**hubierais absuelto**
absolviera	**absolvieran**	**hubiera absuelto**	**hubieran absuelto**
OR		OR	
absolviese	**absolviésemos**	**hubiese absuelto**	**hubiésemos absuelto**
absolvieses	**absolvieseis**	**hubieses absuelto**	**hubieseis absuelto**
absolviese	**absolviesen**	**hubiese absuelto**	**hubiesen absuelto**

imperativo

—	**absolvamos**
absuelve; no absuelvas	**absolved; no absolváis**
absuelva	**absuelvan**

Words and expressions related to this verb
la absolución   absolution, acquittal, pardon
absolutamente   absolutely
absoluto, absoluta   absolute, unconditional
en absoluto   absolutely
nada en absoluto   nothing at all

el absolutismo   absolutism, despotism
la absolución libre   not guilty verdict
salir absuelto   to come out clear of any charges

The subject pronouns are found on page 93.

101

The Seven Simple Tenses		The Seven Compound Tenses	
Singular	Plural	Singular	Plural
1 presente de indicativo		**8 perfecto de indicativo**	
me abstengo	nos abstenemos	me he abstenido	nos hemos abstenido
te abstienes	os abstenéis	te has abstenido	os habéis abstenido
se abstiene	se abstienen	se ha abstenido	se han abstenido
2 imperfecto de indicativo		**9 pluscuamperfecto de indicativo**	
me abstenía	nos absteníamos	me había abstenido	nos habíamos abstenido
te abstenías	os absteníais	te habías abstenido	os habíais abstenido
se abstenía	se abstenían	se había abstenido	se habían abstenido
3 pretérito		**10 pretérito anterior**	
me abstuve	nos abstuvimos	me hube abstenido	nos hubimos abstenido
te abstuviste	os abstuvisteis	te hubiste abstenido	os hubisteis abstenido
se abstuvo	se abstuvieron	se hubo abstenido	se hubieron abstenido
4 futuro		**11 futuro perfecto**	
me abstendré	nos abstendremos	me habré abstenido	nos habremos abstenido
te abstendrás	os abstendréis	te habrás abstenido	os habréis abstenido
se abstendrá	se abstendrán	se habrá abstenido	se habrán abstenido
5 potencial simple		**12 potencial compuesto**	
me abstendría	nos abstendríamos	me habría abstenido	nos habríamos abstenido
te abstendrías	os abstendríais	te habrías abstenido	os habríais abstenido
se abstendría	se abstendrían	se habría abstenido	se habrían abstenido
6 presente de subjuntivo		**13 perfecto de subjuntivo**	
me abstenga	nos abstengamos	me haya abstenido	nos hayamos abstenido
te abstengas	os abstengáis	te hayas abstenido	os hayáis abstenido
se abstenga	se abstengan	se haya abstenido	se hayan abstenido
7 imperfecto de subjuntivo		**14 pluscuamperfecto de subjuntivo**	
me abstuviera	nos abstuviéramos	me hubiera abstenido	nos hubiéramos abstenido
te abstuvieras	os abstuvierais	te hubieras abstenido	os hubierais abstenido
se abstuviera	se abstuvieran	se hubiera abstenido	se hubieran abstenido
OR		OR	
me abstuviese	nos abstuviésemos	me hubiese abstenido	nos hubiésemos abstenido
te abstuvieses	os abstuvieseis	te hubieses abstenido	os hubieseis abstenido
se abstuviese	se abstuviesen	se hubiese abstenido	se hubiesen abstenido

imperativo	
—	abstengámonos
abstente; no te abstengas	absteneos; no os abstengáis
absténgase	absténganse

Words and expressions related to this verb
la abstención   abstention, forbearance
abstenerse de   to abstain from, to refrain from
la abstinencia   abstinence, fasting
hacer abstinencia   to fast

el, la abstencionista   abstentionist
el abstencionismo   abstentionism
el día de abstinencia   day of fasting

Regular **-ir** verb   to annoy, to bore, to vex

The Seven Simple Tenses		The Seven Compound Tenses	
Singular	Plural	Singular	Plural
1 presente de indicativo		8 perfecto de indicativo	
aburro	aburrimos	he aburrido	hemos aburrido
aburres	aburrís	has aburrido	habéis aburrido
aburre	aburren	ha aburrido	han aburrido
2 imperfecto de indicativo		9 pluscuamperfecto de indicativo	
aburría	aburríamos	había aburrido	habíamos aburrido
aburrías	aburríais	habías aburrido	habíais aburrido
aburría	aburrían	había aburrido	habían aburrido
3 pretérito		10 pretérito anterior	
aburrí	aburrimos	hube aburrido	hubimos aburrido
aburriste	aburristeis	hubiste aburrido	hubisteis aburrido
aburrió	aburrieron	hubo aburrido	hubieron aburrido
4 futuro		11 futuro perfecto	
aburriré	aburriremos	habré aburrido	habremos aburrido
aburrirás	aburriréis	habrás aburrido	habréis aburrido
aburrirá	aburrirán	habrá aburrido	habrán aburrido
5 potencial simple		12 potencial compuesto	
aburriría	aburriríamos	habría aburrido	habríamos aburrido
aburrirías	aburriríais	habrías aburrido	habríais aburrido
aburriría	aburrirían	habría aburrido	habrían aburrido
6 presente de subjuntivo		13 perfecto de subjuntivo	
aburra	aburramos	haya aburrido	hayamos aburrido
aburras	aburráis	hayas aburrido	hayáis aburrido
aburra	aburran	haya aburrido	hayan aburrido
7 imperfecto de subjuntivo		14 pluscuamperfecto de subjuntivo	
aburriera	aburriéramos	hubiera aburrido	hubiéramos aburrido
aburrieras	aburrierais	hubieras aburrido	hubierais aburrido
aburriera	aburrieran	hubiera aburrido	hubieran aburrido
OR		OR	
aburriese	aburriésemos	hubiese aburrido	hubiésemos aburrido
aburrieses	aburrieseis	hubieses aburrido	hubieseis aburrido
aburriese	aburriesen	hubiese aburrido	hubiesen aburrido

imperativo	
—	aburramos
aburre; no aburras	aburrid; no aburráis
aburra	aburran

Sentences using this verb and words related to it
El profesor de español cree que Pedro está aburrido, que María está aburrida, que todos los alumnos en la clase están aburridos. Pero la verdad es que no se aburren.
Todos los alumnos se interesan en aprender español.

el aburrimiento boredom, weariness   **una cara de aburrimiento** a bored look
un aburridor, una aburridora boring person   **la aburrición** annoyance, ennui
See also **aburrirse.**

The subject pronouns are found on page 93.

Gerundio **aburriéndose**

Part. pas. **aburrido**

to be bored, to grow tired, to grow weary

Reflexive regular **-ir** verb

The Seven Simple Tenses		The Seven Compound Tenses	
Singular	Plural	Singular	Plural
1 presente de indicativo		**8 perfecto de indicativo**	
me aburro	nos aburrimos	me he aburrido	nos hemos aburrido
te aburres	os aburrís	te has aburrido	os habéis aburrido
se aburre	se aburren	se ha aburrido	se han aburrido
2 imperfecto de indicativo		**9 pluscuamperfecto de indicativo**	
me aburría	nos aburríamos	me había aburrido	nos habíamos aburrido
te aburrías	os aburríais	te habías aburrido	os habíais aburrido
se aburría	se aburrían	se había aburrido	se habían aburrido
3 pretérito		**10 pretérito anterior**	
me aburrí	nos aburrimos	me hube aburrido	nos hubimos aburrido
te aburriste	os aburristeis	te hubiste aburrido	os hubisteis aburrido
se aburrió	se aburrieron	se hubo aburrido	se hubieron aburrido
4 futuro		**11 futuro perfecto**	
me aburriré	nos aburriremos	me habré aburrido	nos habremos aburrido
te aburrirás	os aburriréis	te habrás aburrido	os habréis aburrido
se aburrirá	se aburrirán	se habrá aburrido	se habrán aburrido
5 potencial simple		**12 potencial compuesto**	
me aburriría	nos aburriríamos	me habría aburrido	nos habríamos aburrido
te aburrirías	os aburriríais	te habrías aburrido	os habríais aburrido
se aburriría	se aburrirían	se habría aburrido	se habrían aburrido
6 presente de subjuntivo		**13 perfecto de subjuntivo**	
me aburra	nos aburramos	me haya aburrido	nos hayamos aburrido
te aburras	os aburráis	te hayas aburrido	os hayáis aburrido
se aburra	se aburran	se haya aburrido	se hayan aburrido
7 imperfecto de subjuntivo		**14 pluscuamperfecto de subjuntivo**	
me aburriera	nos aburriéramos	me hubiera aburrido	nos hubiéramos aburrido
te aburrieras	os aburrierais	te hubieras aburrido	os hubierais aburrido
se aburriera	se aburrieran	se hubiera aburrido	se hubieran aburrido
OR		OR	
me aburriese	nos aburriésemos	me hubiese aburrido	nos hubiésemos aburrido
te aburrieses	os aburrieseis	te hubieses aburrido	os hubieseis aburrido
se aburriese	se aburriesen	se hubiese aburrido	se hubiesen aburrido

imperativo	
—	aburrámonos
abúrrete; no te aburras	aburríos; no os aburráis
abúrrase	abúrranse

Words and expressions related to this verb

Hace treinta años que el profesor de español enseña la lengua en la misma escuela, pero no se aburre.

el aburrimiento boredom, weariness
aburridamente tediously
See also **aburrir.**

aburrirse como una ostra to be bored stiff
(like an oyster)
¡Qué aburrimiento! What a bore!

to finish, to end, to complete

The Seven Simple Tenses | The Seven Compound Tenses

A

Singular	Plural	Singular	Plural
1 presente de indicativo		8 perfecto de indicativo	
acabo	acabamos	he acabado	hemos acabado
acabas	acabáis	has acabado	habéis acabado
acaba	acaban	ha acabado	han acabado
2 imperfecto de indicativo		9 pluscuamperfecto de indicativo	
acababa	acabábamos	había acabado	habíamos acabado
acababas	acababais	habías acabado	habíais acabado
acababa	acababan	había acabado	habían acabado
3 pretérito		10 pretérito anterior	
acabé	acabamos	hube acabado	hubimos acabado
acabaste	acabasteis	hubiste acabado	hubisteis acabado
acabó	acabaron	hubo acabado	hubieron acabado
4 futuro		11 futuro perfecto	
acabaré	acabaremos	habré acabado	habremos acabado
acabarás	acabaréis	habrás acabado	habréis acabado
acabará	acabarán	habrá acabado	habrán acabado
5 potencial simple		12 potencial compuesto	
acabaría	acabaríamos	habría acabado	habríamos acabado
acabarías	acabaríais	habrías acabado	habríais acabado
acabaría	acabarían	habría acabado	habrían acabado
6 presente de subjuntivo		13 perfecto de subjuntivo	
acabe	acabemos	haya acabado	hayamos acabado
acabes	acabéis	hayas acabado	hayáis acabado
acabe	acaben	haya acabado	hayan acabado
7 imperfecto de subjuntivo		14 pluscuamperfecto de subjuntivo	
acabara	acabáramos	hubiera acabado	hubiéramos acabado
acabaras	acabarais	hubieras acabado	hubierais acabado
acabara	acabaran	hubiera acabado	hubieran acabado
OR		OR	
acabase	acabásemos	hubiese acabado	hubiésemos acabado
acabases	acabaseis	hubieses acabado	hubieseis acabado
acabase	acabasen	hubiese acabado	hubiesen acabado

	imperativo
—	acabemos
acaba; no acabes	acabad; no acabéis
acabe	acaben

AN ESSENTIAL
55 VERB

The subject pronouns are found on page 93.

Acabar is an important verb to learn because it is a regular –ar verb and because there are many everyday expressions related to it.

The Spanish idiomatic expression **acabar de + inf.** is expressed in English as *to have just* + past participle.

Present Indicative:
When you use **acabar** in the present tense, it indicates that the action of the main verb (+ inf.) has just occurred now in the present. In English, we express this by using *have just* + the past participle of the main verb.

Examples:
María acaba de llegar.
Mary has just arrived.

Acabo de comer.
I have just eaten.

Acabamos de terminar la lección.
We have just finished the lesson.

Imperfect Indicative:
When you use **acabar** in the imperfect indicative, it indicates that the action of the main verb (+ inf.) had occurred at some time in the past when another action occurred in the past. In English, we express this by using *had just* + the past participle of the main verb.

María acababa de llegar.
Mary had just arrived.

Yo acababa de comer.
I had just eaten.

Acabábamos de terminar la lección.
We had just finished the lesson.

Words and expressions related to this verb

el acabamiento completion

acabar con to put an end to

acabar en to end in

acabar por to end by, to ... finally

acabado, acabada finished

Note: When **acabar** is used in the imperfect indicative + inf. (of the main verb being expressed), the verb in the other clause is usually in the preterit.

Example:
Acabábamos de entrar cuando el teléfono sonó.
We had just entered the house when the telephone rang.

Proverb

Bien está lo que bien acaba.
All's well that ends well.

Don't forget to study the section on defective and impersonal verbs. It's right after this main list.

Regular **-ar** verb   to accelerate, to speed, to hasten, to hurry

The Seven Simple Tenses		The Seven Compound Tenses	
Singular	Plural	Singular	Plural
1 presente de indicativo		**8 perfecto de indicativo**	
acelero	aceleramos	he acelerado	hemos acelerado
aceleras	aceleráis	has acelerado	habéis acelerado
acelera	aceleran	ha acelerado	han acelerado
2 imperfecto de indicativo		**9 pluscuamperfecto de indicativo**	
aceleraba	acelerábamos	había acelerado	habíamos acelerado
acelerabas	acelerabais	habías acelerado	habíais acelerado
aceleraba	aceleraban	había acelerado	habían acelerado
3 pretérito		**10 pretérito anterior**	
aceleré	aceleramos	hube acelerado	hubimos acelerado
aceleraste	acelerasteis	hubiste acelerado	hubisteis acelerado
aceleró	aceleraron	hubo acelerado	hubieron acelerado
4 futuro		**11 futuro perfecto**	
aceleraré	aceleraremos	habré acelerado	habremos acelerado
acelerarás	aceleraréis	habrás acelerado	habréis acelerado
acelerará	acelerarán	habrá acelerado	habrán acelerado
5 potencial simple		**12 potencial compuesto**	
aceleraría	aceleraríamos	habría acelerado	habríamos acelerado
acelerarías	aceleraríais	habrías acelerado	habríais acelerado
aceleraría	acelerarían	habría acelerado	habrían acelerado
6 presente de subjuntivo		**13 perfecto de subjuntivo**	
acelere	aceleremos	haya acelerado	hayamos acelerado
aceleres	acelereis	hayas acelerado	hayáis acelerado
acelere	aceleren	haya acelerado	hayan acelerado
7 imperfecto de subjuntivo		**14 pluscuamperfecto de subjuntivo**	
acelerara	aceleráramos	hubiera acelerado	hubiéramos acelerado
aceleraras	acelerarais	hubieras acelerado	hubierais acelerado
acelerara	aceleraran	hubiera acelerado	hubieran acelerado
OR		OR	
acelerase	acelerásemos	hubiese acelerado	hubiésemos acelerado
acelerases	aceleraseis	hubieses acelerado	hubieseis acelerado
acelerase	acelerasen	hubiese acelerado	hubiesen acelerado

imperativo

—	**aceleremos**
acelera; no aceleres	**acelerad; no aceleréis**
acelere	**aceleren**

Words related to this verb
aceleradamente hastily, quickly, speedily   **acelerante** accelerating
la aceleración haste, acceleration   **el aceleramiento** acceleration

Can't remember the Spanish verb you need?
Check the back pages of this book for the English-Spanish verb index!

The subject pronouns are found on page 93.

to accept   Regular **-ar** verb

The Seven Simple Tenses		The Seven Compound Tenses	
Singular	Plural	Singular	Plural
1 presente de indicativo		8 perfecto de indicativo	
acepto	aceptamos	he aceptado	hemos aceptado
aceptas	aceptáis	has aceptado	habéis aceptado
acepta	aceptan	ha aceptado	han aceptado
2 imperfecto de indicativo		9 pluscuamperfecto de indicativo	
aceptaba	aceptábamos	había aceptado	habíamos aceptado
aceptabas	aceptabais	habías aceptado	habíais aceptado
aceptaba	aceptaban	había aceptado	habían aceptado
3 pretérito		10 pretérito anterior	
acepté	aceptamos	hube aceptado	hubimos aceptado
aceptaste	aceptasteis	hubiste aceptado	hubisteis aceptado
aceptó	aceptaron	hubo aceptado	hubieron aceptado
4 futuro		11 futuro perfecto	
aceptaré	aceptaremos	habré aceptado	habremos aceptado
aceptarás	aceptaréis	habrás aceptado	habréis aceptado
aceptará	aceptarán	habrá aceptado	habrán aceptado
5 potencial simple		12 potencial compuesto	
aceptaría	aceptaríamos	habría aceptado	habríamos aceptado
aceptarías	aceptaríais	habrías aceptado	habríais aceptado
aceptaría	aceptarían	habría aceptado	habrían aceptado
6 presente de subjuntivo		13 perfecto de subjuntivo	
acepte	aceptemos	haya aceptado	hayamos aceptado
aceptes	aceptéis	hayas aceptado	hayáis aceptado
acepte	acepten	haya aceptado	hayan aceptado
7 imperfecto de subjuntivo		14 pluscuamperfecto de subjuntivo	
aceptara	aceptáramos	hubiera aceptado	hubiéramos aceptado
aceptaras	aceptarais	hubieras aceptado	hubierais aceptado
aceptara	aceptaran	hubiera aceptado	hubieran aceptado
OR		OR	
aceptase	aceptásemos	hubiese aceptado	hubiésemos aceptado
aceptases	aceptaseis	hubieses aceptado	hubieseis aceptado
aceptase	aceptasen	hubiese aceptado	hubiesen aceptado

imperativo

—	aceptemos
acepta; no aceptes	aceptad; no aceptéis
acepte	acepten

Words and expressions related to this verb

aceptable acceptable
el aceptador, la aceptadora acceptor
el aceptante, la aceptante accepter
la aceptación acceptance
la acepción acceptation, meaning (of a word)

aceptar + inf. to agree + inf.
aceptar empleo to take a job
acepto, acepta acceptable
aceptar o rechazar una oferta
  to accept or reject an offer

Regular **-ar** verb endings with spelling change: **c** becomes **qu** before **e**   to bring near, to place near

The Seven Simple Tenses | The Seven Compound Tenses

Singular	Plural	Singular	Plural
1 presente de indicativo		8 perfecto de indicativo	
acerco	acercamos	he acercado	hemos acercado
acercas	acercáis	has acercado	habéis acercado
acerca	acercan	ha acercado	han acercado
2 imperfecto de indicativo		9 pluscuamperfecto de indicativo	
acercaba	acercábamos	había acercado	habíamos acercado
acercabas	acercabais	habías acercado	habíais acercado
acercaba	acercaban	había acercado	habían acercado
3 pretérito		10 pretérito anterior	
acerqué	acercamos	hube acercado	hubimos acercado
acercaste	acercasteis	hubiste acercado	hubisteis acercado
acercó	acercaron	hubo acercado	hubieron acercado
4 futuro		11 futuro perfecto	
acercaré	acercaremos	habré acercado	habremos acercado
acercarás	acercaréis	habrás acercado	habréis acercado
acercará	acercarán	habrá acercado	habrán acercado
5 potencial simple		12 potencial compuesto	
acercaría	acercaríamos	habría acercado	habríamos acercado
acercarías	acercaríais	habrías acercado	habríais acercado
acercaría	acercarían	habría acercado	habrían acercado
6 presente de subjuntivo		13 perfecto de subjuntivo	
acerque	acerquemos	haya acercado	hayamos acercado
acerques	acerquéis	hayas acercado	hayáis acercado
acerque	acerquen	haya acercado	hayan acercado
7 imperfecto de subjuntivo		14 pluscuamperfecto de subjuntivo	
acercara	acercáramos	hubiera acercado	hubiéramos acercado
acercaras	acercarais	hubieras acercado	hubierais acercado
acercara	acercaran	hubiera acercado	hubieran acercado
OR		OR	
acercase	acercásemos	hubiese acercado	hubiésemos acercado
acercases	acercaseis	hubieses acercado	hubieseis acercado
acercase	acercasen	hubiese acercado	hubiesen acercado

imperativo

—	acerquemos
acerca; no acerques	acercad; no acerquéis
acerque	acerquen

Words and expressions related to this verb
acerca de about, regarding, with regard to
el acercamiento approaching, approximation
cerca de near
de cerca close at hand, closely

acerca de esto hereof
la cerca fence, hedge
el cercado fenced in area
mis parientes cercanos my close relatives

See also **acercarse.**

The subject pronouns are found on page 93.

109

acercarse (13)

Gerundio acercándose Part. pas. **acercado**

to approach, to draw near

Reflexive verb; regular **-ar** verb endings with spelling change: **c** becomes **qu** before **e**

The Seven Simple Tenses		The Seven Compound Tenses	
Singular	Plural	Singular	Plural
1 presente de indicativo		**8 perfecto de indicativo**	
me acerco	nos acercamos	me he acercado	nos hemos acercado
te acercas	os acercáis	te has acercado	os habéis acercado
se acerca	se acercan	se ha acercado	se han acercado
2 imperfecto de indicativo		**9 pluscuamperfecto de indicativo**	
me acercaba	nos acercábamos	me había acercado	nos habíamos acercado
te acercabas	os acercabais	te habías acercado	os habíais acercado
se acercaba	se acercaban	se había acercado	se habían acercado
3 pretérito		**10 pretérito anterior**	
me acerqué	nos acercamos	me hube acercado	nos hubimos acercado
te acercaste	os acercasteis	te hubiste acercado	os hubisteis acercado
se acercó	se acercaron	se hubo acercado	se hubieron acercado
4 futuro		**11 futuro perfecto**	
me acercaré	nos acercaremos	me habré acercado	nos habremos acercado
te acercarás	os acercaréis	te habrás acercado	os habréis acercado
se acercará	se acercarán	se habrá acercado	se habrán acercado
5 potencial simple		**12 potencial compuesto**	
me acercaría	nos acercaríamos	me habría acercado	nos habríamos acercado
te acercarías	os acercaríais	te habrías acercado	os habríais acercado
se acercaría	se acercarían	se habría acercado	se habrían acercado
6 presente de subjuntivo		**13 perfecto de subjuntivo**	
me acerque	nos acerquemos	me haya acercado	nos hayamos acercado
te acerques	os acerquéis	te hayas acercado	os hayáis acercado
se acerque	se acerquen	se haya acercado	se hayan acercado
7 imperfecto de subjuntivo		**14 pluscuamperfecto de subjuntivo**	
me acercara	nos acercáramos	me hubiera acercado	nos hubiéramos acercado
te acercaras	os acercarais	te hubieras acercado	os hubierais acercado
se acercara	se acercaran	se hubiera acercado	se hubieran acercado
OR		OR	
me acercase	nos acercásemos	me hubiese acercado	nos hubiésemos acercado
te acercases	os acercaseis	te hubieses acercado	os hubieseis acercado
se acercase	se acercasen	se hubiese acercado	se hubiesen acercado

imperativo	
—	acerquémonos
acércate; no te acerques	acercaos; no os acerquéis
acérquese	acérquense

Words and expressions related to this verb
acerca de   about, regarding, with regard to
el acercamiento   approaching, approximation
cerca de   near
de cerca   close at hand, closely

cercanamente   soon, shortly
cercano, cercana   near, close
cercar   to enclose, fence in
las cercanías   neighborhood, suburbs

See also **acercar.**

Regular **-ar** verb endings with stem change: Tenses 1, 6, Imperative	to hit the mark, to hit upon, to do (something) right, to succeed in, to guess right	

The Seven Simple Tenses | The Seven Compound Tenses

A

Singular	Plural	Singular	Plural
1 presente de indicativo		8 perfecto de indicativo	
acierto	acertamos	he acertado	hemos acertado
aciertas	acertáis	has acertado	habéis acertado
acierta	aciertan	ha acertado	han acertado
2 imperfecto de indicativo		9 pluscuamperfecto de indicativo	
acertaba	acertábamos	había acertado	habíamos acertado
acertabas	acertabais	habías acertado	habíais acertado
acertaba	acertaban	había acertado	habían acertado
3 pretérito		10 pretérito anterior	
acerté	acertamos	hube acertado	hubimos acertado
acertaste	acertasteis	hubiste acertado	hubisteis acertado
acertó	acertaron	hubo acertado	hubieron acertado
4 futuro		11 futuro perfecto	
acertaré	acertaremos	habré acertado	habremos acertado
acertarás	acertaréis	habrás acertado	habréis acertado
acertará	acertarán	habrá acertado	habrán acertado
5 potencial simple		12 potencial compuesto	
acertaría	acertaríamos	habría acertado	habríamos acertado
acertarías	acertaríais	habrías acertado	habríais acertado
acertaría	acertarían	habría acertado	habrían acertado
6 presente de subjuntivo		13 perfecto de subjuntivo	
acierte	acertemos	haya acertado	hayamos acertado
aciertes	acertéis	hayas acertado	hayáis acertado
acierte	acierten	haya acertado	hayan acertado
7 imperfecto de subjuntivo		14 pluscuamperfecto de subjuntivo	
acertara	acertáramos	hubiera acertado	hubiéramos acertado
acertaras	acertarais	hubieras acertado	hubierais acertado
acertara	acertaran	hubiera acertado	hubieran acertado
OR		OR	
acertase	acertásemos	hubiese acertado	hubiésemos acertado
acertases	acertaseis	hubieses acertado	hubieseis acertado
acertase	acertasen	hubiese acertado	hubiesen acertado

imperativo

—	acertemos
acierta; no aciertes	acertad; no acertéis
acierte	acierten

Words and expressions related to this verb
acertado, acertada   proper, fit, sensible
el acertador, la acertadora   good guesser
acertar a   to happen to + inf.
acertar con   to come across, to find

Es cierto.   It's certain/sure.

el acertamiento   tact, ability
el acertijo   riddle
acertadamente   opportunely, correctly
ciertamente   certainly

The subject pronouns are found on page 93.

Get acquainted with what preposition goes with what verb on pages 669–677.

to acclaim, to applaud, to shout, to hail   Regular **-ar** verb

The Seven Simple Tenses		The Seven Compound Tenses	
Singular	Plural	Singular	Plural
1 presente de indicativo		**8 perfecto de indicativo**	
aclamo	aclamamos	he aclamado	hemos aclamado
aclamas	aclamáis	has aclamado	habéis aclamado
aclama	aclaman	ha aclamado	han aclamado
2 imperfecto de indicativo		**9 pluscuamperfecto de indicativo**	
aclamaba	aclamábamos	había aclamado	habíamos aclamado
aclamabas	aclamabais	habías aclamado	habíais aclamado
aclamaba	aclamaban	había aclamado	habían aclamado
3 pretérito		**10 pretérito anterior**	
aclamé	aclamamos	hube aclamado	hubimos aclamado
aclamaste	aclamasteis	hubiste aclamado	hubisteis aclamado
aclamó	aclamaron	hubo aclamado	hubieron aclamado
4 futuro		**11 futuro perfecto**	
aclamaré	aclamaremos	habré aclamado	habremos aclamado
aclamarás	aclamaréis	habrás aclamado	habréis aclamado
aclamará	aclamarán	habrá aclamado	habrán aclamado
5 potencial simple		**12 potencial compuesto**	
aclamaría	aclamaríamos	habría aclamado	habríamos aclamado
aclamarías	aclamaríais	habrías aclamado	habríais aclamado
aclamaría	aclamarían	habría aclamado	habrían aclamado
6 presente de subjuntivo		**13 perfecto de subjuntivo**	
aclame	aclamemos	haya aclamado	hayamos aclamado
aclames	aclaméis	hayas aclamado	hayáis aclamado
aclame	aclamen	haya aclamado	hayan aclamado
7 imperfecto de subjuntivo		**14 pluscuamperfecto de subjuntivo**	
aclamara	aclamáramos	hubiera aclamado	hubiéramos aclamado
aclamaras	aclamarais	hubieras aclamado	hubierais aclamado
aclamara	aclamaran	hubiera aclamado	hubieran aclamado
OR		OR	
aclamase	aclamásemos	hubiese aclamado	hubiésemos aclamado
aclamases	aclamaseis	hubieses aclamado	hubieseis aclamado
aclamase	aclamasen	hubiese aclamado	hubiesen aclamado

imperativo	
—	aclamemos
aclama; no aclames	aclamad; no aclaméis
aclame	aclamen

Words and expressions related to this verb

aclamado, aclamada   acclaimed
la aclamación   acclaim, acclamation
la reclamación   claim, demand
reclamar en juicio   to sue

aclamable   laudable
por aclamación   unanimously
reclamar   to claim, to demand, to reclaim
reclamar por daños   to claim damages

Regular **-ar** verb   to explain, to clarify, to make clear, to rinse, to clear

The Seven Simple Tenses		The Seven Compound Tenses	
Singular	Plural	Singular	Plural
1 presente de indicativo		8 perfecto de indicativo	
aclaro	**aclaramos**	**he aclarado**	**hemos aclarado**
aclaras	**aclaráis**	**has aclarado**	**habéis aclarado**
aclara	**aclaran**	**ha aclarado**	**han aclarado**
2 imperfecto de indicativo		9 pluscuamperfecto de indicativo	
aclaraba	**aclarábamos**	**había aclarado**	**habíamos aclarado**
aclarabas	**aclarabais**	**habías aclarado**	**habíais aclarado**
aclaraba	**aclaraban**	**había aclarado**	**habían aclarado**
3 pretérito		10 pretérito anterior	
aclaré	**aclaramos**	**hube aclarado**	**hubimos aclarado**
aclaraste	**aclarasteis**	**hubiste aclarado**	**hubisteis aclarado**
aclaró	**aclararon**	**hubo aclarado**	**hubieron aclarado**
4 futuro		11 futuro perfecto	
aclararé	**aclararemos**	**habré aclarado**	**habremos aclarado**
aclararás	**aclararéis**	**habrás aclarado**	**habréis aclarado**
aclarará	**aclararán**	**habrá aclarado**	**habrán aclarado**
5 potencial simple		12 potencial compuesto	
aclararía	**aclararíamos**	**habría aclarado**	**habríamos aclarado**
aclararías	**aclararíais**	**habrías aclarado**	**habríais aclarado**
aclararía	**aclararían**	**habría aclarado**	**habrían aclarado**
6 presente de subjuntivo		13 perfecto de subjuntivo	
aclare	**aclaremos**	**haya aclarado**	**hayamos aclarado**
aclares	**aclaréis**	**hayas aclarado**	**hayáis aclarado**
aclare	**aclaren**	**haya aclarado**	**hayan aclarado**
7 imperfecto de subjuntivo		14 pluscuamperfecto de subjuntivo	
aclarara	**aclaráramos**	**hubiera aclarado**	**hubiéramos aclarado**
aclararas	**aclararais**	**hubieras aclarado**	**hubierais aclarado**
aclarara	**aclararan**	**hubiera aclarado**	**hubieran aclarado**
OR		OR	
aclarase	**aclarásemos**	**hubiese aclarado**	**hubiésemos aclarado**
aclarases	**aclaraseis**	**hubieses aclarado**	**hubieseis aclarado**
aclarase	**aclarasen**	**hubiese aclarado**	**hubiesen aclarado**

imperativo

—	**aclaremos**
aclara; no aclares	**aclarad; no aclaréis**
aclare	**aclaren**

Words and expressions related to this verb
una aclaración   explanation
aclarado, aclarada   cleared, made clear; rinsed
aclarar la voz   to clear one's throat
poner en claro   to clarify

aclarecer   to make clear
¡Claro que sí!   Of course!
¡Claro que no!   Of course not!
¿Está claro?   Is that clear?

Review the principal parts of important Spanish verbs on pages 9–10.

The subject pronouns are found on page 93.

to accompany, to escort, to go with, to keep company   Regular **-ar** verb

The Seven Simple Tenses		The Seven Compound Tenses	
Singular	Plural	Singular	Plural
1 presente de indicativo		8 perfecto de indicativo	
acompaño	acompañamos	he acompañado	hemos acompañado
acompañas	acompañáis	has acompañado	habéis acompañado
acompaña	acompañan	ha acompañado	han acompañado
2 imperfecto de indicativo		9 pluscuamperfecto de indicativo	
acompañaba	acompañábamos	había acompañado	habíamos acompañado
acompañabas	acompañabais	habías acompañado	habíais acompañado
acompañaba	acompañaban	había acompañado	habían acompañado
3 pretérito		10 pretérito anterior	
acompañé	acompañamos	hube acompañado	hubimos acompañado
acompañaste	acompañasteis	hubiste acompañado	hubisteis acompañado
acompañó	acompañaron	hubo acompañado	hubieron acompañado
4 futuro		11 futuro perfecto	
acompañaré	acompañaremos	habré acompañado	habremos acompañado
acompañarás	acompañaréis	habrás acompañado	habréis acompañado
acompañará	acompañarán	habrá acompañado	habrán acompañado
5 potencial simple		12 potencial compuesto	
acompañaría	acompañaríamos	habría acompañado	habríamos acompañado
acompañarías	acompañaríais	habrías acompañado	habríais acompañado
acompañaría	acompañarían	habría acompañado	habrían acompañado
6 presente de subjuntivo		13 perfecto de subjuntivo	
acompañe	acompañemos	haya acompañado	hayamos acompañado
acompañes	acompañéis	hayas acompañado	hayáis acompañado
acompañe	acompañen	haya acompañado	hayan acompañado
7 imperfecto de subjuntivo		14 pluscuamperfecto de subjuntivo	
acompañara	acompañáramos	hubiera acompañado	hubiéramos acompañado
acompañaras	acompañarais	hubieras acompañado	hubierais acompañado
acompañara	acompañaran	hubiera acompañado	hubieran acompañado
OR		OR	
acompañase	acompañásemos	hubiese acompañado	hubiésemos acompañado
acompañases	acompañaseis	hubieses acompañado	hubieseis acompañado
acompañase	acompañasen	hubiese acompañado	hubiesen acompañado

imperativo	
—	acompañemos
acompaña; no acompañes	acompañad; no acompañéis
acompañe	acompañen

Words and expressions related to this verb
el acompañador, la acompañadora companion, chaperon, accompanist
el acompañamiento accompaniment
el acompañado, la acompañada assistant
un compañero, una compañera friend, mate, companion;
     compañero de cuarto roommate; **compañero de juego** playmate

114

Regular **-ar** verb   to advise, to counsel

The Seven Simple Tenses		The Seven Compound Tenses	
Singular	Plural	Singular	Plural
1 presente de indicativo		**8 perfecto de indicativo**	
aconsejo	aconsejamos	he aconsejado	hemos aconsejado
aconsejas	aconsejáis	has aconsejado	habéis aconsejado
aconseja	aconsejan	ha aconsejado	han aconsejado
2 imperfecto de indicativo		**9 pluscuamperfecto de indicativo**	
aconsejaba	aconsejábamos	había aconsejado	habíamos aconsejado
aconsejabas	aconsejabais	habías aconsejado	habíais aconsejado
aconsejaba	aconsejaban	había aconsejado	habían aconsejado
3 pretérito		**10 pretérito anterior**	
aconsejé	aconsejamos	hube aconsejado	hubimos aconsejado
aconsejaste	aconsejasteis	hubiste aconsejado	hubisteis aconsejado
aconsejó	aconsejaron	hubo aconsejado	hubieron aconsejado
4 futuro		**11 futuro perfecto**	
aconsejaré	aconsejaremos	habré aconsejado	habremos aconsejado
aconsejarás	aconsejaréis	habrás aconsejado	habréis aconsejado
aconsejará	aconsejarán	habrá aconsejado	habrán aconsejado
5 potencial simple		**12 potencial compuesto**	
aconsejaría	aconsejaríamos	habría aconsejado	habríamos aconsejado
aconsejarías	aconsejaríais	habrías aconsejado	habríais aconsejado
aconsejaría	aconsejarían	habría aconsejado	habrían aconsejado
6 presente de subjuntivo		**13 perfecto de subjuntivo**	
aconseje	aconsejemos	haya aconsejado	hayamos aconsejado
aconsejes	aconsejéis	hayas aconsejado	hayáis aconsejado
aconseje	aconsejen	haya aconsejado	hayan aconsejado
7 imperfecto de subjuntivo		**14 pluscuamperfecto de subjuntivo**	
aconsejara	aconsejáramos	hubiera aconsejado	hubiéramos aconsejado
aconsejaras	aconsejarais	hubieras aconsejado	hubierais aconsejado
aconsejara	aconsejaran	hubiera aconsejado	hubieran aconsejado
OR		OR	
aconsejase	aconsejásemos	hubiese aconsejado	hubiésemos aconsejado
aconsejases	aconsejaseis	hubieses aconsejado	hubieseis aconsejado
aconsejase	aconsejasen	hubiese aconsejado	hubiesen aconsejado

imperativo	
—	aconsejemos
aconseja; no aconsejes	aconsejad; aconsejéis
aconseje	aconsejen

Words and expressions related to this verb

el aconsejador, la aconsejadora adviser, counselor
aconsejar con to consult
el consejo advice, counsel
El tiempo da buen consejo. Time will tell.

aconsejarse to seek advice
aconsejarse de to consult with
el aconsejamiento counselling
desaconsejadamente ill-advisedly

Do you need more drills? Have fun with the *501 Spanish Verbs* CD-ROM!

The subject pronouns are found on page 93.   **115**

acordar (19)

to agree (upon)

Gerundio **acordando**   Part. pas. **acordado**

Regular **-ar** verb endings with stem change: Tenses 1, 6, Imperative

The Seven Simple Tenses		The Seven Compound Tenses	
Singular	Plural	Singular	Plural
1 presente de indicativo		**8 perfecto de indicativo**	
acuerdo	acordamos	he acordado	hemos acordado
acuerdas	acordáis	has acordado	habéis acordado
acuerda	acuerdan	ha acordado	han acordado
2 imperfecto de indicativo		**9 pluscuamperfecto de indicativo**	
acordaba	acordábamos	había acordado	habíamos acordado
acordabas	acordabais	habías acordado	habíais acordado
acordaba	acordaban	había acordado	habían acordado
3 pretérito		**10 pretérito anterior**	
acordé	acordamos	hube acordado	hubimos acordado
acordaste	acordasteis	hubiste acordado	hubisteis acordado
acordó	acordaron	hubo acordado	hubieron acordado
4 futuro		**11 futuro perfecto**	
acordaré	acordaremos	habré acordado	habremos acordado
acordarás	acordaréis	habrás acordado	habréis acordado
acordará	acordarán	habrá acordado	habrán acordado
5 potencial simple		**12 potencial compuesto**	
acordaría	acordaríamos	habría acordado	habríamos acordado
acordarías	acordaríais	habrías acordado	habríais acordado
acordaría	acordarían	habría acordado	habrían acordado
6 presente de subjuntivo		**13 perfecto de subjuntivo**	
acuerde	acordemos	haya acordado	hayamos acordado
acuerdes	acordéis	hayas acordado	hayáis acordado
acuerde	acuerden	haya acordado	hayan acordado
7 imperfecto de subjuntivo		**14 pluscuamperfecto de subjuntivo**	
acordara	acordáramos	hubiera acordado	hubiéramos acordado
acordaras	acordarais	hubieras acordado	hubierais acordado
acordara	acordaran	hubiera acordado	hubieran acordado
OR		OR	
acordase	acordásemos	hubiese acordado	hubiésemos acordado
acordases	acordaseis	hubieses acordado	hubieseis acordado
acordase	acordasen	hubiese acordado	hubiesen acordado

imperativo	
—	acordemos
acuerda; no acuerdes	acordad; no acordéis
acuerde	acuerden

Words and expressions related to this verb
la acordada   decision, resolution
acordadamente   jointly, by common consent
un acuerdo   agreement
de acuerdo   in agreement
de común acuerdo   unanimously,
 by mutual agreement

desacordar   to put out of tune
desacordante   discordant
desacordado, desacordada   out of tune (music)
estar de acuerdo con   to be in agreement with

See also **acordarse.**

116

Gerundio **acordándose**   Part. pas. **acordado**   **acordarse (20)**

Reflexive verb; regular **-ar** verb endings with
stem change: Tenses 1, 6, Imperative   to remember, to agree

The Seven Simple Tenses		The Seven Compound Tenses	
Singular	Plural	Singular	Plural
1 presente de indicativo		**8 perfecto de indicativo**	
me acuerdo	nos acordamos	me he acordado	nos hemos acordado
te acuerdas	os acordáis	te has acordado	os habéis acordado
se acuerda	se acuerdan	se ha acordado	se han acordado
2 imperfecto de indicativo		**9 pluscuamperfecto de indicativo**	
me acordaba	nos acordábamos	me había acordado	nos habíamos acordado
te acordabas	os acordabais	te habías acordado	os habíais acordado
se acordaba	se acordaban	se había acordado	se habían acordado
3 pretérito		**10 pretérito anterior**	
me acordé	nos acordamos	me hube acordado	nos hubimos acordado
te acordaste	os acordasteis	te hubiste acordado	os hubisteis acordado
se acordó	se acordaron	se hubo acordado	se hubieron acordado
4 futuro		**11 futuro perfecto**	
me acordaré	nos acordaremos	me habré acordado	nos habremos acordado
te acordarás	os acordaréis	te habrás acordado	os habréis acordado
se acordará	se acordarán	se habrá acordado	se habrán acordado
5 potencial simple		**12 potencial compuesto**	
me acordaría	nos acordaríamos	me habría acordado	nos habríamos acordado
te acordarías	os acordaríais	te habrías acordado	os habríais acordado
se acordaría	se acordarían	se habría acordado	se habrían acordado
6 presente de subjuntivo		**13 perfecto de subjuntivo**	
me acuerde	nos acordemos	me haya acordado	nos hayamos acordado
te acuerdes	os acordéis	te hayas acordado	os hayáis acordado
se acuerde	se acuerden	se haya acordado	se hayan acordado
7 imperfecto de subjuntivo		**14 pluscuamperfecto de subjuntivo**	
me acordara	nos acordáramos	me hubiera acordado	nos hubiéramos acordado
te acordaras	os acordarais	te hubieras acordado	os hubierais acordado
se acordara	se acordaran	se hubiera acordado	se hubieran acordado
OR		OR	
me acordase	nos acordásemos	me hubiese acordado	nos hubiésemos acordado
te acordases	os acordaseis	te hubieses acordado	os hubieseis acordado
se acordase	se acordasen	se hubiese acordado	se hubiesen acordado

imperativo	
—	acordémonos
acuérdate; no te acuerdes	acordaos; no os acordéis
acuérdese	acuérdense

Words and expressions related to this verb
si mal no me acuerdo   if I remember correctly, if my memory does not fail me
un acuerdo   agreement
de acuerdo   in agreement
de común acuerdo   unanimously, by mutual agreement
desacordarse   to become forgetful

See also **acordar.**

The subject pronouns are found on page 93.

Gerundio **acostándose**   Part. pas. **acostado**

to go to bed, to lie down

Reflexive verb; regular **-ar** verb endings with stem change: Tenses 1, 6, Imperative

The Seven Simple Tenses

The Seven Compound Tenses

Singular	Plural	Singular	Plural
1 presente de indicativo		**8 perfecto de indicativo**	
me acuesto	nos acostamos	me he acostado	nos hemos acostado
te acuestas	os acostáis	te has acostado	os habéis acostado
se acuesta	se acuestan	se ha acostado	se han acostado
2 imperfecto de indicativo		**9 pluscuamperfecto de indicativo**	
me acostaba	nos acostábamos	me había acostado	nos habíamos acostado
te acostabas	os acostabais	te habías acostado	os habíais acostado
se acostaba	se acostaban	se había acostado	se habían acostado
3 pretérito		**10 pretérito anterior**	
me acosté	nos acostamos	me hube acostado	nos hubimos acostado
te acostaste	os acostasteis	te hubiste acostado	os hubisteis acostado
se acostó	se acostaron	se hubo acostado	se hubieron acostado
4 futuro		**11 futuro perfecto**	
me acostaré	nos acostaremos	me habré acostado	nos habremos acostado
te acostarás	os acostaréis	te habrás acostado	os habréis acostado
se acostará	se acostarán	se habrá acostado	se habrán acostado
5 potencial simple		**12 potencial compuesto**	
me acostaría	nos acostaríamos	me habría acostado	nos habríamos acostado
te acostarías	os acostaríais	te habrías acostado	os habríais acostado
se acostaría	se acostarían	se habría acostado	se habrían acostado
6 presente de subjuntivo		**13 perfecto de subjuntivo**	
me acueste	nos acostemos	me haya acostado	nos hayamos acostado
te acuestes	os acostéis	te hayas acostado	os hayáis acostado
se acueste	se acuesten	se haya acostado	se hayan acostado
7 imperfecto de subjuntivo		**14 pluscuamperfecto de subjuntivo**	
me acostara	nos acostáramos	me hubiera acostado	nos hubiéramos acostado
te acostaras	os acostarais	te hubieras acostado	os hubierais acostado
se acostara	se acostaran	se hubiera acostado	se hubieran acostado
OR		OR	
me acostase	nos acostásemos	me hubiese acostado	nos hubiésemos acostado
te acostases	os acostaseis	te hubieses acostado	os hubieseis acostado
se acostase	se acostasen	se hubiese acostado	se hubiesen acostado

imperativo

—	acostémonos; no nos acostemos
acuéstate; no te acuestes	acostaos; no os acostéis
acuéstese; no se acueste	acuéstense; no se acuesten

Sentences using this verb and words and expressions related to it
Todas las noches me acuesto a las diez, mi hermanito se acuesta a las ocho, y mis padres se acuestan a las once.

el acostamiento   lying down
acostado, acostada   in bed, lying down

acostar   to put to bed
acostarse con las gallinas   to go to bed very early (with the hens/chickens)

Regular **-ar** verb   to be accustomed, to be in the habit of

The Seven Simple Tenses		The Seven Compound Tenses	
Singular	Plural	Singular	Plural
1 presente de indicativo		8 perfecto de indicativo	
acostumbro	acostumbramos	he acostumbrado	hemos acostumbrado
acostumbras	acostumbráis	has acostumbrado	habéis acostumbrado
acostumbra	acostumbran	ha acostumbrado	han acostumbrado
2 imperfecto de indicativo		9 pluscuamperfecto de indicativo	
acostumbraba	acostumbrábamos	había acostumbrado	habíamos acostumbrado
acostumbrabas	acostumbrabais	habías acostumbrado	habíais acostumbrado
acostumbraba	acostumbraban	había acostumbrado	habían acostumbrado
3 pretérito		10 pretérito anterior	
acostumbré	acostumbramos	hube acostumbrado	hubimos acostumbrado
acostumbraste	acostumbrasteis	hubiste acostumbrado	hubisteis acostumbrado
acostumbró	acostumbraron	hubo acostumbrado	hubieron acostumbrado
4 futuro		11 futuro perfecto	
acostumbraré	acostumbraremos	habré acostumbrado	habremos acostumbrado
acostumbrarás	acostumbraréis	habrás acostumbrado	habréis acostumbrado
acostumbrará	acostumbrarán	habrá acostumbrado	habrán acostumbrado
5 potencial simple		12 potencial compuesto	
acostumbraría	acostumbraríamos	habría acostumbrado	habríamos acostumbrado
acostumbrarías	acostumbraríais	habrías acostumbrado	habríais acostumbrado
acostumbraría	acostumbrarían	habría acostumbrado	habrían acostumbrado
6 presente de subjuntivo		13 perfecto de subjuntivo	
acostumbre	acostumbremos	haya acostumbrado	hayamos acostumbrado
acostumbres	acostumbréis	hayas acostumbrado	hayáis acostumbrado
acostumbre	acostumbren	haya acostumbrado	hayan acostumbrado
7 imperfecto de subjuntivo		14 pluscuamperfecto de subjuntivo	
acostumbrara	acostumbráramos	hubiera acostumbrado	hubiéramos acostumbrado
acostumbraras	acostumbrarais	hubieras acostumbrado	hubierais acostumbrado
acostumbrara	acostumbraran	hubiera acostumbrado	hubieran acostumbrado
OR		OR	
acostumbrase	acostumbrásemos	hubiese acostumbrado	hubiésemos acostumbrado
acostumbrases	acostumbraseis	hubieses acostumbrado	hubieseis acostumbrado
acostumbrase	acostumbrasen	hubiese acostumbrado	hubiesen acostumbrado

imperativo

—	acostumbremos
acostumbra; no acostumbres	acostumbrad; no acostumbréis
acostumbre	acostumbren

Words and expressions related to this verb
acostumbradamente customarily
la costumbre custom, habit
de costumbre customary, usual
tener por costumbre to be in the habit of

acostumbrado, acostumbrada accustomed
acostumbrarse to become accustomed,
to get used to
acostumbrarse a algo to become accustomed
to something

Can't find the verb you're looking for?
Check the back pages of this book for a list of over 2,100 additional verbs!

The subject pronouns are found on page 93.

to knife, to cut, to slash, to cut open   Regular **-ar** verb

The Seven Simple Tenses		The Seven Compound Tenses	
Singular	Plural	Singular	Plural
1 presente de indicativo		8 perfecto de indicativo	
acuchillo	acuchillamos	he acuchillado	hemos acuchillado
acuchillas	acuchilláis	has acuchillado	habéis acuchillado
acuchilla	acuchillan	ha acuchillado	han acuchillado
2 imperfecto de indicativo		9 pluscuamperfecto de indicativo	
acuchillaba	acuchillábamos	había acuchillado	habíamos acuchillado
acuchillabas	acuchillabais	habías acuchillado	habíais acuchillado
acuchillaba	acuchillaban	había acuchillado	habían acuchillado
3 pretérito		10 pretérito anterior	
acuchillé	acuchillamos	hube acuchillado	hubimos acuchillado
acuchillaste	acuchillasteis	hubiste acuchillado	hubisteis acuchillado
acuchilló	acuchillaron	hubo acuchillado	hubieron acuchillado
4 futuro		11 futuro perfecto	
acuchillaré	acuchillaremos	habré acuchillado	habremos acuchillado
acuchillarás	acuchillaréis	habrás acuchillado	habréis acuchillado
acuchillará	acuchillarán	habrá acuchillado	habrán acuchillado
5 potencial simple		12 potencial compuesto	
acuchillaría	acuchillaríamos	habría acuchillado	habríamos acuchillado
acuchillarías	acuchillaríais	habrías acuchillado	habríais acuchillado
acuchillaría	acuchillarían	habría acuchillado	habrían acuchillado
6 presente de subjuntivo		13 perfecto de subjuntivo	
acuchille	acuchillemos	haya acuchillado	hayamos acuchillado
acuchilles	acuchilléis	hayas acuchillado	hayáis acuchillado
acuchille	acuchillen	haya acuchillado	hayan acuchillado
7 imperfecto de subjuntivo		14 pluscuamperfecto de subjuntivo	
acuchillara	acuchilláramos	hubiera acuchillado	hubiéramos acuchillado
acuchillaras	acuchillarais	hubieras acuchillado	hubierais acuchillado
acuchillara	acuchillaran	hubiera acuchillado	hubieran acuchillado
OR		OR	
acuchillase	acuchillásemos	hubiese acuchillado	hubiésemos acuchillado
acuchillases	acuchillaseis	hubieses acuchillado	hubieseis acuchillado
acuchillase	acuchillasen	hubiese acuchillado	hubiesen acuchillado

imperativo	
—	acuchillemos
acuchilla; no acuchilles	acuchillad; no acuchilléis
acuchille	acuchillen

Words and expressions related to this verb
un cuchillo   knife
un cuchillo de monte   hunting knife
un cuchillo de cocina   kitchen knife
ser cuchillo de otro   to be a thorn in someone's side
un acuchillador, una acuchilladora   quarrelsome person; bully

acuchillado, acuchillada   knifed, slashed
las mangas acuchilladas   slashed sleeves
(fashion, style)

Regular **-ir** verb

to attend, to be present frequently, to respond (to a call), to come to the rescue

The Seven Simple Tenses		The Seven Compound Tenses	
Singular	Plural	Singular	Plural

A

1 presente de indicativo		8 perfecto de indicativo	
acudo	acudimos	he acudido	hemos acudido
acudes	acudís	has acudido	habéis acudido
acude	acuden	ha acudido	han acudido

2 imperfecto de indicativo		9 pluscuamperfecto de indicativo	
acudía	acudíamos	había acudido	habíamos acudido
acudías	acudíais	habías acudido	habíais acudido
acudía	acudían	había acudido	habían acudido

3 pretérito		10 pretérito anterior	
acudí	acudimos	hube acudido	hubimos acudido
acudiste	acudisteis	hubiste acudido	hubisteis acudido
acudió	acudieron	hubo acudido	hubieron acudido

4 futuro		11 futuro perfecto	
acudiré	acudiremos	habré acudido	habremos acudido
acudirás	acudiréis	habrás acudido	habréis acudido
acudirá	acudirán	habrá acudido	habrán acudido

5 potencial simple		12 potencial compuesto	
acudiría	acudiríamos	habría acudido	habríamos acudido
acudirías	acudiríais	habrías acudido	habríais acudido
acudiría	acudirían	habría acudido	habrían acudido

6 presente de subjuntivo		13 perfecto de subjuntivo	
acuda	acudamos	haya acudido	hayamos acudido
acudas	acudáis	hayas acudido	hayáis acudido
acuda	acudan	haya acudido	hayan acudido

7 imperfecto de subjuntivo		14 pluscuamperfecto de subjuntivo	
acudiera	acudiéramos	hubiera acudido	hubiéramos acudido
acudieras	acudierais	hubieras acudido	hubierais acudido
acudiera	acudieran	hubiera acudido	hubieran acudido
OR		OR	
acudiese	acudiésemos	hubiese acudido	hubiésemos acudido
acudieses	acudieseis	hubieses acudido	hubieseis acudido
acudiese	acudiesen	hubiese acudido	hubiesen acudido

imperativo

—	acudamos
acude; no acudas	acudid; no acudáis
acuda	acudan

Words and expressions related to this verb
el acudimiento aid
acudir en socorro de to go to help
acudir con el remedio to get there with the remedy
acudir a los tribunales to go to court (law)

acudir a una cita to keep an appointment
acudir a un examen to take an exam
acudir a alguien to give help to someone
acudir en ayuda de alguien to come
  to someone's rescue

The subject pronouns are found on page 93.

121

to accuse

The Seven Simple Tenses		The Seven Compound Tenses	
Singular	Plural	Singular	Plural
1 presente de indicativo		8 perfecto de indicativo	
acuso	acusamos	he acusado	hemos acusado
acusas	acusáis	has acusado	habéis acusado
acusa	acusan	ha acusado	han acusado
2 imperfecto de indicativo		9 pluscuamperfecto de indicativo	
acusaba	acusábamos	había acusado	habíamos acusado
acusabas	acusabais	habías acusado	habíais acusado
acusaba	acusaban	había acusado	habían acusado
3 pretérito		10 pretérito anterior	
acusé	acusamos	hube acusado	hubimos acusado
acusaste	acusasteis	hubiste acusado	hubisteis acusado
acusó	acusaron	hubo acusado	hubieron acusado
4 futuro		11 futuro perfecto	
acusaré	acusaremos	habré acusado	habremos acusado
acusarás	acusaréis	habrás acusado	habréis acusado
acusará	acusarán	habrá acusado	habrán acusado
5 potencial simple		12 potencial compuesto	
acusaría	acusaríamos	habría acusado	habríamos acusado
acusarías	acusaríais	habrías acusado	habríais acusado
acusaría	acusarían	habría acusado	habrían acusado
6 presente de subjuntivo		13 perfecto de subjuntivo	
acuse	acusemos	haya acusado	hayamos acusado
acuses	acuséis	hayas acusado	hayáis acusado
acuse	acusen	haya acusado	hayan acusado
7 imperfecto de subjuntivo		14 pluscuamperfecto de subjuntivo	
acusara	acusáramos	hubiera acusado	hubiéramos acusado
acusaras	acusarais	hubieras acusado	hubierais acusado
acusara	acusaran	hubiera acusado	hubieran acusado
OR		OR	
acusase	acusásemos	hubiese acusado	hubiésemos acusado
acusases	acusaseis	hubieses acusado	hubieseis acusado
acusase	acusasen	hubiese acusado	hubiesen acusado

	imperativo	
—		acusemos
acusa; no acuses		acusad; no acuséis
acuse		acusen

Words and expressions related to this verb

el acusado, la acusada   defendant, accused
la acusación   accusation
el acusador, la acusadora   accuser

acusar de robo   to accuse of robbery
acusar recibo de una cosa   to acknowledge
    receipt of something
acusarse de un pecado   to confess a sin

Regular **-ar** verb   to advance, to keep on, to progress, to go ahead

The Seven Simple Tenses		The Seven Compound Tenses	
Singular	Plural	Singular	Plural

1 presente de indicativo

adelanto	adlenatamos
adelantas	adelantáis
adelanta	adelantan

8 perfecto de indicativo

he adelantado	hemos adelantado
has adelantado	habéis adelantado
ha adelantado	han adelantado

2 imperfecto de indicativo

adelantaba	adelantábamos
adelantabas	adelantabais
adelantaba	adelantaban

9 pluscuamperfecto de indicativo

había adelantado	habíamos adelantado
habías adelantado	habíais adelantado
había adelantado	habían adelantado

3 pretérito

adelanté	adelantamos
adelantaste	adelantasteis
adelantó	adelantaron

10 pretérito anterior

hube adelantado	hubimos adelantado
hubiste adelantado	hubisteis adelantado
hubo adelantado	hubieron adelantado

4 futuro

adelantaré	adelantaremos
adelantarás	adelantaréis
adelantará	adelantarán

11 futuro perfecto

habré adelantado	habremos adelantado
habrás adelantado	habréis adelantado
habrá adelantado	habrán adelantado

5 potencial simple

adelantaría	adelantaríamos
adelantarías	adelantaríais
adelantaría	adelantarían

12 potencial compuesto

habría adelantado	habríamos adelantado
habrías adelantado	habríais adelantado
habría adelantado	habrían adelantado

6 presente de subjuntivo

adelante	adelantemos
adelantes	adelantéis
adelante	adelanten

13 perfecto de subjuntivo

haya adelantado	hayamos adelantado
hayas adelantado	hayáis adelantado
haya adelantado	hayan adelantado

7 imperfecto de subjuntivo

adelantara	adelantáramos
adelantaras	adelantarais
adelantara	adelantaran
OR	
adelantase	adelantasemos
adelantases	adelantaseis
adelantase	adelantasen

14 pluscuamperfecto de subjuntivo

hubiera adelantado	hubiéramos adelantado
hubieras adelantado	hubierais adelantado
hubiera adelantado	hubieran adelantado
OR	
hubiese adelantado	hubiésemos adelantado
hubieses adelantado	hubieseis adelantado
hubiese adelantado	hubiesen adelantado

imperativo

—	adelantemos
adelanta; no adelantes	adelantad; no adelantéis
adelante	adelanten

Words and expressions related to this verb

el adelantamiento   advance, growth, increase, progress

adelante   ahead, forward; **¡Adelante!**   Come in! Go ahead!

adelantar dinero   to advance money; **un adelanto**   advance payment

en lo adelante   in the future; **los adelantos tecnológicos**   technological advances, progress

de aquí en adelante   henceforth; **de hoy en adelante**   from now on

For other words and expressions related to this verb, see **adelantarse.**

The subject pronouns are found on page 93.   **123**

to go forward, to go ahead,
to move ahead, to take the lead

Reflexive regular **-ar** verb

The Seven Simple Tenses		The Seven Compound Tenses	
Singular	Plural	Singular	Plural
1 presente de indicativo		8 perfecto de indicativo	
me adelanto	nos adelantamos	me he adelantado	nos hemos adelantado
te adelantas	os adelantáis	te has adelantado	os habéis adelantado
se adelanta	se adelantan	se ha adelantado	se han adelantado
2 imperfecto de indicativo		9 pluscuamperfecto de indicativo	
me adelantaba	nos adelantábamos	me había adelantado	nos habíamos adelantado
te adelantabas	os adelantabais	te habías adelantado	os habíais adelantado
se adelantaba	se adelantaban	se había adelantado	se habían adelantado
3 pretérito		10 pretérito anterior	
me adelanté	nos adelantamos	me hube adelantado	nos hubimos adelantado
te adelantaste	os adelantasteis	te hubiste adelantado	os hubisteis adelantado
se adelantó	se adelantaron	se hubo adelantado	se hubieron adelantado
4 futuro		11 futuro perfecto	
me adelantaré	nos adelantaremos	me habré adelantado	nos habremos adelantado
te adelantarás	os adelantaréis	te habrás adelantado	os habréis adelantado
se adelantará	se adelantarán	se habrá adelantado	se habrán adelantado
5 potencial simple		12 potencial compuesto	
me adelantaría	nos adelantaríamos	me habría adelantado	nos habríamos adelantado
te adelantarías	os adelantaríais	te habrías adelantado	os habríais adelantado
se adelantaría	se adelantarían	se habría adelantado	se habrían adelantado
6 presente de subjuntivo		13 perfecto de subjuntivo	
me adelante	nos adelantemos	me haya adelantado	nos hayamos adelantado
te adelantes	os adelantéis	te hayas adelantado	os hayáis adelantado
se adelante	se adelanten	se haya adelantado	se hayan adelantado
7 imperfecto de subjuntivo		14 pluscuamperfecto de subjuntivo	
me adelantara	nos adelantáramos	me hubiera adelantado	nos hubiéramos adelantado
te adelantaras	os adelantarais	te hubieras adelantado	os hubierais adelantado
se adelantara	se adelantaran	se hubiera adelantado	se hubieran adelantado
OR		OR	
me adelantase	nos adelantásemos	me hubiese adelantado	nos hubiésemos adelantado
te adelantases	os adelantaseis	te hubieses adelantado	os hubieseis adelantado
se adelantase	se adelantasen	se hubiese adelantado	se hubiesen adelantado

	imperativo	
—	adelantémonos
adelántate; no te adelantes	adelantaos; no os adelantéis
adelántese	adelántense

Words and expressions related to this verb
adelantado, adelantada   bold; anticipated; fast (watch or clock)
adelantadamente   in anticipation, beforehand
más adelante   later on; farther on
llevar adelante   to carry on, to go ahead

For other words and expressions related to this verb, see **adelantar.**

Regular **-ar** verb   to divine, to foretell, to guess, to solve

The Seven Simple Tenses		The Seven Compound Tenses	
Singular	Plural	Singular	Plural

A

1 presente de indicativo		8 perfecto de indicativo	
adivino	adivinamos	he adivinado	hemos adivinado
adivinas	adivináis	has adivinado	habéis adivinado
adivina	adivinan	ha adivinado	han adivinado

2 imperfecto de indicativo		9 pluscuamperfecto de indicativo	
adivinaba	adivinábamos	había adivinado	habíamos adivinado
adivinabas	adivinabais	habías adivinado	habíais adivinado
adivinaba	adivinaban	había adivinado	habían adivinado

3 pretérito		10 pretérito anterior	
adiviné	adivinamos	hube adivinado	hubimos adivinado
adivinaste	adivinasteis	hubiste adivinado	hubisteis adivinado
adivinó	adivinaron	hubo adivinado	hubieron adivinado

4 futuro		11 futuro perfecto	
adivinaré	adivinaremos	habré adivinado	habremos adivinado
adivinarás	adivinaréis	habrás adivinado	habréis adivinado
adivinará	adivinarán	habrá adivinado	habrán adivinado

5 potencial simple		12 potencial compuesto	
adivinaría	adivinaríamos	habría adivinado	habríamos adivinado
adivinarías	adivinaríais	habrías adivinado	habríais adivinado
adivinaría	adivinarían	habría adivinado	habrían adivinado

6 presente de subjuntivo		13 perfecto de subjuntivo	
adivine	adivinemos	haya adivinado	hayamos adivinado
adivines	adivinéis	hayas adivinado	hayáis adivinado
adivine	adivinen	haya adivinado	hayan adivinado

7 imperfecto de subjuntivo		14 pluscuamperfecto de subjuntivo	
adivinara	adivináramos	hubiera adivinado	hubiéramos adivinado
adivinaras	adivinarais	hubieras adivinado	hubierais adivinado
adivinara	adivinaran	hubiera adivinado	hubieran adivinado
OR		OR	
adivinase	adivinásemos	hubiese adivinado	hubiésemos adivinado
adivinases	adivinaseis	hubieses adivinado	hubieseis adivinado
adivinase	adivinasen	hubiese adivinado	hubiesen adivinado

	imperativo	
—		adivinemos
adivina; no adivines		adivinad; no adivinéis
adivine		adivinen

Words and expressions related to this verb

un adivino, una adivina   prophet; fortune
  teller; guesser

la adivinación del pensamiento   mind reading
¡Adivine quién soy!   Guess who (I am)!

una adivinanza   prophecy, prediction; enigma, riddle, puzzle
una adivinaja   riddle, puzzle
adivinar el pensamiento de alguien   to read a person's mind

Don't forget to study the section on defective and impersonal verbs. It's right after this main list.

The subject pronouns are found on page 93.

admirar (29) Gerundio **admirando** Part. pas. **admirado**

to admire Regular **-ar** verb

The Seven Simple Tenses		The Seven Compound Tenses	
Singular	Plural	Singular	Plural
1 presente de indicativo		8 perfecto de indicativo	
admiro	admiramos	he admirado	hemos admirado
admiras	admiráis	has admirado	habéis admirado
admira	admiran	ha admirado	han admirado
2 imperfecto de indicativo		9 pluscuamperfecto de indicativo	
admiraba	admirábamos	había admirado	habíamos admirado
admirabas	admirabais	habías admirado	habíais admirado
admiraba	admiraban	había admirado	habían admirado
3 pretérito		10 pretérito anterior	
admiré	admiramos	hube admirado	hubimos admirado
admiraste	admirasteis	hubiste admirado	hubisteis admirado
admiró	admiraron	hubo admirado	hubieron admirado
4 futuro		11 futuro perfecto	
admiraré	admiraremos	habré admirado	habremos admirado
admirarás	admiraréis	habrás admirado	habréis admirado
admirará	admirarán	habrá admirado	habrán admirado
5 potencial simple		12 potencial compuesto	
admiraría	admiraríamos	habría admirado	habríamos admirado
admirarías	admiraríais	habrías admirado	habríais admirado
admiraría	admirarían	habría admirado	habrían admirado
6 presente de subjuntivo		13 perfecto de subjuntivo	
admire	admiremos	haya admirado	hayamos admirado
admires	admiréis	hayas admirado	hayáis admirado
admire	admiren	haya admirado	hayan admirado
7 imperfecto de subjuntivo		14 pluscuamperfecto de subjuntivo	
admirara	admiráramos	hubiera admirado	hubiéramos admirado
admiraras	admirarais	hubieras admirado	hubierais admirado
admirara	admiraran	hubiera admirado	hubieran admirado
OR		OR	
admirase	admirásemos	hubiese admirado	hubiésemos admirado
admirases	admiraseis	hubieses admirado	hubieseis admirado
admirase	admirasen	hubiese admirado	hubiesen admirado

imperativo	
—	admiremos
admira; no admires	admirad; no admiréis
admire	admiren

Words and expressions related to this verb
el **admirador**, la **admiradora** admirer
la **admiración** admiration
admirable admirable
admirablemente admirably
admirativamente admiringly, with admiration

sentir admiración por alguien to feel admiration for someone
hablar en tono admirativo to speak in an admiring tone
causar admiración to inspire admiration

Regular **-ir** verb   to admit, to grant, to permit

The Seven Simple Tenses		The Seven Compound Tenses	
Singular	Plural	Singular	Plural
1 presente de indicativo		8 perfecto de indicativo	
admito	**admitimos**	**he admitido**	**hemos admitido**
admites	**admitís**	**has admitido**	**habéis admitido**
admite	**admiten**	**ha admitido**	**han admitido**
2 imperfecto de indicativo		9 pluscuamperfecto de indicativo	
admitía	**admitíamos**	**había admitido**	**habíamos admitido**
admitías	**admitíais**	**habías admitido**	**habíais admitido**
admitía	**admitían**	**había admitido**	**habían admitido**
3 pretérito		10 pretérito anterior	
admití	**admitimos**	**hube admitido**	**hubimos admitido**
admitiste	**admitisteis**	**hubiste admitido**	**hubisteis admitido**
admitió	**admitieron**	**hubo admitido**	**hubieron admitido**
4 futuro		11 futuro perfecto	
admitiré	**admitiremos**	**habré admitido**	**habremos admitido**
admitirás	**admitiréis**	**habrás admitido**	**habréis admitido**
admitirá	**admitirán**	**habrá admitido**	**habrán admitido**
5 potencial simple		12 potencial compuesto	
admitiría	**admitiríamos**	**habría admitido**	**habríamos admitido**
admitirías	**admitiríais**	**habrías admitido**	**habríais admitido**
admitiría	**admitirían**	**habría admitido**	**habrían admitido**
6 presente de subjuntivo		13 perfecto de subjuntivo	
admita	**admitamos**	**haya admitido**	**hayamos admitido**
admitas	**admitáis**	**hayas admitido**	**hayáis admitido**
admita	**admitan**	**haya admitido**	**hayan admitido**
7 imperfecto de subjuntivo		14 pluscuamperfecto de subjuntivo	
admitiera	**admitiéramos**	**hubiera admitido**	**hubiéramos admitido**
admitieras	**admitierais**	**hubieras admitido**	**hubierais admitido**
admitiera	**admitieran**	**hubiera admitido**	**hubieran admitido**
OR		OR	
admitiese	**admitiésemos**	**hubiese admitido**	**hubiésemos admitido**
admitieses	**admitieseis**	**hubieses admitido**	**hubieseis admitido**
admitiese	**admitiesen**	**hubiese admitido**	**hubiesen admitido**

imperativo		
—	**admitamos**	
admite; no admitas	**admitid; no admitáis**	
admita	**admitan**	

Words and expressions related to this verb

la admisión   acceptance, admission   **admitir una aclamación**   to accept a claim
admisible   admissible   **el examen de admisión**   entrance exam

Can't remember the Spanish verb you need?
Check the back pages of this book for the English-Spanish verb index!

The subject pronouns are found on page 93.   **127**

to adopt   Regular **-ar** verb

The Seven Simple Tenses		The Seven Compound Tenses	
Singular	Plural	Singular	Plural
1 presente de indicativo		8 perfecto de indicativo	
adopto	adoptamos	he adoptado	hemos adoptado
adoptas	adoptáis	has adoptado	habéis adoptado
adopta	adoptan	ha adoptado	han adoptado
2 imperfecto de indicativo		9 pluscuamperfecto de indicativo	
adoptaba	adoptábamos	había adoptado	habíamos adoptado
adoptabas	adoptabais	habías adoptado	habíais adoptado
adaptaba	adoptaban	había adoptado	habían adoptado
3 pretérito		10 pretérito anterior	
adopté	adoptamos	hube adoptado	hubimos adoptado
adoptaste	adoptasteis	hubiste adoptado	hubisteis adoptado
adoptó	adoptaron	hubo adoptado	hubieron adoptado
4 futuro		11 futuro perfecto	
adoptaré	adoptaremos	habré adoptado	habremos adoptado
adoptarás	adoptaréis	habrás adoptado	habréis adoptado
adoptará	adoptarán	habrá adoptado	habrán adoptado
5 potencial simple		12 potencial compuesto	
adoptaría	adoptaríamos	habría adoptado	habríamos adoptado
adoptarías	adoptaríais	habrías adoptado	habríais adoptado
adoptaría	adoptarían	habría adoptado	habrían adoptado
6 presente de subjuntivo		13 perfecto de subjuntivo	
adopte	adoptemos	haya adoptado	hayamos adoptado
adoptes	adoptéis	hayas adoptado	hayáis adoptado
adopte	adopten	haya adoptado	hayan adoptado
7 imperfecto de subjuntivo		14 pluscuamperfecto de subjuntivo	
adoptara	adoptáramos	hubiera adoptado	hubiéramos adoptado
adoptaras	adoptarais	hubieras adoptado	hubierais adoptado
adoptara	adoptaran	hubiera adoptado	hubieran adoptado
OR		OR	
adoptase	adoptásemos	hubiese adoptado	hubiésemos adoptado
adoptases	adoptaseis	hubieses adoptado	hubieseis adoptado
adoptase	adoptasen	hubiese adoptado	hubiesen adoptado

imperativo

—	adoptemos
adopta; no adoptes	adoptad; no adoptéis
adopte	adopten

Words and expressions related to this verb

la adopción adoption   **adoptable** adoptable
el adopcionismo adoptionism   **adoptado, adoptada** adopted
el, la adopcionista adoptionist **adoptivamente** adoptively

Regular **-ar** verb   to adore, to worship

The Seven Simple Tenses		The Seven Compound Tenses	
Singular	Plural	Singular	Plural

A

1 presente de indicativo		8 perfecto de indicativo	
adoro	adoramos	he adorado	hemos adorado
adoras	adoráis	has adorado	habéis adorado
adora	adoran	ha adorado	han adorado

2 imperfecto de indicativo		9 pluscuamperfecto de indicativo	
adoraba	adorábamos	había adorado	habíamos adorado
adorabas	adorabais	habías adorado	habíais adorado
adoraba	adoraban	había adorado	habían adorado

3 pretérito		10 pretérito anterior	
adoré	adoramos	hube adorado	hubimos adorado
adoraste	adorasteis	hubiste adorado	hubisteis adorado
adoró	adoraron	hubo adorado	hubieron adorado

4 futuro		11 futuro perfecto	
adoraré	adoraremos	habré adorado	habremos adorado
adorarás	adoraréis	habrás adorado	habréis adorado
adorará	adorarán	habrá adorado	habrán adorado

5 potencial simple		12 potencial compuesto	
adoraría	adoraríamos	habría adorado	habríamos adorado
adorarías	adoraríais	habrías adorado	habríais adorado
adoraría	adorarían	habría adorado	habrían adorado

6 presente de subjuntivo		13 perfecto de subjuntivo	
adore	adoremos	haya adorado	hayamos adorado
adores	adoréis	hayas adorado	hayáis adorado
adore	adoren	haya adorado	hayan adorado

7 imperfecto de subjuntivo		14 pluscuamperfecto de subjuntivo	
adorara	adoráramos	hubiera adorado	hubiéramos adorado
adoraras	adorarais	hubieras adorado	hubierais adorado
adorara	adoraran	hubiera adorado	hubieran adorado
OR		OR	
adorase	adorásemos	hubiese adorado	hubiésemos adorado
adorases	adoraseis	hubieses adorado	hubieseis adorado
adorase	adorasen	hubiese adorado	hubiesen adorado

imperativo	
—	adoremos
adora; no adores	adorad; no adoréis
adore	adoren

Words and expressions related to this verb
el adorador, la adoradora adorer, worshipper
adorable adorable
la adoración adoration, worship, veneration

adorablemente adorably, adoringly
adorado, adorada adored

Get your feet wet with verbs used in weather expressions on page 668.

The subject pronouns are found on page 93.

adquirir (33)
to acquire, to get, to obtain

Gerundio **adquiriendo**   Part. pas. **adquirido**

Regular -ir verb endings with stem change: Tenses 1, 6, Imperative

The Seven Simple Tenses		The Seven Compound Tenses	
Singular	Plural	Singular	Plural
1 presente de indicativo		**8 perfecto de indicativo**	
adquiero	adquirimos	he adquirido	hemos adquirido
adquieres	adquirís	has adquirido	habéis adquirido
adquiere	adquieren	ha adquirido	han adquirido
2 imperfecto de indicativo		**9 pluscuamperfecto de indicativo**	
adquiría	adquiríamos	había adquirido	habíamos adquirido
adquirías	adquiríais	habías adquirido	habíais adquirido
adquiría	adquirían	había adquirido	habían adquirido
3 pretérito		**10 pretérito anterior**	
adquirí	adquirimos	hube adquirido	hubimos adquirido
adquiriste	adquiristeis	hubiste adquirido	hubisteis adquirido
adquirió	adquirieron	hubo adquirido	hubieron adquirido
4 futuro		**11 futuro perfecto**	
adquiriré	adquiriremos	habré adquirido	habremos adquirido
adquirirás	adquiriréis	habrás adquirido	habréis adquirido
adquirirá	adquirirán	habrá adquirido	habrán adquirido
5 potencial simple		**12 potencial compuesto**	
adquiriría	adquiriríamos	habría adquirido	habríamos adquirido
adquirirías	adquiriríais	habrías adquirido	habríais adquirido
adquiriría	adquirirían	habría adquirido	habrían adquirido
6 presente de subjuntivo		**13 perfecto de subjuntivo**	
adquiera	adquiramos	haya adquirido	hayamos adquirido
adquieras	adquiráis	hayas adquirido	hayáis adquirido
adquiera	adquieran	haya adquirido	hayan adquirido
7 imperfecto de subjuntivo		**14 pluscuamperfecto de subjuntivo**	
adquiriera	adquiriéramos	hubiera adquirido	hubiéramos adquirido
adquirieras	adquirierais	hubieras adquirido	hubierais adquirido
adquiriera	adquirieran	hubiera adquirido	hubieran adquirido
OR		OR	
adquiriese	adquiriésemos	hubiese adquirido	hubiésemos adquirido
adquirieses	adquierieseis	hubieses adquirido	hubieseis adquirido
adquiriese	adquiriesen	hubiese adquirido	hubiesen adquirido

imperativo

—	adquiramos
adquiere; no adquieras	adquirid; no adquiráis
adquiera	adquieran

Words and expressions related to this verb

el **adquiridor**, la **adquiridora**   acquirer
el (la) **adquirente**, el (la) **adquiriente**
   acquirer
la **adquisición**   acquisition, attainment

adquirir los bienes dotales   to acquire a dowry
los **bienes adquiridos**   acquired wealth
adquirible   obtainable
adquirir un hábito   to acquire a habit

130

Irregular verb

to advise, to give notice, to give warning,
to take notice of, to warn

The Seven Simple Tenses		The Seven Compound Tenses	
Singular	Plural	Singular	Plural

A

1 presente de indicativo		8 perfecto de indicativo	
advierto	advertimos	he advertido	hemos advertido
adviertes	advertís	has advertido	habéis advertido
advierte	advierten	ha advertido	han advertido

2 imperfecto de indicativo		9 pluscuamperfecto de indicativo	
advertía	advertíamos	había advertido	habíamos advertido
advertías	advertíais	habías advertido	habíais advertido
advertía	advertían	había advertido	habían advertido

3 pretérito		10 pretérito anterior	
advertí	advertimos	hube advertido	hubimos advertido
advertiste	advertisteis	hubiste advertido	hubisteis advertido
advirtió	advirtieron	hubo advertido	hubieron advertido

4 futuro		11 futuro perfecto	
advertiré	advertiremos	habré advertido	habremos advertido
advertirás	advertiréis	habrás advertido	habréis advertido
advertirá	advertirán	habrá advertido	habrán advertido

5 potencial simple		12 potencial compuesto	
advertiría	advertiríamos	habría advertido	habríamos advertido
advertirías	advertiríais	habrías advertido	habríais advertido
advertiría	advertirían	habría advertido	habrían advertido

6 presente de subjuntivo		13 perfecto de subjuntivo	
advierta	advirtamos	haya advertido	hayamos advertido
adviertas	advirtáis	hayas advertido	hayáis advertido
advierta	adviertan	haya advertido	hayan advertido

7 imperfecto de subjuntivo		14 pluscuamperfecto de subjuntivo	
advirtiera	advirtiéramos	hubiera advertido	hubiéramos advertido
advirtieras	advirtierais	hubieras advertido	hubierais advertido
advirtiera	advirtieran	hubiera advertido	hubieran advertido
OR		OR	
advirtiese	advirtiésemos	hubiese advertido	hubiésemos advertido
advirtieses	advirtieseis	hubieses advertido	hubieseis advertido
advirtiese	advirtiesen	hubiese advertido	hubiesen advertido

imperativo

—	advirtamos
advierte; no adviertas	advertid; no advirtáis
advierta	adviertan

Words and expressions related to this verb

advertido, advertida skillful, clever
la advertencia warning, notice, foreword
advertidamente advisedly
un advertimiento notice, warning

después de repetidas advertencias
  after repeated warnings
hacer una advertencia a un niño
  to correct a child's inappropriate behavior

Can't find the verb you're looking for?
Check the back pages of this book for a list of over 2,100 additional verbs!

The subject pronouns are found on page 93.

131

to shave oneself

The Seven Simple Tenses		The Seven Compound Tenses	
Singular	Plural	Singular	Plural
1 presente de indicativo		8 perfecto de indicativo	
me afeito	nos afeitamos	me he afeitado	nos hemos afeitado
te afeitas	os afeitáis	te has afeitado	os habéis afeitado
se afeita	se afeitan	se ha afeitado	se han afeitado
2 imperfecto de indicativo		9 pluscuamperfecto de indicativo	
me afeitaba	nos afeitábamos	me había afeitado	nos habíamos afeitado
te afeitabas	os afeitabais	te habías afeitado	os habíais afeitado
se afeitaba	se afeitaban	se había afeitado	se habían afeitado
3 pretérito		10 pretérito anterior	
me afeité	nos afeitamos	me hube afeitado	nos hubimos afeitado
te afeitaste	os afeitasteis	te hubiste afeitado	os hubisteis afeitado
se afeitó	se afeitaron	se hubo afeitado	se hubieron afeitado
4 futuro		11 futuro perfecto	
me afeitaré	nos afeitaremos	me habré afeitado	nos habremos afeitado
te afeitarás	os afeitaréis	te habrás afeitado	os habréis afeitado
se afeitará	se afeitarán	se habrá afeitado	se habrán afeitado
5 potencial simple		12 potencial compuesto	
me afeitaría	nos afeitaríamos	me habría afeitado	nos habríamos afeitado
te afeitarías	os afeitaríais	te habrías afeitado	os habríais afeitado
se afeitaría	se afeitarían	se habría afeitado	se habrían afeitado
6 presente de subjuntivo		13 perfecto de subjuntivo	
me afeite	nos afeitemos	me haya afeitado	nos hayamos afeitado
te afeites	os afeitéis	te hayas afeitado	os hayáis afeitado
se afeite	se afeiten	se haya afeitado	se hayan afeitado
7 imperfecto de subjuntivo		14 pluscuamperfecto de subjuntivo	
me afeitara	nos afeitáramos	me hubiera afeitado	nos hubiéramos afeitado
te afeitaras	os afeitarais	te hubieras afeitado	os hubierais afeitado
se afeitara	se afeitaran	se hubiera afeitado	se hubieran afeitado
OR		OR	
me afeitase	nos afeitásemos	me hubiese afeitado	nos hubiésemos afeitado
te afeitases	os afeitaseis	te hubieses afeitado	os hubieseis afeitado
se afeitase	se afeitasen	se hubiese afeitado	se hubiesen afeitado

	imperativo	
		afeitémonos
	aféitate; no te afeites	afeitaos; no os afeitéis
	aféitese	aféitense

Words related to this verb

afeitar to shave
una afeitada a shave
el afeite cosmetic, makeup

afeitadamente ornately
una afeitadora shaving machine, shaver
la maquinilla (de afeitar) eléctrica
  electric shaver, razor

Get acquainted with what preposition goes with what verb on pages 669–677.

Regular **-ar** verb

to grasp, to obtain, to seize,
to catch, to clutch, to come upon

The Seven Simple Tenses		The Seven Compound Tenses	
Singular	Plural	Singular	Plural
1 presente de indicativo		8 perfecto de indicativo	
agarro	agarramos	he agarrado	hemos agarrado
agarras	agarráis	has agarrado	habéis agarrado
agarra	agarran	ha agarrado	han agarrado
2 imperfecto de indicativo		9 pluscuamperfecto de indicativo	
agarraba	agarrábamos	había agarrado	habíamos agarrado
agarrabas	agarrabais	habías agarrado	habíais agarrado
agarraba	agarraban	había agarrado	habían agarrado
3 pretérito		10 pretérito anterior	
agarré	agarramos	hube agarrado	hubimos agarrado
agarraste	agarrasteis	hubiste agarrado	hubisteis agarrado
agarró	agarraron	hubo agarrado	hubieron agarrado
4 futuro		11 futuro perfecto	
agarraré	agarraremos	habré agarrado	habremos agarrado
agarrarás	agarraréis	habrás agarrado	habréis agarrado
agarrará	agarrarán	habrá agarrado	habrán agarrado
5 potencial simple		12 potencial compuesto	
agarraría	agarraríamos	habría agarrado	habríamos agarrado
agarrarías	agarraríais	habrías agarrado	habríais agarrado
agarraría	agarrarían	habría agarrado	habrían agarrado
6 presente de subjuntivo		13 perfecto de subjuntivo	
agarre	agarremos	haya agarrado	hayamos agarrado
agarres	agarréis	hayas agarrado	hayáis agarrado
agarre	agarren	haya agarrado	hayan agarrado
7 imperfecto de subjuntivo		14 pluscuamperfecto de subjuntivo	
agarrara	agarráramos	hubiera agarrado	hubiéramos agarrado
agarraras	agarrarais	hubieras agarrado	hubierais agarrado
agarrara	agarraran	hubiera agarrado	hubieran agarrado
OR		OR	
agarrase	agarrásemos	hubiese agarrado	hubiésemos agarrado
agarrases	agarraseis	hubieses agarrado	hubieseis agarrado
agarrase	agarrasen	hubiese agarrado	hubiesen agarrado

imperativo

—	agarremos
agarra; no agarres	agarrad; no agarréis
agarre	agarren

Words and expressions related to this verb
el agarro   grasp
la agarrada   quarrel, scrap
agarrarse a *or* **de**   to seize

agarrarse una fiebre   to catch a fever
agarrar de un pelo   to provide an excuse
desgarrar   to rend, rip, tear

Do you need more drills? Have fun with the *501 Spanish Verbs* CD-ROM!

The subject pronouns are found on page 93.

to agitate, to wave, to shake up, to stir   Regular **-ar** verb

The Seven Simple Tenses		The Seven Compound Tenses	
Singular	Plural	Singular	Plural
1 presente de indicativo		8 perfecto de indicativo	
agito	agitamos	he agitado	hemos agitado
agitas	agitáis	has agitado	habéis agitado
agita	agitan	ha agitado	han agitado
2 imperfecto de indicativo		9 pluscuamperfecto de indicativo	
agitaba	agitábamos	había agitado	habíamos agitado
agitabas	agitabais	habías agitado	habíais agitado
agitaba	agitaban	había agitado	habían agitado
3 pretérito		10 pretérito anterior	
agité	agitamos	hube agitado	hubimos agitado
agitaste	agitasteis	hubiste agitado	hubisteis agitado
agitó	agitaron	hubo agitado	hubieron agitado
4 futuro		11 futuro perfecto	
agitaré	agitaremos	habré agitado	habremos agitado
agitarás	agitaréis	habrás agitado	habréis agitado
agitará	agitarán	habrá agitado	habrán agitado
5 potencial simple		12 potencial compuesto	
agitaría	agitaríamos	habría agitado	habríamos agitado
agitarías	agitaríais	habrías agitado	habríais agitado
agitaría	agitarían	habría agitado	habrían agitado
6 presente de subjuntivo		13 perfecto de subjuntivo	
agite	agitemos	haya agitado	hayamos agitado
agites	agitéis	hayas agitado	hayáis agitado
agite	agiten	haya agitado	hayan agitado
7 imperfecto de subjuntivo		14 pluscuamperfecto de subjuntivo	
agitara	agitáramos	hubiera agitado	hubiéramos agitado
agitaras	agitarais	hubieras agitado	hubierais agitado
agitara	agitaran	hubiera agitado	hubieran agitado
OR		OR	
agitase	agitásemos	hubiese agitado	hubiésemos agitado
agitases	agitaseis	hubieses agitado	hubieseis agitado
agitase	agitasen	hubiese agitado	hubiesen agitado

imperativo

—	agitemos
agita; no agites	agitad; no agitéis
agite	agiten

Words related to this verb
la agitación   agitation, excitement
agitado, agitada   agitated, excited
agitarse   to fidget, to become agitated

agitable   agitable
un agitador, una agitadora   agitator, shaker

Don't miss the definitions of basic grammatical terms with examples
in English and Spanish on pages 33–44.

Regular **-ar** verb   to exhaust, to use up

The Seven Simple Tenses		The Seven Compound Tenses	
Singular	Plural	Singular	Plural

1   presente de indicativo

		8 perfecto de indicativo	
agoto	agotamos	he agotado	hemos agotado
agotas	agotáis	has agotado	habéis agotado
agota	agotan	ha agotado	han agotado

2   imperfecto de indicativo

		9 pluscuamperfecto de indicativo	
agotaba	agotábamos	había agotado	habíamos agotado
agotabas	agotabais	habías agotado	habíais agotado
agotaba	agotaban	había agotado	habían agotado

3   pretérito

		10 pretérito anterior	
agoté	agotamos	hube agotado	hubimos agotado
agotaste	agotasteis	hubiste agotado	hubisteis agotado
agotó	agotaron	hubo agotado	hubieron agotado

4   futuro

		11 futuro perfecto	
agotaré	agotaremos	habré agotado	habremos agotado
agotarás	agotaréis	habrás agotado	habréis agotado
agotará	agotarán	habrá agotado	habrán agotado

5   potencial simple

		12 potencial compuesto	
agotaría	agotaríamos	habría agotado	habríamos agotado
agotarías	agotaríais	habrías agotado	habríais agotado
agotaría	agotarían	habría agotado	habrían agotado

6   presente de subjuntivo

		13 perfecto de subjuntivo	
agote	agotemos	haya agotado	hayamos agotado
agotes	agotéis	hayas agotado	hayáis agotado
agote	agoten	haya agotado	hayan agotado

7   imperfecto de subjuntivo

		14 pluscuamperfecto de subjuntivo	
agotara	agotáramos	hubiera agotado	hubiéramos agotado
agotaras	agotarais	hubieras agotado	hubierais agotado
agotara	agotaran	hubiera agotado	hubieran agotado
OR		OR	
agotase	agotásemos	hubiese agotado	hubiésemos agotado
agotases	agotaseis	hubieses agotado	hubieseis agotado
agotase	agotasen	hubiese agotado	hubiesen agotado

imperativo

—	agotemos
agota; no agotes	agotad; no agotéis
agote	agoten

Words related to this verb

agotador, agotadora   exhausting
el agotamiento   exhaustion

agotable   exhaustible
agotado, agotada   exhausted; out of print, out of stock, sold out

If you don't know the Spanish verb for the English verb you have in mind,
look it up in the index on pages 682–706.

The subject pronouns are found on page 93.

to please, to be pleasing   Regular **-ar** verb

The Seven Simple Tenses		The Seven Compound Tenses	
Singular	Plural	Singular	Plural
1 presente de indicativo		8 perfecto de indicativo	
agrado	agradamos	he agradado	hemos agradado
agradas	agradáis	has agradado	habéis agradado
agrada	agradan	ha agradado	han agradado
2 imperfecto de indicativo		9 pluscuamperfecto de indicativo	
agradaba	agradábamos	había agradado	habíamos agradado
agradabas	agradabais	habías agradado	habíais agradado
agradaba	agradaban	había agradado	habían agradado
3 pretérito		10 pretérito anterior	
agradé	agradamos	hube agradado	hubimos agradado
agradaste	agradasteis	hubiste agradado	hubisteis agradado
agradó	agradaron	hubo agradado	hubieron agradado
4 futuro		11 futuro perfecto	
agradaré	agradaremos	habré agradado	habremos agradado
agradarás	agradaréis	habrás agradado	habréis agradado
agradará	agradarán	habrá agradado	habrán agradado
5 potencial simple		12 potencial compuesto	
agradaría	agradaríamos	habría agradado	habríamos agradado
agradarías	agradaríais	habrías agradado	habríais agradado
agradaría	agradarían	habría agradado	habrían agradado
6 presente de subjuntivo		13 perfecto de subjuntivo	
agrade	agrademos	haya agradado	hayamos agradado
agrades	agradéis	hayas agradado	hayáis agradado
agrade	agraden	haya agradado	hayan agradado
7 imperfecto de subjuntivo		14 pluscuamperfecto de subjuntivo	
agradara	agradáramos	hubiera agradado	hubiéramos agradado
agradaras	agradarais	hubieras agradado	hubierais agradado
agradara	agradaran	hubiera agradado	hubieran agradado
OR		OR	
agradase	agradásemos	hubiese agradado	hubiésemos agradado
agradases	agradaseis	hubieses agradado	hubieseis agradado
agradase	agradasen	hubiese agradado	hubiesen agradado

imperativo

—	agrademos
agrada; no agrades	agradad; no agradéis
agrade	agraden

Words and expressions related to this verb
agradable pleasing, pleasant, agreeable
agradablemente agreeably, pleasantly
el agrado pleasure, liking
Es de mi agrado. It's to my liking.
de su agrado to one's liking
ser del agrado de uno to be to one's taste (liking)

Pablo es un muchacho agradador.
Paul is eager to please.
María es una muchacha agradadora.
Mary is eager to please.
desagradable unpleasant, disagreeable

Regular **-er** verb endings with spelling change: **c** becomes **zc** before **a** or **o**

to thank, to be thankful for

A

The Seven Simple Tenses		The Seven Compound Tenses	
Singular	Plural	Singular	Plural
1 presente de indicativo		**8 perfecto de indicativo**	
agradezco	agradecemos	he agradecido	hemos agradecido
agradeces	agradecéis	has agradecido	habéis agradecido
agradece	agradecen	ha agradecido	han agradecido
2 imperfecto de indicativo		**9 pluscuamperfecto de indicativo**	
agradecía	agradecíamos	había agradecido	habíamos agradecido
agradecías	agradecíais	habías agradecido	habíais agradecido
agradecía	agradecían	había agradecido	habían agradecido
3 pretérito		**10 pretérito anterior**	
agradecí	agradecimos	hube agradecido	hubimos agradecido
agradeciste	agradecisteis	hubiste agradecido	hubisteis agradecido
agradeció	agradecieron	hubo agradecido	hubieron agradecido
4 futuro		**11 futuro perfecto**	
agradeceré	agradeceremos	habré agradecido	habremos agradecido
agradecerás	agradeceréis	habrás agradecido	habréis agradecido
agradecerá	agradecerán	habrá agradecido	habrán agradecido
5 potencial simple		**12 potencial compuesto**	
agradecería	agradeceríamos	habría agradecido	habríamos agradecido
agradecerías	agradeceríais	habrías agradecido	habríais agradecido
agradecería	agradecerían	habría agradecido	habrían agradecido
6 presente de subjuntivo		**13 perfecto de subjuntivo**	
agradezca	agradezcamos	haya agradecido	hayamos agradecido
agradezcas	agradezcáis	hayas agradecido	hayáis agradecido
agradezca	agradezcan	haya agradecido	hayan agradecido
7 imperfecto de subjuntivo		**14 pluscuamperfecto de subjuntivo**	
agradeciera	agradeciéramos	hubiera agradecido	hubiéramos agradecido
agradecieras	agradecierais	hubieras agradecido	hubierais agradecido
agradeciera	agradecieran	hubiera agradecido	hubieran agradecido
OR		OR	
agradeciese	agradeciésemos	hubiese agradecido	hubiésemos agradecido
agradecieses	agradecieseis	hubieses agradecido	hubieseis agradecido
agradeciese	agradeciesen	hubiese agradecido	hubiesen agradecido

imperativo	
—	agradezcamos
agradece; no agradezcas	agradeced; no agradezcáis
agradezca	agradezcan

Words and expressions related to this verb

agradecido, agradecida   thankful, grateful
el agradecimiento   gratitude, gratefulness
muy agradecido   much obliged

desagradecer   to be ungrateful
desagradecidamente   ungratefully

Don't miss the definitions of basic grammatical terms with examples
in English and Spanish on pages 33–44.

The subject pronouns are found on page 93.

agrandar (41)
Gerundio **agrandando** Part. pas. **agrandado**

to enlarge, to grow larger, to increase, to exaggerate

Regular **-ar** verb

The Seven Simple Tenses		The Seven Compound Tenses	
Singular	Plural	Singular	Plural
1 presente de indicativo		8 perfecto de indicativo	
agrando	agrandamos	he agrandado	hemos agrandado
agrandas	agrandáis	has agrandado	habéis agrandado
agranda	agrandan	ha agrandado	han agrandado
2 imperfecto de indicativo		9 pluscuamperfecto de indicativo	
agrandaba	agrandábamos	había agrandado	habíamos agrandado
agrandabas	agrandabais	habías agrandado	habíais agrandado
agrandaba	agrandaban	había agrandado	habían agrandado
3 pretérito		10 pretérito anterior	
agrandé	agrandamos	hube agrandado	hubimos agrandado
agrandaste	agrandasteis	hubiste agrandado	hubisteis agrandado
agrandó	agrandaron	hubo agrandado	hubieron agrandado
4 futuro		11 futuro perfecto	
agrandaré	agrandaremos	habré agrandado	habremos agrandado
agrandarás	agrandaréis	habrás agrandado	habréis agrandado
agrandará	agrandarán	habrá agrandado	habrán agrandado
5 potencial simple		12 potencial compuesto	
agrandaría	agrandaríamos	habría agrandado	habríamos agrandado
agrandarías	agrandaríais	habrías agrandado	habríais agrandado
agrandaría	agrandarían	habría agrandado	habrían agrandado
6 presente de subjuntivo		13 perfecto de subjuntivo	
agrande	agrandemos	haya agrandado	hayamos agrandado
agrandes	agrandéis	hayas agrandado	hayáis agrandado
agrande	agranden	haya agrandado	hayan agrandado
7 imperfecto de subjuntivo		14 pluscuamperfecto de subjuntivo	
agrandara	agrandáramos	hubiera agrandado	hubiéramos agrandado
agrandaras	agrandarais	hubieras agrandado	hubierais agrandado
agrandara	agrandaran	hubiera agrandado	hubieran agrandado
OR		OR	
agrandase	agrandásemos	hubiese agrandado	hubiésemos agrandado
agrandases	agrandaseis	hubieses agrandado	hubieseis agrandado
agrandase	agrandasen	hubiese agrandado	hubiesen agrandado

imperativo	
—	agrandemos
agranda; no agrandes	agrandad; no agrandéis
agrande	agranden

Words and expressions related to this verb

el agrandamiento aggrandizement, increase
en grande in a grand way
grandemente greatly

grande great, big, large, grand, huge
vivir a lo grande to live high (live it up)
dárselas de grande to swagger

Do you need more drills? Have fun with the *501 Spanish Verbs* CD-ROM!

138

Regular **-ar** verb

to aggravate, to make worse

The Seven Simple Tenses		The Seven Compound Tenses	
Singular	Plural	Singular	Plural

A

1 presente de indicativo		8 perfecto de indicativo	
agravo	agravamos	he agravado	hemos agravado
agravas	agraváis	has agravado	habéis agravado
agrava	agravan	ha agravado	han agravado

2 imperfecto de indicativo		9 pluscuamperfecto de indicativo	
agravaba	agravábamos	había agravado	habíamos agravado
agravabas	agravabais	habías agravado	habíais agravado
agravaba	agravaban	había agravado	habían agravado

3 pretérito		10 pretérito anterior	
agravé	agravamos	hube agravado	hubimos agravado
agravaste	agravasteis	hubiste agravado	hubisteis agravado
agravó	agravaron	hubo agravado	hubieron agravado

4 futuro		11 futuro perfecto	
agravaré	agravaremos	habré agravado	habremos agravado
agravarás	agravaréis	habrás agravado	habréis agravado
agravará	agravarán	habrá agravado	habrán agravado

5 potencial simple		12 potencial compuesto	
agravaría	agravaríamos	habría agravado	habríamos agravado
agravarías	agravaríais	habrías agravado	habríais agravado
agravaría	agravarían	habría agravado	habrían agravado

6 presente de subjuntivo		13 perfecto de subjuntivo	
agrave	agravemos	haya agravado	hayamos agravado
agraves	agravéis	hayas agravado	hayáis agravado
agrave	agraven	haya agravado	hayan agravado

7 imperfecto de subjuntivo		14 pluscuamperfecto de subjuntivo	
agravara	agraváramos	hubiera agravado	hubiéramos agravado
agravaras	agravarais	hubieras agravado	hubierais agravado
agravara	agravaran	hubiera agravado	hubieran agravado
OR		OR	
agravase	agravásemos	hubiese agravado	hubiésemos agravado
agravases	agravaseis	hubieses agravado	hubieseis agravado
agravase	agravasen	hubiese agravado	hubiesen agravado

imperativo	
—	agravemos
agrava; no agraves	agravad; no agravéis
agrave	agraven

Words related to this verb
agraviadamente   offensively
agraviado, agraviada   insulted
el agraviamiento   offense, wrongful injury
agravante   aggravating
una agravación, un agravamiento   aggravation

Don't forget to study the section on defective and impersonal verbs. It's right after this main list.

The subject pronouns are found on page 93.

to add, to collect, to gather,
to aggregate, to collate

Regular **-ar** verb endings with spelling
change: **g** becomes **gu** before **e**

The Seven Simple Tenses		The Seven Compound Tenses	
Singular	Plural	Singular	Plural
1 presente de indicativo		8 perfecto de indicativo	
agrego	agregamos	he agregado	hemos agregado
agregas	agregáis	has agregado	habéis agregado
agrega	agregan	ha agregado	han agregado
2 imperfecto de indicativo		9 pluscuamperfecto de indicativo	
agregaba	agregábamos	había agregado	habíamos agregado
agregabas	agregabais	habías agregado	habíais agregado
agregaba	agregaban	había agregado	habían agregado
3 pretérito		10 pretérito anterior	
agregué	agregamos	hube agregado	hubimos agregado
agregaste	agregasteis	hubiste agregado	hubisteis agregado
agregó	agregaron	hubo agregado	hubieron agregado
4 futuro		11 futuro perfecto	
agregaré	agregaremos	habré agregado	habremos agregado
agregarás	agregaréis	habrás agregado	habréis agregado
agregará	agregarán	habrá agregado	habrán agregado
5 potencial simple		12 potencial compuesto	
agregaría	agregaríamos	habría agregado	habríamos agregado
agregarías	agregaríais	habrías agregado	habríais agregado
agregaría	agregarían	habría agregado	habrían agregado
6 presente de subjuntivo		13 perfecto de subjuntivo	
agregue	agreguemos	haya agregado	hayamos agregado
agregues	agreguéis	hayas agregado	hayáis agregado
agregue	agreguen	haya agregado	hayan agregado
7 imperfecto de subjuntivo		14 pluscuamperfecto de subjuntivo	
agregara	agregáramos	hubiera agregado	hubiéramos agregado
agregaras	agregarais	hubieras agregado	hubierais agregado
agregara	agregaran	hubiera agregado	hubieran agregado
OR		OR	
agregase	agregásemos	hubiese agregado	hubiésemos agregado
agregases	agregaseis	hubieses agregado	hubieseis agregado
agregase	agregasen	hubiese agregado	hubiesen agregado

imperativo	
—	agreguemos
agrega; no agregues	agregad; no agreguéis
agregue	agreguen

Words and expressions related to this verb
agregarse a to join
un agregado comercial commercial attaché

agregar dos a cinco to add two to five

If you want to see a sample English verb fully conjugated in
all the tenses, check out pages 11 and 12.

Regular **-ar** verb   to group

The Seven Simple Tenses   The Seven Compound Tenses

Singular	Plural	Singular	Plural

1   presente de indicativo

agrupo	**agrupamos**	
agrupas	**agrupáis**	
agrupa	**agrupan**	

8   perfecto de indicativo

he agrupado	**hemos agrupado**
has agrupado	**habéis agrupado**
ha agrupado	**han agrupado**

2   imperfecto de indicativo

agrupaba	**agrupábamos**
agrupabas	**agrupabais**
agrupaba	**agrupaban**

9   pluscuamperfecto de indicativo

había agrupado	**habíamos agrupado**
habías agrupado	**habíais agrupado**
había agrupado	**habían agrupado**

3   pretérito

agrupé	**agrupamos**
agrupaste	**agrupasteis**
agrupó	**agruparon**

10   pretérito anterior

hube agrupado	**hubimos agrupado**
hubiste agrupado	**hubisteis agrupado**
hubo agrupado	**hubieron agrupado**

4   futuro

agruparé	**agruparemos**
agruparás	**agruparéis**
agrupará	**agruparán**

11   futuro perfecto

habré agrupado	**habremos agrupado**
habrás agrupado	**habréis agrupado**
habrá agrupado	**habrán agrupado**

5   potencial simple

agruparía	**agruparíamos**
agruparías	**agruparíais**
agruparía	**agruparían**

12   potencial compuesto

habría agrupado	**habríamos agrupado**
habrías agrupado	**habríais agrupado**
habría agrupado	**habrían agrupado**

6   presente de subjuntivo

agrupe	**agrupemos**
agrupes	**agrupéis**
agrupe	**agrupen**

13   perfecto de subjuntivo

haya agrupado	**hayamos agrupado**
hayas agrupado	**hayáis agrupado**
haya agrupado	**hayan agrupado**

7   imperfecto de subjuntivo

agrupara	**agrupáramos**
agruparas	**agruparais**
agrupara	**agruparan**
OR	
agrupase	**agrupásemos**
agrupases	**agrupaseis**
agrupase	**agrupasen**

14   pluscuamperfecto de subjuntivo

hubiera agrupado	**hubiéramos agrupado**
hubieras agrupado	**hubierais agrupado**
hubiera agrupado	**hubieran agrupado**
OR	
hubiese agrupado	**hubiésemos agrupado**
hubieses agrupado	**hubieseis agrupado**
hubiese agrupado	**hubiesen agrupado**

imperativo

—	**agrupemos**
agrupa; no agrupes	**agrupad; no agrupéis**
agrupe	**agrupen**

Words related to this verb

una agrupación, un agrupamiento   group   **un grupo**   group
   (cluster)   **una agrupación coral**   choral group
agrupado, agrupada   grouped

Check out the verb drills and verb tests with answers explained on pages 45–91.

The subject pronouns are found on page 93.

to expect, to wait for   Regular **-ar** verb

The Seven Simple Tenses		The Seven Compound Tenses	
Singular	Plural	Singular	Plural
1 presente de indicativo		8 perfecto de indicativo	
aguardo	aguardamos	he aguardado	hemos aguardado
aguardas	aguardáis	has aguardado	habéis aguardado
aguarda	aguardan	ha aguardado	han aguardado
2 imperfecto de indicativo		9 pluscuamperfecto de indicativo	
aguardaba	aguardábamos	había aguardado	habíamos aguardado
aguardabas	aguardabais	habías aguardado	habíais aguardado
aguardaba	aguardaban	había aguardado	habían aguardado
3 pretérito		10 pretérito anterior	
aguardé	aguardamos	hube aguardado	hubimos aguardado
aguardaste	aguardasteis	hubiste aguardado	hubisteis aguardado
aguardó	aguardaron	hubo aguardado	hubieron aguardado
4 futuro		11 futuro perfecto	
aguardaré	aguardaremos	habré aguardado	habremos aguardado
aguardarás	aguardaréis	habrás aguardado	habréis aguardado
aguardará	aguardarán	habrá aguardado	habrán aguardado
5 potencial simple		12 potencial compuesto	
aguardaría	aguardaríamos	habría aguardado	habríamos aguardado
aguardarías	aguardaríais	habrías aguardado	habríais aguardado
aguardaría	aguardarían	habría aguardado	habrían aguardado
6 presente de subjuntivo		13 perfecto de subjuntivo	
aguarde	aguardemos	haya aguardado	hayamos aguardado
aguardes	aguardéis	hayas aguardado	hayáis aguardado
aguarde	aguarden	haya aguardado	hayan aguardado
7 imperfecto de subjuntivo		14 pluscuamperfecto de subjuntivo	
aguardara	aguardáramos	hubiera aguardado	hubiéramos aguardado
aguardaras	aguardarais	hubieras aguardado	hubierais aguardado
aguardara	aguardaran	hubiera aguardado	hubieran aguardado
OR		OR	
aguardase	aguardásemos	hubiese aguardado	hubiésemos aguardado
aguardases	aguardaseis	hubieses aguardado	hubieseis aguardado
aguardase	aguardasen	hubiese aguardado	hubiesen aguardado

imperativo	
—	aguardemos
aguarda; no aguardes	aguardad; no aguardéis
aguarde	aguarden

Words and expressions related to this verb
la aguardada   expecting, waiting
guardar   to guard, to watch (over)

guardar silencio   to keep silent
¡Dios guarde al Rey!   God save the King!

Can't find the verb you're looking for?
Check the back pages of this book for a list of over 2,100 additional verbs!

Regular **-ar** verb

to economize, to save

The Seven Simple Tenses | The Seven Compound Tenses

Singular	Plural	Singular	Plural	**A**
1 presente de indicativo		8 perfecto de indicativo		
ahorro	**ahorramos**	**he ahorrado**	**hemos ahorrado**	
ahorras	**ahorráis**	**has ahorrado**	**habéis ahorrado**	
ahorra	**ahorran**	**ha ahorrado**	**han ahorrado**	
2 imperfecto de indicativo		9 pluscuamperfecto de indicativo		
ahorraba	**ahorrábamos**	**había ahorrado**	**habíamos ahorrado**	
ahorrabas	**ahorrabais**	**habías ahorrado**	**habíais ahorrado**	
ahorraba	**ahorraban**	**había ahorrado**	**habían ahorrado**	
3 pretérito		10 pretérito anterior		
ahorré	**ahorramos**	**hube ahorrado**	**hubimos ahorrado**	
ahorraste	**ahorrasteis**	**hubiste ahorrado**	**hubisteis ahorrado**	
ahorró	**ahorraron**	**hubo ahorrado**	**hubieron ahorrado**	
4 futuro		11 futuro perfecto		
ahorraré	**ahorraremos**	**habré ahorrado**	**habremos ahorrado**	
ahorrarás	**ahorraréis**	**habrás ahorrado**	**habréis ahorrado**	
ahorrará	**ahorrarán**	**habrá ahorrado**	**habrán ahorrado**	
5 potencial simple		12 potencial compuesto		
ahorraría	**ahorraríamos**	**habría ahorrado**	**habríamos ahorrado**	
ahorrarías	**ahorraríais**	**habrías ahorrado**	**habríais ahorrado**	
ahorraría	**ahorrarían**	**habría ahorrado**	**habrían ahorrado**	
6 presente de subjuntivo		13 perfecto de subjuntivo		
ahorre	**ahorremos**	**haya ahorrado**	**hayamos ahorrado**	
ahorres	**ahorréis**	**hayas ahorrado**	**hayáis ahorrado**	
ahorre	**ahorren**	**haya ahorrado**	**hayan ahorrado**	
7 imperfecto de subjuntivo		14 pluscuamperfecto de subjuntivo		
ahorrara	**ahorráramos**	**hubiera ahorrado**	**hubiéramos ahorrado**	
ahorraras	**ahorrarais**	**hubieras ahorrado**	**hubierais ahorrado**	
ahorrara	**ahorraran**	**hubiera ahorrado**	**hubieran ahorrado**	
OR		OR		
ahorrase	**ahorrásemos**	**hubiese ahorrado**	**hubiésemos ahorrado**	
ahorrases	**ahorraseis**	**hubieses ahorrado**	**hubieseis ahorrado**	
ahorrase	**ahorrasen**	**hubiese ahorrado**	**hubiesen ahorrado**	

imperativo

—	**ahorremos**
ahorra; no ahorres	**ahorrad; no ahorréis**
ahorre	**ahorren**

Words and expressions related to this verb

ahorrado, ahorrada   thrifty
un ahorrador de tiempo   time saver
ahorrador, ahorradora   thrifty person, thrifty

el ahorramiento   saving, economy
no ahorrarse con nadie   not to be afraid
   of anybody

If you don't know the Spanish verb for an English verb you have in mind,
try the index on pages 682–706.

The subject pronouns are found on page 93.

alcanzar (47)

Gerundio alcanzando   **Part. pas.** alcanzado

to reach, to overtake

Regular **-ar** verb endings with spelling change: **z** becomes **c** before **e**

The Seven Simple Tenses		The Seven Compound Tenses	
Singular	Plural	Singular	Plural
1 presente de indicativo		**8 perfecto de indicativo**	
alcanzo	alcanzamos	he alcanzado	hemos alcanzado
alcanzas	alcanzáis	has alcanzado	habéis alcanzado
alcanza	alcanzan	ha alcanzado	han alcanzado
2 imperfecto de indicativo		**9 pluscuamperfecto de indicativo**	
alcanzaba	alcanzábamos	había alcanzado	habíamos alcanzado
alcanzabas	alcanzabais	habías alcanzado	habíais alcanzado
alcanzaba	alcanzaban	había alcanzado	habían alcanzado
3 pretérito		**10 pretérito anterior**	
alcancé	alcanzamos	hube alcanzado	hubimos alcanzado
alcanzaste	alcanzasteis	hubiste alcanzado	hubisteis alcanzado
alcanzó	alcanzaron	hubo alcanzado	hubieron alcanzado
4 futuro		**11 futuro perfecto**	
alcanzaré	alcanzaremos	habré alcanzado	habremos alcanzado
alcanzarás	alcanzaréis	habrás alcanzado	habréis alcanzado
alcanzará	alcanzarán	habrá alcanzado	habrán alcanzado
5 potencial simple		**12 potencial compuesto**	
alcanzaría	alcanzaríamos	habría alcanzado	habríamos alcanzado
alcanzarías	alcanzaríais	habrías alcanzado	habríais alcanzado
alcanzaría	alcanzarían	habría alcanzado	habrían alcanzado
6 presente de subjuntivo		**13 perfecto de subjuntivo**	
alcance	alcancemos	haya alcanzado	hayamos alcanzado
alcances	alcancéis	hayas alcanzado	hayáis alcanzado
alcance	alcancen	haya alcanzado	hayan alcanzado
7 imperfecto de subjuntivo		**14 pluscuamperfecto de subjuntivo**	
alcanzara	alcanzáramos	hubiera alcanzado	hubiéramos alcanzado
alcanzaras	alcanzarais	hubieras alcanzado	hubierais alcanzado
alcanzara	alcanzaran	hubiera alcanzado	hubieran alcanzado
OR		OR	
alcanzase	alcanzásemos	hubiese alcanzado	hubiésemos alcanzado
alcanzases	alcanzaseis	hubieses alcanzado	hubieseis alcanzado
alcanzase	alcanzasen	hubiese alcanzado	hubiesen alcanzado

imperativo	
—	alcancemos
alcanza; no alcances	alcanzad; no alcancéis
alcance	alcancen

Words and expressions related to this verb
el alcance   overtaking, reach
al alcance de   within reach of
dar alcance a   to overtake

al alcance del oído   within earshot
alcanzable   attainable, reachable
el alcanzador, la alcanzadora   pursuer

If you want an explanation of meanings and uses of Spanish and
English verb tenses and moods, see pages 13–32.

Reflexive regular **-ar** verb   to be glad, to rejoice, to be happy

The Seven Simple Tenses		The Seven Compound Tenses	
Singular	Plural	Singular	Plural
1 presente de indicativo		**8 perfecto de indicativo**	
me alegro	nos alegramos	me he alegrado	nos hemos alegrado
te alegras	os alegráis	te has alegrado	os habéis alegrado
se alegra	se alegran	se ha alegrado	se han alegrado
2 imperfecto de indicativo		**9 pluscuamperfecto de indicativo**	
me alegraba	nos alegrábamos	me había alegrado	nos habíamos alegrado
te alegrabas	os alegrabais	te habías alegrado	os habíais alegrado
se alegraba	se alegraban	se había alegrado	se habían alegrado
3 pretérito		**10 pretérito anterior**	
me alegré	nos alegramos	me hube alegrado	nos hubimos alegrado
te alegraste	os alegrasteis	te hubiste alegrado	os hubisteis alegrado
se alegró	se alegraron	se hubo alegrado	se hubieron alegrado
4 futuro		**11 futuro perfecto**	
me alegraré	nos alegraremos	me habré alegrado	nos habremos alegrado
te alegrarás	os alegraréis	te habrás alegrado	os habréis alegrado
se alegrará	se alegrarán	se habrá alegrado	se habrán alegrado
5 potencial simple		**12 potencial compuesto**	
me alegraría	nos alegraríamos	me habría alegrado	nos habríamos alegrado
te alegrarías	os alegraríais	te habrías alegrado	os habríais alegrado
se alegraría	se alegrarían	se habría alegrado	se habrían alegrado
6 presente de subjuntivo		**13 perfecto de subjuntivo**	
me alegre	nos alegremos	me haya alegrado	nos hayamos alegrado
te alegres	os alegréis	te hayas alegrado	os hayáis alegrado
se alegre	se alegren	se haya alegrado	se hayan alegrado
7 imperfecto de subjuntivo		**14 pluscuamperfecto de subjuntivo**	
me alegrara	nos alegráramos	me hubiera alegrado	nos hubiéramos alegrado
te alegraras	os alegrarais	te hubieras alegrado	os hubierais alegrado
se alegrara	se alegraran	se hubiera alegrado	se hubieran alegrado
OR		OR	
me alegrase	nos alegrásemos	me hubiese alegrado	nos hubiésemos alegrado
te alegrases	os alegraseis	te hubieses alegrado	os hubieseis alegrado
se alegrase	se alegrasen	se hubiese alegrado	se hubiesen alegrado

imperativo	
—	alegrémonos
alégrate; no te alegres	alegraos; no os alegréis
alégrese	alégrense

Words and expressions related to this verb
la alegría joy, rejoicing, mirth
alegro allegro
tener mucha alegría to be very glad
¡Qué alegría! What joy!

alegremente gladly, cheerfully
alegre happy, joyful, merry, bright (color)
alegrar la fiesta to liven up the party
saltar de alegría to jump for joy

The subject pronouns are found on page 93.

almorzar (49)

Gerundio almorzando   Part. pas. almorzado

to lunch, to have lunch

Regular **-ar** verb endings with stem change: Tenses 1, 6, Imperative; spelling change: **z** becomes **c** before **e**

The Seven Simple Tenses

The Seven Compound Tenses

Singular	Plural	Singular	Plural
1 presente de indicativo		8 perfecto de indicativo	
almuerzo	almorzamos	he almorzado	hemos almorzado
almuerzas	almorzáis	has almorzado	habéis almorzado
almuerza	almuerzan	ha almorzado	han almorzado
2 imperfecto de indicativo		9 pluscuamperfecto de indicativo	
almorzaba	almorzábamos	había almorzado	habíamos almorzado
almorzabas	almorzabais	habías almorzado	habíais almorzado
almorzaba	almorzaban	había almorzado	habían almorzado
3 pretérito		10 pretérito anterior	
almorcé	almorzamos	hube almorzado	hubimos almorzado
almorzaste	almorzasteis	hubiste almorzado	hubisteis almorzado
almorzó	almorzaron	hubo almorzado	hubieron almorzado
4 futuro		11 futuro perfecto	
almorzaré	almorzaremos	habré almorzado	habremos almorzado
almorzarás	almorzaréis	habrás almorzado	habréis almorzado
almorzará	almorzarán	habrá almorzado	habrán almorzado
5 potencial simple		12 potencial compuesto	
almorzaría	almorzaríamos	habría almorzado	habríamos almorzado
almorzarías	almorzaríais	habrías almorzado	habríais almorzado
almorzaría	almorzarían	habría almorzado	habrían almorzado
6 presente de subjuntivo		13 perfecto de subjuntivo	
almuerce	almorcemos	haya almorzado	hayamos almorzado
almuerces	almorcéis	hayas almorzado	hayáis almorzado
almuerce	almuercen	haya almorzado	hayan almorzado
7 imperfecto de subjuntivo		14 pluscuamperfecto de subjuntivo	
almorzara	almorzáramos	hubiera almorzado	hubiéramos almorzado
almorzaras	almorzarais	hubieras almorzado	hubierais almorzado
almorzara	almorzaran	hubiera almorzado	hubieran almorzado
OR		OR	
almorzase	almorzásemos	hubiese almorzado	hubiésemos almorzado
almorzases	almorzaseis	hubieses almorzado	hubieseis almorzado
almorzase	almorzasen	hubiese almorzado	hubiesen almorzado

imperativo

—	almorcemos
almuerza; no almuerces	almorzad; no almorcéis
almuerce	almuercen

Sentences using this verb and words related to it

Todos los días tomo el desayuno en casa, tomo el almuerzo en la escuela con mis amigos, y ceno con mi familia a las ocho.

el desayuno   breakfast
el almuerzo   lunch
la cena   dinner, supper

cenar   to have dinner, supper
una almorzada   handful

146

Use the guide to Spanish pronunciation on pages 665–667.

The Seven Simple Tenses		The Seven Compound Tenses	
Singular	Plural	Singular	Plural

A

1 presente de indicativo		8 perfecto de indicativo	
alquilo	**alquilamos**	**he alquilado**	**hemos alquilado**
alquilas	**alquiláis**	**has alquilado**	**habéis alquilado**
alauila	**alquilan**	**ha alquilado**	**han alquilado**

2 imperfecto de indicativo		9 pluscuamperfecto de indicativo	
alquilaba	**alquilábamos**	**había alquilado**	**habíamos alquilado**
alquilabas	**alquilabais**	**habías alquilado**	**habíais alquilado**
alquilaba	**alquilaban**	**había alquilado**	**habían alquilado**

3 pretérito		10 pretérito anterior	
alquilé	**alquilamos**	**hube alquilado**	**hubimos alquilado**
alquilase	**alquilasteis**	**hubiste alquilado**	**hubisteis alquilado**
alquiló	**alquilaron**	**hubo alquilado**	**hubieron alquilado**

4 futuro		11 futuro perfecto	
alquilaré	**alquilaremos**	**habré alquilado**	**habremos alquilado**
alquilarás	**alquilaréis**	**habrás alquilado**	**habréis alquilado**
alquilará	**alquilarán**	**habrá alquilado**	**habrán alquilado**

5 potencial simple		12 potencial compuesto	
alquilaría	**alquilaríamos**	**habría alquilado**	**habríamos alquilado**
alquilarías	**alquilaríais**	**habrías alquilado**	**habríais alquilado**
alquilaría	**alquilarían**	**habría alquilado**	**habrían alquilado**

6 presente de subjuntivo		13 perfecto de subjuntivo	
alquile	**alquilemos**	**haya alquilado**	**hayamos alquilado**
alquiles	**alquiléis**	**hayas alquilado**	**hayáis alquilado**
alquile	**alquilen**	**haya alquilado**	**hayan alquilado**

7 imperfecto de subjuntivo		14 pluscuamperfecto de subjuntivo	
alquilara	**alquiláramos**	**hubiera alquilado**	**hubiéramos alquilado**
alquilaras	**alquilarais**	**hubieras alquilado**	**hubierais alquilado**
alquilara`	**alquilaran**	**hubiera alquilado**	**hubieran alquilado**
OR		OR	
alquilase	**alquilásemos**	**hubiese alquilado**	**hubiésemos alquilado**
alquilases	**alquilaseis**	**hubieses alquilado**	**hubieseis alquilado**
alquilase	**alquilasen**	**hubiese alquilado**	**hubiesen alquilado**

imperativo

—	**alquilemos**
alquila; no alquiles	**alquilad; no alquiléis**
alquile	**alquilen**

Words and expressions related to this verb

alquilable   rentable
SE ALQUILA   FOR RENT
ALQUILA   AVAILABLE

desalquilar   to vacate, stop renting
desalquilarse   to become vacant, unrented
desalquilado, desalquilada   unrented, unlet, vacant

If you want to see a sample English verb fully conjugated
in all the tenses, check out pages 11 and 12.

to illuminate, to light, to enlighten   Regular **-ar** verb

The Seven Simple Tenses		The Seven Compound Tenses	
Singular	Plural	Singular	Plural
1 presente de indicativo		8 perfecto de indicativo	
alumbro	alumbramos	he alumbrado	hemos alumbrado
alumbras	alumbráis	has alumbrado	habéis alumbrado
alumbra	alumbran	ha alumbrado	han alumbrado
2 imperfecto de indicativo		9 pluscuamperfecto de indicativo	
alumbraba	alumbrábamos	había alumbrado	habíamos alumbrado
alumbrabas	alumbrabais	habías alumbrado	habíais alumbrado
alumbraba	alumbraban	había alumbrado	habían alumbrado
3 pretérito		10 pretérito anterior	
alumbré	alumbramos	hube alumbrado	hubimos alumbrado
alumbraste	alumbrasteis	hubiste alumbrado	hubisteis alumbrado
alumbró	alumbraron	hubo alumbrado	hubieron alumbrado
4 futuro		11 futuro perfecto	
alumbraré	alumbraremos	habré alumbrado	habremos alumbrado
alumbrarás	alumbraréis	habrás alumbrado	habréis alumbrado
alumbrará	alumbrarán	habrá alumbrado	habrán alumbrado
5 potencial simple		12 potencial compuesto	
alumbraría	alumbraríamos	habría alumbrado	habríamos alumbrado
alumbrarías	alumbraríais	habrías alumbrado	habríais alumbrado
alumbraría	alumbrarían	habría alumbrado	habrían alumbrado
6 presente de subjuntivo		13 perfecto de subjuntivo	
alumbre	alumbremos	haya alumbrado	hayamos alumbrado
alumbres	alumbréis	hayas alumbrado	hayáis alumbrado
alumbre	alumbren	haya alumbrado	hayan alumbrado
7 imperfecto de subjuntivo		14 pluscuamperfecto de subjuntivo	
alumbrara	alumbráramos	hubiera alumbrado	hubiéramos alumbrado
alumbraras	alumbrarais	hubieras alumbrado	hubierais alumbrado
alumbrara	alumbraran	hubiera alumbrado	hubieran alumbrado
OR		OR	
alumbrase	alumbrásemos	hubiese alumbrado	hubiésemos alumbrado
alumbrases	alumbraseis	hubieses alumbrado	hubieseis alumbrado
alumbrase	alumbrasen	hubiese alumbrado	hubiesen alumbrado

	imperativo	
—		alumbremos
alumbra; no alumbres		alumbrad; no alumbréis
alumbre		alumbren

Words and expressions related to this verb
alumbrante   illuminating, enlightening
el alumbramiento   lighting
el alumbrado fluorescente   fluorescent lighting
el alumbrado reflejado (indirecto)   indirect lighting
la lumbre   fire, light; **calentarse a la lumbre**   to warm oneself by the fire

Reflexive regular **-ar** verb

to be (get) high, to get tipsy,
to become lively (from liquor)

The Seven Simple Tenses		The Seven Compound Tenses	
Singular	Plural	Singular	Plural

A

1 presente de indicativo		8 perfecto de indicativo	
me alumbro	nos alumbramos	me he alumbrado	nos hemos alumbrado
te alumbras	os alumbráis	te has alumbrado	os habéis alumbrado
se alumbra	se alumbran	se ha alumbrado	se han alumbrado

2 imperfecto de indicativo		9 pluscuamperfecto de indicativo	
me alumbraba	nos alumbrábamos	me había alumbrado	nos habíamos alumbrado
te alumbrabas	os alumbrabais	te habías alumbrado	os habíais alumbrado
se alumbraba	se alumbraban	se había alumbrado	se habían alumbrado

3 pretérito		10 pretérito anterior	
me alumbré	nos alumbramos	me hube alumbrado	nos hubimos alumbrado
te alumbraste	os alumbrasteis	te hubiste alumbrado	os hubisteis alumbrado
se alumbró	se alumbraron	se hubo alumbrado	se hubieron alumbrado

4 futuro		11 futuro perfecto	
me alumbraré	nos alumbraremos	me habré alumbrado	nos habremos alumbrado
te alumbrarás	os alumbraréis	te habrás alumbrado	os habréis alumbrado
se alumbrará	se alumbrarán	se habrá alumbrado	se habrán alumbrado

5 potencial simple		12 potencial compuesto	
me alumbraría	nos alumbraríamos	me habría alumbrado	nos habríamos alumbrado
te alumbrarías	os alumbraríais	te habrías alumbrado	os habríais alumbrado
se alumbraría	se alumbrarían	se habría alumbrado	se habrían alumbrado

6 presente de subjuntivo		13 perfecto de subjuntivo	
me alumbre	nos alumbremos	me haya alumbrado	nos hayamos alumbrado
te alumbres	os alumbréis	te hayas alumbrado	os hayáis alumbrado
se alumbre	se alumbren	se haya alumbrado	se hayan alumbrado

7 imperfecto de subjuntivo		14 pluscuamperfecto de subjuntivo	
me alumbrara	nos alumbráramos	me hubiera alumbrado	nos hubiéramos alumbrado
te alumbraras	os alumbrarais	te hubieras alumbrado	os hubierais alumbrado
se alumbrara	se alumbraran	se hubiera alumbrado	se hubieran alumbrado
OR		OR	
me alumbrase	nos alumbrásemos	me hubiese alumbrado	nos hubiésemos alumbrado
te alumbrases	os alumbraseis	te hubieses alumbrado	os hubieseis alumbrado
se alumbrase	se alumbrasen	se hubiese alumbrado	se hubiesen alumbrado

imperativo	
—	alumbrémonos
alúmbrate; no te alumbres	alumbraos, no os alumbréis
alúmbrese	alúmbrense

For words and expressions related to this verb, see **alumbrar.**

Can't find the verb you're looking for?
Check the back pages of this book for a list of over 2,100 additional verbs!

The subject pronouns are found on page 93.

149

alzar (53)   Gerundio alzando   Part. pas. alzado

to heave, to lift, to pick up, to raise (prices)	Regular -ar verb endings with spelling change: z becomes c before e

The Seven Simple Tenses	The Seven Compound Tenses

Singular	Plural	Singular	Plural
1 presente de indicativo		**8 perfecto de indicativo**	
alzo	alzamos	he alzado	hemos alzado
alzas	alzáis	has alzado	habéis alzado
alza	alzan	ha alzado	han alzado
2 imperfecto de indicativo		**9 pluscuamperfecto de indicativo**	
alzaba	alzábamos	había alzado	habíamos alzado
alzabas	alzabais	habías alzado	habíais alzado
alzaba	alzaban	había alzado	habían alzado
3 pretérito		**10 pretérito anterior**	
alcé	alzamos	hube alzado	hubimos alzado
alzaste	alzasteis	hubiste alzado	hubisteis alzado
alzó	alzaron	hubo alzado	hubieron alzado
4 futuro		**11 futuro perfecto**	
alzaré	alzaremos	habré alzado	habremos alzado
alzarás	alzaréis	habrás alzado	habréis alzado
alzará	alzarán	habrá alzado	habrán alzado
5 potencial simple		**12 potencial compuesto**	
alzaría	alzaríamos	habría alzado	habríamos alzado
alzarías	alzaríais	habrías alzado	habríais alzado
alzaría	alzarían	habría alzado	habrían alzado
6 presente de subjuntivo		**13 perfecto de subjuntivo**	
alce	alcemos	haya alzado	hayamos alzado
alces	alcéis	hayas alzado	hayáis alzado
alce	alcen	haya alzado	hayan alzado
7 imperfecto de subjuntivo		**14 pluscuamperfecto de subjuntivo**	
alzara	alzáramos	hubiera alzado	hubiéramos alzado
alzaras	alzarais	hubieras alzado	hubierais alzado
alzara	alzaran	hubiera alzado	hubieran alzado
OR		OR	
alzase	alzásemos	hubiese alzado	hubiésemos alzado
alzases	alzaseis	hubieses alzado	hubieseis alzado
alzase	alzasen	hubiese alzado	hubiesen alzado

imperativo	
—	alcemos
alza; no alces	alzad; no alcéis
alce	alcen

Words and expressions related to this verb

alzar velas   to set the sails, to hoist sail
alzar con   to run off with, to steal
la alzadura   elevation
el alzamiento   raising, lifting

el alzo   robbery, theft
alzar la mano   to threaten, to raise one's hand
alzar la voz   to raise one's voice
alzar el codo   to drink to excess (to raise one's elbow)

The Seven Simple Tenses | The Seven Compound Tenses

Singular	Plural	Singular	Plural
1 presente de indicativo		**8 perfecto de indicativo**	
amo	amamos	he amado	hemos amado
amas	amáis	has amado	habéis amado
ama	aman	ha amado	han amado
2 imperfecto de indicativo		**9 pluscuamperfecto de indicativo**	
amaba	amábamos	había amado	habíamos amado
amabas	amabais	habías amado	habíais amado
amaba	amaban	había amado	habían amado
3 pretérito		**10 pretérito anterior**	
amé	amamos	hube amado	hubimos amado
amaste	amasteis	hubiste amado	hubisteis amado
amó	amaron	hubo amado	hubieron amado
4 futuro		**11 futuro perfecto**	
amaré	amaremos	habré amado	habremos amado
amarás	amaréis	habrás amado	habréis amado
amará	amarán	habrá amado	habrán amado
5 potencial simple		**12 potencial compuesto**	
amaría	amaríamos	habría amado	habríamos amado
amarías	amaríais	habrías amado	habríais amado
amaría	amarían	habría amado	habrían amado
6 presente de subjuntivo		**13 perfecto de subjuntivo**	
ame	amemos	haya amado	hayamos amado
ames	améis	hayas amado	hayáis amado
ame	amen	haya amado	hayan amado
7 imperfecto de subjuntivo		**14 pluscuamperfecto de subjuntivo**	
amara	amáramos	hubiera amado	hubiéramos amado
amaras	amarais	hubieras amado	hubierais amado
amara	amaran	hubiera amado	hubieran amado
OR		OR	
amase	amásemos	hubiese amado	hubiésemos amado
amases	amaseis	hubieses amado	hubieseis amado
amase	amasen	hubiese amado	hubiesen amado

	imperativo
—	amemos
ama; no ames	amad; no améis
ame	amen

Words related to this verb
la amabilidad   amiability, kindness
amable   amiable, kind, affable

amablemente   amiably, kindly; **una carta**
amatoria   love letter
el amor   love; **amante** lover

Do you need more drills? Have fun with the *501 Spanish Verbs* CD-ROM!

The subject pronouns are found on page 93.

añadir (55)

to add

Gerundio añadiendo

Part. pas. añadido

Regular **-ir** verb

The Seven Simple Tenses		The Seven Compound Tenses	
Singular	Plural	Singular	Plural
1 presente de indicativo		**8 perfecto de indicativo**	
añado	añadimos	he añadido	hemos añadido
añades	añadís	has añadido	habéis añadido
añade	añaden	ha añadido	han añadido
2 imperfecto de indicativo		**9 pluscuamperfecto de indicativo**	
añadía	añadíamos	había añadido	habíamos añadido
añadías	añadíais	habías añadido	habíais añadido
añadía	añadían	había añadido	habían añadido
3 pretérito		**10 pretérito anterior**	
añadí	añadimos	hube añadido	hubimos añadido
añadiste	añadisteis	hubiste añadido	hubisteis añadido
añadió	añadieron	hubo añadido	hubieron añadido
4 futuro		**11 futuro perfecto**	
añadiré	añadiremos	habré añadido	habremos añadido
añadirás	añadiréis	habrás añadido	habréis añadido
añadirá	añadirán	habrá añadido	habrán añadido
5 potencial simple		**12 potencial compuesto**	
añadiría	añadiríamos	habría añadido	habríamos añadido
añadirías	añadiríais	habrías añadido	habríais añadido
añadiría	añadirían	habría añadido	habrían añadido
6 presente de subjuntivo		**13 perfecto de subjuntivo**	
añada	añadamos	haya añadido	hayamos añadido
añadas	añadáis	hayas añadido	hayáis añadido
añada	añadan	haya añadido	hayan añadido
7 imperfecto de subjuntivo		**14 pluscuamperfecto de subjuntivo**	
añadiera	añadiéramos	hubiera añadido	hubiéramos añadido
añadieras	añadierais	hubieras añadido	hubierais añadido
añadiera	añadieran	hubiera añadido	hubieran añadido
OR		OR	
añadiese	añadiésemos	hubiese añadido	hubiésemos añadido
añadieses	añadieseis	hubieses añadido	hubieseis añadido
añadiese	añadiesen	hubiese añadido	hubiesen añadido

imperativo	
—	añadamos
añade; no añadas	añadid; no añadáis
añada	añadan

Words and expressions related to this verb

la añadidura increase, addition
por añadidura in addition, besides

de añadidura extra, for good measure
añadido, añadida added, additional

> Can't find the verb you're looking for?
> Check the back pages of this book for a list of over 2,100 additional verbs!

Irregular **-ar** verb: Tenses 3 and 7   to walk

The Seven Simple Tenses		The Seven Compound Tenses	
Singular	Plural	Singular	Plural
1 presente de indicativo		**8 perfecto de indicativo**	
ando	andamos	he andado	hemos andado
andas	andáis	has andado	habéis andado
anda	andan	ha andado	han andado
2 imperfecto de indicativo		**9 pluscuamperfecto de indicativo**	
andaba	andábamos	había andado	habíamos andado
andabas	andabais	habías andado	habíais andado
andaba	andaban	había andado	habían andado
3 pretérito		**10 pretérito anterior**	
anduve	anduvimos	hube andado	hubimos andado
anduviste	anduvisteis	hubiste andado	hubisteis andado
anduvo	anduvieron	hubo andado	hubieron andado
4 futuro		**11 futuro perfecto**	
andaré	andaremos	habré andado	habremos andado
andarás	andaréis	habrás andado	habréis andado
andará	andarán	habrá andado	habrán andado
5 potencial simple		**12 potencial compuesto**	
andaría	andaríamos	habría andado	habríamos andado
andarías	andaríais	habrías andado	habríais andado
andaría	andarían	habría andado	habrían andado
6 presente de subjuntivo		**13 perfecto de subjuntivo**	
ande	andemos	haya andado	hayamos andado
andes	andéis	hayas andado	hayáis andado
ande	anden	haya andado	hayan andado
7 imperfecto de subjuntivo		**14 pluscuamperfecto de subjuntivo**	
anduviera	anduviéramos	hubiera andado	hubiéramos andado
anduvieras	anduvierais	hubieras andado	hubierais andado
anduviera	anduvieran	hubiera andado	hubieran andado
OR		OR	
anduviese	anduviésemos	hubiese andado	hubiésemos andado
anduvieses	anduvieseis	hubieses andado	hubieseis andado
anduviese	anduviesen	hubiese andado	hubiesen andado

	imperativo	
—		andemos
anda; no andes		andad; no andéis
ande		anden

AN ESSENTIAL 55 VERB

Andar is a very useful verb for a beginning Spanish student. Pay special attention to the spelling change in Tenses 3 and 7.

Sentences using andar and related words

¿Cómo andan los negocios?
How's business?

Anda despacio que tengo prisa.
Make haste slowly.

Amadís de Gaula fue un caballero andante de la Edad Media.
Amadis of Gaul was a knight-errant of the Middle Ages.

¡Anda a pasear!
Take a walk! (Take a hike!)

Words and expressions related to this verb

andarse **to go away**

las andanzas **events**

buena andanza **good fortune**

mala andanza **bad fortune**

a todo andar **at full speed**

desandar **to retrace one's steps**

andante **errant**

un caballero andante **knight-errant**

Anda con Dios. **Go with God.**

andar con cien ojos **to be cautious (to have eyes on the back of one's head)**

el andar **gait (way of walking)**

andar a gatas **to crawl, to walk/on all fours**

andar a caballo **to ride a horse**

Proverbs

Dime con quién andas y te diré quién eres.
Tell me who your friends are and I will tell you who you are.

Poco a poco se anda lejos.
One step at a time. (Little by little, one goes far away.)

Can't find the verb you're looking for?
Check the back pages of this book for a list of over 2,100 additional verbs!

Regular **-ar** verb   to announce, to foretell, to proclaim

The Seven Simple Tenses | The Seven Compound Tenses

Singular	Plural	Singular	Plural
1 presente de indicativo		8 perfecto de indicativo	
anuncio	anunciamos	he anunciado	hemos anunciado
anuncias	anunciáis	has anunciado	habéis anunciado
anuncia	anuncian	ha anunciado	han anunciado
2 imperfecto de indicativo		9 pluscuamperfecto de indicativo	
anunciaba	anunciábamos	había anunciado	habíamos anunciado
anunciabas	anunciabais	habías anunciado	habíais anunciado
anunciaba	anunciaban	había anunciado	habían anunciado
3 pretérito		10 pretérito anterior	
anuncié	anunciamos	hube anunciado	hubimos anunciado
anunciaste	anunciasteis	hubiste anunciado	hubisteis anunciado
anunció	anunciaron	hubo anunciado	hubieron anunciado
4 futuro		11 futuro perfecto	
anunciaré	anunciaremos	habré anunciado	habremos anunciado
anunciarás	anunciaréis	habrás anunciado	habréis anunciado
anunciará	anunciarán	habrá anunciado	habrán anunciado
5 potencial simple		12 potencial compuesto	
anunciaría	anunciaríamos	habría anunciado	habríamos anunciado
anunciarías	anunciaríais	habrías anunciado	habríais anunciado
anunciaría	anunciarían	habría anunciado	habrían anunciado
6 presente de subjuntivo		13 perfecto de subjuntivo	
anuncie	anunciemos	haya anunciado	hayamos anunciado
anuncies	anunciéis	hayas anunciado	hayáis anunciado
anuncie	anuncien	haya anunciado	hayan anunciado
7 imperfecto de subjuntivo		14 pluscuamperfecto de subjuntivo	
anunciara	anunciáramos	hubiera anunciado	hubiéramos anunciado
anunciaras	anunciarais	hubieras anunciado	hubierais anunciado
anunciara	anunciaran	hubiera anunciado	hubieran anunciado
OR		OR	
anunciase	anunciásemos	hubiese anunciado	hubiésemos anunciado
anunciases	anunciaseis	hubieses anunciado	hubieseis anunciado
anunciase	anunciasen	hubiese anunciado	hubiesen anunciado

imperativo

—	anunciemos
anuncia; no anuncies	anunciad; no anunciéis
anuncie	anuncien

Words related to this verb
el, la anunciante   advertiser
la Anunciación   Annunciation
el anunciador, la anunciadora   advertiser,
    announcer

el anuncio   advertisement, announcement
el cartel anunciador   billboard
los anuncios por palabras   classified
    advertisements

Get your feet wet with verbs used in weather expressions on page 668.

The subject pronouns are found on page 93.

apagar (58)　　　Gerundio apagando　　　Part. pas. apagado

to put out (flame, fire), to extinguish, to turn off (flame, fire, light)

Regular **-ar** verb endings with spelling change: **g** becomes **gu** before **e**

The Seven Simple Tenses		The Seven Compound Tenses	
Singular	Plural	Singular	Plural
1 presente de indicativo		**8 perfecto de indicativo**	
apago	apagamos	he apagado	hemos apagado
apagas	apagáis	has apagado	habéis apagado
apaga	apagan	ha apagado	han apagado
2 imperfecto de indicativo		**9 pluscuamperfecto de indicativo**	
apagaba	apagábamos	había apagado	habíamos apagado
apagabas	apagabais	habías apagado	habíais apagado
apagaba	apagaban	había apagado	habían apagado
3 pretérito		**10 pretérito anterior**	
apagué	apagamos	hube apagado	hubimos apagado
apagaste	apagasteis	hubiste apagado	hubisteis apagado
apagó	apagaron	hubo apagado	hubieron apagado
4 futuro		**11 futuro perfecto**	
apagaré	apagaremos	habré apagado	habremos apagado
apagarás	apagaréis	habrás apagado	habréis apagado
apagará	apagarán	habrá apagado	habrán apagado
5 potencial simple		**12 potencial compuesto**	
apagaría	apagaríamos	habría apagado	habríamos apagado
apagarías	apagaríais	habrías apagado	habríais apagado
apagaría	apagarían	habría apagado	habrían apagado
6 presente de subjuntivo		**13 perfecto de subjuntivo**	
apague	apaguemos	haya apagado	hayamos apagado
apagues	apaguéis	hayas apagado	hayáis apagado
apague	apaguen	haya apagado	hayan apagado
7 imperfecto de subjuntivo		**14 pluscuamperfecto de subjuntivo**	
apagara	apagáramos	hubiera apagado	hubiéramos apagado
apagaras	apagarais	hubieras apagado	hubierais apagado
apagara	apagaran	hubiera apagado	hubieran apagado
OR		OR	
apagase	apagásemos	hubiese apagado	hubiésemos apagado
apagases	apagaseis	hubieses apagado	hubieseis apagado
apagase	apagasen	hubiese apagado	hubiesen apagado

imperativo

—	apaguemos
apaga; no apagues	apagad; no apaguéis
apague	apaguen

Words and expressions related to this verb
el apagafuegos, el apagaincendios　fire extinguisher
apagadizo, apagadiza　fire resistant
¡Apaga y vámonos!　Let's end this and let's go! Let's put an end to all this!

el apagavelas　candle extinguisher
el apagón　blackout (no electricity)

Regular **-er** verb endings with spelling change: **c**   to appear, to show up
becomes **zc** before **a** or **o**

The Seven Simple Tenses		The Seven Compound Tenses	
Singular	Plural	Singular	Plural
1 presente de indicativo		8 perfecto de indicativo	
aparezco	aparecemos	he aparecido	hemos aparecido
apareces	aparecéis	has aparecido	habéis aparecido
aparece	aparecen	ha aparecido	han aparecido
2 imperfecto de indicativo		9 pluscuamperfecto de indicativo	
aparecía	aparecíamos	había aparecido	habíamos aparecido
aparecías	aparecíais	habías aparecido	habíais aparecido
aparecía	aparecían	había aparecido	habían aparecido
3 pretérito		10 pretérito anterior	
aparecí	aparecimos	hube aparecido	hubimos aparecido
apareciste	aparecisteis	hubiste aparecido	hubisteis aparecido
apareció	aparecieron	hubo aparecido	hubieron aparecido
4 futuro		11 futuro perfecto	
apareceré	apareceremos	habré aparecido	habremos aparecido
aparecerás	apareceréis	habrás aparecido	habréis aparecido
aparecerá	aparecerán	habrá aparecido	habrán aparecido
5 potencial simple		12 potencial compuesto	
aparecería	apareceríamos	habría aparecido	habríamos aparecido
aparecerías	apareceríais	habrías aparecido	habríais aparecido
aparecería	aparecerían	habría aparecido	habrían aparecido
6 presente de subjuntivo		13 perfecto de subjuntivo	
aparezca	aparezcamos	haya aparecido	hayamos aparecido
aparezcas	aparezcáis	hayas aparecido	hayáis aparecido
aparezca	aparezcan	haya aparecido	hayan aparecido
7 imperfecto de subjuntivo		14 pluscuamperfecto de subjuntivo	
apareciera	apareciéramos	hubiera aparecido	hubiéramos aparecido
aparecieras	aparecierais	hubieras aparecido	hubierais aparecido
apareciera	aparecieran	hubiera aparecido	hubieran aparecido
OR		OR	
apareciese	apareciésemos	hubiese aparecido	hubiésemos aparecido
aparecieses	aparecieseis	hubieses aparecido	hubieseis aparecido
apareciese	apareciesen	hubiese aparecido	hubiesen aparecido

	imperativo
—	aparezcamos
aparece; no aparezcas	apareced; no aparezcáis
aparezca	aparezcan

Words and expressions related to this verb
un aparecimiento   apparition
un aparecido   ghost
una aparición   apparition, appearance
parecer   to seem, to appear
parecerse a   to look like

aparecerse en casa   to arrive home unexpectedly
aparecerse a alguno   to see a ghost
aparecerse entre sueños   to see someone in a
   dream

The subject pronouns are found on page 93.

aplaudir (60)

to applaud

Gerundio **aplaudiendo**   Part. pas. **aplaudido**

Regular **-ir** verb

The Seven Simple Tenses		The Seven Compound Tenses	
Singular	Plural	Singular	Plural
1 presente de indicativo		8 perfecto de indicativo	
aplaudo	aplaudimos	he aplaudido	hemos aplaudido
aplaudes	aplaudís	has aplaudido	habéis aplaudido
aplaude	aplauden	ha aplaudido	han aplaudido
2 imperfecto de indicativo		9 pluscuamperfecto de indicativo	
aplaudía	aplaudíamos	había aplaudido	habíamos aplaudido
aplaudías	aplaudíais	habías aplaudido	habíais aplaudido
aplaudía	aplaudían	había aplaudido	habían aplaudido
3 pretérito		10 pretérito anterior	
aplaudí	aplaudimos	hube aplaudido	hubimos aplaudido
aplaudiste	aplaudisteis	hubiste aplaudido	hubisteis aplaudido
aplaudió	aplaudieron	hubo aplaudido	hubieron aplaudido
4 futuro		11 futuro perfecto	
aplaudiré	aplaudiremos	habré aplaudido	habremos aplaudido
aplaudirás	aplaudiréis	habrás aplaudido	habréis aplaudido
aplaudirá	aplaudirán	habrá aplaudido	habrán aplaudido
5 potencial simple		12 potencial compuesto	
aplaudiría	aplaudiríamos	habría aplaudido	habríamos aplaudido
aplaudirías	aplaudiríais	habrías aplaudido	habríais aplaudido
aplaudiría	aplaudirían	habría aplaudido	habrían aplaudido
6 presente de subjuntivo		13 perfecto de subjuntivo	
aplauda	aplaudamos	haya aplaudido	hayamos aplaudido
aplaudas	aplaudáis	hayas aplaudido	hayáis aplaudido
aplauda	aplaudan	haya aplaudido	hayan aplaudido
7 imperfecto de subjuntivo		14 pluscuamperfecto de subjuntivo	
aplaudiera	aplaudiéramos	hubiera aplaudido	hubiéramos aplaudido
aplaudieras	aplaudierais	hubieras aplaudido	hubierais aplaudido
aplaudiera	aplaudieran	hubiera aplaudido	hubieran aplaudido
OR		OR	
aplaudiese	aplaudiésemos	hubiese aplaudido	hubiésemos aplaudido
aplaudieses	aplaudieseis	hubieses aplaudido	hubieseis aplaudido
aplaudiese	aplaudiesen	hubiese aplaudido	hubiesen aplaudido

imperativo	
—	aplaudamos
aplaude; no aplaudas	aplaudid; no aplaudáis
aplauda	aplaudan

Words and expressions related to this verb
el aplauso applause
el aplaudidor, la aplaudidora applauder

con el aplauso de   to the applause of
una salva de aplausos   thunderous applause

Get acquainted with what preposition goes with what verb on pages 669–677.

158

Gerundio **apoderándose**   Part. pas. **apoderado**   **apoderarse (61)**

Reflexive regular **-ar** verb   to take power, to take possession

The Seven Simple Tenses		The Seven Compound Tenses	
Singular	Plural	Singular	Plural

1 presente de indicativo

me apodero	nos apoderamos
te apoderas	os apoderáis
se apodera	se apoderan

8 perfecto de indicativo

me he apoderado	nos hemos apoderado
te has apoderado	os habéis apoderado
se ha apoderado	se han apoderado

2 imperfecto de indicativo

me apoderaba	nos apoderábamos
te apoderabas	os apoderabais
se apoderaba	se apoderaban

9 pluscuamperfecto de indicativo

me había apoderado	nos habíamos apoderado
te habías apoderado	os habíais apoderado
se había apoderado	se habían apoderado

3 pretérito

me apoderé	nos apoderamos
te apoderaste	os apoderasteis
se apoderó	se apoderaron

10 pretérito anterior

me hube apoderado	nos hubimos apoderado
te hubiste apoderado	os hubisteis apoderado
se hubo apoderado	se hubieron apoderado

4 futuro

me apoderaré	nos apoderaremos
te apoderarás	os apoderaréis
se apoderará	se apoderarán

11 futuro perfecto

me habré apoderado	nos habremos apoderado
te habrás apoderado	os habréis apoderado
se habrá apoderado	se habrán apoderado

5 potencial simple

me apoderaría	nos apoderaríamos
te apoderarías	os apoderaríais
se apoderaría	se apoderarían

12 potencial compuesto

me habría apoderado	nos habríamos apoderado
te habrías apoderado	os habríais apoderado
se habría apoderado	se habrían apoderado

6 presente de subjuntivo

me apodere	nos apoderemos
te apoderes	os apoderéis
se apodere	se apoderen

13 perfecto de subjuntivo

me haya apoderado	nos hayamos apoderado
te hayas apoderado	os hayáis apoderado
se haya apoderado	se hayan apoderado

7 imperfecto de subjuntivo

me apoderara	nos apoderáramos
te apoderaras	os apoderarais
se apoderara	se apoderaran
OR	
me apoderase	nos apoderásemos
te apoderases	os apoderaseis
se apoderase	se apoderasen

14 pluscuamperfecto de subjuntivo

me hubiera apoderado	nos hubiéramos apoderado
te hubieras apoderado	os hubierais apoderado
se hubiera apoderado	se hubieran apoderado
OR	
me hubiese apoderado	nos hubiésemos apoderado
te hubieses apoderado	os hubieseis apoderado
se hubiese apoderado	se hubiesen apoderado

imperativo

—	apoderémonos
apodérate; no te apoderes	apoderaos; no os apoderéis
apodérese	apodérense

Words and expressions related to this verb

poder to be able
el poder power
el apoderado proxy

apoderarse de algo to take possession of something
apoderado, apoderada empowered
apoderar to empower, to authorize

Don't forget to study the section on defective and impersonal verbs. It's right after this main list.

The subject pronouns are found on page 93.

159

to appreciate, to appraise, to esteem   Regular **-ar** verb

The Seven Simple Tenses		The Seven Compound Tenses	
Singular	Plural	Singular	Plural
1 presente de indicativo		**8 perfecto de indicativo**	
aprecio	apreciamos	he apreciado	hemos apreciado
aprecias	apreciáis	has apreciado	habéis apreciado
aprecia	aprecian	ha apreciado	han apreciado
2 imperfecto de indicativo		**9 pluscuamperfecto de indicativo**	
apreciaba	apreciábamos	había apreciado	habíamos apreciado
apreciabas	apreciabais	habías apreciado	habíais apreciado
apreciaba	apreciaban	había apreciado	habían apreciado
3 pretérito		**10 pretérito anterior**	
aprecié	apreciamos	hube apreciado	hubimos apreciado
apreciaste	apreciasteis	hubiste apreciado	hubisteis apreciado
apreció	apreciaron	hubo apreciado	hubieron apreciado
4 futuro		**11 futuro perfecto**	
apreciaré	apreciaremos	habré apreciado	habremos apreciado
apreciarás	apreciaréis	habrás apreciado	habréis apreciado
apreciará	apreciarán	habrá apreciado	habrán apreciado
5 potencial simple		**12 potencial compuesto**	
apreciaría	apreciaríamos	habría apreciado	habríamos apreciado
apreciarías	apreciaríais	habrías apreciado	habríais apreciado
apreciaría	apreciarían	habría apreciado	habrían apreciado
6 presente de subjuntivo		**13 perfecto de subjuntivo**	
aprecie	apreciemos	haya apreciado	hayamos apreciado
aprecies	apreciéis	hayas apreciado	hayáis apreciado
aprecie	aprecien	haya apreciado	hayan apreciado
7 imperfecto de subjuntivo		**14 pluscuamperfecto de subjuntivo**	
apreciara	apreciáramos	hubiera apreciado	hubiéramos apreciado
apreciaras	apreciarais	hubieras apreciado	hubierais apreciado
apeciara	apreciaran	hubiera apreciado	hubieran apreciado
OR		OR	
apreciase	apreciásemos	hubiese apreciado	hubiésemos apreciado
apreciases	apreciaseis	hubieses apreciado	hubieseis apreciado
apreciase	apreciasen	hubiese apreciado	hubiesen apreciado

	imperativo	
—		apreciemos
aprecia; no aprecies		apreciad; no apreciéis
aprecie		aprecien

Words and expressions related to this verb

el aprecio appreciation, esteem
la apreciación appreciation, estimation
apreciable appreciable; worthy
la apreciabilidad appreciability

preciar to appraise, to estimate
el precio price; **no tener precio** to be priceless
un precio fijo set price

> Can't remember the Spanish verb you need?
> Check the back pages of this book for the English-Spanish verb index!

The Seven Simple Tenses		The Seven Compound Tenses	
Singular	Plural	Singular	Plural

1   presente de indicativo

		8 perfecto de indicativo	
aprendo	aprendemos	he aprendido	hemos aprendido
aprendes	aprendéis	has aprendido	habéis aprendido
aprende	aprenden	ha aprendido	han aprendido

2   imperfecto de indicativo   **9   pluscuamperfecto de indicativo**

aprendía	aprendíamos	había aprendido	habíamos aprendido
aprendías	aprendíais	habías aprendido	habíais aprendido
aprendía	aprendían	había aprendido	habían aprendido

3   pretérito   **10   pretérito anterior**

aprendí	aprendimos	hube aprendido	hubimos aprendido
aprendiste	aprendisteis	hubiste aprendido	hubisteis aprendido
aprendió	aprendieron	hubo aprendido	hubieron aprendido

4   futuro   **11   futuro perfecto**

aprenderé	aprenderemos	habré aprendido	habremos aprendido
aprenderás	aprenderéis	habrás aprendido	habréis aprendido
aprenderá	aprenderán	habrá aprendido	habrán aprendido

5   potencial simple   **12   potencial compuesto**

aprendería	aprenderíamos	habría aprendido	habríamos aprendido
aprenderías	aprenderíais	habrías aprendido	habríais aprendido
aprendería	aprenderían	habría aprendido	habrían aprendido

6   presente de subjuntivo   **13   perfecto de subjuntivo**

aprenda	aprendamos	haya aprendido	hayamos aprendido
aprendas	aprendáis	hayas aprendido	hayáis aprendido
aprenda	aprendan	haya aprendido	hayan aprendido

7   imperfecto de subjuntivo   **14   pluscuamperfecto de subjuntivo**

aprendiera	aprendiéramos	hubiera aprendido	hubiéramos aprendido
aprendieras	aprendierais	hubieras aprendido	hubierais aprendido
aprendiera	aprendieran	hubiera aprendido	hubieran aprendido
OR		OR	
aprendiese	aprendiésemos	hubiese aprendido	hubiésemos aprendido
aprendieses	aprendieseis	hubieses aprendido	hubieseis aprendido
aprendiese	aprendiesen	hubiese aprendido	hubiesen aprendido

imperativo

—	aprendamos
aprende; no aprendas	aprended; no aprendáis
aprenda	aprendan

AN ESSENTIAL 55 VERB

The subject pronouns are found on page 93.

AN ESSENTIAL 55 VERB

Aprender is an important verb to learn because it is a regular –er verb and because there are many everyday expressions related to it.

Sentences using aprender and related words

En la clase de español estamos aprendiendo
a hablar, a leer, y a escribir en español.
In Spanish class we are learning to speak, to read,
and to write in Spanish.

Machacando se aprende el oficio.
Practice makes perfect.

Mi abuela aprendió a navegar en Internet.
My grandmother learned to surf the Internet.

Words and expressions related to this verb

el aprendedor, la aprendedora **learner**

el aprendizaje **apprenticeship**

el aprendiz, la aprendiza **apprentice**

apprender a + inf. **to learn + inf.**

aprender de memoria **to memorize**

aprender con **to study with**

desaprender **to unlearn**

aprendiz de todo (mucho), oficial
de nada **Jack of all trades, master
of none**

Proverbs

El que mucho duerme poco aprende.
Whoever sleeps a lot learns little.

Cada día se aprende algo nuevo.
You learn something new every day.

Don't forget to study the section on defective and impersonal verbs. It's right after this main list.

to hasten, to hurry, to rush

The Seven Simple Tenses | The Seven Compound Tenses

Singular	Plural	Singular	Plural
1 presente de indicativo		**8 perfecto de indicativo**	
me apresuro	nos apresuramos	me he apresurado	nos hemos apresurado
te apresuras	os apresuráis	te has apresurado	os habéis apresurado
se apresura	se apresuran	se ha apresurado	se han apresurado
2 imperfecto de indicativo		**9 pluscuamperfecto de indicativo**	
me apresuraba	nos apresurábamos	me había apresurado	nos habíamos apresurado
te apresurabas	os apresurabais	te habías apresurado	os habíais apresurado
se apresuraba	se apresuraban	se había apresurado	se habían apresurado
3 pretérito		**10 pretérito anterior**	
me apresuré	nos apresuramos	me hube apresurado	nos hubimos apresurado
te apresuraste	os apresurasteis	te hubiste apresurado	os hubisteis apresurado
se apresuró	se apresuraron	se hubo apresurado	se hubieron apresurado
4 futuro		**11 futuro perfecto**	
me apresuraré	nos apresuraremos	me habré apresurado	nos habremos apresurado
te apresurarás	os apresuraréis	te habrás apresurado	os habréis apresurado
se apresurará	se apresurarán	se habrá apresurado	se habrán apresurado
5 potencial simple		**12 potencial compuesto**	
me apresuraría	nos apresuraríamos	me habría apresurado	nos habríamos apresurado
te apresurarías	os apresuraríais	te habrías apresurado	os habríais apresurado
se apresuraría	se apresurarían	se habría apresurado	se habrían apresurado
6 presente de subjuntivo		**13 perfecto de subjuntivo**	
me apresure	nos apresuremos	me haya apresurado	nos hayamos apresurado
te apresures	os apresuréis	te hayas apresurado	os hayáis apresurado
se apresure	se apresuren	se haya apresurado	se hayan apresurado
7 imperfecto de subjuntivo		**14 pluscuamperfecto de subjuntivo**	
me apresurara	nos apresuráramos	me hubiera apresurado	nos hubiéramos apresurado
te apresuraras	os apresurarais	te hubieras apresurado	os hubierais apresurado
se apresurara	se apresuraran	se hubiera apresurado	se hubieran apresurado
OR		OR	
me apresurase	nos apresurásemos	me hubiese apresurado	nos hubiésemos apresurado
te apresurases	os apresuraseis	te hubieses apresurado	os hubieseis apresurado
se apresurase	se apresurasen	se hubiese apresurado	se hubiesen apresurado

imperativo

—	apresurémonos
apresúrate; no te apresures	apresuraos; no os apresuréis
apresúrese	apresúrense

Words and expressions related to this verb
la apresuración haste
apresurado, apresurada hasty, quick
apresuradamente hastily
la prisa haste

el apresuramiento hastiness
apresurar to accelerate
apresurarse a + inf. to hurry + inf.
tener prisa to be in a hurry

Get acquainted with what preposition goes with what verb on pages 669–677.

The subject pronouns are found on page 93.

to approve, to pass a test	Regular **-ar** verb endings with stem change: Tenses 1, 6, Imperative

The Seven Simple Tenses		The Seven Compound Tenses	
Singular	Plural	Singular	Plural
1 presente de indicativo		8 perfecto de indicativo	
apruebo	**aprobamos**	**he aprobado**	**hemos aprobado**
apruebas	**aprobáis**	**has aprobado**	**habéis aprobado**
aprueba	**aprueban**	**ha aprobado**	**han aprobado**
2 imperfecto de indicativo		9 pluscuamperfecto de indicativo	
aprobaba	**aprobábamos**	**había aprobado**	**habíamos aprobado**
aprobabas	**aprobabais**	**habías aprobado**	**habíais aprobado**
aprobaba	**aprobaban**	**había aprobado**	**habían aprobado**
3 pretérito		10 pretérito anterior	
aprobé	**aprobamos**	**hube aprobado**	**hubimos aprobado**
aprobaste	**aprobasteis**	**hubiste aprobado**	**hubisteis aprobado**
aprobó	**aprobaron**	**hubo aprobado**	**hubieron aprobado**
4 futuro		11 futuro perfecto	
aprobaré	**aprobaremos**	**habré aprobado**	**habremos aprobado**
aprobarás	**aprobaréis**	**habrás aprobado**	**habréis aprobado**
aprobará	**aprobarán**	**habrá aprobado**	**habrán aprobado**
5 potencial simple		12 potencial compuesto	
aprobaría	**aprobaríamos**	**habría aprobado**	**habríamos aprobado**
aprobarías	**aprobaríais**	**habrías aprobado**	**habríais aprobado**
aprobaía	**aprobarían**	**habría aprobado**	**habrían aprobado**
6 presente de subjuntivo		13 perfecto de subjuntivo	
apruebe	**aprobemos**	**haya aprobado**	**hayamos aprobado**
apruebes	**aprobéis**	**hayas aprobado**	**hayáis aprobado**
apruebe	**aprueben**	**haya aprobado**	**hayan aprobado**
7 imperfecto de subjuntivo		14 pluscuamperfecto de subjuntivo	
aprobara	**aprobáramos**	**hubiera aprobado**	**hubiéramos aprobado**
aprobaras	**aprobarais**	**hubieras aprobado**	**hubierais aprobado**
aprobara	**aprobaran**	**hubiera aprobado**	**hubieran aprobado**
OR		OR	
aprobase	**aprobásemos**	**hubiese aprobado**	**hubiésemos aprobado**
aprobases	**aprobaseis**	**hubieses aprobado**	**hubieseis aprobado**
aprobase	**aprobasen**	**hubiese aprobado**	**hubiesen aprobado**

imperativo	
—	**aprobemos**
aprueba; no apruebes	**aprobad; no aprobéis**
apruebe	**aprueben**

Words and expressions related to this verb

la aprobación approbation, approval, consent
aprobatoriamente approvingly
el aprobado passing grade in an exam
aprobado, aprobada accepted, admitted, approved, passed (in an exam)
aprobado por mayoría accepted by a majority
comprobar to verify, compare, check prove; **desaprobar** to disapprove
la desaprobación disapproval

Reflexive regular **-ar** verb   to take advantage, to avail oneself

The Seven Simple Tenses		The Seven Compound Tenses	
Singular	Plural	Singular	Plural

1 presente de indicativo

		8 perfecto de indicativo	
me aprovecho	nos aprovechamos	me he aprovechado	nos hemos aprovechado
te aprovechas	os aprovecháis	te has aprovechado	os habéis aprovechado
se aprovecha	se aprovechan	se ha aprovechado	se han aprovechado

2 imperfecto de indicativo

		9 pluscuamperfecto de indicativo	
me aprovechaba	nos aprovechábamos	me había aprovechado	nos habíamos aprovechado
te aprovechabas	os aprovechabais	te habías aprovechado	os habíais aprovechado
se aprovechaba	se aprovechaban	se había aprovechado	se habían aprovechado

3 pretérito

		10 pretérito anterior	
me aproveché	nos aprovechamos	me hube aprovechado	nos hubimos aprovechado
te aprovechaste	os aprovechasteis	te hubiste aprovechado	os hubisteis aprovechado
se aprovechó	se aprovecharon	se hubo aprovechado	se hubieron aprovechado

4 futuro

		11 futuro perfecto	
me aprovecharé	nos aprovecharemos	me habré aprovechado	nos habremos aprovechado
te aprovecharás	os aprovecharéis	te habrás aprovechado	os habréis aprovechado
se aprovechará	se aprovecharán	se habrá aprovechado	se habrán aprovechado

5 potencial simple

		12 potencial compuesto	
me aprovecharía	nos aprovecharíamos	me habría aprovechado	nos habríamos aprovechado
te aprovecharías	os aprovecharíais	te habrías aprovechado	os habríais aprovechado
se aprovecharía	se aprovecharían	se habría aprovechado	se habrían aprovechado

6 presente de subjuntivo

		13 perfecto de subjuntivo	
me aproveche	nos aprovechemos	me haya aprovechado	nos hayamos aprovechado
te aproveches	os aprovechéis	te hayas aprovechado	os hayáis aprovechado
se aproveche	se aprovechen	se haya aprovechado	se hayan aprovechado

7 imperfecto de subjuntivo

		14 pluscuamperfecto de subjuntivo	
me aprovechara	nos aprovecháramos	me hubiera aprovechado	nos hubiéramos aprovechado
te aprovecharas	os aprovecharais	te hubieras aprovechado	os hubierais aprovechado
se aprovechara	se aprovecharan	se hubiera aprovechado	se hubieran aprovechado
OR		OR	
me aprovechase	nos aprovechásemos	me hubiese aprovechado	nos hubiésemos aprovechado
te aprovechases	os aprovechaseis	te hubieses aprovechado	os hubieseis aprovechado
se aprovechase	se aprovechasen	se hubiese aprovechado	se hubiesen aprovechado

imperativo

—	aprovechémonos
aprovéchate; no te aproveches	aprovechaos; no os aprovechéis
aprovéchese	aprovéchense

Words and expressions related to this verb

aprovechado, aprovechada economical
aprovechable available, profitable
aprovechamiento use, utilization
aprovecharse de to take advantage of

aprovechar to make use of
aprovechar la ocasión to take the opportunity
aprovechón, aprovechona opportunist

> Can't find the verb you're looking for?
> Check the back pages of this book for a list of over 2,100 additional verbs!

165

The subject pronouns are found on page 93.

to fret, to grieve, to worry

The Seven Simple Tenses		The Seven Compound Tenses	
Singular	Plural	Singular	Plural
1 presente de indicativo		8 perfecto de indicativo	
me apuro	**nos apuramos**	**me he apurado**	**nos hemos apurado**
te apuras	**os apuráis**	**te has apurado**	**os habéis apurado**
se apura	**se apuran**	**se ha apurado**	**se han apurado**
2 imperfecto de indicativo		9 pluscuamperfecto de indicativo	
me apuraba	**nos apurábamos**	**me había apurado**	**nos habíamos apurado**
te apurabas	**os apurabais**	**te habías apurado**	**os habíais apurado**
se apuraba	**se apuraban**	**se había apurado**	**se habían apurado**
3 pretérito		10 pretérito anterior	
me apuré	**nos apuramos**	**me hube apurado**	**nos hubimos apurado**
te apuraste	**os apurasteis**	**te hubiste apurado**	**os hubisteis apurado**
se apuró	**se apuraron**	**se hubo apurado**	**se hubieron apurado**
4 futuro		11 futuro perfecto	
me apuraré	**nos apuraremos**	**me habré apurado**	**nos habremos apurado**
te apurarás	**os apuraréis**	**te habrás apurado**	**os habréis apurado**
se apurará	**se apurarán**	**se habrá apurado**	**se habrán apurado**
5 potencial simple		12 potencial compuesto	
me apuraría	**nos apuraríamos**	**me habría apurado**	**nos habríamos apurado**
te apurarías	**os apuraríais**	**te habrías apurado**	**os habríais apurado**
se apuraría	**se apurarían**	**se habría apurado**	**se habrían apurado**
6 presente de subjuntivo		13 perfecto de subjuntivo	
me apure	**nos apuremos**	**me haya apurado**	**nos hayamos apurado**
te apures	**os apuréis**	**te hayas apurado**	**os hayáis apurado**
se apure	**se apuren**	**se haya apurado**	**se hayan apurado**
7 imperfecto de subjuntivo		14 pluscuamperfecto de subjuntivo	
me apurara	**nos apuráramos**	**me hubiera apurado**	**nos hubiéramos apurado**
te apuraras	**os apurarais**	**te hubieras apurado**	**os hubierais apurado**
se apurara	**se apuraran**	**se hubiera apurado**	**se hubieran apurado**
OR		OR	
me apurase	**nos apurásemos**	**me hubiese apurado**	**nos hubiésemos apurado**
te apurases	**os apuraseis**	**te hubieses apurado**	**os hubieseis apurado**
se apurase	**se apurasen**	**se hubiese apurado**	**se hubiesen apurado**

imperativo

—	**apurémonos**
apúrate; no te apures	**apuraos; no os apuréis**
apúrese	**apúrense**

Words and expressions related to this verb
apurar   to purify; to exhaust, consume; to annoy, to tease
apurar todos los recursos   to exhaust every recourse, every means
apurar la paciencia de uno   to wear out one's patience
apurarse por poco   to worry over trivialities
el apuro   difficulty, trouble
estar en un apuro   to be in a fix

Regular **-ar** verb endings with spelling change: **c** becomes **qu** before **e**

to root up (out), to pull up (out), to tear off (away), to snatch, to start (a motor), to boot up (a computer)

The Seven Simple Tenses

The Seven Compound Tenses

A

Singular	Plural	Singular	Plural
1 presente de indicativo		8 perfecto de indicativo	
arranco	arrancamos	he arrancado	hemos arrancado
arrancas	arrancáis	has arrancado	habéis arrancado
arranca	arrancan	ha arrancado	han arrancado
2 imperfecto de indicativo		9 pluscuamperfecto de indicativo	
arrancaba	arrancábamos	había arrancado	habíamos arrancado
arrancabas	arrancabais	habías arrancado	habíais arrancado
arrancaba	arrancaban	había arrancado	habían arrancado
3 pretérito		10 pretérito anterior	
arranqué	arrancamos	hube arrancado	hubimos arrancado
arrancaste	arancasteis	hubiste arrancado	hubisteis arrancado
arrancó	arrancaron	hubo arrancado	hubieron arrancado
4 futuro		11 futuro perfecto	
arrancaré	arrancaremos	habré arrancado	habremos arrancado
arrancarás	arancaréis	habrás arrancado	habréis arrancado
arrancará	arrancarán	habrá arrancado	habrán arrancado
5 potencial simple		12 potencial compuesto	
arrancaría	arrancaríamos	habría arrancado	habríamos arrancado
arrancarías	arrancaríais	habrías arrancado	habríais arrancado
arrancaría	arancarían	habría arrancado	habrían arrancado
6 presente de subjuntivo		13 perfecto de subjuntivo	
arranque	arranquemos	haya arrancado	hayamos arrancado
arranques	arranquéis	hayas arrancado	hayáis arrancado
arranque	arranquen	haya arrancado	hayan arrancado
7 imperfecto de subjuntivo		14 pluscuamperfecto de subjuntivo	
arrancara	arrancáramos	hubiera arrancado	hubiéramos arrancado
arrancaras	arrancarais	hubieras arrancado	hubierais arrancado
arrancara	arancaran	hubiera arrancado	hubieran arrancado
OR		OR	
arrancase	arrancásemos	hubiese arrancado	hubiésemos arrancado
arrancases	arrancaseis	hubieses arrancado	hubieseis arrancado
arrancase	arrancasen	hubiese arrancado	hubiesen arrancado

imperativo

—	arranquemos
arranca; no arranques	arrancad; no arranquéis
arranque	arranquen

Words and expressions related to this verb

un arrancarraíces   tool to pull out roots
arrancar a   to snatch away from
arrancar de raíz   to cut up, to pull out by the root
arrancar el ordenador portátil   to turn on (boot up) the laptop computer

una arrancadora   tool for pulling out
la arrancadura   extraction
el arrancador   starter (engine)

Do you need more drills? Have fun with the *501 Spanish Verbs* CD-ROM!

The subject pronouns are found on page 93.

arreglar (69)
Gerundio arreglando   **Part. pas. arreglado**

to fix, to arrange, to adjust, to regulate, to settle, to repair   Regular **-ar** verb

The Seven Simple Tenses		The Seven Compound Tenses	
Singular	Plural	Singular	Plural
1 presente de indicativo		8 perfecto de indicativo	
arreglo	**arreglamos**	**he arreglado**	**hemos arreglado**
arreglas	**arregláis**	**has arreglado**	**habéis arreglado**
arregla	**arreglan**	**ha arreglado**	**han arreglado**
2 imperfecto de indicativo		9 pluscuamperfecto de indicativo	
arreglaba	**arreglábamos**	**había arreglado**	**habíamos arreglado**
arreglabas	**arreglabais**	**habías arreglado**	**habíais arreglado**
arreglaba	**arreglaban**	**había arreglado**	**habían arreglado**
3 pretérito		10 pretérito anterior	
arreglé	**arreglamos**	**hube arreglado**	**hubimos arreglado**
arreglaste	**arreglasteis**	**hubiste arreglado**	**hubisteis arreglado**
arregló	**arreglaron**	**hubo arreglado**	**hubieron arreglado**
4 futuro		11 futuro perfecto	
arreglaré	**arreglaremos**	**habré arreglado**	**habremos arreglado**
arreglarás	**arrelgaréis**	**habrás arreglado**	**habréis arreglado**
arreglará	**arreglarán**	**habrá arreglado**	**habrán arreglado**
5 potencial simple		12 potencial compuesto	
arreglaría	**arreglaríamos**	**habría arreglado**	**habríamos arreglado**
arreglarías	**arreglaríais**	**habrías arreglado**	**habríais arreglado**
arreglaría	**arreglarían**	**habría arreglado**	**habrían arreglado**
6 presente de subjuntivo		13 perfecto de subjuntivo	
arregle	**arreglemos**	**haya arreglado**	**hayamos arreglado**
arregles	**arregléis**	**hayas arreglado**	**hayáis arreglado**
arregle	**arreglen**	**haya arreglado**	**hayan arreglado**
7 imperfecto de subjuntivo		14 pluscuamperfecto de subjuntivo	
arreglara	**arregláramos**	**hubiera arreglado**	**hubiéramos arreglado**
arreglaras	**arreglarais**	**hubieras arreglado**	**hubierais arreglado**
arreglara	**arreglaran**	**hubiera arreglado**	**hubieran arreglado**
OR		OR	
arreglase	**arreglásemos**	**hubiese arreglado**	**hubiésemos arreglado**
arreglases	**arreglaseis**	**hubieses arreglado**	**hubieseis arreglado**
arreglase	**arreglasen**	**hubiese arreglado**	**hubiesen arreglado**

imperativo	
—	**arreglemos**
arregla; no arregles	**arreglad; no arregléis**
arregle	**arreglen**

Words and expressions related to this verb

arregladamente   regularly
arreglarse con   to settle with, to reach an agreement with
arreglarse por las buenas   to settle a matter in a friendly way

arreglar una factura   to pay a bill
con arreglo a   according to
un reglamento   rule, regulation
un arreglo   agreement, solution
arreglado, arreglada   neat, orderly
arreglar una cuenta   to settle an account

The Seven Simple Tenses		The Seven Compound Tenses	
Singular	Plural	Singular	Plural

A

1 presente de indicativo		8 perfecto de indicativo	
arrojo	arrojamos	he arrojado	hemos arrojado
arrojas	arrojáis	has arrojado	habéis arrojado
arroja	arrojan	ha arrojado	han arrojado
2 imperfecto de indicativo		9 pluscuamperfecto de indicativo	
arrojaba	arrojábamos	había arrojado	habíamos arrojado
arrojabas	arrojabais	habías arrojado	habíais arrojado
arrojaba	arrojaban	había arrojado	habían arrojado
3 pretérito		10 pretérito anterior	
arrojé	arrojamos	hube arrojado	hubimos arrojado
arrojaste	arrojasteis	hubiste arrojado	hubisteis arrojado
arrojó	arrojaron	hubo arrojado	hubieron arrojado
4 futuro		11 futuro perfecto	
arrojaré	arrojaremos	habré arrojado	habremos arrojado
arrojarás	arrojaréis	habrás arrojado	habréis arrojado
arrojará	arrojarán	habrá arrojado	habrán arrojado
5 potencial simple		12 potencial compuesto	
arrojaría	arrojaríamos	habría arrojado	habríamos arrojado
arrojarías	arrojaríais	habrías arrojado	habríais arrojado
arrojaría	arrojarían	habría arrojado	habrían arrojado
6 presente de subjuntivo		13 perfecto de subjuntivo	
arroje	arrojemos	haya arrojado	hayamos arrojado
arrojes	arrojéis	hayas arrojado	hayáis arrojado
arroje	arrojen	haya arrojado	hayan arrojado
7 imperfecto de subjuntivo		14 pluscuamperfecto de subjuntivo	
arrojara	arrojáramos	hubiera arrojado	hubiéramos arrojado
arrojaras	arrojarais	hubieras arrojado	hubierais arrojado
arrojara	arrojaran	hubiera arrojado	hubieran arrojado
OR		OR	
arrojase	arrojásemos	hubiese arrojado	hubiésemos arrojado
arrojases	arrojaseis	hubieses arrojado	hubieseis arrojado
arrojase	arrojasen	hubiese arrojado	hubiesen arrojado

imperativo	
—	arrojemos
arroja; no arrojes	arrojad; no arrojéis
arroje	arrojen

Words and expressions related to this verb
el arrojador, la arrojadora   thrower
arrojado, arrojada   fearless
el arrojo   fearlessness

arrojar la esponja   to throw in the towel
  (sponge)
el arrojallamas   flame thrower
  (also **el lanzallamas**)

See also **lanzar**.

> If you want an explanation of meanings and uses of Spanish
> and English verb tenses and moods, see pages 13–32.

to articulate, to pronounce distinctly   Regular **-ar** verb

The Seven Simple Tenses		The Seven Compound Tenses	
Singular	Plural	Singular	Plural
1 presente de indicativo		8 perfecto de indicativo	
articulo	**articulamos**	**he articulado**	**hemos articulado**
articulas	**articuláis**	**has articulado**	**habéis articulado**
articula	**articulan**	**ha articulado**	**han articulado**
2 imperfecto de indicativo		9 pluscuamperfecto de indicativo	
articulaba	**articulábamos**	**había articulado**	**habíamos articulado**
articulabas	**articulabais**	**habías articulado**	**habíais articulado**
articulaba	**articulaban**	**había articulado**	**habían articulado**
3 pretérito		10 pretérito anterior	
articulé	**articulamos**	**hube articulado**	**hubimos articulado**
articulaste	**articulasteis**	**hubiste articulado**	**hubisteis articulado**
articuló	**articularon**	**hubo articulado**	**hubieron articulado**
4 futuro		11 futuro perfecto	
articularé	**articularemos**	**habré articulado**	**habremos articulado**
articularás	**articularéis**	**habrás articulado**	**habréis articulado**
articulará	**articularán**	**habrá articulado**	**habrán articulado**
5 potencial simple		12 potencial compuesto	
articularía	**artricularíamos**	**habría articulado**	**habríamos articulado**
articularías	**articularíais**	**habrías articulado**	**habríais articulado**
articularía	**articularían**	**habría articulado**	**habrían articulado**
6 presente de subjuntivo		13 perfecto de subjuntivo	
articule	**articulemos**	**haya articulado**	**hayamos articulado**
articules	**articuléis**	**hayas articulado**	**hayáis articulado**
articule	**articulen**	**haya articulado**	**hayan articulado**
7 imperfecto de subjuntivo		14 pluscuamperfecto de subjuntivo	
articulara	**articuláramos**	**hubiera articulado**	**hubiéramos articulado**
articularas	**articularais**	**hubieras articulado**	**hubierais articulado**
articulara	**articularan**	**hubiera articulado**	**hubieran articulado**
OR		OR	
articulase	**articulásemos**	**hubiese articulado**	**hubiésemos articulado**
articulases	**articulaseis**	**hubieses articulado**	**hubieseis articulado**
articulase	**articulasen**	**hubiese articulado**	**hubiesen articulado**

	imperativo	
—		**articulemos**
articula; no articules		**articulad; no articuléis**
articule		**articulen**

Words related to this verb

articuladamente   clearly, distinctly   **articular claramente**   to articulate clearly
la articulación   articulation, pronunciation   **articular (expresar) las emociones claramente**
el, la articulista   someone who writes articles   to express emotions clearly

Consult the back pages for over 2,100 verbs conjugated like model verbs among the 501 in this book.

Regular **-ar** verb   to assure, to affirm, to assert, to insure

The Seven Simple Tenses		The Seven Compound Tenses	
Singular	Plural	Singular	Plural
1 presente de indicativo		8 perfecto de indicativo	
aseguro	aseguramos	he asegurado	hemos asegurado
aseguras	aseguráis	has asegurado	habéis asegurado
asegura	aseguran	ha asegurado	han asegurado
2 imperfecto de indicativo		9 pluscuamperfecto de indicativo	
aseguraba	asegurábamos	había asegurado	habíamos asegurado
asegurabas	asegurabais	habías asegurado	habíais asegurado
aseguraba	aseguraban	había asegurado	habían asegurado
3 pretérito		10 pretérito anterior	
aseguré	aseguramos	hube asegurado	hubimos asegurado
aseguraste	asegurasteis	hubiste asegurado	hubisteis asegurado
aseguró	aseguraron	hubo asegurado	hubieron asegurado
4 futuro		11 futuro perfecto	
aseguraré	aseguraremos	habré asegurado	habremos asegurado
asegurarás	aseguraréis	habrás asegurado	habréis asegurado
asegurará	asegurarán	habrá asegurado	habrán asegurado
5 potencial simple		12 potencial compuesto	
aseguraría	aseguraríamos	habría asegurado	habríamos asegurado
asegurarías	aseguraríais	habrías asegurado	habríais asegurado
aseguraría	asegurarían	habría asegurado	habrían asegurado
6 presente de subjuntivo		13 perfecto de subjuntivo	
asegure	aseguremos	haya asegurado	hayamos asegurado
asegures	aseguréis	hayas asegurado	hayáis asegurado
asegure	aseguren	haya asegurado	hayan asegurado
7 imperfecto de subjuntivo		14 pluscuamperfecto de subjuntivo	
asegurara	aseguráramos	hubiera asegurado	hubiéramos asegurado
aseguraras	asegurarais	hubieras asegurado	hubierais asegurado
asegurara	aseguraran	hubiera asegurado	hubieran asegurado
OR		OR	
asegurase	asegurásemos	hubiese asegurado	hubiésemos asegurado
asegurases	aseguraseis	hubieses asegurado	hubieseis asegurado
asegurase	asegurasen	hubiese asegurado	hubiesen asegurado

imperativo

—	aseguremos
asegura; no asegures	asegurad; no aseguréis
asegure	aseguren

Words and expressions related to this verb
la aseguración   insurance
asegurable   insurable
el asegurado, la asegurada   insured person
la seguridad   security, surety
seguramente   surely, securely

¡Ya puede usted asegurarlo!   You can
  be sure of it!
tener por seguro   for sure
de seguro   surely
el asegurador contra incendios   fire insurance
  underwriter

The subject pronouns are found on page 93.

to seize, to grasp   Irregular **-ir** verb in Tenses 1, 6, and Imperative

The Seven Simple Tenses		The Seven Compound Tenses	
Singular	Plural	Singular	Plural
1 presente de indicativo		8 perfecto de indicativo	
asgo	**asimos**	**he asido**	**hemos asido**
ases	**asís**	**has asido**	**habéis asido**
ase	**asen**	**ha asido**	**han asido**
2 imperfecto de indicativo		9 pluscuamperfecto de indicativo	
asía	**asíamos**	**había asido**	**habíamos asido**
asías	**asíais**	**habías asido**	**habíais asido**
asía	**asían**	**había asido**	**habían asido**
3 pretérito		10 pretérito anterior	
así	**asimos**	**hube asido**	**hubimos asido**
asiste	**asisteis**	**hubiste asido**	**hubisteis asido**
asió	**asieron**	**hubo asido**	**hubieron asido**
4 futuro		11 futuro perfecto	
asiré	**asiremos**	**habré asido**	**habremos asido**
asirás	**asiréis**	**habrás asido**	**habréis asido**
asirá	**asirán**	**habrá asido**	**habrán asido**
5 potencial simple		12 potencial compuesto	
asiría	**asiríamos**	**habría asido**	**habríamos asido**
asirías	**asiríais**	**habrías asido**	**habríais asido**
asiría	**asirían**	**habría asido**	**habrían asido**
6 presente de subjuntivo		13 perfecto de subjuntivo	
asga	**asgamos**	**haya asido**	**hayamos asido**
asgas	**asgáis**	**hayas asido**	**hayáis asido**
asga	**asgan**	**haya asido**	**hayan asido**
7 imperfecto de subjuntivo		14 pluscuamperfecto de subjuntivo	
asiera	**asiéramos**	**hubiera asido**	**hubiéramos asido**
asieras	**asierais**	**hubieras asido**	**hubierais asido**
asiera	**asieran**	**hubiera asido**	**hubieran asido**
OR		OR	
asiese	**asiésemos**	**hubiese asido**	**hubiésemos asido**
asieses	**asieseis**	**hubieses asido**	**hubieseis asido**
asiese	**asiesen**	**hubiese asido**	**hubiesen asido**

imperativo

—	**asgamos**
ase; no asgas	**asid; no asgáis**
asga	**asgan**

Words and expressions related to this verb
asir de los cabellos   to grab by the hair
asirse a (or **de**)   to take hold of, to seize, grab
asirse con   to grapple with
asirse   to quarrel with each other
asir del brazo   to get hold of by the arm
asidos del brazo   arm in arm

Regular **-ir** verb   to attend, to assist, to be present

A

The Seven Simple Tenses		The Seven Compound Tenses	
Singular	Plural	Singular	Plural
1 presente de indicativo		8 perfecto de indicativo	
asisto	asistimos	he asistido	hemos asistido
asistes	asistís	has asistido	habéis asistido
asiste	asisten	ha asistido	han asistido
2 imperfecto de indicativo		9 pluscuamperfecto de indicativo	
asistía	asistíamos	había asistido	habíamos asistido
asistías	asistíais	habías asistido	habíais asistido
asistía	asistían	había asistido	habían asistido
3 pretérito		10 pretérito anterior	
asistí	asistimos	hube asistido	hubimos asistido
asististe	asististeis	hubiste asistido	hubisteis asistido
asistió	asistieron	hubo asistido	hubieron asistido
4 futuro		11 futuro perfecto	
asistiré	asistiremos	habré asistido	habremos asistido
asistirás	asistiréis	habrás asistido	habréis asistido
asistirá	asistirán	habrá asistido	habrán asistido
5 potencial simple		12 potencial compuesto	
asistiría	asistiríamos	habría asistido	habríamos asistido
asistirías	asistiríais	habrías asistido	habríais asistido
asistiría	asistirían	habría asistido	habrían asistido
6 presente de subjuntivo		13 perfecto de subjuntivo	
asista	asistamos	haya asistido	hayamos asistido
asistas	asistáis	hayas asistido	hayáis asistido
asista	asistan	haya asistido	hayan asistido
7 imperfecto de subjuntivo		14 pluscuamperfecto de subjuntivo	
asistiera	asistiéramos	hubiera asistido	hubiéramos asistido
asistieras	asistierais	hubieras asistido	hubierais asistido
asistiera	asistieran	hubiera asistido	hubieran asistido
OR		OR	
asistiese	asistiésemos	hubiese asistido	hubiésemos asistido
asistieses	asistieseis	hubieses asistido	hubieseis asistido
asistiese	asistiesen	hubiese asistido	hubiesen asistido

imperativo	
—	asistamos
asiste; no asistas	asistid; no asistáis
asista	asistan

Words and expressions related to this verb
asistir a to attend, to be present at
la asistencia attendance, presence
la asistencia social social welfare
la asistencia técnica technical assistance

Don't miss the definitions of basic grammatical terms with examples
in English and Spanish on pages 33–44.

The subject pronouns are found on page 93.   **173**

to be frightened, to be scared   Reflexive regular -ar verb

The Seven Simple Tenses		The Seven Compound Tenses	
Singular	Plural	Singular	Plural
1 presente de indicativo		8 perfecto de indicativo	
me asusto	nos asustamos	me he asustado	nos hemos asustado
te asustas	os asustáis	te has asustado	os habéis asustado
se asusta	se asustan	se ha asustado	se han asustado
2 imperfecto de indicativo		9 pluscuamperfecto de indicativo	
me asustaba	nos asustábamos	me había asustado	nos habíamos asustado
te asustabas	os asustabais	te habías asustado	os habíais asustado
se asustaba	se asustaban	se había asustado	se habían asustado
3 pretérito		10 pretérito anterior	
me asusté	nos asustamos	me hube asustado	nos hubimos asustado
te asustaste	os asustasteis	te hubiste asustado	os hubisteis asustado
se asustó	se asustaron	se hubo asustado	se hubieron asustado
4 futuro		11 futuro perfecto	
me asustaré	nos asustaremos	me habré asustado	nos habremos asustado
te asustarás	os asustaréis	te habrás asustado	os habréis asustado
se asustará	se asustarán	se habrá asustado	se habrán asustado
5 potencial simple		12 potencial compuesto	
me asustaría	nos asustaríamos	me habría asustado	nos habríamos asustado
te asustarías	os asustaríais	te habrías asustado	os habríais asustado
se asustaría	se asustarían	se habría asustado	se habrían asustado
6 presente de subjuntivo		13 perfecto de subjuntivo	
me asuste	nos asustemos	me haya asustado	nos hayamos asustado
te asustes	os asustéis	te hayas asustado	os hayáis asustado
se asuste	se asusten	se haya asustado	se hayan asustado
7 imperfecto de subjuntivo		14 pluscuamperfecto de subjuntivo	
me asustara	nos asustáramos	me hubiera asustado	nos hubiéramos asustado
te asustaras	os asustarais	te hubieras asustado	os hubierais asustado
se asustara	se asustaran	se hubiera asustado	se hubieran asustado
OR		OR	
me asustase	nos asustásemos	me hubiese asustado	nos hubiésemos asustado
te asustases	os asustaseis	te hubieses asustado	os hubieseis asustado
se asustase	se asustasen	se hubiese asustado	se hubiesen asustado

imperativo	
—	asustémonos
asústate; no te asustes	asustaos; no os asustéis
asústese	asústense

Words and expressions related to this verb
asustado, asustada   frightened, scared
asustadizo, asustadiza   easily frightened
asustador, asustadora   frightening
asustar   to frighten, to scare
Me asusto de pensarlo.   It frightens me
 to think about it.
un susto   a fright, scare

asustarse de + inf.   to be afraid + inf.
asustarse por nada   to be frightened by the
 slightest thing

Get acquainted with what preposition goes
with what verb on pages 669–677.

Regular **-ar** verb endings with spelling
change: **c** becomes **qu** before **e**

to attack

The Seven Simple Tenses		The Seven Compound Tenses	
Singular	Plural	Singular	Plural

1 presente de indicativo

ataco	atacamos
atacas	atacáis
ataca	atacan

8 perfecto de indicativo

he atacado	hemos atacado
has atacado	habéis atacado
ha atacado	han atacado

2 imperfecto de indicativo

atacaba	atacábamos
atacabas	atacabais
atacaba	atacaban

9 pluscuamperfecto de indicativo

había atacado	habíamos atacado
habías atacado	habíais atacado
había atacado	habían atacado

3 pretérito

ataqué	atacamos
atacaste	atacasteis
atacó	atacaron

10 pretérito anterior

hube atacado	hubimos atacado
hubiste atacado	hubisteis atacado
hubo atacado	hubieron atacado

4 futuro

atacaré	atacaremos
atacarás	atacaréis
atacará	atacarán

11 futuro perfecto

habré atacado	habremos atacado
habrás atacado	habréis atacado
habrá atacado	habrán atacado

5 potencial simple

atacaría	atacaríamos
atacarías	atacaríais
atacaría	atacarían

12 potencial compuesto

habría atacado	habríamos atacado
habrías atacado	habríais atacado
habría atacado	habrían atacado

6 presente de subjuntivo

ataque	ataquemos
ataques	ataquéis
ataque	ataquen

13 perfecto de subjuntivo

haya atacado	hayamos atacado
hayas atacado	hayáis atacado
haya atacado	hayan atacado

7 imperfecto de subjuntivo

atacara	atacáramos
atacaras	atacarais
atacara	atacaran
OR	
atacase	atacásemos
atacases	atacaseis
atacase	atacasen

14 pluscuamperfecto de subjuntivo

hubiera atacado	hubiéramos atacado
hubieras atacado	hubierais atacado
hubiera atacado	hubieran atacado
OR	
hubiese atacado	hubiésemos atacado
hubieses atacado	hubieseis atacado
hubiese atacado	hubiesen atacado

imperativo

—	ataquemos
ataca; no ataques	atacad; no ataquéis
ataque	ataquen

Words related to this verb
el ataque attack
atacado, atacada attacked

el, la atacante attacker
el atacador, la atacadora aggressor

Check out the verb drills and verb tests with answers explained on pages 45–91.

The subject pronouns are found on page 93.

175

to rely on, to depend on   Reflexive irregular verb

The Seven Simple Tenses		The Seven Compound Tenses	
Singular	Plural	Singular	Plural
1 presente de indicativo		8 perfecto de indicativo	
me atengo	nos atenemos	me he atenido	nos hemos atenido
te atienes	os atenéis	te has atenido	os habéis atenido
se atiene	se atienen	se ha atenido	se han atenido
2 imperfecto de indicativo		9 pluscuamperfecto de indicativo	
me atenía	nos ateníamos	me había atenido	nos habíamos atenido
te atenías	os ateníais	te habías atenido	os habíais atenido
se atenía	se atenían	se había atenido	se habían atenido
3 pretérito		10 pretérito anterior	
me atuve	nos atuvimos	me hube atenido	nos hubimos atenido
te atuviste	os atuvisteis	te hubiste atenido	os hubisteis atenido
se atuvo	se atuvieron	se hubo atenido	se hubieron atenido
4 futuro		11 futuro perfecto	
me atendré	nos atendremos	me habré atenido	nos habremos atenido
te atendrás	os atendréis	te habrás atenido	os habréis atenido
se atendrá	se atendrán	se habrá atenido	se habrán atenido
5 potencial simple		12 potencial compuesto	
me atendría	nos atendríamos	me habría atenido	nos habríamos atenido
te atendrías	os atendríais	te habrías atenido	os habríais atenido
se atendría	se atendrían	se habría atenido	se habrían atenido
6 presente de subjuntivo		13 perfecto de subjuntivo	
me atenga	nos atengamos	me haya atenido	nos hayamos atenido
te antengas	os atengáis	te hayas atenido	os hayáis atenido
se atenga	se atengan	se haya atenido	se hayan atenido
7 imperfecto de subjuntivo		14 pluscuamperfecto de subjuntivo	
me atuviera	nos atuviéramos	me hubiera atenido	nos hubiéramos atenido
te atuvieras	os atuvierais	te hubieras atenido	os hubierais atenido
se atuviera	se atuvieran	se hubiera atenido	se hubieran atenido
OR		OR	
me atuviese	nos atuviésemos	me hubiese atenido	nos hubiésemos atenido
te atuvieses	os atuvieseis	te hubieses atenido	os hubieseis atenido
se atuviese	se atuviesen	se hubiese atenido	se hubiesen atenido

	imperativo	
—		atengámonos
	atente; no te atengas	ateneos; no os atengáis
	aténgase	aténganse

Words and expressions related to this verb
mantener   to maintain
atenerse a   to depend on, to rely on

atenerse al convenio   to abide by the agreement
atenerse a las reglas   to abide by the rules

Do you need more drills? Have fun with the *501 Spanish Verbs* CD-ROM!

Irregular verb　　　　　　　　　　　　　　to attract, to allure, to charm

The Seven Simple Tenses		The Seven Compound Tenses	
Singular	Plural	Singular	Plural
1　presente de indicativo		8　perfecto de indicativo	
atraigo	atraemos	he atraído	hemos atraído
atraes	atraéis	has atraído	habéis atraído
atrae	atraen	ha atraído	han atraído
2　imperfecto de indicativo		9　pluscuamperfecto de indicativo	
atraía	atraíamos	había atraído	habíamos atraído
atraías	atraíais	habías atraído	habíais atraído
atraía	atraían	había atraído	habían atraído
3　pretérito		10　pretérito anterior	
atraje	atrajimos	hube atraído	hubimos atraído
atrajiste	atrajisteis	hubiste atraído	hubisteis atraído
atrajo	atrajeron	hubo atraído	hubieron atraído
4　futuro		11　futuro perfecto	
atraeré	atraeremos	habré atraído	habremos atraído
atraerás	atraeréis	habrás atraído	habréis atraído
atraerá	atraerán	habrá atraído	habrán atraído
5　potencial simple		12　potencial compuesto	
atraería	atraeríamos	habría atraído	habríamos atraído
atraerías	atraeríais	habrías atraído	habríais atraído
atraería	atraerían	habría atraído	habrían atraído
6　presente de subjuntivo		13　perfecto de subjuntivo	
atraiga	atraigamos	haya atraído	hayamos atraído
atraigas	atraigáis	hayas atraído	hayáis atraído
atraiga	atraigan	haya atraído	hayan atraído
7　imperfecto de subjuntivo		14　pluscuamperfecto de subjuntivo	
atrajera	atrajéramos	hubiera atraído	hubiéramos atraído
atrajeras	atrajerais	hubieras atraído	hubierais atraído
atrajera	atrajeran	hubiera atraído	hubieran atraído
OR		OR	
atrajese	atrajésemos	hubiese atraído	hubiésemos atraído
atrajeses	atrajeseis	hubieses atraído	hubieseis atraído
atrajese	atrajesen	hubiese atraído	hubiesen atraído

imperativo

—	atraigamos
atrae; no atraigas	atraed; no atraigáis
atraiga	atraigan

Words and expressions related to this verb

la atracción　attraction; **atracción sexual**　sex appeal; **las atracciones**　entertainment
atractivamente　attractively
atractivo, atractiva　attractive

atrayentemente　attractively
atrayente　appealing, attractive
el parque de atracciones　amusement park
atraer las miradas　to attract attention

Don't forget to study the section on defective and impersonal verbs. It's right after this main list.

The subject pronouns are found on page 93.　　　　　　　　　**177**

to cross, to go through, to run through

Regular **-ar** verb endings with stem change: Tenses 1, 6, Imperative

The Seven Simple Tenses		The Seven Compound Tenses	
Singular	Plural	Singular	Plural
1 presente de indicativo		**8 perfecto de indicativo**	
atravieso	atravesamos	he atravesado	hemos atravesado
atraviesas	atravesáis	has atravesado	habéis atravesado
atraviesa	atraviesan	ha atravesado	han atravesado
2 imperfecto de indicativo		**9 pluscuamperfecto de indicativo**	
atravesaba	atravesábamos	había atravesado	habíamos atravesado
atravesabas	atravesabais	habías atravesado	habíais atravesado
atravesaba	atravesaban	había atravesado	habían atravesado
3 pretérito		**10 pretérito anterior**	
atravesé	atravesamos	hube atravesado	hubimos atravesado
atravesaste	atravesasteis	hubiste atravesado	hubisteis atravesado
atravesó	atravesaron	hubo atravesado	hubieron atravesado
4 futuro		**11 futuro perfecto**	
atravesaré	atravesaremos	habré atravesado	habremos atravesado
atravesarás	atravesaréis	habrás atravesado	habréis atravesado
atravesará	atravesarán	habrá atravesado	habrán atravesado
5 potencial simple		**12 potencial compuesto**	
atravesaría	atravesaríamos	habría atravesado	habríamos atravesado
atravesarías	atravesaríais	habrías atravesado	habríais atravesado
atravesaría	atravesarían	habría atravesado	habrían atravesado
6 presente de subjuntivo		**13 perfecto de subjuntivo**	
atraviese	atravesemos	haya atravesado	hayamos atravesado
atravieses	atraveséis	hayas atravesado	hayáis atravesado
atraviese	atraviesen	haya atravesado	hayan atravesado
7 imperfecto de subjuntivo		**14 pluscuamperfecto de subjuntivo**	
atravesara	atravesáramos	hubiera atravesado	hubiéramos atravesado
atravesaras	atravesarais	hubieras atravesado	hubierais atravesado
atravesara	atravesaran	hubiera atravesado	hubieran atravesado
OR		OR	
atravesase	atravesásemos	hubiese atravesado	hubiésemos atravesado
atravesases	atravesaseis	hubieses atravesado	hubieseis atravesado
atravesase	atravesasen	hubiese atravesado	hubiesen atravesado

imperativo	
—	atravesemos
atraviesa; no atravieses	atravesad; no atraveséis
atraviese	atraviesen

Words and expressions related to this verb

atravesar con to meet
travesar to cross
mirar de través to look out of the corner of one's eye

la travesía crossing (sea), voyage
atravesado, atravesada cross-eyed
atravesable traversable
a través de across, through

Can't remember the Spanish verb you need?
Check the back pages of this book for the English-Spanish verb index!

Reflexive regular **-er** verb   to dare, to venture

The Seven Simple Tenses   The Seven Compound Tenses

Singular	Plural	Singular	Plural
1 presente de indicativo		8 perfecto de indicativo	
me atrevo	**nos atrevemos**	**me he atrevido**	**nos hemos atrevido**
te atreves	**os atrevéis**	**te has atrevido**	**os habéis atrevido**
se atreve	**se atreven**	**se ha atrevido**	**se han atrevido**
2 imperfecto de indicativo		9 pluscuamperfecto de indicativo	
me atrevía	**nos atrevíamos**	**me había atrevido**	**nos habíamos atrevido**
te atrevías	**os atrevíais**	**te habías atrevido**	**os habíais atrevido**
se atrevía	**se atrevían**	**se había atrevido**	**se habían atrevido**
3 pretérito		10 pretérito anterior	
me atreví	**nos atrevimos**	**me hube atrevido**	**nos hubimos atrevido**
te atreviste	**os atrevisteis**	**te hubiste atrevido**	**os hubisteis atrevido**
se atrevió	**se atrevieron**	**se hubo atrevido**	**se hubieron atrevido**
4 futuro		11 futuro perfecto	
me atreveré	**nos atreveremos**	**me habré atrevido**	**nos habremos atrevido**
te atreverás	**os atreveréis**	**te habrás atrevido**	**os habréis atrevido**
se atreverá	**se atreverán**	**se habrá atrevido**	**se habrán atrevido**
5 potencial simple		12 potencial compuesto	
me atrevería	**nos atreveríamos**	**me habría atrevido**	**nos habríamos atrevido**
te atreverías	**os atreveríais**	**te habrías atrevido**	**os habríais atrevido**
se atrevería	**se atreverían**	**se habría atrevido**	**se habrían atrevido**
6 presente de subjuntivo		13 perfecto de subjuntivo	
me atreva	**nos atrevamos**	**me haya atrevido**	**nos hayamos atrevido**
te atrevas	**os atreváis**	**te hayas atrevido**	**os hayáis atrevido**
se atreva	**se atrevan**	**se haya atrevido**	**se hayan atrevido**
7 imperfecto de subjuntivo		14 pluscuamperfecto de subjuntivo	
me atreviera	**nos atreviéramos**	**me hubiera atrevido**	**nos hubiéramos atrevido**
te atrevieras	**os atrevierais**	**te hubieras atrevido**	**os hubierais atrevido**
se atreviera	**se atrevieran**	**se hubiera atrevido**	**se hubieran atrevido**
OR		OR	
me atreviese	**nos atreviésemos**	**me hubiese atrevido**	**nos hubiésemos atrevido**
te atrevieses	**os atrevieseis**	**te hubieses atrevido**	**os hubieseis atrevido**
se atreviese	**se atreviesen**	**se hubiese atrevido**	**se hubiesen atrevido**

imperativo

—	**atrevámonos**
atrévete; no te atrevas	**atreveos; no os atreváis**
atrévase	**atrévanse**

Words and expressions related to this verb
atrevido, atrevida   daring, bold
el atrevimiento   audacity, boldness
atrevidamente   boldly, daringly
atreverse con *or* **contra**   to be insolent to,
   to be offensive toward

¡Atrévete!   You just dare!
Hazlo si te atreves.   Do it if you dare.
atreverse a decir mentiras   to dare to tell lies

Use the guide to Spanish
pronunciation on pages 665–667.

to advance

Regular **-ar** verb endings with spelling
change: **z** becomes **c** before **e**

The Seven Simple Tenses		The Seven Compound Tenses	
Singular	Plural	Singular	Plural
1 presente de indicativo		8 perfecto de indicativo	
avanzo	avanzamos	he avanzado	hemos avanzado
avanzas	avanzáis	has avanzado	habéis avanzado
avanza	avanzan	ha avanzado	han avanzado
2 imperfecto de indicativo		9 pluscuamperfecto de indicativo	
avanzaba	avanzábamos	había avanzado	habíamos avanzado
avanzabas	avanzabais	habías avanzado	habíais avanzado
avanzaba	avanzaban	había avanzado	habían avanzado
3 pretérito		10 pretérito anterior	
avancé	avanzamos	hube avanzado	hubimos avanzado
avanzaste	avanzasteis	hubiste avanzado	hubisteis avanzado
avanzó	avanzaron	hubo avanzado	hubieron avanzado
4 futuro		11 futuro perfecto	
avanzaré	avanzaremos	habré avanzado	habremos avanzado
avanzarás	avanzaréis	habrás avanzado	habréis avanzado
avanzará	avanzarán	habrá avanzado	habrán avanzado
5 potencial simple		12 potencial compuesto	
avanzaría	avanzaríamos	habría avanzado	habríamos avanzado
avanzarías	avanzaríais	habrías avanzado	habríais avanzado
avanzaría	avanzarían	habría avanzado	habrían avanzado
6 presente de subjuntivo		13 perfecto de subjuntivo	
avance	avancemos	haya avanzado	hayamos avanzado
avances	avancéis	hayas avanzado	hayáis avanzado
avance	avancen	haya avanzado	hayan avanzado
7 imperfecto de subjuntivo		14 pluscuamperfecto de subjuntivo	
avanzara	avanzáramos	hubiera avanzado	hubiéramos avanzado
avanzaras	avanzarais	hubieras avanzado	hubierais avanzado
avanzara	avanzaran	hubiera avanzado	hubieran avanzado
OR		OR	
avanzase	avanzásemos	hubiese avanzado	hubiésemos avanzado
avanzases	avanzaseis	hubieses avanzado	hubieseis avanzado
avanzase	avanzasen	hubiese avanzado	hubiesen avanzado

imperativo

—	avancemos
avanza; no avances	avanzad; no avancéis
avance	avancen

Words and expressions related to this verb
avanzado, avanzada   advanced; **de edad avanzada**   advanced in years
la avanzada   advance guard, **los avances tecnológicos**   technological advances

If you don't know the Spanish verb for the English verb you have in mind,
look it up in the index on pages 682–706.

Regular **-ar** verb endings with spelling changes: to shame
z becomes **c** before **e**; **go** becomes **gü** before **e**.

The Seven Simple Tenses		The Seven Compound Tenses	
Singular	Plural	Singular	Plural
1 presente de indicativo		8 perfecto de indicativo	
avergüenzo	avergonzamos	he avergonzado	hemos avergonzado
avergüenzas	avergonzáis	has avergonzado	habéis avergonzado
avergüenza	avergüenzan	ha avergonzado	han avergonzado
2 imperfecto de indicativo		9 pluscuamperfecto de indicativo	
avergonzaba	avergonzábamos	había avergonzado	habíamos avergonzado
avergonzabas	avergonzabais	habías avergonzado	habíais avergonzado
avergonzaba	avergonzaban	había avergonzado	habían avergonzado
3 pretérito		10 pretérito anterior	
avergoncé	avergonzamos	hube avergonzado	hubimos avergonzado
avergonzaste	avergonzasteis	hubiste avergonzado	hubisteis avergonzado
avergonzó	avergonzaron	hubo avergonzado	hubieron avergonzado
4 futuro		11 futuro perfecto	
avergonzaré	avergonzaremos	habré avergonzado	habremos avergonzado
avergonzarás	avergonzaréis	habrás avergonzado	habréis avergonzado
avergonzará	avergonzarán	habrá avergonzado	habrán avergonzado
5 potencial simple		12 potencial compuesto	
avergonzaría	avergonzaríamos	habría avergonzado	habríamos avergonzado
avergonzarías	avergonzaríais	habrías avergonzado	habríais avergonzado
avergonzaría	avergonzarían	habría avergonzado	habrían avergonzado
6 presente de subjuntivo		13 perfecto de subjuntivo	
avergüence	avergoncemos	haya avergonzado	hayamos avergonzado
avergüences	avergoncéis	hayas avergonzado	hayáis avergonzado
avergüence	avergüencen	haya avergonzado	hayan avergonzado
7 imperfecto de subjuntivo		14 pluscuamperfecto de subjuntivo	
avergonzara	avergonzáramos	hubiera avergonzado	hubiéramos avergonzado
avergonzaras	avergonzarais	hubieras avergonzado	hubierais avergonzado
avergonzara	avergonzaran	hubiera avergonzado	hubieran avergonzado
OR		OR	
avergonzase	avergonzásemos	hubiese avergonzado	hubiésemos avergonzado
avergonzases	avergonzaseis	hubieses avergonzado	hubieseis avergonzado
avergonzase	avergonzasen	hubiese avergonzado	hubiesen avergonzado

imperativo	
—	avergoncemos
avergüenza; no avergüences	avergonzad; no avergoncéis
avergüence	avergüencen

Words and expressions related to this verb
avergonzado, avergonzada   ashamed
avergonzarse   to be ashamed
la vergüenza   shame, embarrassment
sin vergüenza   shameless

tener vergüenza   to be ashamed
la desvergüenza   shamelessness
desvergonzado, desvergonzada   shameless

The subject pronouns are found on page 93.   **181**

averiguar (83)

Gerundio **averiguando**   Part. pas. **averiguado**

to find out, to inquire,
to investigate

The Seven Simple Tenses		The Seven Compound Tenses	
Singular	Plural	Singular	Plural
1 presente de indicativo		8 perfecto de indicativo	
averiguo	**averiguamos**	**he averiguado**	**hemos averiguado**
averiguas	**averiguáis**	**has averiguado**	**habéis averiguado**
averigua	**averiguan**	**ha averiguado**	**han averiguado**
2 imperfecto de indicativo		9 pluscuamperfecto de indicativo	
averiguaba	**averiguábamos**	**había averiguado**	**habíamos averiguado**
averiguabas	**averiguabais**	**habías averiguado**	**habíais averiguado**
averiguaba	**averiguaban**	**había averiguado**	**habían averiguado**
3 pretérito		10 pretérito anterior	
averigüé	**averiguamos**	**hube averiguado**	**hubimos averiguado**
averiguaste	**averiguasteis**	**hubiste averiguado**	**hubisteis averiguado**
averiguó	**averiguaron**	**hubo averiguado**	**hubieron averiguado**
4 futuro		11 futuro perfecto	
averiguaré	**averiguaremos**	**habré averiguado**	**habremos averiguado**
averiguarás	**averiguaréis**	**habrás averiguado**	**habréis averiguado**
averiguará	**averiguarán**	**habrá averiguado**	**habrán averiguado**
5 potencial simple		12 potencial compuesto	
averiguaría	**averiguaríamos**	**habría averiguado**	**habríamos averiguado**
averiguarías	**averiguaríais**	**habrías averiguado**	**habríais averiguado**
averiguaría	**averiguarían**	**habría averiguado**	**habrían averiguado**
6 presente de subjuntivo		13 perfecto de subjuntivo	
averigüe	**averigüemos**	**haya averiguado**	**hayamos averiguado**
averigües	**averigüéis**	**hayas averiguado**	**hayáis averiguado**
averigüe	**averigüen**	**haya averiguado**	**hayan averiguado**
7 imperfecto de subjuntivo		14 pluscuamperfecto de subjuntivo	
averiguara	**averiguáramos**	**hubiera averiguado**	**hubiéramos averiguado**
averiguaras	**averiguarais**	**hubieras averiguado**	**hubierais averiguado**
averiguara	**averiguaran**	**hubiera averiguado**	**hubieran averiguado**
OR		OR	
averiguase	**averiguásemos**	**hubiese averiguado**	**hubiésemos averiguado**
averiguases	**averiguaseis**	**hubieses averiguado**	**hubieseis averiguado**
averiguase	**averiguasen**	**hubiese averiguado**	**hubiesen averiguado**

imperativo

—	**averigüemos**
averigua; no averigües	**averiguad; no averigüéis**
averigüe	**averigüen**

Words related to this verb
el averiguador, la averiguadora investigator   **averiguable** investigable, verifiable
la averiguación inquiry, investigation   **averiguadamente** surely, certainly

Don't miss the definitions of basic grammatical terms with examples
in English and Spanish on pages 33–44.

Regular **-ar** verb   to help, to aid, to assist

The Seven Simple Tenses		The Seven Compound Tenses	
Singular	Plural	Singular	Plural
1 presente de indicativo		8 perfecto de indicativo	
ayudo	ayudamos	he ayudado	hemos ayudado
ayudas	ayudáis	has ayudado	habéis ayudado
ayuda	ayudan	ha ayudado	han ayudado
2 imperfecto de indicativo		9 pluscuamperfecto de indicativo	
ayudaba	ayudábamos	había ayudado	habíamos ayudado
ayudabas	ayudabais	habías ayudado	habíais ayudado
ayudaba	ayudaban	había ayudado	habían ayudado
3 pretérito		10 pretérito anterior	
ayudé	ayudamos	hube ayudado	hubimos ayudado
ayudaste	ayudasteis	hubiste ayudado	hubisteis ayudado
ayudó	ayudaron	hubo ayudado	hubieron ayudado
4 futuro		11 futuro perfecto	
ayudaré	ayudaremos	habré ayudado	habremos ayudado
ayudarás	ayudaréis	habrás ayudado	habréis ayudado
ayudará	ayudarán	habrá ayudado	habrán ayudado
5 potencial simple		12 potencial compuesto	
ayudaría	ayudaríamos	habría ayudado	habríamos ayudado
ayudarías	ayudaríais	habrías ayudado	habríais ayudado
ayudaría	ayudarían	habría ayudado	habrían ayudado
6 presente de subjuntivo		13 perfecto de subjuntivo	
ayude	ayudemos	haya ayudado	hayamos ayudado
ayudes	ayudéis	hayas ayudado	hayáis ayudado
ayude	ayuden	haya ayudado	hayan ayudado
7 imperfecto de subjuntivo		14 pluscuamperfecto de subjuntivo	
ayudara	ayudáramos	hubiera ayudado	hubiéramos ayudado
ayudaras	ayudarais	hubieras ayudado	hubierais ayudado
ayudara	ayudaran	hubiera ayudado	hubieran ayudado
OR		OR	
ayudase	ayudásemos	hubiese ayudado	hubiésemos ayudado
ayudases	ayudaseis	hubieses ayudado	hubieseis ayudado
ayudase	ayudasen	hubiese ayudado	hubiesen ayudado

imperativo

—	ayudemos
ayuda; no ayudes	ayudad; no ayudéis
ayude	ayuden

Words and expressions related to this verb
la ayuda   aid, assistance, help
ayuda de cámara   valet
un ayudador, una ayudadora   helper
ayudante   assistant

la ayuda financiera   financial aid
A quien madruga, Dios le ayuda.
The early bird catches the worm.

Can't find the verb you're looking for?
Check the back pages of this book for a list of over 2,100 additional verbs!

The Seven Simple Tenses		The Seven Compound Tenses	
Singular	Plural	Singular	Plural
1 presente de indicativo		8 perfecto de indicativo	
bailo	bailamos	he bailado	hemos bailado
bailas	bailáis	has bailado	habéis bailado
baila	bailan	ha bailado	han bailado
2 imperfecto de indicativo		9 pluscuamperfecto de indicativo	
bailaba	bailábamos	había bailado	habíamos bailado
bailabas	bailabais	habías bailado	habíais bailado
bailaba	bailaban	había bailado	habían bailado
3 pretérito		10 pretérito anterior	
bailé	bailamos	hube bailado	hubimos bailado
bailaste	bailasteis	hubiste bailado	hubisteis bailado
bailó	bailaron	hubo bailado	hubieron bailado
4 futuro		11 futuro perfecto	
bailaré	bailaremos	habré bailado	habremos bailado
bailarás	bailaréis	habrás bailado	habréis bailado
bailará	bailarán	habrá bailado	habrán bailado
5 potencial simple		12 potencial compuesto	
bailaría	bailaríamos	habría bailado	habríamos bailado
bailarías	bailaríais	habrías bailado	habríais bailado
bailaría	bailarían	habría bailado	habrían bailado
6 presente de subjuntivo		13 perfecto de subjuntivo	
baile	bailemos	haya bailado	hayamos bailado
bailes	bailéis	hayas bailado	hayáis bailado
baile	bailen	haya bailado	hayan bailado
7 imperfecto de subjuntivo		14 pluscuamperfecto de subjuntivo	
bailara	bailáramos	hubiera bailado	hubiéramos bailado
bailaras	bailarais	hubieras bailado	hubierais bailado
bailara	bailaran	hubiera bailado	hubieran bailado
OR		OR	
bailase	bailásemos	hubiese bailado	hubiésemos bailado
bailases	bailaseis	hubieses bailado	hubieseis bailado
bailase	bailasen	hubiese bailado	hubiesen bailado

imperativo

—	bailemos
baila; no bailes	bailad; no bailéis
baile	bailen

Sentences using this verb and words related to it

Cuando el gato va a sus devociones, bailan los ratones.   When the cat is away, the mice will play.
un baile   dance; **un bailete**   ballet

un bailarín, una bailarina   dancer (professional)
un bailador, una bailadora   dancer
la música bailable   dance music

Don't forget to study the section on defective and impersonal verbs. It's right after this main list.

Regular **-ar** verb   to lower, to let down, to come down, to go down, to descend

The Seven Simple Tenses		The Seven Compound Tenses	
Singular	Plural	Singular	Plural
1 presente de indicativo		8 perfecto de indicativo	
bajo	bajamos	he bajado	hemos bajado
bajas	bajáis	has bajado	habéis bajado
baja	bajan	ha bajado	han bajado
2 imperfecto de indicativo		9 pluscuamperfecto de indicativo	
bajaba	bajábamos	había bajado	habíamos bajado
bajabas	bajabais	habías bajado	habíais bajado
bajaba	bajaban	había bajado	habían bajado
3 pretérito		10 pretérito anterior	
bajé	bajamos	hube bajado	hubimos bajado
bajaste	bajasteis	hubiste bajado	hubisteis bajado
bajó	bajaron	hubo bajado	hubieron bajado
4 futuro		11 futuro perfecto	
bajaré	bajaremos	habré bajado	habremos bajado
bajarás	bajaréis	habrás bajado	habréis bajado
bajará	bajarán	habrá bajado	habrán bajado
5 potencial simple		12 potencial compuesto	
bajaría	bajaríamos	habría bajado	habríamos bajado
bajarías	bajaríais	habrías bajado	habríais bajado
bajaría	bajarían	habría bajado	habrían bajado
6 presente de subjuntivo		13 perfecto de subjuntivo	
baje	bajemos	haya bajado	hayamos bajado
bajes	bajéis	hayas bajado	hayáis bajado
baje	bajen	haya bajado	hayan bajado
7 imperfecto de subjuntivo		14 pluscuamperfecto de subjuntivo	
bajara	bajáramos	hubiera bajado	hubiéramos bajado
bajaras	bajarais	hubieras bajado	hubierais bajado
bajara	bajaran	hubiera bajado	hubieran bajado
OR		OR	
bajase	bajásemos	hubiese bajado	hubiésemos bajado
bajases	bajaseis	hubieses bajado	hubieseis bajado
bajase	bajasen	hubiese bajado	hubiesen bajado

imperativo	
—	bajemos
baja; no bajes	bajad; no bajéis
baje	bajen

Words and expressions related to this verb
la baja   reduction (fall) in prices
la bajada   descent
bajamente   basely
en voz baja   in a low voice
bajo   down, below
bajar/bajarse el correo electrónico   to download e-mail

bajarse   to download (Internet); **telecargar** and **descargar** are also used for "to download"
rebajar   to reduce
bajar de   to get off
bajar de valor   to decline in value
el piso bajo   ground floor
una rebaja   rebate, discount
¿En qué estación debo bajar?   At what station do I need to get off?

The subject pronouns are found on page 93.

185

to stammer, to hesitate (in speech)   Regular **-ar** verb

The Seven Simple Tenses		The Seven Compound Tenses	
Singular	Plural	Singular	Plural
1 presente de indicativo		8 perfecto de indicativo	
balbuceo	balbuceamos	he balbuceado	hemos balbuceado
balbuceas	balbuceáis	has balbuceado	habéis balbuceado
balbucea	balbucean	ha balbuceado	han balbuceado
2 imperfecto de indicativo		9 pluscuamperfecto de indicativo	
balbuceaba	balbuceábamos	había balbuceado	habíamos balbuceado
balbuceabas	balbuceabais	habías balbuceado	habíais balbuceado
balbuceaba	balbuceaban	había balbuceado	habían balbuceado
3 pretérito		10 pretérito anterior	
balbuceé	balbuceamos	hube balbuceado	hubimos balbuceado
babluceaste	balbuceasteis	hubiste balbuceado	hubisteis balbuceado
balbuceó	balbucearon	hubo balbuceado	hubieron balbuceado
4 futuro		11 futuro perfecto	
balbucearé	balbucearemos	habré balbuceado	habremos balbuceado
balbucearás	balbucearéis	habrás balbuceado	habréis balbuceado
balbuceará	balbucerán	habrá balbuceado	habrán balbuceado
5 potencial simple		12 potencial compuesto	
balbucearía	balbucearíamos	habría balbuceado	habríamos balbuceado
balbucearías	balbucearíais	habrías balbuceado	habríais balbuceado
balbucearía	balbucearían	habría balbuceado	habrían balbuceado
6 presente de subjuntivo		13 perfecto de subjuntivo	
balbucee	balbuceemos	haya balbuceado	hayamos balbuceado
balbucees	balbuceéis	hayas balbuceado	hayáis balbuceado
balbucee	balbuceen	haya balbuceado	hayan balbuceado
7 imperfecto de subjuntivo		14 pluscuamperfecto de subjuntivo	
balbuceara	balbuceáramos	hubiera balbuceado	hubiéramos balbuceado
balbucearas	balbucearais	hubieras balbuceado	hubierais balbuceado
balbuceara	balbucearan	hubiera balbuceado	hubieran balbuceado
OR		OR	
balbucease	balbuceásemos	hubiese balbuceado	hubiésemos balbuceado
balbuceases	balbuceaseis	hubieses balbuceado	hubieseis balbuceado
balbucease	balbuceasen	hubiese balbuceado	hubiesen balbuceado

imperativo	
—	balbuceemos
balbucea; no balbucees	balbucead; no balbuceéis
balbucee	balbuceen

Words related to this verb
balbuciente   lisping, stammering
el balbuceo, la balbucencia   stuttering, stammering, lisp

Can't remember the Spanish verb you need?
Check the back pages of this book for the English-Spanish verb index!

Gerundio bañándose   Part. pas. bañado   bañarse (88)

Reflexive regular -ar verb   to bathe oneself, to take a bath

The Seven Simple Tenses		The Seven Compound Tenses	
Singular	Plural	Singular	Plural
1 presente de indicativo		**8 perfecto de indicativo**	
me baño	nos bañamos	me he bañado	nos hemos bañado
te bañas	os bañáis	te has bañado	os habéis bañado
se baña	se bañan	se ha bañado	se han bañado
2 imperfecto de indicativo		**9 pluscuamperfecto de indicativo**	
me bañaba	nos bañábamos	me había bañado	nos habíamos bañado
te bañabas	os bañabais	te habías bañado	os habíais bañado
se bañaba	se bañaban	se había bañado	se habían bañado
3 pretérito		**10 pretérito anterior**	
me bañé	nos bañamos	me hube bañado	nos hubimos bañado
te bañaste	os bañasteis	te hubiste bañado	os hubisteis bañado
se bañó	se bañaron	se hubo bañado	se hubieron bañado
4 futuro		**11 futuro perfecto**	
me bañaré	nos bañaremos	me habré bañado	nos habremos bañado
te bañarás	os bañaréis	te habrás bañado	os habréis bañado
se bañará	se bañarán	se habrá bañado	se habrán bañado
5 potencial simple		**12 potencial compuesto**	
me bañaría	nos bañaríamos	me habría bañado	nos habríamos bañado
te bañarías	os bañaríais	te habrías bañado	os habríais bañado
se bañaría	se bañarían	se habría bañado	se habrían bañado
6 presente de subjuntivo		**13 perfecto de subjuntivo**	
me bañe	nos bañemos	me haya bañado	nos hayamos bañado
te bañes	os bañéis	te hayas bañado	os hayáis bañado
se bañe	se bañen	se haya bañado	se hayan bañado
7 imperfecto de subjuntivo		**14 pluscuamperfecto de subjuntivo**	
me bañara	nos bañáramos	me hubiera bañado	nos hubiéramos bañado
te bañaras	os bañarais	te hubieras bañado	os hubierais bañado
se bañara	se bañaran	se hubiera bañado	se hubieran bañado
OR		OR	
me bañase	nos bañásemos	me hubiese bañado	nos hubiésemos bañado
te bañases	os bañaseis	te hubieses bañado	os hubieseis bañado
se bañase	se bañasen	se hubiese bañado	se hubiesen bañado

	imperativo	
—		bañémonos
báñate; no te bañes		bañaos; no os bañéis
báñese		báñense

Words and expressions related to this verb
una bañera, una bañadera   bathtub
un bañador, una bañadora   bather
un baño   bath, bathing
un baño de vapor   steam bath

bañar un papel de lágrimas   to write a mournful letter
bañar a la luz   to light up, to illuminate
bañar   to bathe

The subject pronouns are found on page 93.

to sweep, to whisk   Regular **-er** verb

The Seven Simple Tenses		The Seven Compound Tenses	
Singular	Plural	Singular	Plural
1 presente de indicativo		8 perfecto de indicativo	
barro	barremos	he barrido	hemos barrido
barres	barréis	has barrido	habéis barrido
barre	barren	ha barrido	han barrido
2 imperfecto de indicativo		9 pluscuamperfecto de indicativo	
barría	barríamos	había barrido	habíamos barrido
barrías	barríais	habías barrido	habíais barrido
barria	barrían	había barrido	habían barrido
3 pretérito		10 pretérito anterior	
barrí	barrimos	hube barrido	hubimos barrido
barriste	barristeis	hubiste barrido	hubisteis barrido
barrió	barrieron	hubo barrido	hubieron barrido
4 futuro		11 futuro perfecto	
barreré	barreremos	habré barrido	habremos barrido
barrerás	barreréis	habrás barrido	habréis barrido
barrerá	barrerán	habrá barrido	habrán barrido
5 potencial simple		12 potencial compuesto	
barrería	barreríamos	habría barrido	habríamos barrido
barrerías	barreríais	habrías barrido	habríais barrido
barrería	barrerían	habría barrido	habrían barrido
6 presente de subjuntivo		13 perfecto de subjuntivo	
barra	barramos	haya barrido	hayamos barrido
barras	barráis	hayas barrido	hayáis barrido
barra	barran	haya barrido	hayan barrido
7 imperfecto de subjuntivo		14 pluscuamperfecto de subjuntivo	
barriera	barriéramos	hubiera barrido	hubiéramos barrido
barrieras	barrierais	hubieras barrido	hubierais barrido
barriera	barrieran	hubiera barrido	hubieran barrido
OR		OR	
barriese	barriésemos	hubiese barrido	hubiésemos barrido
barrieses	barrieseis	hubieses barrido	hubieseis barrido
barriese	barriesen	hubiese barrido	hubiesen barrido

imperativo	
—	barramos
barre; no barras	barred; no barráis
barra	barran

Words and expressions related to this verb
la barredera street sweeper machine
el barredero de alfombra carpet sweeper
la barredura sweeping
la barredora eléctrica (also **la aspiradora**) vacuum cleaner

Regular **-ar** verb endings with spelling
change: **z** becomes **c** before **e**

to baptize, to christen

The Seven Simple Tenses		The Seven Compound Tenses	
Singular	Plural	Singular	Plural
1 presente de indicativo		8 perfecto de indicativo	
bautizo	**bautizamos**	**he bautizado**	**hemos bautizado**
bautizas	**bautizáis**	**has bautizado**	**habéis bautizado**
bautiza	**bautizan**	**ha bautizado**	**han bautizado**
2 imperfecto de indicativo		9 pluscuamperfecto de indicativo	
bautizaba	**bautizábamos**	**había bautizado**	**habíamos bautizado**
bautizabas	**bautizabais**	**habías bautizado**	**habíais bautizado**
bautizaba	**bautizaban**	**había bautizado**	**habían bautizado**
3 pretérito		10 pretérito anterior	
bauticé	**bautizamos**	**hube bautizado**	**hubimos bautizado**
bautizaste	**bautizasteis**	**hubiste bautizado**	**hubisteis bautizado**
bautizó	**bautizaron**	**hubo bautizado**	**hubieron bautizado**
4 futuro		11 futuro perfecto	
bautizaré	**bautizaremos**	**habré bautizado**	**habremos bautizado**
bautizarás	**bautizaréis**	**habrás bautizado**	**habréis bautizado**
bautizará	**bautizarán**	**habrá bautizado**	**habrán bautizado**
5 potencial simple		12 potencial compuesto	
bautizaría	**bautizaríamos**	**habría bautizado**	**habríamos bautizado**
bautizarías	**bautizaríais**	**habrías bautizado**	**habríais bautizado**
bautizaría	**bautizarían**	**habría bautizado**	**habrían bautizado**
6 presente de subjuntivo		13 perfecto de subjuntivo	
bautice	**bauticemos**	**haya bautizado**	**hayamos bautizado**
bautices	**bauticéis**	**hayas bautizado**	**hayáis bautizado**
bautice	**bauticen**	**haya bautizado**	**hayan bautizado**
7 imperfecto de subjuntivo		14 pluscuamperfecto de subjuntivo	
bautizara	**bautizáramos**	**hubiera bautizado**	**hubiéramos bautizado**
bautizaras	**bautizarais**	**hubieras bautizado**	**hubierais bautizado**
bautizara	**bautizaran**	**hubiera bautizado**	**hubieran bautizado**
OR		OR	
bautizase	**bautizásemos**	**hubiese bautizado**	**hubiésemos bautizado**
bautizases	**bautizaseis**	**hubieses bautizado**	**hubieseis bautizado**
bautizase	**bautizasen**	**hubiese bautizado**	**hubiesen bautizado**

imperativo

—	**bauticemos**
bautiza; no bautices	**bautizad; no bauticéis**
bautice	**bauticen**

Words and expressions related to this verb
el bautisterio baptistery
el bautismo baptism, christening
bautismal baptismal

el, la Bautista Baptist
bautizar una calle to name a street

Get your feet wet with verbs used in weather expressions on page 668.

The subject pronouns are found on page 93.

beber (91)

to drink

Gerundio **bebiendo**

Part. pas. **bebido**

Regular **-er** verb

The Seven Simple Tenses		The Seven Compound Tenses	
Singular	Plural	Singular	Plural
1 presente de indicativo		8 perfecto de indicativo	
bebo	bebemos	he bebido	hemos bebido
bebes	bebéis	has bebido	habéis bebido
bebe	beben	ha bebido	han bebido
2 imperfecto de indicativo		9 pluscuamperfecto de indicativo	
bebía	bebíamos	había bebido	habíamos bebido
bebías	bebíais	habías bebido	habíais bebido
bebía	bebían	había bebido	habían bebido
3 pretérito		10 pretérito anterior	
bebí	bebimos	hube bebido	hubimos bebido
bebiste	bebisteis	hubiste bebido	hubisteis bebido
bebió	bebieron	hubo bebido	hubieron bebido
4 futuro		11 futuro perfecto	
beberé	beberemos	habré bebido	habremos bebido
beberás	beberéis	habrás bebido	habréis bebido
beberá	beberán	habrá bebido	habrán bebido
5 potencial simple		12 potencial compuesto	
bebería	beberíamos	habría bebido	habríamos bebido
beberías	beberíais	habrías bebido	habríais bebido
bebería	beberían	habría bebido	habrían bebido
6 presente de subjuntivo		13 perfecto de subjuntivo	
beba	bebamos	haya bebido	hayamos bebido
bebas	bebáis	hayas bebido	hayáis bebido
beba	beban	haya bebido	hayan bebido
7 imperfecto de subjuntivo		14 pluscuamperfecto de subjuntivo	
bebiera	bebiéramos	hubiera bebido	hubiéramos bebido
bebieras	bebierais	hubieras bebido	hubierais bebido
bebiera	bebieran	hubiera bebido	hubieran bebido
OR		OR	
bebiese	bebiésemos	hubiese bebido	hubiésemos bebido
bebieses	bebieseis	hubieses bebido	hubieseis bebido
bebiese	bebiesen	hubiese bebido	hubiesen bebido

	imperativo	
—		bebamos
bebe; no bebas		bebed; no bebáis
beba		beban

Words and expressions related to this verb
una bebida   drink, beverage
beber de   to drink from
beber a la salud   to drink to health
embeber   to soak in, soak up, imbibe
embeberse en   to absorb onself, to immerse
   oneself in
embebedor, embebedora   absorbent

beber como una cuba   to drink like a fish
querer beber la sangre a otro   to hate
   somebody bitterly

Can't find the verb you're looking for?
Check the back pages of this book for a list
of over 2,100 additional verbs!

Gerundio **bendiciendo** Part. pas. **bendecido (bendito,**   **bendecir (92)**
when used as an adj. with **estar)**

Irregular verb to bless, to consecrate

The Seven Simple Tenses   The Seven Compound Tenses

Singular	Plural	Singular	Plural
1 presente de indicativo		8 perfecto de indicativo	
bendigo	**bendecimos**	**he bendecido**	**hemos bendecido**
bendices	**bendecís**	**has bendecido**	**habéis bendecido**
bendice	**bendicen**	**ha bendecido**	**han bendecido**
2 imperfecto de indicativo		9 pluscuamperfecto de indicativo	
bendecía	**bendecíamos**	**había bendecido**	**habíamos bendecido**
bendecías	**bendecíais**	**habías bendecido**	**habíais bendecido**
bendecía	**bendecían**	**había bendecido**	**habían bendecido**
3 pretérito		10 pretérito anterior	
bendije	**bendijimos**	**hube bendecido**	**hubimos bendecido**
bendijiste	**bendijisteis**	**hubiste bendecido**	**hubisteis bendecido**
bendijo	**bendijeron**	**hubo bendecido**	**hubieron bendecido**
4 futuro		11 futuro perfecto	
bendeciré	**bendeciremos**	**habré bendecido**	**habremos bendecido**
bendecirás	**bendeciréis**	**habrás bendecido**	**habréis bendecido**
bendecirá	**bendecirán**	**habrá bendecido**	**habrán bendecido**
5 potencial simple		12 potencial compuesto	
bendeciría	**bendeciríamos**	**habría bendecido**	**habríamos bendecido**
bendecirías	**bendeciríais**	**habrías bendecido**	**habríais bendecido**
bendeciría	**bendecirían**	**habría bendecido**	**habrían bendecido**
6 presente de subjuntivo		13 perfecto de subjuntivo	
bendiga	**bendigamos**	**haya bendecido**	**hayamos bendecido**
bendigas	**bendigáis**	**hayas bendecido**	**hayáis bendecido**
bendiga	**bendigan**	**haya bendecido**	**hayan bendecido**
7 imperfecto de subjuntivo		14 pluscuamperfecto de subjuntivo	
bendijera	**bendijéramos**	**hubiera bendecido**	**hubiéramos bendecido**
bendijeras	**bendijerais**	**hubieras bendecido**	**hubierais bendecido**
bendijera	**bendijeran**	**hubiera bendecido**	**hubieran bendecido**
OR		OR	
bendijese	**bendijésemos**	**hubiese bendecido**	**hubiésemos bendecido**
bendijeses	**bendijeseis**	**hubieses bendecido**	**hubieseis bendecido**
bendijese	**bendijesen**	**hubiese bendecido**	**hubiesen bendecido**

imperativo

—	**bendigamos**
bendice; no bendigas	**bendecid; no bendigáis**
bendiga	**bendigan**

Words and expressions related to this verb
la bendición benediction, blessing
las bendiciones nupciales marriage
Dormí como un bendito I slept like a baby/
  like a log.

un bendecidor, una bendecidora blesser
el pan bendito communion bread (blessed)

See also **maldecir.**
See also the note on the bottom of verb 368.

The subject pronouns are found on page 93.   **191**

borrar (93)   Gerundio **borrando**   Part. pas. **borrado**

to erase, to cross out

Regular **-ar** verb

The Seven Simple Tenses		The Seven Compound Tenses	
Singular	Plural	Singular	Plural
1 presente de indicativo		8 perfecto de indicativo	
borro	borramos	he borrado	hemos borrado
borras	borráis	has borrado	habéis borrado
borra	borran	ha borrado	han borrado
2 imperfecto de indicativo		9 pluscuamperfecto de indicativo	
borraba	borrábamos	había borrado	habíamos borrado
borrabas	borrabais	habías borrado	habíais borrado
borraba	borraban	había borrado	habían borrado
3 pretérito		10 pretérito anterior	
borré	borramos	hube borrado	hubimos borrado
borraste	borrasteis	hubiste borrado	hubisteis borrado
borró	borraron	hubo borrado	hubieron borrado
4 futuro		11 futuro perfecto	
borraré	borraremos	habré borrado	habremos borrado
borrarás	borraréis	habrás borrado	habréis borrado
borrará	borrarán	habrá borrado	habrán borrado
5 potencial simple		12 potencial compuesto	
borraría	borraríamos	habría borrado	habríamos borrado
borrarías	borraríais	habrías borrado	habríais borrado
borraría	borrarían	habría borrado	habrían borrado
6 presente de subjuntivo		13 perfecto de subjuntivo	
borre	borremos	haya borrado	hayamos borrado
borres	borréis	hayas borrado	hayáis borrado
borre	borren	haya borrado	hayan borrado
7 imperfecto de subjuntivo		14 pluscuamperfecto de subjuntivo	
borrara	borráramos	hubiera borrado	hubiéramos borrado
borraras	borrarais	hubieras borrado	hubierais borrado
borrara	borraran	hubiera borrado	hubieran borrado
OR		OR	
borrase	borrásemos	hubiese borrado	hubiésemos borrado
borrases	borraseis	hubieses borrado	hubieseis borrado
borrase	borrasen	hubiese borrado	hubiesen borrado

	imperativo	
—	borremos
borra; no borres	borrad; no borréis
borre	borren

Words and expressions related to this verb
la goma de borrar   rubber eraser
la borradura   erasure
el borrador   eraser (chalk), rough draft
la tecla de borrado   delete key (computer)

desborrar   to burl (to clean off the knots from cloth)
emborrar   to pad, to stuff, to wad; to gulp down food

Regular **-ar** verb endings with spelling   to yawn, to gape
change: **z** becomes **c** before **e**

The Seven Simple Tenses		The Seven Compound Tenses	
Singular	Plural	Singular	Plural
1 presente de indicativo		8 perfecto de indicativo	
bostezo	bostezamos	he bostezado	hemos bostezado
bostezas	bostezáis	has bostezado	habéis bostezado
bosteza	bostezan	ha bostezado	han bostezado
2 imperfecto de indicativo		9 pluscuamperfecto de indicativo	
bostezaba	bostezábamos	había bostezado	habíamos bostezado
bostezabas	bostezabais	habías bostezado	habíais bostezado
bostezaba	bostezeban	había bostezado	habían bostezado
3 pretérito		10 pretérito anterior	
bostecé	bostezamos	hube bostezado	hubimos bostezado
bostezaste	bostezasteis	hubiste bostezado	hubisteis bostezado
bostezó	bostezaron	hubo bostezado	hubieron bostezado
4 futuro		11 futuro perfecto	
bostezaré	bostezaremos	habré bostezado	habremos bostezado
bostezarás	bostezaréis	habrás bostezado	habréis bostezado
bostezará	bostezarán	habrá bostezado	habrán bostezado
5 potencial simple		12 potencial compuesto	
bostezaría	bostezaríamos	habría bostezado	habríamos bostezado
bostezarías	bostezaríais	habrías bostezado	habríais bostezado
bostezaría	bostezarían	habría bostezado	habrían bostezado
6 presente de subjuntivo		13 perfecto de subjuntivo	
bostece	bostecemos	haya bostezado	hayamos bostezado
bosteces	bostecéis	hayas bostezado	hayáis bostezado
bostece	bostecen	haya bostezado	hayan bostezado
7 imperfecto de subjuntivo		14 pluscuamperfecto de subjuntivo	
bostezara	bostezáramos	hubiera bostezado	hubiéramos bostezado
bostezaras	bostezarais	hubieras bostezado	hubierais bostezado
bostezara	bostezaran	hubiera bostezado	hubieran bostezado
OR		OR	
bostezase	bostezásemos	hubiese bostezado	hubiésemos bostezado
bostezases	bostezaseis	hubieses bostezado	hubieseis bostezado
bostezase	bostezasen	hubiese bostezado	hubiesen bostezado

imperativo	
—	bostecemos
bosteza; no bosteces	bostezad; no bostecéis
bostece	bostecen

Words related to this verb
un bostezo yawn   **un bostezador, una bostezadora** a person
bostezante yawning, gaping   who yawns frequently

Can't remember the Spanish verb you need?
Check the back pages of this book for the English-Spanish verb index!

The subject pronouns are found on page 93.

botar (95)   Gerundio **botando**   Part. pas. **botado**

to fling, to cast (away), to throw (away), to launch   Regular **-ar** verb

The Seven Simple Tenses		The Seven Compound Tenses	
Singular	Plural	Singular	Plural
1 presente de indicativo		8 perfecto de indicativo	
boto	botamos	he botado	hemos botado
botas	botáis	has botado	habéis botado
bota	botan	ha botado	han botado
2 imperfecto de indicativo		9 pluscuamperfecto de indicativo	
botaba	botábamos	había botado	habíamos botado
botabas	botabais	habías botado	habíais botado
botaba	botaban	había botado	habían botado
3 pretérito		10 pretérito anterior	
boté	botamos	hube botado	hubimos botado
botaste	botasteis	hubiste botado	hubisteis botado
botó	botaron	hubo botado	hubieron botado
4 futuro		11 futuro perfecto	
botaré	botaremos	habré botado	habremos botado
botarás	botaréis	habrás botado	habréis botado
botará	botarán	habrá botado	habrán botado
5 potencial simple		12 potencial compuesto	
botaría	botaríamos	habría botado	habríamos botado
botarías	botaríais	habrías botado	habríais botado
botaría	botarían	habría botado	habrían botado
6 presente de subjuntivo		13 perfecto de subjuntivo	
bote	botemos	haya botado	hayamos botado
botes	botéis	hayas botado	hayáis botado
bote	boten	haya botado	hayan botado
7 imperfecto de subjuntivo		14 pluscuamperfecto de subjuntivo	
botara	botáramos	hubiera botado	hubiéramos botado
botaras	botarais	hubieras botado	hubierais botado
botara	botaran	hubiera botado	hubieran botado
OR		OR	
botase	botásemos	hubiese botado	hubiésemos botado
botases	botaseis	hubieses botado	hubieseis botado
botase	botasen	hubiese botado	hubiesen botado

	imperativo
—	botemos
bota; no botes	botad; no botéis
bote	boten

Words and expressions related to this verb
un bote thrust, blow; boat; **un bote de remos** rowboat   **dar bote** to buck
rebotar to bend back; to repel; to bounce back, rebound   **el bote automóvil** powerboat
un rebote bounce, rebound; **de rebote** indirectly   **el bote de salvavidas** lifeboat

Don't forget to study the section on defective and impersonal verbs. It's right after this main list.

194

Gerundio **bronceando**   Part. pas. **bronceado**   **broncear (96)**

Regular **-ar** verb   to bronze, to tan

The Seven Simple Tenses		The Seven Compound Tenses	
Singular	Plural	Singular	Plural
1 presente de indicativo		8 perfecto de indicativo	
bronceo	bronceamos	he bronceado	hemos bronceado
bronceas	bronceáis	has bronceado	habéis bronceado
broncea	broncean	ha bronceado	han bronceado
2 imperfecto de indicativo		9 pluscuamperfecto de indicativo	
bronceaba	bronceábamos	había bronceado	habíamos bronceado
bronceabas	bronceabais	habías bronceado	habíais bronceado
bronceaba	bronceaban	había bronceado	habían bronceado
3 pretérito		10 pretérito anterior	
bronceé	bronceamos	hube bronceado	hubimos bronceado
bronceaste	bronceasteis	hubiste bronceado	hubisteis bronceado
bronceó	broncearon	hubo bronceado	hubieron bronceado
4 futuro		11 futuro perfecto	
broncearé	broncearemos	habré bronceado	habremos bronceado
broncearás	broncearéis	habrás bronceado	habréis bronceado
bronceará	broncearán	habrá bronceado	habrán bronceado
5 potencial simple		12 potencial compuesto	
broncearía	broncearíamos	habría bronceado	habríamos bronceado
broncearías	broncearíais	habrías bronceado	habríais bronceado
broncearía	broncearían	habría bronceado	habrían bronceado
6 presente de subjuntivo		13 perfecto de subjuntivo	
broncee	bronceemos	haya bronceado	hayamos bronceado
broncees	bronceéis	hayas bronceado	hayáis bronceado
broncee	bronceen	haya bronceado	hayan bronceado
7 imperfecto de subjuntivo		14 pluscuamperfecto de subjuntivo	
bronceara	bronceáramos	hubiera bronceado	hubiéramos bronceado
broncearas	broncearais	hubieras bronceado	hubierais bronceado
bronceara	broncearan	hubiera bronceado	hubieran bronceado
OR		OR	
broncease	bronceásemos	hubiese bronceado	hubiésemos bronceado
bronceases	bronceaseis	hubieses bronceado	hubieseis bronceado
broncease	bronceasen	hubiese bronceado	hubiesen bronceado

imperativo	
—	bronceemos
broncea; no broncees	broncead; no bronceéis
broncee	bronceen

Words related to this verb
el bronce   bronze
bronceado, bronceada   bronze colored, sunburned, tanned
broncearse   to tan, bronze oneself (skin)

Do you need more drills? Have fun with the *501 Spanish Verbs* CD-ROM!

The subject pronouns are found on page 93.

195

bullir (97)

Gerundio **bullendo**   Part. pas. **bullido**

to boil, to bustle, to hustle, to stir

Irregular verb (Tenses 3 and 7)

The Seven Simple Tenses		The Seven Compound Tenses	
Singular	Plural	Singular	Plural
1 presente de indicativo		8 perfecto de indicativo	
bullo	bullimos	he bullido	hemos bullido
bulles	bullís	has bullido	habéis bullido
bulle	bullen	ha bullido	han bullido
2 imperfecto de indicativo		9 pluscuamperfecto de indicativo	
bullía	bullíamos	había bullido	habíamos bullido
bullías	bullíais	habías bullido	habíais bullido
bullía	bullían	había bullido	habían bullido
3 pretérito		10 pretérito anterior	
bullí	bullimos	hube bullido	hubimos bullido
bulliste	bullisteis	hubiste bullido	hubisteis bullido
bulló	bulleron	hubo bullido	hubieron bullido
4 futuro		11 futuro perfecto	
bulliré	bulliremos	habré bullido	habremos bullido
bullirás	bulliréis	habrás bullido	habréis bullido
bullirá	bullirán	habrá bullido	habrán bullido
5 potencial simple		12 potencial compuesto	
bulliría	bulliríamos	habría bullido	habríamos bullido
bullirías	bulliríais	habrías bullido	habríais bullido
bulliría	bullirían	habría bullido	habrían bullido
6 presente de subjuntivo		13 perfecto de subjuntivo	
bulla	bullamos	haya bullido	hayamos bullido
bullas	bulláis	hayas bullido	hayáis bullido
bulla	bullan	haya bullido	hayan bullido
7 imperfecto de subjuntivo		14 pluscuamperfecto de subjuntivo	
bullera	bulléramos	hubiera bullido	hubiéramos bullido
bulleras	bullerais	hubieras bullido	hubierais bullido
bullera	bulleran	hubiera bullido	hubieran bullido
OR		OR	
bullese	bullésemos	hubiese bullido	hubiésemos bullido
bulleses	bulleseis	hubieses bullido	hubieseis bullido
bullese	bullesen	hubiese bullido	hubiesen bullido

imperativo

—	bullamos
bulle; no bullas	bullid; no bulláis
bulla	bullan

Words related to this verb
un, una bullebulle busybody
el bullicio noise, bustle
bulliciosamente noisily

bullente bubbling
la bulla bustle, noise; mob
un bullaje noisy crowd

Review the principal parts of important Spanish verbs on pages 9 and 10.

Reflexive regular **-ar** verb   to make fun of, to poke fun at, to ridicule

The Seven Simple Tenses		The Seven Compound Tenses	
Singular	Plural	Singular	Plural
1 presente de indicativo		**8 perfecto de indicativo**	
me burlo	nos burlamos	me he burlado	nos hemos burlado
te burlas	os burláis	te has burlado	os habéis burlado
se burla	se burlan	se ha burlado	se han burlado
2 imperfecto de indicativo		**9 pluscuamperfecto de indicativo**	
me burlaba	nos burlábamos	me había burlado	nos habíamos burlado
te burlabas	os burlabais	te habías burlado	os habíais burlado
se burlaba	se burlaban	se había burlado	se habían burlado
3 pretérito		**10 pretérito anterior**	
me burlé	nos burlamos	me hube burlado	nos hubimos burlado
te burlaste	os burlasteis	te hubiste burlado	os hubisteis burlado
se burló	se burlaron	se hubo burlado	se hubieron burlado
4 futuro		**11 futuro perfecto**	
me burlaré	nos burlaremos	me habré burlado	nos habremos burlado
te burlarás	os burlaréis	te habrás burlado	os habréis burlado
se burlará	se burlarán	se habrá burlado	se habrán burlado
5 potencial simple		**12 potencial compuesto**	
me burlaría	nos burlaríamos	me habría burlado	nos habríamos burlado
te burlarías	os burlaríais	te habrías burlado	os habríais burlado
se burlaría	se burlarían	se habría burlado	se habrían burlado
6 presente de subjuntivo		**13 perfecto de subjuntivo**	
me burle	nos burlemos	me haya burlado	nos hayamos burlado
te burles	os burléis	te hayas burlado	os hayáis burlado
se burle	se burlen	se haya burlado	se hayan burlado
7 imperfecto de subjuntivo		**14 pluscuamperfecto de subjuntivo**	
me burlara	nos burláramos	me hubiera burlado	nos hubiéramos burlado
te burlaras	os burlarais	te hubieras burlado	os hubierais burlado
se burlara	se burlaran	se hubiera burlado	se hubieran burlado
OR		OR	
me burlase	nos burlásemos	me hubiese burlado	nos hubiésemos burlado
te burlases	os burlaseis	te hubieses burlado	os hubieseis burlado
se burlase	se burlasen	se hubiese burlado	se hubiesen burlado

imperativo	
—	burlémonos
búrlate; no te burles	burlaos; no os burléis
búrlese	búrlense

Words and expressions related to this verb

el burlador, la burladora practical joker, jester, wag
burlescamente comically
de burlas for fun
la burlería trick

burlesco, burlesca burlesque
burlarase de alguien to make fun of someone
burlar a alguien to deceive someone
hacer burla de to make fun of
una burla jeer

The subject pronouns are found on page 93.

to look for, to seek | Regular **-ar** verb endings with spelling change: **c** becomes **qu** before **e**

The Seven Simple Tenses		The Seven Compound Tenses	
Singular	Plural	Singular	Plural
1 presente de indicativo		8 perfecto de indicativo	
busco	buscamos	he buscado	hemos buscado
buscas	buscáis	has buscado	habéis buscado
busca	buscan	ha buscado	han buscado
2 imperfecto de indicativo		9 pluscuamperfecto de indicativo	
buscaba	buscábamos	había buscado	habíamos buscado
buscabas	buscabais	habías buscado	habíais buscado
buscaba	buscaban	había buscado	habían buscado
3 pretérito		10 pretérito anterior	
busqué	buscamos	hube buscado	hubimos buscado
buscaste	buscasteis	hubiste buscado	hubisteis buscado
buscó	buscaron	hubo buscado	hubieron buscado
4 futuro		11 futuro perfecto	
buscaré	buscaremos	habré buscado	habremos buscado
buscarás	buscaréis	habrás buscado	habréis buscado
buscará	buscarán	habrá buscado	habrán buscado
5 potencial simple		12 potencial compuesto	
buscaría	buscaríamos	habría buscado	habríamos buscado
buscarías	buscaríais	habrías buscado	habríais buscado
buscaría	buscarían	habría buscado	habrían buscado
6 presente de subjuntivo		13 perfecto de subjuntivo	
busque	busquemos	haya buscado	hayamos buscado
busques	busquéis	hayas buscado	hayáis buscado
busque	busquen	haya buscado	hayan buscado
7 imperfecto de subjuntivo		14 pluscuamperfecto de subjuntivo	
buscara	buscáramos	hubiera buscado	hubiéramos buscado
buscaras	buscarais	hubieras buscado	hubierais buscado
buscara	buscaran	hubiera buscado	hubieran buscado
OR		OR	
buscase	buscásemos	hubiese buscado	hubiésemos buscado
buscases	buscaseis	hubieses buscado	hubieseis buscado
buscase	buscasen	hubiese buscado	hubiesen buscado

imperativo	
—	busquemos
busca; no busques	buscad; no busquéis
busque	busquen

Sentences using this verb and words related to it

¿**Qué busca Ud.?** What are you looking for?
Busco mis libros. I'm looking for my books.
la busca, la buscada research, search

la búsqueda search
rebuscar to search into meticulously
el rebuscamiento meticulous searching

Get acquainted with what preposition goes with what verb on pages 669–677.

Irregular verb   to be contained, to fit into

The Seven Simple Tenses | The Seven Compound Tenses

Singular	Plural	Singular	Plural
1 presente de indicativo		**8 perfecto de indicativo**	
quepo	**cabemos**	**he cabido**	**hemos cabido**
cabes	**cabéis**	**has cabido**	**habéis cabido**
cabe	**caben**	**ha cabido**	**han cabido**
2 imperfecto de indicativo		**9 pluscuamperfecto de indicativo**	
cabía	**cabíamos**	**había cabido**	**habíamos cabido**
cabías	**cabíais**	**habías cabido**	**habíais cabido**
cabía	**cabían**	**había cabido**	**habían cabido**
3 pretérito		**10 pretérito anterior**	
cupe	**cupimos**	**hube cabido**	**hubimos cabido**
cupiste	**cupisteis**	**hubiste cabido**	**hubisteis cabido**
cupo	**cupieron**	**hubo cabido**	**hubieron cabido**
4 futuro		**11 futuro perfecto**	
cabré	**cabremos**	**habré cabido**	**habremos cabido**
cabrás	**cabréis**	**habrás cabido**	**habréis cabido**
cabrá	**cabrán**	**habrá cabido**	**habrán cabido**
5 potencial simple		**12 potencial compuesto**	
cabría	**cabríamos**	**habría cabido**	**habríamos cabido**
cabrías	**cabríais**	**habrías cabido**	**habríais cabido**
cabría	**cabrían**	**habría cabido**	**habrían cabido**
6 presente de subjuntivo		**13 perfecto de subjuntivo**	
quepa	**quepamos**	**haya cabido**	**hayamos cabido**
quepas	**quepáis**	**hayas cabido**	**hayáis cabido**
quepa	**quepan**	**haya cabido**	**hayan cabido**
7 imperfecto de subjuntivo		**14 pluscuamperfecto de subjuntivo**	
cupiera	**cupiéramos**	**hubiera cabido**	**hubiéramos cabido**
cupieras	**cupierais**	**hubieras cabido**	**hubierais cabido**
cupiera	**cupieran**	**hubiera cabido**	**hubieran cabido**
OR		OR	
cupiese	**cupiésemos**	**hubiese cabido**	**hubiésemos cabido**
cupieses	**cupieseis**	**hubieses cabido**	**hubieseis cabido**
cupiese	**cupiesen**	**hubiese cabido**	**hubiesen cabido**

imperativo

—	**quepamos**
cabe; no quepas	**cabed; no quepáis**
quepa	**quepan**

Common idiomatic expressions using this verb
Pablo no cabe en sí.   Paul has a swelled head.
No quepo aquí.   I don't have enough room here.
No cabe duda de que . . .   There is no doubt
  that . . .

No me cabe en la cabeza.   I don't get
  (understand) it.
Todo cabe.   All is possible. (It all fits.)

Can't recognize an irregular verb form? Check out pages 678–681.

The subject pronouns are found on page 93.

199

The Seven Simple Tenses		The Seven Compound Tenses	
Singular	Plural	Singular	Plural
1 presente de indicativo		8 perfecto de indicativo	
caigo	caemos	he caído	hemos caído
caes	caéis	has caído	habéis caído
cae	caen	ha caído	han caído
2 imperfecto de indicativo		9 pluscuamperfecto de indicativo	
caía	caíamos	había caído	habíamos caído
caías	caíais	habías caído	habíais caído
caía	caían	había caído	habían caído
3 pretérito		10 pretérito anterior	
caí	caímos	hube caído	hubimos caído
caíste	caísteis	hubiste caído	hubisteis caído
cayó	cayeron	hubo caído	hubieron caído
4 futuro		11 futuro perfecto	
caeré	caeremos	habré caído	habremos caído
caerás	caeréis	habrás caído	habréis caído
caerá	caerán	habrá caído	habrán caído
5 potencial simple		12 potencial compuesto	
caería	caeríamos	habría caído	habríamos caído
caerías	caeríais	habrías caído	habríais caído
caería	caerían	habría caído	habrían caído
6 presente de subjuntivo		13 perfecto de subjuntivo	
caiga	caigamos	haya caído	hayamos caído
caigas	caigáis	hayas caído	hayáis caído
caiga	caigan	haya caído	hayan caído
7 imperfecto de subjuntivo		14 pluscuamperfecto de subjuntivo	
cayera	cayéramos	hubiera caído	hubiéramos caído
cayeras	cayerais	hubieras caído	hubierais caído
cayera	cayeran	hubiera caído	hubieran caído
OR		OR	
cayese	cayésemos	hubiese caído	hubiésemos caído
cayeses	cayeseis	hubieses caído	hubieseis caído
cayese	cayesen	hubiese caído	hubiesen caído

imperativo

—	caigamos
cae; no caigas	caed; no caigáis
caiga	caigan

Caer and Caerse

Caer and caerse are an important pair of verbs for a beginning student. Both verbs are irregular and they are very useful in many everyday situations and expressions. Pay special attention when you use caer reflexively (caerse).

Sentences using caer, caerse, and related words

Mi madre cayó enferma en octubre.
My mother fell ill in October.

Yo me caí por la ventana. Por suerte, estuve en la planta baja.
I fell out of the window. Luckily, I was on the first floor.

El hombre que se levanta aún es más grande que el que no ha caído. (Concepción Arenal)
The man who is still raising himself up is greater than the one who hasn't fallen.

If you can conjugate caer, you can also conjugate these verbs:

decaer **to decay, decline**

recaer **to relapse, fall back**

Words and expressions related to these verbs

la caída **the fall**

a la caída del sol **at sunset**

a la caída de la tarde **at the end of the afternoon**

caer enfermo (enferma) **to fall sick**

dejar caer **to drop**

dejar caer la voz **to drop one's voice**

caer de espaldas **to fall backwards**

caer con **to come down with**

caer de lo alto **to fall from above**

caer de plano **to fall flat**

caer en la cuenta **to catch on, to realize, to get the point**

caerse a pedazos **to fall to pieces**

caerse de risa **to roll (on the floor) with laughter**

Can't find the verb you're looking for?
Check the back pages of this book for a list of over 2,100 additional verbs!

to fall, to fall down, to tumble   Reflexive irregular verb

The Seven Simple Tenses		The Seven Compound Tenses	
Singular	Plural	Singular	Plural
1 presente de indicativo		**8 perfecto de indicativo**	
me caigo	nos caemos	me he caído	nos hemos caído
te caes	os caéis	te has caído	os habéis caído
se cae	se caen	se ha caído	se han caído
2 imperfecto de indicativo		**9 pluscuamperfecto de indicativo**	
me caía	nos caíamos	me había caído	nos habíamos caído
te caías	os caíais	te habías caído	os habíais caído
se caía	se caían	se había caído	se habían caído
3 pretérito		**10 pretérito anterior**	
me caí	nos caímos	me hube caído	nos hubimos caído
te caíste	os caísteis	te hubiste caído	os hubisteis caído
se cayó	se cayeron	se hubo caído	se hubieron caído
4 futuro		**11 futuro perfecto**	
me caeré	nos caeremos	me habré caído	nos habremos caído
te caerás	os caeréis	te habrás caído	os habréis caído
se caerá	se caerán	se habrá caído	se habrán caído
5 potencial simple		**12 potencial compuesto**	
me caería	nos caeríamos	me habría caído	nos habríamos caído
te caerías	os caeríais	te habrías caído	os habríais caído
se caería	se caerían	se habría caído	se habrían caído
6 presente de subjuntivo		**13 perfecto de subjuntivo**	
me caiga	nos caigamos	me haya caído	nos hayamos caído
te caigas	os caigáis	te hayas caído	os hayáis caído
se caiga	se caigan	se haya caído	se hayan caído
7 imperfecto de subjuntivo		**14 pluscuamperfecto de subjuntivo**	
me cayera	nos cayéramos	me hubiera caído	nos hubiéramos caído
te cayeras	os cayerais	te hubieras caído	os hubierais caído
se cayera	se cayeran	se hubiera caído	se hubieran caído
OR		OR	
me cayese	nos cayésemos	me hubiese caído	nos hubiésemos caído
te cayeses	os cayeseis	te hubieses caído	os hubieseis caído
se cayese	se cayesen	se hubiese caído	se hubiesen caído

imperativo	
—	caigámonos
cáete; no te caigas	caeos; no os caigáis
cáigase	cáiganse

AN ESSENTIAL
55 VERB

Gerundio **calentando**   Part. pas. **calentado**   **calentar (103)**

Regular **-ar** verb endings with stem change: to heat (up), to warm (up)
Tenses 1, 6, Imperative

The Seven Simple Tenses		The Seven Compound Tenses	
Singular	Plural	Singular	Plural
1 presente de indicativo		8 perfecto de indicativo	
caliento	calentamos	he calentado	hemos calentado
calientas	calentáis	has calentado	habéis calentado
calienta	calientan	ha calentado	han calentado
2 imperfecto de indicativo		9 pluscuamperfecto de indicativo	
calentaba	calentábamos	había calentado	habíamos calentado
calentabas	calentabais	habías calentado	habíais calentado
calentaba	calentaban	había calentado	habían calentado
3 pretérito		10 pretérito anterior	
calenté	calentamos	hube calentado	hubimos calentado
calentaste	calentasteis	hubiste calentado	hubisteis calentado
calentó	calentaron	hubo calentado	hubieron calentado
4 futuro		11 futuro perfecto	
calentaré	calentaremos	habré calentado	habremos calentado
calentarás	calentaréis	habrás calentado	habréis calentado
calentará	calentarán	habrá calentado	habrán calentado
5 potencial simple		12 potencial compuesto	
calentaría	calentaríamos	habría calentado	habríamos calentado
calentarías	calentaríais	habrías calentado	habríais calentado
calentaría	calentarían	habría calentado	habrían calentado
6 presente de subjuntivo		13 perfecto de subjuntivo	
caliente	calentemos	haya calentado	hayamos calentado
calientes	calentéis	hayas calentado	hayáis calentado
caliente	calienten	haya calentado	hayan calentado
7 imperfecto de subjuntivo		14 pluscuamperfecto de subjuntivo	
calentara	calentáramos	hubiera calentado	hubiéramos calentado
calentaras	calentarais	hubieras calentado	hubierais calentado
calentara	calentaran	hubiera calentado	hubieran calentado
OR		OR	
calentase	calentásemos	hubiese calentado	hubiésemos calentado
calentases	calentaseis	hubieses calentado	hubieseis calentado
calentase	calentasen	hubiese calentado	hubiesen calentado

imperativo

—	calentemos
calienta; no calientes	calentad; no calentéis
caliente	calienten

Words and expressions related to this verb
calentar a uno las orejas   to reprimand (scold) a person
calentarse   to warm oneself
calentarse la cabeza   to rack one's brains
calentarse a la lumbre   to warm oneself by the fire
el calor   heat; **Hace calor esta noche.**   It is warm this evening.
recalentar   to warm over, reheat

The subject pronouns are found on page 93.

to be silent, to keep quiet   Reflexive regular -**ar** verb

The Seven Simple Tenses		The Seven Compound Tenses	
Singular	Plural	Singular	Plural
1 presente de indicativo		8 perfecto de indicativo	
me callo	nos callamos	me he callado	nos hemos callado
te callas	os calláis	te has callado	os habéis callado
se calla	se callan	se ha callado	se han callado
2 imperfecto de indicativo		9 pluscuamperfecto de indicativo	
me callaba	nos callábamos	me había callado	nos habíamos callado
te callabas	os callabais	te habías callado	os habíais callado
se callaba	se callaban	se había callado	se habían callado
3 pretérito		10 pretérito anterior	
me callé	nos callamos	me hube callado	nos hubimos callado
te callaste	os callasteis	te hubiste callado	os hubisteis callado
se calló	se callaron	se hubo callado	se hubieron callado
4 futuro		11 futuro perfecto	
me callaré	nos callaremos	me habré callado	nos habremos callado
te callarás	os callaréis	te habrás callado	os habréis callado
se callará	se callarán	se habrá callado	se habrán callado
5 potencial simple		12 potencial compuesto	
me callaría	nos callaríamos	me habría callado	nos habríamos callado
te callarías	os callaríais	te habrías callado	os habríais callado
se callaría	se callarían	se habría callado	se habrían callado
6 presente de subjuntivo		13 perfecto de subjuntivo	
me calle	nos callemos	me haya callado	nos hayamos callado
te calles	os calléis	te hayas callado	os hayáis callado
se calle	se callen	se haya callado	se hayan callado
7 imperfecto de subjuntivo		14 pluscuamperfecto de subjuntivo	
me callara	nos calláramos	me hubiera callado	nos hubiéramos callado
te callaras	os callarais	te hubieras callado	os hubierais callado
se callara	se callaran	se hubiera callado	se hubieran callado
OR		OR	
me callase	nos callásemos	me hubiese callado	nos hubiésemos callado
te callases	os callaseis	te hubieses callado	os hubieseis callado
se callase	se callasen	se hubiese callado	se hubiesen callado

	imperativo	
—		callémonos
cállate; no te calles		callaos; no os calléis
cállese		cállense

Common idiomatic expressions related to this verb
Quien calla, otorga. Silence means consent (**otorgar**/to grant, to consent)
¡Cállese Ud.! Keep quiet!
¡Cállate la boca! Shut your mouth!
callarse la boca to shut one's mouth

Don't miss the definitions of basic grammatical terms with
examples in English and Spanish on pages 33–44.

Gerundio **calzando**   Part. pas. **calzado**   **calzar (105)**

Regular **-ar** verb endings with spelling
change: **z** becomes **c** before **e**

to shoe, to wear (shoes),
to put on (shoes)

The Seven Simple Tenses | The Seven Compound Tenses

Singular	Plural	Singular	Plural
1 presente de indicativo		8 perfecto de indicativo	
calzo	calzamos	he calzado	hemos calzado
calzas	calzáis	has calzado	habéis calzado
calza	calzan	ha calzado	han calzado
2 imperfecto de indicativo		9 pluscuamperfecto de indicativo	
calzaba	calzábamos	había calzado	habíamos calzado
calzabas	calzabais	habías calzado	habíais calzado
calzaba	calzaban	había calzado	habían calzado
3 pretérito		10 pretérito anterior	
calcé	calzamos	hube calzado	hubimos calzado
calzaste	calzasteis	hubiste calzado	hubisteis calzado
calzó	calzaron	hubo calzado	hubieron calzado
4 futuro		11 futuro perfecto	
calzaré	calzaremos	habré calzado	habremos calzado
calzarás	calzaréis	habrás calzado	habréis calzado
calzará	calzarán	habrá calzado	habrán calzado
5 potencial simple		12 potencial compuesto	
calzaría	calzaríamos	habría calzado	habríamos calzado
calzarías	calzaríais	habrías calzado	habríais calzado
calzaría	calzarían	habría calzado	habrían calzado
6 presente de subjuntivo		13 perfecto de subjuntivo	
calce	calcemos	haya calzado	hayamos calzado
calces	calcéis	hayas calzado	hayáis calzado
calce	calcen	haya calzado	hayan calzado
7 imperfecto de subjuntivo		14 pluscuamperfecto de subjuntivo	
calzara	calzáramos	hubiera calzado	hubiéramos calzado
calzaras	calzarais	hubieras calzado	hubierais calzado
calzara	calzaran	hubiera calzado	hubieran calzado
OR		OR	
calzase	calzásemos	hubiese calzado	hubiésemos calzado
calzases	calzaseis	hubieses calzado	hubieseis calzado
calzase	calzasen	hubiese calzado	hubiesen calzado

imperativo

—	calcemos
calza; no calces	calzad; no calcéis
calce	calcen

Words related to this verb
la calza stocking
un calzadillo small shoe
un calzador shoehorn
un calcetín sock
la calceta stocking

medias calzas knee high stockings
las calzonarias suspenders
calcetar to knit stockings, socks
hacer calceta to knit

to change, to exchange

Regular **-ar** verb

The Seven Simple Tenses		The Seven Compound Tenses	
Singular	Plural	Singular	Plural
1 presente de indicativo		8 perfecto de indicativo	
cambio	cambiamos	he cambiado	hemos cambiado
cambias	cambiáis	has cambiado	habéis cambiado
cambia	cambian	ha cambiado	han cambiado
2 imperfecto de indicativo		9 pluscuamperfecto de indicativo	
cambiaba	cambiábamos	había cambiado	habíamos cambiado
cambiabas	cambiabais	habías cambiado	habíais cambiado
cambiaba	cambiaban	había cambiado	habían cambiado
3 pretérito		10 pretérito anterior	
cambié	cambiamos	hube cambiado	hubimos cambiado
cambiaste	cambiasteis	hubiste cambiado	hubisteis cambiado
cambió	cambiaron	hubo cambiado	hubieron cambiado
4 futuro		11 futuro perfecto	
cambiaré	cambiaremos	habré cambiado	habremos cambiado
cambiarás	cambiaréis	habrás cambiado	habréis cambiado
cambiará	cambiarán	habrá cambiado	habrán cambiado
5 potencial simple		12 potencial compuesto	
cambiaría	cambiaríamos	habría cambiado	habríamos cambiado
cambiarías	cambiaríais	habrías cambiado	habríais cambiado
cambiaría	cambiarían	habría cambiado	habrían cambiado
6 presente de subjuntivo		13 perfecto de subjuntivo	
cambie	cambiemos	haya cambiado	hayamos cambiado
cambies	cambiéis	hayas cambiado	hayáis cambiado
cambie	cambien	haya cambiado	hayan cambiado
7 imperfecto de subjuntivo		14 pluscuamperfecto de subjuntivo	
cambiara	cambiáramos	hubiera cambiado	hubiéramos cambiado
cambiaras	cambiarais	hubieras cambiado	hubierais cambiado
cambiara	cambiaran	hubiera cambiado	hubieran cambiado
OR		OR	
cambiase	cambiásemos	hubiese cambiado	hubiésemos cambiado
cambiases	cambiaseis	hubieses cambiado	hubieseis cambiado
cambiase	cambiasen	hubiese cambiado	hubiesen cambiado

imperativo	
—	cambiemos
cambia; no cambies	cambiad; no cambiéis
cambie	cambien

Common idiomatic expressions using this verb

cambiar de ropa   to change one's clothing
cambiar de opinión   to change one's mind
el cambio   exchange, change
el cambio de voz   change of voice

cambiar una rueda   to change a wheel
cambiar de costumbres   to change one's habits
cambiar de idea   to change one's mind
cambiar el horario   to change the timetable

Don't forget to study the section on defective and impersonal verbs. It's right after this main list.

Regular **-ar** verb   to walk, to move along

The Seven Simple Tenses		The Seven Compound Tenses	
Singular	Plural	Singular	Plural
1 presente de indicativo		8 perfecto de indicativo	
camino	caminamos	he caminado	hemos caminado
caminas	camináis	has caminado	habéis caminado
camina	caminan	ha caminado	han caminado
2 imperfecto de indicativo		9 pluscuamperfecto de indicativo	
caminaba	caminábamos	había caminado	habíamos caminado
caminabas	caminabais	habías caminado	habíais caminado
caminaba	caminaban	había caminado	habían caminado
3 pretérito		10 pretérito anterior	
caminé	caminamos	hube caminado	hubimos caminado
caminaste	caminasteis	hubiste caminado	hubisteis caminado
caminó	caminaron	hubo caminado	hubieron caminado
4 futuro		11 futuro perfecto	
caminaré	caminaremos	habré caminado	habremos caminado
caminarás	caminaréis	habrás caminado	habréis caminado
caminará	caminarán	habrá caminado	habrán caminado
5 potencial simple		12 potencial compuesto	
caminaría	caminaríamos	habría caminado	habríamos caminado
caminarías	caminaríais	habrías caminado	habríais caminado
caminaría	caminarían	habría caminado	habrían caminado
6 presente de subjuntivo		13 perfecto de subjuntivo	
camine	caminemos	haya caminado	hayamos caminado
camines	caminéis	hayas caminado	hayáis caminado
camine	caminen	haya caminado	hayan caminado
7 imperfecto de subjuntivo		14 pluscuamperfecto de subjuntivo	
caminara	camináramos	hubiera caminado	hubiéramos caminado
caminaras	caminarais	hubieras caminado	hubierais caminado
caminara	caminaran	hubiera caminado	hubieran caminado
OR		OR	
caminase	caminásemos	hubiese caminado	hubiésemos caminado
caminases	caminaseis	hubieses caminado	hubieseis caminado
caminase	caminasen	hubiese caminado	hubiesen caminado

imperativo	
—	**caminemos**
camina; no camines	**caminad; no caminéis**
camine	**caminen**

Words and expressions related to this verb

el camino road, highway
el camino de hierro railroad
en camino de on the way to
una caminata a long walk
hacer de un camino dos mandados to kill
   two birds with one stone

el camino real highway, high road
estar en camino to be on one's way
quedarse a medio camino to stop halfway
por buen camino on the right road
al buen camino on the right track
un camión truck

The subject pronouns are found on page 93.

to become tired, to become weary, to get tired   Reflexive regular **-ar** verb

The Seven Simple Tenses		The Seven Compound Tenses	
Singular	Plural	Singular	Plural
1 presente de indicativo		8 perfecto de indicativo	
me canso	nos cansamos	me he cansado	nos hemos cansado
te cansas	os cansáis	te has cansado	os habéis cansado
se cansa	se cansan	se ha cansado	se han cansado
2 imperfecto de indicativo		9 pluscuamperfecto de indicativo	
me cansaba	nos cansábamos	me había cansado	nos habíamos cansado
te cansabas	os cansabais	te habías cansado	os habíais cansado
se cansaba	se cansaban	se había cansado	se habían cansado
3 pretérito		10 pretérito anterior	
me cansé	nos cansamos	me hube cansado	nos hubimos cansado
te cansaste	os cansasteis	te hubiste cansado	os hubisteis cansado
se cansó	se cansaron	se hubo cansado	se hubieron cansado
4 futuro		11 futuro perfecto	
me cansaré	nos cansaremos	me habré cansado	nos habremos cansado
te cansarás	os cansaréis	te habrás cansado	os habréis cansado
se cansará	se cansarán	se habrá cansado	se habrán cansado
5 potencial simple		12 potencial compuesto	
me cansaría	nos cansaríamos	me habría cansado	nos habríamos cansado
te cansarías	os cansaríais	te habrías cansado	os habríais cansado
se cansaría	se cansarían	se habría cansado	se habrían cansado
6 presente de subjuntivo		13 perfecto de subjuntivo	
me canse	nos cansemos	me haya cansado	nos hayamos cansado
te canses	os canséis	te hayas cansado	os hayáis cansado
se canse	se cansen	se haya cansado	se hayan cansado
7 imperfecto de subjuntivo		14 pluscuamperfecto de subjuntivo	
me cansara	nos cansáramos	me hubiera cansado	nos hubiéramos cansado
te cansaras	os cansarais	te hubieras cansado	os hubierais cansado
se cansara	se cansaran	se hubiera cansado	se hubieran cansado
OR		OR	
me cansase	nos cansásemos	me hubiese cansado	nos hubiésemos cansado
te cansases	os cansaseis	te hubieses cansado	os hubieseis cansado
se cansase	se cansasen	se hubiese cansado	se hubiesen cansado

imperativo	
—	cansémonos
cánsate; no te canses	cansaos; no os canséis
cánsese	cánsense

Sentences using this verb and words and expressions related to it
María se cansa, Pedro se cansa y yo me canso. Nosotros nos cansamos.

la cansera fatigue	**cansarse de esperar** to get tired of waiting
el cansancio fatigue, weariness	**cansado, cansada** tired, exhausted
cansar to fatigue, to tire, to weary	**María está cansada.** Mary is tired.
el descanso rest, relief; **el descansadero**	**cansarse fácilmente** to get tired easily
resting place	

The Seven Simple Tenses		The Seven Compound Tenses	
Singular	Plural	Singular	Plural
1 presente de indicativo		8 perfecto de indicativo	
canto	**cantamos**	**he cantado**	**hemos cantado**
cantas	**cantáis**	**has cantado**	**habéis cantado**
canta	**cantan**	**ha cantado**	**han cantado**
2 imperfecto de indicativo		9 pluscuamperfecto de indicativo	
cantaba	**cantábamos**	**había cantado**	**habíamos cantado**
cantabas	**cantabais**	**habías cantado**	**habíais cantado**
cantaba	**cantaban**	**había cantado**	**habían cantado**
3 pretérito		10 pretérito anterior	
canté	**cantamos**	**hube cantado**	**hubimos cantado**
cantaste	**cantasteis**	**hubiste cantado**	**hubisteis cantado**
cantó	**cantaron**	**hubo cantado**	**hubieron cantado**
4 futuro		11 futuro perfecto	
cantaré	**cantaremos**	**habré cantado**	**habremos cantado**
cantarás	**cantaréis**	**habrás cantado**	**habréis cantado**
cantará	**cantarán**	**habrá cantado**	**habrán cantado**
5 potencial simple		12 potencial compuesto	
cantaría	**cantaríamos**	**habría cantado**	**habríamos cantado**
cantarías	**cantaríais**	**habrías cantado**	**habríais cantado**
cantaría	**cantarían**	**habría cantado**	**habrían cantado**
6 presente de subjuntivo		13 perfecto de subjuntivo	
cante	**cantemos**	**haya cantado**	**hayamos cantado**
cantes	**cantéis**	**hayas cantado**	**hayáis cantado**
cante	**canten**	**haya cantado**	**hayan cantado**
7 imperfecto de subjuntivo		14 pluscuamperfecto de subjuntivo	
cantara	**cantáramos**	**hubiera cantado**	**hubiéramos cantado**
cantaras	**cantarais**	**hubieras cantado**	**hubierais cantado**
cantara	**cantaran**	**hubiera cantado**	**hubieran cantado**
OR		OR	
cantase	**cantásemos**	**hubiese cantado**	**hubiésemos cantado**
cantases	**cantaseis**	**hubieses cantado**	**hubieseis cantado**
cantase	**cantasen**	**hubiese cantado**	**hubiesen cantado**

C

imperativo

—	**cantemos**
canta; no cantes	**cantad; no cantéis**
cante	**canten**

AN ESSENTIAL
55 VERB

The subject pronouns are found on page 93.

AN ESSENTIAL 55 VERB

Cantar

Cantar is a very important regular –ar verb that is used in numerous everyday expressions and situations.

Sentences using cantar and related words

Mi hermana canta muy bien.
My sister sings very well.

De vez en cuando, canto en la ducha.
Occasionally, I sing in the shower.

Proverbs

Quien canta su mal espanta.
  When you sing, you drive away your grief.

El que mal canta, bien le suena.
  He who sings badly likes what he hears.

Can't find the verb you're looking for?
Check the back pages of this book for a list of over 2,100 additional verbs!

Gerundio **caracterizando**   Part. pas. **caracterizado**   **caracterizar (110)**

Regular **-ar** verb endings with spelling
change: **z** becomes **c** before **e**

to characterize

The Seven Simple Tenses | The Seven Compound Tenses

C

Singular	Plural	Singular	Plural
1 presente de indicativo		8 perfecto de indicativo	
caracterizo	caracterizamos	he caracterizado	hemos caracterizado
caracterizas	caracterizáis	has caracterizado	habéis caracterizado
caracteriza	caracterizan	ha caracterizado	han caracterizado
2 imperfecto de indicativo		9 pluscuamperfecto de indicativo	
caracterizaba	caracterizábamos	había caracterizado	habíamos caracterizado
caracterizabas	caracterizabais	habías caracterizado	habíais caracterizado
caracterizaba	caracterizaban	había caracterizado	habían caracterizado
3 pretérito		10 pretérito anterior	
caractericé	caracterizamos	hube caracterizado	hubimos caracterizado
caracterizaste	caracterizasteis	hubiste caracterizado	hubisteis caracterizado
caracterizó	caracterizaron	hubo caracterizado	hubieron caracterizado
4 futuro		11 futuro perfecto	
caracterizaré	caracterizaremos	habré caracterizado	habremos caracterizado
caracterizarás	caracterizaréis	habrás caracterizado	habréis caracterizado
caracterizará	caracterizarán	habrá caracterizado	habrán caracterizado
5 potencial simple		12 potencial compuesto	
caracterizaría	caracterizaríamos	habría caracterizado	habríamos caracterizado
caracterizarías	caracterizaríais	habrías caracterizado	habríais caracterizado
caracterizaría	caracterizarían	habría caracterizado	habrían caracterizado
6 presente de subjuntivo		13 perfecto de subjuntivo	
caracterice	caractericemos	haya caracterizado	hayamos caracterizado
caracterices	caractericéis	hayas caracterizado	hayáis caracterizado
caracterice	caractericen	haya caracterizado	hayan caracterizado
7 imperfecto de subjuntivo		14 pluscuamperfecto de subjuntivo	
caracterizara	caracterizáramos	hubiera caracterizado	hubiéramos caracterizado
caracterizaras	caracterizarais	hubieras caracterizado	hubierais caracterizado
caracterizara	caracterizaran	hubiera caracterizado	hubieran caracterizado
OR		OR	
caracterizase	caracterizásemos	hubiese caracterizado	hubiésemos caracterizado
caracterizases	caracterizaseis	hubieses caracterizado	hubieseis caracterizado
caracterizase	caracterizasen	hubiese caracterizado	hubiesen caracterizado

imperativo

—	caractericemos
caracteriza; no caracterices	caracterizad; no caractericéis
caracterice	caractericen

Words related to this verb
el carácter   character (of a person); do not confuse with **personaje**   character (in a play)
característico, característica   characteristic; **tener buen (mal) carácter**
    to be good- (bad-) natured
característicamente   characteristically
la caracterización   characterization

Check out the verb drills and verb tests with answers explained on pages 45–91.

The subject pronouns are found on page 93.

211

cargar (111)   Gerundio **cargando**   Part. pas. **cargado**

to load, to burden, to charge (a battery)   Regular **-ar** verb endings with spelling change: **g** becomes **gu** before **e**

The Seven Simple Tenses		The Seven Compound Tenses	
Singular	Plural	Singular	Plural
1 presente de indicativo		8 perfecto de indicativo	
cargo	cargamos	he cargado	hemos cargado
cargas	cargáis	has cargado	habéis cargado
carga	cargan	ha cargado	han cargado
2 imperfecto de indicativo		9 pluscuamperfecto de indicativo	
cargaba	cargábamos	había cargado	habíamos cargado
cargabas	cargabais	habías cargado	habíais cargado
cargaba	cargaban	había cargado	habían cargado
3 pretérito		10 pretérito anterior	
cargué	cargamos	hube cargado	hubimos cargado
cargaste	cargasteis	hubiste cargado	hubisteis cargado
cargó	cargaron	hubo cargado	hubieron cargado
4 futuro		11 futuro perfecto	
cargaré	cargaremos	habré cargado	habremos cargado
cargarás	cargaréis	habrás cargado	habréis cargado
cargará	cargarán	habrá cargado	habrán cargado
5 potencial simple		12 potencial compuesto	
cargaría	cargaríamos	habría cargado	habríamos cargado
cargarías	cargaríais	habrías cargado	habríais cargado
cargaría	cargarían	habría cargado	habrían cargado
6 presente de subjuntivo		13 perfecto de subjuntivo	
cargue	carguemos	haya cargado	hayamos cargado
cargues	carguéis	hayas cargado	hayáis cargado
cargue	carguen	haya cargado	hayan cargado
7 imperfecto de subjuntivo		14 pluscuamperfecto de subjuntivo	
cargara	cargáramos	hubiera cargado	hubiéramos cargado
cargaras	cargarais	hubieras cargado	hubierais cargado
cargara	cargaran	hubiera cargado	hubieran cargado
OR		OR	
cargase	cargásemos	hubiese cargado	hubiésemos cargado
cargases	cargaseis	hubieses cargado	hubieseis cargado
cargase	cargasen	hubiese cargado	hubiesen cargado

imperativo	
—	carguemos
carga; no cargues	cargad; no carguéis
cargue	carguen

Words and expressions related to this verb

cargoso, cargosa   burdensome
la cargazón   cargo
una cargazón de cabeza   heaviness of the head
el cargamento   shipment

una carga   load, responsibility
el telecarga   download, upload (computer)
el cargador   shipper

Review the principal parts of important Spanish verbs on pages 9 and 10.

Reflexive regular **-ar** verb   to get married, to marry

C

The Seven Simple Tenses		The Seven Compound Tenses	
Singular	Plural	Singular	Plural
1 presente de indicativo		8 perfecto de indicativo	
me caso	nos casamos	me he casado	nos hemos casado
te casas	os casáis	te has casado	os habéis casado
se casa	se casan	se ha casado	se han casado
2 imperfecto de indicativo		9 pluscuamperfecto de indicativo	
me casaba	nos casábamos	me había casado	nos habíamos casado
te casabas	os casabais	te habías casado	os habíais casado
se casaba	se casaban	se había casado	se habían casado
3 pretérito		10 pretérito anterior	
me casé	nos casamos	me hube casado	nos hubimos casado
te casaste	os casasteis	te hubiste casado	os hubisteis casado
se casó	se casaron	se hubo casado	se hubieron casado
4 futuro		11 futuro perfecto	
me casaré	nos casaremos	me habré casado	nos habremos casado
te casarás	os casaréis	te habrás casado	os habréis casado
se casará	se casarán	se habrá casado	se habrán casado
5 potencial simple		12 potencial compuesto	
me casaría	nos casaríamos	me habría casado	nos habríamos casado
te casarías	os casaríais	te habrías casado	os habríais casado
se casaría	se casarían	se habría casado	se habrían casado
6 presente de subjuntivo		13 perfecto de subjuntivo	
me case	nos casemos	me haya casado	nos hayamos casado
te cases	os caséis	te hayas casado	os hayáis casado
se case	se casen	se haya casado	se hayan casado
7 imperfecto de subjuntivo		14 pluscuamperfecto de subjuntivo	
me casara	nos casáramos	me hubiera casado	nos hubiéramos casado
te casaras	os casarais	te hubieras casado	os hubierais casado
se casara	se casaran	se hubiera casado	se hubieran casado
OR		OR	
me casase	nos casásemos	me hubiese casado	nos hubiésemos casado
te casases	os casaseis	te hubieses casado	os hubieseis casado
se casase	se casasen	se hubiese casado	se hubiesen casado

	imperativo	
—		casémonos
cásate; no te cases	·	casaos; no os caséis
cásese		cásense

Words and expressions related to this verb
Antes que te cases, mira lo que haces.   Look before you leap. (Before you get married, look
   at what you're doing); **un casamiento por amor**   a love marriage
un casmiento ventajoso   a marriage of convenience
casarse con alguien   to marry someone
los recién casados   newlyweds

Do you need more drills? Have fun with
the *501 Spanish Verbs* CD-ROM!

celebrar (113)
to celebrate, to praise

Gerundio **celebrando**   Part. pas. **celebrado**

Regular **-ar** verb

The Seven Simple Tenses		The Seven Compound Tenses	
Singular	Plural	Singular	Plural
1 presente de indicativo		**8 perfecto de indicativo**	
celebro	celebramos	he celebrado	hemos celebrado
celebras	celebráis	has celebrado	habéis celebrado
celebra	celebran	ha celebrado	han celebrado
2 imperfecto de indicativo		**9 pluscuamperfecto de indicativo**	
celebraba	celebrábamos	había celebrado	habíamos celebrado
celebrabas	celebrabais	habías celebrado	habíais celebrado
celebraba	celebraban	había celebrado	habían celebrado
3 pretérito		**10 pretérito anterior**	
celebré	celebramos	hube celebrado	hubimos celebrado
celebraste	celebrasteis	hubiste celebrado	hubisteis celebrado
celebró	celebraron	hubo celebrado	hubieron celebrado
4 futuro		**11 futuro perfecto**	
celebraré	celebraremos	habré celebrado	habremos celebrado
celebrarás	celebraréis	habrás celebrado	habréis celebrado
celebrará	celebrarán	habrá celebrado	habrán celebrado
5 potencial simple		**12 potencial compuesto**	
celebraría	celebraríamos	habría celebrado	habríamos celebrado
celebrarías	celebraríais	habrías celebrado	habríais celebrado
celebraría	celebrarían	habría celebrado	habrían celebrado
6 presente de subjuntivo		**13 perfecto de subjuntivo**	
celebre	celebremos	haya celebrado	hayamos celebrado
celebres	celebréis	hayas celebrado	hayáis celebrado
celebre	celebren	haya celebrado	hayan celebrado
7 imperfecto de subjuntivo		**14 pluscuamperfecto de subjuntivo**	
celebrara	celebráramos	hubiera celebrado	hubiéramos celebrado
celebraras	celebrarais	hubieras celebrado	hubierais celebrado
celebrara	celebraran	hubiera celebrado	hubieran celebrado
OR		OR	
celebrase	celebrásemos	hubiese celebrado	hubiésemos celebrado
celebrases	celebraseis	hubieses celebrado	hubieseis celebrado
celebrase	celebrasen	hubiese celebrado	hubiesen celebrado

imperativo

—	celebremos
celebra; no celebres	celebrad; no celebréis
celebre	celebren

Words and expressions related to this verb
célebre famous, celebrated, renowned
la celebridad fame, celebrity
la celebración celebration

celebrado, celebrada popular, celebrated
ganar celebridad to win fame
una persona célebre a celebrity

Check out the verb drills and verb tests with answers explained on pages 45–91.

Regular **-ar** verb   to have supper, to eat supper, to dine, to have dinner

The Seven Simple Tenses		The Seven Compound Tenses	
Singular	Plural	Singular	Plural
1 presente de indicativo		8 perfecto de indicativo	
ceno	cenamos	he cenado	hemos cenado
cenas	cenáis	has cenado	habéis cenado
cena	cenan	ha cenado	han cenado
2 imperfecto de indicativo		9 pluscuamperfecto de indicativo	
cenaba	cenábamos	había cenado	habíamos cenado
cenabas	cenabais	habías cenado	habíais cenado
cenaba	cenaban	había cenado	habían cenado
3 pretérito		10 pretérito anterior	
cené	cenamos	hube cenado	hubimos cenado
cenaste	cenasteis	hubiste cenado	hubisteis cenado
cenó	cenaron	hubo cenado	hubieron cenado
4 futuro		11 futuro perfecto	
cenaré	cenaremos	habré cenado	habremos cenado
cenarás	cenaréis	habrás cenado	habréis cenado
cenará	cenarán	habrá cenado	habrán cenado
5 potencial simple		12 potencial compuesto	
cenaría	cenaríamos	habría cenado	habríamos cenado
cenarías	cenaríais	habrías cenado	habríais cenado
cenaría	cenarían	habría cenado	habrían cenado
6 presente de subjuntivo		13 perfecto de subjuntivo	
cene	cenemos	haya cenado	hayamos cenado
cenes	cenéis	hayas cenado	hayáis cenado
cene	cenen	haya cenado	hayan cenado
7 imperfecto de subjuntivo		14 pluscuamperfecto de subjuntivo	
cenara	cenáramos	hubiera cenado	hubiéramos cenado
cenaras	cenarais	hubieras cenado	hubierais cenado
cenara	cenaran	hubiera cenado	hubieran cenado
OR		OR	
cenase	cenásemos	hubiese cenado	hubiésemos cenado
cenases	cenaseis	hubieses cenado	hubieseis cenado
cenase	cenasen	hubiese cenado	hubiesen cenado

imperativo	
—	cenemos
cena; no cenes	cenad; no cenéis
cene	cenen

Sentences using this verb and words related to it
—Carlos, ¿A qué hora cenas?
—Ceno a las ocho con mi familia en casa.

la cena supper (dinner); **quedarse sin cenar** to go (remain) without dinner
La última cena (*The Last Supper,* fresco by Leonardo da Vinci)
la hora de cenar dinnertime; suppertime; **una cena de despedida** farewell dinner

Don't forget to study the section on defective and impersonal verbs. It's right after this main list.

The subject pronouns are found on page 93.   **215**

to brush

The Seven Simple Tenses		The Seven Compound Tenses	
Singular	Plural	Singular	Plural
1 presente de indicativo		8 perfecto de indicativo	
cepillo	cepillamos	he cepillado	hemos cepillado
capillas	cepilláis	has cepillado	habéis cepillado
capilla	cepillan	ha cepillado	han cepillado
2 imperfecto de indicativo		9 pluscuamperfecto de indicativo	
cepillaba	cepillábamos	había cepillado	habíamos cepillado
cepillabas	cepillabais	habías cepillado	habíais cepillado
cepillaba	cepillaban	había cepillado	habían cepillado
3 pretérito		10 pretérito anterior	
cepillé	cepillamos	hube cepillado	hubimos cepillado
cepillaste	cepillasteis	hubiste cepillado	hubisteis cepillado
cepilló	cepillaron	hubo cepillado	hubieron cepillado
4 futuro		11 futuro perfecto	
cepillaré	cepillaremos	habré cepillado	habremos cepillado
cepillarás	cepillaréis	habrás cepillado	habréis cepillado
cepillará	cepillarán	habrá cepillado	habrán cepillado
5 potencial simple		12 potencial compuesto	
cepillaría	cepillaríamos	habría cepillado	habríamos cepillado
cepillarías	cepillaríais	habrías cepillado	habríais cepillado
cepillaría	cepillarían	habría cepillado	habrían cepillado
6 presente de subjuntivo		13 perfecto de subjuntivo	
cepille	cepillemos	haya cepillado	hayamos cepillado
cepilles	cepilléis	hayas cepillado	hayáis cepillado
cepille	cepillen	haya cepillado	hayan cepillado
7 imperfecto de subjuntivo		14 pluscuamperfecto de subjuntivo	
cepillara	cepilláramos	hubiera cepillado	hubiéramos cepillado
cepillaras	cepillarais	hubieras cepillado	hubierais cepillado
cepillara	cepillaran	hubiera cepillado	hubieran cepillado
OR		OR	
cepillase	cepillásemos	hubiese cepillado	hubiésemos cepillado
cepillases	cepillaseis	hubieses cepillado	hubieseis cepillado
cepillase	cepillasen	hubiese cepillado	hubiesen cepillado

	imperativo	
—		cepillemos
cepilla; no cepilles		cepillad; no cepilléis
cepille		cepillen

Words and expressions related to this verb
un cepillo   brush
un cepillo para el cabello   hairbursh;
   un cepillo de cabeza   hairbrush
un buen cepillado   a good brushing
cepillarse   to brush oneself
Juanito, cepíllate los dientes.   Johnny, brush your teeth.

un cepillo de dientes   toothbrush
un cepillo para la ropa   clothesbrush;
   un cepillo de ropa   clothesbrush
Me cepillé el pelo/I brushed my hair

Regular **-ar** verb endings with stem   to close, to shut, to turn off
change: Tenses 1, 6, Imperative

The Seven Simple Tenses		The Seven Compound Tenses	
Singular	Plural	Singular	Plural
1 presente de indicativo		8 perfecto de indicativo	
cierro	cerramos	he cerrado	hemos cerrado
cierras	cerráis	has cerrado	habéis cerrado
cierra	cierran	ha cerrado	han cerrado
2 imperfecto de indicativo		9 pluscuamperfecto de indicativo	
cerraba	cerrábamos	había cerrado	habíamos cerrado
cerrabas	cerrabais	habías cerrado	habíais cerrado
cerraba	cerraban	había cerrado	habían cerrado
3 pretérito		10 pretérito anterior	
cerré	cerramos	hube cerrado	hubimos cerrado
cerraste	cerrasteis	hubiste cerrado	hubisteis cerrado
cerró	cerraron	hubo cerrado	hubieron cerrado
4 futuro		11 futuro perfecto	
cerraré	cerraremos	habré cerrado	habremos cerrado
cerrarás	cerraréis	habrás cerrado	habréis cerrado
cerrará	cerrarán	habrá cerrado	habrán cerrado
5 potencial simple		12 potencial compuesto	
cerraría	cerraríamos	habría cerrado	habríamos cerrado
cerrarías	cerraríais	habrías cerrado	habríais cerrado
cerraría	cerrarían	habría cerrado	habrían cerrado
6 presente de subjuntivo		13 perfecto de subjuntivo	
cierre	cerremos	haya cerrado	hayamos cerrado
cierres	cerréis	hayas cerrado	hayáis cerrado
cierre	cierren	haya cerrado	hayan cerrado
7 imperfecto de subjuntivo		14 pluscuamperfecto de subjuntivo	
cerrara	cerráramos	hubiera cerrado	hubiéramos cerrado
cerraras	cerrarais	hubieras cerrado	hubierais cerrado
cerrara	cerraran	hubiera cerrado	hubieran cerrado
OR		OR	
cerrase	cerrásemos	hubiese cerrado	hubiésemos cerrado
cerrases	cerraseis	hubieses cerrado	hubieseis cerrado
cerrase	cerrasen	hubiese cerrado	hubiesen cerrado

imperativo

—	cerremos
cierra; no cierres	cerrad; no cerréis
cierre	cierren

Words and expressions related to this verb
cerrar los ojos   to close one's eyes
cerrar los oídos   to turn a deaf ear
cerrar la boca   to shut up, to keep silent
la cerradura   lock
La puerta está cerrada.   The door is closed.
Las ventanas están cerradas.   The windows are closed.

encerrar   to lock up, to confine
encerrarse   to live in seclusion, to retire
cerrar con llave   to lock up (to close with a key)
una cerradura de combinación   combination lock
cerrar una cuenta   to close an account

The subject pronouns are found on page 93.

Gerundio **certificando**   Part. pas. **certificado**

to certify, to register (a letter), to attest

Regular **-ar** verb endings with spelling
change: **c** becomes **qu** before **e**

The Seven Simple Tenses		The Seven Compound Tenses	
Singular	Plural	Singular	Plural
1 presente de indicativo		8 perfecto de indicativo	
certifico	certificamos	he certificado	hemos certificado
certificas	certificáis	has certificado	habéis certificado
certifica	certifican	ha certificado	han certificado
2 imperfecto de indicativo		9 pluscuamperfecto de indicativo	
certificaba	certificábamos	había certificado	habíamos certificado
certificabas	certificabais	habías certificado	habíais certificado
certificaba	certificaban	había certificado	habían certificado
3 pretérito		10 pretérito anterior	
certifiqué	certificamos	hube certificado	hubimos certificado
certificaste	certificasteis	hubiste certificado	hubisteis certificado
certificó	certificaron	hubo certificado	hubieron certificado
4 futuro		11 futuro perfecto	
certificaré	certificaremos	habré certificado	habremos certificado
certificarás	certificaréis	habrás certificado	habréis certificado
certificará	certificarán	habrá certificado	habrán certificado
5 potencial simple		12 potencial compuesto	
certificaría	certificaríamos	habría certificado	habríamos certificado
certificarías	certificaríais	habrías certificado	habríais certificado
certificaría	certificarían	habría certificado	habrían certificado
6 presente de subjuntivo		13 perfecto de subjuntivo	
certifique	certifiquemos	haya certificado	hayamos certificado
certifiques	certifiquéis	hayas certificado	hayáis certificado
certifique	certifiquen	haya certificado	hayan certificado
7 imperfecto de subjuntivo		14 pluscuamperfecto de subjuntivo	
certificara	certificáramos	hubiera certificado	hubiéramos certificado
certificaras	certificarais	hubieras certificado	hubierais certificado
certificara	certificaran	hubiera certificado	hubieran certificado
OR		OR	
certificase	certificásemos	hubiese certificado	hubiésemos certificado
certificases	certificaseis	hubieses certificado	hubieseis certificado
certificase	certificasen	hubiese certificado	hubiesen certificado

imperativo

—	certifiquemos
certifica; no certifiques	certificad; no certifiquéis
certifique	certifiquen

Words related to this verb
la **certificación**   certificate, certification
certificador, certificadora   certifier
la **certidumbre**   certainty

la **certeza**   certainty
la **certinidad**   assurance, certainty
tener la certeza de que . . .   to be sure that . . .

Get acquainted with what preposition goes with what verb on pages 669–677.

Regular **-ar** verb　　　　　　　　　　　　　　　　　　　to chat, to prattle

The Seven Simple Tenses		The Seven Compound Tenses	
Singular	Plural	Singular	Plural
1　presente de indicativo		**8　perfecto de indicativo**	
charlo	charlamos	he charlado	hemos charlado
charlas	charláis	has charlado	habéis charlado
charla	charlan	ha charlado	han charlado
2　imperfecto de indicativo		**9　pluscuamperfecto de indicativo**	
charlaba	charlábamos	había charlado	habíamos charlado
charlabas	charlabais	habías charlado	habíais charlado
charlaba	charlaban	había charlado	habían charlado
3　pretérito		**10　pretérito anterior**	
charlé	charlamos	hube charlado	hubimos charlado
charlaste	charlasteis	hubiste charlado	hubisteis charlado
charló	charlaron	hubo charlado	hubieron charlado
4　futuro		**11　futuro perfecto**	
charlaré	charlaremos	habré charlado	habremos charlado
charlarás	charlaréis	habrás charlado	habréis charlado
charlará	charlarán	habrá charlado	habrán charlado
5　potencial simple		**12　potencial compuesto**	
charlaría	charlaríamos	habría charlado	habríamos charlado
charlarías	charlaríais	habrías charlado	habríais charlado
charlaría	charlarían	habría charlado	habrían charlado
6　presente de subjuntivo		**13　perfecto de subjuntivo**	
charle	charlemos	haya charlado	hayamos charlado
charles	charléis	hayas charlado	hayáis charlado
charle	charlen	haya charlado	hayan charlado
7　imperfecto de subjuntivo		**14　pluscuamperfecto de subjuntivo**	
charlara	charláramos	hubiera charlado	hubiéramos charlado
charlaras	charlarais	hubieras charlado	hubierais charlado
charlara	charlaran	hubiera charlado	hubieran charlado
OR		OR	
charlase	charlásemos	hubiese charlado	hubiésemos charlado
charlases	charlaseis	hubieses charlado	hubieseis charlado
charlase	charlasen	hubiese charlado	hubiesen charlado

imperativo	
—	charlemos
charla; no charles	charlad; no charléis
charle	charlen

Words and expressions related to this verb
charlar por los codos　to talk one's head off; **una charla**　a talk, chat
la charladuría　chitchat, gossip, idle talk
un charlatán, una charlatana　chatterbox, charlatan, quack, talkative, gossip
charlatanear　to gossip; **charlador, charladora**　talkative, chatterbox
charlar en línea　to chat online
una charla en línea　an online chat

Get your feet wet with verbs used in weather expressions on page 668.

The subject pronouns are found on page 93.　　　　　　　　　　　　**219**

to mumble, to mutter   Regular -**ar** verb

The Seven Simple Tenses		The Seven Compound Tenses	
Singular	Plural	Singular	Plural
1 presente de indicativo		8 perfecto de indicativo	
chisto	chistamos	he chistado	hemos chistado
chistas	chistáis	has chistado	habéis chistado
chista	chistan	ha chistado	han chistado
2 imperfecto de indicativo		9 pluscuamperfecto de indicativo	
chistaba	chistábamos	había chistado	habíamos chistado
chistabas	chistabais	habías chistado	habíais chistado
chistaba	chistaban	había chistado	habían chistado
3 pretérito		10 pretérito anterior	
chisté	chistamos	hube chistado	hubimos chistado
chistaste	chistasteis	hubiste chistado	hubisteis chistado
chistó	chistaron	hubo chistado	hubieron chistado
4 futuro		11 futuro perfecto	
chistaré	chistaremos	habré chistado	habremos chistado
chistarás	chistaréis	habrás chistado	habréis chistado
chistará	chistarán	habrá chistado	habrán chistado
5 potencial simple		12 potencial compuesto	
chistaría	chistaríamos	habría chistado	habríamos chistado
chistarías	chistaríais	habrías chistado	habríais chistado
chistaría	chistarían	habría chistado	habrían chistado
6 presente de subjuntivo		13 perfecto de subjuntivo	
chiste	chistemos	haya chistado	hayamos chistado
chistes	chistéis	hayas chistado	hayáis chistado
chiste	chisten	haya chistado	hayan chistado
7 imperfecto de subjuntivo		14 pluscuamperfecto de subjuntivo	
chistara	chistáramos	hubiera chistado	hubiéramos chistado
chistaras	chistarais	hubieras chistado	hubierais chistado
chistara	chistaran	hubiera chistado	hubieran chistado
OR		OR	
chistase	chistásemos	hubiese chistado	hubiésemos chistado
chistases	chistaseis	hubieses chistado	hubieseis chistado
chistase	chistasen	hubiese chistado	hubiesen chistado

imperativo

—	chistemos
chista; no chistes	chistad; no chistéis
chiste	chisten

Words and expressions related to this verb

no chistar   to remain silent, not to say a word
un chiste   joke, witty saying
contar un chiste   to tell a joke
chistoso, chistosa   funny, witty

hacer chiste de una cosa   to make a joke of
    something
sin chistar ni mistar   without saying a word
caer en el chiste   to get the joke

C

The Seven Simple Tenses | The Seven Compound Tenses

Singular	Plural	Singular	Plural
1 presente de indicativo		**8 perfecto de indicativo**	
chupo	chupamos	he chupado	hemos chupado
chupas	chupáis	has chupado	habéis chupado
chupa	chupan	ha chupado	han chupado
2 imperfecto de indicativo		**9 pluscuamperfecto de indicativo**	
chupaba	chupábamos	había chupado	habíamos chupado
chupabas	chupabais	habías chupado	habíais chupado
chupaba	chupaban	había chupado	habían chupado
3 pretérito		**10 pretérito anterior**	
chupé	chupamos	hube chupado	hubimos chupado
chupaste	chupasteis	hubiste chupado	hubisteis chupado
chupó	chuparon	hubo chupado	hubieron chupado
4 futuro		**11 futuro perfecto**	
chuparé	chuparemos	habré chupado	habremos chupado
chuparás	chuparéis	habrás chupado	habréis chupado
chupará	chuparán	habrá chupado	habrán chupado
5 potencial simple		**12 potencial compuesto**	
chuparía	chuparíamos	habría chupado	habríamos chupado
chuparías	chuparíais	habrías chupado	habríais chupado
chuparía	chuparían	habría chupado	habrían chupado
6 presente de subjuntivo		**13 perfecto de subjuntivo**	
chupe	chupemos	haya chupado	hayamos chupado
chupes	chupéis	hayas chupado	hayáis chupado
chupe	chupen	haya chupado	hayan chupado
7 imperfecto de subjuntivo		**14 pluscuamperfecto de subjuntivo**	
chupara	chupáramos	hubiera chupado	hubiéramos chupado
chuparas	chuparais	hubieras chupado	hubierais chupado
chupara	chuparan	hubiera chupado	hubieran chupado
OR		OR	
chupase	chupásemos	hubiese chupado	hubiésemos chupado
chupases	chupaseis	hubieses chupado	hubieseis chupado
chupase	chupasen	hubiese chupado	hubiesen chupado

imperativo

—	chupemos
chupa; no chupes	chupad; no chupéis
chupe	chupen

Words and expressions related to this verb
un chupadero, un chupaderito teething ring
la chupada, la chupadura suck, sucking
andarse en chupaderitos to use ineffective means for a task
chuparse los dedos to lick one's lips (fingers)
mejillas chupadas hollow cheeks
está chupado it's as easy as ABC
chupado, chupada skinny
chupar un limón to suck a lemon

If you don't know the Spanish verb for the English verb you have in mind, look it up in the index on pages 682–706.

The subject pronouns are found on page 93.

221

citar (121)

to to make an appointment, to cite, to quote, to summon   Regular **-ar** verb

The Seven Simple Tenses		The Seven Compound Tenses	
Singular	Plural	Singular	Plural
1 presente de indicativo		**8 perfecto de indicativo**	
cito	citamos	he citado	hemos citado
citas	citáis	has citado	habéis citado
cita	citan	ha citado	han citado
2 imperfecto de indicativo		**9 pluscuamperfecto de indicativo**	
citaba	citábamos	había citado	habíamos citado
citabas	citabais	habías citado	habíais citado
citaba	citaban	había citado	habían citado
3 pretérito		**10 pretérito anterior**	
cité	citamos	hube citado	hubimos citado
citaste	citasteis	hubiste citado	hubisteis citado
citó	citaron	hubo citado	hubieron citado
4 futuro		**11 futuro perfecto**	
citaré	citaremos	habré citado	habremos citado
citarás	citaréis	habrás citado	habréis citado
citará	citarán	habrá citado	habrán citado
5 potencial simple		**12 potencial compuesto**	
citaría	citaríamos	habría citado	habríamos citado
citarías	citaríais	habrías citado	habríais citado
citaría	citarían	habría citado	habrían citado
6 presente de subjuntivo		**13 perfecto de subjuntivo**	
cite	citemos	haya citado	hayamos citado
cites	citéis	hayas citado	hayáis citado
cite	citen	haya citado	hayan citado
7 imperfecto de subjuntivo		**14 pluscuamperfecto de subjuntivo**	
citara	citáramos	hubiera citado	hubiéramos citado
citaras	citarais	hubieras citado	hubierais citado
citara	citaran	hubiera citado	hubieran citado
OR		OR	
citase	citásemos	hubiese citado	hubiésemos citado
citases	citaseis	hubieses citado	hubieseis citado
citase	citasen	hubiese citado	hubiesen citado

	imperativo	
—		citemos
cita; no cites		citad; no citéis
cite		citen

Words and expressions related to this verb
una cita   appointment
tener cita (con)   to have an appointment (with)
una citación   quotation, citation

Can't find the verb you're looking for?
Check the back pages of this book for a list of over 2,100 additional verbs!

222

Regular **-ar** verb   to cook

The Seven Simple Tenses		The Seven Compound Tenses	
Singular	Plural	Singular	Plural
1 presente de indicativo		**8 perfecto de indicativo**	
cocino	cocinamos	he cocinado	hemos cocinado
cocinas	cocináis	has cocinado	habéis cocinado
cocina	cocinan	ha cocinado	han cocinado
2 imperfecto de indicativo		**9 pluscuamperfecto de indicativo**	
cocinaba	cocinábamos	había cocinado	habíamos cocinado
cocinabas	cocinabais	habías cocinado	habíais cocinado
cocinaba	cocinaban	había cocinado	habían cocinado
3 pretérito		**10 pretérito anterior**	
cociné	cocinamos	hube cocinado	hubimos cocinado
cocinaste	cocinasteis	hubiste cocinado	hubisteis cocinado
cocinó	cocinaron	hubo cocinado	hubieron cocinado
4 futuro		**11 futuro perfecto**	
cocinaré	cocinaremos	habré cocinado	habremos cocinado
cocinarás	cocinaréis	habrás cocinado	habréis cocinado
cocinará	cocinarán	habrá cocinado	habrán cocinado
5 potencial simple		**12 potencial compuesto**	
cocinaría	cocinaríamos	habría cocinado	habríamos cocinado
cocinarías	cocinaríais	habrías cocinado	habríais cocinado
cocinaría	cocinarían	habría cocinado	habrían cocinado
6 presente de subjuntivo		**13 perfecto de subjuntivo**	
cocine	cocinemos	haya cocinado	hayamos cocinado
cocines	cocinéis	hayas cocinado	hayáis cocinado
cocine	cocinen	haya cocinado	hayan cocinado
7 imperfecto de subjuntivo		**14 pluscuamperfecto de subjuntivo**	
cocinara	cocináramos	hubiera cocinado	hubiéramos cocinado
cocinaras	cocinarais	hubieras cocinado	hubierais cocinado
cocinara	cocinaran	hubiera cocinado	hubieran cocinado
OR		OR	
cocinase	cocinásemos	hubiese cocinado	hubiésemos cocinado
cocinases	cocinaseis	hubieses cocinado	hubieseis cocinado
cocinase	cocinasen	hubiese cocinado	hubiesen cocinado

imperativo

—	cocinemos
cocina; no cocines	cocinad; no cocinéis
cocine	cocinen

Words related to this verb
la cocina   kitchen; cooking, cuisine
cocer   to cook, to bake, to boil
el cocinero, la cocinera   cook, kitchen chef
la cocinilla   portable stove

el cocimiento   cooking
el cocido   plate of boiled meat and vegetables;
  stew
hacer la cocina   to cook, do the cooking
un libro de cocina   a cookbook

The subject pronouns are found on page 93.

223

coger (123)

to seize, to take, to grasp, to grab,
to catch, to get (understand)

Regular **-er** verb endings with spelling
change: **g** becomes **j** before **a** or **o**

The Seven Simple Tenses		The Seven Compound Tenses	
Singular	Plural	Singular	Plural
1 presente de indicativo		8 perfecto de indicativo	
cojo	cogemos	he cogido	hemos cogido
coges	cogéis	has cogido	habéis cogido
coge	cogen	ha cogido	han cogido
2 imperfecto de indicativo		9 pluscuamperfecto de indicativo	
cogía	cogíamos	había cogido	habíamos cogido
cogías	cogíais	habías cogido	habíais cogido
cogía	cogían	había cogido	habían cogido
3 pretérito		10 pretérito anterior	
cogí	cogimos	hube cogido	hubimos cogido
cogiste	cogisteis	hubiste cogido	hubisteis cogido
cogió	cogieron	hubo cogido	hubieron cogido
4 futuro		11 futuro perfecto	
cogeré	cogeremos	habré cogido	habremos cogido
cogerás	cogeréis	habrás cogido	habréis cogido
cogerá	cogerán	habrá cogido	habrán cogido
5 potencial simple		12 potencial compuesto	
cogería	cogeríamos	habría cogido	habríamos cogido
cogerías	cogeríais	habrías cogido	habríais cogido
cogería	cogerían	habría cogido	habrían cogido
6 presente de subjuntivo		13 perfecto de subjuntivo	
coja	cojamos	haya cogido	hayamos cogido
cojas	cojáis	hayas cogido	hayáis cogido
coja	cojan	haya cogido	hayan cogido
7 imperfecto de subjuntivo		14 pluscuamperfecto de subjuntivo	
cogiera	cogiéramos	hubiera cogido	hubiéramos cogido
cogieras	cogierais	hubieras cogido	hubierais cogido
cogiera	cogieran	hubiera cogido	hubieran cogido
OR		OR	
cogiese	cogiésemos	hubiese cogido	hubiésemos cogido
cogieses	cogieseis	hubieses cogido	hubieseis cogido
cogiese	cogiesen	hubiese cogido	hubiesen cogido

imperativo	
—	cojamos
coge; no cojas	coged; no cojáis
coja	cojan

Sentences using this verb and words related to it
Quien siembra vientos recoge tempestades. If you sow the wind, you will reap the whirlwind.

la cogida gathering of fruits, a catch
el cogedor collector, dustpan
escoger to choose, to select
coger catarro (o resfriado) to catch cold

recoger to pick (up), to gather, to reap
acoger to greet, to receive, to welcome
encoger to shorten, to shrink
descoger to expand, to extend

Regular **-ir** verb endings with stem change: Tenses 1, 6, 7,   to collect
Imperative, Gerundio; spelling change: **g** becomes **j** before **a** or **o**

The Seven Simple Tenses		The Seven Compound Tenses	
Singular	Plural	Singular	Plural
1 presente de indicativo		8 perfecto de indicativo	
colijo	**colegimos**	**he colegido**	**hemos colegido**
coliges	**colegís**	**has colegido**	**habéis colegido**
colige	**coligen**	**ha colegido**	**han colegido**
2 imperfecto de indicativo		9 pluscuamperfecto de indicativo	
colegía	**colegíamos**	**había colegido**	**habíamos colegido**
colegías	**colegíais**	**habías colegido**	**habíais colegido**
colegía	**colegían**	**había colegido**	**habían colegido**
3 pretérito		10 pretérito anterior	
colegí	**colegimos**	**hube colegido**	**hubimos colegido**
colegiste	**colegisteis**	**hubiste colegido**	**hubisteis colegido**
coligió	**coligieron**	**hubo colegido**	**hubieron colegido**
4 futuro		11 futuro perfecto	
colegiré	**colegiremos**	**habré colegido**	**habremos colegido**
colegirás	**colegiréis**	**habrás colegido**	**habréis colegido**
colegirá	**colegirán**	**habrá colegido**	**habrán colegido**
5 potencial simple		12 potencial compuesto	
colegiría	**colegiríamos**	**habría colegido**	**habríamos colegido**
colegirías	**colegiríais**	**habrías colegido**	**habríais colegido**
colegiría	**colegirían**	**habría colegido**	**habrían colegido**
6 presente de subjuntivo		13 perfecto de subjuntivo	
colija	**colijamos**	**haya colegido**	**hayamos colegido**
colijas	**colijáis**	**hayas colegido**	**hayáis colegido**
colija	**colijan**	**haya colegido**	**hayan colegido**
7 imperfecto de subjuntivo		14 pluscuamperfecto de subjuntivo	
coligiera	**coligiéramos**	**hubiera colegido**	**hubiéramos colegido**
coligieras	**coligierais**	**hubieras colegido**	**hubierais colegido**
coligiera	**coligieran**	**hubiera colegido**	**hubieran colegido**
OR		OR	
coligiese	**coligiésemos**	**hubiese colegido**	**hubiésemos colegido**
coligieses	**coligieseis**	**hubieses colegido**	**hubieseis colegido**
coligiese	**coligiesen**	**hubiese colegido**	**hubiesen colegido**

imperativo	
—	**colijamos**
colige; no colijas	**colegid; no colijáis**
colija	**colijan**

Words related to this verb
el colegio   college, school   **colectivo, colectiva**   collective
la colección   collection   **el colegio electoral**   electoral college

The subject pronouns are found on page 93.

colgar (125)

to hang (up)

Gerundio **colgando**　　　Part. pas. **colgado**

Regular **-ar** verb endings with spelling change: **g** becomes **gu** before **e**; stem change: Tenses 1, 6, Imperative

The Seven Simple Tenses			The Seven Compound Tenses	
Singular	Plural		Singular	Plural
1 presente de indicativo			**8 perfecto de indicativo**	
cuelgo	colgamos		he colgado	hemos colgado
cuelgas	colgáis		has colgado	habéis colgado
cuelga	cuelgan		ha colgado	han colgado
2 imperfecto de indicativo			**9 pluscuamperfecto de indicativo**	
colgaba	colgábamos		había colgado	habíamos colgado
colgabas	colgabais		habías colgado	habíais colgado
colgaba	colgaban		había colgado	habían colgado
3 pretérito			**10 pretérito anterior**	
colgué	colgamos		hube colgado	hubimos colgado
colgaste	colgasteis		hubiste colgado	hubisteis colgado
colgó	colgaron		hubo colgado	hubieron colgado
4 futuro			**11 futuro perfecto**	
colgaré	colgaremos		habré colgado	habremos colgado
colgarás	colgaréis		habrás colgado	habréis colgado
colgará	colgarán		habrá colgado	habrán colgado
5 potencial simple			**12 potencial compuesto**	
colgaría	colgaríamos		habría colgado	habríamos colgado
colgarías	colgaríais		habrías colgado	habríais colgado
colgaría	colgarían		habría colgado	habrían colgado
6 presente de subjuntivo			**13 perfecto de subjuntivo**	
cuelgue	colguemos		haya colgado	hayamos colgado
cuelgues	colguéis		hayas colgado	hayáis colgado
cuelgue	cuelguen		haya colgado	hayan colgado
7 imperfecto de subjuntivo			**14 pluscuamperfecto de subjuntivo**	
colgara	colgáramos		hubiera colgado	hubiéramos colgado
colgaras	colgarais		hubieras colgado	hubierais colgado
colgara	colgaran		hubiera colgado	hubieran colgado
OR			OR	
colgase	colgásemos		hubiese colgado	hubiésemos colgado
colgases	colgaseis		hubieses colgado	hubieseis colgado
colgase	colgasen		hubiese colgado	hubiesen colgado

imperativo

—	colguemos
cuelga; no cuelgues	colgad; no colguéis
cuelgue	cuelguen

Words related to this verb

el colgadero　hanger, hook on which to hang things
dejar colgado (colgada)　to be left disappointed
el puente colgante　suspension bridge
la colgadura　drapery, tapestry

colgar la ropa　to hang up the clothes
¡Cuelgue!　Hang up!
descolgar　to take down, to pick up (a telephone receiver)
¡Descuelgue!　Pick up (the telephone receiver)!
colgar el teléfono　to hang up the telephone

If you want to see a sample English verb fully conjugated in all the tenses, check out pages 11 and 12.

Regular **-ar** verb endings with spelling change: to put, to place
c becomes **qu** before **e**

The Seven Simple Tenses		The Seven Compound Tenses	
Singular	Plural	Singular	Plural
1 presente de indicativo		8 perfecto de indicativo	
coloco	colocamos	he colocado	hemos colocado
colocas	colocáis	has colocado	habéis colocado
coloca	colocan	ha colocado	han colocado
2 imperfecto de indicativo		9 pluscuamperfecto de indicativo	
colocaba	colocábamos	había colocado	habíamos colocado
colocabas	colocabais	habías colocado	habíais colocado
colocaba	colocaban	había colocado	habían colocado
3 pretérito		10 pretérito anterior	
coloqué	colocamos	hube colocado	hubimos colocado
colocaste	colocasteis	hubiste colocado	hubisteis colocado
colocó	colocaron	hubo colocado	hubieron colocado
4 futuro		11 futuro perfecto	
colocaré	colocaremos	habré colocado	habremos colocado
colocarás	colocaréis	habrás colocado	habréis colocado
colocará	colocarán	habrá colocado	habrán colocado
5 potencial simple		12 potencial compuesto	
colocaría	colocaríamos	habría colocado	habríamos colocado
colocarías	colocaríais	habrías colocado	habríais colocado
colocaría	colocarían	habría colocado	habrían colocado
6 presente de subjuntivo		13 perfecto de subjuntivo	
coloque	coloquemos	haya colocado	hayamos colocado
coloques	coloquéis	hayas colocado	hayáis colocado
coloque	coloquen	haya colocado	hayan colocado
7 imperfecto de subjuntivo		14 pluscuamperfecto de subjuntivo	
colocara	colocáramos	hubiera colocado	hubiéramos colocado
colocaras	colocarais	hubieras colocado	hubierais colocado
colocara	colocaran	hubiera colocado	hubieran colocado
OR		OR	
colocase	colocásemos	hubiese colocado	hubiésemos colocado
colocases	colocaseis	hubieses colocado	hubieseis colocado
colocase	colocasen	hubiese colocado	hubiesen colocado

imperativo	
—	coloquemos
coloca; no coloques	colocad; no coloquéis
coloque	coloquen

Words and expressions related to this verb
la colocación job, employment, position
colocar dinero to invest money

colocar un pedido to place an order
la agencia de colocaciones job placement
agency

Can't recognize an irregular verb form? Check out pages 678–681.

The subject pronouns are found on page 93.

comenzar (127)

Gerundio **comenzando**   Part. pas. **comenzado**

to begin, to start,
to commence

Regular **-ar** verb endings with spelling change: **z** becomes
c before **e**; stem change: Tenses 1, 6, Imperative

The Seven Simple Tenses		The Seven Compound Tenses	
Singular	Plural	Singular	Plural
1 presente de indicativo		**8 perfecto de indicativo**	
comienzo	comenzamos	he comenzado	hemos comenzado
comienzas	comenzáis	has comenzado	habéis comenzado
comienza	comienzan	ha comenzado	han comenzado
2 imperfecto de indicativo		**9 pluscuamperfecto de indicativo**	
comenzaba	comenzábamos	había comenzado	habíamos comenzado
comenzabas	comenzabais	habías comenzado	habíais comenzado
comenzaba	comenzaban	había comenzado	habían comenzado
3 pretérito		**10 pretérito anterior**	
comencé	comenzamos	hube comenzado	hubimos comenzado
comenzaste	comenzasteis	hubiste comenzado	hubisteis comenzado
comenzó	comenzaron	hubo comenzado	hubieron comenzado
4 futuro		**11 futuro perfecto**	
comenzaré	comenzaremos	habré comenzado	habremos comenzado
comenzarás	comenzaréis	habrás comenzado	habréis comenzado
comenzará	comenzarán	habrá comenzado	habrán comenzado
5 potencial simple		**12 potencial compuesto**	
comenzaría	comenzaríamos	habría comenzado	habríamos comenzado
comenzarías	comenzaríais	habrías comenzado	habríais comenzado
comenzaría	comenzarían	habría comenzado	habrían comenzado
6 presente de subjuntivo		**13 perfecto de subjuntivo**	
comience	comencemos	haya comenzado	hayamos comenzado
comiences	comencéis	hayas comenzado	hayáis comenzado
comience	comiencen	haya comenzado	hayan comenzado
7 imperfecto de subjuntivo		**14 pluscuamperfecto de subjuntivo**	
comenzara	comenzáramos	hubiera comenzado	hubiéramos comenzado
comenzaras	comenzarais	hubieras comenzado	hubierais comenzado
comenzara	comenzaran	hubiera comenzado	hubieran comenzado
OR		OR	
comenzase	comenzásemos	hubiese comenzado	hubiésemos comenzado
comenzases	comenzaseis	hubieses comenzado	hubieseis comenzado
comenzase	comenzasen	hubiese comenzado	hubiesen comenzado

imperativo

—	comencemos
comienza; no comiences	comenzad; no comencéis
comience	comiencen

AN ESSENTIAL
55 VERB

C

Comenzar is a useful verb for beginning Spanish students because it has an important stem change (in the imperative and in Tenses 1 and 6) and a spelling change from z to c before the letter e. It is also used in numerous everyday expressions and situations.

Sentences using comenzar and related words

–¿Qué tiempo hace?
—What is the weather like?

–Comienza a llover.
—It's starting to rain.

–Quiero comenzar al comienzo.
—I'd like to begin at the beginning.

–¡Comienza!
—Begin!

Words and expressions related to this verb

el comienzo **the beginning**

al comienzo **at the beginning, at first**

comenzar a + inf. **to begin + inf.**

comenzar por + inf. **to begin by + pres. part.**

comenzar por el principio **to begin at the beginning**

Proverb

Lo que mal comienza, mal acaba.
What starts badly ends badly.

Can't remember the Spanish verb you need?
Check the back pages of this book for the English-Spanish verb index!

The subject pronouns are found on page 93.

229

comer (128)
to eat

Gerundio comiendo   Part. pas. **comido**

Regular **-er** verb

The Seven Simple Tenses		The Seven Compound Tenses	
Singular	Plural	Singular	Plural
1 presente de indicativo		**8 perfecto de indicativo**	
como	comemos	he comido	hemos comido
comes	coméis	has comido	habéis comido
come	comen	ha comido	han comido
2 imperfecto de indicativo		**9 pluscuamperfecto de indicativo**	
comía	comíamos	había comido	habíamos comido
comías	comíais	habías comido	habíais comido
comía	comían	había comido	habían comido
3 pretérito		**10 pretérito anterior**	
comí	comimos	hube comido	hubimos comido
comiste	comisteis	hubiste comido	hubisteis comido
comió	comieron	hubo comido	hubieron comido
4 futuro		**11 futuro perfecto**	
comeré	comeremos	habré comido	habremos comido
comerás	comeréis	habrás comido	habréis comido
comerá	comerán	habrá comido	habrán comido
5 potencial simple		**12 potencial compuesto**	
comería	comeríamos	habría comido	habríamos comido
comerías	comeríais	habrías comido	habríais comido
comería	comerían	habría comido	habrían comido
6 presente de subjuntivo		**13 perfecto de subjuntivo**	
coma	comamos	haya comido	hayamos comido
comas	comáis	hayas comido	hayáis comido
coma	coman	haya comido	hayan comido
7 imperfecto de subjuntivo		**14 pluscuamperfecto de subjuntivo**	
comiera	comiéramos	hubiera comido	hubiéramos comido
comieras	comierais	hubieras comido	hubierais comido
comiera	comieran	hubiera comido	hubieran comido
OR		OR	
comiese	comiésemos	hubiese comido	hubiésemos comido
comieses	comieseis	hubieses comido	hubieseis comido
comiese	comiesen	hubiese comido	hubiesen comido

imperativo	
—	comamos
come; no comas	comed; no comáis
coma	coman

AN ESSENTIAL 55 VERB

Comer is a useful verb for you to know because it is a regular –er verb and because it is used in numerous everyday expressions and situations.

C

Sentences using comer and related words

Yo no quiero cocinar. Prefiero comer fuera de casa.
I don't want to cook. I'd rather eat out.

–¿Dónde está Miguel?
–Está en el comedor. Está comiendo su comida.
–Where is Michael?
–He's in the dining room. He's eating his meal.

¡A comer!
Come and get it!

Proverbs

Dime qué comes y te diré quien eres.
Tell me what you eat and I'll tell you who you are.

Comer para vivir y no vivir para comer.
One should eat to live and not live to eat.

Words and expressions related to this verb

ganar de comer **to earn a living**

la comida **meal**

el comedor **dining room**

cama y comida **bed and board**

comer fuera de casa **to eat out; dine out**

dar de comer a los niños **to feed the children**

comer con gana **to eat heartily**

comer con muchas ganas **to eat very heartily**

comer a todo correr **to eat quickly, wolf down**

comerse **to eat up**

comerse la risa **to stifle/hold back a laugh**

comer de todo **to eat everything**

comer para vivir **to eat to live**

comer como un pajarito **to eat like a little bird**

Don't forget to study the section on defective and impersonal verbs. It's right after this main list.

to compose   Irregular verb

The Seven Simple Tenses	The Seven Compound Tenses

Singular	Plural	Singular	Plural
1 presente de indicativo		**8 perfecto de indicativo**	
compongo	componemos	he compuesto	hemos compuesto
compones	componéis	has compuesto	habéis compuesto
compone	componen	ha compuesto	han compuesto
2 imperfecto de indicativo		**9 pluscuamperfecto de indicativo**	
componía	componíamos	había compuesto	habíamos compuesto
componías	componíais	habías compuesto	habíais compuesto
componía	componían	había compuesto	habían compuesto
3 pretérito		**10 pretérito anterior**	
compuse	compusimos	hube compuesto	hubimos compuesto
compusiste	compusisteis	hubiste compuesto	hubisteis compuesto
compuso	compusieron	hubo compuesto	hubieron compuesto
4 futuro		**11 futuro perfecto**	
compondré	compondremos	habré compuesto	habremos compuesto
compondrás	compondréis	habrás compuesto	habréis compuesto
compondrá	compondrán	habrá compuesto	habrán compuesto
5 potencial simple		**12 potencial compuesto**	
compondría	compondríamos	habría compuesto	habríamos compuesto
compondrías	compondríais	habrías compuesto	habríais compuesto
compondría	compondrían	habría compuesto	habrían compuesto
6 presente de subjuntivo		**13 perfecto de subjuntivo**	
componga	compongamos	haya compuesto	hayamos compuesto
compongas	compongáis	hayas compuesto	hayáis compuesto
componga	compongan	haya compuesto	hayan compuesto
7 imperfecto de subjuntivo		**14 pluscuamperfecto de subjuntivo**	
compusiera	compusiéramos	hubiera compuesto	hubiéramos compuesto
compusieras	compusierais	hubieras compuesto	hubierais compuesto
compusiera	compusieran	hubiera compuesto	hubieran compuesto
OR		OR	
compusiese	compusiésemos	hubiese compuesto	hubiésemos compuesto
compusieses	compusieseis	hubieses compuesto	hubieseis compuesto
compusiese	compusiesen	hubiese compuesto	hubiesen compuesto

	imperativo
—	compongamos
compón; no compongas	componed; no compongáis
componga	compongan

Words and expressions related to this verb

el compuesto compound, mixture
compuestamente neatly, orderly
deponer to depose
imponer to impose
la composición composition

el compositor, la compositora composer (music)
exponer to expose, to exhibit
indisponer to indispose

> Don't miss the definitions of basic grammatical terms with examples in English and Spanish on pages 33–44.

Regular **-ar** verb   to buy, to purchase

The Seven Simple Tenses		The Seven Compound Tenses	
Singular	Plural	Singular	Plural
1 presente de indicativo		**8 perfecto de indicativo**	
compro	compramos	he comprado	hemos comprado
compras	compráis	has comprado	habéis comprado
compra	compran	ha comprado	han comprado
2 imperfecto de indicativo		**9 pluscuamperfecto de indicativo**	
compraba	comprábamos	había comprado	habíamos comprado
comprabas	comprabais	habías comprado	habíais comprado
compraba	compraban	había comprado	habían comprado
3 pretérito		**10 pretérito anterior**	
compré	compramos	hube comprado	hubimos comprado
compraste	comprasteis	hubiste comprado	hubisteis comprado
compró	compraron	hubo comprado	hubieron comprado
4 futuro		**11 futuro perfecto**	
compraré	compraremos	habré comprado	habremos comprado
comprarás	compraréis	habrás comprado	habréis comprado
comprará	comprarán	habrá comprado	habrán comprado
5 potencial simple		**12 potencial compuesto**	
compraría	compraríamos	habría comprado	habríamos comprado
comprarías	compraríais	habrías comprado	habríais comprado
compraría	comprarían	habría comprado	habrían comprado
6 presente de subjuntivo		**13 perfecto de subjuntivo**	
compre	compremos	haya comprado	hayamos comprado
compres	compréis	hayas comprado	hayáis comprado
compre	compren	haya comprado	hayan comprado
7 imperfecto de subjuntivo		**14 pluscuamperfecto de subjuntivo**	
comprara	compráramos	hubiera comprado	hubiéramos comprado
compraras	comprarais	hubieras comprado	hubierais comprado
comprara	compraran	hubiera comprado	hubieran comprado
OR		OR	
comprase	comprásemos	hubiese comprado	hubiésemos comprado
comprases	compraseis	hubieses comprado	hubieseis comprado
comprase	comprasen	hubiese comprado	hubiesen comprado

	imperativo	
—		compremos
compra; no compres		comprad; no compréis
compre		compren

Comprar is a useful verb for beginning students because it is a regular –ar verb. **Comprar** is used in numerous everyday expressions and situations, especially when you travel.

Sentences using comprar and related words

¿Dónde está la juguetería? Quisiera comprar juguetes.
Where is the toy store? I would like to buy some toys.

¡Cómprate un calvo y péinalo!
Beat it! (Literally: Buy a bald man and comb his hair.)

¿Qué piensas de mis zapatos? Yo los compré en el centro comercial.
What do you think of my shoes? I bought them at the shopping center.

Words and expressions related to this verb

la compra **purchase**

hacer compras **to shop**

ir de compras **to go shopping**

un comprador, una compradora **shopper, buyer**

comprar al contado **to buy for cash, to pay cash**

comprar al fiado, comprar a crédito **to buy on credit**

comprar con rebaja **to buy at a discount**

Proverb

La amistad no se compra.
Friendship cannot be bought (has no price).

Can't find the verb you're looking for?
Check the back pages of this book for a list of over 2,100 additional verbs!

The Seven Simple Tenses | The Seven Compound Tenses

Singular	Plural	Singular	Plural
1 presente de indicativo		**8 perfecto de indicativo**	
comprendo	comprendemos	he comprendido	hemos comprendido
comprendes	comprendéis	has comprendido	habéis comprendido
comprende	comprenden	ha comprendido	han comprendido
2 imperfecto de indicativo		**9 pluscuamperfecto de indicativo**	
comprendía	comprendíamos	había comprendido	habíamos comprendido
comprendías	comprendíais	habías comprendido	habíais comprendido
comprendía	comprendían	había comprendido	habían comprendido
3 pretérito		**10 pretérito anterior**	
comprendí	comprendimos	hube comprendido	hubimos comprendido
comprendiste	comprendisteis	hubiste comprendido	hubisteis comprendido
comprendió	comprendieron	hubo comprendido	hubieron comprendido
4 futuro		**11 futuro perfecto**	
comprenderé	comprenderemos	habré comprendido	habremos comprendido
comprenderás	comprenderéis	habrás comprendido	habréis comprendido
comprenderá	comprenderán	habrá comprendido	habrán comprendido
5 potencial simple		**12 potencial compuesto**	
comprendería	comprenderíamos	habría comprendido	habríamos comprendido
comprenderías	comprenderíais	habrías comprendido	habríais comprendido
comprendería	comprenderían	habría comprendido	habrían comprendido
6 presente de subjuntivo		**13 perfecto de subjuntivo**	
comprenda	comprendamos	haya comprendido	hayamos comprendido
comprendas	comprendáis	hayas comprendido	hayáis comprendido
comprenda	comprendan	haya comprendido	hayan comprendido
7 imperfecto de subjuntivo		**14 pluscuamperfecto de subjuntivo**	
comprendiera	comprendiéramos	hubiera comprendido	hubiéramos comprendido
comprendieras	comprendierais	hubieras comprendido	hubierais comprendido
comprendiera	comprendieran	hubiera comprendido	hubieran comprendido
OR		OR	
comprendiese	comprendiésemos	hubiese comprendido	hubiésemos comprendido
comprendieses	comprendieseis	hubieses comprendido	hubieseis comprendido
comprendiese	comprendiesen	hubiese comprendido	hubiesen comprendido

imperativo

—	**comprendamos**
comprende; no comprendas	**comprended; no comprendáis**
comprenda	**comprendan**

Words related to this verb

la **comprensión** comprehension, understanding
la **comprensibilidad** comprehensibility, intelligibility

comprensivo, comprensiva comprehensive
comprensible comprehensible, understandable
comprenderse to understand one another
No comprendo. I don't understand.
Sí, comprendo. Yes, I understand.

Don't forget to study the section on defective and impersonal verbs. It's right after this main list.

The subject pronouns are found on page 93.   **235**

to lead, to conduct, to drive   Irregular in Tenses 3 and 7, regular **-ir** endings in all others; spelling change: **c** becomes **zc** before **a** or **o**

The Seven Simple Tenses		The Seven Compound Tenses	
Singular	Plural	Singular	Plural
1 presente de indicativo		8 perfecto de indicativo	
conduzco	conducimos	he conducido	hemos conducido
conduces	conducís	has conducido	habéis conducido
conduce	conducen	ha conducido	han conducido
2 imperfecto de indicativo		9 pluscuamperfecto de indicativo	
conducía	conducíamos	había conducido	habíamos conducido
conducías	conducíais	habías conducido	habíais conducido
conducía	conducían	había conducido	habían conducido
3 pretérito		10 pretérito anterior	
conduje	condujimos	hube conducido	hubimos conducido
condujiste	condujisteis	hubiste conducido	hubisteis conducido
condujo	condujeron	hubo conducido	hubieron conducido
4 futuro		11 futuro perfecto	
conduciré	conduciremos	habré conducido	habremos conducido
conducirás	conduciréis	habrás conducido	habréis conducido
conducirá	conducirán	habrá conducido	habrán conducido
5 potencial simple		12 potencial compuesto	
conduciría	conduciríamos	habría conducido	habríamos conducido
conducirías	conduciríais	habrías conducido	habríais conducido
conduciría	conducirían	habría conducido	habrían conducido
6 presente de subjuntivo		13 perfecto de subjuntivo	
conduzca	conduzcamos	haya conducido	hayamos conducido
conduzcas	conduzcáis	hayas conducido	hayáis conducido
conduzca	conduzcan	haya conducido	hayan conducido
7 imperfecto de subjuntivo		14 pluscuamperfecto de subjuntivo	
condujera	condujéramos	hubiera conducido	hubiéramos conducido
condujeras	condujerais	hubieras conducido	hubierais conducido
condujera	condujeran	hubiera conducido	hubieran conducido
OR		OR	
condujese	condujésemos	hubiese conducido	hubiésemos conducido
condujeses	condujeseis	hubieses conducido	hubieseis conducido
condujese	condujesen	hubiese conducido	hubiesen conducido

	imperativo	
—	conduzcamos	
conduce; no conduzcas	conducid; no conduzcáis	
conduzca	conduzcan	

Conducir

C

Conducir is an important verb for a beginning student to know because it has tricky spelling changes. Several other verbs are conjugated in the same way as conducir. This verb is also useful in numerous everyday expressions and situations.

Sentences using conducir and related words

¿Sabe Ud. conducir?
Do you know how to drive?

Sí, conduzco todos los días.
Yes, I drive every day.

Words and expressions related to this verb

el conductor, la conductora **driver, conductor**

el conducto **conduit, duct**

la conducta **conduct, behavior**

conducente **conducive**

la conducción **driving**

un permiso de conducir, un carnet de conducir **driver's license**

un permiso de conducción **driver's license**

conducir de prisa **to drive fast**

dar un paseo en coche **to go for a drive**

If you can conjugate **conducir**, you can also conjugate the following verbs:

abducir **to abduct**

inducir **to induce, lead**

introducir **to introduce**

producir **to produce**

traducir **to translate**

Do you need more drills? Have fun with the *501 Spanish Verbs* CD-ROM!

confesar (133) Gerundio confesando Part. pas. confesado

to confess

Regular -ar verb endings with stem change: Tenses 1, 6, Imperative

The Seven Simple Tenses		The Seven Compound Tenses	
Singular	Plural	Singular	Plural
1 presente de indicativo		8 perfecto de indicativo	
confieso	confesamos	he confesado	hemos confesado
confiesas	confesáis	has confesado	habéis confesado
confiesa	confiesan	ha confesado	han confesado
2 imperfecto de indicativo		9 pluscuamperfecto de indicativo	
confesaba	confesábamos	había confesado	habíamos confesado
confesabas	confesabais	habías confesado	habíais confesado
confesaba	confesaban	había confesado	habían confesado
3 pretérito		10 pretérito anterior	
confesé	confesamos	hube confesado	hubimos confesado
confesaste	confesasteis	hubiste confesado	hubisteis confesado
confesó	confesaron	hubo confesado	hubieron confesado
4 futuro		11 futuro perfecto	
confesaré	confesaremos	habré confesado	habremos confesado
confesarás	confesaréis	habrás confesado	habréis confesado
confesará	confesarán	habrá confesado	habrán confesado
5 potencial simple		12 potencial compuesto	
confesaría	confesaríamos	habría confesado	habríamos confesado
confesarías	confesaríais	habrías confesado	habríais confesado
confesaría	confesarían	habría confesado	habrían confesado
6 presente de subjuntivo		13 perfecto de subjuntivo	
confiese	confesemos	haya confesado	hayamos confesado
confieses	confeséis	hayas confesado	hayáis confesado
confiese	confiesen	haya confesado	hayan confesado
7 imperfecto de subjuntivo		14 pluscuamperfecto de subjuntivo	
confesara	confesáramos	hubiera confesado	hubiéramos confesado
confesaras	confesarais	hubieras confesado	hubierais confesado
confesara	confesaran	hubiera confesado	hubieran confesado
OR		OR	
confesase	confesásemos	hubiese confesado	hubiésemos confesado
confesases	confesaseis	hubieses confesado	hubieseis confesado
confesase	confesasen	hubiese confesado	hubiesen confesado

imperativo	
—	confesemos
confiesa; no confieses	confesad; no confeséis
confiese	confiesen

Words and expressions related to this verb

la confesión   confession
el confesionario   confessional (box)
el confesor   confessor

confesar de plano   to confess openly
un, una confesante   penitent
confesarse a Dios   to confess to God

Don't forget to study the section on defective and impersonal verbs. It's right after this main list.

Gerundio **conociendo**   Part. pas. **conocido**   **conocer (134)**

Regular **-er** verb endings with spelling change: to know, to be acquainted with
c becomes **zc** before **a** or **o**

The Seven Simple Tenses		The Seven Compound Tenses	
Singular	Plural	Singular	Plural
1 presente de indicativo		8 perfecto de indicativo	
conozco	conocemos	he conocido	hemos conocido
conoces	conocéis	has conocido	habéis conocido
conoce	conocen	ha conocido	han conocido
2 imperfecto de indicativo		9 pluscuamperfecto de indicativo	
conocía	conocíamos	había conocido	habíamos conocido
conocías	conocíais	habías conocido	habíais conocido
conocía	conocían	había conocido	habían conocido
3 pretérito		10 pretérito anterior	
conocí	conocimos	hube conocido	hubimos conocido
conociste	conocisteis	hubiste conocido	hubisteis conocido
conoció	conocieron	hubo conocido	hubieron conocido
4 futuro		11 futuro perfecto	
conoceré	conoceremos	habré conocido	habremos conocido
conocerás	conoceréis	habrás conocido	habréis conocido
conocerá	conocerán	habrá conocido	habrán conocido
5 potencial simple		12 potencial compuesto	
conocería	conoceríamos	habría conocido	habríamos conocido
conocerías	conoceríais	habrías conocido	habríais conocido
conocería	conocerían	habría conocido	habrían conocido
6 presente de subjuntivo		13 perfecto de subjuntivo	
conozca	conozcamos	haya conocido	hayamos conocido
conozcas	conozcáis	hayas conocido	hayáis conocido
conozca	conozcan	haya conocido	hayan conocido
7 imperfecto de subjuntivo		14 pluscuamperfecto de subjuntivo	
conociera	conociéramos	hubiera conocido	hubiéramos conocido
conocieras	conocierais	hubieras conocido	hubierais conocido
conociera	conocieran	hubiera conocido	hubieran conocido
OR		OR	
conociese	conociésemos	hubiese conocido	hubiésemos conocido
conocieses	conocieseis	hubieses conocido	hubieseis conocido
conociese	conociesen	hubiese conocido	hubiesen conocido

imperativo	
—	conozcamos
conoce; no conozcas	conoced; no conozcáis
conozca	conozcan

**AN ESSENTIAL
55 VERB**

AN ESSENTIAL 55 VERB

Conocer

Conocer is a verb that you should know! Pay special attention to the spelling change from c to zc before a or o. Conocer is useful in numerous everyday expressions and situations.

Be careful when choosing between conocer and saber, which also means *to know*.
(a) Generally speaking, conocer means to know in the sense of *being acquainted* with a person, a place, or a thing:

¿Conoce Ud. a María?
Do you know Mary?
¿Conoce Ud. bien los Estado Unidos?
Do you know the United States well?
¿Conoce Ud. este libro?
Do you know this book? (Are you acquainted with this book?)

In the preterit tense, conocer means *met* in the sense of *first met, first became acquainted with someone:*

¿Conoce Ud. a Elena?
Do you know Helen?
Sí, (yo) la conocí anoche en casa de un amigo mío.
Yes, I met her (for the first time) last night at the home of one of my friends.

Generally speaking, saber means to know a fact, to know something thoroughly: ¿Sabe Ud. qué hora es? Do you know what time it is? (See saber for further examples.)

Sentences using conocer and related words

El árbol se conoce por su fruta.
The tree is known by its fruit. (You will be judged by your actions; the apple doesn't fall far from the tree.)

–¿Conoce Ud. a esa mujer?
–Sí, la conozco.
–Do you know that woman?
–Yes, I know her.

Words and expressions related to this verb

un conocido, una conocida **an acquaintance**

conocido, conocida **known**

conocidamente **obviously**

desconocido, desconocida **unknown**

un desconocido, una desconocida **stranger, someone you don't know**

un conocedor, una conocedora **an expert**

el conocimiento **knowledge**

el desconocimiento **ignorance**

poner en conocimiento de **to inform (about)**

muy conocido **very well-known**

reconocible **recognizable**

reconocido, reconocida **grateful**

If you can conjugate conocer, you can also conjugate the following verbs:

reconocer **to recognize, to admit**

desconocer **to be ignorant of**

Can't find the verb you're looking for?
Check the back pages of this book for a list of over 2,100 additional verbs!

Regular **-ir** verb endings with spelling change: **gu** becomes **g**   to attain, to get,
before **a** or **o**; stem change: Tenses 1, 6, Imperative, Gerundio   to obtain

The Seven Simple Tenses	The Seven Compound Tenses
Singular Plural	Singular Plural
1 presente de indicativo	8 perfecto de indicativo
consigo **conseguimos**	**he conseguido** **hemos conseguido**
consigues **conseguís**	**has conseguido** **habéis conseguido**
consigue **consiguen**	**ha conseguido** **han conseguido**
2 imperfecto de indicativo	9 pluscuamperfecto de indicativo
conseguía **conseguíamos**	**había conseguido** **habíamos conseguido**
conseguías **conseguíais**	**habías conseguido** **habíais conseguido**
conseguía **conseguían**	**había conseguido** **habían conseguido**
3 pretérito	10 pretérito anterior
conseguí **conseguimos**	**hube conseguido** **hubimos conseguido**
conseguiste **conseguisteis**	**hubiste conseguido** **hubisteis conseguido**
consiguió **consiguieron**	**hubo conseguido** **hubieron conseguido**
4 futuro	11 futuro perfecto
conseguiré **conseguiremos**	**habré conseguido** **habremos conseguido**
conseguirás **conseguiréis**	**habrás conseguido** **habréis conseguido**
conseguirá **conseguirán**	**habrá conseguido** **habrán conseguido**
5 potencial simple	12 potencial compuesto
conseguiría **conseguiríamos**	**habría conseguido** **habríamos conseguido**
conseguirías **conseguiríais**	**habrías conseguido** **habríais conseguido**
conseguiría **conseguirían**	**habría conseguido** **habrían conseguido**
6 presente de subjuntivo	13 perfecto de subjuntivo
consiga **consigamos**	**haya conseguido** **hayamos conseguido**
consigas **consigáis**	**hayas conseguido** **hayáis conseguido**
consiga **consigan**	**haya conseguido** **hayan conseguido**
7 imperfecto de subjuntivo	14 pluscuamperfecto de subjuntivo
consiguiera **consiguiéramos**	**hubiera conseguido** **hubiéramos conseguido**
consiguieras **consiguierais**	**hubieras conseguido** **hubierais conseguido**
consiguiera **consiguieran**	**hubiera conseguido** **hubieran conseguido**
OR	OR
consiguiese **consiguiésemos**	**hubiese conseguido** **hubiésemos conseguido**
consiguieses **consiguieseis**	**hubieses conseguido** **hubieseis conseguido**
consiguiese **consiguiesen**	**hubiese conseguido** **hubiesen conseguido**

imperativo

—	**consigamos**
consigue; no consigas	**conseguid; no consigáis**
consiga	**consigan**

Words and expressions related to this verb

el conseguimiento   attainment
el consiguiente   consequent (syllogism)
de consiguiente, por consiguiente   consequently
consiguientemente   consequently

See also **seguir.**

dar por conseguido   to take for granted
conseguir un permiso   to get a permit
conseguir billetes   to get tickets
conseguir una buena colocación
   to get a good job

Don't forget to study the section on defective and impersonal verbs. It's right after this main list.

The subject pronouns are found on page 93.

constituir (136) Gerundio constituyendo Part. pas. constituido

to constitute, to make up

Regular -**ir** verb endings with spelling change: add **y** before **a**, **e**, or **o**

The Seven Simple Tenses		The Seven Compound Tenses	
Singular	Plural	Singular	Plural
1 presente de indicativo		**8 perfecto de indicativo**	
constituyo	constituimos	he constituido	hemos constituido
constituyes	constituís	has constituido	habéis constituido
constituye	constituyen	ha constituido	han constituido
2 imperfecto de indicativo		**9 pluscuamperfecto de indicativo**	
constituía	constituíamos	había constituido	habíamos constituido
constituías	constituíais	habías constituido	habíais constituido
constituía	constituían	había constituido	habían constituido
3 pretérito		**10 pretérito anterior**	
constituí	constituimos	hube constituido	hubimos constituido
constituiste	constituisteis	hubiste constituido	hubisteis constituido
constituyó	constituyeron	hubo constituido	hubieron constituido
4 futuro		**11 futuro perfecto**	
constituiré	constituiremos	habré constituido	habremos constituido
constituirás	constituiréis	habrás constituido	habréis constituido
constituirá	constituirán	habrá constituido	habrán constituido
5 potencial simple		**12 potencial compuesto**	
constituiría	constituiríamos	habría constituido	habríamos constituido
constituirías	constituiríais	habrías constituido	habríais constituido
constituiría	constituirían	habría constituido	habrían constituido
6 presente de subjuntivo		**13 perfecto de subjuntivo**	
constituya	constituyamos	haya constituido	hayamos constituido
constituyas	constituyáis	hayas constituido	hayáis constituido
constituya	constituyan	haya constituido	hayan constituido
7 imperfecto de subjuntivo		**14 pluscuamperfecto de subjuntivo**	
constituyera	constituyéramos	hubiera constituido	hubiéramos constituido
constituyeras	constituyerais	hubieras constituido	hubierais constituido
constituyera	constituyeran	hubiera constituido	hubieran constituido
OR		OR	
constituyese	constituyésemos	hubiese constituido	hubiésemos constituido
constituyeses	constituyeseis	hubieses constituido	hubieseis constituido
constituyese	constituyesen	hubiese constituido	hubiesen constituido

	imperativo
—	constituyamos
constituye; no constituyas	constituid; no constituyáis
constituya	constituyan

Words related to this verb

constitutivo, constitutiva   constitutive, essential
la constitución   constitution
el constitucionalismo   constitutionalism

constituyente   constituent
instituir   to institute, to instruct, to teach
restituir   to restore, to give back

If you don't know the Spanish verb for the English verb you have in mind, look it up in the index on pages 682–706.

Regular **-ir** verb endings with spelling
change: add **y** before **a**, **e**, or **o**

to construct, to build

The Seven Simple Tenses | The Seven Compound Tenses

Singular	Plural	Singular	Plural
1 presente de indicativo		8 perfecto de indicativo	
construyo	construimos	he construido	hemos construido
construyes	construís	has construido	habéis construido
construye	construyen	ha construido	han construido
2 imperfecto de indicativo		9 pluscuamperfecto de indicativo	
construía	construíamos	había construido	habíamos construido
construías	construíais	habías construido	habíais construido
construía	construían	había construido	habían construido
3 pretérito		10 pretérito anterior	
construí	construimos	hube construido	hubimos construido
construiste	construisteis	hubiste construido	hubisteis construido
construyó	construyeron	hubo construido	hubieron construido
4 futuro		11 futuro perfecto	
construiré	construiremos	habré construido	habremos construido
construirás	construiréis	habrás construido	habréis construido
construirá	construirán	habrá construido	habrán construido
5 potencial simple		12 potencial compuesto	
construiría	construiríamos	habría construido	habríamos construido
construirías	construiríais	habrías construido	habríais construido
construiría	construirían	habría construido	habrían construido
6 presente de subjuntivo		13 perfecto de subjuntivo	
construya	construyamos	haya construido	hayamos construido
construyas	construyáis	hayas construido	hayáis construido
construya	construyan	haya construido	hayan construido
7 imperfecto de subjuntivo		14 pluscuamperfecto de subjuntivo	
construyera	construyéramos	hubiera construido	hubiéramos construido
construyeras	construyerais	hubieras construido	hubierais construido
construyera	construyeran	hubiera construido	hubieran construido
OR		OR	
construyese	construyésemos	hubiese construido	hubiésemos construido
construyeses	construyeseis	hubieses construido	hubieseis construido
construyese	construyesen	hubiese construido	hubiesen construido

imperativo

—	construyamos
construye; no construyas	construid; no construyáis
construya	construyan

AN ESSENTIAL
55 VERB

Construir

Construir is a useful verb, whether you're beginning to study Spanish or simply reviewing the language. Pay special attention to the added **y** before endings beginning with **a, e,** or **o. Construir** is used in numerous everyday expressions and situations.

Sentences using construir and related words

En la clase de carpintería, estoy construyendo
 una casita para pajaritos.
In woodworking class, I'm building a birdhouse.

Mi casa fue construida en 1889.
My house was built in 1889.

Can't remember the Spanish verb you need?
Check the back pages of this book for the English-Spanish verb index!

Regular **-ar** verb endings with stem
change: Tenses 1, 6, Imperative

to count, to relate, to tell

C

The Seven Simple Tenses		The Seven Compound Tenses	
Singular	Plural	Singular	Plural
1 presente de indicativo		**8 perfecto de indicativo**	
cuento	contamos	he contado	hemos contado
cuentas	contáis	has contado	habéis contado
cuenta	cuentan	ha contado	han contado
2 imperfecto de indicativo		**9 pluscuamperfecto de indicativo**	
contaba	contábamos	había contado	habíamos contado
contabas	contabais	habías contado	habíais contado
contaba	contaban	había contado	habían contado
3 pretérito		**10 pretérito anterior**	
conté	contamos	hube contado	hubimos contado
contaste	contasteis	hubiste contado	hubisteis contado
contó	contaron	hubo contado	hubieron contado
4 futuro		**11 futuro perfecto**	
contaré	contaremos	habré contado	habremos contado
contarás	contaréis	habrás contado	habréis contado
contará	contarán	habrá contado	habrán contado
5 potencial simple		**12 potencial compuesto**	
contaría	contaríamos	habría contado	habríamos contado
contarías	contaríais	habrías contado	habríais contado
contaría	contarían	habría contado	habrían contado
6 presente de subjuntivo		**13 perfecto de subjuntivo**	
cuente	contemos	haya contado	hayamos contado
cuentes	contéis	hayas contado	hayáis contado
cuente	cuenten	haya contado	hayan contado
7 imperfecto de subjuntivo		**14 pluscuamperfecto de subjuntivo**	
contara	contáramos	hubiera contado	hubiéramos contado
contaras	contarais	hubieras contado	hubierais contado
contara	contaran	hubiera contado	hubieran contado
OR		OR	
contase	contásemos	hubiese contado	hubiésemos contado
contases	contaseis	hubieses contado	hubieseis contado
contase	contasen	hubiese contado	hubiesen contado

	imperativo	
—		contemos
cuenta; no cuentes		contad; no contéis
cuente		cuenten

AN ESSENTIAL
55 VERB

AN ESSENTIAL 55 VERB

Contar

Contar is a useful verb because it has an important stem change in Tenses 1 and 6, as well as in the imperative. It is helpful in a great number of everyday expressions and situations.

Sentences using contar and related words

Siéntate. Te contaré una historia maravillosa.
Sit down. I'll tell you a marvelous story.

Cuenta conmigo.
(You can) count on me.

¡Cuéntaselo a tu abuela!
I don't believe you! or You're pulling my leg!
(Literally: Tell it to your grandmother!)

Words and expressions related to this verb

un cuento **story, tale**

un cuentista, una cuentista **storyteller**

estar en el cuento **to be informed**

contar con **to depend on, to count on, to rely on**

el contador, la contadora **bookkeeper**

contado, contada **counted, told**

la cuenta **bill, check**

tomar en cuenta **to take into account**

una cuenta bancaria **bank account**

recontar **to recount, retell**

descontar **to discount, to deduct**

dar por descontado **to take for granted**

Can't find the verb you're looking for?
Check the back pages of this book for a list of over 2,100 additional verbs!

The Seven Simple Tenses		The Seven Compound Tenses	
Singular	Plural	Singular	Plural
1 presente de indicativo		**8 perfecto de indicativo**	
contengo	contenemos	he contenido	hemos contenido
contienes	contenéis	has contenido	habéis contenido
contiene	contienen	ha contenido	han contenido
2 imperfecto de indicativo		**9 pluscuamperfecto de indicativo**	
contenía	conteníamos	había contenido	habíamos contenido
contenías	conteníais	habías contenido	habíais contenido
contenía	contenían	había contenido	habían contenido
3 pretérito		**10 pretérito anterior**	
contuve	contuvimos	hube contenido	hubimos contenido
contuviste	contuvisteis	hubiste contenido	hubisteis contenido
contuvo	contuvieron	hubo contenido	hubieron contenido
4 futuro		**11 futuro perfecto**	
contendré	contendremos	habré contenido	habremos contenido
contendrás	contendréis	habrás contenido	habréis contenido
contendrá	contendrán	habrá contenido	habrán contenido
5 potencial simple		**12 potencial compuesto**	
contendría	contendríamos	habría contenido	habríamos contenido
contendrías	contendríais	habrías contenido	habríais contenido
contendría	contendrían	habría contenido	habrían contenido
6 presente de subjuntivo		**13 perfecto de subjuntivo**	
contenga	contengamos	haya contenido	hayamos contenido
contengas	contegáis	hayas contenido	hayáis contenido
contenga	contengan	haya contenido	hayan contenido
7 imperfecto de subjuntivo		**14 pluscuamperfecto de subjuntivo**	
contuviera	contuviéramos	hubiera contenido	hubiéramos contenido
contuvieras	contuvierais	hubieras contenido	hubierais contenido
contuviera	contuvieran	hubiera contenido	hubieran contenido
OR		OR	
contuviese	contuviésemos	hubiese contenido	hubiésemos contenido
contuvieses	contuvieseis	hubieses contenido	hubieseis contenido
contuviese	contuviesen	hubiese contenido	hubiesen contenido

imperativo	
—	contengamos
conten; no contengas	contened; no contegáis
contenga	contengan

Words related to this verb
el contenido   content, contents
conteniente   containing
contenido, contenida   contained

contenerse   to contain oneself
contenible   containable
contener la risa   to keep a straight face (to contain laughter)

See also **tener.**

Get your feet wet with verbs used in weather expressions on page 668.

The subject pronouns are found on page 93.

to answer, to reply (to)   Regular **-ar** verb

The Seven Simple Tenses		The Seven Compound Tenses	
Singular	Plural	Singular	Plural
1 presente de indicativo		8 perfecto de indicativo	
contesto	contestamos	he contestado	hemos contestado
contestas	contestáis	has contestado	habéis contestado
contesta	contestan	ha contestado	han contestado
2 imperfecto de indicativo		9 pluscuamperfecto de indicativo	
contestaba	contestábamos	había contestado	habíamos contestado
contestabas	contestabais	habías contestado	habíais contestado
contestaba	contestaban	había contestado	habían contestado
3 pretérito		10 pretérito anterior	
contesté	contestamos	hube contestado	hubimos contestado
contestaste	contestasteis	hubiste contestado	hubisteis contestado
contestó	contestaron	hubo contestado	hubieron contestado
4 futuro		11 futuro perfecto	
contestaré	contestaremos	habré contestado	habremos contestado
contestarás	contestaréis	habrás contestado	habréis contestado
contestará	contestarán	habrá contestado	habrán contestado
5 potencial simple		12 potencial compuesto	
contestaría	contestaríamos	habría contestado	habríamos contestado
contestarías	contestaríais	habrías contestado	habríais contestado
contestaría	contestarían	habría contestado	habrían contestado
6 presente de subjuntivo		13 perfecto de subjuntivo	
conteste	contestemos	haya contestado	hayamos contestado
contestes	contestéis	hayas contestado	hayáis contestado
conteste	contesten	haya contestado	hayan contestado
7 imperfecto de subjuntivo		14 pluscuamperfecto de subjuntivo	
contestara	contestáramos	hubiera contestado	hubiéramos contestado
contestaras	contestarais	hubieras contestado	hubierais contestado
contestara	contestaran	hubiera contestado	hubieran contestado
OR		OR	
contestase	contestásemos	hubiese contestado	hubiésemos contestado
contestases	contestaseis	hubieses contestado	hubieseis contestado
contestase	contestasen	hubiese contestado	hubiesen contestado

	imperativo	
—	contestemos
contesta; no contestes	contestad; no contestéis
conteste	contesten

Words related to this verb
la contestación   answer, reply
contestable   contestable
protestar   to protest
contestar el teléfono   to answer the telephone

un contestador automático   an answering machine
contestar una pregunta   to answer a question

Check out the verb drills and verb tests with answers explained on pages 45–91.

Regular **-ar** verb endings with spelling change: **u** becomes   to continue
ú on stressed syllable (Tenses 1 and 6, Imperative)

The Seven Simple Tenses		The Seven Compound Tenses	
Singular	Plural	Singular	Plural
1 presente de indicativo		8 perfecto de indicativo	
continúo	continuamos	he continuado	hemos continuado
continúas	continuáis	has continuado	habéis continuado
continúa	continúan	ha continuado	han continuado
2 imperfecto de indicativo		9 pluscuamperfecto de indicativo	
continuaba	continuábamos	había continuado	habíamos continuado
continuabas	continuabais	habías continuado	habíais continuado
continuaba	continuaban	había continuado	habían continuado
3 pretérito		10 pretérito anterior	
continué	continuamos	hube continuado	hubimos continuado
continuaste	continuasteis	hubiste continuado	hubisteis continuado
continuó	continuaron	hubo continuado	hubieron continuado
4 futuro		11 futuro perfecto	
continuaré	continuaremos	habré continuado	habremos continuado
continuarás	continuaréis	habrás continuado	habréis continuado
continuará	continuarán	habrá continuado	habrán continuado
5 potencial simple		12 potencial compuesto	
continuaría	continuaríamos	habría continuado	habríamos continuado
continuarías	continuaríais	habrías continuado	habríais continuado
continuaría	continuarían	habría continuado	habrían continuado
6 presente de subjuntivo		13 perfecto de subjuntivo	
continúe	continuemos	haya continuado	hayamos continuado
continúes	continuéis	hayas continuado	hayáis continuado
continúe	continúen	haya continuado	hayan continuado
7 imperfecto de subjuntivo		14 pluscuamperfecto de subjuntivo	
continuara	continuáramos	hubiera continuado	hubiéramos continuado
continuaras	continuarais	hubieras continuado	hubierais continuado
continuara	continuaran	hubiera continuado	hubieran continuado
OR		OR	
continuase	continuásemos	hubiese continuado	hubiésemos continuado
continusases	continuaseis	hubieses continuado	hubieseis continuado
continuase	continuasen	hubiese continuado	hubiesen continuado

	imperativo	
—	continuemos
continúa; no continúes	continuad; no continuéis
continúe	continúen

Words and expressions related to this verb

la continuación continuation		**la descontinuación** discontinuation	
continuamente continually		**continuo, continua** continuous	
a continuación following, next		**la coninuidad** continuity	
descontinuar to discontinue			

Review the principal parts of important Spanish verbs on pages 9 and 10.

contribuir (142)

Gerundio contribuyendo Part. pas. **contribuido**

to contribute, to pay taxes

Regular **-ir** verb endings with spelling change: add **y** before **a**, **e**, or **o**

The Seven Simple Tenses		The Seven Compound Tenses	
Singular	Plural	Singular	Plural
1 presente de indicativo		**8 perfecto de indicativo**	
contribuyo	contribuimos	he contribuido	hemos contribuido
contribuyes	contribuís	has contribuido	habéis contribuido
contribuye	contribuyen	ha contribuido	han contribuido
2 imperfecto de indicativo		**9 pluscuamperfecto de indicativo**	
contribuía	contribuíamos	había contribuido	habíamos contribuido
contribuías	contribuíais	habías contribuido	habíais contribuido
contribuía	contribuían	había contribuido	habían contribuido
3 pretérito		**10 pretérito anterior**	
contribuí	contribuimos	hube contribuido	hubimos contribuido
contribuiste	contribuisteis	hubiste contribuido	hubisteis contribuido
contribuyó	contribuyeron	hubo contribuido	hubieron contribuido
4 futuro		**11 futuro perfecto**	
contribuiré	contribuiremos	habré contribuido	habremos contribuido
contribuirás	contribuiréis	habrás contribuido	habréis contribuido
contribuirá	contribuirán	habrá contribuido	habrán contribuido
5 potencial simple		**12 potencial compuesto**	
contribuiría	contribuiríamos	habría contribuido	habríamos contribuido
contribuirías	contribuiríais	habrías contribuido	habríais contribuido
contribuiría	contribuirían	habría contribuido	habrían contribuido
6 presente de subjuntivo		**13 perfecto de subjuntivo**	
contribuya	contribuyamos	haya contribuido	hayamos contribuido
contribuyas	contribuyáis	hayas contribuido	hayáis contribuido
contribuya	contribuyan	haya contribuido	hayan contribuido
7 imperfecto de subjuntivo		**14 pluscuamperfecto de subjuntivo**	
contribuyera	contribuyéramos	hubiera contribuido	hubiéramos contribuido
contribuyeras	contribuyerais	hubieras contribuido	hubierais contribuido
contribuyera	contribuyeran	hubiera contribuido	hubieran contribuido
OR		OR	
contribuyese	contribuyésemos	hubiese contribuido	hubiésemos contribuido
contribuyeses	contribuyeseis	hubieses contribuido	hubieseis contribuido
contribuyese	contribuyesen	hubiese contribuido	hubiesen contribuido

imperativo	
—	contribuyamos
contribuye; no contribuyas	contribuid; no contribuyáis
contribuya	contribuyan

Words related to this verb

contribuidor, contribuidora contributor
la contribución contribution tax
contributario, contribuyente taxpayer

la contribución directa direct tax
la contribución de guerra war tax (levy)

If you want to see a sample English verb fully conjugated in all the tenses, check out pages 11 and 12.

Regular **-er** verb endings with spelling
change: **c** becomes **z** before **a** or **o**

to convince

The Seven Simple Tenses | The Seven Compound Tenses

Singular	Plural	Singular	Plural
1 presente de indicativo		8 perfecto de indicativo	
convenzo	convencemos	he convencido	hemos convencido
convences	convencéis	has convencido	habéis convencido
convence	convencen	ha convencido	han convencido
2 imperfecto de indicativo		9 pluscuamperfecto de indicativo	
convencía	convencíamos	había convencido	habíamos convencido
convencías	convencíais	habías convencido	habíais convencido
convencía	convencían	había convencido	habían convencido
3 pretérito		10 pretérito anterior	
convencí	convencimos	hube convencido	hubimos convencido
convenciste	convencisteis	hubiste convencido	hubisteis convencido
convenció	convencieron	hubo convencido	hubieron convencido
4 futuro		11 futuro perfecto	
convenceré	convenceremos	habré convencido	habremos convencido
convencerás	convenceréis	habrás convencido	habréis convencido
convencerá	convencerán	habrá convencido	habrán convencido
5 potencial simple		12 potencial compuesto	
convencería	convenceríamos	habría convencido	habríamos convencido
convencerías	convenceríais	habrías convencido	habríais convencido
convencería	convencerían	habría convencido	habrían convencido
6 presente de subjuntivo		13 perfecto de subjuntivo	
convenza	convenzamos	haya convencido	hayamos convencido
convenzas	convenzáis	hayas convencido	hayáis convencido
convenza	convenzan	haya convencido	hayan convencido
7 imperfecto de subjuntivo		14 pluscuamperfecto de subjuntivo	
convenciera	convenciéramos	hubiera convencido	hubiéramos convencido
convencieras	convencierais	hubieras convencido	hubierais convencido
convenciera	convencieran	hubiera convencido	hubieran convencido
OR		OR	
convenciese	convenciésemos	hubiese convencido	hubiésemos convencido
convencieses	convencieseis	hubieses convencido	hubieseis convencido
convenciese	convenciesen	hubiese convencido	hubiesen convencido

imperativo

—	convenzamos
convence; no convenzas	convenced; no convenzáis
convenza	convenzan

Words related to this verb
el convencimiento conviction
convencido, convencida convinced

convencible convincible
convencedor, convencedora convincing

For other words and expressions related to this verb, see **vencer.**

If you want an explanation of meanings and uses of
Spanish and English verb tenses and moods, see pages 13–32.

to agree, to convene, to be fitting   Irregular verb

The Seven Simple Tenses		The Seven Compound Tenses	
Singular	Plural	Singular	Plural
1 presente de indicativo		8 perfecto de indicativo	
convengo	convenimos	he convenido	hemos convenido
convienes	convenís	has convenido	habéis convenido
conviene	convienen	ha convenido	han convenido
2 imperfecto de indicativo		9 pluscuamperfecto de indicativo	
convenía	conveníamos	había convenido	habíamos convenido
convenías	conveníais	habías convenido	habíais convenido
convenía	convenían	había convenido	habían convenido
3 pretérito		10 pretérito anterior	
convine	convinimos	hube convenido	hubimos convenido
conviniste	convinisteis	hubiste convenido	hubisteis convenido
convino	convinieron	hubo convenido	hubieron convenido
4 futuro		11 futuro perfecto	
convendré	convendremos	habré convenido	habremos convenido
convendrás	convendréis	habrás convenido	habréis convenido
convendrá	convendrán	habrá convenido	habrán convenido
5 potencial simple		12 potencial compuesto	
convendría	convendríamos	habría convenido	habríamos convenido
convendrías	convendríais	habrías convenido	habríais convenido
convendría	convendrían	habría convenido	habrían convenido
6 presente de subjuntivo		13 perfecto de subjuntivo	
convenga	convengamos	haya convenido	hayamos convenido
convengas	convengáis	hayas convenido	hayáis convenido
convenga	convengan	haya convenido	hayan convenido
7 imperfecto de subjuntivo		14 pluscuamperfecto de subjuntivo	
conviniera	conviniéramos	hubiera convenido	hubiéramos convenido
convinieras	convinierais	hubieras convenido	hubierais convenido
conviniera	convinieran	hubiera convenido	hubieran convenido
OR		OR	
conviniese	conviniésemos	hubiese convenido	hubiésemos convenido
convinieses	convinieseis	hubieses convenido	hubieseis convenido
conviniese	conviniesen	hubiese convenido	hubiesen convenido

imperativo	
—	convengamos
conven; no convengas	convenid; no convengáis
convenga	convengan

Words and expressions related to this verb
convenir + inf. to be important + inf.
convenir en + inf. to agree + inf.
convenido, convenida agreed

el convenio agreement
conveniente convenient
la convención convention

For other words and expressions related to this verb, see **venir**.

Can't recognize an irregular verb form? Check out pages 678–681.

Regular **-ir** verb endings with stem change: to convert
Tenses 1, 3, 6, 7, Imperative, Gerundio

The Seven Simple Tenses		The Seven Compound Tenses	
Singular	Plural	Singular	Plural
1 presente de indicativo		8 perfecto de indicativo	
convierto	**convertimos**	**he convertido**	**hemos convertido**
conviertes	**convertís**	**has convertido**	**habéis convertido**
convierte	**convierten**	**ha convertido**	**han convertido**
2 imperfecto de indicativo		9 pluscuamperfecto de indicativo	
convertía	**convertíamos**	**había convertido**	**habíamos convertido**
convertías	**convertíais**	**habías convertido**	**habíais convertido**
convertía	**convertían**	**había convertido**	**habían convertido**
3 pretérito		10 pretérito anterior	
convertí	**convertimos**	**hube convertido**	**hubimos convertido**
convertiste	**convertisteis**	**hubiste convertido**	**hubisteis convertido**
convirtió	**convirtieron**	**hubo convertido**	**hubieron convertido**
4 futuro		11 futuro perfecto	
convertiré	**convertiremos**	**habré convertido**	**habremos convertido**
convertirás	**convertiréis**	**habrás convertido**	**habréis convertido**
convertirá	**convertirán**	**habrá convertido**	**habrán convertido**
5 potencial simple		12 potencial compuesto	
convertiría	**convertiríamos**	**habría convertido**	**habríamos convertido**
convertirías	**convertiríais**	**habrías convertido**	**habríais convertido**
convertiría	**convertirían**	**habría convertido**	**habrían convertido**
6 presente de subjuntivo		13 perfecto de subjuntivo	
convierta	**convirtamos**	**haya convertido**	**hayamos convertido**
conviertas	**convirtáis**	**hayas convertido**	**hayáis convertido**
convierta	**conviertan**	**haya convertido**	**hayan convertido**
7 imperfecto de subjuntivo		14 pluscuamperfecto de subjuntivo	
convirtiera	**convirtiéramos**	**hubiera convertido**	**hubiéramos convertido**
convirtieras	**convirtierais**	**hubieras convertido**	**hubierais convertido**
convirtiera	**convirtieran**	**hubiera convertido**	**hubieran convertido**
OR		OR	
convirtiese	**convirtiésemos**	**hubiese convertido**	**hubiésemos convertido**
convirtieses	**convirtieseis**	**hubieses convertido**	**hubieseis convertido**
convirtiese	**convirtiesen**	**hubiese convertido**	**hubiesen convertido**

imperativo

—	**convirtamos**
convierte; no conviertas	**convertid; no convirtáis**
convierta	**conviertan**

Words and expressions related to this verb

convertir en dinero   to convert into cash
convertido, convertida   converted, changed
convertir el agua en vino   to turn water
   into wine

la conversión   conversion
convertible   convertible
convertirse   to convert (oneself), to be
   converted, to change religion

Can't find the verb you're looking for?
Check the back pages of this book for a list of over 2,100 additional verbs!

The subject pronouns are found on page 93.

convocar (146)

to call together, to convene,
to convoke, to summon

Regular **-ar** verb endings with spelling
change: **c** becomes **qu** before **e**

The Seven Simple Tenses		The Seven Compound Tenses	
Singular	Plural	Singular	Plural
1 presente de indicativo		**8 perfecto de indicativo**	
convoco	convocamos	he convocado	hemos convocado
convocas	convocáis	has convocado	habéis convocado
convoca	convocan	ha convocado	han convocado
2 imperfecto de indicativo		**9 pluscuamperfecto de indicativo**	
convocaba	convocábamos	había convocado	habíamos convocado
convocabas	convocabais	habías convocado	habíais convocado
convocaba	convocaban	había convocado	habían convocado
3 pretérito		**10 pretérito anterior**	
convoqué	convocamos	hube convocado	hubimos convocado
convocaste	convocasteis	hubiste convocado	hubisteis convocado
convocó	convocaron	hubo convocado	hubieron convocado
4 futuro		**11 futuro perfecto**	
convocaré	convocaremos	habré convocado	habremos convocado
convocarás	convocaréis	habrás convocado	habréis convocado
convocará	convocarán	habrá convocado	habrán convocado
5 potencial simple		**12 potencial compuesto**	
convocaría	convocaríamos	habría convocado	habríamos convocado
convcoarías	convocaríais	habrías convocado	habríais convocado
convocaría	convocarían	habría convocado	habrían convocado
6 presente de subjuntivo		**13 perfecto de subjuntivo**	
convoque	convoquemos	haya convocado	hayamos convocado
convoques	convoquéis	hayas convocado	hayáis convocado
convoque	convoquen	haya convocado	hayan convocado
7 imperfecto de subjuntivo		**14 pluscuamperfecto de subjuntivo**	
convocara	convocáramos	hubiera convocado	hubiéramos convocado
convocaras	convocarais	hubieras convocado	hubierais convocado
convocara	convocaran	hubiera convocado	hubieran convocado
OR		OR	
convocase	convocásemos	hubiese convocado	hubiésemos convocado
convocases	convocaseis	hubieses convocado	hubieseis convocado
convocase	convocasen	hubiese convocado	hubiesen convocado

	imperativo
—	convoquemos
convoca; no convoques	convocad; no convoquéis
convoque	convoquen

Words and expressions related to this verb
la convocación   convocation
la vocación   vocation, calling
el vacabulario   vocabulary

un vocablo   word, expression, term
jugar del vocablo   to pun, to make a pun
la convocatoria   convocation, calling together

Don't forget to study the section on defective and impersonal verbs. It's right after this main list.

Regular **-ir** verb endings with stem change: to correct
Tenses 1, 3, 6, 7, Imperative, Gerundio

The Seven Simple Tenses		The Seven Compound Tenses	
Singular	Plural	Singular	Plural
1 presente de indicativo		8 perfecto de indicativo	
corrijo	**corregimos**	**he corregido**	**hemos corregido**
corriges	**corregís**	**has corregido**	**habéis corregido**
corrige	**corrigen**	**ha corregido**	**han corregido**
2 imperfecto de indicativo		9 pluscuamperfecto de indicativo	
corregía	**corregíamos**	**había corregido**	**habíamos corregido**
corregías	**corregíais**	**habías corregido**	**habíais corregido**
corregía	**corregían**	**había corregido**	**habían corregido**
3 pretérito		10 pretérito anterior	
corregí	**corregimos**	**hube corregido**	**hubimos corregido**
corregiste	**corregisteis**	**hubiste corregido**	**hubisteis corregido**
corrigió	**corrigieron**	**hubo corregido**	**hubieron corregido**
4 futuro		11 futuro perfecto	
corregiré	**corregiremos**	**habré corregido**	**habremos corregido**
corregirás	**corregiréis**	**habrás corregido**	**habréis corregido**
corregirá	**corregirán**	**habrá corregido**	**habrán corregido**
5 potencial simple		12 potencial compuesto	
corregiría	**corregiríamos**	**habría corregido**	**habríamos corregido**
corregirías	**corregiríais**	**habrías corregido**	**habríais corregido**
corregiría	**corregirían**	**habría corregido**	**habrían corregido**
6 presente de subjuntivo		13 perfecto de subjuntivo	
corrija	**corrijamos**	**haya corregido**	**hayamos corregido**
corrijas	**corrijáis**	**hayas corregido**	**hayáis corregido**
corrija	**corrijan**	**haya corregido**	**hayan corregido**
7 imperfecto de subjuntivo		14 pluscuamperfecto de subjuntivo	
corrigiera	**corrigiéramos**	**hubiera corregido**	**hubiéramos corregido**
corrigieras	**corrigierais**	**hubieras corregido**	**hubierais corregido**
corrigiera	**corrigieran**	**hubiera corregido**	**hubieran corregido**
OR		OR	
corrigiese	**corrigiésemos**	**hubiese corregido**	**hubiésemos corregido**
corrigieses	**corrigieseis**	**hubieses corregido**	**hubieseis corregido**
corrigiese	**corrigiesen**	**hubiese corregido**	**hubiesen corregido**

imperativo

—	**corrijamos**
corrige; no corrijas	**corregid; no corrijáis**
corrija	**corrijan**

Words and expressions related to this verb

corregir pruebas   to read proofs
corregible corrigible
incorregible incorrigible
la corrección correction

correcto, correcta   correct
correctamente correctly
correccional correctional
el correccional reformatory

Can't recognize an irregular verb form? Check out pages 678–681.

The subject pronouns are found on page 93.

The Seven Simple Tenses		The Seven Compound Tenses	
Singular	Plural	Singular	Plural
1 presente de indicativo		8 perfecto de indicativo	
corro	corremos	he corrido	hemos corrido
corres	corréis	has corrido	habéis corrido
corre	corren	ha corrido	han corrido
2 imperfecto de indicativo		9 pluscuamperfecto de indicativo	
corría	corríamos	había corrido	habíamos corrido
corrías	corríais	habías corrido	habíais corrido
corría	corrían	había corrido	habían corrido
3 pretérito		10 pretérito anterior	
corrí	corrimos	hube corrido	hubimos corrido
corriste	corristeis	hubiste corrido	hubisteis corrido
corrió	corrieron	hubo corrido	hubieron corrido
4 futuro		11 futuro perfecto	
correré	correremos	habré corrido	habremos corrido
correrás	correréis	habrás corrido	habréis corrido
correrá	correrán	habrá corrido	habrán corrido
5 potencial simple		12 potencial compuesto	
correría	correríamos	habría corrido	habríamos corrido
correrías	correríais	habrías corrido	habríais corrido
correría	correrían	habría corrido	habrían corrido
6 presente de subjuntivo		13 perfecto de subjuntivo	
corra	corramos	haya corrido	hayamos corrido
corras	corráis	hayas corrido	hayáis corrido
corra	corran	haya corrido	hayan corrido
7 imperfecto de subjuntivo		14 pluscuamperfecto de subjuntivo	
corriera	corriéramos	hubiera corrido	hubiéramos corrido
corrieras	corrierais	hubieras corrido	hubierais corrido
corriera	corrieran	hubiera corrido	hubieran corrido
OR		OR	
corriese	corriésemos	hubiese corrido	hubiésemos corrido
corrieses	corrieseis	hubieses corrido	hubieseis corrido
corriese	corriesen	hubiese corrido	hubiesen corrido

imperativo

—	corramos
corre; no corras	corred; no corráis
corra	corran

Words and expressions related to this verb

el correo   mail, post
correo aéreo   air mail
echar una carta al correo   to mail (post) a letter
la corrida   race
de corrida   at full speed

descorrer   to flow (liquids); to draw a curtain or drape
por correo aparte   under separate cover (mail)
recorrer   to travel on, to go over

Gerundio **cortando**   Part. pas. **cortado**   **cortar (149)**

Regular **-ar** verb   to cut, to cut off, to cut out

The Seven Simple Tenses | The Seven Compound Tenses

Singular	Plural	Singular	Plural
1 presente de indicativo		**8 perfecto de indicativo**	
corto	cortamos	he cortado	hemos cortado
cortas	cortáis	has cortado	habéis cortado
corta	cortan	ha cortado	han cortado
2 imperfecto de indicativo		**9 pluscuamperfecto de indicativo**	
cortaba	cortábamos	había cortado	habíamos cortado
cortabas	cortabais	habías cortado	habíais cortado
cortaba	cortaban	había cortado	habían cortado
3 pretérito		**10 pretérito anterior**	
corté	cortamos	hube cortado	hubimos cortado
cortaste	cortasteis	hubiste cortado	hubisteis cortado
cortó	cortaron	hubo cortado	hubieron cortado
4 futuro		**11 futuro perfecto**	
cortaré	cortaremos	habré cortado	habremos cortado
cortarás	cortaréis	habrás cortado	habréis cortado
cortará	cortarán	habrá cortado	habrán cortado
5 potencial simple		**12 potencial compuesto**	
cortaría	cortaríamos	habría cortado	habríamos cortado
cortarías	cortaríais	habrías cortado	habríais cortado
cortaría	cortarían	habría cortado	habrían cortado
6 presente de subjuntivo		**13 perfecto de subjuntivo**	
corte	cortemos	haya cortado	hayamos cortado
cortes	cortéis	hayas cortado	hayáis cortado
corte	corten	haya cortado	hayan cortado
7 imperfecto de subjuntivo		**14 pluscuamperfecto de subjuntivo**	
cortara	cortáramos	hubiera cortado	hubiéramos cortado
cortaras	cortarais	hubieras cortado	hubierais cortado
cortara	cortaran	hubiera cortado	hubieran cortado
OR		OR	
cortase	cortásemos	hubiese cortado	hubiésemos cortado
cortases	cortaseis	hubieses cortado	hubieseis cortado
cortase	cortasen	hubiese cortado	hubiesen cortado

imperativo

—	cortemos
corta; no cortes	cortad; no cortéis
corte	corten

Words and expressions related to this verb
cortar el agua   to cut off the water
cortar las alas a uno   to cut a person down, "to cut off one's wings"
cortar el vino con agua   to dilute wine
corto, corta   short; **corto de oído**   hard of hearing
recortar   to trim, cut off, cut away; **un recorte**   clipping from a newspaper
un corte del pelo   haircut

The subject pronouns are found on page 93.

257

Gerundio **creando**   Part. pas. **creado**

to create

The Seven Simple Tenses		The Seven Compound Tenses	
Singular	Plural	Singular	Plural
1 presente de indicativo		**8 perfecto de indicativo**	
creo	creamos	he creado	hemos creado
creas	creáis	has creado	habéis creado
crea	crean	ha creado	han creado
2 imperfecto de indicativo		**9 pluscuamperfecto de indicativo**	
creaba	creábamos	había creado	habíamos creado
creabas	creabais	habías creado	habíais creado
creaba	creaban	había creado	habían creado
3 pretérito		**10 pretérito anterior**	
creé	creamos	hube creado	hubimos creado
creaste	creasteis	hubiste creado	hubisteis creado
creó	crearon	hubo creado	hubieron creado
4 futuro		**11 futuro perfecto**	
crearé	crearemos	habré creado	habremos creado
crearás	crearéis	habrás creado	habréis creado
creará	crearán	habrá creado	habrán creado
5 potencial simple		**12 potencial compuesto**	
crearía	crearíamos	habría creado	habríamos creado
crearías	crearíais	habrías creado	habríais creado
crearía	crearían	habría creado	habrían creado
6 presente de subjuntivo		**13 perfecto de subjuntivo**	
cree	creemos	haya creado	hayamos creado
crees	creéis	hayas creado	hayáis creado
cree	creen	haya creado	hayan creado
7 imperfecto de subjuntivo		**14 pluscuamperfecto de subjuntivo**	
creara	creáramos	hubiera creado	hubiéramos creado
crearas	crearais	hubieras creado	hubierais creado
creara	crearan	hubiera creado	hubieran creado
OR		OR	
crease	creásemos	hubiese creado	hubiésemos creado
creases	creaseis	hubieses creado	hubieseis creado
crease	creasen	hubiese creado	hubiesen creado

imperativo	
—	creemos
crea; no crees	cread; no creéis
cree	creen

Words and expressions related to this verb

la creación   creation
creador, creadora   creative
creativo, creativa   creative
la creatividad   creativeness, creativity

la facultad creadora   creativity
recrear   to recreate, entertain
la recreación   recreation

Do you need more drills? Have fun with the *501 Spanish Verbs* CD-ROM!

Regular **-er** verb endings with spelling
change: **c** becomes **zc** before **a** or **o**

to grow

C

The Seven Simple Tenses	The Seven Compound Tenses

Singular	Plural	Singular	Plural
1 presente de indicativo		8 perfecto de indicativo	
crezco	crecemos	he crecido	hemos crecido
creces	crecéis	has crecido	habéis crecido
crece	crecen	ha crecido	han crecido
2 imperfecto de indicativo		9 pluscuamperfecto de indicativo	
crecía	crecíamos	había crecido	habíamos crecido
crecías	crecíais	habías crecido	habíais crecido
crecía	crecían	había crecido	habían crecido
3 pretérito		10 pretérito anterior	
crecí	crecimos	hube crecido	hubimos crecido
creciste	crecisteis	hubiste crecido	hubisteis crecido
creció	crecieron	hubo crecido	hubieron crecido
4 futuro		11 futuro perfecto	
creceré	creceremos	habré crecido	habremos crecido
crecerás	creceréis	habrás crecido	habréis crecido
crecerá	crecerán	habrá crecido	habrán crecido
5 potencial simple		12 potencial compuesto	
crecería	creceríamos	habría crecido	habríamos crecido
crecerías	creceríais	habrías crecido	habríais crecido
crecería	crecerían	habría crecido	habrían crecido
6 presente de subjuntivo		13 perfecto de subjuntivo	
crezca	crezcamos	haya crecido	hayamos crecido
crezcas	crezcáis	hayas crecido	hayáis crecido
crezca	crezcan	haya crecido	hayan crecido
7 imperfecto de subjuntivo		14 pluscuamperfecto de subjuntivo	
creciera	creciéramos	hubiera crecido	hubiéramos crecido
crecieras	crecierais	hubieras crecido	hubierais crecido
creciera	crecieran	hubiera crecido	hubieran crecido
OR		OR	
creciese	creciésemos	hubiese crecido	hubiésemos crecido
crecieses	crecieseis	hubieses crecido	hubieseis crecido
creciese	creciesen	hubiese crecido	hubiesen crecido

imperativo

—	crezcamos
crece; no crezcas	creced; no crezcáis
crezca	crezcan

Words and expressions related to this verb
crecer como la mala hierba   to grow like a weed
crecidamente   abundantly
el crescendo   crescendo (music)

la luna creciente   crescent moon
el crecimiento   growth
la crecida   swelling of a river
creciente   growing, increasing

Don't miss the definitions of basic grammatical terms
with examples in English and Spanish on pages 33–44.

The subject pronouns are found on page 93.

to believe | Regular **-er** verb endings with spelling change: **i** becomes **y** in Tense 3 (3rd person) and Tense 7 (all)

The Seven Simple Tenses | The Seven Compound Tenses

Singular	Plural	Singular	Plural
1 presente de indicativo		**8 perfecto de indicativo**	
creo	creemos	he creído	hemos creído
crees	creéis	has creído	habéis creído
cree	creen	ha creído	han creído
2 imperfecto de indicativo		**9 pluscuamperfecto de indicativo**	
creía	creíamos	había creído	habíamos creído
creías	creíais	habías creído	habíais creído
creía	creían	había creído	habían creído
3 pretérito		**10 pretérito anterior**	
creí	creímos	hube creído	hubimos creído
creíste	creísteis	hubiste creído	hubisteis creído
creyó	creyeron	hubo creído	hubieron creído
4 futuro		**11 futuro perfecto**	
creeré	creeremos	habré creído	habremos creído
creerás	creeréis	habrás creído	habréis creído
creerá	creerán	habrá creído	habrán creído
5 potencial simple		**12 potencial compuesto**	
creería	creeríamos	habría creído	habríamos creído
creería	creeríais	habrías creído	habríais creído
creería	creerían	habría creído	habrían creído
6 presente de subjuntivo		**13 perfecto de subjuntivo**	
crea	creamos	haya creído	hayamos creído
creas	creáis	hayas creído	hayáis creído
crea	crean	haya creído	hayan creído
7 imperfecto de subjuntivo		**14 pluscuamperfecto de subjuntivo**	
creyera	creyéramos	hubiera creído	hubiéramos creído
creyeras	creyerais	hubieras creído	hubierais creído
creyera	creyeran	hubiera creído	hubieran creído
OR		OR	
creyese	creyésemos	hubiese creído	hubiésemos creído
creyeses	creyeseis	hubieses creído	hubieseis creído
creyese	creyesen	hubiese creído	hubiesen creído

imperativo

—	creamos
cree; no creas	creed; no creáis
crea	crean

AN ESSENTIAL
55 VERB

AN ESSENTIAL 55 VERB

Creer

C

We believe that **creer** is a useful verb for you to learn because it has an important stem change in Tenses 3 and 7. This verb is helpful in a great number of everyday expressions and situations.

Sentences using creer and related words

Hasta que no lo veas, no lo creas.
Don't believe it until you see it.

Ver es creer.
Seeing is believing.

¡Ya lo creo!
Of course!

Creo que sí.
I think so.

Creo que no.
I don't think so.

No me lo creo.
I can't believe it.

Words and expressions related to this verb

crédulo, crédula **credulous, gullible**

la credulidad **credulity**

tener buenas creederas **to be credulous, very gullible**

crédulamente **credulously**

el credo **creed**

dar crédito **to believe**

descreer **to disbelieve**

incrédulo, incrédula **incredulous**

la incredulidad **incredulity, unbelief, disbelief**

increíble **incredible**

creíble **believable**

Can't remember the Spanish verb you need?
Check the back pages of this book for the English-Spanish verb index!

criar (153)   Gerundio criando   Part. pas. criado

| to breed, to raise, | Regular -ar verb endings with spelling change: i becomes |
| to bring up (rear) | í on stressed syllable (see Tenses 1, 6, Imperative) |

| The Seven Simple Tenses | The Seven Compound Tenses |

Singular	Plural	Singular	Plural
1 presente de indicativo		8 perfecto de indicativo	
crío	criamos	he criado	hemos criado
crías	criáis	has criado	habéis criado
cría	crían	ha criado	han criado
2 imperfecto de indicativo		9 pluscuamperfecto de indicativo	
criaba	criábamos	había criado	habíamos criado
criabas	criabais	habías criado	habíais criado
criaba	criaban	había criado	habían criado
3 pretérito		10 pretérito anterior	
crié	criamos	hube criado	hubimos criado
criaste	criasteis	hubiste criado	hubisteis criado
crió	criaron	hubo criado	hubieron criado
4 futuro		11 futuro perfecto	
criaré	criaremos	habré criado	habremos criado
criarás	criaréis	habrás criado	habréis criado
criará	criarán	habrá criado	habrán criado
5 potencial simple		12 potencial compuesto	
criaría	criaríamos	habría criado	habríamos criado
criarías	criaríais	habrías criado	habríais criado
criaría	criarían	habría criado	habrían criado
6 presente de subjuntivo		13 perfecto de subjuntivo	
críe	criemos	haya criado	hayamos criado
críes	criéis	hayas criado	hayáis criado
críe	críen	haya criado	hayan criado
7 imperfecto de subjuntivo		14 pluscuamperfecto de subjuntivo	
criara	criáramos	hubiera criado	hubiéramos criado
criaras	criarais	hubieras criado	hubierais criado
criara	criaran	hubiera criado	hubieran criado
OR		OR	
criase	criásemos	hubiese criado	hubiésemos criado
criases	criaseis	hubieses criado	hubieseis criado
criase	criasen	hubiese criado	hubiesen criado

imperativo	
—	criemos
cría; no críes	criad; no criéis
críe	críen

Words and expressions related to this verb
la criandera la criadora   wet nurse
el criado, la criada   servant
la crianza   nursing
dar crianza   to educate, to bring up

mal crianza   bad manners, impoliteness
Dios los cría y ellos se juntan   Birds of a
  feather flock together.

Don't forget to study the section on defective and impersonal verbs. It's right after this main list.

262

Regular **-ar** verb endings with spelling change: to cross
z becomes **c** before **e**

The Seven Simple Tenses		The Seven Compound Tenses	
Singular	Plural	Singular	Plural
1 presente de indicativo		8 perfecto de indicativo	
cruzo	cruzamos	he cruzado	hemos cruzado
cruzas	cruzáis	has cruzado	habéis cruzado
cruza	cruzan	ha cruzado	han cruzado
2 imperfecto de indicativo		9 pluscuamperfecto de indicativo	
cruzaba	cruzábamos	había cruzado	habíamos cruzado
cruzabas	cruzabais	habías cruzado	habíais cruzado
cruzaba	cruzaban	había cruzado	habían cruzado
3 pretérito		10 pretérito anterior	
crucé	cruzamos	hube cruzado	hubimos cruzado
cruzaste	cruzasteis	hubiste cruzado	hubisteis cruzado
cruzó	cruzaron	hubo cruzado	hubieron cruzado
4 futuro		11 futuro perfecto	
cruzaré	cruzaremos	habré cruzado	habremos cruzado
cruzarás	cruzaréis	habrás cruzado	habréis cruzado
cruzará	cruzarán	habrá cruzado	habrán cruzado
5 potencial simple		12 potencial compuesto	
cruzaría	cruzaríamos	habría cruzado	habríamos cruzado
cruzarías	cruzaríais	habrías cruzado	habríais cruzado
cruzaría	cruzarían	habría cruzado	habrían cruzado
6 presente de subjuntivo		13 perfecto de subjuntivo	
cruce	crucemos	haya cruzado	hayamos cruzado
cruces	crucéis	hayas cruzado	hayáis cruzado
cruce	crucen	haya cruzado	hayan cruzado
7 imperfecto de subjuntivo		14 pluscuamperfecto de subjuntivo	
cruzara	cruzáramos	hubiera cruzado	hubiéramos cruzado
cruzaras	cruzarais	hubieras cruzado	hubierais cruzado
cruzara	cruzaran	hubiera cruzado	hubieran cruzado
OR		OR	
cruzase	cruzásemos	hubiese cruzado	hubiésemos cruzado
cruzases	cruzaseis	hubieses cruzado	hubieseis cruzado
cruzase	cruzasen	hubiese cruzado	hubiesen cruzado

	imperativo	
—	crucemos
cruza; no cruces	cruzad; no crucéis
cruce	crucen

Sentences using this verb and words related to it
El que no se aventura no cruza el mar.   Nothing ventured, nothing gained.

el cruzamiento   crossing   **la cruz**   cross
la cruzada   crusade, crossroads   **la Cruz de Malta**   Maltese Cross

Can't find the verb you're looking for?
Check the back pages of this book for a list of over 2,100 additional verbs!

The subject pronouns are found on page 93.

cubrir (155)

Gerundio **cubriendo** Part. pas. **cubierto**

to cover

Regular **-ir** verb endings; note irregular
spelling of past participle: **cubierto**

The Seven Simple Tenses		The Seven Compound Tenses	
Singular	Plural	Singular	Plural
1 presente de indicativo		**8 perfecto de indicativo**	
cubro	cubrimos	he cubierto	hemos cubierto
cubres	cubrís	has cubierto	habéis cubierto
cubre	cubren	ha cubierto	han cubierto
2 imperfecto de indicativo		**9 pluscuamperfecto de indicativo**	
cubría	cubríamos	había cubierto	habíamos cubierto
cubrías	cubríais	habías cubierto	habíais cubierto
cubría	cubrían	había cubierto	habían cubierto
3 pretérito		**10 pretérito anterior**	
cubrí	cubrimos	hube cubierto	hubimos cubierto
cubriste	cubristeis	hubiste cubierto	hubisteis cubierto
cubrió	cubrieron	hubo cubierto	hubieron cubierto
4 futuro		**11 futuro perfecto**	
cubriré	cubriremos	habré cubierto	habremos cubierto
cubrirás	cubriréis	habrás cubierto	habréis cubierto
cubrirá	cubrirán	habrá cubierto	habrán cubierto
5 potencial simple		**12 potencial compuesto**	
cubriría	cubriríamos	habría cubierto	habríamos cubierto
cubrirías	cubriríais	habrías cubierto	habríais cubierto
cubriría	cubrirían	habría cubierto	habrían cubierto
6 presente de subjuntivo		**13 perfecto de subjuntivo**	
cubra	cubramos	haya cubierto	hayamos cubierto
cubras	cubráis	hayas cubierto	hayáis cubierto
cubra	cubran	haya cubierto	hayan cubierto
7 imperfecto de subjuntivo		**14 pluscuamperfecto de subjuntivo**	
cubriera	cubriéramos	hubiera cubierto	hubiéramos cubierto
cubrieras	cubrierais	hubieras cubierto	hubierais cubierto
cubriera	cubrieran	hubiera cubierto	hubieran cubierto
OR		OR	
cubriese	cubriésemos	hubiese cubierto	hubiésemos cubierto
cubrieses	cubrieseis	hubieses cubierto	hubieseis cubierto
cubriese	cubriesen	hubiese cubierto	hubiesen cubierto

imperativo	
—	cubramos
cubre; no cubras	cubrid; no cubráis
cubra	cubran

Words and expressions related to this verb

la cubierta   cover, wrapping
la cubierta del motor   hood of an automobile
el cubrimiento   covering
el cubierto   place setting (meal)
cubrir los gastos   to cover expenses
cubiertamente   covertly

encubrir   to hide, to conceal, to mask
el encubrimiento   hiding, concealment
descubrir   to discover
bajo cubierto   under cover
a cubierto de   under cover of
el cielo está cubierto   the sky is overcast

Get your feet wet with verbs used in weather expressions on page 668.

The Seven Simple Tenses		The Seven Compound Tenses	
Singular	Plural	Singular	Plural
1 presente de indicativo		8 perfecto de indicativo	
me cuido	nos cuidamos	me he cuidado	nos hemos cuidado
te cuidas	os cuidáis	te has cuidado	os habéis cuidado
se cuida	se cuidan	se ha cuidado	se han cuidado
2 imperfecto de indicativo		9 pluscuamperfecto de indicativo	
me cuidaba	nos cuidábamos	me había cuidado	nos habíamos cuidado
te cuidabas	os cuidabais	te habías cuidado	os habíais cuidado
se cuidaba	se cuidaban	se había cuidado	se habían cuidado
3 pretérito		10 pretérito anterior	
me cuidé	nos cuidamos	me hube cuidado	nos hubimos cuidado
te cuidaste	os cuidasteis	te hubiste cuidado	os hubisteis cuidado
se cuidó	se cuidaron	se hubo cuidado	se hubieron cuidado
4 futuro		11 futuro perfecto	
me cuidaré	nos cuidaremos	me habré cuidado	nos habremos cuidado
te cuidarás	os cuidaréis	te habrás cuidado	os habréis cuidado
se cuidará	se cuidarán	se habrá cuidado	se habrán cuidado
5 potencial simple		12 potencial compuesto	
me cuidaría	nos cuidaríamos	me habría cuidado	nos habríamos cuidado
te cuidarías	os cuidaríais	te habrías cuidado	os habríais cuidado
se cuidaría	se cuidarían	se habría cuidado	se habrían cuidado
6 presente de subjuntivo		13 perfecto de subjuntivo	
me cuide	nos cuidemos	me haya cuidado	nos hayamos cuidado
te cuides	os cuidéis	te hayas cuidado	os hayáis cuidado
se cuide	se cuiden	se haya cuidado	se hayan cuidado
7 imperfecto de subjuntivo		14 pluscuamperfecto de subjuntivo	
me cuidara	nos cuidáramos	me hubiera cuidado	nos hubiéramos cuidado
te cuidaras	os cuidarais	te hubieras cuidado	os hubierais cuidado
se cuidara	se cuidaran	se hubiera cuidado	se hubieran cuidado
OR		OR	
me cuidase	nos cuidásemos	me hubiese cuidado	nos hubiésemos cuidado
te cuidases	os cuidaseis	te hubieses cuidado	os hubieseis cuidado
se cuidase	se cuidasen	se hubiese cuidado	se hubiesen cuidado

imperativo	
—	cuidémonos
cuídate; no te cuides	cuidaos; no os cuidéis
cuídese	cuídense

Words and expressions related to this verb
cuidar de   to care for, to look after
cuidarse de   to care about, to be careful
el cuidado   care, concern
con cuidado   with care
descuidar   to neglect, overlook
el descuido   negligence, neglect

¡Cuidado!   Careful!
cuidadoso, cuidadosa   careful
al cuidado de   under the care of
tener cuidado   to be careful
descuidarse de   not to bother about
descuidarse de + inf.   to neglect + inf.

The subject pronouns are found on page 93.   **265**

to fulfill, to keep (a promise), to reach
one's birthday (use with **años**)

Regular **-ir** verb

The Seven Simple Tenses		The Seven Compound Tenses	
Singular	Plural	Singular	Plural

1 presente de indicativo		8 perfecto de indicativo	
cumplo	**cumplimos**	**he cumplido**	**hemos cumplido**
cumples	**cumplís**	**has cumplido**	**habéis cumplido**
cumple	**cumplen**	**ha cumplido**	**han cumplido**

2 imperfecto de indicativo		9 pluscuamperfecto de indicativo	
cumplía	**cumplíamos**	**había cumplido**	**habíamos cumplido**
cumplías	**cumplíais**	**habías cumplido**	**habíais cumplido**
cumplía	**cumplían**	**había cumplido**	**habían cumplido**

3 pretérito		10 pretérito anterior	
cumplí	**cumplimos**	**hube cumplido**	**hubimos cumplido**
cumpliste	**cumplisteis**	**hubiste cumplido**	**hubisteis cumplido**
cumplió	**cumplieron**	**hubo cumplido**	**hubieron cumplido**

4 futuro		11 futuro perfecto	
cumpliré	**cumpliremos**	**habré cumplido**	**habremos cumplido**
cumplirás	**cumpliréis**	**habrás cumplido**	**habréis cumplido**
cumplirá	**cumplirán**	**habrá cumplido**	**habrán cumplido**

5 potencial simple		12 potencial compuesto	
cumpliría	**cumpliríamos**	**habría cumplido**	**habríamos cumplido**
cumplirías	**cumpliríais**	**habrías cumplido**	**habríais cumplido**
cumpliría	**cumplirían**	**habría cumplido**	**habrían cumplido**

6 presente de subjuntivo		13 perfecto de subjuntivo	
cumpla	**cumplamos**	**haya cumplido**	**hayamos cumplido**
cumplas	**cumpláis**	**hayas cumplido**	**hayáis cumplido**
cumpla	**cumplan**	**haya cumplido**	**hayan cumplido**

7 imperfecto de subjuntivo		14 pluscuamperfecto de subjuntivo	
cumpliera	**cumpliéramos**	**hubiera cumplido**	**hubiéramos cumplido**
cumplieras	**cumplierais**	**hubieras cumplido**	**hubierais cumplido**
cumpliera	**cumplieran**	**hubiera cumplido**	**hubieran cumplido**
OR		OR	
cumpliese	**cumpliésemos**	**hubiese cumplido**	**hubiésemos cumplido**
cumplieses	**cumplieseis**	**hubieses cumplido**	**hubieseis cumplido**
cumpliese	**cumpliesen**	**hubiese cumplido**	**hubiesen cumplido**

imperativo

—	**cumplamos**
cumple; no cumplas	**cumplid; no cumpláis**
cumpla	**cumplan**

Words and expressions related to this verb

el cumpleaños birthday
cumplidamente completely
el cumplimiento completion
cumplir con to fulfill one's obligations

cumplir ... años to reach the age of ...
Hoy cumplo diez y siete años. Today is my
seventeenth birthday.
¡Feliz cumpleaños! Happy birthday!

Use the guide to Spanish pronunciation on pages 665–667.

Irregular verb   to give

D

The Seven Simple Tenses		The Seven Compound Tenses	
Singular	Plural	Singular	Plural
1 presente de indicativo		8 perfecto de indicativo	
doy	damos	he dado	hemos dado
das	dais	has dado	habéis dado
da	dan	ha dado	han dado
2 imperfecto de indicativo		9 pluscuamperfecto de indicativo	
daba	dábamos	había dado	habíamos dado
dabas	dabais	habías dado	habíais dado
daba	daban	había dado	habían dado
3 pretérito		10 pretérito anterior	
di	dimos	hube dado	hubimos dado
diste	disteis	hubiste dado	hubisteis dado
dio	dieron	hubo dado	hubieron dado
4 futuro		11 futuro perfecto	
daré	daremos	habré dado	habremos dado
darás	daréis	habrás dado	habréis dado
dará	darán	habrá dado	habrán dado
5 potencial simple		12 potencial compuesto	
daría	daríamos	habría dado	habríamos dado
darías	daríais	habrías dado	habríais dado
daría	darían	habría dado	habrían dado
6 presente de subjuntivo		13 perfecto de subjuntivo	
dé	demos	haya dado	hayamos dado
des	deis	hayas dado	hayáis dado
dé	den	haya dado	hayan dado
7 imperfecto de subjuntivo		14 pluscuamperfecto de subjuntivo	
diera	diéramos	hubiera dado	hubiéramos dado
dieras	dierais	hubieras dado	hubierais dado
diera	dieran	hubiera dado	hubieran dado
OR		OR	
diese	diésemos	hubiese dado	hubiésemos dado
dieses	dieseis	hubieses dado	hubieseis dado
diese	diesen	hubiese dado	hubiesen dado

imperativo

—	demos
da; no des	dad; no deis
dé	den

AN ESSENTIAL
55 VERB

AN ESSENTIAL 55 VERB

Dar is useful in a vast number of everyday expressions and situations.

Sentences using dar and related words

El comedor da al jardín.
The dining room faces the garden.

Esta mañana di con dinero en la calle.
This morning, I found money in the street.

Anoche, di con mi amiga Elena en el cine.
Last night, I met my friend Helen at the movies.

El tiempo da buen consejo.
Time will tell.

Dame dineros y no consejos.
Give me money, and not advice.

Me gusta dar de comer a los pájaros en el parque.
I like to feed the birds in the park.

Lo doy por perdido.
I consider it lost.

Me doy por insultado.
I consider myself insulted.

Proverb

A Dios rogando y con el mazo dando.
Put your faith in God and keep your powder dry. (The Lord helps those who help themselves.)

Words and expressions related to this verb

dar a to face
dar cara a to face up to
dar con algo to find something, to come upon something
dar con alguien to meet someone, to run into someone, to come across someone, to find someone
dar cuerda al reloj to wind a watch
dar de beber a to give something to drink to
dar de comer a to feed, to give something to eat to
dar el primer paso to take the first step
dar en to hit against, to strike against
dar en el blanco to hit the target
dar gritos to shout
dar la bienvenida to welcome
dar la hora to strike the hour
dar la mano (las manos) a alguien to shake hands with someone
dar las buenas noches a alguien to say good evening (good night) to someone
dar las gracias a alguien to thank someone
dar los buenos días a alguien to say good morning (hello) to someone
dar por + past part. to consider
dar recuerdos a to give one's regards (best wishes) to
dar un abrazo to embrace
dar un paseo to take a walk
dar un paseo a caballo to go horseback riding
dar un paseo en automóvil to go for a drive
dar una vuelta to go for a short walk
dar voces to shout
darse to give oneself up, to give in
darse cuenta de to realize, to be aware of, to take into account
darse la mano to shake hands with each other
darse por + past part. to consider oneself
darse prisa to hurry

Regular **-er** verb   to owe, must, ought

The Seven Simple Tenses		The Seven Compound Tenses	
Singular	Plural	Singular	Plural
1 presente de indicativo		**8 perfecto de indicativo**	
debo	debemos	he debido	hemos debido
debes	debéis	has debido	habéis debido
debe	deben	ha debido	han debido
2 imperfecto de indicativo		**9 pluscuamperfecto de indicativo**	
debía	debíamos	había debido	habíamos debido
debías	debíais	habías debido	habíais debido
debía	debían	había debido	habían debido
3 pretérito		**10 pretérito anterior**	
debí	debimos	hube debido	hubimos debido
debiste	debisteis	hubiste debido	hubisteis debido
debió	debieron	hubo debido	hubieron debido
4 futuro		**11 futuro perfecto**	
deberé	deberemos	habré debido	habremos debido
deberás	deberéis	habrás debido	habréis debido
deberá	deberán	habrá debido	habrán debido
5 potencial simple		**12 potencial compuesto**	
debería	deberíamos	habría debido	habríamos debido
deberías	deberíais	habrías debido	habríais debido
debería	deberían	habría debido	habrían debido
6 presente de subjuntivo		**13 perfecto de subjuntivo**	
deba	debamos	haya debido	hayamos debido
debas	debáis	hayas debido	hayáis debido
deba	deban	haya debido	hayan debido
7 imperfecto de subjuntivo		**14 pluscuamperfecto de subjuntivo**	
debiera	debiéramos	hubiera debido	hubiéramos debido
debieras	debierais	hubieras debido	hubierais debido
debiera	debieran	hubiera debido	hubieran debido
OR		OR	
debiese	debiésemos	hubiese debido	hubiésemos debido
debieses	debieseis	hubieses debido	hubieseis debido
debiese	debiesen	hubiese debido	hubiesen debido

	imperativo	
—		debamos
debe; no debas		debed; no debáis
deba		deban

AN ESSENTIAL
55 VERB

AN ESSENTIAL 55 VERB

deber de = should/ough
tener que = have to

Deber

Deber is a verb that you ought to know! It is a regular –er verb that is used in a great number of everyday expressions and situations.

Generally speaking, use **deber** when you want to express a moral obligation, something you ought to do, but that you may or may not actually do:

> **Debo estudiar esta noche pero estoy cansado y no me siento bien.**
> I ought to study tonight, but I am tired and I do not feel well.

In general, **deber de + inf.** is used to express a supposition, something that is probable:

> **La señora Gómez debe de estar enferma porque sale de casa raramente.**
> Mrs. Gómez must be sick (is probably sick) because she rarely goes out of the house.

Sentences using deber and related words

José debe de haber llegado.
Joseph must have arrived.

¿Cuánto le debo?
How much do I owe you?

¿En qué estación debo bajar?
At what station do I need to get off?

Note: Generally speaking, use tener que when you want to say that you *have to* do something:

> No puedo salir esta noche porque tengo que estudiar.
> **I cannot go out tonight because I have to study.**

See tener.

Words and expressions related to this verb

el deber **duty, obligation**

los deberes **homework**

debido, debida **due**

debido a **due to**

la deuda **debt**

estar en deuda con **to be indebted to**

el deudor, la deudora **debtor**

Do you need more drills? Have fun with the *501 Spanish Verbs* CD-ROM!

270

Regular **-ir** verb   to decide

D

The Seven Simple Tenses		The Seven Compound Tenses	
Singular	Plural	Singular	Plural
1 presente de indicativo		8 perfecto de indicativo	
decido	decidimos	he decidido	hemos decidido
decides	decidís	has decidido	habéis decidido
decide	deciden	ha decidido	han decidido
2 imperfecto de indicativo		9 pluscuamperfecto de indicativo	
decidía	decidíamos	había decidido	habíamos decidido
decidías	decidíais	habías decidido	habíais decidido
decidía	decidían	había decidido	habían decidido
3 pretérito		10 pretérito anterior	
decidí	decidimos	hube decidido	hubimos decidido
decidiste	decidisteis	hubiste decidido	hubisteis decidido
decidió	decidieron	hubo decidido	hubieron decidido
4 futuro		11 futuro perfecto	
decidiré	decidiremos	habré decidido	habremos decidido
decidirás	decidiréis	habrás decidido	habréis decidido
decidirá	decidirán	habrá decidido	habrán decidido
5 potencial simple		12 potencial compuesto	
decidiría	decidiríamos	habría decidido	habríamos decidido
decidirías	decidiríais	habrías decidido	habríais decidido
decidiría	decidirían	habría decidido	habrían decidido
6 presente de subjuntivo		13 perfecto de subjuntivo	
decida	decidamos	haya decidido	hayamos decidido
decidas	decidáis	hayas decidido	hayáis decidido
decida	decidan	haya decidido	hayan decidido
7 imperfecto de subjuntivo		14 pluscuamperfecto de subjuntivo	
decidiera	decidiéramos	hubiera decidido	hubiéramos decidido
decidieras	decidierais	hubieras decidido	hubierais decidido
decidiera	decidieran	hubiera decidido	hubieran decidido
OR		OR	
decidiese	decidiésemos	hubiese decidido	hubiésemos decidido
decidieses	decidieseis	hubieses decidido	hubieseis decidido
decidiese	decidiesen	hubiese decidido	hubiesen decidido

imperativo	
—	decidamos
decide; no decidas	decidid; no decidáis
decida	decidan

Words and expressions related to this verb

la **decisión** decision
decididamente decidedly
decisivamente decisively
decisivo, decisiva decisive

decidir a + inf. to persuade + inf.; to decide + inf.
decidirse to make up one's mind, to be determined
estar decidido (decidida) a + inf.
    to make up one's mind

Can't find the verb you're looking for?
Check the back pages of this book for a list of over 2,100 additional verbs!

The subject pronouns are found on page 93.

to say, to tell   Irregular verb

The Seven Simple Tenses		The Seven Compound Tenses	
Singular	Plural	Singular	Plural
1 presente de indicativo		**8 perfecto de indicativo**	
digo	decimos	he dicho	hemos dicho
dices	decís	has dicho	habéis dicho
dice	dicen	ha dicho	han dicho
2 imperfecto de indicativo		**9 pluscuamperfecto de indicativo**	
decía	decíamos	había dicho	habíamos dicho
decías	decíais	habías dicho	habíais dicho
decía	decían	había dicho	habían dicho
3 pretérito		**10 pretérito anterior**	
dije	dijimos	hube dicho	hubimos dicho
dijiste	dijisteis	hubiste dicho	hubisteis dicho
dijo	dijeron	hubo dicho	hubieron dicho
4 futuro		**11 futuro perfecto**	
diré	diremos	habré dicho	habremos dicho
dirás	diréis	habrás dicho	habréis dicho
dirá	dirán	habrá dicho	habrán dicho
5 potencial simple		**12 potencial compuesto**	
diría	diríamos	habría dicho	habríamos dicho
dirías	diríais	habrías dicho	habríais dicho
diría	dirían	habría dicho	habrían dicho
6 presente de subjuntivo		**13 perfecto de subjuntivo**	
diga	digamos	haya dicho	hayamos dicho
digas	digáis	hayas dicho	hayáis dicho
diga	digan	haya dicho	hayan dicho
7 imperfecto de subjuntivo		**14 pluscuamperfecto de subjuntivo**	
dijera	dijéramos	hubiera dicho	hubiéramos dicho
dijeras	dijerais	hubieras dicho	hubierais dicho
dijera	dijeran	hubiera dicho	hubieran dicho
OR		OR	
dijese	dijésemos	hubiese dicho	hubiésemos dicho
dijeses	dijeseis	hubieses dicho	hubieseis dicho
dijese	dijesen	hubiese dicho	hubiesen dicho

imperativo		
—		digamos
di; no digas		decid; no digáis
diga		digan

AN ESSENTIAL 55 VERB

D

Decir is an extremely useful irregular verb. You can use **decir** in many everyday situations and idiomatic expressions.

Sentences using decir and related words

Dígame, por favor, dónde está la sala de espera.
Tell me, please, where the waiting room is located.

¿Qué quiere decir esta palabra?
What does this word mean?

Proverbs

Dime con quién andas y te diré quién eres.
Tell me who your friends are and I will tell you who you are.

Al decir las verdades se pierdan las amistades.
Friendships are lost when the truth is told.

De decir a hacer hay mucho que ver.
There is a great difference between saying and doing.

Words and expressions related to this verb

Dicho y hecho. **No sooner said than done.**

querer decir **to mean**

un decir **a familiar saying**

Diga or Dígame **Hello (on the telephone)**

decirle al oído **to whisper in one's ear**

no decir palabra **not to say a word**

Es decir... **That is to say...**

un dicho **a saying, expression**

dictar **to dictate**

el dictado **dictation**

el dictador **dictator**

Don't forget to study the section on defective and impersonal verbs. It's right after this main list.

The subject pronouns are found on page 93.

Gerundio **declarando**   Part. pas. **declarado**

The Seven Simple Tenses		The Seven Compound Tenses	
Singular	Plural	Singular	Plural
1 presente de indicativo		**8 perfecto de indicativo**	
declaro	declaramos	he declarado	hemos declarado
declaras	declaráis	has declarado	habéis declarado
declara	declaran	ha declarado	han declarado
2 imperfecto de indicativo		**9 pluscuamperfecto de indicativo**	
declaraba	declarábamos	había declarado	habíamos declarado
declarabas	declarabais	habías declarado	habíais declarado
declaraba	declaraban	había declarado	habían declarado
3 pretérito		**10 pretérito anterior**	
declaré	declaramos	hube declarado	hubimos declarado
declaraste	declarasteis	hubiste declarado	hubisteis declarado
declaró	declararon	hubo declarado	hubieron declarado
4 futuro		**11 futuro perfecto**	
declararé	declararemos	habré declarado	habremos declarado
declararás	declararéis	habrás declarado	habréis declarado
declarará	declararán	habrá declarado	habrán declarado
5 potencial simple		**12 potencial compuesto**	
declararía	declararíamos	habría declarado	habríamos declarado
declararías	declararíais	habrías declarado	habríais declarado
declararía	declararían	habría declarado	habrían declarado
6 presente de subjuntivo		**13 perfecto de subjuntivo**	
declare	declaremos	haya declarado	hayamos declarado
declares	declaréis	hayas declarado	hayáis declarado
declare	declaren	haya declarado	hayan declarado
7 imperfecto de subjuntivo		**14 pluscuamperfecto de subjuntivo**	
declarara	declaráramos	hubiera declarado	hubiéramos declarado
declararas	declararais	hubieras declarado	hubierais declarado
declarara	declararan	hubiera declarado	hubieran declarado
OR		OR	
declarase	declarásemos	hubiese declarado	hubiésemos declarado
declarases	declaraseis	hubieses declarado	hubieseis declarado
declarase	declarasen	hubiese declarado	hubiesen declarado

imperativo	
—	declaremos
declara; no declares	declarad; no declaréis
declare	declaren

Words related to this verb
una declaración   declaration
declarado, declarada   declared

declarativo, declarativa   declarative
una declamación   declamation, recitation

If you want an explanation of meanings and uses of Spanish and English
verb tenses and moods, see pages 13–32.

Reflexive verb; regular **-ar** verb endings with
spelling change: **c** becomes **qu** before **e**

to devote oneself

The Seven Simple Tenses		The Seven Compound Tenses	
Singular	Plural	Singular	Plural
1 presente de indicativo		8 perfecto de indicativo	
me dedico	**nos dedicamos**	**me he dedicado**	**nos hemos dedicado**
te dedicas	**os dedicáis**	**te has dedicado**	**os habéis dedicado**
se dedica	**se dedican**	**se ha dedicado**	**se han dedicado**
2 imperfecto de indicativo		9 pluscuamperfecto de indicativo	
me dedicaba	**nos dedicábamos**	**me había dedicado**	**nos habíamos dedicado**
te dedicabas	**os dedicabais**	**te habías dedicado**	**os habíais dedicado**
se dedicaba	**se dedicaban**	**se había dedicado**	**se habían dedicado**
3 pretérito		10 pretérito anterior	
me dediqué	**nos dedicamos**	**me hube dedicado**	**nos hubimos dedicado**
te dedicaste	**os dedicasteis**	**te hubiste dedicado**	**os hubisteis dedicado**
se dedicó	**se dedicaron**	**se hubo dedicado**	**se hubieron dedicado**
4 futuro		11 futuro perfecto	
me dedicaré	**nos dedicaremos**	**me habré dedicado**	**nos habremos dedicado**
te dedicarás	**os dedicaréis**	**te habrás dedicado**	**os habréis dedicado**
se dedicará	**se dedicarán**	**se habrá dedicado**	**se habrán dedicado**
5 potencial simple		12 potencial compuesto	
me dedicaría	**nos dedicaríamos**	**me habría dedicado**	**nos habríamos dedicado**
te dedicarías	**os dedicaríais**	**te habrías dedicado**	**os habríais dedicado**
se dedicaría	**se dedicarían**	**se habría dedicado**	**se habrían dedicado**
6 presente de subjuntivo		13 perfecto de subjuntivo	
me dedique	**nos dediquemos**	**me haya dedicado**	**nos hayamos dedicado**
te dediques	**os dediquéis**	**te hayas dedicado**	**os hayáis dedicado**
se dedique	**se dediquen**	**se haya dedicado**	**se hayan dedicado**
7 imperfecto de subjuntivo		14 pluscuamperfecto de subjuntivo	
me dedicara	**nos dedicáramos**	**me hubiera dedicado**	**nos hubiéramos dedicado**
te dedicaras	**os dedicarais**	**te hubieras dedicado**	**os hubierais dedicado**
se dedicara	**se dedicaran**	**se hubiera dedicado**	**se hubieran dedicado**
OR		OR	
me dedicase	**nos dedicásemos**	**me hubiese dedicado**	**nos hubiésemos dedicado**
te dedicases	**os dedicaseis**	**te hubieses dedicado**	**os hubieseis dedicado**
se dedicase	**se dedicasen**	**se hubiese dedicado**	**se hubiesen dedicado**

imperativo	
—	**dediquémonos**
dedícate; no te dediques	**dedicaos; no os dediquéis**
dedíquese	**dedíquense**

Words related to this verb
predicar to preach, predicate
dedicarse a to devote oneself to
dedicar to dedicate, consecrate

dedicado, dedicada dedicated
una dedicación dedication
dedicar algo a to dedicate something to

Get acquainted with what preposition goes with what verb on pages 669–677.

The subject pronouns are found on page 93.

defender (164)

to defend

Gerundio **defendiendo**   Part. pas. **defendido**

Regular **-er** verb endings with stem
change: Tenses 1, 6, Imperative

The Seven Simple Tenses | The Seven Compound Tenses

Singular	Plural	Singular	Plural
1 presente de indicativo		**8 perfecto de indicativo**	
defiendo	defendemos	he defendido	hemos defendido
defiendes	defendéis	has defendido	habéis defendido
defiende	defienden	ha defendido	han defendido
2 imperfecto de indicativo		**9 pluscuamperfecto de indicativo**	
defendía	defendíamos	había defendido	habíamos defendido
defendías	defendíais	habías defendido	habíais defendido
defendía	defendían	había defendido	habían defendido
3 pretérito		**10 pretérito anterior**	
defendí	defendimos	hube defendido	hubimos defendido
defendiste	defendisteis	hubiste defendido	hubisteis defendido
defendió	defendieron	hubo defendido	hubieron defendido
4 futuro		**11 futuro perfecto**	
defenderé	defenderemos	habré defendido	habremos defendido
defenderás	defenderéis	habrás defendido	habréis defendido
defenderá	defenderán	habrá defendido	habrán defendido
5 potencial simple		**12 potencial compuesto**	
defendería	defenderíamos	habría defendido	habríamos defendido
defenderías	defenderíais	habrías defendido	habríais defendido
defendería	defenderían	habría defendido	habrían defendido
6 presente de subjuntivo		**13 perfecto de subjuntivo**	
defienda	defendamos	haya defendido	hayamos defendido
defiendas	defendáis	hayas defendido	hayáis defendido
defienda	defiendan	haya defendido	hayan defendido
7 imperfecto de subjuntivo		**14 pluscuamperfecto de subjuntivo**	
defendiera	defendiéramos	hubiera defendido	hubiéramos defendido
defendieras	defendierais	hubieras defendido	hubierais defendido
defendiera	defendieran	hubiera defendido	hubieran defendido
OR		OR	
defendiese	defendiésemos	hubiese defendido	hubiésemos defendido
defendieses	defendieseis	hubieses defendido	hubieseis defendido
defendiese	defendiesen	hubiese defendido	hubiesen defendido

imperativo

—	defendamos
defiende; no defiendas	defended; no defendáis
defienda	defiendan

Words related to this verb
defendible defensible
la defensa defense
defensivo, defensiva defensive
defensor, defensora defender, supporter,
  protector

el defensorio defense, plea
estar a la defensiva to be on the defensive
en defensa propia in self-defense
defender la patria contra el enemigo to
  defend one's country against the enemy

D

The Seven Simple Tenses		The Seven Compound Tenses	
Singular	Plural	Singular	Plural
1 presente de indicativo		8 perfecto de indicativo	
dejo	dejamos	he dejado	hemos dejado
dejas	dejáis	has dejado	habéis dejado
deja	dejan	ha dejado	han dejado
2 imperfecto de indicativo		9 pluscuamperfecto de indicativo	
dejaba	dejábamos	había dejado	habíamos dejado
dejabas	dejabais	habías dejado	habíais dejado
dejaba	dejaban	había dejado	habían dejado
3 pretérito		10 pretérito anterior	
dejé	dejamos	hube dejado	hubimos dejado
dejaste	dejasteis	hubiste dejado	hubisteis dejado
dejó	dejaron	hubo dejado	hubieron dejado
4 futuro		11 futuro perfecto	
dejaré	dejaremos	habré dejado	habremos dejado
dejarás	dejaréis	habrás dejado	habréis dejado
dejará	dejarán	habrá dejado	habrán dejado
5 potencial simple		12 potencial compuesto	
dejaría	dejaríamos	habría dejado	habríamos dejado
dejarías	dejaríais	habrías dejado	habríais dejado
dejaría	dejarían	habría dejado	habrían dejado
6 presente de subjuntivo		13 perfecto de subjuntivo	
deje	dejemos	haya dejado	hayamos dejado
dejes	dejéis	hayas dejado	hayáis dejado
deje	dejen	haya dejado	hayan dejado
7 imperfecto de subjuntivo		14 pluscuamperfecto de subjuntivo	
dejara	dejáramos	hubiera dejado	hubiéramos dejado
dejaras	dejarais	hubieras dejado	hubierais dejado
dejara	dejaran	hubiera dejado	hubieran dejado
OR		OR	
dejase	dejásemos	hubiese dejado	hubiésemos dejado
dejases	dejaseis	hubieses dejado	hubieseis dejado
dejase	dejasen	hubiese dejado	hubiesen dejado

imperativo	
—	dejemos
deja; no dejes	dejad; no dejéis
deje	dejen

Words and expressions related to this verb	Los alumnos dejaron de hablar cuando la

Words and expressions related to this verb
dejar caer   to drop (to let fall)
el dejo   abandonment
dejado, dejada   dejected
El alumno dejó sus libros en la sala de clase.
  The pupil left his books in the classroom.
dejar de + inf.   to stop, to fail to

Los alumnos dejaron de hablar cuando la profesora entró en la sala de clase.   The students stopped talking when the teacher came into the classroom.
¡No deje Ud. de llamarme!   Don't fail to call me!
dejarse   to abandon (neglect) oneself
dejar atrás   to leave behind
¡Déjelo!   Let It! (Leave it!)

The subject pronouns are found on page 93.

delinquir (166)   Gerundio delinquiendo   Part. pas. delinquido

to be delinquent, to violate the law

Regular -ir verb endings with spelling change: qu becomes c before a or o

The Seven Simple Tenses		The Seven Compound Tenses	
Singular	Plural	Singular	Plural
1 presente de indicativo		8 perfecto de indicativo	
delinco	delinquimos	he delinquido	hemos delinquido
delinques	delinquís	has delinquido	habéis delinquido
delinque	delinquen	ha delinquido	han delinquido
2 imperfecto de indicativo		9 pluscuamperfecto de indicativo	
delinquía	delinquíamos	había delinquido	habíamos delinquido
delinquías	delinquíais	habías delinquido	habíais delinquido
delinquía	delinquían	había delinquido	habían delinquido
3 pretérito		10 pretérito anterior	
delinquí	delinquimos	hube delinquido	hubimos delinquido
delinquiste	delinquisteis	hubiste delinquido	hubisteis delinquido
delinquió	delinquieron	hubo delinquido	hubieron delinquido
4 futuro		11 futuro perfecto	
delinquiré	delinquiremos	habré delinquido	habremos delinquido
delinquirás	delinquiréis	habrás delinquido	habréis delinquido
delinquirá	delinquirán	habrá delinquido	habrán delinquido
5 potencial simple		12 potencial compuesto	
delinquiría	delinquiríamos	habría delinquido	habríamos delinquido
delinquirías	delinquiríais	habrías delinquido	habríais delinquido
delinquiría	delinquirían	habría delinquido	habrían delinquido
6 presente de subjuntivo		13 perfecto de subjuntivo	
delinca	delincamos	haya delinquido	hayamos delinquido
delincas	delincáis	hayas delinquido	hayáis delinquido
delinca	delincan	haya delinquido	hayan delinquido
7 imperfecto de subjuntivo		14 pluscuamperfecto de subjuntivo	
delinquiera	delinquiéramos	hubiera delinquido	hubiéramos delinquido
delinquieras	delinquierais	hubieras delinquido	hubierais delinquido
delinquiera	delinquieran	hubiera delinquido	hubieran delinquido
OR		OR	
delinquiese	delinquiésemos	hubiese delinquido	hubiésemos delinquido
delinquieses	delinquieseis	hubieses delinquido	hubieseis delinquido
delinquiese	delinquiesen	hubiese delinquido	hubiesen delinquido

imperativo	
—	delincamos
delinque; no delincas	delinquid; no delincáis
delinca	delincan

Words related to this verb

el delinquimiento, la delincuencia
   delinquency
delincuente   delinquent

la delincuencia juvenil   juvenile delinquency
delincuente habitual   habitual offender

Review the principal parts of important Spanish verbs on pages 9 and 10.

Regular **-ar** verb endings with stem
change: Tenses 1, 6, Imperative

to demonstrate, to prove

The Seven Simple Tenses		The Seven Compound Tenses	
Singular	Plural	Singular	Plural
1 presente de indicativo		**8 perfecto de indicativo**	
demuestro	demostramos	he demostrado	hemos demostrado
demuestras	demostráis	has demostrado	habéis demostrado
demuestra	demuestran	ha demostrado	han demostrado
2 imperfecto de indicativo		**9 pluscuamperfecto de indicativo**	
demostraba	demostrábamos	había demostrado	habíamos demostrado
demostrabas	demostrabais	habías demostrado	habíais demostrado
demostraba	demostraban	había demostrado	habían demostrado
3 pretérito		**10 pretérito anterior**	
demostré	demostramos	hube demostrado	hubimos demostrado
demostraste	demostrasteis	hubiste demostrado	hubisteis demostrado
demostró	demostraron	hubo demostrado	hubieron demostrado
4 futuro		**11 futuro perfecto**	
demostraré	demostraremos	habré demostrado	habremos demostrado
demostrarás	demostraréis	habrás demostrado	habréis demostrado
demostrará	demostrarán	habrá demostrado	habrán demostrado
5 potencial simple		**12 potencial compuesto**	
demostraría	demostraríamos	habría demostrado	habríamos demostrado
demostrarías	demostraríais	habrías demostrado	habríais demostrado
demostraría	demostrarían	habría demostrado	habrían demostrado
6 presente de subjuntivo		**13 perfecto de subjuntivo**	
demuestre	demostremos	haya demostrado	hayamos demostrado
demuestres	demostréis	hayas demostrado	hayáis demostrado
demuestre	demuestren	haya demostrado	hayan demostrado
7 imperfecto de subjuntivo		**14 pluscuamperfecto de subjuntivo**	
demostrara	demostráramos	hubiera demostrado	hubiéramos demostrado
demostraras	demostrarais	hubieras demostrado	hubierais demostrado
demostrara	demostraran	hubiera demostrado	hubieran demostrado
OR		OR	
demostrase	demostrásemos	hubiese demostrado	hubiésemos demostrado
demostrases	demostraseis	hubieses demostrado	hubieseis demostrado
demostrase	demostrasen	hubiese demostrado	hubiesen demostrado

	imperativo	
—	demostremos
demuestra; no demuestres	demostrad; no demostréis
demuestre	demuestren

Words related to this verb

demostrativo, demostrativa   demonstrative
la demostración   demonstration, proof
demostrador, demostradora   demonstrator

demostrable   demonstrable
mostrar   to show, to exhibit
la demostración de cariño   show of affection

> If you want to see a sample English verb fully conjugated in
> all the tenses, check out pages 11 and 12.

to denounce   Regular **-ar** verb

The Seven Simple Tenses		The Seven Compound Tenses	
Singular	Plural	Singular	Plural
1 presente de indicativo		8 perfecto de indicativo	
denuncio	denunciamos	he denunciado	hemos denunciado
denuncias	denunciáis	has denunciado	habéis denunciado
denuncia	denuncian	ha denunciado	han denunciado
2 imperfecto de indicativo		9 pluscuamperfecto de indicativo	
denunciaba	denunciábamos	había denunciado	habíamos denunciado
denunciabas	denunciabais	habías denunciado	habíais denunciado
denunciaba	denunciaban	había denunciado	habían denunciado
3 pretérito		10 pretérito anterior	
denuncié	denunciamos	hube denunciado	hubimos denunciado
denunciaste	denunciasteis	hubiste denunciado	hubisteis denunciado
denunció	denunciaron	hubo denunciado	hubieron denunciado
4 futuro		11 futuro perfecto	
denunciaré	denunciaremos	habré denunciado	habremos denunciado
denunciarás	denunciaréis	habrás denunciado	habréis denunciado
denunciará	denunciarán	habrá denunciado	habrán denunciado
5 potencial simple		12 potencial compuesto	
denunciaría	denunciaríamos	habría denunciado	habríamos denunciado
denunciarías	denunciaríais	habrías denunciado	habríais denunciado
denunciaría	denunciarían	habría denunciado	habrían denunciado
6 presente de subjuntivo		13 perfecto de subjuntivo	
denuncie	denunciemos	haya denunciado	hayamos denunciado
denuncies	denunciéis	hayas denunciado	hayáis denunciado
denuncie	denuncien	haya denunciado	hayan denunciado
7 imperfecto de subjuntivo		14 pluscuamperfecto de subjuntivo	
denunciara	denunciáramos	hubiera denunciado	hubiéramos denunciado
denunciaras	denunciarais	hubieras denunciado	hubierais denunciado
denunciara	denunciaran	hubiera denunciado	hubieran denunciado
OR		OR	
denunciase	denunciásemos	hubiese denunciado	hubiésemos denunciado
denunciases	denunciaseis	hubieses denunciado	hubieseis denunciado
denunciase	denunciasen	hubiese denunciado	hubiesen denunciado

imperativo

—	denunciemos
denuncia; no denuncies	**denunciad; no denunciéis**
denuncie	**denuncien**

Words and expressions related to this verb
una denuncia, una denunciación   denunciation   **denunciar un robo**   to report a theft
un denuncio   denouncement   **una denuncia falsa**   a false accusation

> If you want an explanation of meanings and uses of Spanish and
> English verb tenses and moods, see pages 13–32.

D

The Seven Simple Tenses		The Seven Compound Tenses	
Singular	Plural	Singular	Plural
1 presente de indicativo		8 perfecto de indicativo	
dependo	dependemos	he dependido	hemos dependido
dependes	dependéis	has dependido	habéis dependido
depende	dependen	ha dependido	han dependido
2 imperfecto de indicativo		9 pluscuamperfecto de indicativo	
dependía	dependíamos	había dependido	habíamos dependido
dependías	dependíais	habías dependido	habíais dependido
dependía	dependían	había dependido	habían dependido
3 pretérito		10 pretérito anterior	
dependí	dependimos	hube dependido	hubimos dependido
dependiste	dependisteis	hubiste dependido	hubisteis dependido
dependió	dependieron	hubo dependido	hubieron dependido
4 futuro		11 futuro perfecto	
dependeré	dependeremos	habré dependido	habremos dependido
dependerás	dependeréis	habrás dependido	habréis dependido
dependerá	dependerán	habrá dependido	habrán dependido
5 potencial simple		12 potencial compuesto	
dependería	dependeríamos	habría dependido	habríamos dependido
dependerías	dependeríais	habrías dependido	habríais dependido
dependería	dependerían	habría dependido	habrían dependido
6 presente de subjuntivo		13 perfecto de subjuntivo	
dependa	dependamos	haya dependido	hayamos dependido
dependas	dependáis	hayas dependido	hayáis dependido
dependa	dependan	haya dependido	hayan dependido
7 imperfecto de subjuntivo		14 pluscuamperfecto de subjuntivo	
dependiera	dependiéramos	hubiera dependido	hubiéramos dependido
dependieras	dependierais	hubieras dependido	hubierais dependido
dependiera	dependieran	hubiera dependido	hubieran dependido
OR		OR	
dependiese	dependiésemos	hubiese dependido	hubiésemos dependido
dependieses	dependieseis	hubieses dependido	hubieseis dependido
dependiese	dependiesen	hubiese dependido	hubiesen dependido

imperativo	
—	**dependamos**
depende; no dependas	**depended; no dependáis**
dependa	**dependan**

Words and expressions related to this verb
depender de to depend on, to rely on
no depender de nadie to stand on one's own two feet
un dependiente, una dependienta dependent, employee, clerk
la dependencia dependence, dependency
pender to dangle, hang, to be pending
suspender to suspend, hang, hang up; **suspender pagos** to stop payment

The subject pronouns are found on page 93.

derribar (170)

Gerundio **derribando**   Part. pas. **derribado**

to knock down, to overthrow, to tear down, to throw down   Regular **-ar** verb

The Seven Simple Tenses		The Seven Compound Tenses	
Singular	Plural	Singular	Plural
1 presente de indicativo		8 perfecto de indicativo	
derribo	**derribamos**	**he derribado**	**hemos derribado**
derribas	**derribáis**	**has derribado**	**habéis derribado**
derriba	**derriban**	**ha derribado**	**han derribado**
2 imperfecto de indicativo		9 pluscuamperfecto de indicativo	
derribaba	**derribábamos**	**había derribado**	**habíamos derribado**
derribabas	**derribabais**	**habías derribado**	**habíais derribado**
derribaba	**derribaban**	**había derribado**	**habían derribado**
3 pretérito		10 pretérito anterior	
derribé	**derribamos**	**hube derribado**	**hubimos derribado**
derribaste	**derribasteis**	**hubiste derribado**	**hubisteis derribado**
derribó	**derribaron**	**hubo derribado**	**hubieron derribado**
4 futuro		11 futuro perfecto	
derribaré	**derribaremos**	**habré derribado**	**habremos derribado**
derribarás	**derribaréis**	**habrás derribado**	**habréis derribado**
derribará	**derribarán**	**habrá derribado**	**habrán derribado**
5 potencial simple		12 potencial compuesto	
derribaría	**derribaríamos**	**habría derribado**	**habríamos derribado**
derribarías	**derribaríais**	**habrías derribado**	**habríais derribado**
derribaría	**derribarían**	**habría derribado**	**habrían derribado**
6 presente de subjuntivo		13 perfecto de subjuntivo	
derribe	**derribemos**	**haya derribado**	**hayamos derribado**
derribes	**derribéis**	**hayas derribado**	**hayáis derribado**
derribe	**derriben**	**haya derribado**	**hayan derribado**
7 imperfecto de subjuntivo		14 pluscuamperfecto de subjuntivo	
derribara	**derribáramos**	**hubiera derribado**	**hubiéramos derribado**
derribaras	**derribarais**	**hubieras derribado**	**hubierais derribado**
derribara	**derribaran**	**hubiera derribado**	**hubieran derribado**
OR		OR	
derribase	**derribásemos**	**hubiese derribado**	**hubiésemos derribado**
derribases	**derribaseis**	**hubieses derribado**	**hubieseis derribado**
derribase	**derribasen**	**hubiese derribado**	**hubiesen derribado**

imperativo	
—	**derribemos**
derriba; no derribes	**derribad; no derribéis**
derribe	**derriben**

Words and expressions related to this verb

derribar a tiros   to shoot down

derribado, derribada   demolished, humiliated

el derribador, la derribadora   overthrower

los derribos   rubble

derribar al criminal   to bring the criminal down

If you don't know the Spanish verb for an English verb you have in mind, look it up in the index on pages 682–706.

Reflexive regular **-ar** verb   to breakfast, to have breakfast

---

The Seven Simple Tenses		The Seven Compound Tenses	
Singular	Plural	Singular	Plural
1 presente de indicativo		8 perfecto de indicativo	
me desayuno	nos desayunamos	me he desayunado	nos hemos desayunado
te desayunas	os desayunáis	te has desayunado	os habéis desayunado
se desayuna	se desayunan	se ha desayunado	se han desayunado
2 imperfecto de indicativo		9 pluscuamperfecto de indicativo	
me desayunaba	nos desayunábamos	me había desayunado	nos habíamos desayunado
te desayunabas	os desayunabais	te habías desayunado	os habíais desayunado
se desayunaba	se desayunaban	se había desayunado	se habían desayunado
3 pretérito		10 pretérito anterior	
me desayuné	nos desayunamos	me hube desayunado	nos hubimos desayunado
te desayunaste	os desayunasteis	te hubiste desayunado	os hubisteis desayunado
se desayunó	se desayunaron	se hubo desayunado	se hubieron desayunado
4 futuro		11 futuro perfecto	
me desayunaré	nos desayunaremos	me habré desayunado	nos habremos desayunado
te desayunarás	os desayunaréis	te habrás desayunado	os habréis desayunado
se desayunará	se desayunarán	se habrá desayunado	se habrán desayunado
5 potencial simple		12 potencial compuesto	
me desayunaría	nos desayunaríamos	me habría desayunado	nos habríamos desayunado
te desayunarías	os desayunaríais	te habrías desayunado	os habríais desayunado
se desayunaría	se desayunarían	se habría desayunado	se habrían desayunado
6 presente de subjuntivo		13 perfecto de subjuntivo	
me desayune	nos desayunemos	me haya desayunado	nos hayamos desayunado
te desayunes	os desayunéis	te hayas desayunado	os hayáis desayunado
se desayune	se desayunen	se haya desayunado	se hayan desayunado
7 imperfecto de subjuntivo		14 pluscuamperfecto de subjuntivo	
me desayunara	nos desayunáramos	me hubiera desayunado	nos hubiéramos desayunado
te desayunaras	os desayunarais	te hubieras desayunado	os hubierais desayunado
se desayunara	se desayunaran	se hubiera desayunado	se hubieran desayunado
OR		OR	
me desayunase	nos desayunásemos	me hubiese desayunado	nos hubiésemos desayunado
te desayunases	os desayunaseis	te hubieses desayunado	os hubieseis desayunado
se desayunase	se desayunasen	se hubiese desayunado	se hubiesen desayunado

D

---

	imperativo	
—		desayunémonos
desayúnate; no te desayunes		desayunaos; no os desayunéis
desayúnese		desayúnense

Sentences using this verb and words related to it
—¿Qué toma Ud. en el desayuno todas las mañanas?
—Tomo leche, café con crema, pan tostado y un huevo.

desayunar to breakfast	ayunar to fast (not to eat)
el desayuno breakfast	el ayuno fast, fasting

Get your feet wet with verbs used in weather expressions on page 668.

The subject pronouns are found on page 93.   **283**

to rest   Regular **-ar** verb

The Seven Simple Tenses | The Seven Compound Tenses

Singular	Plural	Singular	Plural
1 presente de indicativo		**8 perfecto de indicativo**	
descanso	descansamos	he descansado	hemos descansado
descansas	descansáis	has descansado	habéis descansado
descansa	descansan	ha descansado	han descansado
2 imperfecto de indicativo		**9 pluscuamperfecto de indicativo**	
descansaba	descansábamos	había descansado	habíamos descansado
descansabas	descansabais	habías descansado	habíais descansado
descansaba	descansaban	había descansado	habían descansado
3 pretérito		**10 pretérito anterior**	
descansé	descansamos	hube descansado	hubimos descansado
descansaste	descansasteis	hubiste descansado	hubisteis descansado
descansó	descansaron	hubo descansado	hubieron descansado
4 futuro		**11 futuro perfecto**	
descansaré	descansaremos	habré descansado	habremos descansado
descansarás	descansaréis	habrás descansado	habréis descansado
descansará	descansarán	habrá descansado	habrán descansado
5 potencial simple		**12 potencial compuesto**	
descansaría	descansaríamos	habría descansado	habríamos descansado
descansarías	descansaríais	habrías descansado	habríais descansado
descansaría	descansarían	habría descansado	habrían descansado
6 presente de subjuntivo		**13 perfecto de subjuntivo**	
descanse	descansemos	haya descansado	hayamos descansado
descanses	descanséis	hayas descansado	hayáis descansado
descanse	descansen	haya descansado	hayan descansado
7 imperfecto de subjuntivo		**14 pluscuamperfecto de subjuntivo**	
descansara	descansáramos	hubiera descansado	hubiéramos descansado
descansaras	descansarais	hubieras descansado	hubierais descansado
descansara	descansaran	hubiera descansado	hubieran descansado
OR		OR	
descansase	descansásemos	hubiese descansado	hubiésemos descansado
descansases	descansaseis	hubieses descansado	hubieseis descansado
descansase	descansasen	hubiese descansado	hubiesen descansado

imperativo

—	descansemos
descansa; no descanses	descansad; no descanséis
descanse	descansen

Words and expressions related to this verb

el descanso   rest, relief, break
el descansadero   resting place
la cansera   fatigue
cansar   to fatigue, to tire, to weary

el descansillo   landing on a staircase
el descanso a discreción   at ease (military)
cansarse de esperar   to be tired of waiting
el descanso por enfermedad   sick leave

Regular **-ir** verb endings, note irregular   to describe, to delineate
spelling of past participle: **descrito**

The Seven Simple Tenses		The Seven Compound Tenses	
Singular	Plural	Singular	Plural
1 presente de indicativo		8 perfecto de indicativo	
describo	**describimos**	**he descrito**	**hemos descrito**
describes	**describís**	**has descrito**	**habéis descrito**
describe	**describen**	**ha descrito**	**han descrito**
2 imperfecto de indicativo		9 pluscuamperfecto de indicativo	
describía	**describíamos**	**había descrito**	**habíamos descrito**
describías	**describíais**	**habías descrito**	**habíais descrito**
describía	**describían**	**había descrito**	**habían descrito**
3 pretérito		10 pretérito anterior	
describí	**describimos**	**hube descrito**	**hubimos descrito**
describiste	**describisteis**	**hubiste descrito**	**hubisteis descrito**
describió	**describieron**	**hubo descrito**	**hubieron descrito**
4 futuro		11 futuro perfecto	
describiré	**describiremos**	**habré descrito**	**habremos descrito**
describirás	**describiréis**	**habrás descrito**	**habréis descrito**
describirá	**describirán**	**habrá descrito**	**habrán descrito**
5 potencial simple		12 potencial compuesto	
describiría	**describiríamos**	**habría descrito**	**habríamos descrito**
describirías	**describiríais**	**habrías descrito**	**habríais descrito**
describiría	**describirían**	**habría descrito**	**habrían descrito**
6 presente de subjuntivo		13 perfecto de subjuntivo	
describa	**describamos**	**haya descrito**	**hayamos descrito**
describas	**describáis**	**hayas descrito**	**hayáis descrito**
describa	**describan**	**haya descrito**	**hayan descrito**
7 imperfecto de subjuntivo		14 pluscuamperfecto de subjuntivo	
describiera	**describiéramos**	**hubiera descrito**	**hubiéramos descrito**
describieras	**describierais**	**hubieras descrito**	**hubierais descrito**
describiera	**describieran**	**hubiera descrito**	**hubieran descrito**
OR		OR	
describiese	**describiésemos**	**hubiese descrito**	**hubiésemos descrito**
describieses	**describieseis**	**hubieses descrito**	**hubieseis descrito**
describiese	**describiesen**	**hubiese descrito**	**hubiesen descrito**

imperativo

—	**describamos**
describe; no describas	**describid; no describáis**
describa	**describan**

Words and expressions related to this verb

la descripción   description   **escribir**   to write
descriptor, descriptora   describer   **escribir a mano**   to write by hand
descriptivo, descriptiva   descriptive   **escribir a máquina**   to typewrite

For other words and expressions related to this verb, see **escribir** and **subscribir**.

Don't miss the definitions of basic grammatical terms with
examples in English and Spanish on pages 33–44.

The subject pronouns are found on page 93.

descubrir (174)

Gerundio descubriendo   Part. pas. **descubierto**

to discover, to reveal,
to uncover, to unveil

Regular **-ir** verb endings; note irregular
spelling of past participle: **descubierto**

The Seven Simple Tenses		The Seven Compound Tenses	
Singular	Plural	Singular	Plural
1 presente de indicativo		**8 perfecto de indicativo**	
descubro	descubrimos	he descubierto	hemos descubierto
descubres	descubrís	has descubierto	habéis descubierto
descubre	descubren	ha descubierto	han descubierto
2 imperfecto de indicativo		**9 pluscuamperfecto de indicativo**	
descubría	descubríamos	había descubierto	habíamos descubierto
descubrías	descubríais	habías descubierto	habíais descubierto
descubría	descubrían	había descubierto	habían descubierto
3 pretérito		**10 pretérito anterior**	
descubrí	descubrimos	hube descubierto	hubimos descubierto
descubriste	descubristeis	hubiste descubierto	hubisteis descubierto
descubrió	descubrieron	hubo descubierto	hubieron descubierto
4 futuro		**11 futuro perfecto**	
descubriré	descubriremos	habré descubierto	habremos descubierto
descubrirás	descubriréis	habrás descubierto	habréis descubierto
descubrirá	descubrirán	habrá descubierto	habrán descubierto
5 potencial simple		**12 potencial compuesto**	
descubriría	descubriríamos	habría descubierto	habríamos descubierto
descubrirías	descubriríais	habrías descubierto	habríais descubierto
descubriría	descubrirían	habría descubierto	habrían descubierto
6 presente de subjuntivo		**13 perfecto de subjuntivo**	
descubra	descubramos	haya descubierto	hayamos descubierto
descubras	descubráis	hayas descubierto	hayáis descubierto
descubra	descubran	haya descubierto	hayan descubierto
7 imperfecto de subjuntivo		**14 pluscuamperfecto de subjuntivo**	
descubriera	descubriéramos	hubiera descubierto	hubiéramos descubierto
descubrieras	descubrierais	hubieras descubierto	hubierais descubierto
descubriera	descubrieran	hubiera descubierto	hubieran descubierto
OR		OR	
descubriese	descubriésemos	hubiese descubierto	hubiésemos descubierto
descubrieses	descubrieseis	hubieses descubierto	hubieseis descubierto
descubriese	descubriesen	hubiese descubierto	hubiesen descubierto

imperativo	
—	descubramos
descubre; no descubras	descubrid; no descubráis
descubra	descubran

Words and expressions related to this verb
descubrirse to take off one's hat
el descubrimiento discovery
descubridor, descubridora discoverer
a la descubierta clearly, openly

cubrir to cover
cubrir el costo to cover the cost
cubrir la mesa to cover the table
descubrir un nuevo antibiótico to discover
a new antibiotic

Regular **-ar** verb   to desire, to wish, to want

The Seven Simple Tenses		The Seven Compound Tenses	
Singular	Plural	Singular	Plural
1 presente de indicativo		8 perfecto de indicativo	
deseo	**deseamos**	**he deseado**	**hemos deseado**
deseas	**deseáis**	**has deseado**	**habéis deseado**
desea	**desean**	**ha deseado**	**han deseado**
2 imperfecto de indicativo		9 pluscuamperfecto de indicativo	
deseaba	**deseábamos**	**había deseado**	**habíamos deseado**
deseabas	**deseabais**	**habías deseado**	**habíais deseado**
deseaba	**deseaban**	**había deseado**	**habían deseado**
3 pretérito		10 pretérito anterior	
deseé	**deseamos**	**hube deseado**	**hubimos deseado**
deseaste	**deseasteis**	**hubiste deseado**	**hubisteis deseado**
deseó	**desearon**	**hubo deseado**	**hubieron deseado**
4 futuro		11 futuro perfecto	
desearé	**desearemos**	**habré deseado**	**habremos deseado**
desearás	**desaréis**	**habrás deseado**	**habréis deseado**
deseará	**desearán**	**habrá deseado**	**habrán deseado**
5 potencial simple		12 potencial compuesto	
desearía	**desearíamos**	**habría deseado**	**habríamos deseado**
desearías	**desearíais**	**habrías deseado**	**habríais deseado**
desearía	**desearían**	**habría deseado**	**habrían deseado**
6 presente de subjuntivo		13 perfecto de subjuntivo	
desee	**deseemos**	**haya deseado**	**hayamos deseado**
desees	**deseéis**	**hayas deseado**	**hayáis deseado**
desee	**deseen**	**haya deseado**	**hayan deseado**
7 imperfecto de subjuntivo		14 pluscuamperfecto de subjuntivo	
deseara	**deseáramos**	**hubiera deseado**	**hubiéramos deseado**
desearas	**desearais**	**hubieras deseado**	**hubierais deseado**
deseara	**desearan**	**hubiera deseado**	**hubieran deseado**
OR		OR	
desease	**deseásemos**	**hubiese deseado**	**hubiésemos deseado**
deseases	**deseaseis**	**hubieses deseado**	**hubieseis deseado**
desease	**deseasen**	**hubiese deseado**	**hubiesen deseado**

imperativo	
—	**deseemos**
desea; no desees	**desead; no deseéis**
desee	**deseen**

Words and expressions related to this verb
el deseo   desire
deseoso, deseosa   desirous
tener deseo de + inf.   to be eager + inf.
deseable   desirable

el deseador, la deseadora   desirer, wisher
deseablemente   desirably
poco deseable   undesirable
desear hacer algo   to wish to do something

The subject pronouns are found on page 93.

desempeñar (176) Gerundio desempeñando Part. pas. desempeñado

to play (a part), to act (a part), to discharge,
to perform (a duty), to take out of pawn

Regular -ar verb

The Seven Simple Tenses		The Seven Compound Tenses	
Singular	Plural	Singular	Plural
1 presente de indicativo		8 perfecto de indicativo	
desempeño	desempeñamos	he desempeñado	hemos desempeñado
desempeñas	desempeñáis	has desempeñado	habéis desempeñado
desempeña	desempeñan	ha desempeñado	han desempeñado
2 imperfecto de indicativo		9 pluscuamperfecto de indicativo	
desempeñaba	desempeñábamos	había desempeñado	habíamos desempeñado
desempeñabas	desempeñabais	habías desempeñado	habíais desempeñado
desempeñaba	desempeñaban	había desempeñado	habían desempeñado
3 pretérito		10 pretérito anterior	
desempeñé	desempeñamos	hube desempeñado	hubimos desempeñado
desempeñaste	desempeñasteis	hubiste desempeñado	hubisteis desempeñado
desempeñó	desempeñaron	hubo desempeñado	hubieron desempeñado
4 futuro		11 futuro perfecto	
desempeñaré	desempeñaremos	habré desempeñado	habremos desempeñado
desempeñarás	desempeñaréis	habrás desempeñado	habréis desempeñado
desempeñará	desempeñarán	habrá desempeñado	habrán desempeñado
5 potencial simple		12 potencial compuesto	
desempeñaría	desempeñaríamos	habría desempeñado	habríamos desempeñado
desempeñarías	desempeñaríais	habrías desempeñado	habríais desempeñado
desempeñaría	desempeñarían	habría desempeñado	habrían desempeñado
6 presente de subjuntivo		13 perfecto de subjuntivo	
desempeñe	desempeñemos	haya desempeñado	hayamos desempeñado
desempeñes	desempeñéis	hayas desempeñado	hayáis desempeñado
desempeñe	desempeñen	haya desempeñado	hayan desempeñado
7 imperfecto de subjuntivo		14 pluscuamperfecto de subjuntivo	
desempeñara	desempeñáramos	hubiera desempeñado	hubiéramos desempeñado
desempeñaras	desempeñarais	hubieras desempeñado	hubierais desempeñado
desempeñara	desempeñaran	hubiera desempeñado	hubieran desempeñado
OR		OR	
desempeñase	desempeñásemos	hubiese desempeñado	hubiésemos desempeñado
desempeñases	desempeñaseis	hubieses desempeñado	hubieseis desempeñado
desempeñase	desempeñasen	hubiese desempeñado	hubiesen desempeñado

imperativo	
—	desempeñemos
desempeña; no desempeñes	desempeñad; no desempeñéis
desempeñe	desempeñen

Words and expressions related to this verb
desempeñado, desempeñada   out of debt
el desempeño   payment of a debt
desempeñar un cargo   to take a job

empeñar   to pawn, to pledge
una casa de empeños   pawnshop
el empeño   pawn, pledge, obligation

Check out the verb drills and verb tests with answers explained on pages 45–91.

Irregular verb   to undo, to destroy, to take apart

The Seven Simple Tenses		The Seven Compound Tenses	
Singular	Plural	Singular	Plural
1 presente de indicativo		8 perfecto de indicativo	
deshago	deshacemos	he deshecho	hemos deshecho
deshaces	deshacéis	has deshecho	habéis deshecho
deshace	deshacen	ha deshecho	han deshecho
2 imperfecto de indicativo		9 pluscuamperfecto de indicativo	
deshacía	deshacíamos	había deshecho	habíamos deshecho
deshacías	deshacíais	habías deshecho	habíais deshecho
deshacía	deshacían	había deshecho	habían deshecho
3 pretérito		10 pretérito anterior	
deshice	deshicimos	hube deshecho	hubimos deshecho
deshiciste	deshicisteis	hubiste deshecho	hubisteis deshecho
deshizo	deshicieron	hubo deshecho	hubieron deshecho
4 futuro		11 futuro perfecto	
desharé	desharemos	habré deshecho	habremos deshecho
desharás	desharéis	habrás deshecho	habréis deshecho
deshará	desharán	habrá deshecho	habrán deshecho
5 potencial simple		12 potencial compuesto	
desharía	desharíamos	habría deshecho	habríamos deshecho
desharías	desharíais	habrías deshecho	habríais deshecho
desharía	desharían	habría deshecho	habrían deshecho
6 presente de subjuntivo		13 perfecto de subjuntivo	
deshaga	deshagamos	haya deshecho	hayamos deshecho
deshagas	deshagáis	hayas deshecho	hayáis deshecho
deshaga	deshagan	haya deshecho	hayan deshecho
7 imperfecto de subjuntivo		14 pluscuamperfecto de subjuntivo	
deshiciera	deshiciéramos	hubiera deshecho	hubiéramos deshecho
deshicieras	deshicierais	hubieras deshecho	hubierais deshecho
deshiciera	deshicieran	hubiera deshecho	hubieran deshecho
OR		OR	
deshiciese	deshiciésemos	hubiese deshecho	hubiésemos deshecho
deshicieses	deshicieseis	hubieses deshecho	hubieseis deshecho
deshiciese	deshiciesen	hubiese deshecho	hubiesen deshecho

imperativo

—	deshagamos
deshaz; no deshagas	deshaced; no deshagáis
deshaga	deshagan

Words and expressions related to this verb
deshecho, deshecha destroyed, wasted, undone
el deshechizo breaking off a magic spell
hacer la deshecha to pretend, to feign

Can't find the verb you're looking for?
Check the back pages of this book for a list of over 2,100 additional verbs!

The subject pronouns are found on page 93.

despedirse (178)   Gerundio **despidiéndose**   Part. pas. **despedido**

to take leave of,
to say good-bye to

Reflexive verb; regular **-ir** verb endings with stem
change: Tenses 1, 3, 6, 7, Imperative, Gerundio

The Seven Simple Tenses | The Seven Compound Tenses

Singular	Plural	Singular	Plural
1 presente de indicativo		**8 perfecto de indicativo**	
me despido	nos despedimos	me he despedido	nos hemos despedido
te despides	os despedís	te has despedido	os habéis despedido
se despide	se despiden	se ha despedido	se han despedido
2 imperfecto de indicativo		**9 pluscuamperfecto de indicativo**	
me despedía	nos despedíamos	me había despedido	nos habíamos despedido
te despedías	os despedíais	te habías despedido	os habíais despedido
se despedía	se despedían	se había despedido	se habían despedido
3 pretérito		**10 pretérito anterior**	
me despedí	nos despedimos	me hube despedido	nos hubimos despedido
te despediste	os despedisteis	te hubiste despedido	os hubisteis despedido
se despidió	se despidieron	se hubo despedido	se hubieron despedido
4 futuro		**11 futuro perfecto**	
me despediré	nos despediremos	me habré despedido	nos habremos despedido
te despedirás	os despediréis	te habrás despedido	os habréis despedido
se despedirá	se despedirán	se habrá despedido	se habrán despedido
5 potencial simple		**12 potencial compuesto**	
me despediría	nos despediríamos	me habría despedido	nos habríamos despedido
te despedirías	os despediríais	te habrías despedido	os habríais despedido
se despediría	se despedirían	se habría despedido	se habrían despedido
6 presente de subjuntivo		**13 perfecto de subjuntivo**	
me despida	nos despidamos	me haya despedido	nos hayamos despedido
te despidas	os despidáis	te hayas despedido	os hayáis despedido
se despida	se despidan	se haya despedido	se hayan despedido
7 imperfecto de subjuntivo		**14 pluscuamperfecto de subjuntivo**	
me despidiera	nos despidiéramos	me hubiera despedido	nos hubiéramos despedido
te despidieras	os despidierais	te hubieras despedido	os hubierais despedido
se despidiera	se despidieran	se hubiera despedido	se hubieran despedido
OR		OR	
me despidiese	nos despidiésemos	me hubiese despedido	nos hubiésemos despedido
te despidieses	os despidieseis	te hubieses despedido	os hubieseis despedido
se despidiese	se despidiesen	se hubiese despedido	se hubiesen despedido

imperativo

—	despidámonos
despídete; no te despidas	despedíos; nos despidáis
despídase	despídanse

Words and expressions related to this verb
despedirse a la francesa   to take French leave
despedir   to dismiss
un despedimiento, una despedida   dismissal, discharge, farewell
despedirse de   to take leave of, to say good-bye to

Get acquainted with what preposition goes with what verb on pages 669–677.

Regular **-ar** verb endings with spelling change: **g** becomes **gu** before **e**

to detach, to unglue, to unstick, to take off (airplane)

D

The Seven Simple Tenses		The Seven Compound Tenses	
Singular	Plural	Singular	Plural
1 presente de indicativo		**8 perfecto de indicativo**	
despego	despegamos	he despegado	hemos despegado
despegas	despegáis	has despegado	habéis despegado
despega	despegan	ha despegado	han despegado
2 imperfecto de indicativo		**9 pluscuamperfecto de indicativo**	
despegaba	despegábamos	había despegado	habíamos despegado
despegabas	despegabais	habías despegado	habíais despegado
despegaba	despegaban	había despegado	habían despegado
3 pretérito		**10 pretérito anterior**	
despegué	despegamos	hube despegado	hubimos despegado
despegaste	despegasteis	hubiste despegado	hubisteis despegado
despegó	despegaron	hubo despegado	hubieron despegado
4 futuro		**11 futuro perfecto**	
despegaré	despegaremos	habré despegado	habremos despegado
despegarás	despergaréis	habrás despegado	habréis despegado
despegará	despegarán	habrá despegado	habrán despegado
5 potencial simple		**12 potencial compuesto**	
despegaría	despegaríamos	habría despegado	habríamos despegado
despegarías	despegaríais	habrías despegado	habríais despegado
despegaría	despegarían	habría despegado	habrían despegado
6 presente de subjuntivo		**13 perfecto de subjuntivo**	
despegue	despeguemos	haya despegado	hayamos despegado
despegues	despeguéis	hayas despegado	hayáis despegado
despegue	despeguen	haya despegado	hayan despegado
7 imperfecto de subjuntivo		**14 pluscuamperfecto de subjuntivo**	
despegara	despegáramos	hubiera despegado	hubiéramos despegado
despegaras	despegarais	hubieras despegado	hubierais despegado
despegara	despegaran	hubiera despegado	hubieran despegado
OR		OR	
despegase	despegásemos	hubiese despegado	hubiésemos despegado
despegases	despegaseis	hubieses despegado	hubieseis despegado
despegase	despegasen	hubiese despegado	hubiesen despegado

imperativo	
—	despeguemos
despega; no despegues	despegad; no despeguéis
despegue	despeguen

Words and expressions related to this verb

despegar los labios to speak
el despegue take-off (airplane)
despegadamente without concern

despegarse to become distant, indifferent; to grow displeased
el despego, el despegamiento aversion, indifference

For other words and expressions related to this verb, see **pegar.**

The subject pronouns are found on page 93.

291

desperezarse (180) Gerundio desperezándose Part. pas. desperezado

to stretch oneself, to stretch
one's arms and legs

Reflexive verb; regular -ar verb endings with
spelling change: z becomes c before e

The Seven Simple Tenses		The Seven Compound Tenses	
Singular	Plural	Singular	Plural
1 presente de indicativo		**8 perfecto de indicativo**	
me desperezo	nos desperezamos	me he desperezado	nos hemos desperezado
te desperezas	os desperezáis	te has desperezado	os habéis desperezado
se desperza	se desperezan	se ha desperezado	se han desperezado
2 imperfecto de indicativo		**9 pluscuamperfecto de indicativo**	
me desperezaba	nos desperezábamos	me había desperezado	nos habíamos desperezado
te desperezabas	os desperezabais	te habías desperezado	os habíais desperezado
se desperezaba	se desperezaban	se había desperezado	se habían desperezado
3 pretérito		**10 pretérito anterior**	
me desperecé	nos desperezamos	me hube desperezado	nos hubimos desperezado
te desperezaste	os desperezasteis	te hubiste desperezado	os hubisteis desperezado
se desperezó	se desperezaron	se hubo desperezado	se hubieron desperezado
4 futuro		**11 futuro perfecto**	
me desperezaré	nos desperezaremos	me habré desperezado	nos habremos desperezado
te desperezarás	os desperezaréis	te habrás desperezado	os habréis desperezado
se desperezará	se desperezarán	se habrá desperezado	se habrán desperezado
5 potencial simple		**12 potencial compuesto**	
me desperezaría	nos desperezaríamos	me habría desperezado	nos habríamos desperezado
te desperezarías	os desperezaríais	te habrías desperezado	os habríais desperezado
se desperezaría	se desperezarían	se habría desperezado	se habrían desperezado
6 presente de subjuntivo		**13 perfecto de subjuntivo**	
me desperece	nos desperecemos	me haya desperezado	nos hayamos desperezado
te despereces	os desperecéis	te hayas desperezado	os hayáis desperezado
se desperece	se desperecen	se haya desperezado	se hayan desperezado
7 imperfecto de subjuntivo		**14 pluscuamperfecto de subjuntivo**	
me desperezara	nos desperezáramos	me hubiera desperezado	nos hubiéramos desperezado
te desperezaras	os desperezarais	te hubieras desperezado	os hubierais desperezado
se desperezara	se desperezaran	se hubiera desperezado	se hubieran desperezado
OR		OR	
me desperezase	nos desperezásemos	me hubiese desperezado	nos hubiésemos desperezado
te desperezases	os desperezaseis	te hubieses desperezado	os hubieseis desperezado
se desperezase	se desperezasen	se hubiese desperezado	se hubiesen desperezado

imperativo	
—	desperecémonos
desperézate; no te despereces	desperezaos; no os desperecéis
desperécese	desperécense

Words related to this verb

el desperezo stretching one's arms and legs
perezoso, perezosa lazy

perezosamente lazily
la pereza laziness

Do you need more drills? Have fun with the *501 Spanish Verbs* CD-ROM!

Gerundio **despertándose**   Part. pas. **despertado**   **despertarse (181)**

Reflexive verb; regular **-ar** verb endings   to wake up oneself
with stem change: Tenses 1, 6, Imperative

The Seven Simple Tenses		The Seven Compound Tenses	
Singular	Plural	Singular	Plural
1 presente de indicativo		8 perfecto de indicativo	
me despierto	nos despertamos	me he despertado	nos hemos despertado
te despiertas	os despertáis	te has despertado	os habéis despertado
se despierta	se despiertan	se ha despertado	se han despertado
2 imperfecto de indicativo		9 pluscuamperfecto de indicativo	
me despertaba	nos despertábamos	me había despertado	nos habíamos despertado
te despertabas	os despertabais	te habías despertado	os habíais despertado
se despertaba	se despertaban	se había despertado	se habían despertado
3 pretérito		10 pretérito anterior	
me desperté	nos despertamos	me hube despertado	nos hubimos despertado
te despertaste	os despertasteis	te hubiste despertado	os hubisteis despertado
se despertó	se despertaron	se hubo despertado	se hubieron despertado
4 futuro		11 futuro perfecto	
me despertaré	nos despertaremos	me habré despertado	nos habremos despertado
te despertarás	os despertaréis	te habrás despertado	os habréis despertado
se despertará	se despertarán	se habrá despertado	se habrán despertado
5 potencial simple		12 potencial compuesto	
me despertaría	nos despertaríamos	me habría despertado	nos habríamos despertado
te despertarías	os despertaríais	te habrías despertado	os habríais despertado
se despertaría	se despertarían	se habría despertado	se habrían despertado
6 presente de subjuntivo		13 perfecto de subjuntivo	
me despierte	nos despertemos	me haya despertado	nos hayamos despertado
te despiertes	os despertéis	te hayas despertado	os hayáis despertado
se despierte	se despierten	se haya despertado	se hayan despertado
7 imperfecto de subjuntivo		14 pluscuamperfecto de subjuntivo	
me despertara	nos despertáramos	me hubiera despertado	nos hubiéramos despertado
te despertaras	os despertarais	te hubieras despertado	os hubierais despertado
se despertara	se despertaran	se hubiera despertado	se hubieran despertado
OR		OR	
me despertase	nos despertásemos	me hubiese despertado	nos hubiésemos despertado
te despertases	os despertaseis	te hubieses despertado	os hubieseis despertado
se despertase	se despertasen	se hubiese despertado	se hubiesen despertado

imperativo

	despertémonos
despiértate; no te despiertes	despertaos; no os despertéis
despiértese	despiértense

Words and expressions related to this verb
despertar to awaken (someone), to enliven
un despertador alarm clock
el despertamiento awakening, arousal

despierto, despierta wide awake, alert
María sueña despierta. Mary daydreams.
despertarse a las siete de la mañana to wake up at seven in the morning

If you want an explanation of meanings and uses of
Spanish and English verb tenses and moods, see pages 13–32.

The subject pronouns are found on page 93.

destruir (182)

Gerundio **destruyendo**   Part. pas. **destruido**

to destroy

Regular **-ir** verb endings with spelling change: add **y** before **a**, **e**, or **o**

The Seven Simple Tenses		The Seven Compound Tenses	
Singular	Plural	Singular	Plural
1 presente de indicativo		8 perfecto de indicativo	
destruyo	**destruimos**	**he destruido**	**hemos destruido**
destruyes	**destruís**	**has destruido**	**habéis destruido**
destruye	**destruyen**	**ha destruido**	**han destruido**
2 imperfecto de indicativo		9 pluscuamperfecto de indicativo	
destruía	**destruíamos**	**había destruido**	**habíamos destruido**
destruías	**destruíais**	**habías destruido**	**habíais destruido**
destruía	**destruían**	**había destruido**	**habían destruido**
3 pretérito		10 pretérito anterior	
destruí	**destruimos**	**hube destruido**	**hubimos destruido**
destruiste	**destruisteis**	**hubiste destruido**	**hubisteis destruido**
destruyó	**destruyeron**	**hubo destruido**	**hubieron destruido**
4 futuro		11 futuro perfecto	
destruiré	**destruiremos**	**habré destruido**	**habremos destruido**
destruirás	**destruiréis**	**habrás destruido**	**habréis destruido**
destruirá	**destruirán**	**habrá destruido**	**habrán destruido**
5 potencial simple		12 potencial compuesto	
destruiría	**destruiríamos**	**habría destruido**	**habríamos destruido**
destruirías	**destruiríais**	**habrías destruido**	**habríais destruido**
destruiría	**destruirían**	**habría destruido**	**habrían destruido**
6 presente de subjuntivo		13 perfecto de subjuntivo	
destruya	**destruyamos**	**haya destruido**	**hayamos destruido**
destruyas	**destruyáis**	**hayas destruido**	**hayáis destruido**
destruya	**destruyan**	**haya destruido**	**hayan destruido**
7 imperfecto de subjuntivo		14 pluscuamperfecto de subjuntivo	
destruyera	**destruyéramos**	**hubiera destruido**	**hubiéramos destruido**
destruyeras	**destruyerais**	**hubieras destruido**	**hubierais destruido**
destruyera	**destruyeran**	**hubiera destruido**	**hubieran destruido**
OR		OR	
destruyese	**destruyésemos**	**hubiese destruido**	**hubiésemos destruido**
destruyeses	**destruyeseis**	**hubieses destruido**	**hubieseis destruido**
destruyese	**destruyesen**	**hubiese destruido**	**hubiesen destruido**

imperativo

—	**destruyamos**
destruye; no destruyas	**destruid; no destruyáis**
destruya	**destruyan**

Words and expressions related to this verb

destructor, destructora   destructor, destroyer
la destrucción   destruction
destruíble   destructible

destructivo, destructiva   destructive
destruidor, destruidora   destroyer
destructivamente   destructively

Don't forget to study the section on defective and impersonal verbs. It's right after this main list.

Regular **-ir** verb endings with stem change: to undress oneself, to get undressed
Tenses 1, 3, 6, 7, Imperative, Gerundio

The Seven Simple Tenses		The Seven Compound Tenses	
Singular	Plural	Singular	Plural
1 presente de indicativo		8 perfecto de indicativo	
me desvisto	nos desvestimos	me he desvestido	nos hemos desvestido
te desvistes	os desvestís	te has desvestido	os habéis desvestido
se desviste	se desvisten	se ha desvestido	se han desvestido
2 imperfecto de indicativo		9 pluscuamperfecto de indicativo	
me desvestía	nos desvestíamos	me había desvestido	nos habíamos desvestido
te desvestías	os desvestíais	te habías desvestido	os habíais desvestido
se desvestía	se desvestían	se había desvestido	se habían desvestido
3 pretérito		10 pretérito anterior	
me desvestí	nos desvestimos	me hube desvestido	nos hubimos desvestido
te desvestiste	os desvestisteis	te hubiste desvestido	os hubisteis desvestido
se desvistió	se desvistieron	se hubo desvestido	se hubieron desvestido
4 futuro		11 futuro perfecto	
me desvestiré	nos desvestiremos	me habré desvestido	nos habremos desvestido
te desvestirás	os desvestiréis	te habrás desvestido	os habréis desvestido
se desvestirá	se desvestirán	se habrá desvestido	se habrán desvestido
5 potencial simple		12 potencial compuesto	
me desvestiría	nos desvestiríamos	me habría desvestido	nos habríamos desvestido
te desvestirías	os desvestiríais	te habrías desvestido	os habríais desvestido
se desvestiría	se desvestirían	se habría desvestido	se habrían desvestido
6 presente de subjuntivo		13 perfecto de subjuntivo	
me desvista	nos desvistamos	me haya desvestido	nos hayamos desvestido
te desvistas	os desvistáis	te hayas desvestido	os hayáis desvestido
se desvista	se desvistan	se haya desvestido	se hayan desvestido
7 imperfecto de subjuntivo		14 pluscuamperfecto de subjuntivo	
me desvistiera	nos desvistiéramos	me hubiera desvestido	nos hubiéramos desvestido
te desvistieras	os desvistierais	te hubieras desvestido	os hubierais desvestido
se desvistiera	se desvistieran	se hubiera desvestido	se hubieran desvestido
OR		OR	
me desvistiese	nos desvistiésemos	me hubiese desvestido	nos hubiésemos desvestido
te desvistieses	os desvistieseis	te hubieses desvestido	os hubieseis desvestido
se desvistiese	se desvistiesen	se hubiese desvestido	se hubiesen desvestido

imperativo

—	desvistámonos
desvístete; no te desvistas	desvestíos; no os desvistáis
desvístase	desvístanse

Words and expressions related to this verb
vestir   to clothe, to dress
vestirse   to clothe oneself, to dress oneself
el vestido   clothing, clothes, dress
vestidos usados   secondhand clothing

bien vestido   well-dressed
vestir de blanco   to dress in white
vestir de uniforme   to dress in uniform
el vestido de etiqueta   evening clothes

Don't miss the definitions of basic grammatical terms with examples
in English and Spanish on pages 33–44.

The subject pronouns are found on page 93.

detener (184)

Gerundio **deteniendo**   Part. pas. **detenido**

to stop (someone or something), to detain

The Seven Simple Tenses		The Seven Compound Tenses	
Singular	Plural	Singular	Plural
1 presente de indicativo		**8 perfecto de indicativo**	
detengo	detenemos	he detenido	hemos detenido
detienes	detenéis	has detenido	habéis detenido
detiene	detienen	ha detenido	han detenido
2 imperfecto de indicativo		**9 pluscuamperfecto de indicativo**	
detenía	deteníamos	había detenido	habíamos detenido
detenías	deteníais	habías detenido	habíais detenido
detenía	detenían	había detenido	habían detenido
3 pretérito		**10 pretérito anterior**	
detuve	detuvimos	hube detenido	hubimos detenido
detuviste	detuvisteis	hubiste detenido	hubisteis detenido
detuvo	detuvieron	hubo detenido	hubieron detenido
4 futuro		**11 futuro perfecto**	
detendré	detendremos	habré detenido	habremos detenido
detendrás	detendréis	habrás detenido	habréis detenido
detendrá	detendrán	habrá detenido	habrán detenido
5 potencial simple		**12 potencial compuesto**	
detendría	detendríamos	habría detenido	habríamos detenido
detendrías	detendríais	habrías detenido	habríais detenido
detendría	detendrían	habría detenido	habrían detenido
6 presente de subjuntivo		**13 perfecto de subjuntivo**	
detenga	detengamos	haya detenido	hayamos detenido
detengas	detengáis	hayas detenido	hayáis detenido
detenga	detengan	haya detenido	hayan detenido
7 imperfecto de subjuntivo		**14 pluscuamperfecto de subjuntivo**	
detuviera	detuviéramos	hubiera detenido	hubiéramos detenido
detuvieras	detuvierais	hubieras detenido	hubierais detenido
detuviera	detuvieran	hubiera detenido	hubieran detenido
OR		OR	
detuviese	detuviésemos	hubiese detenido	hubiésemos detenido
detuvieses	detuvieseis	hubieses detenido	hubieseis detenido
detuviese	detuviesen	hubiese detenido	hubiesen detenido

	imperativo
—	detengamos
detén; no detengas	detened; no detengáis
detenga	detengan

Words related to this verb

el detenimiento   delay
detenidamente   cautiously
sostener   to support, to sustain
la detención   detention, detainment

detenerse a + inf.   to stop + inf.
el sostenimiento   support, sustenance
el detenido, la detenida   person under arrest
sin detención   without delay

See also **tener.**

The Seven Simple Tenses	The Seven Compound Tenses

D

Singular	Plural	Singular	Plural
1 presente de indicativo		8 perfecto de indicativo	
me detengo	nos detenemos	me he detenido	nos hemos detenido
te detienes	os detenéis	te has detenido	os habéis detenido
se detiene	se detienen	se ha detenido	se han detenido
2 imperfecto de indicativo		9 pluscuamperfecto de indicativo	
me detenía	nos deteníamos	me había detenido	nos habíamos detenido
te detenías	os deteníais	te habías detenido	os habíais detenido
se detenía	se detenían	se había detenido	se habían detenido
3 pretérito		10 pretérito anterior	
me detuve	nos detuvimos	me hube detenido	nos hubimos detenido
te detuviste	os detuvisteis	te hubiste detenido	os hubisteis detenido
se detuvo	se detuvieron	se hubo detenido	se hubieron detenido
4 futuro		11 futuro perfecto	
me detendré	nos detendremos	me habré detenido	nos habremos detenido
te detendrás	os detendréis	te habrás detenido	os habréis detenido
se detendrá	se detendrán	se habrá detenido	se habrán detenido
5 potencial simple		12 potencial compuesto	
me detendría	nos detendríamos	me habría detenido	nos habríamos detenido
te detendrías	os detendríais	te habrías detenido	os habríais detenido
se detendría	se detendrían	se habría detenido	se habrían detenido
6 presente de subjuntivo		13 perfecto de subjuntivo	
me detenga	nos detengamos	me haya detenido	nos hayamos detenido
te detengas	os detangáis	te hayas detenido	os hayáis detenido
se detenga	se detengan	se haya detenido	se hayan detenido
7 imperfecto de subjuntivo		14 pluscuamperfecto de subjuntivo	
me detuviera	nos detuviéramos	me hubiera detenido	nos hubiéramos detenido
te detuvieras	os detuvierais	te hubieras detenido	os hubierais detenido
se detuviera	se detuvieran	se hubiera detenido	se hubieran detenido
OR		OR	
me detuviese	nos detuviésemos	me hubiese detenido	nos hubiésemos detenido
te detuvieses	os detuvieseis	te hubieses detenido	os hubieseis detenido
se detuviese	se detuviesen	se hubiese detenido	se hubiesen detenido

	imperativo
—	detengámonos
detente; no te detengas	deteneos; no os detengáis
deténgase	deténganse

Words and expressions related to this verb

detener   to stop (someone or something),   **detenerse en una idea**   to dwell on an idea
        to detain

detenedor, detenedora   detainer

See also **detener**.

If you don't know the Spanish verb for an English verb you have in mind, try the index on pages 682–706.

devolver (186)

Gerundio **devolviendo** Part. pas. **devuelto**

to return (an object),
to refund, to give back

Regular **-er** verb endings with stem change:
Tenses 1, 6, Imperative, Part. pas.

The Seven Simple Tenses		The Seven Compound Tenses	
Singular	Plural	Singular	Plural
1 presente de indicativo		**8 perfecto de indicativo**	
devuelvo	devolvemos	he devuelto	hemos devuelto
devuelves	devolvéis	has devuelto	habéis devuelto
devuelve	devuelven	ha devuelto	han devuelto
2 imperfecto de indicativo		**9 pluscuamperfecto de indicativo**	
devolvía	devolvíamos	había devuelto	habíamos devuelto
devolvías	devolvíais	habías devuelto	habíais devuelto
devolvía	devolvían	había devuelto	habían devuelto
3 pretérito		**10 pretérito anterior**	
devolví	devolvimos	hube devuelto	hubimos devuelto
devolviste	devolvisteis	hubiste devuelto	hubisteis devuelto
devolvió	devolvieron	hubo devuelto	hubieron devuelto
4 futuro		**11 futuro perfecto**	
devolveré	devolveremos	habré devuelto	habremos devuelto
devolverás	devolveréis	habrás devuelto	habréis devuelto
devolverá	devolverán	habrá devuelto	habrán devuelto
5 potencial simple		**12 potencial compuesto**	
devolvería	devolveríamos	habría devuelto	habríamos devuelto
devolverías	devolveríais	habrías devuelto	habríais devuelto
devolvería	devolverían	habría devuelto	habrían devuelto
6 presente de subjuntivo		**13 perfecto de subjuntivo**	
devuelva	devolvamos	haya devuelto	hayamos devuelto
devuelvas	devolváis	hayas devuelto	hayáis devuelto
devuelva	devuelvan	haya devuelto	hayan devuelto
7 imperfecto de subjuntivo		**14 pluscuamperfecto de subjuntivo**	
devolviera	devolviéramos	hubiera devuelto	hubiéramos devuelto
devolvieras	devolvierais	hubieras devuelto	hubierais devuelto
devolviera	devolvieran	hubiera devuelto	hubieran devuelto
OR		OR	
devolviese	devolviésemos	hubiese devuelto	hubiésemos devuelto
devolvieses	devolvieseis	hubieses devuelto	hubieseis devuelto
devolviese	devolviesen	hubiese devuelto	hubiesen devuelto

imperativo	
—	devolvamos
devuelve; no devuelvas	devolved; no devolváis
devuelva	devuelvan

Words and expressions related to this verb
—¿Ha devuelto Ud. los libros a la biblioteca?
devolutivo, devolutiva returnable
volver to return, to go back

—Sí, señora, los devolví ayer.
devolver to vomit
la devolución return, giving back

For other words and expressions related to this verb, see **revolver** and **volver**.

See also **devolver**.

Regular **-ar** verb   to design, to draw, to sketch

The Seven Simple Tenses		The Seven Compound Tenses	
Singular	Plural	Singular	Plural
1 presente de indicativo		8 perfecto de indicativo	
dibujo	**dibujamos**	**he dibujado**	**hemos dibujado**
dibujas	**dibujáis**	**has dibujado**	**habéis dibujado**
dibuja	**dibujan**	**ha dibujado**	**han dibujado**
2 imperfecto de indicativo		9 pluscuamperfecto de indicativo	
dibujaba	**dibujábamos**	**había dibujado**	**habíamos dibujado**
dibujabas	**dibujabais**	**habías dibujado**	**habíais dibujado**
dibujaba	**dibujaban**	**había dibujado**	**habían dibujado**
3 pretérito		10 pretérito anterior	
dibujé	**dibujamos**	**hube dibujado**	**hubimos dibujado**
dibujaste	**dibujasteis**	**hubiste dibujado**	**hubisteis dibujado**
dibujó	**dibujaron**	**hubo dibujado**	**hubieron dibujado**
4 futuro		11 futuro perfecto	
dibujaré	**dibujaremos**	**habré dibujado**	**habremos dibujado**
dibujarás	**dibujaréis**	**habrás dibujado**	**habréis dibujado**
dibujará	**dibujarán**	**habrá dibujado**	**habrán dibujado**
5 potencial simple		12 potencial compuesto	
dibujaría	**dibujaríamos**	**habría dibujado**	**habríamos dibujado**
dibujarías	**dibujaríais**	**habrías dibujado**	**habríais dibujado**
dibujaría	**dibujarían**	**habría dibujado**	**habrían dibujado**
6 presente de subjuntivo		13 perfecto de subjuntivo	
dibuje	**dibujemos**	**haya dibujado**	**hayamos dibujado**
dibujes	**dibujéis**	**hayas dibujado**	**hayáis dibujado**
dibuje	**dibujen**	**haya dibujado**	**hayan dibujado**
7 imperfecto de subjuntivo		14 pluscuamperfecto de subjuntivo	
dibujara	**dibujáramos**	**hubiera dibujado**	**hubiéramos dibujado**
dibujaras	**dibujarais**	**hubieras dibujado**	**hubierais dibujado**
dibujara	**dibujaran**	**hubiera dibujado**	**hubieran dibujado**
OR		OR	
dibujase	**dibujásemos**	**hubiese dibujado**	**hubiésemos dibujado**
dibujases	**dibujaseis**	**hubieses dibujado**	**hubieseis dibujado**
dibujase	**dibujasen**	**hubiese dibujado**	**hubiesen dibujado**

imperativo	
—	**dibujemos**
dibuja; no dibujes	**dibujad; no dibujéis**
dibuje	**dibujen**

Words and expressions related to this verb

un dibujo   drawing, design, sketch

el, la dibujante   designer, illustrator, sketcher

dibujos humorísticos   comics

el dibujo asistido por ordenador   computer-assisted drawing

dibujo a la pluma   pen and ink drawing

dibujos animados   (animated) cartoons

The subject pronouns are found on page 93.

299

dirigir (188)

to direct

Gerundio **dirigiendo**　　Part. pas. **dirigido**

Regular **-ir** verb endings with spelling change: **g** becomes **j** before **a** or **o**

The Seven Simple Tenses

The Seven Compound Tenses

Singular	Plural
1 presente de indicativo	
dirijo	**dirigimos**
diriges	**dirigís**
dirige	**dirigen**

Singular	Plural
8 perfecto de indicativo	
he dirigido	**hemos dirigido**
has dirigido	**habéis dirigido**
ha dirigido	**han dirigido**

2 imperfecto de indicativo	
dirigía	**dirigíamos**
dirigías	**dirigíais**
dirigía	**dirigían**

9 pluscuamperfecto de indicativo	
había dirigido	**habíamos dirigido**
habías dirigido	**habíais dirigido**
había dirigido	**habían dirigido**

3 pretérito	
dirigí	**dirigimos**
dirigiste	**dirigisteis**
dirigió	**dirigieron**

10 pretérito anterior	
hube dirigido	**hubimos dirigido**
hubiste dirigido	**hubisteis dirigido**
hubo dirigido	**hubieron dirigido**

4 futuro	
dirigiré	**dirigiremos**
dirigirás	**dirigiréis**
dirigirá	**dirigirán**

11 futuro perfecto	
habré dirigido	**habremos dirigido**
habrás dirigido	**habréis dirigido**
habrá dirigido	**habrán dirigido**

5 potencial simple	
dirigiría	**dirigiríamos**
dirigirías	**dirigiríais**
dirigiría	**dirigirían**

12 potencial compuesto	
habría dirigido	**habríamos dirigido**
habrías dirigido	**habríais dirigido**
habría dirigido	**habrían dirigido**

6 presente de subjuntivo	
dirija	**dirijamos**
dirijas	**dirijáis**
dirija	**dirijan**

13 perfecto de subjuntivo	
haya dirigido	**hayamos dirigido**
hayas dirigido	**hayáis dirigido**
haya dirigido	**hayan dirigido**

7 imperfecto de subjuntivo	
dirigiera	**dirigiéramos**
dirigieras	**dirigierais**
dirigiera	**dirigieran**
OR	
dirigiese	**dirigiésemos**
dirigieses	**dirigieseis**
dirigiese	**dirigiesen**

14 pluscuamperfecto de subjuntivo	
hubiera dirigido	**hubiéramos dirigido**
hubieras dirigido	**hubierais dirigido**
hubiera dirigido	**hubieran dirigido**
OR	
hubiese dirigido	**hubiésemos dirigido**
hubieses dirigido	**hubieseis dirigido**
hubiese dirigido	**hubiesen dirigido**

imperativo

—	**dirijamos**
dirige; no dirijas	**dirigid; no dirijáis**
dirija	**dirijan**

Words and expressions related to this verb

el director, la directora　director
director de orquesta　orchestra conductor
el dirigente, la dirigente　leader
dirigir la palabra a　to address, to speak to

dirigible　manageable
el dirigible　dirigible, blimp (aviation)
dirigirse a　to make one's way to, to go to
dirigir el baile　to run the show

Can't recognize an irregular verb form? Check out pages 678–681.

Reflexive regular **-ar** verb   to apologize, to excuse (oneself)

The Seven Simple Tenses		The Seven Compound Tenses	
Singular	Plural	Singular	Plural
1 presente de indicativo		8 perfecto de indicativo	
me disculpo	nos disculpamos	me he disculpado	nos hemos disculpado
te disculpas	os disculpáis	te has disculpado	os habéis disculpado
se disculpa	se disculpan	se ha disculpado	se han disculpado
2 imperfecto de indicativo		9 pluscuamperfecto de indicativo	
me disculpaba	nos disculpábamos	me había disculpado	nos habíamos disculpado
te disculpabas	os disculpabais	te habías disculpado	os habíais disculpado
se disculpaba	se disculpaban	se había disculpado	se habían disculpado
3 pretérito		10 pretérito anterior	
me disculpé	nos disculpamos	me hube disculpado	nos hubimos disculpado
te disculpaste	os disculpasteis	te hubiste disculpado	os hubisteis disculpado
se disculpó	se disculparon	se hubo disculpado	se hubieron disculpado
4 futuro		11 futuro perfecto	
me disculparé	nos disculparemos	me habré disculpado	nos habremos disculpado
te disculparás	os disculparéis	te habrás disculpado	os habréis disculpado
se disculpará	se disculparán	se habrá disculpado	se habrán disculpado
5 potencial simple		12 potencial compuesto	
me disculparía	nos disculparíamos	me habría disculpado	nos habríamos disculpado
te disculparías	os disculparíais	te habrías disculpado	os habríais disculpado
se disculparía	se disculparían	se habría disculpado	se habrían disculpado
6 presente de subjuntivo		13 perfecto de subjuntivo	
me disculpe	nos disculpemos	me haya disculpado	nos hayamos disculpado
te disculpes	os disculpéis	te hayas disculpado	os hayáis disculpado
se disculpe	se disculpen	se haya disculpado	se hayan disculpado
7 imperfecto de subjuntivo		14 pluscuamperfecto de subjuntivo	
me disculpara	nos disculpáramos	me hubiera disculpado	nos hubiéramos disculpado
te disculparas	os disculparais	te hubieras disculpado	os hubierais disculpado
se disculpara	se disculparan	se hubiera disculpado	se hubieran disculpado
OR		OR	
me disculpase	nos disculpásemos	me hubiese disculpado	nos hubiésemos disculpado
te disculpases	os disculpaseis	te hubieses disculpado	os hubieseis disculpado
se disculpase	se disculpasen	se hubiese disculpado	se hubiesen disculpado

imperativo

—	disculpémonos
discúlpate; no te disculpes	disculpaos; no os disculpéis
discúlpese	discúlpense

Words and expressions related to this verb

disculpar   to excuse, to pardon (someone)
disculparse con   to apologize to, to make
  excuses to
disculparse de   to apologize for, to make
  excuses for

una disculpa   excuse, apology
la culpa   fault, blame, guilt
tener la culpa   to be guilty
culpar   to blame, to accuse
culparse   to blame oneself
dar disculpas   to make excuses

The subject pronouns are found on page 93.

301

to discuss, to debate   Regular **-ir** verb

The Seven Simple Tenses		The Seven Compound Tenses	
Singular	Plural	Singular	Plural
1 presente de indicativo		8 perfecto de indicativo	
discuto	discutimos	he discutido	hemos discutido
discutes	discutís	has discutido	habéis discutido
discute	discuten	ha discutido	han discutido
2 imperfecto de indicativo		9 pluscuamperfecto de indicativo	
discutía	discutíamos	había discutido	habíamos discutido
discutías	discutíais	habías discutido	habíais discutido
discutía	discutían	había discutido	habían discutido
3 pretérito		10 pretérito anterior	
discutí	discutimos	hube discutido	hubimos discutido
discutiste	discutisteis	hubiste discutido	hubisteis discutido
discutió	discutieron	hubo discutido	hubieron discutido
4 futuro		11 futuro perfecto	
discutiré	discutiremos	habré discutido	habremos discutido
discutirás	discutiréis	habrás discutido	habréis discutido
discutirá	discutirán	habrá discutido	habrán discutido
5 potencial simple		12 potencial compuesto	
discutiría	discutiríamos	habría discutido	habríamos discutido
discutirías	discutiríais	habrías discutido	habríais discutido
discutiría	discutirían	habría discutido	habrían discutido
6 presente de subjuntivo		13 perfecto de subjuntivo	
discuta	discutamos	haya discutido	hayamos discutido
discutas	discutáis	hayas discutido	hayáis discutido
discuta	discutan	haya discutido	hayan discutido
7 imperfecto de subjuntivo		14 pluscuamperfecto de subjuntivo	
discutiera	discutiéramos	hubiera discutido	hubiéramos discutido
discutieras	discutierais	hubieras discutido	hubierais discutido
discutiera	discutieran	hubiera discutido	hubieran discutido
OR		OR	
discutiese	discutiésemos	hubiese discutido	hubiésemos discutido
discutieses	discutieseis	hubieses discutido	hubieseis discutido
discutiese	discutiesen	hubiese discutido	hubiesen discutido

imperativo	
—	discutamos
discute; no discutas	discutid; no discutáis
discuta	discutan

Words and expressions related to this verb

discutir sobre   to argue about
discutible   debatable, disputable
la discusión   discussion, argument

un discurso   discourse, speech
el discurso de la corona   King (Queen's) speech
discutir el precio   to argue over the price

Gerundio **disfrutando**   Part. pas. **disfrutado**   **disfrutar (191)**

Regular **-ar** verb   to enjoy, to enjoy oneself

The Seven Simple Tenses		The Seven Compound Tenses	
Singular	Plural	Singular	Plural
1 presente de indicativo		8 perfecto de indicativo	
disfruto	disfrutamos	he disfrutado	hemos disfrutado
disfrutas	disfrutáis	has disfrutado	habéis disfrutado
disfruta	disfrutan	ha disfrutado	han disfrutado
2 imperfecto de indicativo		9 pluscuamperfecto de indicativo	
disfrutaba	disfrutábamos	había disfrutado	habíamos disfrutado
disfrutabas	disfrutabais	habías disfrutado	habíais disfrutado
disfrutaba	disfrutaban	había disfrutado	habían disfrutado
3 pretérito		10 pretérito anterior	
disfruté	disfrutamos	hube disfrutado	hubimos disfrutado
disfrutaste	disfrutasteis	hubiste disfrutado	hubisteis disfrutado
disfrutó	disfrutaron	hubo disfrutado	hubieron disfrutado
4 futuro		11 futuro perfecto	
disfrutaré	disfrutaremos	habré disfrutado	habremos disfrutado
disfrutarás	disfrutaréis	habrás disfrutado	habréis disfrutado
disfrutará	disfrutarán	habrá disfrutado	habrán disfrutado
5 potencial simple		12 potencial compuesto	
disfrutaría	disfrutaríamos	habría disfrutado	habríamos disfrutado
disfrutarías	disfrutaríais	habrías disfrutado	habríais disfrutado
disfrutaría	disfrutarían	habría disfrutado	habrían disfrutado
6 presente de subjuntivo		13 perfecto de subjuntivo	
disfrute	disfrutemos	haya disfrutado	hayamos disfrutado
disfrutes	disfrutéis	hayas disfrutado	hayáis disfrutado
disfrute	disfruten	haya disfrutado	hayan disfrutado
7 imperfecto de subjuntivo		14 pluscuamperfecto de subjuntivo	
disfrutara	disfrutáramos	hubiera disfrutado	hubiéramos disfrutado
disfrutaras	disfrutarais	hubieras disfrutado	hubierais disfrutado
disfrutara	disfrutaran	hubiera disfrutado	hubieran disfrutado
OR		OR	
disfrutase	disfrutásemos	hubiese disfrutado	hubiésemos disfrutado
disfrutases	disfrutaseis	hubieses disfrutado	hubieseis disfrutado
disfrutase	disfrutasen	hubiese disfrutado	hubiesen disfrutado

imperativo

	disfrutemos
disfruta; no disfrutes	disfrutad; no disfrutéis
disfrute	disfruten

Words and expressions related to this verb
el disfrute   enjoyment
disfrutar de   to enjoy

Después de cenar, Magdalena disfrutó de un baño caliente.   After dinner, Magdalen enjoyed a warm bath.

Don't forget to study the section on defective and impersonal verbs. It's right after this main list.

dispensar (192)   Gerundio **dispensando**   Part. pas. **dispensado**

to excuse, to dispense, to distribute, to exempt   Regular **-ar** verb

The Seven Simple Tenses		The Seven Compound Tenses	
Singular	Plural	Singular	Plural
1 presente de indicativo		8 perfecto de indicativo	
dispenso	dispensamos	he dispensado	hemos dispensado
dispensas	dispensáis	has dispensado	habéis dispensado
dispensa	dispensan	ha dispensado	han dispensado
2 imperfecto de indicativo		9 pluscuamperfecto de indicativo	
dispensaba	dispensábamos	había dispensado	habíamos dispensado
dispensabas	dispensabais	habías dispensado	habíais dispensado
dispensaba	dispensaban	había dispensado	habían dispensado
3 pretérito		10 pretérito anterior	
dispensé	dispensamos	hube dispensado	hubimos dispensado
dispensaste	dispensasteis	hubiste dispensado	hubisteis dispensado
dispensó	dispensaron	hubo dispensado	hubieron dispensado
4 futuro		11 futuro perfecto	
dispensaré	dispensaremos	habré dispensado	habremos dispensado
dispensarás	dispensaréis	habrás dispensado	habréis dispensado
dispensará	dispensarán	habrá dispensado	habrán dispensado
5 potencial simple		12 potencial compuesto	
dispensaría	dispensaríamos	habría dispensado	habríamos dispensado
dispensarías	dispensaríais	habrías dispensado	habríais dispensado
dispensaría	dispensarían	habría dispensado	habrían dispensado
6 presente de subjuntivo		13 perfecto de subjuntivo	
dispense	dispensemos	haya dispensado	hayamos dispensado
dispenses	dispenséis	hayas dispensado	hayáis dispensado
dispense	dispensen	haya dispensado	hayan dispensado
7 imperfecto de subjuntivo		14 pluscuamperfecto de subjuntivo	
dispensara	dispensáramos	hubiera dispensado	hubiéramos dispensado
dispensaras	dispensarais	hubieras dispensado	hubierais dispensado
dispensara	dispensaran	hubiera dispensado	hubieran dispensado
OR		OR	
dispensase	dispensásemos	hubiese dispensado	hubiésemos dispensado
dispensases	dispensaseis	hubieses dispensado	hubieseis dispensado
dispensase	dispensasen	hubiese dispensado	hubiesen dispensado

	imperativo	
—		dispensemos
dispensa; no dispenses		dispensad; no dispenséis
dispense		dispensen

Words and expressions related to this verb
¡Dispénseme! Excuse me!
la dispensación dispensation
el dispensario dispensary, clinic

dispensar de + inf. to excuse from + pres. part.
la dispensa privilege, exemption

Can't find the verb you're looking for?
Check the back pages of this book for a list of over 2,100 additional verbs!

Regular **-ir** verb endings with spelling
change: **gu** becomes **g** before **a** or **o**

to distinguish

The Seven Simple Tenses		The Seven Compound Tenses	
Singular	Plural	Singular	Plural
1 presente de indicativo		8 perfecto de indicativo	
distingo	**distinguimos**	**he distinguido**	**hemos distinguido**
distingues	**distinguís**	**has distinguido**	**habéis distinguido**
distingue	**distinguen**	**ha distinguido**	**han distinguido**
2 imperfecto de indicativo		9 pluscuamperfecto de indicativo	
distinguía	**distinguíamos**	**había distinguido**	**habíamos distinguido**
distinguías	**distinguíais**	**habías distinguido**	**habíais distinguido**
distinguía	**distinguían**	**había distinguido**	**habían distinguido**
3 pretérito		10 pretérito anterior	
distinguí	**distinguimos**	**hube distinguido**	**hubimos distinguido**
distinguiste	**distinguisteis**	**hubiste distinguido**	**hubisteis distinguido**
distinguió	**distinguieron**	**hubo distinguido**	**hubieron distinguido**
4 futuro		11 futuro perfecto	
distinguiré	**distinguiremos**	**habré distinguido**	**habremos distinguido**
distinguirás	**distinguiréis**	**habrás distinguido**	**habréis distinguido**
distinguirá	**distinguirán**	**habrá distinguido**	**habrán distinguido**
5 potencial simple		12 potencial compuesto	
distinguiría	**distinguiríamos**	**habría distinguido**	**habríamos distinguido**
distinguirías	**distinguiríais**	**habrías distinguido**	**habríais distinguido**
distinguiría	**distinguirían**	**habría distinguido**	**habrían distinguido**
6 presente de subjuntivo		13 perfecto de subjuntivo	
distinga	**distingamos**	**haya distinguido**	**hayamos distinguido**
distingas	**distingáis**	**hayas distinguido**	**hayáis distinguido**
distinga	**distingan**	**haya distinguido**	**hayan distinguido**
7 imperfecto de subjuntivo		14 pluscuamperfecto de subjuntivo	
distinguiera	**distinguiéramos**	**hubiera distinguido**	**hubiéramos distinguido**
distinguieras	**distinguierais**	**hubieras distinguido**	**hubierais distinguido**
distinguiera	**distinguieran**	**hubiera distinguido**	**hubieran distinguido**
OR		OR	
distinguiese	**distinguiésemos**	**hubiese distinguido**	**hubiésemos distinguido**
distinguieses	**distinguieseis**	**hubieses distinguido**	**hubieseis distinguido**
distinguiese	**distinguiesen**	**hubiese distinguido**	**hubiesen distinguido**

D

imperativo

—	**distingamos**
distingue; no distingas	**distinguid; no distingáis**
distinga	**distingan**

Words related to this verb
distinguirse   to distinguish oneself
distintivo, distintiva   distinctive
el distingo   restriction

a distinción de   as distinct from
distinto, distinta   different, distinct, clear
la distinción   distinction

> If you want to see a sample English verb fully conjugated in
> all the tenses, check out pages 11 and 12.

The subject pronouns are found on page 93.

to have a good time, to enjoy
oneself, to amuse oneself

Reflexive verb; regular **-ir** verb endings with stem
change: Tenses 1, 3, 6, 7, Imperative, Gerundio

The Seven Simple Tenses | The Seven Compound Tenses

Singular	Plural	Singular	Plural
1 presente de indicativo		**8 perfecto de indicativo**	
me divierto	**nos divertimos**	**me he divertido**	**nos hemos divertido**
te diviertes	**os divertís**	**te has divertido**	**os habéis divertido**
se divierte	**se divierten**	**se ha divertido**	**se han divertido**
2 imperfecto de indicativo		**9 pluscuamperfecto de indicativo**	
me divertía	**nos divertíamos**	**me había divertido**	**nos habíamos divertido**
te divertías	**os divertíais**	**te habías divertido**	**os habíais divertido**
se divertía	**se divertían**	**se había divertido**	**se habían divertido**
3 pretérito		**10 pretérito anterior**	
me divertí	**nos divertimos**	**me hube divertido**	**nos hubimos divertido**
te divertiste	**os divertisteis**	**te hubiste divertido**	**os hubisteis divertido**
se divirtió	**se divirtieron**	**se hubo divertido**	**se hubieron divertido**
4 futuro		**11 futuro perfecto**	
me divertiré	**nos divertiremos**	**me habré divertido**	**nos habremos divertido**
te divertirás	**os divertiréis**	**te habrás divertido**	**os habréis divertido**
se divertirá	**se divertirán**	**se habrá divertido**	**se habrán divertido**
5 potencial simple		**12 potencial compuesto**	
me divertiría	**nos divertiríamos**	**me habría divertido**	**nos habríamos divertido**
te divertirías	**os divertiríais**	**te habrías divertido**	**os habríais divertido**
se divertiría	**se divertirían**	**se habría divertido**	**se habrían divertido**
6 presente de subjuntivo		**13 perfecto de subjuntivo**	
me divierta	**nos divirtamos**	**me haya divertido**	**nos hayamos divertido**
te diviertas	**os divirtáis**	**te hayas divertido**	**os hayáis divertido**
se divierta	**se diviertan**	**se haya divertido**	**se hayan divertido**
7 imperfecto de subjuntivo		**14 pluscuamperfecto de subjuntivo**	
me divirtiera	**nos divirtiéramos**	**me hubiera divertido**	**nos hubiéramos divertido**
te divirtieras	**os divirtierais**	**te hubieras divertido**	**os hubierais divertido**
se divirtiera	**se divirtieran**	**se hubiera divertido**	**se hubieran divertido**
OR		OR	
me divirtiese	**nos divirtiésemos**	**me hubiese divertido**	**nos hubiésemos divertido**
te divirtieses	**os divirtieseis**	**te hubieses divertido**	**os hubieseis divertido**
se divirtiese	**se divirtiesen**	**se hubiese divertido**	**se hubiesen divertido**

imperativo

—	**divirtámonos; no nos divirtamos**
diviértete; no te diviertas	**divertíos; no os divirtáis**
diviértase; no se divierta	**diviértanse; no se diviertan**

Words related to this verb

el divertimiento amusement, diversion
diverso, diversa diverse, different
la diversión entertainment, pastime

divertir to entertain
divertido, divertida amusing, entertaining
una película divertida an entertaining film

Don't forget to study the section on defective and impersonal verbs. It's right after this main list.

Gerundio **divorciándose**   Part. pas. **divorciado**   **divorciarse (195)**

Reflexive regular **-ar** verb   to be (get) divorced

D

The Seven Simple Tenses | The Seven Compound Tenses

Singular	Plural
1 presente de indicativo	
me divorcio	**nos divorciamos**
te divorcias	**os divorciáis**
se divorcia	**se divorcian**

Singular	Plural
8 perfecto de indicativo	
me he divorciado	**nos hemos divorciado**
te has divorciado	**os habéis divorciado**
se ha divorciado	**se han divorciado**

Singular	Plural
2 imperfecto de indicativo	
me divorciaba	**nos divorciábamos**
te divorciabas	**os divorciabais**
se divorciaba	**se divorciaban**

Singular	Plural
9 pluscuamperfecto de indicativo	
me había divorciado	**nos habíamos divorciado**
te habías divorciado	**os habíais divorciado**
se había divorciado	**se habían divorciado**

Singular	Plural
3 pretérito	
me divorcié	**nos divorciamos**
te divorciaste	**os divorciasteis**
se divorció	**se divorciaron**

Singular	Plural
10 pretérito anterior	
me hube divorciado	**nos hubimos divorciado**
te hubiste divorciado	**os hubisteis divorciado**
se hubo divorciado	**se hubieron divorciado**

Singular	Plural
4 futuro	
me divorciaré	**nso divorciaremos**
te divorciarás	**os divorciaréis**
se divoricará	**se divorciarán**

Singular	Plural
11 futuro perfecto	
me habré divorciado	**nos habremos divorciado**
te habrás divorciado	**os habréis divorciado**
se habrá divorciado	**se habrán divorciado**

Singular	Plural
5 potencial simple	
me divorciaría	**nos divorciaríamos**
te divorciarías	**os divorciaríais**
se divoricaría	**se divorciarían**

Singular	Plural
12 potencial compuesto	
me habría divorciado	**nos habríamos divorciado**
te habrías divorciado	**os habríais divorciado**
se habría divorciado	**se habrían divorciado**

Singular	Plural
6 presente de subjuntivo	
me divorcie	**nos divorciemos**
te divorcies	**os divorciéis**
se divorcie	**se divorcien**

Singular	Plural
13 perfecto de subjuntivo	
me haya divorciado	**nos hayamos divorciado**
te hayas divorciado	**os hayáis divorciado**
se haya divorciado	**se hayan divorciado**

Singular	Plural
7 imperfecto de subjuntivo	
me divorciara	**nos divorciáramos**
te divorciaras	**os divorciarais**
se divorciara	**se divorciaran**
OR	
me divorciase	**nos divorciásemos**
te divorciases	**os divorciaseis**
se divorciase	**se divorciasen**

Singular	Plural
14 pluscuamperfecto de subjuntivo	
me hubiera divorciado	**nos hubiéramos divorciado**
te hubieras divorciado	**os hubierais divorciado**
se hubiera divorciado	**se hubieran divorciado**
OR	
me hubiese divorciado	**nos hubiésemos divorciado**
te hubieses divorciado	**os hubieseis divorciado**
se hubiese divorciado	**se hubiesen divorciado**

imperativo

—	**divorciémonos**
divórciate; no te divorcies	**divorciaos; no os divorciéis**
divórciese	**divórciense**

Words related to this verb
divorciarse de   to get a divorce from
el divorcio   divorce, separation
una mujer divorciada, un hombre divorciado   divorced woman, man

Check out the verb drills and verb tests with answers explained on pages 45–91.

The subject pronouns are found on page 93.

to ache, to pain, to hurt, to cause grief, to cause regret	Regular **-er** verb endings with stem change: Tenses 1, 6, Imperative
The Seven Simple Tenses	The Seven Compound Tenses

Singular	Plural	Singular	Plural
1 presente de indicativo		8 perfecto de indicativo	
duelo	**dolemos**	**he dolido**	**hemos dolido**
dueles	**doléis**	**has dolido**	**habéis dolido**
duele	**duelen**	**ha dolido**	**han dolido**
2 imperfecto de indicativo		9 pluscuamperfecto de indicativo	
dolía	**dolíamos**	**había dolido**	**habíamos dolido**
dolías	**dolíais**	**habías dolido**	**habíais dolido**
dolía	**dolían**	**había dolido**	**habían dolido**
3 pretérito		10 pretérito anterior	
dolí	**dolimos**	**hube dolido**	**hubimos dolido**
doliste	**dolisteis**	**hubiste dolido**	**hubisteis dolido**
dolió	**dolieron**	**hubo dolido**	**hubieron dolido**
4 futuro		11 futuro perfecto	
doleré	**doleremos**	**habré dolido**	**habremos dolido**
dolerás	**doleréis**	**habrás dolido**	**habréis dolido**
dolerá	**dolerán**	**habrá dolido**	**habrán dolido**
5 potencial simple		12 potencial compuesto	
dolería	**doleríamos**	**habría dolido**	**habríamos dolido**
dolerías	**doleríais**	**habrías dolido**	**habríais dolido**
dolería	**dolerían**	**habría dolido**	**habrían dolido**
6 presente de subjuntivo		13 perfecto de subjuntivo	
duela	**dolamos**	**haya dolido**	**hayamos dolido**
duelas	**doláis**	**hayas dolido**	**hayáis dolido**
duela	**duelan**	**haya dolido**	**hayan dolido**
7 imperfecto de subjuntivo		14 pluscuamperfecto de subjuntivo	
doliera	**doliéramos**	**hubiera dolido**	**hubiéramos dolido**
dolieras	**dolierais**	**hubieras dolido**	**hubierais dolido**
doliera	**dolieran**	**hubiera dolido**	**hubieran dolido**
OR		OR	
doliese	**doliésemos**	**hubiese dolido**	**hubiésemos dolido**
dolieses	**dolieseis**	**hubieses dolido**	**hubieseis dolido**
doliese	**doliesen**	**hubiese dolido**	**hubiesen dolido**

	imperativo	
—		**dolamos**
duele; no duelas		**doled; no doláis**
duela		**duelan**

Words and expressions related to this verb

dolerse de   to complain about, to regret
un dolor   ache, hurt, pain, regret
causar dolor   to pain
estar con dolores   to be in labor
Me duelo de haber dicho tales cosas.
   I regret having said such things.

tener dolor de cabeza   to have a headache
tener dolor de muelas   to have a toothache
tener dolor do oído   to have an earache
un dolor sordo   dull nagging pain
dolerse de sus pecados   to repent of one's sins
José se duele de sus pecados.
   José repents of his sins.

Doler is usually conjugated in the third person (sing. and pl.) with an indirect object pronoun (me, te, le, nos, os, les): **Me duele el pie**/My foot hurts.

Regular **-ir** verb endings with stem change: to sleep
Tenses 1, 3, 6, 7, Imperative, Gerundio

The Seven Simple Tenses		The Seven Compound Tenses	
Singular	Plural	Singular	Plural
1 presente de indicativo		8 perfecto de indicativo	
duermo	**dormimos**	**he dormido**	**hemos dormido**
duermes	**dormís**	**has dormido**	**habéis dormido**
duerme	**duermen**	**ha dormido**	**han dormido**
2 imperfecto de indicativo		9 pluscuamperfecto de indicativo	
dormía	**dormíamos**	**había dormido**	**habíamos dormido**
dormías	**dormíais**	**habías dormido**	**habíais dormido**
dormía	**dormían**	**había dormido**	**habían dormido**
3 pretérito		10 pretérito anterior	
dormí	**dormimos**	**hube dormido**	**hubimos dormido**
dormiste	**dormisteis**	**hubiste dormido**	**hubisteis dormido**
durmió	**durmieron**	**hubo dormido**	**hubieron dormido**
4 futuro		11 futuro perfecto	
dormiré	**dormiremos**	**habré dormido**	**habremos dormido**
dormirás	**dormiréis**	**habrás dormido**	**habréis dormido**
dormirá	**dormirán**	**habrá dormido**	**habrán dormido**
5 potencial simple		12 potencial compuesto	
dormiría	**dormiríamos**	**habría dormido**	**habríamos dormido**
dormirías	**dormiríais**	**habrías dormido**	**habríais dormido**
dormiría	**dormirían**	**habría dormido**	**habrían dormido**
6 presente de subjuntivo		13 perfecto de subjuntivo	
duerma	**durmamos**	**haya dormido**	**hayamos dormido**
duermas	**durmáis**	**hayas dormido**	**hayáis dormido**
duerma	**duerman**	**haya dormido**	**hayan dormido**
7 imperfecto de subjuntivo		14 pluscuamperfecto de subjuntivo	
durmiera	**durmiéramos**	**hubiera dormido**	**hubiéramos dormido**
durmieras	**durmierais**	**hubieras dormido**	**hubierais dormido**
durmiera	**durmieran**	**hubiera dormido**	**hubieran dormido**
OR		OR	
durmiese	**durmiésemos**	**hubiese dormido**	**hubiésemos dormido**
durmieses	**durmieseis**	**hubieses dormido**	**hubieseis dormido**
durmiese	**durmiesen**	**hubiese dormido**	**hubiesen dormido**

imperativo

—	**durmamos**
duerme; no duermas	**dormid; no durmáis**
duerma	**duerman**

D

Dormir

Dormir is an extremely useful verb for beginning students of Spanish. Note the tricky stem change in Tenses 1, 3, 6, 7, as well as the imperative and gerundio.

Sentences using **dormir** and related words

Yo duermo mal.
I don't sleep well.

El que mucho duerme poco aprende.
Whoever sleeps a lot learns little.

Gato que duerme no caza ratónes.
A sleeping cat doesn't catch mice. (You snooze, you lose.)

Words and expressions related to this verb

dormir a pierna suelta **to sleep soundly**

dormir como una piedra **to sleep like a log** (piedra/**stone**)

pasar la noche en vela **to have a sleepless night**

dormir la siesta **to take an afternoon nap**

dormir la mona **to sleep off a hangover**

el dormitorio **bedroom, dormitory**

dormilón, dormilona **lazy**

un dormilón, una dormilona **sleepyhead**

la dormición **dormition**

dormitar **to doze**

dormirse **to fall asleep; (pres. part.: durmiéndose)**

tener la pierna dormida **to have one's leg fall asleep**

dormidero, dormidera **causing sleep**

Do you need more drills? Have fun with the *501 Spanish Verbs* CD-ROM!

Reflexive regular **-ar** verb   to take a shower, to shower oneself

The Seven Simple Tenses		The Seven Compound Tenses	
Singular	Plural	Singular	Plural
1 presente de indicativo		8 perfecto de indicativo	
me ducho	**nos duchamos**	**me he duchado**	**nos hemos duchado**
te duchas	**os ducháis**	**te has duchado**	**os habéis duchado**
se ducha	**se duchan**	**se ha duchado**	**se han duchado**
2 imperfecto de indicativo		9 pluscuamperfecto de indicativo	
me duchaba	**nos duchábamos**	**me había duchado**	**nos habíamos duchado**
te duchabas	**os duchabais**	**te habías duchado**	**os habíais duchado**
se duchaba	**se duchaban**	**se había duchado**	**se habían duchado**
3 pretérito		10 pretérito anterior	
me duché	**nos duchamos**	**me hube duchado**	**nos hubimos duchado**
te duchaste	**os duchasteis**	**te hubiste duchado**	**os hubisteis duchado**
se duchó	**se ducharon**	**se hubo duchado**	**se hubieron duchado**
4 futuro		11 futuro perfecto	
me ducharé	**nos ducharemos**	**me habré duchado**	**nos habremos duchado**
te ducharás	**os ducharéis**	**te habrás duchado**	**os habréis duchado**
se duchará	**se ducharán**	**se habrá duchado**	**se habrán duchado**
5 potencial simple		12 potencial compuesto	
me ducharía	**nos ducharíamos**	**me habría duchado**	**nos habríamos duchado**
te ducharías	**os ducharíais**	**te habrías duchado**	**os habríais duchado**
se ducharía	**se ducharían**	**se habría duchado**	**se habrían duchado**
6 presente de subjuntivo		13 perfecto de subjuntivo	
me duche	**nos duchemos**	**me haya duchado**	**nos hayamos duchado**
te duches	**os duchéis**	**te hayas duchado**	**os hayáis duchado**
se duche	**se duchen**	**se haya duchado**	**se hayan duchado**
7 imperfecto de subjuntivo		14 pluscuamperfecto de subjuntivo	
me duchara	**nos ducháramos**	**me hubiera duchado**	**nos hubiéramos duchado**
te ducharas	**os ducharais**	**te hubieras duchado**	**os hubierais duchado**
se duchara	**se ducharan**	**se hubiera duchado**	**se hubieran duchado**
OR		OR	
me duchase	**nos duchásemos**	**me hubiese duchado**	**nos hubiésemos duchado**
te duchases	**os duchaseis**	**te hubieses duchado**	**os hubieseis duchado**
se duchase	**se duchasen**	**se hubiese duchado**	**se hubiesen duchado**

imperativo

—	**duchémonos**
dúchate; no te duches	**duchaos; no os duchéis**
dúchese	**dúchense**

Sentences using this verb and words related to it
Por lo general, me ducho todas las mañanas, pero esta mañana no me duché y mi padre me dijo:
—¡Dúchate!

una ducha   shower, douche
tomar una ducha   to take a shower   **darse una ducha**   to have a shower

Use the guide to Spanish pronunciation on pages 665–667.

The subject pronouns are found on page 93.   **311**

to doubt   Regular **-ar** verb

The Seven Simple Tenses		The Seven Compound Tenses	
Singular	Plural	Singular	Plural
1 presente de indicativo		8 perfecto de indicativo	
dudo	dudamos	he dudado	hemos dudado
dudas	dudáis	has dudado	habéis dudado
duda	dudan	ha dudado	han dudado
2 imperfecto de indicativo		9 pluscuamperfecto de indicativo	
dudaba	dudábamos	había dudado	habíamos dudado
dudabas	dudabais	habías dudado	habíais dudado
dudaba	dudaban	había dudado	habían dudado
3 pretérito		10 pretérito anterior	
dudé	dudamos	hube dudado	hubimos dudado
dudaste	dudasteis	hubiste dudado	hubisteis dudado
dudó	dudaron	hubo dudado	hubieron dudado
4 futuro		11 futuro perfecto	
dudaré	dudaremos	habré dudado	habremos dudado
dudarás	dudaréis	habrás dudado	habréis dudado
dudará	dudarán	habrá dudado	habrán dudado
5 potencial simple		12 potencial compuesto	
dudaría	dudaríamos	habría dudado	habríamos dudado
dudarías	dudaríais	habrías dudado	habríais dudado
dudaría	dudarían	habría dudado	habrían dudado
6 presente de subjuntivo		13 perfecto de subjuntivo	
dude	dudemos	haya dudado	hayamos dudado
dudes	dudéis	hayas dudado	hayáis dudado
dude	duden	haya dudado	hayan dudado
7 imperfecto de subjuntivo		14 pluscuamperfecto de subjuntivo	
dudara	dudáramos	hubiera dudado	hubiéramos dudado
dudaras	dudarais	hubieras dudado	hubierais dudado
dudara	dudaran	hubiera dudado	hubieran dudado
OR		OR	
dudase	dudásemos	hubiese dudado	hubiésemos dudado
dudases	dudaseis	hubieses dudado	hubieseis dudado
dudase	dudasen	hubiese dudado	hubiesen dudado

imperativo

—	dudemos
duda; no dudes	dudad; no dudéis
dude	duden

Words and expressions related to this verb
la duda doubt
sin duda undoubtedly, without a doubt
dudoso, dudosa doubtful
dudosamente doubtfully, hesitantly
dudar haber dicho eso to doubt having
  said that

poner en duda to doubt, to question
No cabe duda. There is no doubt.
No lo dudo. I don't doubt it.
dudar de algo to doubt something
dudar entre los dos to be unable to decide
  between the two

Regular **-ar** verb   to cast, to fling, to hurl, to pitch, to throw

The Seven Simple Tenses		The Seven Compound Tenses	
Singular	Plural	Singular	Plural
1 presente de indicativo		8 perfecto de indicativo	
echo	echamos	he echado	hemos echado
echas	echáis	has echado	habéis echado
echa	echan	ha echado	han echado
2 imperfecto de indicativo		9 pluscuamperfecto de indicativo	
echaba	echábamos	había echado	habíamos echado
echabas	echabais	habías echado	habíais echado
echaba	echaban	había echado	habían echado
3 pretérito		10 pretérito anterior	
eché	echamos	hube echado	hubimos echado
echaste	echasteis	hubiste echado	hubisteis echado
echó	echaron	hubo echado	hubieron echado
4 futuro		11 futuro perfecto	
echaré	echaremos	habré echado	habremos echado
echarás	echaréis	habrás echado	habréis echado
echará	echarán	habrá echado	habrán echado
5 potencial simple		12 potencial compuesto	
echaría	echaríamos	habría echado	habríamos echado
echarías	echaríais	habrías echado	habríais echado
echaría	echarían	habría echado	habrían echado
6 presente de subjuntivo		13 perfecto de subjuntivo	
eche	echemos	haya echado	hayamos echado
eches	echéis	hayas echado	hayáis echado
eche	echen	haya echado	hayan echado
7 imperfecto de subjuntivo		14 pluscuamperfecto de subjuntivo	
echara	echáramos	hubiera echado	hubiéramos echado
echaras	echarais	hubieras echado	hubierais echado
echara	echaran	hubiera echado	hubieran echado
OR		OR	
echase	echásemos	hubiese echado	hubiésemos echado
echases	echaseis	hubieses echado	hubieseis echado
echase	echasen	hubiese echado	hubiesen echado

imperativo	
—	echemos
echa; no eches	echad; no echéis
eche	echen

Words and expressions related to this verb
echar mano a   to grab; **echar de menos a una persona**   to miss a person
echar una carta al correo   to mail (post) a letter; **echar raíces**   to take root
una echada, un echamiento   cast, throw, casting, throwing
echarse   to lie down, rest, stretch out (oneself)
desechar   to reject

The subject pronouns are found on page 93.

to execute, to carry out, to perform

The Seven Simple Tenses		The Seven Compound Tenses	
Singular	Plural	Singular	Plural
1 presente de indicativo		8 perfecto de indicativo	
ejecuto	ejecutamos	he ejecutado	hemos ejecutado
ejecutas	ejecutáis	has ejecutado	habéis ejecutado
ejecuta	ejecutan	ha ejecutado	han ejecutado
2 imperfecto de indicativo		9 pluscuamperfecto de indicativo	
ejecutaba	ejecutábamos	había ejecutado	habíamos ejecutado
ejecutabas	ejecutabais	habías ejecutado	habíais ejecutado
ejecutaba	ejecutaban	había ejecutado	habían ejecutado
3 pretérito		10 pretérito anterior	
ejecuté	ejecutamos	hube ejecutado	hubimos ejecutado
ejecutaste	ejecutasteis	hubiste ejecutado	hubisteis ejecutado
ejecutó	ejecutaron	hubo ejecutado	hubieron ejecutado
4 futuro		11 futuro perfecto	
ejecutaré	ejecutaremos	habré ejecutado	habremos ejecutado
ejecutarás	ejecutaréis	habrás ejecutado	habréis ejecutado
ejecutará	ejecutarán	habrá ejecutado	habrán ejecutado
5 potencial simple		12 potencial compuesto	
ejecutaría	ejecutaríamos	habría ejecutado	habríamos ejecutado
ejecutarías	ejecutaríais	habrías ejecutado	habríais ejecutado
ejecutaría	ejecutarían	habría ejecutado	habrían ejecutado
6 presente de subjuntivo		13 perfecto de subjuntivo	
ejecute	ejecutemos	haya ejecutado	hayamos ejecutado
ejecutes	ejecutéis	hayas ejecutado	hayáis ejecutado
ejecute	ejecuten	haya ejecutado	hayan ejecutado
7 imperfecto de subjuntivo		14 pluscuamperfecto de subjuntivo	
ejecutara	ejecutáramos	hubiera ejecutado	hubiéramos ejecutado
ejecutaras	ejecutarais	hubieras ejecutado	hubierais ejecutado
ejecutara	ejecutaran	hubiera ejecutado	hubieran ejecutado
OR		OR	
ejecutase	ejecutásemos	hubiese ejecutado	hubiésemos ejecutado
ejecutases	ejecutaseis	hubieses ejecutado	hubieseis ejecutado
ejecutase	ejecutasen	hubiese ejecutado	hubiesen ejecutado

imperativo	
—	ejecutemos
ejecuta; no ejecutes	ejecutad; no ejecutéis
ejecute	ejecuten

Words and expressions related to this verb

un ejecutivo, una ejecutiva   executive
un ejecutor de la justicia   executioner
ejecutor, ejecutora   executor, executant

ejecutar un ajuste   to make an agreement
ejecutar un contrato   to carry out a contract
la ejecución   execution of a murderer,
   condemned person; execution of a plan,
   of a theatrical performance

Regular **-er** verb endings with spelling change: **c** becomes **z** before **a** or **o**

to exercise, to practice (a profession)

E

The Seven Simple Tenses | The Seven Compound Tenses

Singular	Plural	Singular	Plural
1 presente de indicativo		**8 perfecto de indicativo**	
ejerzo	ejercemos	he ejercido	hemos ejercido
ejerces	ejercéis	has ejercido	habéis ejercido
ejerce	ejercen	ha ejercido	han ejercido
2 imperfecto de indicativo		**9 pluscuamperfecto de indicativo**	
ejercía	ejercíamos	había ejercido	habíamos ejercido
ejercías	ejercíais	habías ejercido	habíais ejercido
ejercía	ejercían	había ejercido	habían ejercido
3 pretérito		**10 pretérito anterior**	
ejercí	ejercimos	hube ejercido	hubimos ejercido
ejerciste	ejercisteis	hubiste ejercido	hubisteis ejercido
ejerció	ejercieron	hubo ejercido	hubieron ejercido
4 futuro		**11 futuro perfecto**	
ejerceré	ejerceremos	habré ejercido	habremos ejercido
ejercerás	ejerceréis	habrás ejercido	habréis ejercido
ejercerá	ejercerán	habrá ejercido	habrán ejercido
5 potencial simple		**12 potencial compuesto**	
ejercería	ejerceríamos	habría ejercido	habríamos ejercido
ejercerías	ejerceríais	habrías ejercido	habríais ejercido
ejercería	ejercerían	habría ejercido	habrían ejercido
6 presente de subjuntivo		**13 perfecto de subjuntivo**	
ejerza	ejerzamos	haya ejercido	hayamos ejercido
ejerzas	ejerzáis	hayas ejercido	hayáis ejercido
ejerza	ejerzan	haya ejercido	hayan ejercido
7 imperfecto de subjuntivo		**14 pluscuamperfecto de subjuntivo**	
ejerciera	ejerciéramos	hubiera ejercido	hubiéramos ejercido
ejercieras	ejercierais	hubieras ejercido	hubierais ejercido
ejerciera	ejercieran	hubiera ejercido	hubieran ejercido
OR		OR	
ejerciese	ejerciésemos	hubiese ejercido	hubiésemos ejercido
ejercieses	ejercieseis	hubieses ejercido	hubieseis ejercido
ejerciese	ejerciesen	hubiese ejercido	hubiesen ejercido

imperativo

—	ejerzamos
ejerce; no ejerzas	ejerced; no ejerzáis
ejerza	ejerzan

Words and expressions related to this verb

el ejercicio   exercise
hacer ejercicios   to drill, to exercise
el ejército   army
ejercitar   to drill, to exercise, to train
ejercer la medicina   to practice medicine

los ejercicios escritos   written exercises (tests)
ejercer el derecho de voto   to exercise (use) one's right to vote
ejercitar a un estudiante en inglés   to drill a student in English

The subject pronouns are found on page 93.

to elect, to select,   Regular **-ir** verb endings with spelling change: **g** becomes **j**
to choose   before **a** or **o**; stem change: Tenses 1, 6, Imperative, Gerundio

The Seven Simple Tenses		The Seven Compound Tenses	
Singular	Plural	Singular	Plural
1 presente de indicativo		8 perfecto de indicativo	
elijo	**elegimos**	**he elegido**	**hemos elegido**
eliges	**elegís**	**has elegido**	**habéis elegido**
elige	**eligen**	**ha elegido**	**han elegido**
2 imperfecto de indicativo		9 pluscuamperfecto de indicativo	
elegía	**elegíamos**	**había elegido**	**habíamos elegido**
elegías	**elegíais**	**habías elegido**	**habíais elegido**
elegía	**elegían**	**había elegido**	**habían elegido**
3 pretérito		10 pretérito anterior	
elegí	**elegimos**	**hube elegido**	**hubimos elegido**
elegiste	**elegisteis**	**hubiste elegido**	**hubisteis elegido**
eligió	**eligieron**	**hubo elegido**	**hubieron elegido**
4 futuro		11 futuro perfecto	
elegiré	**elegiremos**	**habré elegido**	**habremos elegido**
elegirás	**elegiréis**	**habrás elegido**	**habréis elegido**
elegirá	**elegirán**	**habrá elegido**	**habrán elegido**
5 potencial simple		12 potencial compuesto	
elegiría	**elegiríamos**	**habría elegido**	**habríamos elegido**
elegirías	**elegiríais**	**habrías elegido**	**habríais elegido**
elegiría	**elegirían**	**habría elegido**	**habrían elegido**
6 presente de subjuntivo		13 perfecto de subjuntivo	
elija	**elijamos**	**haya elegido**	**hayamos elegido**
elijas	**elijáis**	**hayas elegido**	**hayáis elegido**
elija	**elijan**	**haya elegido**	**hayan elegido**
7 imperfecto de subjuntivo		14 pluscuamperfecto de subjuntivo	
eligiera	**eligiéramos**	**hubiera elegido**	**hubiéramos elegido**
eligieras	**eligierais**	**hubieras elegido**	**hubierais elegido**
eligiera	**eligieran**	**hubiera elegido**	**hubieran elegido**
OR		OR	
eligiese	**eligiésemos**	**hubiese elegido**	**hubiésemos elegido**
eligieses	**eligieseis**	**hubieses elegido**	**hubieseis elegido**
eligiese	**eligiesen**	**hubiese elegido**	**hubiesen elegido**

	imperativo	
—		**elijamos**
elige; no elijas		**elegid; no elijáis**
elija		**elijan**

Words related to this verb
elegible eligible
la elegibilidad eligibility
la elección election

elegir + inf. to choose + inf.
reelegir to reelect
el elector, la electora elector, voter

Get acquainted with what preposition goes with what verb on pages 669–677.

Regular **-er** verb   to soak in, to soak up, to suck in, to imbibe

The Seven Simple Tenses		The Seven Compound Tenses	
Singular	Plural	Singular	Plural
1 presente de indicativo		8 perfecto de indicativo	
embebo	embebemos	he embebido	hemos embebido
embebes	embebéis	has embebido	habéis embebido
embebe	embeben	ha embebido	han embebido
2 imperfecto de indicativo		9 pluscuamperfecto de indicativo	
embebía	embebíamos	había embebido	habíamos embebido
embebía	embebíais	habías embebido	habíais embebido
embebía	embebían	había embebido	habían embebido
3 pretérito		10 pretérito anterior	
embebí	embebimos	hube embebido	hubimos embebido
embebiste	embebisteis	hubiste embebido	hubisteis embebido
embebió	embebieron	hubo embebido	hubieron embebido
4 futuro		11 futuro perfecto	
embeberé	embeberemos	habré embebido	habremos embebido
embeberás	embeberéis	habrás embebido	habréis embebido
embeberá	embeberán	habrá embebido	habrán embebido
5 potencial simple		12 potencial compuesto	
embebería	embeberíamos	habría embebido	habríamos embebido
embeberías	embeberíais	habrías embebido	habríais embebido
embebería	embeberían	habría embebido	habrían embebido
6 presente de subjuntivo		13 perfecto de subjuntivo	
embeba	embebamos	haya embebido	hayamos embebido
embebas	embebáis	hayas embebido	hayáis embebido
embeba	embeban	haya embebido	hayan embebido
7 imperfecto de subjuntivo		14 pluscuamperfecto de subjuntivo	
embebiera	embebiéramos	hubiera embebido	hubiéramos embebido
embebieras	embebierais	hubieras embebido	hubierais embebido
embebiera	embebieran	hubiera embebido	hubieran embebido
OR		OR	
embebiese	embebiésemos	hubiese embebido	hubiésemos embebido
embebieses	embebieseis	hubieses embebido	hubieseis embebido
embebiese	embebiesen	hubiese embebido	hubiesen embebido

E

imperativo

—	embebamos
embebe; no embebas	embebed; no embebáis
embeba	embeban

Words related to this verb
una columna embebida   imbedded column
   (architecture)
embebedor, embebedora   absorbent, imbibing
beber   to drink
una bebida   drink, beverage
embeber algo en agua   to soak something in water

embeberse en   to absorb oneself, to
   immerse oneself in
embeberse en un libro   to absorb oneself
   in a book, to become absorbed in a book

The subject pronouns are found on page 93.

empezar (205)

to begin, to start

Gerundio **empezando**   Part. pas. **empezado**

Regular **-ar** verb endings with spelling change: **z** becomes **c** before **e**; stem change: Tenses 1, 6, Imperative

The Seven Simple Tenses		The Seven Compound Tenses	
Singular	Plural	Singular	Plural
1 presente de indicativo		8 perfecto de indicativo	
empiezo	empezamos	he empezado	hemos empezado
empiezas	empezáis	has empezado	habéis empezado
empieza	empiezan	ha empezado	han empezado
2 imperfecto de indicativo		9 pluscuamperfecto de indicativo	
empezaba	empezábamos	había empezado	habíamos empezado
empezabas	empezabais	habías empezado	habíais empezado
empezaba	empezaban	había empezado	habían empezado
3 pretérito		10 pretérito anterior	
empecé	empezamos	hube empezado	hubimos empezado
empezaste	empezasteis	hubiste empezado	hubisteis empezado
empezó	empezaron	hubo empezado	hubieron empezado
4 futuro		11 futuro perfecto	
empezaré	empezaremos	habré empezado	habremos empezado
empezarás	empezaréis	habrás empezado	habréis empezado
empezará	empezarán	habrá empezado	habrán empezado
5 potencial simple		12 potencial compuesto	
empezaría	empezaríamos	habría empezado	habríamos empezado
empezarías	empezaríais	habrías empezado	habríais empezado
empezaría	empezarían	habría empezado	habrían empezado
6 presente de subjuntivo		13 perfecto de subjuntivo	
empiece	empecemos	haya empezado	hayamos empezado
empieces	empecéis	hayas empezado	hayáis empezado
empiece	empiecen	haya empezado	hayan empezado
7 imperfecto de subjuntivo		14 pluscuamperfecto de subjuntivo	
empezara	empezáramos	hubiera empezado	hubiéramos empezado
empezaras	empezarais	hubieras empezado	hubierais empezado
empezara	empezaran	hubiera empezado	hubieran empezado
OR		OR	
empezase	empezásemos	hubiese empezado	hubiésemos empezado
empezases	empezaseis	hubieses empezado	hubieseis empezado
empezase	empezasen	hubiese empezado	hubiesen empezado

imperativo	
—	empecemos
empieza; no empieces	empezad; no empecéis
empiece	empiecen

Common idiomatic expressions using this verb
empezar por + inf.   to begin by + pres. part.
empezar a + inf.   to begin + inf.; **Ricardo empieza a escribir en inglés.**
par empezar   to begin with

Get acquainted with what preposition goes with what verb on pages 669–677.

Regular **-ar** verb   to employ, to use

The Seven Simple Tenses		The Seven Compound Tenses	
Singular	Plural	Singular	Plural
1 presente de indicativo		8 perfecto de indicativo	
empleo	empleamos	he empleado	hemos empleado
empleas	empleáis	has empleado	habéis empleado
emplea	emplean	ha empleado	han empleado
2 imperfecto de indicativo		9 pluscuamperfecto de indicativo	
empleaba	empleábamos	había empleado	habíamos empleado
empleabas	empleabais	habías empleado	habíais empleado
empleaba	empleaban	había empleado	habían empleado
3 pretérito		10 pretérito anterior	
empleé	empleamos	hube empleado	hubimos empleado
empleaste	empleasteis	hubiste empleado	hubisteis empleado
empleó	emplearon	hubo empleado	hubieron empleado
4 futuro		11 futuro perfecto	
emplearé	emplearemos	habré empleado	habremos empleado
emplearás	emplearéis	habrás empleado	habréis empleado
empleará	emplearán	habrá empleado	habrán empleado
5 potencial simple		12 potencial compuesto	
emplearía	emplearíamos	habría empleado	habríamos empleado
emplearías	emplearíais	habrías empleado	habríais empleado
emplearía	emplearían	habría empleado	habrían empleado
6 presente de subjuntivo		13 perfecto de subjuntivo	
emplee	empleemos	haya empleado	hayamos empleado
emplees	empleéis	hayas empleado	hayáis empleado
emplee	empleen	haya empleado	hayan empleado
7 imperfecto de subjuntivo		14 pluscuamperfecto de subjuntivo	
empleara	empleáramos	hubiera empleado	hubiéramos empleado
emplearas	emplearais	hubieras empleado	hubierais empleado
empleara	emplearan	hubiera empleado	hubieran empleado
OR		OR	
emplease	empleásemos	hubiese empleado	hubiésemos empleado
empleases	empleaseis	hubieses empleado	hubieseis empleado
emplease	empleasen	hubiese empleado	hubiesen empleado

imperativo	
—	empleemos
emplea; no emplees	emplead; no empleéis
emplee	empleen

Words and expressions related to this verb
un empleado, una empleada   employee
el empleo   job, employment, occupation, use
un empleador, una empleadora   employer
EMPLEO SOLICITADO   POSITION WANTED

Don't forget to study the section on defective and impersonal verbs. It's right after this main list.

The subject pronouns are found on page 93.   **319**

encender (207)

Gerundio **encendiendo**   Part. pas. **encendido**

to incite, to inflame,
to kindle, to light

Regular **-er** verb endings with stem change:
Tenses 1, 6, Imperative

The Seven Simple Tenses		The Seven Compound Tenses	
Singular	Plural	Singular	Plural
1 presente de indicativo		8 perfecto de indicativo	
enciendo	encendemos	he encendido	hemos encendido
enciendes	encendéis	has encendido	habéis encendido
enciende	encienden	ha encendido	han encendido
2 imperfecto de indicativo		9 pluscuamperfecto de indicativo	
encendía	encendíamos	había encendido	habíamos encendido
encendías	encendíais	habías encendido	habíais encendido
encendía	encendían	había encendido	habían encendido
3 pretérito		10 pretérito anterior	
encendí	encendimos	hube encendido	hubimos encendido
encendiste	encendisteis	hubiste encendido	hubisteis encendido
encendió	encendieron	hubo encendido	hubieron encendido
4 futuro		11 futuro perfecto	
encenderé	encenderemos	habré encendido	habremos encendido
encenderás	encenderéis	habrás encendido	habréis encendido
encenderá	encenderán	habrá encendido	habrán encendido
5 potencial simple		12 potencial compuesto	
encendería	encenderíamos	habría encendido	habríamos encendido
encenderías	encenderíais	habrías encendido	habríais encendido
encendería	encenderían	habría encendido	habrían encendido
6 presente de subjuntivo		13 perfecto de subjuntivo	
encienda	encendamos	haya encendido	hayamos encendido
enciendas	encendáis	hayas encendido	hayáis encendido
encienda	enciendan	haya encendido	hayan encendido
7 imperfecto de subjuntivo		14 pluscuamperfecto de subjuntivo	
encendiera	encendiéramos	hubiera encendido	hubiéramos encendido
encendieras	encendierais	hubieras encendido	hubierais encendido
encendiera	encendieran	hubiera encendido	hubieran encendido
OR		OR	
encendiese	encendiésemos	hubiese encendido	hubiésemos encendido
encendieses	encendieseis	hubieses encendido	hubieseis encendido
encendiese	encendiesen	hubiese encendido	hubiesen encendido

imperativo	
—	encendamos
enciende; no enciendas	encended; no encendáis
encienda	enciendan

Words and expressions related to this verb
encenderse en ira   to burn up with anger
encendido, encendida   inflamed; **encendido de color**   highly colored
incendiar   to set on fire; **incendiarse**   to catch fire
un incendio   fire; **un extintor de incendio**   fire extinguisher

Regular **-ar** verb endings with stem change: Tenses 1, 6, Imperative

to enclose, to lock up, to confine

The Seven Simple Tenses		The Seven Compound Tenses	
Singular	Plural	Singular	Plural
1 presente de indicativo		8 perfecto de indicativo	
encierro	encerramos	he encerrado	hemos encerrado
encierras	encerráis	has encerrado	habéis encerrado
encierra	encierran	ha encerrado	han encerrado
2 imperfecto de indicativo		9 pluscuamperfecto de indicativo	
encerraba	encerrábamos	había encerrado	habíamos encerrado
encerrabas	encerrabais	habías encerrado	habíais encerrado
encerraba	encerraban	había encerrado	habían encerrado
3 pretérito		10 pretérito anterior	
encerré	encerramos	hube encerrado	hubimos encerrado
encerraste	encerrasteis	hubiste encerrado	hubisteis encerrado
encerró	encerraron	hubo encerrado	hubieron encerrado
4 futuro		11 futuro perfecto	
encerraré	encerraremos	habré encerrado	habremos encerrado
encerrarás	encerraréis	habrás encerrado	habréis encerrado
encerrará	encerrarán	habrá encerrado	habrán encerrado
5 potencial simple		12 potencial compuesto	
encerraría	encerraríamos	habría encerrado	habríamos encerrado
encerrarías	encerraríais	habrías encerrado	habríais encerrado
encerraría	encerrarían	habría encerrado	habrían encerrado
6 presente de subjuntivo		13 perfecto de subjuntivo	
encierre	encerremos	haya encerrado	hayamos encerrado
encierres	encerréis	hayas encerrado	hayáis encerrado
encierre	encierren	haya encerrado	hayan encerrado
7 imperfecto de subjuntivo		14 pluscuamperfecto de subjuntivo	
encerrara	encerráramos	hubiera encerrado	hubiéramos encerrado
encerraras	encerrarais	hubieras encerrado	hubierais encerrado
encerrara	encerraran	hubiera encerrado	hubieran encerrado
OR		OR	
encerrase	encerrásemos	hubiese encerrado	hubiésemos encerrado
encerrases	encerraseis	hubieses encerrado	hubieseis encerrado
encerrase	encerrasen	hubiese encerrado	hubiesen encerrado

imperativo	
—	encerremos
encierra; no encierres	encerrad; no encerréis
encierre	encierren

Words related to this verb
encerrado, encerrada   closed, locked, shut
encerrarse   to live in seclusion; to be locked up, closeted, shut in

For other words and expressions related to this verb, see **cerrar.**

Gerundio **encontrando**   Part. pas. **encontrado**

| to meet, to | Regular **-ar** verb endings with stem change: |
| encounter, to find | Tenses 1, 6, Imperative |

The Seven Simple Tenses | The Seven Compound Tenses

Singular	Plural	Singular	Plural
1 presente de indicativo		**8 perfecto de indicativo**	
encuentro	encontramos	he encontrado	hemos encontrado
encuentras	encontráis	has encontrado	habéis encontrado
encuentra	encuentran	ha encontrado	han encontrado
2 imperfecto de indicativo		**9 pluscuamperfecto de indicativo**	
encontraba	encontrábamos	había encontrado	habíamos encontrado
encontrabas	encontrabais	habías encontrado	habíais encontrado
encontraba	encontraban	había encontrado	habían encontrado
3 pretérito		**10 pretérito anterior**	
encontré	encontramos	hube encontrado	hubimos encontrado
encontraste	encontrasteis	hubiste encontrado	hubisteis encontrado
encontró	encontraron	hubo encontrado	hubieron encontrado
4 futuro		**11 futuro perfecto**	
encontraré	encontraremos	habré encontrado	habremos encontrado
encontrarás	encontraréis	habrás encontrado	habréis encontrado
encontrará	encontrarán	habrá encontrado	habrán encontrado
5 potencial simple		**12 potencial compuesto**	
encontraría	encontraríamos	habría encontrado	habríamos encontrado
encontrarías	encontraríais	habrías encontrado	habríais encontrado
encontraría	encontrarían	habría encontrado	habrían encontrado
6 presente de subjuntivo		**13 perfecto de subjuntivo**	
encuentre	encontremos	haya encontrado	hayamos encontrado
encuentres	encontréis	hayas encontrado	hayáis encontrado
encuentre	encuentren	haya encontrado	hayan encontrado
7 imperfecto de subjuntivo		**14 pluscuamperfecto de subjuntivo**	
encontrara	encontráramos	hubiera encontrado	hubiéramos encontrado
encontraras	encontrarais	hubieras encontrado	hubierais encontrado
encontrara	encontraran	hubiera encontrado	hubieran encontrado
OR		OR	
encontrase	encontrásemos	hubiese encontrado	hubiésemos encontrado
encontrases	encontraseis	hubieses encontrado	hubieseis encontrado
encontrase	encontrasen	hubiese encontrado	hubiesen encontrado

imperativo

—	encontremos
encuentra; no encuentres	encontrad; no encontréis
encuentre	encuentren

Words and expressions related to this verb
un encuentro   encounter, meeting
salir al encuentro de   to go to meet
encontrarse con alguien   to meet someone, to run across someone
   (pres. part.: **encontrándose**)

Can't recognize an irregular verb form? Check out pages 678–681.

Reflexive regular **-ar** verb   to become angry, annoyed, irritated

The Seven Simple Tenses		The Seven Compound Tenses	
Singular	Plural	Singular	Plural
1 presente de indicativo		**8 perfecto de indicativo**	
me enfado	nos enfadamos	me he enfadado	nos hemos enfadado
te enfadas	os enfadáis	te has enfadado	os habéis enfadado
se enfada	se enfadan	se ha enfadado	se han enfadado
2 imperfecto de indicativo		**9 pluscuamperfecto de indicativo**	
me enfadaba	nos enfadábamos	me había enfadado	nos habíamos enfadado
te enfadabas	os enfadabais	te habías enfadado	os habíais enfadado
se enfadaba	se enfadaban	se había enfadado	se habían enfadado
3 pretérito		**10 pretérito anterior**	
me enfadé	nos enfadamos	me hube enfadado	nos hubimos enfadado
te enfadaste	os enfadasteis	te hubiste enfadado	os hubisteis enfadado
se enfadó	se enfadaron	se hubo enfadado	se hubieron enfadado
4 futuro		**11 futuro perfecto**	
me enfadaré	nos enfadaremos	me habré enfadado	nos habremos enfadado
te enfadarás	os enfadaréis	te habrás enfadado	os habréis enfadado
se enfadará	se enfadarán	se habrá enfadado	se habrán enfadado
5 potencial simple		**12 potencial compuesto**	
me enfadaría	nos enfadaríamos	me habría enfadado	nos habríamos enfadado
te enfadarías	os enfadaríais	te habrías enfadado	os habríais enfadado
se enfadaría	se enfadarían	se habría enfadado	se habrían enfadado
6 presente de subjuntivo		**13 perfecto de subjuntivo**	
me enfade	nos enfademos	me haya enfadado	nos hayamos enfadado
te enfades	os enfadéis	te hayas enfadado	os hayáis enfadado
se enfade	se enfaden	se haya enfadado	se hayan enfadado
7 imperfecto de subjuntivo		**14 pluscuamperfecto de subjuntivo**	
me enfadara	nos enfadáramos	me hubiera enfadado	nos hubiéramos enfadado
te enfadaras	os enfadarais	te hubieras enfadado	os hubierais enfadado
se enfadara	se enfadaran	se hubiera enfadado	se hubieran enfadado
OR		OR	
me enfadase	nos enfadásemos	me hubiese enfadado	nos hubiésemos enfadado
te enfadases	os enfadaseis	te hubieses enfadado	os hubieseis enfadado
se enfadase	se enfadasen	se hubiese enfadado	se hubiesen enfadado

E

imperativo	
—	enfadémonos
enfádate; no te enfades	enfadaos; no os enfadéis
enfádese	enfádense

Words related to this verb

enfadoso, enfadosa annoying	**enfadosamente** annoyingly, angrily
el enfado anger, vexation	**enfadar** to anger, to annoy, to irritate
enfadadizo, enfadadiza irritable	**enfadarse por cualquier** to get angry about anything

If you don't know the Spanish verb for the English verb
you have in mind, look it up in the index on pages 682–706.

enfermarse (211)   Gerundio enfermándose   Part. pas. enfermado

to get sick, to fall sick, to become
sick, to fall ill, to become ill

Reflexive regular **-ar** verb

The Seven Simple Tenses		The Seven Compound Tenses	
Singular	Plural	Singular	Plural
1 presente de indicativo		8 perfecto de indicativo	
me enfermo	**nos enfermamos**	**me he enfermado**	**nos hemos enfermado**
te enfermas	**os enfermáis**	**te has enfermado**	**os habéis enfermado**
se enferma	**se enferman**	**se ha enfermado**	**se han enfermado**
2 imperfecto de indicativo		9 pluscuamperfecto de indicativo	
me enfermaba	**nos enfermábamos**	**me había enfermado**	**nos habíamos enfermado**
te enfermabas	**os enfermabais**	**te habías enfermado**	**os habíais enfermado**
se enfermaba	**se enfermaban**	**se había enfermado**	**se habían enfermado**
3 pretérito		10 pretérito anterior	
me enfermé	**nos enfermamos**	**me hube enfermado**	**nos hubimos enfermado**
te enfermaste	**os enfermasteis**	**te hubiste enfermado**	**os hubisteis enfermado**
se enfermó	**se enfermaron**	**se hubo enfermado**	**se hubieron enfermado**
4 futuro		11 futuro perfecto	
me enfermaré	**nos enfermaremos**	**me habré enfermado**	**nos habremos enfermado**
te enfermarás	**os enfermaréis**	**te habrás enfermado**	**os habréis enfermado**
se enfermará	**se enfermarán**	**se habrá enfermado**	**se habrán enfermado**
5 potencial simple		12 potencial compuesto	
me enfermaría	**nos enfermaríamos**	**me habría enfermado**	**nos habríamos enfermado**
te enfermarías	**os enfermaríais**	**te habrías enfermado**	**os habríais enfermado**
se enfermaría	**se enfermarían**	**se habría enfermado**	**se habrían enfermado**
6 presente de subjuntivo		13 perfecto de subjuntivo	
me enferme	**nos enfermemos**	**me haya enfermado**	**nos hayamos enfermado**
te enfermes	**os enferméis**	**te hayas enfermado**	**os hayáis enfermado**
se enferme	**se enfermen**	**se haya enfermado**	**se hayan enfermado**
7 imperfecto de subjuntivo		14 pluscuamperfecto de subjuntivo	
me enfermara	**nos enfermáramos**	**me hubiera enfermado**	**nos hubiéramos enfermado**
te enfermaras	**os enfermarais**	**te hubieras enfermado**	**os hubierais enfermado**
se enfermara	**se enfermaran**	**se hubiera enfermado**	**se hubieran enfermado**
OR		OR	
me enfermase	**nos enfermásemos**	**me hubiese enfermado**	**nos hubiésemos enfermado**
te enfermases	**os enfermaseis**	**te hubieses enfermado**	**os hubieseis enfermado**
se enfermase	**se enfermasen**	**se hubiese enfermado**	**se hubiesen enfermado**

imperativo	
—	**enfermémonos**
enférmate; no te enfermes	**enfermaos; no os enferméis**
enférmese	**enférmense**

Words and expressions related to this verb

la enfermedad   illness, sickness
la enfermería   infirmary
enfermo de amor   lovesick
enfermar   to fall sick, to make sick
un enfermo, una enferma   patient
enfermoso, enfermosa   sickly
un enfermero, una enfermera   nurse

enfermero (enfermera) ambulante   visiting nurse
caer enfermo (enferma)   to get sick, to fall sick
enfermizo, enfermiza   sickly, ailing, unhealthy
enfermo interno   in-patient
estar enfermo (enferma)   to be sick

Reflexive regular **-ar** verb   to become angry, to get angry, to get cross

The Seven Simple Tenses		The Seven Compound Tenses	
Singular	Plural	Singular	Plural
1 presente de indicativo		8 perfecto de indicativo	
me enojo	nos enojamos	me he enojado	nos hemos enojado
te enojas	os enojáis	te has enojado	os habéis enojado
se enoja	se enojan	se ha enojado	se han enojado
2 imperfecto de indicativo		9 pluscuamperfecto de indicativo	
me enojaba	nos enojábamos	me había enojado	nos habíamos enojado
te enojabas	os enojabais	te habías enojado	os habíais enojado
se enojaba	se enojaban	se había enojado	se habían enojado
3 pretérito		10 pretérito anterior	
me enojé	nos enojamos	me hube enojado	nos hubimos enojado
te enojaste	os enojasteis	te hubiste enojado	os hubisteis enojado
se enojó	se enojaron	se hubo enojado	se hubieron enojado
4 futuro		11 futuro perfecto	
me enojaré	nos enojaremos	me habré enojado	nos habremos enojado
te enojarás	os enojaréis	te habrás enojado	os habréis enojado
se enojará	se enojarán	se habrá enojado	se habrán enojado
5 potencial simple		12 potencial compuesto	
me enojaría	nos enojaríamos	me habría enojado	nos habríamos enojado
te enojarías	os enojaríais	te habrías enojado	os habríais enojado
se enojaría	se enojarían	se habría enojado	se habrían enojado
6 presente de subjuntivo		13 perfecto de subjuntivo	
me enoje	nos enojemos	me haya enojado	nos hayamos enojado
te enojes	os enojéis	te hayas enojado	os hayáis enojado
se enoje	se enojen	se haya enojado	se hayan enojado
7 imperfecto de subjuntivo		14 pluscuamperfecto de subjuntivo	
me enojara	nos enojáramos	me hubiera enojado	nos hubiéramos enojado
te enojaras	os enojarais	te hubieras enojado	os hubierais enojado
se enojara	se enojaran	se hubiera enojado	se hubieran enojado
OR		OR	
me enojase	nos enojásemos	me hubiese enojado	nos hubiésemos enojado
te enojases	os enojaseis	te hubieses enojado	os hubieseis enojado
se enojase	se enojasen	se hubiese enojado	se hubiesen enojado

E

imperativo	
—	enojémonos
enójate; no te enojes	enojaos; no os enojéis
enójese	enójense

Words and expressions related to this verb
enojar   to annoy, to irritate, to make angry, to vex; **enojarse de**   to become angry at someone
el enojo   anger, annoyance; **enojadizo, enojadiza**   ill-tempered, irritable
enojoso, enojosa   irritating, troublesome
enojosamente   angrily
enojado, enojada   angry; **una enojada**   fit of anger
enojarse con (contra) alguien   to become angry with someone

The subject pronouns are found on page 93.

to teach, to show, to point out   Regular **-ar** verb

The Seven Simple Tenses		The Seven Compound Tenses	
Singular	Plural	Singular	Plural
1 presente de indicativo		**8 perfecto de indicativo**	
enseño	enseñamos	he enseñado	hemos enseñado
enseñas	enseñáis	has enseñado	habéis enseñado
enseña	enseñan	ha enseñado	han enseñado
2 imperfecto de indicativo		**9 pluscuamperfecto de indicativo**	
enseñaba	enseñábamos	había enseñado	habíamos enseñado
enseñabas	enseñabais	habías enseñado	habíais enseñado
enseñaba	enseñaban	había enseñado	habían enseñado
3 pretérito		**10 pretérito anterior**	
enseñé	enseñamos	hube enseñado	hubimos enseñado
enseñaste	enseñasteis	hubiste enseñado	hubisteis enseñado
enseñó	enseñaron	hubo enseñado	hubieron enseñado
4 futuro		**11 futuro perfecto**	
enseñaré	enseñaremos	habré enseñado	habremos enseñado
enseñarás	enseñaréis	habrás enseñado	habréis enseñado
enseñará	enseñarán	habrá enseñado	habrán enseñado
5 potencial simple		**12 potencial compuesto**	
enseñaría	enseñaríamos	habría enseñado	habríamos enseñado
enseñarías	enseñaríais	habrías enseñado	habríais enseñado
enseñaría	enseñarían	habría enseñado	habrían enseñado
6 presente de subjuntivo		**13 perfecto de subjuntivo**	
enseñe	enseñemos	haya enseñado	hayamos enseñado
enseñes	enseñéis	hayas enseñado	hayáis enseñado
enseñe	enseñen	haya enseñado	hayan enseñado
7 imperfecto de subjuntivo		**14 pluscuamperfecto de subjuntivo**	
enseñara	enseñáramos	hubiera enseñado	hubiéramos enseñado
enseñaras	enseñarais	hubieras enseñado	hubierais enseñado
enseñara	enseñaran	hubiera enseñado	hubieran enseñado
OR		OR	
enseñase	enseñásemos	hubiese enseñado	hubiésemos enseñado
enseñases	enseñaseis	hubieses enseñado	hubieseis enseñado
enseñase	enseñasen	hubiese enseñado	hubiesen enseñado

imperativo	
—	enseñemos
enseña; no enseñes	enseñad; no enseñéis
enseñe ,	enseñen

Words and expressions related to this verb
enseñarse to teach oneself
enseñar a + inf. to teach + inf.
el enseñamiento, la enseñanza teaching, education
  la enseñanza primaria primary education
  la enseñanza secundaria secondary (high school) education
  la enseñanza superior higher education

diseñar to design
el diseño design
la enseña emblem, standard
bien enseñado well-bred
mal enseñado ill-bred
un perro bien enseñado a house-trained dog

Regular **-er** verb endings with stem   to understand
change: Tenses 1, 6, Imperative

The Seven Simple Tenses		The Seven Compound Tenses	
Singular	Plural	Singular	Plural
1 presente de indicativo		8 perfecto de indicativo	
entiendo	**entendemos**	**he entendido**	**hemos entendido**
entiendes	**entendéis**	**has entendido**	**habéis entendido**
entiende	**entienden**	**ha entendido**	**han entendido**
2 imperfecto de indicativo		9 pluscuamperfecto de indicativo	
entendía	**entendíamos**	**había entendido**	**habíamos entendido**
entendías	**entendíais**	**habías entendido**	**habíais entendido**
entendía	**entendían**	**había entendido**	**habían entendido**
3 pretérito		10 pretérito anterior	
entendí	**entendimos**	**hube entendido**	**hubimos entendido**
entendiste	**entendisteis**	**hubiste entendido**	**hubisteis entendido**
entendió	**entendieron**	**hubo entendido**	**hubieron entendido**
4 futuro		11 futuro perfecto	
entenderé	**entenderemos**	**habré entendido**	**habremos entendido**
entenderás	**entenderéis**	**habrás entendido**	**habréis entendido**
entenderá	**entenderán**	**habrá entendido**	**habrán entendido**
5 potencial simple		12 potencial compuesto	
entendería	**entenderíamos**	**habría entendido**	**habríamos entendido**
entenderías	**entenderíais**	**habrías entendido**	**habríais entendido**
entendería	**entenderían**	**habría entendido**	**habrían entendido**
6 presente de subjuntivo		13 perfecto de subjuntivo	
entienda	**entendamos**	**haya entendido**	**hayamos entendido**
entiendas	**entendáis**	**hayas entendido**	**hayáis entendido**
entienda	**entiendan**	**haya entendido**	**hayan entendido**
7 imperfecto de subjuntivo		14 pluscuamperfecto de subjuntivo	
entendiera	**entendiéramos**	**hubiera entendido**	**hubiéramos entendido**
entendieras	**entendierais**	**hubieras entendido**	**hubierais entendido**
entendiera	**entendieran**	**hubiera entendido**	**hubieran entendido**
OR		OR	
entendiese	**entendiésemos**	**hubiese entendido**	**hubiésemos entendido**
entendieses	**entendieseis**	**hubieses entendido**	**hubieseis entendido**
entendiese	**entendiesen**	**hubiese entendido**	**hubiesen entendido**

	imperativo
—	**entendamos**
entiende; no entiendas	**entended; no entendáis**
entienda	**entiendan**

Words and expressions related to this verb
dar a entender   to insinuate, to hint
Yo me entiendo.   I have my reasons.
según mi entender   according to my opinion
el entendimiento   comprehension,
  understanding

¿Qué entiende Ud. por eso?   What do you
  mean by that?
entenderse bien   to get along well with
  each other
desentenderse de   to have nothing to do with

327

entrar (215)
to enter, to go (in), to come (in)

Gerundio **entrando**

Part. pas. **entrado**

Regular **-ar** verb

The Seven Simple Tenses		The Seven Compound Tenses	
Singular	Plural	Singular	Plural
1 presente de indicativo		8 perfecto de indicativo	
entro	entramos	he entrado	hemos entrado
entras	entráis	has entrado	habéis entrado
entra	entran	ha entrado	han entrado
2 imperfecto de indicativo		9 pluscuamperfecto de indicativo	
entraba	entrábamos	había entrado	habíamos entrado
entrabas	entrabais	habías entrado	habíais entrado
entraba	entraban	había entrado	habían entrado
3 pretérito		10 pretérito anterior	
entré	entramos	hube entrado	hubimos entrado
entraste	entrasteis	hubiste entrado	hubisteis entrado
entró	entraron	hubo entrado	hubieron entrado
4 futuro		11 futuro perfecto	
entraré	entraremos	habré entrado	habremos entrado
entrarás	entraréis	habrás entrado	habréis entrado
entrará	entrarán	habrá entrado	habrán entrado
5 potencial simple		12 potencial compuesto	
entraría	entraríamos	habría entrado	habríamos entrado
entrarías	entraríais	habrías entrado	habríais entrado
entraría	entrarían	habría entrado	habrían entrado
6 presente de subjuntivo		13 perfecto de subjuntivo	
entre	entremos	haya entrado	hayamos entrado
entres	entréis	hayas entrado	hayáis entrado
entre	entren	haya entrado	hayan entrado
7 imperfecto de subjuntivo		14 pluscuamperfecto de subjuntivo	
entrara	entráramos	hubiera entrado	hubiéramos entrado
entraras	entrarais	hubieras entrado	hubierais entrado
entrara	entraran	hubiera entrado	hubieran entrado
OR		OR	
entrase	entrásemos	hubiese entrado	hubiésemos entrado
entrases	entraseis	hubieses entrado	hubieseis entrado
entrase	entrasen	hubiese entrado	hubiesen entrado

imperativo

—	entremos
entra; no entres	entrad; no entréis
entre	entren

Entrar

Entrar is an essential regular –ar verb for beginning students of Spanish. It is used in many everyday expressions and situations.

E

Sentences using entrar and related words

Yo estudiaba cuando mi hermana entró en mi cuarto.
I was studying when my sister entered my room.

¿Dónde está la entrada?
Where is the entrance?

Words and expressions related to this verb

la entrada **entrance**

la entrada de datos **data entry**

entrada gratis **free admission**

entrada general **standing room (theater)**

entrado (entrada) en años **advanced in years**

entrar por la puerta **to enter through the door**

entrar en órbita **to go into orbit**

entrar en **to enter, to go in**

entrar en un club **to join a club**

entrar en una profesión **to enter into (take up) a profession**

volver a entrar **to reenter**

Proverb

En boca cerrada no entran moscas.
Flies do not enter a closed mouth. (Silence is golden.)

Can't find the verb you're looking for?
Check the back pages of this book for a list of over 2,100 additional verbs!

The subject pronouns are found on page 93.

entregar (216)

Gerundio entregando　　Part. pas. **entregado**

to deliver, to hand over, to give

The Seven Simple Tenses		The Seven Compound Tenses	
Singular	Plural	Singular	Plural
1　presente de indicativo		**8　perfecto de indicativo**	
entrego	entregamos	he entregado	hemos entregado
entregas	entregáis	has entregado	habéis entregado
entrega	entregan	ha entregado	han entregado
2　imperfecto de indicativo		**9　pluscuamperfecto de indicativo**	
entregaba	entregábamos	había entregado	habíamos entregado
entregabas	entregabais	habías entregado	habíais entregado
entregaba	entregaban	había entregado	habían entregado
3　pretérito		**10　pretérito anterior**	
entregué	entregamos	hube entregado	hubimos entregado
entregaste	entregasteis	hubiste entregado	hubisteis entregado
entregó	entregaron	hubo entregado	hubieron entregado
4　futuro		**11　futuro perfecto**	
entregaré	entregaremos	habré entregado	habremos entregado
entregarás	entregaréis	habrás entregado	habréis entregado
entregará	entregarán	habrá entregado	habrán entregado
5　potencial simple		**12　potencial compuesto**	
entregaría	entregaríamos	habría entregado	habríamos entregado
entregarías	entregaríais	habrías entregado	habríais entregado
entregaría	entregarían	habría entregado	habrían entregado
6　presente de subjuntivo		**13　perfecto de subjuntivo**	
entregue	entreguemos	haya entregado	hayamos entregado
entregues	entreguéis	hayas entregado	hayáis entregado
entregue	entreguen	haya entregado	hayan entregado
7　imperfecto de subjuntivo		**14　pluscuamperfecto de subjuntivo**	
entregara	entregáramos	hubiera entregado	hubiéramos entregado
entregaras	entregarais	hubieras entregado	hubierais entregado
entregara	entregaran	hubiera entregado	hubieran entregado
OR		OR	
entregase	entregásemos	hubiese entregado	hubiésemos entregado
entregases	entregaseis	hubieses entregado	hubieseis entregado
entregase	entregasen	hubiese entregado	hubiesen entregado

imperativo	
—	entreguemos
entrega; no entregues	entregad; no entreguéis
entregue	entreguen

Words and expressions related to this verb

entregarse　to surrender, to give in
entragarse en brazos de uno　to trust someone completely
entregado, entregada　delivered
la entrega　delivery, installment, handing over

entregar al profesor los ejercicios　to hand in the exercises to the teacher
entregar a domicilio　to deliver to a residence (home delivery)

Regular **-ar** verb   to enunciate, to state

The Seven Simple Tenses		The Seven Compound Tenses	
Singular	Plural	Singular	Plural
1 presente de indicativo		8 perfecto de indicativo	
enuncio	enunciamos	he enunciado	hemos enunciado
enuncias	enunciáis	has enunciado	habéis enunciado
enuncia	enuncian	ha enunciado	han enunciado
2 imperfecto de indicativo		9 pluscuamperfecto de indicativo	
enunciaba	enunciábamos	había enunciado	habíamos enunciado
enunciabas	enunciabais	habías enunciado	habíais enunciado
enunciaba	enunciaban	había enunciado	habían enunciado
3 pretérito		10 pretérito anterior	
enuncié	enunciamos	hube enunciado	hubimos enunciado
enunciaste	enunciasteis	hubiste enunciado	hubisteis enunciado
enunció	enunciaron	hubo enunciado	hubieron enunciado
4 futuro		11 futuro perfecto	
enunciaré	enunciaremos	habré enunciado	habremos enunciado
enunciarás	enunciaréis	habrás enunciado	habréis enunciado
enunciará	enunciarán	habrá enunciado	habrán enunciado
5 potencial simple		12 potencial compuesto	
enunciaría	enunciaríamos	habría enunciado	habríamos enunciado
enunciarías	enunciaríais	habrías enunciado	habríais enunciado
enunciaría	enunciarían	habría enunciado	habrían enunciado
6 presente de subjuntivo		13 perfecto de subjuntivo	
enuncie	enunciemos	haya enunciado	hayamos enunciado
enuncies	enunciéis	hayas enunciado	hayáis enunciado
enuncie	enuncien	haya enunciado	hayan enunciado
7 imperfecto de subjuntivo		14 pluscuamperfecto de subjuntivo	
enunciara	enunciáramos	hubiera enunciado	hubiéramos enunciado
enunciaras	enunciarais	hubieras enunciado	hubierais enunciado
enunciara	enunciaran	hubiera enunciado	hubieran enunciado
OR		OR	
enunciase	enunciásemos	hubiese enunciado	hubiésemos enunciado
enunciases	enunciaseis	hubieses enunciado	hubieseis enunciado
enunciase	enunciasen	hubiese enunciado	hubiesen enunciado

	imperativo	
—	enunciemos
enuncia; no enuncies	enunciad; no enunciéis
enuncie	enuncien

Words related to this verb
la enunciación   enunciation, statement, declaration
enunciativo, enunciativa   enunciative

The subject pronouns are found on page 93.
                                                             331

enviar (218)

Gerundio enviando **Part. pas. enviado**

to send

Regular -ar verb endings with spelling change: **i** becomes **í** on stressed syllable (see Tenses 1, 6, Imperative)

The Seven Simple Tenses		The Seven Compound Tenses	
Singular	Plural	Singular	Plural
1 presente de indicativo		**8 perfecto de indicativo**	
envío	enviamos	he enviado	hemos enviado
envías	enviáis	has enviado	habéis enviado
envía	envían	ha enviado	han enviado
2 imperfecto de indicativo		**9 pluscuamperfecto de indicativo**	
enviaba	enviábamos	había enviado	habíamos enviado
enviabas	enviabais	habías enviado	habíais enviado
enviaba	enviaban	había enviado	habían enviado
3 pretérito		**10 pretérito anterior**	
envié	enviamos	hube enviado	hubimos enviado
enviaste	enviasteis	hubiste enviado	hubisteis enviado
envió	enviaron	hubo enviado	hubieron enviado
4 futuro		**11 futuro perfecto**	
enviaré	enviaremos	habré enviado	habremos enviado
enviarás	enviaréis	habrás enviado	habréis enviado
enviará	enviarán	habrá enviado	habrán enviado
5 potencial simple		**12 potencial compuesto**	
enviaría	enviaríamos	habría enviado	habríamos enviado
enviarías	enviaríais	habrías enviado	habríais enviado
enviaría	enviarían	habría enviado	habrían enviado
6 presente de subjuntivo		**13 perfecto de subjuntivo**	
envíe	enviemos	haya enviado	hayamos enviado
envíes	enviéis	hayas enviado	hayáis enviado
envíe	envíen	haya enviado	hayan enviado
7 imperfecto de subjuntivo		**14 pluscuamperfecto de subjuntivo**	
enviara	enviáramos	hubiera enviado	hubiéramos enviado
enviaras	enviarais	hubieras enviado	hubierais enviado
enviara	enviaran	hubiera enviado	hubieran enviado
OR		OR	
enviase	enviásemos	hubiese enviado	hubiésemos enviado
enviases	enviaseis	hubieses enviado	hubieseis enviado
enviase	enviasen	hubiese enviado	hubiesen enviado

imperativo	
—	enviemos
envía; no envíes	enviad; no enviéis
envíe	envíen

Words and expressions related to this verb

enviar a alguien a pasear to send someone to take a walk
el envío dispatch; **un enviado** envoy
la enviada shipment
reenviar to send back; to forward
enviar un mensaje de texto to send a text message, to text

un enviado especial special newspaper correspondent
enviar un fax to send a fax
enviar por correo electrónico to e-mail, send by e-mail

Review the principal parts of important Spanish verbs on pages 9 and 10.

Regular **-er** verb endings with stem change: to wrap up
Tenses 1, 6, Imperative, past participle

The Seven Simple Tenses		The Seven Compound Tenses	
Singular	Plural	Singular	Plural
1 presente de indicativo		8 perfecto de indicativo	
envuelvo	envolvemos	he envuelto	hemos envuelto
envuelves	envolvéis	has envuelto	habéis envuelto
envuelve	envuelven	ha envuelto	han envuelto
2 imperfecto de indicativo		9 pluscuamperfecto de indicativo	
envolvía	envolvíamos	había envuelto	habíamos envuelto
envolvías	envolvíais	habías envuelto	habíais envuelto
envolvía	envolvían	había envuelto	habían envuelto
3 pretérito		10 pretérito anterior	
envolví	envolvimos	hube envuelto	hubimos envuelto
envolviste	envolvisteis	hubiste envuelto	hubisteis envuelto
envolvió	envolvieron	hubo envuelto	hubieron envuelto
4 futuro		11 futuro perfecto	
envolveré	envolveremos	habré envuelto	habremos envuelto
envolverás	envolveréis	habrás envuelto	habréis envuelto
envolverá	envolverán	habrá envuelto	habrán envuelto
5 potencial simple		12 potencial compuesto	
envolvería	envolveríamos	habría envuelto	habríamos envuelto
envolverías	envolveríais	habrías envuelto	habríais envuelto
envolvería	envolverían	habría envuelto	habrían envuelto
6 presente de subjuntivo		13 perfecto de subjuntivo	
envuelva	envolvamos	haya envuelto	hayamos envuelto
envuelvas	envolváis	hayas envuelto	hayáis envuelto
envuelva	envuelvan	haya envuelto	hayan envuelto
7 imperfecto de subjuntivo		14 pluscuamperfecto de subjuntivo	
envolviera	envolviéramos	hubiera envuelto	hubiéramos envuelto
envolvieras	envolvierais	hubieras envuelto	hubierais envuelto
envolviera	envolvieran	hubiera envuelto	hubieran envuelto
OR		OR	
envolviese	envolviésemos	hubiese envuelto	hubiésemos envuelto
envolvieses	envolvieseis	hubieses envuelto	hubieseis envuelto
envolviese	envolviesen	hubiese envuelto	hubiesen envuelto

	imperativo	
—	envolvamos
envuele; no envuelvas	envolved; no envolváis
envuelva	envuelvan

Words related to this verb
envolverse   to have an affair, to become involved   **envuelto, envuelta**   wrapped
el envolvimiento   wrapping; involvement   **una envoltura**   wrapping, wrapper, cover

Check out the verb drills and verb tests with answers explained on pages 45–91.

The subject pronouns are found on page 93.   **333**

to be mistaken, to make a mistake

Regular **-ar** verb endings with spelling
change: **c** becomes **qu** before **e**

The Seven Simple Tenses		The Seven Compound Tenses	
Singular	Plural	Singular	Plural
1 presente de indicativo		8 perfecto de indicativo	
me equivoco	nos equivocamos	me he equivocado	nos hemos equivocado
te equivocas	os equivocáis	te has equivocado	os habéis equivocado
se equivoca	se equivocan	se ha equivocado	se han equivocado
2 imperfecto de indicativo		9 pluscuamperfecto de indicativo	
me equivocaba	nos equivocábamos	me había equivocado	nos habíamos equivocado
te equivocabas	os equivocabais	te habías equivocado	os habíais equivocado
se equivocaba	se equivocaban	se había equivocado	se habían equivocado
3 pretérito		10 pretérito anterior	
me equivoqué	nos equivocamos	me hube equivocado	nos hubimos equivocado
te equivocaste	os equivocasteis	te hubiste equivocado	os hubisteis equivocado
se equivocó	se equivocaron	se hubo equivocado	se hubieron equivocado
4 futuro		11 futuro perfecto	
me equivocaré	nos equivocaremos	me habré equivocado	nos habremos equivocado
te equivocarás	os equivocaréis	te habrás equivocado	os habréis equivocado
se equivocará	se equivocarán	se habrá equivocado	se habrán equivocado
5 potencial simple		12 potencial compuesto	
me equivocaría	nos equivocaríamos	me habría equivocado	nos habríamos equivocado
te equivocarías	os equivocaríais	te habrías equivocado	os habríais equivocado
se equivocaría	se equivocarían	se habría equivocado	se habrían equivocado
6 presente de subjuntivo		13 perfecto de subjuntivo	
me equivoque	nos equivoquemos	me haya equivocado	nos hayamos equivocado
te equivoques	os equivoquéis	te hayas equivocado	os hayáis equivocado
se equivoque	se equivoquen	se haya equivocado	se hayan equivocado
7 imperfecto de subjuntivo		14 pluscuamperfecto de subjuntivo	
me equivocara	nos equivocáramos	me hubiera equivocado	nos hubiéramos equivocado
te equivocaras	os equivocarais	te hubieras equivocado	os hubierais equivocado
se equivocara	se equivocaran	se hubiera equivocado	se hubieran equivocado
OR		OR	
me equivocase	nos equivocásemos	me hubiese equivocado	nos hubiésemos equivocado
te equivocases	os equivocaseis	te hubieses equivocado	os hubieseis equivocado
se equivocase	se equivocasen	se hubiese equivocado	se hubiesen equivocado

imperativo	
—	equivoquémonos
equivócate; no te equivoques	equivocaos; no os equivoquéis
equivóquese	equivóquense

Words and expressions related to this verb
equivoquista   quibbler
equivocado, equivocada   mistaken
una equivocación   error, mistake, equivocation
equivocarse de fecha   to be mistaken about
    the date

estar equivocado (equivocada)   to be
    mistaken
cometer una equivocación   to make a mistake

Regular **-ir** verb endings with stem change: to raise, to stand up straight
Tenses 1, 3, 6, 7, Imperative, Gerundio

The Seven Simple Tenses		The Seven Compound Tenses	
Singular	Plural	Singular	Plural
1 presente de indicativo		8 perfecto de indicativo	
irgo (yergo)	**erguimos**	**he erguido**	**hemos erguido**
irgues (yergues)	**erguís**	**has erguido**	**habéis erguido**
irgue (yergue)	**irguen (yerguen)**	**ha erguido**	**han erguido**
2 imperfecto de indicativo		9 pluscuamperfecto de indicativo	
erguía	**erguíamos**	**había erguido**	**habíamos erguido**
erguías	**erguíais**	**habías erguido**	**habíais erguido**
erguía	**erguían**	**había erguido**	**habían erguido**
3 pretérito		10 pretérito anterior	
erguí	**erguimos**	**hube erguido**	**hubimos erguido**
erguiste	**erguisteis**	**hubiste erguido**	**hubisteis erguido**
irguió	**irguieron**	**hubo erguido**	**hubieron erguido**
4 futuro		11 futuro perfecto	
erguiré	**erguiremos**	**habré erguido**	**habremos erguido**
erguirás	**erguiréis**	**habrás erguido**	**habréis erguido**
erguirá	**erguirán**	**habrá erguido**	**habrán erguido**
5 potencial simple		12 potencial compuesto	
erguiría	**erguiríamos**	**habría erguido**	**habríamos erguido**
erguirías	**erguiríais**	**habrías erguido**	**habríais erguido**
erguiría	**erguirían**	**habría erguido**	**habrían erguido**
6 presente de subjuntivo		13 perfecto de subjuntivo	
irga (yerga)	**irgamos (yergamos)**	**haya erguido**	**hayamos erguido**
irgas (yergas)	**irgáis (yergáis)**	**hayas erguido**	**hayáis erguido**
irga (yerga)	**irgan (yergan)**	**haya erguido**	**hayan erguido**
7 imperfecto de subjuntivo		14 pluscuamperfecto de subjuntivo	
irguiera	**irguiéramos**	**hubiera erguido**	**hubiéramos erguido**
irguieras	**irguierais**	**hubieras erguido**	**hubierais erguido**
irguiera	**irguieran**	**hubiera erguido**	**hubieran erguido**
OR		OR	
irguiese	**irguiésemos**	**hubiese erguido**	**hubiésemos erguido**
irguieses	**irguieseis**	**hubieses erguido**	**hubieseis erguido**
irguiese	**irguiesen**	**hubiese erguido**	**hubiesen erguido**

imperativo

—	**irgamos (yergamos)**
irgue (yergue); no irgas (yergas)	**erguid; no irgáis (yergáis)**
irga (yerga)	**irgan (yergan)**

Words and expressions related to this verb
enguirse   to swell up with pride; to stiffen
un erguimiento   straightening, raising, erection

erguido, erguida   erect, proud
erguir las orejas   to prick up one's ears
erguirse de repente   to stand up suddenly

Can't recognize an irregular verb form? Check out pages 678–681.

The subject pronouns are found on page 93.

to err, to wander, to roam, to miss | Regular **-ar** verb endings with stem change: Tenses 1, 6, Imperative

The Seven Simple Tenses | The Seven Compound Tenses

Singular	Plural	Singular	Plural
1　presente de indicativo		8　perfecto de indicativo	
yerro	**erramos**	**he errado**	**hemos errado**
yerras	**erráis**	**has errado**	**habéis errado**
yerra	**yerran**	**ha errado**	**han errado**
2　imperfecto de indicativo		9　pluscuamperfecto de indicativo	
erraba	**errábamos**	**había errado**	**habíamos errado**
errabas	**errabais**	**habías errado**	**habíais errado**
erraba	**erraban**	**había errado**	**habían errado**
3　pretérito		10　pretérito anterior	
erré	**erramos**	**hube errado**	**hubimos errado**
erraste	**errasteis**	**hubiste errado**	**hubisteis errado**
erró	**erraron**	**hubo errado**	**hubieron errado**
4　futuro		11　futuro perfecto	
erraré	**erraremos**	**habré errado**	**habremos errado**
errarás	**erraréis**	**habrás errado**	**habréis errado**
errará	**errarán**	**habrá errado**	**habrán errado**
5　potencial simple		12　potencial compuesto	
erraría	**erraríamos**	**habría errado**	**habríamos errado**
errarías	**erraríais**	**habrías errado**	**habríais errado**
erraría	**errarían**	**habría errado**	**habrían errado**
6　presente de subjuntivo		13　perfecto de subjuntivo	
yerre	**erremos**	**haya errado**	**hayamos errado**
yerres	**erréis**	**hayas errado**	**hayáis errado**
yerre	**yerren**	**haya errado**	**hayan errado**
7　imperfecto de subjuntivo		14　pluscuamperfecto de subjuntivo	
errara	**erráramos**	**hubiera errado**	**hubiéramos errado**
erraras	**errarais**	**hubieras errado**	**hubierais errado**
errara	**erraran**	**hubiera errado**	**hubieran errado**
OR		OR	
errase	**errásemos**	**hubiese errado**	**hubiésemos errado**
errases	**erraseis**	**hubieses errado**	**hubieseis errado**
errase	**errasen**	**hubiese errado**	**hubiesen errado**

imperativo

—	**erremos**
yerra; no yerres	**errad; no erréis**
yerre	**yerren**

Words and expressions related to this verb

una errata　erratum, typographical error
errante　errant, wandering
un error　error, mistake

deshacer un yerro　to amend an error
un error de imprenta　misprint
un yerro　error, fault, mistake

Can't recognize an irregular verb form? Check out pages 678–681.

Regular **-er** verb endings with spelling   to choose, to select, to pick
change: **g** becomes **j** before **a** or **o**

The Seven Simple Tenses		The Seven Compound Tenses	
Singular	Plural	Singular	Plural
1 presente de indicativo		8 perfecto de indicativo	
escojo	escogemos	he escogido	hemos escogido
escoges	escogéis	has escogido	habéis escogido
escoge	escogen	ha escogido	han escogido
2 imperfecto de indicativo		9 pluscuamperfecto de indicativo	
escogía	escogíamos	había escogido	habíamos escogido
escogías	escogíais	habías escogido	habíais escogido
escogía	escogían	había escogido	habían escogido
3 pretérito		10 pretérito anterior	
escogí	escogimos	hube escogido	hubimos escogido
escogiste	escogisteis	hubiste escogido	hubisteis escogido
escogió	escogieron	hubo escogido	hubieron escogido
4 futuro		11 futuro perfecto	
escogeré	escogeremos	habré escogido	habremos escogido
escogerás	escogeréis	habrás escogido	habréis escogido
escogerá	escogerán	habrá escogido	habrán escogido
5 potencial simple		12 potencial compuesto	
escogería	escogeríamos	habría escogido	habríamos escogido
escogerías	escogeríais	habrías escogido	habríais escogido
escogería	escogerían	habría escogido	habrían escogido
6 presente de subjuntivo		13 perfecto de subjuntivo	
escoja	escojamos	haya escogido	hayamos escogido
escojas	escojáis	hayas escogido	hayáis escogido
escoja	escojan	haya escogido	hayan escogido
7 imperfecto de subjuntivo		14 pluscuamperfecto de subjuntivo	
escogiera	escogiéramos	hubiera escogido	hubiéramos escogido
escogieras	escogierais	hubieras escogido	hubierais escogido
escogiera	escogieran	hubiera escogido	hubieran escogido
OR		OR	
escogiese	escogiésemos	hubiese escogido	hubiésemos escogido
escogieses	escogieseis	hubieses escogido	hubieseis escogido
escogiese	escogiesen	hubiese escogido	hubiesen escogido

imperativo

—	escojamos
escoge; no escojas	escoged; no escojáis
escoja	escojan

Words and expressions related to this verb
un escogimiento   choice, selection
escogedor, escogedora   chooser
escogido, escogida   chosen

See also **coger.**

escoger entre dos colores   to choose between
  two colors
las obras escogidas   the selected works

Can't recognize an irregular verb form? Check out pages 678–681.

to write | Regular **-ir** verb endings; note irregular spelling of past participle: **escrito**

The Seven Simple Tenses		The Seven Compound Tenses	
Singular	Plural	Singular	Plural
1 presente de indicativo		**8 perfecto de indicativo**	
escribo	escribimos	he escrito	hemos escrito
escribes	escribís	has escrito	habéis escrito
escribe	escriben	ha escrito	han escrito
2 imperfecto de indicativo		**9 pluscuamperfecto de indicativo**	
escribía	escribíamos	había escrito	habíamos escrito
escribías	escribíais	habías escrito	habíais escrito
escribía	escribían	había escrito	habían escrito
3 pretérito		**10 pretérito anterior**	
escribí	escribimos	hube escrito	hubimos escrito
escribiste	escribisteis	hubiste escrito	hubisteis escrito
escribió	escribieron	hubo escrito	hubieron escrito
4 futuro		**11 futuro perfecto**	
escribiré	escribiremos	habré escrito	habremos escrito
escribirás	escribiréis	habrás escrito	habréis escrito
escribirá	escribirán	habrá escrito	habrán escrito
5 potencial simple		**12 potencial compuesto**	
escribiría	escribiríamos	habría escrito	habríamos escrito
escribirías	escribiríais	habrías escrito	habríais escrito
escribiría	escribirían	habría escrito	habrían escrito
6 presente de subjuntivo		**13 perfecto de subjuntivo**	
escriba	escribamos	haya escrito	hayamos escrito
escribas	escribáis	hayas escrito	hayáis escrito
escriba	escriban	haya escrito	hayan escrito
7 imperfecto de subjuntivo		**14 pluscuamperfecto de subjuntivo**	
escribiera	escribiéramos	hubiera escrito	hubiéramos escrito
escribieras	escribierais	hubieras escrito	hubierais escrito
escribiera	escribieran	hubiera escrito	hubieran escrito
OR		OR	
escribiese	escribiésemos	hubiese escrito	hubiésemos escrito
escribieses	escribieseis	hubieses escrito	hubieseis escrito
escribiese	escribiesen	hubiese escrito	hubiesen escrito

	imperativo	
—		escribamos
escribe; no escribas		escribid; no escribáis
escriba		escriban

AN ESSENTIAL
55 VERB

Escribir is an essential **–ir** verb for beginning students of Spanish. It is used in many everyday expressions and situations. Pay attention to the irregular past participle!

E

Sentences using escribir and related words

Mi padre está escribiendo una novela.
My father is writing a novel.

Por favor, responda por escrito a las preguntas siguientes.
Please answer the following questions in writing.

Words and expressions related to this verb

la escritura **writing**

un escritorio **writing desk**

un escriba **scribe**

escribir a máquina **to typewrite**

una máquina de escribir **typewriter**

un escritor, una escritora **writer, author**

el escribano **secretary, clerk**

por escrito **in writing**

escribir a mano **to write by hand**

describir **to describe**

describible **describable**

la descripción **description**

descriptivo, descriptiva **descriptive**

descriptor, descriptora **descriptive**

el examen escrito **written exam**

Proverb

El mal escribano le echa la culpa a la pluma.
The bad writer blames his pen.

Do you need more drills? Have fun with the *501 Spanish Verbs* CD-ROM!

The subject pronouns are found on page 93.

to listen (to)   Regular **-ar** verb

The Seven Simple Tenses		The Seven Compound Tenses	
Singular	Plural	Singular	Plural
1 presente de indicativo		**8 perfecto de indicativo**	
escucho	escuchamos	he escuchado	hemos escuchado
escuchas	escucháis	has escuchado	habéis escuchado
escucha	escuchan	ha escuchado	han escuchado
2 imperfecto de indicativo		**9 pluscuamperfecto de indicativo**	
escuchaba	escuchábamos	había escuchado	habíamos escuchado
escuchabas	escuchabais	habías escuchado	habíais escuchado
escuchaba	escuchaban	había escuchado	habían escuchado
3 pretérito		**10 pretérito anterior**	
escuché	escuchamos	hube escuchado	hubimos escuchado
escuchaste	escuchasteis	hubiste escuchado	hubisteis escuchado
escuchó	escucharon	hubo escuchado	hubieron escuchado
4 futuro		**11 futuro perfecto**	
escucharé	escucharemos	habré escuchado	habremos escuchado
escucharás	escucharéis	habrás escuchado	habréis escuchado
escuchará	escucharán	habrá escuchado	habrán escuchado
5 potencial simple		**12 potencial compuesto**	
escucharía	escucharíamos	habría escuchado	habríamos escuchado
escucharías	escucharíais	habrías escuchado	habríais escuchado
escucharía	escucharían	habría escuchado	habrían escuchado
6 presente de subjuntivo		**13 perfecto de subjuntivo**	
escuche	escuchemos	haya escuchado	hayamos escuchado
escuches	escuchéis	hayas escuchado	hayáis escuchado
escuche	escuchen	haya escuchado	hayan escuchado
7 imperfecto de subjuntivo		**14 pluscuamperfecto de subjuntivo**	
escuchara	escucháramos	hubiera escuchado	hubiéramos escuchado
escucharas	escucharais	hubieras escuchado	hubierais escuchado
escuchara	escucharan	hubiera escuchado	hubieran escuchado
OR		OR	
escuchase	escuchásemos	hubiese escuchado	hubiésemos escuchado
escuchases	escuchaseis	hubieses escuchado	hubieseis escuchado
escuchase	escuchasen	hubiese escuchado	hubiesen escuchado

imperativo

—	escuchemos
escucha; no escuches	escuchad; no escuchéis
escuche	escuchen

Words and expressions related to this verb

escuchar + noun   to listen to + noun
   Escucho un disco compacto.   I'm listening
   to a CD.
escuchador, escuchadora, escuchante   listener
Para saber hablar, hay que saber escuchar.
   In order to know how to talk, one must know
   how to listen.

escuchar música   to listen to music
escuchar detrás de las puertas   to listen
behind doors

Regular **-ir** verb endings with spelling
change: **c** becomes **z** before **a** or **o**

to scatter, to spread

The Seven Simple Tenses		The Seven Compound Tenses	
Singular	Plural	Singular	Plural
1 presente de indicativo		8 perfecto de indicativo	
esparzo	esparcimos	he esparcido	hemos esparcido
esparces	esparcís	has esparcido	habéis esparcido
esparce	esparcen	ha esparcido	han esparcido
2 imperfecto de indicativo		9 pluscuamperfecto de indicativo	
esparcía	esparcíamos	había esparcido	habíamos esparcido
esparcías	esparcíais	habías esparcido	habíais esparcido
esparcía	esparcían	había esparcido	habían esparcido
3 pretérito		10 pretérito anterior	
esparcí	esparcimos	hube esparcido	hubimos esparcido
esparciste	esparcisteis	hubiste esparcido	hubisteis esparcido
esparció	esparcieron	hubo esparcido	hubieron esparcido
4 futuro		11 futuro perfecto	
esparciré	esparciremos	habré esparcido	habremos esparcido
esparcirás	esparciréis	habrás esparcido	habréis esparcido
esparcirá	esparcirán	habrá esparcido	habrán esparcido
5 potencial simple		12 potencial compuesto	
esparciría	esparciríamos	habría esparcido	habríamos esparcido
esparcirías	esparciríais	habrías esparcido	habríais esparcido
esparciría	esparcirían	habría esparcido	habrían esparcido
6 presente de subjuntivo		13 perfecto de subjuntivo	
esparza	esparzamos	haya esparcido	hayamos esparcido
esparzas	esparzáis	hayas esparcido	hayáis esparcido
esparza	esparzan	haya esparcido	hayan esparcido
7 imperfecto de subjuntivo		14 pluscuamperfecto de subjuntivo	
esparciera	esparciéramos	hubiera esparcido	hubiéramos esparcido
esparcieras	esparcierais	hubieras esparcido	hubierais esparcido
esparciera	esparcieran	hubiera esparcido	hubieran esparcido
OR		OR	
esparciese	esparciésemos	hubiese esparcido	hubiésemos esparcido
esparcieses	esparcieseis	hubieses esparcido	hubieseis esparcido
esparciese	esparciesen	hubiese esparcido	hubiesen esparcido

	imperativo	
—	esparzamos	
esparce; no esparzas	esparcid; no esparzáis	
esparza	esparzan	

Words and expressions related to this verb
el esparcimiento   scattering, spreading
esparcidamente   separately, sparsely
el esparcidor, la esparcidora   spreader, scatterer

flores esparcidas por las calles   flowers
   scattered over the streets

Get your feet wet with verbs used in weather expressions on page 668.

The subject pronouns are found on page 93.

to expect, to hope, to wait (for) Regular -ar verb

The Seven Simple Tenses		The Seven Compound Tenses	
Singular	Plural	Singular	Plural
1 presente de indicativo		8 perfecto de indicativo	
espero	esperamos	he esperado	hemos esperado
esperas	esperáis	has esperado	habéis esperado
espera	esperan	ha esperado	han esperado
2 imperfecto de indicativo		9 pluscuamperfecto de indicativo	
esperaba	esperábamos	había esperado	habíamos esperado
esperabas	esperabais	habías esperado	habíais esperado
esperaba	esperaban	había esperado	habían esperado
3 pretérito		10 pretérito anterior	
esperé	esperamos	hube esperado	hubimos esperado
esperaste	esperasteis	hubiste esperado	hubisteis esperado
esperó	esperaron	hubo esperado	hubieron esperado
4 futuro		11 futuro perfecto	
esperaré	esperaremos	habré esperado	habremos esperado
esperarás	esperaréis	habrás esperado	habréis esperado
esperará	esperarán	habrá esperado	habrán esperado
5 potencial simple		12 potencial compuesto	
esperaría	esperaríamos	habría esperado	habríamos esperado
esperarías	esperaríais	habrías esperado	habríais esperado
esperaría	esperarían	habría esperado	habrían esperado
6 presente de subjuntivo		13 perfecto de subjuntivo	
espere	esperemos	haya esperado	hayamos esperado
esperes	esperéis	hayas esperado	hayáis esperado
espere	esperen	haya esperado	hayan esperado
7 imperfecto de subjuntivo		14 pluscuamperfecto de subjuntivo	
esperara	esperáramos	hubiera esperado	hubiéramos esperado
esperaras	esperarais	hubieras esperado	hubierais esperado
esperara	esperaran	hubiera esperado	hubieran esperado
OR		OR	
esperase	esperásemos	hubiese esperado	hubiésemos esperado
esperases	esperaseis	hubieses esperado	hubieseis esperado
esperase	esperasen	hubiese esperado	hubiesen esperado

imperativo	
—	esperemos
espera; no esperes	esperad; no esperéis
espere	esperen

Words and expressions related to this verb

Mientras hay vida hay esperanza.
  When there is life, there is hope.
la esperanza hope
No hay esperanza. There is no hope.

dar esperanzas to give encouragement
desesperar to despair

Can't remember the Spanish verb you need?
Check the back pages of this book for the English-Spanish verb index!

Regular **-ar** verb endings with spelling change: **i** becomes   to ski
í on stressed syllable (see Tenses 1, 6, Imperative)

The Seven Simple Tenses		The Seven Compound Tenses	
Singular	Plural	Singular	Plural
1 presente de indicativo		8 perfecto de indicativo	
esquío	esquiamos	he esquiado	hemos esquiado
esquías	esquiáis	has esquiado	habéis esquiado
esquía	esquían	ha esquiado	han esquiado
2 imperfecto de indicativo		9 pluscuamperfecto de indicativo	
esquiaba	esquiábamos	había esquiado	habíamos esquiado
esquiabas	esquiabais	habías esquiado	habíais esquiado
esquiaba	esquiaban	había esquiado	habían esquiado
3 pretérito		10 pretérito anterior	
esquié	esquiamos	hube esquiado	hubimos esquiado
esquiaste	esquiasteis	hubiste esquiado	hubisteis esquiado
esquió	esquiaron	hubo esquiado	hubieron esquiado
4 futuro		11 futuro perfecto	
esquiaré	esquiaremos	habré esquiado	habremos esquiado
esquiarás	esquiaréis	habrás esquiado	habréis esquiado
esquiará	esquiarán	habrá esquiado	habrán esquiado
5 potencial simple		12 potencial compuesto	
esquiaría	esquiaríamos	habría esquiado	habríamos esquiado
esquiarías	esquiaríais	habrías esquiado	habríais esquiado
esquiaría	esquiarían	habría esquiado	habrían esquiado
6 presente de subjuntivo		13 perfecto de subjuntivo	
esquíe	esquiemos	haya esquiado	hayamos esquiado
esquíes	esquiéis	hayas esquiado	hayáis esquiado
esquíe	esquíen	haya esquiado	hayan esquiado
7 imperfecto de subjuntivo		14 pluscuamperfecto de subjuntivo	
esquiara	esquiáramos	hubiera esquiado	hubiéramos esquiado
esquiaras	esquiarais	hubieras esquiado	hubierais esquiado
esquiara	esquiaran	hubiera esquiado	hubieran esquiado
OR		OR	
esquiase	esquiásemos	hubiese esquiado	hubiésemos esquiado
esquiases	esquiaseis	hubieses esquiado	hubieseis esquiado
esquiase	esquiasen	hubiese esquiado	hubiesen esquiado

imperativo	
—	esquiemos
esquía; no esquíes	esquiad; no esquiéis
esquíe	esquíen

Sentences using this verb and words and expressions related to it

el esquí ski, skiing	**Me gusta el esquí.** I like skiing.
un esquiador, una esquiadora skier	**Me gusta esquiar.** I like to ski.
el esquí alpino Alpine skiing	**el esquí de fondo** cross-country skiing
el esquí acuático water-skiing	

Can't find the verb you're looking for?
Check the back pages of this book for a list of over 2,100 additional verbs!

to establish, to set up

Regular **-er** verb endings with spelling
change: **c** becomes **zc** before **a** or **o**

The Seven Simple Tenses		The Seven Compound Tenses	
Singular	Plural	Singular	Plural
1 presente de indicativo		8 perfecto de indicativo	
establezco	establecemos	he establecido	hemos establecido
estableces	establecéis	has establecido	habéis establecido
establece	establecen	ha establecido	han establecido
2 imperfecto de indicativo		9 pluscuamperfecto de indicativo	
establecía	establecíamos	había establecido	habíamos establecido
establecías	establecíais	habías establecido	habíais establecido
establecía	establecían	había establecido	habían establecido
3 pretérito		10 pretérito anterior	
establecí	establecimos	hube establecido	hubimos establecido
estableciste	establecisteis	hubiste establecido	hubisteis establecido
estableció	establecieron	hubo establecido	hubieron establecido
4 futuro		11 futuro perfecto	
estableceré	estableceremos	habré establecido	habremos establecido
establecerás	estableceréis	habrás establecido	habréis establecido
establecerá	establecerán	habrá establecido	habrán establecido
5 potencial simple		12 potencial compuesto	
establecería	estableceríamos	habría establecido	habríamos establecido
establecerías	estableceríais	habrías establecido	habríais establecido
establecería	establecerían	habría establecido	habrían establecido
6 presente de subjuntivo		13 perfecto de subjuntivo	
establezca	establezcamos	haya establecido	hayamos establecido
establezcas	establezcáis	hayas establecido	hayáis establecido
establezca	establezcan	haya establecido	hayan establecido
7 imperfecto de subjuntivo		14 pluscuamperfecto de subjuntivo	
estableciera	estableciéramos	hubiera establecido	hubiéramos establecido
establecieras	establecierais	hubieras establecido	hubierais establecido
estableciera	establecieran	hubiera establecido	hubieran establecido
OR		OR	
estableciese	estableciésemos	hubiese establecido	hubiésemos establecido
establecieses	establecieseis	hubieses establecido	hubieseis establecido
estableciese	estableciesen	hubiese establecido	hubiesen establecido

imperativo	
—	establezcamos
establece; no establezcas	estableced; no establezcáis
establezca	establezcan

Words and expressions related to this verb
establecer normas to set up standards
un establecedor, una establecedora founder
un establecimiento establishment
establemente firmly, stably
establecerse to set oneself up, as in business;
to settle down

establecer un campamento to set up camp
un establecimiento comercial commercial
establishment

Irregular verb   to be

The Seven Simple Tenses		The Seven Compound Tenses	
Singular	Plural	Singular	Plural
1 presente de indicativo *PRES*		8 perfecto de indicativo	
estoy	estamos	he estado	hemos estado
estás	estáis	has estado	habéis estado
está	están	ha estado	han estado
2 imperfecto de indicativo		9 pluscuamperfecto de indicativo	
estaba	estábamos	había estado	habíamos estado
estabas	estabais	habías estado	habíais estado
estaba	estaban	había estado	habían estado
3 pretérito *PAST*		10 pretérito anterior	
estuve	estuvimos	hube estado	hubimos estado
estuviste	estuvisteis	hubiste estado	hubisteis estado
estuvo	estuvieron	hubo estado	hubieron estado
4 futuro *FUTURE*		11 futuro perfecto	
estaré	estaremos	habré estado	habremos estado
estarás	estaréis	habrás estado	habréis estado
estará	estarán	habrá estado	habrán estado
5 potencial simple		12 potencial compuesto	
estaría	estaríamos	habría estado	habríamos estado
estarías	estaríais	habrías estado	habríais estado
estaría	estarían	habría estado	habrían estado
6 presente de subjuntivo		13 perfecto de subjuntivo	
esté	estemos	haya estado	hayamos estado
estés	estéis	hayas estado	hayáis estado
esté	estén	haya estado	hayan estado
7 imperfecto de subjuntivo		14 pluscuamperfecto de subjuntivo	
estuviera	estuviéramos	hubiera estado	hubiéramos estado
estuvieras	estuvierais	hubieras estado	hubierais estado
estuviera	estuvieran	hubiera estado	hubieran estado
OR		OR	
estuviese	estuviésemos	hubiese estado	hubiésemos estado
estuvieses	estuvieseis	hubieses estado	hubieseis estado
estuviese	estuviesen	hubiese estado	hubiesen estado

---

	imperativo	
—		estemos
está; no estés		estad; no estéis
esté		estén

AN ESSENTIAL
55 VERB

The subject pronouns are found on page 93.
          345

Estar

Estar is one of the most important verbs for a beginning student to learn. In addition to the countless expressions that use estar, there is a distinction that you must make between estar and ser, which also means *to be*.

Generally speaking, use ser when you want to express *to be*. Use estar when *to be* is used in the following ways:

(a) Health:

1. ¿Cómo está Ud.? How are you?
2. Estoy bien. I am well.
3. Estoy enfermo (enferma). I am sick.

(b) Location: persons, places, things

1. Estoy en la sala de clase. I am in the classroom.
2. La escuela está lejos. The school is far.
3. Barcelona está en España. Barcelona is (located) in Spain.
4. Los libros están en la mesa. The books are on the table.

(c) State or condition: persons

1. Estoy contento (contenta). I am happy.
2. Los alumnos están cansados. (Las alumnas están cansadas.) The students are tired.
3. María está triste hoy. Mary is sad today.
4. Estoy listo (lista). I am ready.
5. Estoy pálido (pálida). I am pale.
6. Estoy ocupado (ocupada). I am busy.
7. Estoy seguro (segura). I am sure.
8. Este hombre está vivo. This man is alive.
9. Ese hombre está muerto. That man is dead.
10. Este hombre está borracho. This man is drunk.

(d) State or condition: things and places

1. La ventana está abierta. The window is open.
2. La taza está llena. The cup is full.
3. El té está caliente. The tea is hot.
4. La limonada está fría. The lemonade is cold.
5. La biblioteca está cerrada los domingos. The library is closed on Sundays.

Can't remember the Spanish verb you need?
Check the back pages of this book for the English-Spanish verb index!

(e) **To form the progressive present of a verb, use the present tense of** estar **+ the present participle of the main verb:**

Estoy estudiando en mi cuarto y no puedo salir esta noche.
I am studying in my room and I cannot go out tonight.

(f) **To form the progressive past of a verb, use the imperfect tense of** estar **+ the present participle of the main verb:**

Mi hermano estaba leyendo cuando (yo) entré en el cuarto.
My brother was reading when I entered (came into) the room.

E

Sentences using estar and related words

Dígame, por favor, dónde está la sala de espera.
Tell me, please, where the waiting room is located.

¿Cuándo estará todo listo?
When will it all be ready?

Está lloviendo ahora.
It's raining now.

Estoy a punto de salir./Estoy para salir.
I am about to go out.

Words and expressions related to this verb

está bien **all right, okay**

estar a punto de + inf. **to be about + inf.**

estar a sus anchas **to be comfortable**

estar aburrido (aburrida) **to be bored**

estar al día **to be up to date**

estar bien **to be well**

estar conforme con **to be in agreement with**

estar de acuerdo **to agree**

estar de acuerdo con **to be in agreement with**

estar de boga **to be in fashion**

estar de buenas **to be lucky**

estar de más **to be unnecessary**

estar de pie **to be standing**

estar de vuelta **to be back**

estar listo (lista) **to be ready**

estar mal **to be ill**

estar para + inf. **to be about to**

estar por **to be in favor of**

no estar para bromas **not to be in the mood for jokes**

The subject pronouns are found on page 93.

347

to estimate, to esteem, to respect, to value   Regular **-ar** verb

The Seven Simple Tenses		The Seven Compound Tenses	
Singular	Plural	Singular	Plural
1 presente de indicativo		8 perfecto de indicativo	
estimo	estimamos	he estimado	hemos estimado
estimas	estimáis	has estimado	habéis estimado
estima	estiman	ha estimado	han estimado
2 imperfecto de indicativo		9 pluscuamperfecto de indicativo	
estimaba	estimábamos	había estimado	habíamos estimado
estimabas	estmabais	habías estimado	habíais estimado
estimaba	estimaban	había estimado	habían estimado
3 pretérito		10 pretérito anterior	
estimé	estimamos	hube estimado	hubimos estimado
estimaste	estimasteis	hubiste estimado	hubisteis estimado
estimó	estimaron	hubo estimado	hubieron estimado
4 futuro		11 futuro perfecto	
estimaré	estimaremos	habré estimado	habremos estimado
estimarás	estimaréis	habrás estimado	habréis estimado
estimará	estimarán	habrá estimado	habrán estimado
5 potencial simple		12 potencial compuesto	
estimaría	estimaríamos	habría estimado	habríamos estimado
estimarías	estimaríais	habrías estimado	habríais estimado
estimaría	estimarían	habría estimado	habrían estimado
6 presente de subjuntivo		13 perfecto de subjuntivo	
estime	estimemos	haya estimado	hayamos estimado
estimes	estiméis	hayas estimado	hayáis estimado
estime	estimen	haya estimado	hayan estimado
7 imperfecto de subjuntivo		14 pluscuamperfecto de subjuntivo	
estimara	estimáramos	hubiera estimado	hubiéramos estimado
estimaras	estimarais	hubieras estimado	hubierais estimado
estimara	estimaran	hubiera estimado	hubieran estimado
OR		OR	
estimase	estimásemos	hubiese estimado	hubiésemos estimado
estimases	estimaseis	hubieses estimado	hubieseis estimado
estimase	estimasen	hubiese estimado	hubiesen estimado

imperativo

—	estimemos
estima; no estimes	estimad; no estiméis
estime	estimen

Words and expressions related to this verb

la estima esteem, respect
la estimabilidad worthiness, worth
la estimación estimation, esteem

estimar con exceso to overestimate
estimar en menos to underestimate
estimar oportuno to deem (see) fit

Can't find the verb you're looking for?
Check the back pages of this book for a list of over 2,100 additional verbs!

Regular **-ar** verb   to study

The Seven Simple Tenses		The Seven Compound Tenses	
Singular	Plural	Singular	Plural
1 presente de indicativo		8 perfecto de indicativo	
estudio	estudiamos	he estudiado	hemos estudiado
estudias	estudiáis	has estudiado	habéis estudiado
estudia	estudian	ha estudiado	han estudiado
2 imperfecto de indicativo		9 pluscuamperfecto de indicativo	
estudiaba	estudiábamos	había estudiado	habíamos estudiado
estudiabas	estudiabais	habías estudiado	habíais estudiado
estudiaba	estudiaban	había estudiado	habían estudiado
3 pretérito		10 pretérito anterior	
estudié	estudiamos	hube estudiado	hubimos estudiado
estudiaste	estudiasteis	hubiste estudiado	hubisteis estudiado
estudió	estudiaron	hubo estudiado	hubieron estudiado
4 futuro		11 futuro perfecto	
estudiaré	estudiaremos	habré estudiado	habremos estudiado
estudiarás	estudiaréis	habrás estudiado	habréis estudiado
estudiará	estudiarán	habrá estudiado	habrán estudiado
5 potencial simple		12 potencial compuesto	
estudiaría	estudiaríamos	habría estudiado	habríamos estudiado
estudiarías	estudiaríais	habrías estudiado	habríais estudiado
estudiaría	estudiarían	habría estudiado	habrían estudiado
6 presente de subjuntivo		13 perfecto de subjuntivo	
estudie	estudiemos	haya estudiado	hayamos estudiado
estudies	estudiéis	hayas estudiado	hayáis estudiado
estudie	estudien	haya estudiado	hayan estudiado
7 imperfecto de subjuntivo		14 pluscuamperfecto de subjuntivo	
estudiara	estudiáramos	hubiera estudiado	hubiéramos estudiado
estudiaras	estudiarais	hubieras estudiado	hubierais estudiado
estudiara	estudiaran	hubiera estudiado	hubieran estudiado
OR		OR	
estudiase	estudiásemos	hubiese estudiado	hubiésemos estudiado
estudiases	estudiaseis	hubieses estudiado	hubieseis estudiado
estudiase	estudiasen	hubiese estudiado	hubiesen estudiado

	imperativo
—	estudiemos
estudia; no estudies	estudiad; no estudiéis
estudie	estudien

AN ESSENTIAL
55 VERB

Estudiar is an essential regular –ar verb for beginning students of Spanish. It is used in many everyday expressions and situations.

Sentences using estudiar and related words

Estudio mis lecciones de español todos los días.
I study my Spanish lessons every day.

Es necesario estudiar para aprender.
It is necessary to study in order to learn.

Estudiamos español porque es un idioma muy hermoso.
We are studying Spanish because it is a very beautiful language.

Estoy estudiando en mi cuarto y no puedo mirar la televisión.
I am studying in my room and I cannot watch television.

Words and expressions related to this verb

un, una estudiante **student**

el estudio **study, studio, study room**

estudioso, estudiosa **studious**

un estudioso **a scholar**

estudiado, estudiada **studied, mannered**

los altos estudios **advanced studies**

hacer estudios **to study**

estudiosamente **studiously**

estudiante de intercambio **exchange student**

Do you need more drills? Have fun with the *501 Spanish Verbs* CD-ROM!

Regular **-ir** verb endings with spelling
change: **g** becomes **j** before **a** or **o**

to demand, to urge, to require

The Seven Simple Tenses		The Seven Compound Tenses	
Singular	Plural	Singular	Plural

1   presente de indicativo

exijo	exigimos
exiges	exigís
exige	exigen

8   perfecto de indicativo

he exigido	hemos exigido
has exigido	habéis exigido
ha exigido	han exigido

2   imperfecto de indicativo

exigía	exigíamos
exigías	exigíais
exigía	exigían

9   pluscuamperfecto de indicativo

había exigido	habíamos exigido
habías exigido	habíais exigido
había exigido	habían exigido

3   pretérito

exigí	exigimos
exigiste	exigisteis
exigió	exigieron

10   pretérito anterior

hube exigido	hubimos exigido
hubiste exigido	hubisteis exigido
hubo exigido	hubieron exigido

4   futuro

exigiré	exigiremos
exigirás	exigiréis
exigirá	exigirán

11   futuro perfecto

habré exigido	habremos exigido
habrás exigido	habréis exigido
habrá exigido	habrán exigido

5   potencial simple

exigiría	exigiríamos
exigirías	exigiríais
exigiría	exigirían

12   potencial compuesto

habría exigido	habríamos exigido
habrías exigido	habríais exigido
habría exigido	habrían exigido

6   presente de subjuntivo

exija	exijamos
exijas	exijáis
exija	exijan

13   perfecto de subjuntivo

haya exigido	hayamos exigido
hayas exigido	hayáis exigido
haya exigido	hayan exigido

7   imperfecto de subjuntivo

exigiera	exigiéramos
exigieras	exigierais
exigiera	exigieran
OR	
exigiese	exigiésemos
exigieses	exigieseis
exigiese	exigiesen

14   pluscuamperfecto de subjuntivo

hubiera exigido	hubiéramos exigido
hubieras exigido	hubierais exigido
hubiera exigido	hubieran exigido
OR	
hubiese exigido	hubiésemos exigido
hubieses exigido	hubieseis exigido
hubiese exigido	hubiesen exigido

imperativo

—	exijamos
exige; no exijas	exigid; no exijáis
exija	exijan

Words and expressions related to this verb

exigente   exacting, demanding
la exigencia   exigency, requirement
exigible   demanding, payable on demand
exigir el pago   to demand payment

una persona muy exigente   a very demanding
person
exigir algo de buena calidad   to insist upon
something of good quality

Can't recognize an irregular verb form? Check out pages 678–681.

to explain

Regular **-ar** verb endings with spelling change: **c** becomes **qu** before **e**

The Seven Simple Tenses		The Seven Compound Tenses	
Singular	Plural	Singular	Plural
1 presente de indicativo		8 perfecto de indicativo	
explico	explicamos	he explicado	hemos explicado
explicas	explicáis	has explicado	habéis explicado
explica	explican	ha explicado	han explicado
2 imperfecto de indicativo		9 pluscuamperfecto de indicativo	
explicaba	explicábamos	había explicado	habíamos explicado
explicabas	explicabais	habías explicado	habíais explicado
explicaba	explicaban	había explicado	habían explicado
3 pretérito		10 pretérito anterior	
expliqué	explicamos	hube explicado	hubimos explicado
explicaste	explicasteis	hubiste explicado	hubisteis explicado
explicó	explicaron	hubo explicado	hubieron explicado
4 futuro		11 futuro perfecto	
explicaré	explicaremos	habré explicado	habremos explicado
explicarás	explicaréis	habrás explicado	habréis explicado
explicará	explicarán	habrá explicado	habrán explicado
5 potencial simple		12 potencial compuesto	
explicaría	explicaríamos	habría explicado	habríamos explicado
explicarías	explicaríais	habrías explicado	habríais explicado
explicaría	explicarían	habría explicado	habrían explicado
6 presente de subjuntivo		13 perfecto de subjuntivo	
explique	expliquemos	haya explicado	hayamos explicado
expliques	expliquéis	hayas explicado	hayáis explicado
explique	expliquen	haya explicado	hayan explicado
7 imperfecto de subjuntivo		14 pluscuamperfecto de subjuntivo	
explicara	explicáramos	hubiera explicado	hubiéramos explicado
explicaras	explicarais	hubieras explicado	hubierais explicado
explicara	explicaran	hubiera explicado	hubieran explicado
OR		OR	
explicase	explicásemos	hubiese explicado	hubiésemos explicado
explicases	explicaseis	hubieses explicado	hubieseis explicado
explicase	explicasen	hubiese explicado	hubiesen explicado

imperativo

—	expliquemos
explica; no expliques	explicad; no expliquéis
explique	expliquen

Words and expressions related to this verb
una **explicación** explanation
explícito, explícita explicit
explícitamente explicitly

explicativo, explicativa explanatory
pedir explicaciones to ask for an explanation

Check out the verb drills and verb tests with answers explained on pages 45–91.

expresar (235)

Gerundio **expresando**   Part. pas. **expresado**   **expresar (235)**

Regular **-ar** verb   to express

The Seven Simple Tenses		The Seven Compound Tenses	
Singular	Plural	Singular	Plural
1 presente de indicativo		8 perfecto de indicativo	
expreso	expresamos	he expresado	hemos expresado
expresas	expresáis	has expresado	habéis expresado
expresa	expresan	ha expresado	han expresado
2 imperfecto de indicativo		9 pluscuamperfecto de indicativo	
expresaba	expresábamos	había expresado	habíamos expresado
expresabas	expresabais	habías expresado	habíais expresado
expresaba	expresaban	había expresado	habían expresado
3 pretérito		10 pretérito anterior	
expresé	expresamos	hube expresado	hubimos expresado
expresaste	expresasteis	hubiste expresado	hubisteis expresado
expresó	expresaron	hubo expresado	hubieron expresado
4 futuro		11 futuro perfecto	
expresaré	expresaremos	habré expresado	habremos expresado
expresarás	expresaréis	habrás expresado	habréis expresado
expresará	expresarán	habrá expresado	habrán expresado
5 potencial simple		12 potencial compuesto	
expresaría	expresaríamos	habría expresado	habríamos expresado
expresarías	expresaríais	habrías expresado	habríais expresado
expresaría	expresarían	habría expresado	habrían expresado
6 presente de subjuntivo		13 perfecto de subjuntivo	
exprese	expresemos	haya expresado	hayamos expresado
expreses	expreséis	hayas expresado	hayáis expresado
exprese	expresen	haya expresado	hayan expresado
7 imperfecto de subjuntivo		14 pluscuamperfecto de subjuntivo	
expresara	expresáramos	hubiera expresado	hubiéramos expresado
expresaras	expresarais	hubieras expresado	hubierais expresado
expresara	expresaran	hubiera expresado	hubieran expresado
OR		OR	
expresase	expresásemos	hubiese expresado	hubiésemos expresado
expresases	expresaseis	hubieses expresado	hubieseis expresado
expresase	expresasen	hubiese expresado	hubiesen expresado

imperativo

—	expresemos
expresa; no expreses	expresad; no expreséis
exprese	expresen

Words and expressions related to this verb
expresarse to express oneself
una expresión expression, phrase
expresamente expressly, on purpose
expresivamente expressively

el expresionismo expressionism (art)
expreso express (train, etc.)
una expresión idiomática idiomatic expression
expresiones de mi parte regards from me, kindest regards

The subject pronouns are found on page 93.

fabricar (236)

Gerundio fabricando Part. pas. **fabricado**

to fabricate, to manufacture

Regular **-ar** verb endings with spelling change: **c** becomes **qu** before **e**

The Seven Simple Tenses

The Seven Compound Tenses

Singular	Plural	Singular	Plural
1 presente de indicativo		8 perfecto de indicativo	
fabrico	**fabricamos**	**he fabricado**	**hemos fabricado**
fabricas	**fabricáis**	**has fabricado**	**habéis fabricado**
fabrica	**fabrican**	**ha fabricado**	**han fabricado**
2 imperfecto de indicativo		9 pluscuamperfecto de indicativo	
fabricaba	**fabricábamos**	**había fabricado**	**habíamos fabricado**
fabricabas	**fabricabais**	**habías fabricado**	**habíais fabricado**
fabricaba	**fabricaban**	**había fabricado**	**habían fabricado**
3 pretérito		10 pretérito anterior	
fabriqué	**fabricamos**	**hube fabricado**	**hubimos fabricado**
fabricaste	**fabricasteis**	**hubiste fabricado**	**hubisteis fabricado**
fabricó	**fabricaron**	**hubo fabricado**	**hubieron fabricado**
4 futuro		11 futuro perfecto	
fabricaré	**fabricaremos**	**habré fabricado**	**habremos fabricado**
fabricarás	**fabricaréis**	**habrás fabricado**	**habréis fabricado**
fabricará	**fabricarán**	**habrá fabricado**	**habrán fabricado**
5 potencial simple		12 potencial compuesto	
fabricaría	**fabricaríamos**	**habría fabricado**	**habríamos fabricado**
fabricarías	**fabricaríais**	**habrías fabricado**	**habríais fabricado**
fabricaría	**fabricarían**	**habría fabricado**	**habrían fabricado**
6 presente de subjuntivo		13 perfecto de subjuntivo	
fabrique	**fabriquemos**	**haya fabricado**	**hayamos fabricado**
fabriques	**fabriquéis**	**hayas fabricado**	**hayáis fabricado**
fabrique	**fabriquen**	**haya fabricado**	**hayan fabricado**
7 imperfecto de subjuntivo		14 pluscuamperfecto de subjuntivo	
fabricara	**fabricáramos**	**hubiera fabricado**	**hubiéramos fabricado**
fabricaras	**fabricarais**	**hubieras fabricado**	**hubierais fabricado**
fabricara	**fabricaran**	**hubiera fabricado**	**hubieran fabricado**
OR		OR	
fabricase	**fabricásemos**	**hubiese fabricado**	**hubiésemos fabricado**
fabricases	**fabricaseis**	**hubieses fabricado**	**hubieseis fabricado**
fabricase	**fabricasen**	**hubiese fabricado**	**hubiesen fabricado**

imperativo

—	**fabriquemos**
fabrica; no fabriques	**fabricad; no fabriquéis**
fabrique	**fabriquen**

Words and expressions related to this verb

la fábrica factory
la fabricación fabrication, manufacturing
de fabricación casera homemade

el fabricante manufacturer
fabricación en serie mass production
prefabricar to prefabricate

Get acquainted with what preposition goes with what verb on pages 669–677.

Regular **-ar** verb to be lacking, to be wanting, to lack, to miss, to need

The Seven Simple Tenses		The Seven Compound Tenses	
Singular	Plural	Singular	Plural
1 presente de indicativo		8 perfecto de indicativo	
falto	**faltamos**	**he faltado**	**hemos faltado**
faltas	**faltáis**	**has faltado**	**habéis faltado**
falta	**faltan**	**ha faltado**	**han faltado**
2 imperfecto de indicativo		9 pluscuamperfecto de indicativo	
faltaba	**faltábamos**	**había faltado**	**habíamos faltado**
faltabas	**faltabais**	**habías faltado**	**habíais faltado**
faltaba	**faltaban**	**había faltado**	**habían faltado**
3 pretérito		10 pretérito anterior	
falté	**faltamos**	**hube faltado**	**hubimos faltado**
faltaste	**faltasteis**	**hubiste faltado**	**hubisteis faltado**
faltó	**faltaron**	**hubo faltado**	**hubieron faltado**
4 futuro		11 futuro perfecto	
faltaré	**faltaremos**	**habré faltado**	**habremos faltado**
faltarás	**faltaréis**	**habrás faltado**	**habréis faltado**
faltará	**faltarán**	**habrá faltado**	**habrán faltado**
5 potencial simple		12 potencial compuesto	
faltaría	**faltaríamos**	**habría faltado**	**habríamos faltado**
faltarías	**faltaríais**	**habrías faltado**	**habríais faltado**
faltaría	**faltarían**	**habría faltado**	**habrían faltado**
6 presente de subjuntivo		13 perfecto de subjuntivo	
falte	**faltemos**	**haya faltado**	**hayamos faltado**
faltes	**faltéis**	**hayas faltado**	**hayáis faltado**
falte	**falten**	**haya faltado**	**hayan faltado**
7 imperfecto de subjuntivo		14 pluscuamperfecto de subjuntivo	
faltara	**faltáramos**	**hubiera faltado**	**hubiéramos faltado**
faltaras	**faltarais**	**hubieras faltado**	**hubierais faltado**
faltara	**faltaran**	**hubiera faltado**	**hubieran faltado**
OR		OR	
faltase	**faltásemos**	**hubiese faltado**	**hubiésemos faltado**
faltases	**faltaseis**	**hubieses faltado**	**hubieseis faltado**
faltase	**faltasen**	**hubiese faltado**	**hubiesen faltado**

imperativo	
—	**faltemos**
falta; no faltes	**faltad; no faltéis**
falte	**falten**

Common idiomatic expressions using this verb
a falta de for lack of
sin falta without fail, without fault
la falta lack, want
faltante lacking, wanting

¡No faltaba más! That's the limit!
faltar poco para + inf. not to be long before
hacer falta to be necessary
poner faltas a to find fault with

Get your feet wet with verbs used in weather expressions on page 668.

The subject pronouns are found on page 93.

to congratulate, to felicitate   Regular **-ar** verb

The Seven Simple Tenses		The Seven Compound Tenses	
Singular	Plural	Singular	Plural
1 presente de indicativo		8 perfecto de indicativo	
felicito	**felicitamos**	**he felicitado**	**hemos felicitado**
felicitas	**felicitáis**	**has felicitado**	**habéis felicitado**
felicita	**felicitan**	**ha felicitado**	**han felicitado**
2 imperfecto de indicativo		9 pluscuamperfecto de indicativo	
felicitaba	**felicitábamos**	**había felicitado**	**habíamos felicitado**
felicitabas	**felicitabais**	**habías felicitado**	**habíais felicitado**
felicitaba	**felicitaban**	**había felicitado**	**habían felicitado**
3 pretérito		10 pretérito anterior	
felicité	**felicitamos**	**hube felicitado**	**hubimos felicitado**
felicitaste	**felicitasteis**	**hubiste felicitado**	**hubisteis felicitado**
felicitó	**felicitaron**	**hubo felicitado**	**hubieron felicitado**
4 futuro		11 futuro perfecto	
felicitaré	**felicitaremos**	**habré felicitado**	**habremos felicitado**
felicitarás	**felicitaréis**	**habrás felicitado**	**habréis felicitado**
felicitará	**felicitarán**	**habrá felicitado**	**habrán felicitado**
5 potencial simple		12 potencial compuesto	
felicitaría	**felicitaríamos**	**habría felicitado**	**habríamos felicitado**
felicitarías	**felicitaríais**	**habrías felicitado**	**habríais felicitado**
felicitaría	**felicitarían**	**habría felicitado**	**habrían felicitado**
6 presente de subjuntivo		13 perfecto de subjuntivo	
felicite	**felicitemos**	**haya felicitado**	**hayamos felicitado**
felicites	**felicitéis**	**hayas felicitado**	**hayáis felicitado**
felicite	**feliciten**	**haya felicitado**	**hayan felicitado**
7 imperfecto de subjuntivo		14 pluscuamperfecto de subjuntivo	
felicitara	**felicitáramos**	**hubiera felicitado**	**hubiéramos felicitado**
felicitaras	**felicitarais**	**hubieras felicitado**	**hubierais felicitado**
felicitara	**felicitaran**	**hubiera felicitado**	**hubieran felicitado**
OR		OR	
felicitase	**felicitásemos**	**hubiese felicitado**	**hubiésemos felicitado**
felicitases	**felicitaseis**	**hubieses felicitado**	**hubieseis felicitado**
felicitase	**felicitasen**	**hubiese felicitado**	**hubiesen felicitado**

imperativo

—	**felicitemos**
felicita; no felicites	**felicitad; no felicitéis**
felicite	**feliciten**

Words and expressions related to this verb

la felicitación, las felicitaciones
  congratulations
la felicidad   happiness, good fortune
felizmente   happily, fortunately

feliz   happy, fortunate, lucky (*pl.* **felices**)
felice   happy (in poetry)
¡Feliz Año Nuevo!   Happy New Year!
¡Feliz Cumpleaños!   Happy Birthday!

If you want to see a sample English verb fully conjugated in all the tenses, check out pages 11 and 12.

The Seven Simple Tenses		The Seven Compound Tenses	
Singular	Plural	Singular	Plural
1 presente de indicativo		8 perfecto de indicativo	
festejo	**festejamos**	**he festejado**	**hemos festejado**
festejas	**festejáis**	**has festejado**	**habéis festejado**
festeja	**festejan**	**ha festejado**	**han festejado**
2 imperfecto de indicativo		9 pluscuamperfecto de indicativo	
festejaba	**festejábamos**	**había festejado**	**habíamos festejado**
festejabas	**festejabais**	**habías festejado**	**habíais festejado**
fetsejaba	**festejaban**	**había festejado**	**habían festejado**
3 pretérito		10 pretérito anterior	
festejé	**fetejamos**	**hube festejado**	**hubimos festejado**
festejaste	**festejasteis**	**hubiste festejado**	**hubisteis festejado**
festejó	**festejaron**	**hubo festejado**	**hubieron festejado**
4 futuro		11 futuro perfecto	
festejaré	**festejaremos**	**habré festejado**	**habremos festejado**
festejarás	**festejaréis**	**habrás festejado**	**habréis festejado**
festejará	**festejarán**	**habrá festejado**	**habrán festejado**
5 potencial simple		12 potencial compuesto	
festejaría	**festejaríamos**	**habría festejado**	**habríamos festejado**
festejarías	**festejaríais**	**habrías festejado**	**habríais festejado**
festejaría	**festejarían**	**habría festejado**	**habrían festejado**
6 presente de subjuntivo		13 perfecto de subjuntivo	
festeje	**festejemos**	**haya festejado**	**hayamos festejado**
festejes	**festejéis**	**hayas festejado**	**hayáis festejado**
festeje	**festejen**	**haya festejado**	**hayan festejado**
7 imperfecto de subjuntivo		14 pluscuamperfecto de subjuntivo	
festejara	**festejáramos**	**hubiera festejado**	**hubiéramos festejado**
festejaras	**festejarais**	**hubieras festejado**	**hubierais festejado**
festejara	**festejaran**	**hubiera festejado**	**hubieran festejado**
OR		OR	
festejase	**festejásemos**	**hubiese festejado**	**hubiésemos festejado**
festejases	**festejaseis**	**hubieses festejado**	**hubieseis festejado**
festejase	**festejasen**	**hubiese festejado**	**hubiesen festejado**

imperativo

—	**festejemos**
festeja; no festejes	**festejad; no festejéis**
festeje	**festejen**

Words and expressions related to this verb

un festejo   banquet, feast, celebration
una fiesta   feast, holy day, festivity
la Fiesta de la Raza   Columbus Day

la fiesta nacional   national holiday
la fiesta de todos los santos   All Saints' Day
la fiesta de cumpleaños   birthday party

If you want an explanation of meanings and uses of Spanish and
English verb tenses and moods, see pages 13–32.

The subject pronouns are found on page 93.

357

fiar (240)

Gerundio fiando   **Part. pas. fiado**

to confide, to trust

Regular **-ar** verb endings with spelling change: **i** becomes **í** on stressed syllable (see Tenses 1, 6, Imperative)

The Seven Simple Tenses		The Seven Compound Tenses	
Singular	Plural	Singular	Plural
1 presente de indicativo		8 perfecto de indicativo	
fío	fiamos	he fiado	hemos fiado
fías	fiáis	has fiado	habéis fiado
fía	fían	ha fiado	han fiado
2 imperfecto de indicativo		9 pluscuamperfecto de indicativo	
fiaba	fiábamos	había fiado	habíamos fiado
fiabas	fiabais	habías fiado	habíais fiado
fiaba	fiaban	había fiado	habían fiado
3 pretérito		10 pretérito anterior	
fié	fiamos	hube fiado	hubimos fiado
fiaste	fiasteis	hubiste fiado	hubisteis fiado
fió	fiaron	hubo fiado	hubieron fiado
4 futuro		11 futuro perfecto	
fiaré	fiaremos	habré fiado	habremos fiado
fiarás	fiaréis	habrás fiado	habréis fiado
fiará	fiarán	habrá fiado	habrán fiado
5 potencial simple		12 potencial compuesto	
fiaría	fiaríamos	habría fiado	habríamos fiado
fiarías	fiaríais	habrías fiado	habríais fiado
fiaría	fiarían	habría fiado	habrían fiado
6 presente de subjuntivo		13 perfecto de subjuntivo	
fíe	fiemos	haya fiado	hayamos fiado
fíes	fiéis	hayas fiado	hayáis fiado
fíe	fíen	haya fiado	hayan fiado
7 imperfecto de subjuntivo		14 pluscuamperfecto de subjuntivo	
fiara	fiáramos	hubiera fiado	hubiéramos fiado
fiaras	fiarais	hubieras fiado	hubierais fiado
fiara	fiaran	hubiera fiado	hubieran fiado
OR		OR	
fiase	fiásemos	hubiese fiado	hubiésemos fiado
fiases	fiaseis	hubieses fiado	hubieseis fiado
fiase	fiasen	hubiese fiado	hubiesen fiado

	imperativo	
—		fiemos
fía; no fíes		fiad; no fiéis
fíe		fíen

Words and expressions related to this verb

fiarse de   to have confidence in, to trust
la fianza   security, surety, guarantee
al fiado   on credit, on trust
fiable   trustworthy

fiar en   to trust in
comprar al fiado   to buy on credit
en libertad bajo fianza   free on bail
no se fía   no credit

If you don't know the Spanish verb for the English verb you have in mind, look it up in the index on pages 682–706.

Reflexive regular **-ar** verb   to take notice, to pay attention, to settle

The Seven Simple Tenses		The Seven Compound Tenses	
Singular	Plural	Singular	Plural
1 presente de indicativo		8 perfecto de indicativo	
me fijo	nos fijamos	me he fijado	nos hemos fijado
te fijas	os fijáis	te has fijado	os habéis fijado
se fija	se fijan	se ha fijado	se han fijado
2 imperfecto de indicativo		9 pluscuamperfecto de indicativo	
me fijaba	nos fijábamos	me había fijado	nos habíamos fijado
te fijabas	os fijabais	te habías fijado	os habíais fijado
se fijaba	se fijaban	se había fijado	se habían fijado
3 pretérito		10 pretérito anterior	
me fijé	nos fijamos	me hube fijado	nos hubimos fijado
te fijaste	os fijasteis	te hubiste fijado	os hubisteis fijado
se fijó	se fijaron	se hubo fijado	se hubieron fijado
4 futuro		11 futuro perfecto	
me fijaré	nos fijaremos	me habré fijado	nos habremos fijado
te fijarás	os fijaréis	te habrás fijado	os habréis fijado
se fijará	se fijarán	se habrá fijado	se habrán fijado
5 potencial simple		12 potencial compuesto	
me fijaría	nos fijaríamos	me habría fijado	nos habríamos fijado
te fijarías	os fijaríais	te habrías fijado	os habríais fijado
se fijaría	se fijarían	se habría fijado	se habrían fijado
6 presente de subjuntivo		13 perfecto de subjuntivo	
me fije	nos fijemos	me haya fijado	nos hayamos fijado
te fijes	os fijéis	te hayas fijado	os hayáis fijado
se fije	se fijen	se haya fijado	se hayan fijado
7 imperfecto de subjuntivo		14 pluscuamperfecto de subjuntivo	
me fijara	nos fijáramos	me hubiera fijado	nos hubiéramos fijado
te fijaras	os fijarais	te hubieras fijado	os hubierais fijado
se fijara	se fijaran	se hubiera fijado	se hubieran fijado
OR		OR	
me fijase	nos fijásemos	me hubiese fijado	nos hubiésemos fijado
te fijases	os fijaseis	te hubieses fijado	os hubieseis fijado
se fijase	se fijasen	se hubiese fijado	se hubiesen fijado

	imperativo	
—	fijémonos
fíjate; no te fijes	fijaos; no os fijéis
fíjese	fíjense

Words and expressions related to this verb
fijar   to clinch, to fasten, to fix; **fijo**   (when used as an adj.)
fijarse en   to take notice of, to pay attention to, to settle in
hora fija   set time, set hour, time agreed on; **de fijo**   surely
fijamente   fixedly, assuredly; **fijar el precio**   to fix the price
una fija   door hinge; **una fijación**   fixation   PROHIBIDO FIJAR CARTELES POST NO BILLS
la fijación de precios   price fixing

The subject pronouns are found on page 93.

359

fingir (242)

Gerundio **fingiendo**   Part. pas. **fingido**

to feign, to pretend

Regular **-ir** verb endings with spelling change: **g** becomes **j** before **a** or **o**

The Seven Simple Tenses

The Seven Compound Tenses

Singular	Plural
1 presente de indicativo	
finjo	**fingimos**
finges	**fingís**
finge	**fingen**

Singular	Plural
8 perfecto de indicativo	
he fingido	**hemos fingido**
has fingido	**habéis fingido**
ha fingido	**han fingido**

2 imperfecto de indicativo	
fingía	**fingíamos**
fingías	**fingíais**
fingía	**fingían**

9 pluscuamperfecto de indicativo	
había fingido	**habíamos fingido**
habías fingido	**habíais fingido**
había fingido	**habían fingido**

3 pretérito	
fingí	**fingimos**
fingiste	**finisteis**
fingió	**fingieron**

10 pretérito anterior	
hube fingido	**hubimos fingido**
hubiste fingido	**hubisteis fingido**
hubo fingido	**hubieron fingido**

4 futuro	
fingiré	**fingiremos**
fingirás	**fingiréis**
fingirá	**fingirán**

11 futuro perfecto	
habré fingido	**habremos fingido**
habrás fingido	**habréis fingido**
habrá fingido	**habrán fingido**

5 potencial simple	
fingiría	**fingiríamos**
fingirías	**fingiríais**
fingiría	**fingirían**

12 potencial compuesto	
habría fingido	**habríamos fingido**
habrías fingido	**habríais fingido**
habría fingido	**habrían fingido**

6 presente de subjuntivo	
finja	**finjamos**
finjas	**finjáis**
finja	**finjan**

13 perfecto de subjuntivo	
haya fingido	**hayamos fingido**
hayas fingido	**hayáis fingido**
haya fingido	**hayan fingido**

7 imperfecto de subjuntivo	
fingiera	**fingiéramos**
fingieras	**fingierais**
fingiera	**fingieran**
OR	
fingiese	**fingiésemos**
fingieses	**fingieseis**
fingiese	**fingiesen**

14 pluscuamperfecto de subjuntivo	
hubiera fingido	**hubiéramos fingido**
hubieras fingido	**hubierais fingido**
hubiera fingido	**hubieran fingido**
OR	
hubiese fingido	**hubiésemos fingido**
hubieses fingido	**hubieseis fingido**
hubiese fingido	**hubiesen fingido**

imperativo

—	**finjamos**
finge; no finjas	**fingid; no finjáis**
finja	**finjan**

Words and expressions related to this verb
fingir + inf.   to pretend + inf.
el fingimiento   deceit, pretense, feigning
un fingidor, una fingidora   faker, feigner
fingidamente   fictitiously
fingir sorpresa   to fake surprise

fingirse amigos   to pretend to be friends
nombre fingido   assumed (fake) name
fingir alegría   to fake happiness

Can't recognize an irregular verb form? Check out pages 678–681.

Regular **-ar** verb   to sign

The Seven Simple Tenses		The Seven Compound Tenses	
Singular	Plural	Singular	Plural
1 presente de indicativo		8 perfecto de indicativo	
firmo	**firmamos**	**he firmado**	**hemos firmado**
firmas	**firmáis**	**has firmado**	**habéis firmado**
firma	**firman**	**ha firmado**	**han firmado**
2 imperfecto de indicativo		9 pluscuamperfecto de indicativo	
firmaba	**firmábamos**	**había firmado**	**habíamos firmado**
firmabas	**firmabais**	**habías firmado**	**habíais firmado**
firmaba	**firmaban**	**había firmado**	**habían firmado**
3 pretérito		10 pretérito anterior	
firmé	**firmamos**	**hube firmado**	**hubimos firmado**
firmaste	**firmasteis**	**hubiste firmado**	**hubisteis firmado**
firmó	**firmaron**	**hubo firmado**	**hubieron firmado**
4 futuro		11 futuro perfecto	
firmaré	**firmaremos**	**habré firmado**	**habremos firmado**
firmarás	**firmaréis**	**habrás firmado**	**habréis firmado**
firmará	**firmarán**	**habrá firmado**	**habrán firmado**
5 potencial simple		12 potencial compuesto	
firmaría	**firmaríamos**	**habría firmado**	**habríamos firmado**
firmarías	**firmaríais**	**habrías firmado**	**habríais firmado**
firmaría	**firmarían**	**habría firmado**	**habrían firmado**
6 presente de subjuntivo		13 perfecto de subjuntivo	
firme	**firmemos**	**haya firmado**	**hayamos firmado**
firmes	**firméis**	**hayas firmado**	**hayáis firmado**
firme	**firmen**	**haya firmado**	**hayan firmado**
7 imperfecto de subjuntivo		14 pluscuamperfecto de subjuntivo	
firmara	**firmáramos**	**hubiera firmado**	**hubiéramos firmado**
firmaras	**firmarais**	**hubieras firmado**	**hubierais firmado**
firmara	**firmaran**	**hubiera firmado**	**hubieran firmado**
OR		OR	
firmase	**firmásemos**	**hubiese firmado**	**hubiésemos firmado**
firmases	**firmaseis**	**hubieses firmado**	**hubieseis firmado**
firmase	**firmasen**	**hubiese firmado**	**hubiesen firmado**

imperativo

—	**firmemos**
firma; no firmes	**firmad; no firméis**
firme	**firmen**

Words and expressions related to this verb
firmar y sellar   to sign and seal
el, la firmante   signer
confirmar   to confirm

de firme   steadily
en lo firme   in the right
color firme   fast color

Check out the verb drills and verb tests with answers explained on pages 45–91.

The subject pronouns are found on page 93.

formar (244)
to form, to shape

Gerundio **formando**   Part. pas. **formado**

The Seven Simple Tenses		The Seven Compound Tenses	
Singular	Plural	Singular	Plural
1 presente de indicativo		**8 perfecto de indicativo**	
formo	formamos	he formado	hemos formado
formas	formáis	has formado	habéis formado
forma	forman	ha formado	han formado
2 imperfecto de indicativo		**9 pluscuamperfecto de indicativo**	
formaba	formábamos	había formado	habíamos formado
formabas	formabais	habías formado	habíais formado
formaba	formaban	había formado	habían formado
3 pretérito		**10 pretérito anterior**	
formé	formamos	hube formado	hubimos formado
formaste	formasteis	hubiste formado	hubisteis formado
formó	formaron	hubo formado	hubieron formado
4 futuro		**11 futuro perfecto**	
formaré	formaremos	habré formado	habremos formado
formarás	formaréis	habrás formado	habréis formado
formará	formarán	habrá formado	habrán formado
5 potencial simple		**12 potencial compuesto**	
formaría	formaríamos	habría formado	habríamos formado
formarías	formaríais	habrías formado	habríais formado
formaría	formarían	habría formado	habrían formado
6 presente de subjuntivo		**13 perfecto de subjuntivo**	
forme	formemos	haya formado	hayamos formado
formes	forméis	hayas formado	hayáis formado
forme	formen	haya formado	hayan formado
7 imperfecto de subjuntivo		**14 pluscuamperfecto de subjuntivo**	
formara	formáramos	hubiera formado	hubiéramos formado
formaras	formarais	hubieras formado	hubierais formado
formara	formaran	hubiera formado	hubieran formado
OR		OR	
formase	formásemos	hubiese formado	hubiésemos formado
formases	formaseis	hubieses formado	hubieseis formado
formase	formasen	hubiese formado	hubiesen formado

	imperativo	
—		formemos
forma; no formes		formad; no forméis
forme		formen

Words and expressions related to this verb

formativo, formativa formative
formante forming
transformar to transform
la forma form, shape
de esta forma in this way

la formación formation
formalmente formally
la formalidad formality
de forma que . . . so that . . .
de una forma o de otra somehow or other, one way or another

Regular **-ar** verb endings with stem change: to wash dishes, to scrub
Tenses 1, 6, Imperative

The Seven Simple Tenses		The Seven Compound Tenses	
Singular	Plural	Singular	Plural
1 presente de indicativo		8 perfecto de indicativo	
friego	fregamos	he fregado	hemos fregado
friegas	fregáis	has fregado	habéis fregado
friega	friegan	ha fregado	han fregado
2 imperfecto de indicativo		9 pluscuamperfecto de indicativo	
fregaba	fregábamos	había fregado	habíamos fregado
fregabas	fregabais	habías fregado	habíais fregado
fregaba	fregaban	había fregado	habían fregado
3 pretérito		10 pretérito anterior	
fregué	fregamos	hube fregado	hubimos fregado
fregaste	fregasteis	hubiste fregado	hubisteis fregado
fregó	fregaron	hubo fregado	hubieron fregado
4 futuro		11 futuro perfecto	
fregaré	fregaremos	habré fregado	habremos fregado
fregarás	fregaréis	habrás fregado	habréis fregado
fregará	fregarán	habrá fregado	habrán fregado
5 potencial simple		12 potencial compuesto	
fregaría	fregaríamos	habría fregado	habríamos fregado
fregarías	fregaríais	habrías fregado	habríais fregado
fregaría	fregarían	habría fregado	habrían fregado
6 presente de subjuntivo		13 perfecto de subjuntivo	
friegue	freguemos	haya fregado	hayamos fregado
friegues	freguéis	hayas fregado	hayáis fregado
friegue	frieguen	haya fregado	hayan fregado
7 imperfecto de subjuntivo		14 pluscuamperfecto de subjuntivo	
fregara	fregáramos	hubiera fregado	hubiéramos fregado
fregaras	fregarais	hubieras fregado	hubierais fregado
fregara	fregaran	hubiera fregado	hubieran fregado
OR		OR	
fregase	fregásemos	hubiese fregado	hubiésemos fregado
fregases	fregaseis	hubieses fregado	hubieseis fregado
fregase	fregasen	hubiese fregado	hubiesen fregado

imperativo	
—	freguemos
friega; no friegues	fregad; no freguéis
friegue	frieguen

Words and expressions related to this verb
el fregador   sink; dish mop, scrubbing brush
el fregadero   kitchen sink

la fregadura   scouring, mopping, scrubbing
refregar   to rub; **el refregamiento**   rubbing, scrubbing

Can't recognize an irregular verb form? Check out pages 678–681.

The subject pronouns are found on page 93.

The Seven Simple Tenses		The Seven Compound Tenses	
Singular	Plural	Singular	Plural
1 presente de indicativo		8 perfecto de indicativo	
frío	freímos	he frito	hemos frito
fríes	freís	has frito	habéis frito
fríe	fríen	ha frito	han frito
2 imperfecto de indicativo		9 pluscuamperfecto de indicativo	
freía	freíamos	había frito	habíamos frito
freías	freíais	habías frito	habíais frito
freía	freían	había frito	habían frito
3 pretérito		10 pretérito anterior	
freí	freímos	hube frito	hubimos frito
freíste	freísteis	hubiste frito	hubisteis frito
frió	frieron	hubo frito	hubieron frito
4 futuro		11 futuro perfecto	
freiré	freiremos	habré frito	habremos frito
freirás	freiréis	habrás frito	habréis frito
freirá	freirán	habrá frito	habrán frito
5 potencial simple		12 potencial compuesto	
freiría	freiríamos	habría frito	habríamos frito
freirías	freiríais	habrías frito	habríais frito
freiría	freirían	habría frito	habrían frito
6 presente de subjuntivo		13 perfecto de subjuntivo	
fría	friamos	haya frito	hayamos frito
frías	friáis	hayas frito	hayáis frito
fría	frían	haya frito	hayan frito
7 imperfecto de subjuntivo		14 pluscuamperfecto de subjuntivo	
friera	friéramos	hubiera frito	hubiéramos frito
frieras	frierais	hubieras frito	hubierais frito
friera	frieran	hubiera frito	hubieran frito
OR		OR	
friese	friésemos	hubiese frito	hubiésemos frito
frieses	frieseis	hubieses frito	hubieseis frito
friese	friesen	hubiese frito	hubiesen frito

	imperativo	
—	friamos
fríe; no frías	freíd; no friáis
fría	frían

Words and expressions related to this verb

patatas fritas   fried potatoes, French fries
patatas fritas a la inglesa   potato chips
las fritillas   fritters
frito, frita   fried

la fritada   fried food
la fritura   fry
el pescado frito   fried fish
los huevos fritos   fried eggs

Can't find the verb you're looking for?
Check the back pages of this book for a list of over 2,100 additional verbs!

Regular **-ar** verb   to smoke

The Seven Simple Tenses	The Seven Compound Tenses

Singular	Plural	Singular	Plural
1 presente de indicativo		8 perfecto de indicativo	
fumo	fumamos	he fumado	hemos fumado
fumas	fumáis	has fumado	habéis fumado
fuma	fuman	ha fumado	han fumado
2 imperfecto de indicativo		9 pluscuamperfecto de indicativo	
fumaba	fumábamos	había fumado	habíamos fumado
fumabas	fumabais	habías fumado	habíais fumado
fumaba	fumaban	había fumado	habían fumado
3 pretérito		10 pretérito anterior	
fumé	fumamos	hube fumado	hubimos fumado
fumaste	fumasteis	hubiste fumado	hubisteis fumado
fumó	fumaron	hubo fumado	hubieron fumado
4 futuro		11 futuro perfecto	
fumaré	fumaremos	habré fumado	habremos fumado
fumarás	fumaréis	habrás fumado	habréis fumado
fumará	fumarán	habrá fumado	habrán fumado
5 potencial simple		12 potencial compuesto	
fumaría	fumaríamos	habría fumado	habríamos fumado
fumarías	fumaríais	habrías fumado	habríais fumado
fumaría	fumarían	habría fumado	habrían fumado
6 presente de subjuntivo		13 perfecto de subjuntivo	
fume	fumemos	haya fumado	hayamos fumado
fumes	fuméis	hayas fumado	hayáis fumado
fume	fumen	haya fumado	hayan fumado
7 imperfecto de subjuntivo		14 pluscuamperfecto de subjuntivo	
fumara	fumáramos	hubiera fumado	hubiéramos fumado
fumaras	fumarais	hubieras fumado	hubierais fumado
fumara	fumaran	hubiera fumado	hubieran fumado
OR		OR	
fumase	fumásemos	hubiese fumado	hubiésemos fumado
fumases	fumaseis	hubieses fumado	hubieseis fumado
fumase	fumasen	hubiese fumado	hubiesen fumado

imperativo

—	fumemos
fuma; no fumes	fumad; no fuméis
fume	fumen

Words and expressions related to this verb
un fumador, una fumadora   smoker
una fumada, una fumarada   puff of smoke
fumar como una chimenea   to smoke like
   a chimney

un fumadero   smoking room
SE PROHIBE FUMAR   NO SMOKING
fumarse una clase   to cut (skip) a class

Fumar no es bueno para la salud/Smoking is not good for one's health.
   (see page 8, *Spanish infinitive and its principal uses*)

The subject pronouns are found on page 93.
                                                                    365

Gerundio **funcionando**   Part. pas. **funcionado**

to function, to run (machine)   Regular **-ar** verb

The Seven Simple Tenses		The Seven Compound Tenses	
Singular	Plural	Singular	Plural
1 presente de indicativo		8 perfecto de indicativo	
funciono	funcionamos	he funcionado	hemos funcionado
funcionas	funcionáis	has funcionado	habéis funcionado
funciona	funcionan	ha funcionado	han funcionado
2 imperfecto de indicativo		9 pluscuamperfecto de indicativo	
funcionaba	funcionábamos	había funcionado	habíamos funcionado
funcionabas	funcionabais	habías funcionado	habíais funcionado
funcionaba	funcionaban	había funcionado	habían funcionado
3 pretérito		10 pretérito anterior	
funcioné	funcionamos	hube funcionado	hubimos funcionado
funcionaste	funcionasteis	hubiste funcionado	hubisteis funcionado
funcionó	funcionaron	hubo funcionado	hubieron funcionado
4 futuro		11 futuro perfecto	
funcionaré	funcionaremos	habré funcionado	habremos funcionado
funcionarás	funcionaréis	habrás funcionado	habréis funcionado
funcionará	funcionarán	habrá funcionado	habrán funcionado
5 potencial simple		12 potencial compuesto	
funcionaría	funcionaríamos	habría funcionado	habríamos funcionado
funcionarías	funcionaríais	habrías funcionado	habríais funcionado
funcionaría	funcionarían	habría funcionado	habrían funcionado
6 presente de subjuntivo		13 perfecto de subjuntivo	
funcione	funcionemos	haya funcionado	hayamos funcionado
funciones	funcionéis	hayas funcionado	hayáis funcionado
funcione	funcionen	haya funcionado	hayan funcionado
7 imperfecto de subjuntivo		14 pluscuamperfecto de subjuntivo	
funcionara	funcionáramos	hubiera funcionado	hubiéramos funcionado
funcionaras	funcionarais	hubieras funcionado	hubierais funcionado
funcionara	funcionaran	hubiera funcionado	hubieran funcionado
OR		OR	
funcionase	funcionásemos	hubiese funcionado	hubiésemos funcionado
funcionases	funionaseis	hubieses funcionado	hubieseis funcionado
funcionase	funcionasen	hubiese funcionado	hubiesen funcionado

	imperativo
—	funcionemos
funciona; no funciones	funcionad; no funcionéis
funcione	funcionen

Words and expressions related to this verb
una función   function
función de títeres   puppet show
un funcionario de aduanas   customs official
el funcionado, la funcionada   civil servant
un funcionario público   public official

If you want to see a sample English verb fully conjugated in
all the tenses, check out pages 11 and 12.

The Seven Simple Tenses		The Seven Compound Tenses	
Singular	Plural	Singular	Plural
1 presente de indicativo		8 perfecto de indicativo	
gano	ganamos	he ganado	hemos ganado
ganas	ganáis	has ganado	habéis ganado
gana	ganan	ha ganado	han ganado
2 imperfecto de indicativo		9 pluscuamperfecto de indicativo	
ganaba	ganábamos	había ganado	habíamos ganado
ganabas	ganabais	habías ganado	habíais ganado
ganaba	ganaban	había ganado	habían ganado
3 pretérito		10 pretérito anterior	
gané	ganamos	hube ganado	hubimos ganado
ganaste	ganasteis	hubiste ganado	hubisteis ganado
ganó	ganaron	hubo ganado	hubieron ganado
4 futuro		11 futuro perfecto	
ganaré	ganaremos	habré ganado	habremos ganado
ganarás	ganaréis	habrás ganado	habréis ganado
ganará	ganarán	habrá ganado	habrán ganado
5 potencial simple		12 potencial compuesto	
ganaría	ganaríamos	habría ganado	habríamos ganado
ganarías	ganaríais	habrías ganado	habríais ganado
ganaría	ganarían	habría ganado	habrían ganado
6 presente de subjuntivo		13 perfecto de subjuntivo	
gane	ganemos	haya ganado	hayamos ganado
ganes	ganéis	hayas ganado	hayáis ganado
gane	ganen	haya ganado	hayan ganado
7 imperfecto de subjuntivo		14 pluscuamperfecto de subjuntivo	
ganara	ganáramos	hubiera ganado	hubiéramos ganado
ganaras	ganarais	hubieras ganado	hubierais ganado
ganara	ganaran	hubiera ganado	hubieran ganado
OR		OR	
ganase	ganásemos	hubiese ganado	hubiésemos ganado
ganases	ganaseis	hubieses ganado	hubieseis ganado
ganase	ganasen	hubiese ganado	hubiesen ganado

G

	imperativo	
—	ganemos	
gana; no ganes	ganad; no ganéis	
gane	ganen	

Words and expressions related to this verb

ganar el pan, ganar la vida   to earn a living
la ganancia   profit, gain
ganador, ganadora   winner
ganar dinero   to earn (make) money
ganar a uno en inteligencia   to surpass
   someone in intelligence

desganar   to dissuade
desganarse   to lose one's appetite; to be bored
ganar el premio gordo   to win first prize
ir ganando   to be winning, to be in the lead

The subject pronouns are found on page 93.

to spend (money), to wear out, to waste Regular **-ar** verb

The Seven Simple Tenses		The Seven Compound Tenses	
Singular	Plural	Singular	Plural
1 presente de indicativo		8 perfecto de indicativo	
gasto	gastamos	he gastado	hemos gastado
gastas	gastáis	has gastado	habéis gastado
gasta	gastan	ha gastado	han gastado
2 imperfecto de indicativo		9 pluscuamperfecto de indicativo	
gastaba	gastábamos	había gastado	habíamos gastado
gastabas	gastabais	habías gastado	habíais gastado
gastaba	gastaban	había gastado	habían gastado
3 pretérito		10 pretérito anterior	
gasté	gastamos	hube gastado	hubimos gastado
gastaste	gastasteis	hubiste gastado	hubisteis gastado
gastó	gastaron	hubo gastado	hubieron gastado
4 futuro		11 futuro perfecto	
gastaré	gastaremos	habré gastado	habremos gastado
gastarás	gastaréis	habrás gastado	habréis gastado
gastará	gastarán	habrá gastado	habrán gastado
5 potencial simple		12 potencial compuesto	
gastaría	gastaríamos	habría gastado	habríamos gastado
gastarías	gastaríais	habrías gastado	habríais gastado
gastaría	gastarían	habría gastado	habrían gastado
6 presente de subjuntivo		13 perfecto de subjuntivo	
gaste	gastemos	haya gastado	hayamos gastado
gastes	gastéis	hayas gastado	hayáis gastado
gaste	gasten	haya gastado	hayan gastado
7 imperfecto de subjuntivo		14 pluscuamperfecto de subjuntivo	
gastara	gastáramos	hubiera gastado	hubiéramos gastado
gastaras	gastarais	hubieras gastado	hubierais gastado
gastara	gastaran	hubiera gastado	hubieran gastado
OR		OR	
gastase	gastásemos	hubiese gastado	hubiésemos gastado
gastases	gastaseis	hubieses gastado	hubieseis gastado
gastase	gastasen	hubiese gastado	hubiesen gastado

imperativo	
—	gastemos
gasta; no gastes	gastad; no gastéis
gaste	gasten

Words and expressions related to this verb

el gasto   expense, expenditure
cubrir gastos   to cover expenses
un gastador, una gastadora   spendthrift, wasteful
pagar los gastos   to foot the bill, to pay the tab
malgastar   to squander, misspend, waste

gastar el tiempo   to waste time
con poco gasto   at little cost (expense)
el dinero para gastos menudos   pocket money

Use **gastar** when you spend money: **No me gusta gastar mucho dinero.**/I do not like to spend much money. (See **passar**.)

Regular **-ir** verb endings with stem change: to grieve, to groan,
Tenses 1, 3, 6, 7, Imperative, Gerundio   to moan, to howl

The Seven Simple Tenses		The Seven Compound Tenses	
Singular	Plural	Singular	Plural
1 presente de indicativo		8 perfecto de indicativo	
gimo	gemimos	he gemido	hemos gemido
gimes	gemís	has gemido	habéis gemido
gime	gimen	ha gemido	han gemido
2 imperfecto de indicativo		9 pluscuamperfecto de indicativo	
gemía	gemíamos	había gemido	habíamos gemido
gemías	gemíais	habías gemido	habíais gemido
gemía	gemían	había gemido	habían gemido
3 pretérito		10 pretérito anterior	
gemí	gemimos	hube gemido	hubimos gemido
gemiste	gemisteis	hubiste gemido	hubisteis gemido
gimió	gimieron	hubo gemido	hubieron gemido
4 futuro		11 futuro perfecto	
gemiré	gemiremos	habré gemido	habremos gemido
gemirás	gemiréis	habrás gemido	habréis gemido
gemirá	gemirán	habrá gemido	habrán gemido
5 potencial simple		12 potencial compuesto	
gemiría	gemiríamos	habría gemido	habríamos gemido
gemirías	gemiríais	habrías gemido	habríais gemido
gemiría	gemirían	habría gemido	habrían gemido
6 presente de subjuntivo		13 perfecto de subjuntivo	
gima	gimamos	haya gemido	hayamos gemido
gimas	gimáis	hayas gemido	hayáis gemido
gima	giman	haya gemido	hayan gemido
7 ′imperfecto de subjuntivo		14 pluscuamperfecto de subjuntivo	
gimiera	gimiéramos	hubiera gemido	hubiéramos gemido
gimieras	gimierais	hubieras gemido	hubierais gemido
gimiera	gimieran	hubiera gemido	hubieran gemido
OR		OR	
gimiese	gimiésemos	hubiese gemido	hubiésemos gemido
gimieses	gimieseis	hubieses gemido	hubieseis gemido
gimiese	gimiesen	hubiese gemido	hubiesen gemido

G

imperativo	
—	gimamos
gime; no gimas	gemid; no gimáis
gima	giman

Words related to this verb
gemidor, gemidora lamenter, griever   **gemiquear** to whine, to blubber
el gemido lamentation, howl, groan, moan   **el gemiqueo** whining, blubbering

Don't miss the definitions of basic grammatical terms with examples
in English and Spanish on pages 33–44.

The subject pronouns are found on page 93.

gobernar (252)
to govern, to rule

Gerundio gobernando **Part. pas. gobernado**

Regular **-ar** verb endings with stem change:
Tenses 1, 6, Imperative

The Seven Simple Tenses		The Seven Compound Tenses	
Singular	Plural	Singular	Plural
1 presente de indicativo		**8 perfecto de indicativo**	
gobierno	gobernamos	he gobernado	hemos gobernado
gobiernas	gobernáis	has gobernado	habéis gobernado
gobierna	gobiernan	ha gobernado	han gobernado
2 imperfecto de indicativo		**9 pluscuamperfecto de indicativo**	
gobernaba	gobernábamos	había gobernado	habíamos gobernado
gobernabas	gobernabais	habías gobernado	habíais gobernado
gobernaba	gobernaban	había gobernado	habían gobernado
3 pretérito		**10 pretérito anterior**	
goberné	gobernamos	hube gobernado	hubimos gobernado
gobernaste	gobernasteis	hubiste gobernado	hubisteis gobernado
gobernó	gobernaron	hubo gobernado	hubieron gobernado
4 futuro		**11 futuro perfecto**	
gobernaré	gobernaremos	habré gobernado	habremos gobernado
gobernarás	gobernaréis	habrás gobernado	habréis gobernado
gobernará	gobernarán	habrá gobernado	habrán gobernado
5 potencial simple		**12 potencial compuesto**	
gobernaría	gobernaríamos	habría gobernado	habríamos gobernado
gobernarías	gobernaríais	habrías gobernado	habríais gobernado
gobernaría	gobernarían	habría gobernado	habrían gobernado
6 presente de subjuntivo		**13 perfecto de subjuntivo**	
gobierne	gobernemos	haya gobernado	hayamos gobernado
gobiernes	gobernéis	hayas gobernado	hayáis gobernado
gobierne	gobiernen	haya gobernado	hayan gobernado
7 imperfecto de subjuntivo		**14 pluscuamperfecto de subjuntivo**	
gobernara	gobernáramos	hubiera gobernado	hubiéramos gobernado
gobernaras	gobernarais	hubieras gobernado	hubierais gobernado
gobernara	gobernaran	hubiera gobernado	hubieran gobernado
OR		OR	
gobernase	gobernásemos	hubiese gobernado	hubiésemos gobernado
gobernases	gobernaseis	hubieses gobernado	hubieseis gobernado
gobernase	gobernasen	hubiese gobernado	hubiesen gobernado

imperativo	
—	gobernemos
gobierna; no gobiernes	gobernad; no gobernéis
gobierne	gobiernen

Words and expressions related to this verb

un gobernador, una gobernadora   governor
el gobierno   government
el gobierno central   central government
el gobierno de la casa   home management,
  housekeeping

un gobierno fantoche   puppet government
la gobernación   governing
el gobierno parlamentario   parliamentary
  government
el gobierno militar   military government

Regular **-ar** verb endings with spelling change: to enjoy
z becomes **c** before **e**

The Seven Simple Tenses		The Seven Compound Tenses	

Singular	Plural	Singular	Plural
1 presente de indicativo		8 perfecto de indicativo	
gozo	gozamos	he gozado	hemos gozado
gozas	gozáis	has gozado	habéis gozado
goza	gozan	ha gozado	han gozado
2 imperfecto de indicativo		9 pluscuamperfecto de indicativo	
gozaba	gozábamos	había gozado	habíamos gozado
gozabas	gozabais	habías gozado	habíais gozado
gozaba	gozaban	había gozado	habían gozado
3 pretérito		10 pretérito anterior	
gocé	gozamos	hube gozado	hubimos gozado
gozaste	gozasteis	hubiste gozado	hubisteis gozado
gozó	gozaron	hubo gozado	hubieron gozado
4 futuro		11 futuro perfecto	
gozaré	gozaremos	habré gozado	habremos gozado
gozarás	gozaréis	habrás gozado	habréis gozado
gozará	gozarán	habrá gozado	habrán gozado
5 potencial simple		12 potencial compuesto	
gozaría	gozaríamos	habría gozado	habríamos gozado
gozarías	gozaríais	habrías gozado	habríais gozado
gozaría	gozarían	habría gozado	habrían gozado
6 presente de subjuntivo		13 perfecto de subjuntivo	
goce	gocemos	haya gozado	hayamos gozado
goces	gocéis	hayas gozado	hayáis gozado
goce	gocen	haya gozado	hayan gozado
7 imperfecto de subjuntivo		14 pluscuamperfecto de subjuntivo	
gozara	gozáramos	hubiera gozado	hubiéramos gozado
gozaras	gozarais	hubieras gozado	hubierais gozado
gozara	gozaran	hubiera gozado	hubieran gozado
OR		OR	
gozase	gozásemos	hubiese gozado	hubiésemos gozado
gozases	gozaseis	hubieses gozado	hubieseis gozado
gozase	gozasen	hubiese gozado	hubiesen gozado

imperativo

—	gocemos
goza; no goces	gozad; no gocéis
goce	gocen

Words and expressions related to this verb

el goce   enjoyment
gozador, gozadora, gozante   enjoyer
el gozo   joy, pleasure
saltar de gozo   to jump with joy
gozosamente   joyfully

gozarla   to have a good time
gozar de buena salud   to enjoy good health
gozoso, gozosa   joyful

The subject pronouns are found on page 93.

gritar (254)

Gerundio gritando

Part. pas. gritado

to shout, to scream, to shriek, to cry out

The Seven Simple Tenses		The Seven Compound Tenses	
Singular	Plural	Singular	Plural
1 presente de indicativo		**8 perfecto de indicativo**	
grito	gritamos	he gritado	hemos gritado
gritas	gritáis	has gritado	habéis gritado
grita	gritan	ha gritado	han gritado
2 imperfecto de indicativo		**9 pluscuamperfecto de indicativo**	
gritaba	gritábamos	había gritado	habíamos gritado
gritabas	gritabais	habías gritado	habíais gritado
gritaba	gritaban	había gritado	habían gritado
3 pretérito		**10 pretérito anterior**	
grité	gritamos	hube gritado	hubimos gritado
gritaste	gritasteis	hubiste gritado	hubisteis gritado
gritó	gritaron	hubo gritado	hubieron gritado
4 futuro		**11 futuro perfecto**	
gritaré	gritaremos	habré gritado	habremos gritado
gritarás	gritaréis	habrás gritado	habréis gritado
gritará	gritarán	habrá gritado	habrán gritado
5 potencial simple		**12 potencial compuesto**	
gritaría	gritaríamos	habría gritado	habríamos gritado
gritarías	gritaríais	habrías gritado	habríais gritado
gritaría	gritarían	habría gritado	habrían gritado
6 presente de subjuntivo		**13 perfecto de subjuntivo**	
grite	gritemos	haya gritado	hayamos gritado
grites	gritéis	hayas gritado	hayáis gritado
grite	griten	haya gritado	hayan gritado
7 imperfecto de subjuntivo		**14 pluscuamperfecto de subjuntivo**	
gritara	gritáramos	hubiera gritado	hubiéramos gritado
gritaras	gritarais	hubieras gritado	hubierais gritado
gritara	gritaran	hubiera gritado	hubieran gritado
OR		OR	
gritase	gritásemos	hubiese gritado	hubiésemos gritado
gritases	gritaseis	hubieses gritado	hubieseis gritado
gritase	gritasen	hubiese gritado	hubiesen gritado

imperativo	
—	gritemos
grita; no grites	gritad; no gritéis
grite	griten

Words and expressions related to this verb

el grito   cry, scream, shout
a gritos   at the top of one's voice, loudly
la grita, la gritería   outcry, shouting

un gritón, una gritona   screamer
dar grita a   to hoot at
gritar a un actor   to boo an actor

Can't remember the Spanish verb you need?
Check the back pages of this book for the English-Spanish verb index!

Regular **-ir** verb endings in all tenses
except Tenses 3 and 7; Note present participle

to grumble, to grunt,
to growl, to creak

The Seven Simple Tenses		The Seven Compound Tenses	
Singular	Plural	Singular	Plural
1 presente de indicativo		8 perfecto de indicativo	
gruño	gruñimos	he gruñido	hemos gruñido
gruñes	gruñís	has gruñido	habéis gruñido
gruñe	gruñen	ha gruñido	han gruñido
2 imperfecto de indicativo		9 pluscuamperfecto de indicativo	
gruñía	gruñíamos	había gruñido	habíamos gruñido
gruñías	gruñíais	habías gruñido	habíais gruñido
gruñía	gruñían	había gruñido	habían gruñido
3 pretérito		10 pretérito anterior	
gruñí	gruñimos	hube gruñido	hubimos gruñido
gruñiste	gruñisteis	hubiste gruñido	hubisteis gruñido
gruñó	gruñeron	hubo gruñido	hubieron gruñido
4 futuro		11 futuro perfecto	
gruñiré	gruñiremos	habré gruñido	habremos gruñido
gruñirás	gruñiréis	habrás gruñido	habréis gruñido
gruñirá	gruñirán	habrá gruñido	habrán gruñido
5 potencial simple		12 potencial compuesto	
gruñiría	gruñiríamos	habría gruñido	habríamos gruñido
gruñirías	gruñiríais	habrías gruñido	habríais gruñido
gruñiría	gruñirían	habría gruñido	habrían gruñido
6 presente de subjuntivo		13 perfecto de subjuntivo	
gruña	gruñamos	haya gruñido	hayamos gruñido
gruñas	gruñáis	hayas gruñido	hayáis gruñido
gruña	gruñan	haya gruñido	hayan gruñido
7 imperfecto de subjuntivo		14 pluscuamperfecto de subjuntivo	
gruñera	gruñéramos	hubiera gruñido	hubiéramos gruñido
gruñeras	gruñerais	hubieras gruñido	hubierais gruñido
gruñera	gruñeran	hubiera gruñido	hubieran gruñido
OR		OR	
gruñese	gruñésemos	hubiese gruñido	hubiésemos gruñido
gruñeses	gruñeseis	hubieses gruñido	hubieseis gruñido
gruñese	gruñesen	hubiese gruñido	hubiesen gruñido

	imperativo	
—		gruñamos
gruñe; no gruñas		gruñid; no gruñáis
gruña		gruñan

Words related to this verb
gruñón, gruñona   cranky, grumpy, grouchy
el gruñido, el gruñimiento   grunting, grunt, growling, growl
gruñidor, gruñidora   growler, grumbler

Use the guide to Spanish pronunciation on pages 665–667.

to lead, to guide   Regular **-ar** verb endings with spelling change: **i** becomes
í on stressed syllable (see Tenses 1, 6, Imperative)

The Seven Simple Tenses		The Seven Compound Tenses	
Singular	Plural	Singular	Plural
1 presente de indicativo		8 perfecto de indicativo	
guío	**guiamos**	**he guiado**	**hemos guiado**
guías	**guiáis**	**has guiado**	**habéis guiado**
guía	**guían**	**ha guiado**	**han guiado**
2 imperfecto de indicativo		9 pluscuamperfecto de indicativo	
guiaba	**guiábamos**	**había guiado**	**habíamos guiado**
guiabas	**guiabais**	**habías guiado**	**habíais guiado**
guiaba	**guiaban**	**había guiado**	**habían guiado**
3 pretérito		10 pretérito anterior	
guié	**guiamos**	**hube guiado**	**hubimos guiado**
guiaste	**guiasteis**	**hubiste guiado**	**hubisteis guiado**
guió	**guiaron**	**hubo guiado**	**hubieron guiado**
4 futuro		11 futuro perfecto	
guiaré	**guiaremos**	**habré guiado**	**habremos guiado**
guiarás	**guiaréis**	**habrás guiado**	**habréis guiado**
guiará	**guiarán**	**habrá guiado**	**habrán guiado**
5 potencial simple		12 potencial compuesto	
guiaría	**guiaríamos**	**habría guiado**	**habríamos guiado**
guiarías	**guiaríais**	**habrías guiado**	**habríais guiado**
guiaría	**guiarían**	**habría guiado**	**habrían guiado**
6 presente de subjuntivo		13 perfecto de subjuntivo	
guíe	**guiemos**	**haya guiado**	**hayamos guiado**
guíes	**guiéis**	**hayas guiado**	**hayáis guiado**
guíe	**guíen**	**haya guiado**	**hayan guiado**
7 imperfecto de subjuntivo		14 pluscuamperfecto de subjuntivo	
guiara	**guiáramos**	**hubiera guiado**	**hubiéramos guiado**
guiaras	**guiarais**	**hubieras guiado**	**hubierais guiado**
guiara	**guiaran**	**hubiera guiado**	**hubieran guiado**
OR		OR	
guiase	**guiásemos**	**hubiese guiado**	**hubiésemos guiado**
guiases	**guiaseis**	**hubieses guiado**	**hubieseis guiado**
guiase	**guiasen**	**hubiese guiado**	**hubiesen guiado**

imperativo

—	**guiemos**
guía; no guíes	**guiad; no guiéis**
guíe	**guíen**

Words and expressions related to this verb
el guía   guide, leader
la guía   guidebook
guiarse por   to be guided by, to be governed by
guiar a alguien en los estudios   to guide
   (direct) someone in studies

la guía de teléfonos   telephone directory
la guía de bicicleta   handlebar of a bicycle
la guía turística   tourist guidebook

Use the guide to Spanish pronunciation on pages 665–667.

Irregular verb

to have (as an auxiliary, helping verb
to form the compound tenses)

The Seven Simple Tenses		The Seven Compound Tenses	
Singular	Plural	Singular	Plural
1 presente de indicativo		8 perfecto de indicativo	
he	hemos	he habido	hemos habido
has	habéis	has habido	habéis habido
ha	han	ha habido	han habido
2 imperfecto de indicativo		9 pluscuamperfecto de indicativo	
había	habíamos	había habido	habíamos habido
habías	habíais	habías habido	habíais habido
había	habían	había habido	habían habido
3 pretérito		10 pretérito anterior	
hube	hubimos	hube habido	hubimos habido
hubiste	hubisteis	hubiste habido	hubisteis habido
hubo	hubieron	hubo habido	hubieron habido
4 futuro		11 futuro perfecto	
habré	habremos	habré habido	habremos habido
habrás	habréis	habrás habido	habréis habido
habrá	habrán	habrá habido	habrán habido
5 potencial simple		12 potencial compuesto	
habría	habríamos	habría habido	habríamos habido
habrías	habríais	habrías habido	habríais habido
habría	habrían	habría habido	habrían habido
6 presente de subjuntivo		13 perfecto de subjuntivo	
haya	hayamos	haya habido	hayamos habido
hayas	hayáis	hayas habido	hayáis habido
haya	hayan	haya habido	hayan habido
7 imperfecto de subjuntivo		14 pluscuamperfecto de subjuntivo	
hubiera	hubiéramos	hubiera habido	hubiéramos habido
hubieras	hubierais	hubieras habido	hubierais habido
hubiera	hubieran	hubiera habido	hubieran habido
OR		OR	
hubiese	hubiésemos	hubiese habido	hubiésemos habido
hubieses	hubieseis	hubieses habido	hubieseis habido
hubiese	hubiesen	hubiese habido	hubiesen habido

H

imperativo		
—	**hayamos**	
hé; no hayas	**habed; no hayáis**	
haya	**hayan**	

AN ESSENTIAL
55 VERB

Haber

Haber is an essential verb for beginning students of Spanish. You need to be able to conjugate **haber** in order to form the compound tenses. In other words, if you can conjugate **haber** in the simple tenses, you can form any other verb in the compound tenses! The verb **haber** is used as an auxiliary (helping) verb as follows:

Compound tenses	Example (in the 1st person sing.)
Present Perfect (or Perfect) Indicative	he hablado (I have spoken)
Pluperfect (or Past Perfect) Indicative	había hablado (I had spoken)
Preterit Perfect (or Past Anterior)	hube hablado (I had spoken)
Future Perfect (or Future Anterior)	habré hablado (I will have spoken)
Conditional Perfect	habría hablado (I would have spoken)
Present Perfect (or Past) Subjunctive	haya hablado (I may have spoken)
Pluperfect (or Past Perfect) Subjunctive	hubiera hablado *or* hubiese hablado (I might have spoken)

For an explanation of the formation of these tenses, see pages 31, 32, and page 92.

The verb **haber** is also used to form the perfect (or past) infinitive: **haber hablado** (to have spoken). As you can see, this is formed by using the infinitive form of **haber** + the past participle of the main verb.

The verb **haber** is also used to form the perfect participle: **habiendo hablado** (having spoken). This is formed by using the present participle of **haber** + the past participle of the main verb.

The verb **haber + de + inf.** is equivalent to the English use of "to be supposed to..." or "to be to...": **María ha de traer un pastel, yo he de traer el helado, y mis amigos han de traer sus discos compactos**/Mary is supposed to bring a cake, I am supposed to bring the ice cream, and my friends are supposed to bring their CDs.

Note on hay **and** hay que + inf.
The word hay is not a verb. You might look at it as an impersonal irregular form of haber. Actually, the word is composed of ha + the archaic y, meaning *there*. It is generally seen as an adverbial expression because it points out that something or someone "is there." Its English equivalent is *There is...* or *There are...* For example: **Hay muchos libros en la mesa**/There are many books on the table; **Hay veinte alumnos en esta clase**/There are twenty students in this class.

Hay que + inf. is an impersonal expression that denotes an obligation and it is commonly translated into English as: *One must...* or *It is necessary to...* Examples: **Hay que estudiar para aprender**/It is necessary to study in order to learn; **Hay que comer para vivir**/One must eat in order to live.

Sentences using haber **and related words**

No hay rosa sin espina.
Every rose has its thorn. (There is no rose without a thorn.)

Donde hay humo, hay fuego.
Where there's smoke, there's fire.

Expressions related to this verb

ha habido... **there has been..., there have been...**
había... **there was..., there were...**
habrá... **there will be...**
habría... **there would be...**
hubo... **there was..., there were...**

The Seven Simple Tenses		The Seven Compound Tenses	
Singular	Plural	Singular	Plural
1 presente de indicativo		8 perfecto de indicativo	
habito	habitamos	he habitado	hemos habitado
habitas	habitáis	has habitado	habéis habitado
habita	habitan	ha habitado	han habitado
2 imperfecto de indicativo		9 pluscuamperfecto de indicativo	
habitaba	habitábamos	había habitado	habíamos habitado
habitabas	habitabais	habías habitado	habíais habitado
habitaba	habitaban	había habitado	habían habitado
3 pretérito		10 pretérito anterior	
habité	habitamos	hube habitado	hubimos habitado
habitaste	habitasteis	hubiste habitado	hubisteis habitado
habitó	habitaron	hubo habitado	hubieron habitado
4 futuro		11 futuro perfecto	
habitaré	habitaremos	habré habitado	habremos habitado
habitarás	habitaréis	habrás habitado	habréis habitado
habitará	habitarán	habrá habitado	habrán habitado
5 potencial simple		12 potencial compuesto	
habitaría	habitaríamos	habría habitado	habríamos habitado
habitarías	habitaríais	habrías habitado	habríais habitado
habitaría	habitarían	habría habitado	habrían habitado
6 presente de subjuntivo		13 perfecto de subjuntivo	
habite	habitemos	haya habitado	hayamos habitado
habites	habitéis	hayas habitado	hayáis habitado
habite	habiten	haya habitado	hayan habitado
7 imperfecto de subjuntivo		14 pluscuamperfecto de subjuntivo	
habitara	habitáramos	hubiera habitado	hubiéramos habitado
habitaras	habitarais	hubieras habitado	hubierais habitado
habitara	habitaran	hubiera habitado	hubieran habitado
OR		OR	
habitase	habitásemos	hubiese habitado	hubiésemos habitado
habitases	habitaseis	hubieses habitado	hubieseis habitado
habitase	habitasen	hubiese habitado	hubiesen habitado

imperativo

—	habitemos
habita; no habites	habitad; no habitéis
habite	habiten

Words related to this verb
la **habitación** habitation, residence, dwelling, abode
habitador, habitadora inhabitant
la **habitabilidad** habitability
el, la **habitante** inhabitant

la **habitación individual** single room
la **habitación doble** double room
el **piso con tres habitaciones** apartment
with three rooms

Get your feet wet with verbs used in weather expressions on page 668.

The subject pronouns are found on page 93.   **377**

to talk, to speak   Regular **-ar** verb

The Seven Simple Tenses		The Seven Compound Tenses	
Singular	Plural	Singular	Plural
1 presente de indicativo		8 perfecto de indicativo	
hablo	**hablamos**	**he hablado**	**hemos hablado**
hablas	**habláis**	**has hablado**	**habéis hablado**
habla	**hablan**	**ha hablado**	**han hablado**
2 imperfecto de indicativo		9 pluscuamperfecto de indicativo	
hablaba	**hablábamos**	**había hablado**	**habíamos hablado**
hablabas	**hablabais**	**habías hablado**	**habíais hablado**
hablaba	**hablaban**	**había hablado**	**habían hablado**
3 pretérito		10 pretérito anterior	
hablé	**hablamos**	**hube hablado**	**hubimos hablado**
hablaste	**hablasteis**	**hubiste hablado**	**hubisteis hablado**
habló	**hablaron**	**hubo hablado**	**hubieron hablado**
4 futuro		11 futuro perfecto	
hablaré	**hablaremos**	**habré hablado**	**habremos hablado**
hablarás	**hablaréis**	**habrás hablado**	**habréis hablado**
hablará	**hablarán**	**habrá hablado**	**habrán hablado**
5 potencial simple		12 potencial compuesto	
hablaría	**hablaríamos**	**habría hablado**	**habríamos hablado**
hablarías	**hablaríais**	**habrías hablado**	**habríais hablado**
hablaría	**hablarían**	**habría hablado**	**habrían hablado**
6 presente de subjuntivo		13 perfecto de subjuntivo	
hable	**hablemos**	**haya hablado**	**hayamos hablado**
hables	**habléis**	**hayas hablado**	**hayáis hablado**
hable	**hablen**	**haya hablado**	**hayan hablado**
7 imperfecto de subjuntivo		14 pluscuamperfecto de subjuntivo	
hablara	**habláramos**	**hubiera hablado**	**hubiéramos hablado**
hablaras	**hablarais**	**hubieras hablado**	**hubierais hablado**
hablara	**hablaran**	**hubiera hablado**	**hubieran hablado**
OR		OR	
hablase	**hablásemos**	**hubiese hablado**	**hubiésemos hablado**
hablases	**hablaseis**	**hubieses hablado**	**hubieseis hablado**
hablase	**hablasen**	**hubiese hablado**	**hubiesen hablado**

imperativo	
—	**hablemos**
habla; no hables	**hablad; no habléis**
hable	**hablen**

AN ESSENTIAL 55 VERB

Hablar is an essential regular –ar verb for beginning students of Spanish. It is used in many everyday situations and idiomatic expressions.

Sentences using hablar and related words

Aquí se habla español.
Spanish is spoken here.

No me gusta hablar a gritos.
I don't like to shout.

Antes de hablar es bueno pensar.
(It's good to) think before you speak.

El dinero habla.
Money talks.

Hable más despacio, por favor.
Speak more slowly, please.

Words and expressions related to this verb

H

la habladuría **gossip, idle rumor**

hispanohablante **Spanish-speaking**

de habla española **Spanish-speaking**

de habla inglesa **English-speaking**

hablador, habladora **talkative**

hablar a gritos **to shout**

hablar entre dientes **to mumble**

hablar al oído **to whisper in someone's ear**

Proverb

Para saber hablar, hay que saber escuchar.
In order to know how to talk, one must know how to listen.

Can't remember the Spanish verb you need?
Check the back pages of this book for the English-Spanish verb index!

The subject pronouns are found on page 93.

hacer (260)
to do, to make

Gerundio haciendo   **Part. pas. hecho**

The Seven Simple Tenses		The Seven Compound Tenses	
Singular	Plural	Singular	Plural
1 presente de indicativo *PRESENT*		**8 perfecto de indicativo**	
hago	hacemos	he hecho	hemos hecho
haces	hacéis	has hecho	habéis hecho
hace	hacen	ha hecho	han hecho
2 imperfecto de indicativo *INDICATIVE*		**9 pluscuamperfecto de indicativo**	
hacía	hacíamos	había hecho	habíamos hecho
hacías	hacíais	habías hecho	habíais hecho
hacía	hacían	había hecho	habían hecho
3 pretérito *PAST*		**10 pretérito anterior**	
hice	hicimos	hube hecho	hubimos hecho
hiciste	hicisteis	hubiste hecho	hubisteis hecho
hizo	hicieron	hubo hecho	hubieron hecho
4 futuro		**11 futuro perfecto**	
haré	haremos	habré hecho	habremos hecho
harás	haréis	habrás hecho	habréis hecho
hará	harán	habrá hecho	habrán hecho
5 potencial simple		**12 potencial compuesto**	
haría	haríamos	habría hecho	habríamos hecho
harías	haríais	habrías hecho	habríais hecho
haría	harían	habría hecho	habrían hecho
6 presente de subjuntivo		**13 perfecto de subjuntivo**	
haga	hagamos	haya hecho	hayamos hecho
hagas	hagáis	hayas hecho	hayáis hecho
haga	hagan	haya hecho	hayan hecho
7 imperfecto de subjuntivo		**14 pluscuamperfecto de subjuntivo**	
hiciera	hiciéramos	hubiera hecho	hubiéramos hecho
hicieras	hicierais	hubieras hecho	hubierais hecho
hiciera	hicieran	hubiera hecho	hubieran hecho
OR		OR	
hiciese	hiciésemos	hubiese hecho	hubiésemos hecho
hicieses	hicieseis	hubieses hecho	hubieseis hecho
hiciese	hiciesen	hubiese hecho	hubiesen hecho

IMPERATIVE

imperativo

—	hagamos
haz; no hagas	haced; no hagáis
haga	hagan

AN ESSENTIAL
55 VERB

Hacer

Hacer is an essential irregular verb for beginning students of Spanish. It is used in many everyday situations and idiomatic expressions. **Hacer** is especially important for weather expressions.

¿Cuánto tiempo hace que + present tense...?
(a)   Use this formula when you want to ask *How long + the present perfect tense in English:*

H

   ¿Cuánto tiempo hace que Ud. estudia español?
   How long have you been studying Spanish?

(b)   When this formula is used, you generally expect the person to tell you how long a time it has been, e.g., one year, two months, a few minutes.

(c)   This is used when the action began at some time in the past and continues up to the present moment. That is why you must use the present tense of the verb—the action of studying, waiting, etc., is still going on at the present.

¿Hace + length of time + que + present tense
(a)   This formula is the usual answer to the question **¿Cuánto tiempo hace que + present tense...?**

(b)   Since the question is asked in terms of *how long,* the usual answer is in terms of time: a year, two years, a few days, months, minutes, etc.:

   Hace tres años que estudio español.
   I have been studying Spanish for three years.

(c)   The same formula is used if you want to ask *how many weeks, how many months, how many minutes, etc.*:

   ¿Cuántos años hace que Ud. estudia español?
   How many years have you been studying
   Spanish?

   ¿Desde cuándo + present tense...?
   ¿Desde cuándo estudia Ud. español?
   How long have you been studying Spanish?

   Present tense + desde hace + length of time
   Estudio español desde hace tres años.
   I have been studying Spanish for three years.

Proverbs

De decir a hacer hay mucho que ver.
There is a great difference between saying and doing.

El ejercicio hace al maestro.
Practice makes perfect.

No dejes para mañana lo que puedes hacer hoy.
Don't put off until tomorrow what you can do today.

Don't forget to study the section on defective and impersonal verbs. It's right after this main list.

The subject pronouns are found on page 93.

¿Cuánto tiempo hacía que + imperfect tense?

(a) If the action of the verb began in the past and ended in the past, use the imperfect tense.

(b) This formula is equivalent to the English *How long + past perfect tense:*

¿Cuánto tiempo hacía que Ud. hablaba cuando entré en la sala de clase?
How long had you been talking when I entered the classroom?

(c) Note that the action of talking in this example began in the past and ended in the past when I entered the classroom.

Hacía + length of time + que + imperfect tense
The imperfect tense of the verb is used here because the action began in the past and ended in the past; it is not going on at the present moment.

Hacía una hora que yo hablaba cuando Ud. entró en la sala de clase.
I had been talking for one hour when you entered the classroom.

¿Desde cuándo + imperfect tense...?

¿Desde cuándo hablaba Ud. cuando yo entré en la sala de clase?
How long had you been talking when I entered the classroom?

Imperfect tense + desde hacía + length of time

(Yo) hablaba desde hacía una hora cuando
Ud. entró en la sala de clase.
I had been talking for one hour when you entered the classroom.

Weather expressions related to this verb

hace buen tiempo **the weather is good**
hace calor **it's warm (hot)**
hace fresco hoy **it's cool today**
hace frío **it's cold**
hace mal tiempo **the weather is bad**
hace sol **it's sunny**
hace viento **it's windy**

Sentences using hacer and related words

Hace un mes que partió el señor Molina.
Mr. Molina left one month ago.

¿Puede ayudarme a hacer una llamada?
Can you help me make a telephone call?

El señor González siempre hace de jefe.
Mr. González always acts as boss.

A Juan le hace falta un lápiz.
John needs a pencil.

Elena se hizo dentista.
Helen became a dentist.

¡Vámonos! Se hace tarde.
¡Let's leave! It's getting late.

Words and expressions related to this verb

hace poco **a little while ago**
hace un año **a year ago**
hace una hora **an hour ago**
hacer cara a **to face**
hacer caso de **to pay attention to**
hacer clic **to click (on an Internet link)**
hacer daño a algo **to harm something**
hacer daño a alguien **to harm someone**
hacer de **to act as**
hacer el baúl **to pack one's trunk**
hacer el favor de + inf. **please**
  (Haga Ud. el favor de entrar/
  Please come in.)
hacer el papel de **to play the role of**
hacer la maleta **to pack one's suitcase**
hacer pedazos **to smash, to break, to tear into pieces**
hacer un viaje **to take a trip**
hacer una broma **to play a joke**
hacer una pregunta **to ask a question**
hacer una visita **to pay a visit**
hacerle falta **to need**
hacerse **to become**
hacerse daño **to hurt oneself, to harm oneself**
hacerse tarde **to be getting late**

382

Regular **-ar** verb   to find, to discover, to locate

The Seven Simple Tenses		The Seven Compound Tenses	
Singular	Plural	Singular	Plural
1 presente de indicativo		8 perfecto de indicativo	
hallo	**hallamos**	**he hallado**	**hemos hallado**
hallas	**halláis**	**has hallado**	**habéis hallado**
halla	**hallan**	**ha hallado**	**han hallado**
2 imperfecto de indicativo		9 pluscuamperfecto de indicativo	
hallaba	**hallábamos**	**había hallado**	**habíamos hallado**
hallabas	**hallabais**	**habías hallado**	**habíais hallado**
hallaba	**hallaban**	**había hallado**	**habían hallado**
3 pretérito		10 pretérito anterior	
hallé	**hallamos**	**hube hallado**	**hubimos hallado**
hallaste	**hallasteis**	**hubiste hallado**	**hubisteis hallado**
halló	**hallaron**	**hubo hallado**	**hubieron hallado**
4 futuro		11 futuro perfecto	
hallaré	**hallaremos**	**habré hallado**	**habremos hallado**
hallarás	**hallaréis**	**habrás hallado**	**habréis hallado**
hallará	**hallarán**	**habrá hallado**	**habrán hallado**
5 potencial simple		12 potencial compuesto	
hallaría	**hallaríamos**	**habría hallado**	**habríamos hallado**
hallarías	**hallaríais**	**habrías hallado**	**habríais hallado**
hallaría	**hallarían**	**habría hallado**	**habrían hallado**
6 presente de subjuntivo		13 perfecto de subjuntivo	
halle	**hallemos**	**haya hallado**	**hayamos hallado**
halles	**halléis**	**hayas hallado**	**hayáis hallado**
halle	**hallen**	**haya hallado**	**hayan hallado**
7 imperfecto de subjuntivo		14 pluscuamperfecto de subjuntivo	
hallara	**halláramos**	**hubiera hallado**	**hubiéramos hallado**
hallaras	**hallarais**	**hubieras hallado**	**hubierais hallado**
hallara	**hallaran**	**hubiera hallado**	**hubieran hallado**
OR		OR	
hallase	**hallásemos**	**hubiese hallado**	**hubiésemos hallado**
hallases	**hallaseis**	**hubieses hallado**	**hubieseis hallado**
hallase	**hallasen**	**hubiese hallado**	**hubiesen hallado**

	imperativo	
—		**hallemos**
halla; no halles		**hallad; no halléis**
halle		**hallen**

Words and expressions related to this verb
hallar bien con   to be well pleased with
un hallazgo   a find, something found
hallador, halladora   discoverer, finder

la hallada   discovery, find
bien hallado   at ease
mal hallado   uneasy, ill at ease

Can't find the verb you're looking for?
Check the back pages of this book for a list of over 2,100 additional verbs!

The subject pronouns are found on page 93.

to inherit　　　　　　　　　　　　　　　　　Regular **-ar** verb

The Seven Simple Tenses		The Seven Compound Tenses	
Singular	Plural	Singular	Plural
1　presente de indicativo		8　perfecto de indicativo	
heredo	heredamos	he heredado	hemos heredado
heredas	heredáis	has heredado	habéis heredado
hereda	heredan	ha heredado	han heredado
2　imperfecto de indicativo		9　pluscuamperfecto de indicativo	
heredaba	heredábamos	había heredado	habíamos heredado
heredabas	heredabais	habías heredado	habíais heredado
heredaba	heredaban	había heredado	habían heredado
3　pretérito		10　pretérito anterior	
heredé	heredamos	hube heredado	hubimos heredado
heredaste	heredasteis	hubiste heredado	hubisteis heredado
heredó	heredaron	hubo heredado	hubieron heredado
4　futuro		11　futuro perfecto	
heredaré	heredaremos	habré heredado	habremos heredado
heredarás	heredaréis	habrás heredado	habréis heredado
heredará	heredarán	habrá heredado	habrán heredado
5　potencial simple		12　potencial compuesto	
heredaría	heredaríamos	habría heredado	habríamos heredado
heredarías	heredaríais	habrías heredado	habríais heredado
heredaría	heredarían	habría heredado	habrían heredado
6　presente de subjuntivo		13　perfecto de subjuntivo	
herede	heredemos	haya heredado	hayamos heredado
heredes	heredéis	hayas heredado	hayáis heredado
herede	hereden	haya heredado	hayan heredado
7　imperfecto de subjuntivo		14　pluscuamperfecto de subjuntivo	
heredara	heredáramos	hubiera heredado	hubiéramos heredado
heredaras	heredarais	hubieras heredado	hubierais heredado
heredara	heredaran	hubiera heredado	hubieran heredado
OR		OR	
heredase	heredásemos	hubiese heredado	hubiésemos heredado
heredases	heredaseis	hubieses heredado	hubieseis heredado
heredase	heredasen	hubiese heredado	hubiesen heredado

imperativo

—	heredemos
hereda; no heredes	heredad; no heredéis
herede	hereden

Words and expressions related to this verb
el heredero heir; **la heredera** heiress
heredable inheritable
hereditario, hereditaria hereditary
la herencia inheritance

la enfermedad hereditaria hereditary disease
heredar una fortuna de sus padres to inherit
　a fortune from one's parents

Regular **-ir** verb endings with stem change: to harm, to hurt, to wound
Tenses 1, 3, 6, 7, Imperative, Gerundio

The Seven Simple Tenses		The Seven Compound Tenses	
Singular	Plural	Singular	Plural
1 presente de indicativo		8 perfecto de indicativo	
hiero	herimos	he herido	hemos herido
hieres	herís	has herido	habéis herido
hiere	hieren	ha herido	han herido
2 imperfecto de indicativo		9 pluscuamperfecto de indicativo	
hería	heríamos	había herido	habíamos herido
herías	heríais	habías herido	habíais herido
hería	herían	había herido	habían herido
3 pretérito		10 pretérito anterior	
herí	herimos	hube herido	hubimos herido
heriste	heristeis	hubiste herido	hubisteis herido
hirió	hirieron	hubo herido	hubieron herido
4 futuro		11 futuro perfecto	
heriré	heriremos	habré herido	habremos herido
herirás	heriréis	habrás herido	habréis herido
herirá	herirán	habrá herido	habrán herido
5 potencial simple		12 potencial compuesto	
heriría	heriríamos	habría herido	habríamos herido
herirías	heriríais	habrías herido	habríais herido
heriría	herirían	habría herido	habrían herido
6 presente de subjuntivo		13 perfecto de subjuntivo	
hiera	hiramos	haya herido	hayamos herido
hieras	hiráis	hayas herido	hayáis herido
hiera	hieran	haya herido	hayan herido
7 imperfecto de subjuntivo		14 pluscuamperfecto de subjuntivo	
hiriera	hiriéramos	hubiera herido	hubiéramos herido
hirieras	hirierais	hubieras herido	hubierais herido
hiriera	hirieran	hubiera herido	hubieran herido
OR		OR	
hiriese	hiriésemos	hubiese herido	hubiésemos herido
hirieses	hirieseis	hubieses herido	hubieseis herido
hiriese	hiriesen	hubiese herido	hubiesen herido

imperativo

—	hiramos
hiere; no hieras	herid; no hiráis
hiera	hieran

Words and expressions related to this verb
la herida wound
mal herido, mal herida seriously wounded
una herida abierta open wound
a grito herido in loud cries

Can't recognize an irregular verb form? Check out pages 678–681.

huir (264)

Gerundio **huyendo**   Part. pas. **huido**

to escape, to flee, to run
away, to slip away

Regular **-ir** verb endings with spelling
change: add **y** before **a**, **e**, or **o**

The Seven Simple Tenses | The Seven Compound Tenses

Singular	Plural	Singular	Plural
1 presente de indicativo		8 perfecto de indicativo	
huyo	huimos	he huido	hemos huido
huyes	huís	has huido	habéis huido
huye	huyen	ha huido	han huido
2 imperfecto de indicativo		9 pluscuamperfecto de indicativo	
huía	huíamos	había huido	habíamos huido
huías	huíais	habías huido	habíais huido
huía	huían	había huido	habían huido
3 pretérito		10 pretérito anterior	
huí	huimos	hube huido	hubimos huido
huiste	huisteis	hubiste huido	hubisteis huido
huyó	huyeron	hubo huido	hubieron huido
4 futuro		11 futuro perfecto	
huiré	huiremos	habré huido	habremos huido
huirás	huiréis	habrás huido	habréis huido
huirá	huirán	habrá huido	habrán huido
5 potencial simple		12 potencial compuesto	
huiría	huiríamos	habría huido	habríamos huido
huirías	huiríais	habrías huido	habríais huido
huiría	huirían	habría huido	habrían huido
6 presente de subjuntivo		13 perfecto de subjuntivo	
huya	huyamos	haya huido	hayamos huido
huyas	huyáis	hayas huido	hayáis huido
huya	huyan	haya huido	hayan huido
7 imperfecto de subjuntivo		14 pluscuamperfecto de subjuntivo	
huyera	huyéramos	hubiera huido	hubiéramos huido
huyeras	huyerais	hubieras huido	hubierais huido
huyera	huyeran	hubiera huido	hubieran huido
OR		OR	
huyese	huyésemos	hubiese huido	hubiésemos huido
huyeses	huyeseis	hubieses huido	hubieseis huido
huyese	huyesen	hubiese huido	hubiesen huido

imperativo

—	huyamos
huye; no huyas	huid; no huyáis
huya	huyan

Words and expressions related to this verb

huir de   to keep away from
la huida   escape, flight
huidizo, huidiza   fugitive, evasive
huir del vicio   to flee from vice

huidor, huidora   fleeing, fugitive
rehuir   to avoid, refuse, shun (**yo rehúyo**)
¡Huye!   Run! Flee!
¡Cómo huyen las horas!   How time flies!
   (**las horas**/the hours)

Regular **-ar** verb   to be ignorant of, not to know

The Seven Simple Tenses		The Seven Compound Tenses	
Singular	Plural	Singular	Plural
1 presente de indicativo		8 perfecto de indicativo	
ignoro	**ignoramos**	**he ignorado**	**hemos ignorado**
ignoras	**ignoráis**	**has ignorado**	**habéis ignorado**
ignora	**ignoran**	**ha ignorado**	**han ignorado**
2 imperfecto de indicativo		9 pluscuamperfecto de indicativo	
ignoraba	**ignorábamos**	**había ignorado**	**habíamos ignorado**
ignorabas	**ignorabais**	**habías ignorado**	**habíais ignorado**
ignoraba	**ignoraban**	**había ignorado**	**habían ignorado**
3 pretérito		10 pretérito anterior	
ignoré	**ignoramos**	**hube ignorado**	**hubimos ignorado**
ignoraste	**ignorasteis**	**hubiste ignorado**	**hubisteis ignorado**
ignoró	**ignoraron**	**hubo ignorado**	**hubieron ignorado**
4 futuro		11 futuro perfecto	
ignoraré	**ignoraremos**	**habré ignorado**	**habremos ignorado**
ignorarás	**ignoraréis**	**habrás ignorado**	**habréis ignorado**
ignorará	**ignorarán**	**habrá ignorado**	**habrán ignorado**
5 potencial simple		12 potencial compuesto	
ignoararía	**ignoraríamos**	**habría ignorado**	**habríamos ignorado**
ignoararías	**ignoraríais**	**habrías ignorado**	**habríais ignorado**
ignoraría	**ignorarían**	**habría ignorado**	**habrían ignorado**
6 presente de subjuntivo		13 perfecto de subjuntivo	
ignore	**ignoremos**	**haya ignorado**	**hayamos ignorado**
ignores	**ignoréis**	**hayas ignorado**	**hayáis ignorado**
ignore	**ignoren**	**haya ignorado**	**hayan ignorado**
7 imperfecto de subjuntivo		14 pluscuamperfecto de subjuntivo	
ignorara	**ignoráramos**	**hubiera ignorado**	**hubiéramos ignorado**
ignoraras	**ignorarais**	**hubieras ignorado**	**hubierais ignorado**
ignorara	**ignoraran**	**hubiera ignorado**	**hubieran ignorado**
OR		OR	
ignorase	**ignorásemos**	**hubiese ignorado**	**hubiésemos ignorado**
ignorases	**ignoraseis**	**hubieses ignorado**	**hubieseis ignorado**
ignorase	**ignorasen**	**hubiese ignorado**	**hubiesen ignorado**

	imperativo	
—		**ignoremos**
ignora; no ignores		**ignorad; no ignoréis**
ignore		**ignoren**

Words and expressions related to this verb

la ignorancia ignorance	**ignorantemente** ignorantly
ignorante ignorant	**ignominioso, ignominiosa** disgraceful,
ignoto, ignota unknown	ignominious
no ignorar que . . . to be well aware that . . .	**la ignominia** disgrace, infamy, ignominy
	un ignorantón, una ignorantona an ignoramus

The subject pronouns are found on page 93.

impedir (266)
Gerundio impidiendo   Part. pas. impedido

to hinder, to impede, to prevent

The Seven Simple Tenses		The Seven Compound Tenses	
Singular	Plural	Singular	Plural
1 presente de indicativo		8 perfecto de indicativo	
impido	impedimos	he impedido	hemos impedido
impides	impedís	has impedido	habéis impedido
impide	impiden	ha impedido	han impedido
2 imperfecto de indicativo		9 pluscuamperfecto de indicativo	
impedía	impedíamos	había impedido	habíamos impedido
impedías	impedíais	habías impedido	habíais impedido
impedía	impedían	había impedido	habían impedido
3 pretérito		10 pretérito anterior	
impedí	impedimos	hube impedido	hubimos impedido
impediste	impedisteis	hubiste impedido	hubisteis impedido
impidió	impidieron	hubo impedido	hubieron impedido
4 futuro		11 futuro perfecto	
impediré	impediremos	habré impedido	habremos impedido
impedirás	impediréis	habrás impedido	habréis impedido
impedirá	impedirán	habrá impedido	habrán impedido
5 potencial simple		12 potencial compuesto	
impediría	impediríamos	habría impedido	habríamos impedido
impedirías	impediríais	habrías impedido	habríais impedido
impediría	impedirían	habría impedido	habrían impedido
6 presente de subjuntivo		13 perfecto de subjuntivo	
impida	impidamos	haya impedido	hayamos impedido
impidas	impidáis	hayas impedido	hayáis impedido
impida	impidan	haya impedido	hayan impedido
7 imperfecto de subjuntivo		14 pluscuamperfecto de subjuntivo	
impidiera	impidiéramos	hubiera impedido	hubiéramos impedido
impidieras	impidierais	hubieras impedido	hubierais impedido
impidiera	impidieran	hubiera impedido	hubieran impedido
OR		OR	
impidiese	impidiésemos	hubiese impedido	hubiésemos impedido
impidieses	impidieseis	hubieses impedido	hubieseis impedido
impidiese	impidiesen	hubiese impedido	hubiesen impedido

imperativo	
—	impidamos
impide; no impidas	impedid; no impidáis
impida	impidan

Words and expressions related to this verb

impediente impeding, hindering
un impedimento impediment, hindrance
impedir algo a uno to prevent somebody from doing something

impeditivo, impeditiva hindering, preventive
un impedido, una impedida disabled, handicapped person

See also **pedir**.

Regular **-ir** verb   to imprint, to impress, to print, to fix in the mind

The Seven Simple Tenses		The Seven Compound Tenses	
Singular	Plural	Singular	Plural
1 presente de indicativo		8 perfecto de indicativo	
imprimo	**imprimimos**	**he impreso**	**hemos impreso**
imprimes	**imprimís**	**has impreso**	**habéis impreso**
imprime	**imprimen**	**ha impreso**	**han impreso**
2 imperfecto de indicativo		9 pluscuamperfecto de indicativo	
imprimía	**imprimíamos**	**había impreso**	**habíamos impreso**
imprimías	**imprimíais**	**habías impreso**	**habíais impreso**
imprimía	**imprimían**	**había impreso**	**habían impreso**
3 pretérito		10 pretérito anterior	
imprimí	**imprimimos**	**hube impreso**	**hubimos impreso**
imprimiste	**imprimisteis**	**hubiste impreso**	**hubisteis impreso**
imprimió	**imprimieron**	**hubo impreso**	**hubieron impreso**
4 futuro		11 futuro perfecto	
imprimiré	**imprimiremos**	**habré impreso**	**habremos impreso**
imprimirás	**imprimiréis**	**habrás impreso**	**habréis impreso**
imprimirá	**imprimirán**	**habrá impreso**	**habrán impreso**
5 potencial simple		12 potencial compuesto	
imprimiría	**imprimiríamos**	**habría impreso**	**habríamos impreso**
imprimirías	**imprimiríais**	**habrías impreso**	**habríais impreso**
imprimiría	**imprimirían**	**habría impreso**	**habrían impreso**
6 presente de subjuntivo		13 perfecto de subjuntivo	
imprima	**imprimamos**	**haya impreso**	**hayamos impreso**
imprimas	**imprimáis**	**hayas impreso**	**hayáis impreso**
imprima	**impriman**	**haya impreso**	**hayan impreso**
7 imperfecto de subjuntivo		14 pluscuamperfecto de subjuntivo	
imprimiera	**imprimiéramos**	**hubiera impreso**	**hubiéramos impreso**
imprimieras	**imprimierais**	**hubieras impreso**	**hubierais impreso**
imprimiera	**imprimieran**	**hubiera impreso**	**hubieran impreso**
OR		OR	
imprimiese	**imprimiésemos**	**hubiese impreso**	**hubiésemos impreso**
imprimieses	**imprimieseis**	**hubieses impreso**	**hubieseis impreso**
imprimiese	**imprimiesen**	**hubiese impreso**	**hubiesen impreso**

imperativo

—	**imprimamos**
imprime; no imprimas	**imprimid; no imprimáis**
imprima	**impriman**

Words and expressions related to this verb

imprimible   printable
el imprimátur   imprimatur
impreso, impresa   printed, stamped

impresos   printed matter
el impresor, la impresora   printer, owner
of a printing shop

Don't forget to study the section on defective and impersonal verbs. It's right after this main list.

The subject pronouns are found on page 93.

incluir (268)　Gerundio incluyendo　　Part. pas. incluido (incluso, when used as an *adj.*)

to include, to enclose

Regular **-ir** verb endings with spelling change: add **y** before **a**, **e**, or **o**

The Seven Simple Tenses		The Seven Compound Tenses	
Singular	Plural	Singular	Plural
1　presente de indicativo		8　perfecto de indicativo	
incluyo	incluimos	he incluido	hemos incluido
incluyes	incluís	has incluido	habéis incluido
incluye	incluyen	ha incluido	han incluido
2　imperfecto de indicativo		9　pluscuamperfecto de indicativo	
incluía	incluíamos	había incluido	habíamos incluido
incluías	incluíais	habías incluido	habíais incluido
incluía	incluían	había incluido	habían incluido
3　pretérito		10　pretérito anterior	
incluí	incluimos	hube incluido	hubimos incluido
incluiste	incluisteis	hubiste incluido	hubisteis incluido
incluyó	incluyeron	hubo incluido	hubieron incluido
4　futuro		11　futuro perfecto	
incluiré	incluiremos	habré incluido	habremos incluido
incluirás	incluiréis	habrás incluido	habréis incluido
incluirá	incluirán	habrá incluido	habrán incluido
5　potencial simple		12　potencial compuesto	
incluiría	incluiríamos	habría incluido	habríamos incluido
incluirías	incluiríais	habrías incluido	habríais incluido
incluiría	incluirían	habría incluido	habrían incluido
6　presente de subjuntivo		13　perfecto de subjuntivo	
incluya	incluyamos	haya incluido	hayamos incluido
incluyas	incluyáis	hayas incluido	hayáis incluido
incluya	incluyan	haya incluido	hayan incluido
7　imperfecto de subjuntivo		14　pluscuamperfecto de subjuntivo	
incluyera	incluyéramos	hubiera incluido	hubiéramos incluido
incluyeras	incluyerais	hubieras incluido	hubierais incluido
incluyera	incluyeran	hubiera incluido	hubieran incluido
OR		OR	
incluyese	incluyésemos	hubiese incluido	hubiésemos incluido
incluyeses	incluyeseis	hubieses incluido	hubieseis incluido
incluyese	incluyesen	hubiese incluido	hubiesen incluido

imperativo	
—	incluyamos
incluye; no incluyas	incluid; no incluyáis
incluya	incluyan

Words and expressions related to this verb

inclusivo, inclusiva　inclusive, including
la inclusión　inclusion
una inclusa　foundling home
el dinero incluso　the money enclosed, included
¿La propina está incluida?　Is the tip included?

la carta inclusa　the letter enclosed, included
inclusivamente　inclusively
sin incluir　not including
con inclusión de　including
todo incluido　everything included

Regular **-ar** verb endings with spelling   to indicate, to point out
change: **c** becomes **qu** before **e**

The Seven Simple Tenses		The Seven Compound Tenses	
Singular	Plural	Singular	Plural
1 presente de indicativo		8 perfecto de indicativo	
indico	indicamos	he indicado	hemos indicado
indicas	indicáis	has indicado	habéis indicado
indica	indican	ha indicado	han indicado
2 imperfecto de indicativo		9 pluscuamperfecto de indicativo	
indicaba	indicábamos	había indicado	habíamos indicado
indicabas	indicabais	habías indicado	habíais indicado
indicaba	indicaban	había indicado	habían indicado
3 pretérito		10 pretérito anterior	
indiqué	indicamos	hube indicado	hubimos indicado
indicaste	indicasteis	hubiste indicado	hubisteis indicado
indicó	indicaron	hubo indicado	hubieron indicado
4 futuro		11 futuro perfecto	
indicaré	indicaremos	habré indicado	habremos indicado
indicarás	indicaréis	habrás indicado	habréis indicado
indicará	indicarán	habrá indicado	habrán indicado
5 potencial simple		12 potencial compuesto	
indicaría	indicaríamos	habría indicado	habríamos indicado
indicarías	indicaríais	habrías indicado	habríais indicado
indicaría	indicarían	habría indicado	habrían indicado
6 presente de subjuntivo		13 perfecto de subjuntivo	
indique	indiquemos	haya indicado	hayamos indicado
indiques	indiquéis	hayas indicado	hayáis indicado
indique	indiquen	haya indicado	hayan indicado
7 imperfecto de subjuntivo		14 pluscuamperfecto de subjuntivo	
indicara	indicáramos	hubiera indicado	hubiéramos indicado
indicaras	indicarais	hubieras indicado	hubierais indicado
indicara	indicaran	hubiera indicado	hubieran indicado
OR		OR	
indicase	indicásemos	hubiese indicado	hubiésemos indicado
indicases	indicaseis	hubieses indicado	hubieseis indicado
indicase	indicasen	hubiese indicado	hubiesen indicado

	imperativo	
—		indiquemos
indica; no indiques		indicad; no indiquéis
indique		indiquen

Words and expressions related to this verb

indicativo, indicativa   indicative
la indicación   indication
el indicador   indicator; **el indicador de humo**   smoke detector

una falsa indicación   a wrong direction
el indicador de horarios   travel timetable (trains, *etc.*)
el indicador de velocidad   speedometer

The subject pronouns are found on page 93.

inducir (270)　　　Gerundio **induciendo**　　　Part. pas. **inducido**

to induce, to influence, to persuade, to lead

Irregular in Tenses 3 and 7, regular **-ir** endings in all others; spelling change: **c** becomes **zc** before **a** or **o**

The Seven Simple Tenses		The Seven Compound Tenses	
Singular	Plural	Singular	Plural
1 presente de indicativo		**8 perfecto de indicativo**	
induzco	**inducimos**	**he inducido**	**hemos inducido**
induces	**inducís**	**has inducido**	**habéis inducido**
induce	**inducen**	**ha inducido**	**han inducido**
2 imperfecto de indicativo		**9 pluscuamperfecto de indicativo**	
inducía	**inducíamos**	**había inducido**	**habíamos inducido**
inducías	**inducíais**	**habías inducido**	**habíais inducido**
inducía	**inducían**	**había inducido**	**habían inducido**
3 pretérito		**10 pretérito anterior**	
induje	**indujimos**	**hube inducido**	**hubimos inducido**
indujiste	**indujisteis**	**hubiste inducido**	**hubisteis inducido**
indujo	**indujeron**	**hubo inducido**	**hubieron inducido**
4 futuro		**11 futuro perfecto**	
induciré	**induciremos**	**habré inducido**	**habremos inducido**
inducirás	**induciréis**	**habrás inducido**	**habréis inducido**
inducirá	**inducirán**	**habrá inducido**	**habrán inducido**
5 potencial simple		**12 potencial compuesto**	
induciría	**induciríamos**	**habría inducido**	**habríamos inducido**
inducirías	**induciríais**	**habrías inducido**	**habríais inducido**
induciría	**inducirían**	**habría inducido**	**habrían inducido**
6 presente de subjuntivo		**13 perfecto de subjuntivo**	
induzca	**induzcamos**	**haya inducido**	**hayamos inducido**
induzcas	**induzcáis**	**hayas inducido**	**hayáis inducido**
induzca	**induzcan**	**haya inducido**	**hayan inducido**
7 imperfecto de subjuntivo		**14 pluscuamperfecto de subjuntivo**	
indujera	**indujéramos**	**hubiera inducido**	**hubiéramos inducido**
indujeras	**indujerais**	**hubieras inducido**	**hubierais inducido**
indujera	**indujeran**	**hubiera inducido**	**hubieran inducido**
OR		OR	
indujese	**indujésemos**	**hubiese inducido**	**hubiésemos inducido**
indujeses	**indujeseis**	**hubieses inducido**	**hubieseis inducido**
indujese	**indujesen**	**hubiese inducido**	**hubiesen inducido**

imperativo	
—	**induzcamos**
induce; no induzcas	**inducid; no induzcáis**
induzca	**induzcan**

Words and expressions related to this verb
inducidor, inducidora inducer
el inducimiento inducement

la inducción induction
inducir a + inf. to persuade to + inf.

Can't recognize an irregular verb form? Check out pages 678–681.

Regular **-ir** verb endings with spelling
change: add **y** before **a**, **e**, or **o**

to influence, have influence on

The Seven Simple Tenses		The Seven Compound Tenses	
Singular	Plural	Singular	Plural
1 presente de indicativo		8 perfecto de indicativo	
influyo	**influimos**	**he influido**	**hemos influido**
influyes	**influís**	**has influido**	**habéis influido**
influye	**influyen**	**ha influido**	**han influido**
2 imperfecto de indicativo		9 pluscuamperfecto de indicativo	
influía	**influíamos**	**había influido**	**habíamos influido**
influías	**influíais**	**habías influido**	**habíais influido**
influía	**influían**	**había influido**	**habían influido**
3 pretérito		10 pretérito anterior	
influí	**influimos**	**hube influido**	**hubimos influido**
influiste	**influisteis**	**hubiste influido**	**hubisteis influido**
influyó	**influyeron**	**hubo influido**	**hubieron influido**
4 futuro		11 futuro perfecto	
influiré	**influiremos**	**habré influido**	**habremos influido**
influirás	**influiréis**	**habrás influido**	**habréis influido**
influirá	**influirán**	**habrá influido**	**habrán influido**
5 potencial simple		12 potencial compuesto	
influiría	**influiríamos**	**habría influido**	**habríamos influido**
influirías	**influiríais**	**habrías influido**	**habríais influido**
influiría	**influirían**	**habría influido**	**habrían influido**
6 presente de subjuntivo		13 perfecto de subjuntivo	
influya	**influyamos**	**haya influido**	**hayamos influido**
influyas	**influyáis**	**hayas influido**	**hayáis influido**
influya	**influyan**	**haya influido**	**hayan influido**
7 imperfecto de subjuntivo		14 pluscuamperfecto de subjuntivo	
influyera	**influyéramos**	**hubiera influido**	**hubiéramos influido**
influyeras	**influyerais**	**hubieras influido**	**hubierais influido**
influyera	**influyeran**	**hubiera influido**	**hubieran influido**
OR		OR	
influyese	**influyésemos**	**hubiese influido**	**hubiésemos influido**
influyeses	**influyeseis**	**hubieses influido**	**hubieseis influido**
influyese	**influyesen**	**hubiese influido**	**hubiesen influido**

imperativo	
—	**influyamos**
influye; no influyas	**influid; no influyáis**
influya	**influyan**

Words and expressions related to this verb
la influencia   influence
influente   influential, influencing
influir en   to affect, to have an influence on, upon
influir sobre alguien para que + subjunctive   to influence someone to + inf.
(Check out the subjunctive on pages 20 to 24.)

If you want an explanation of meanings and uses of Spanish and
English verb tenses and moods, see pages 13–32.

The subject pronouns are found on page 93.

informarse (272) Gerundio **informándose** Part. pas. **informado**

to inform oneself, to find out Reflexive regular **-ar** verb

The Seven Simple Tenses		The Seven Compound Tenses	
Singular	Plural	Singular	Plural
1 presente de indicativo		8 perfecto de indicativo	
me informo	nos informamos	me he informado	nos hemos informado
te informas	os informáis	te has informado	os habéis informado
se informa	se informan	se ha informado	se han informado
2 imperfecto de indicativo		9 pluscuamperfecto de indicativo	
me informaba	nos informábamos	me había informado	nos habíamos informado
te informabas	os informabais	te habías informado	os habíais informado
se informaba	se informaban	se había informado	se habían informado
3 pretérito		10 pretérito anterior	
me informé	nos informamos	me hube informado	nos hubimos informado
te informaste	os informasteis	te hubiste informado	os hubisteis informado
se informó	se informaron	se hubo informado	se hubieron informado
4 futuro		11 futuro perfecto	
me informaré	nos informaremos	me habré informado	nos habremos informado
te informarás	os informaréis	te habrás informado	os habréis informado
se informará	se informarán	se habrá informado	se habrán informado
5 potencial simple		12 potencial compuesto	
me informaría	nos informaríamos	me habría informado	nos habríamos informado
te informarías	os informaríais	te habrías informado	os habríais informado
se informaría	se informarían	se habría informado	se habrían informado
6 presente de subjuntivo		13 perfecto de subjuntivo	
me informe	nos informemos	me haya informado	nos hayamos informado
te informes	os informéis	te hayas informado	os hayáis informado
se informe	se informen	se haya informado	se hayan informado
7 imperfecto de subjuntivo		14 pluscuamperfecto de subjuntivo	
me informara	nos informáramos	me hubiera informado	nos hubiéramos informado
te informaras	os informarais	te hubieras informado	os hubierais informado
se informara	se informaran	se hubiera informado	se hubieran informado
OR		OR	
me informase	nos informásemos	me hubiese informado	nos hubiésemos informado
te informases	os informaseis	te hubieses informado	os hubieseis informado
se informáse	se informasen	se hubiese informado	se hubiesen informado

imperativo	
—	informémonos
infórmate; no te informes	informaos; no os informéis
infórmese	infórmense

Words and expressions related to this verb
el informe, los informes information
un informe en confianza confidential report
informativo, informativa informative, informational
informarse de to find out about

el, la informante informant
informar to inform, report
informar contra to inform against
la información information, report
información económica financial news

Regular **-ar** verb   to immigrate

The Seven Simple Tenses		The Seven Compound Tenses	
Singular	Plural	Singular	Plural
1 presente de indicativo		8 perfecto de indicativo	
inmigro	**inmigramos**	**he inmigrado**	**hemos inmigrado**
inmigras	**inmigráis**	**has inmigrado**	**habéis inmigrado**
inmigra	**inmigran**	**ha inmigrado**	**han inmigrado**
2 imperfecto de indicativo		9 pluscuamperfecto de indicativo	
inmigraba	**inmigrábamos**	**había inmigrado**	**habíamos inmigrado**
inmigrabas	**inmigrabais**	**habías inmigrado**	**habíais inmigrado**
inmigraba	**inmigraban**	**había inmigrado**	**habían inmigrado**
3 pretérito		10 pretérito anterior	
inmigré	**inmigramos**	**hube inmigrado**	**hubimos inmigrado**
inmigraste	**inmigrasteis**	**hubiste inmigrado**	**hubisteis inmigrado**
inmigró	**inmigraron**	**hubo inmigrado**	**hubieron inmigrado**
4 futuro		11 futuro perfecto	
inmigraré	**inmigraremos**	**habré inmigrado**	**habremos inmigrado**
inmigrarás	**inmigraréis**	**habrás inmigrado**	**habréis inmigrado**
inmigrará	**inmigrarán**	**habrá inmigrado**	**habrán inmigrado**
5 potencial simple		12 potencial compuesto	
inmigraría	**inmigraríamos**	**habría inmigrado**	**habríamos inmigrado**
inmigrarías	**inmigraríais**	**habrías inmigrado**	**habríais inmigrado**
inmigraría	**inmigrarían**	**habría inmigrado**	**habrían inmigrado**
6 presente de subjuntivo		13 perfecto de subjuntivo	
inmigre	**inmigremos**	**haya inmigrado**	**hayamos inmigrado**
inmigres	**inmigréis**	**hayas inmigrado**	**hayáis inmigrado**
inmigre	**inmigren**	**haya inmigrado**	**hayan inmigrado**
7 imperfecto de subjuntivo		14 pluscuamperfecto de subjuntivo	
inmigrara	**inmigráramos**	**hubiera inmigrado**	**hubiéramos inmigrado**
inmigraras	**inmigrarais**	**hubieras inmigrado**	**hubierais inmigrado**
inmigrara	**inmigraran**	**hubiera inmigrado**	**hubieran inmigrado**
OR		OR	
inmigrase	**inmigrásemos**	**hubiese inmigrado**	**hubiésemos inmigrado**
inmigrases	**inmigraseis**	**hubieses inmigrado**	**hubieseis inmigrado**
inmigrase	**inmigrasen**	**hubiese inmigrado**	**hubiesen inmigrado**

	imperativo	
—	**inmigremos**
inmigra; no inmigres	**inmigrad; no inmigréis**
inmigre	**inmigren**

Words and expressions related to this verb
la inmigración   immigration
inmigrado, inmigrada   *adj.*   immigrant
inmigrante *adj.*   immigrant

inmigratorio, inmigratoria   immigratory
emigrar   to emigrate
un emigrado, una emigrada   an émigré

The subject pronouns are found on page 93.

395

inscribir (274) Gerundio inscribiendo Part. pas. inscrito (inscripto, *as an adj.*)

to inscribe, to record, to register   Regular **-ir** verb

The Seven Simple Tenses		The Seven Compound Tenses	
Singular	Plural	Singular	Plural
1 presente de indicativo		**8 perfecto de indicativo**	
inscribo	inscribimos	he inscrito	hemos inscrito
inscribes	inscribís	has inscrito	habéis inscrito
inscribe	inscriben	ha inscrito	han inscrito
2 imperfecto de indicativo		**9 pluscuamperfecto de indicativo**	
inscribía	inscribíamos	había inscrito	habíamos inscrito
inscribías	inscribíais	habías inscrito	habíais inscrito
inscribía	inscribían	había inscrito	habían inscrito
3 pretérito		**10 pretérito anterior**	
inscribí	inscribimos	hube inscrito	hubimos inscrito
inscribiste	inscribisteis	hubiste inscrito	hubisteis inscrito
inscribió	inscribieron	hubo inscrito	hubieron inscrito
4 futuro		**11 futuro perfecto**	
inscribiré	inscribiremos	habré inscrito	habremos inscrito
inscribirás	inscribiréis	habrás inscrito	habréis inscrito
inscribirá	inscribirán	habrá inscrito	habrán inscrito
5 potencial simple		**12 potencial compuesto**	
inscribiría	inscribiríamos	habría inscrito	habríamos inscrito
inscribirías	inscribiríais	habrías inscrito	habríais inscrito
inscribiría	inscribirían	habría inscrito	habrían inscrito
6 presente de subjuntivo		**13 perfecto de subjuntivo**	
inscriba	inscribamos	haya inscrito	hayamos inscrito
inscribas	inscribáis	hayas inscrito	hayáis inscrito
inscriba	inscriban	haya inscrito	hayan inscrito
7 imperfecto de subjuntivo		**14 pluscuamperfecto de subjuntivo**	
inscribiera	inscribiéramos	hubiera inscrito	hubiéramos inscrito
inscribieras	inscribierais	hubieras inscrito	hubierais inscrito
inscribiera	inscribieran	hubiera inscrito	hubieran inscrito
OR		OR	
inscribiese	inscribiésemos	hubiese inscrito	hubiésemos inscrito
inscribieses	inscribieseis	hubieses inscrito	hubieseis inscrito
inscribiese	inscribiesen	hubiese inscrito	hubiesen inscrito

imperativo

—	inscribamos
inscribe; no inscribas	inscribid; no inscribáis
inscriba	inscriban

Words and expressions related to this verb
la inscripción inscription, registration
inscripto, inscripta inscribed, registered
escribir to write

describir to describe, to sketch
la descripción description
inscribirse en un concurso to register one's
name (to sign up) in a competition

If you don't know the Spanish verb for the English verb you have in mind, look it up in the index on pages 682–706.

Reflexive regular **-ir** verb   to enroll, to register, to sign up

The Seven Simple Tenses		The Seven Compound Tenses	
Singular	Plural	Singular	Plural
1 presente de indicativo		8 perfecto de indicativo	
me inscribo	nos inscribimos	me he inscrito	nos hemos inscrito
te inscribes	os inscribís	te has inscrito	os habéis inscrito
se inscribe	se inscriben	se ha inscrito	se han inscrito
2 imperfecto de indicativo		9 pluscuamperfecto de indicativo	
me inscribía	nos inscribíamos	me había inscrito	nos habíamos inscrito
te inscribías	os inscribíais	te habías inscrito	os habíais inscrito
se inscribía	se inscribían	se había inscrito	se habían inscrito
3 pretérito		10 pretérito anterior	
me inscribí	nos inscribimos	me hube inscrito	nos hubimos inscrito
te inscribiste	os inscribisteis	te hubiste inscrito	os hubisteis inscrito
se inscribió	se inscribieron	se hubo inscrito	se hubieron inscrito
4 futuro		11 futuro perfecto	
me inscribiré	nos inscribiremos	me habré inscrito	nos habremos inscrito
te inscribirás	os inscribiréis	te habrás inscrito	os habréis inscrito
se inscribirá	se inscribirán	se habrá inscrito	se habrán inscrito
5 potencial simple		12 potencial compuesto	
me inscribiría	nos inscribiríamos	me habría inscrito	nos habríamos inscrito
te inscribirías	os inscribiríais	te habrías inscrito	os habríais inscrito
se inscribiría	se inscribirían	se habría inscrito	se habrían inscrito
6 presente de subjuntivo		13 perfecto de subjuntivo	
me inscriba	nos inscribamos	me haya inscrito	nos hayamos inscrito
te inscribas	os inscribáis	te hayas inscrito	os hayáis inscrito
se inscriba	se inscriban	se haya inscrito	se hayan inscrito
7 imperfecto de subjuntivo		14 pluscuamperfecto de subjuntivo	
me inscribiera	nos inscribiéramos	me hubiera inscrito	nos hubiéramos inscrito
te inscribieras	os inscribierais	te hubieras inscrito	os hubierais inscrito
se inscribiera	se inscribieran	se hubiera inscrito	se hubieran inscrito
OR		OR	
me inscribiese	nos inscribiésemos	me hubiese inscrito	nos hubiésemos inscrito
te inscribieses	os inscribieseis	te hubieses inscrito	os hubieseis inscrito
se inscribiese	se inscribiesen	se hubiese inscrito	se hubiesen inscrito

imperativo

	—	inscribámonos
	inscríbete; no te inscribas	inscribíos; no os inscribáis
	inscríbase	inscríbanse

For words and expressions related to this verb, see **inscribir**.

Don't miss the definitions of basic grammatical terms with examples
in English and Spanish on pages 33–44.

The subject pronouns are found on page 93.

to insist, to persist, to stress

Regular **-ir** verb

The Seven Simple Tenses		The Seven Compound Tenses	
Singular	Plural	Singular	Plural
1 presente de indicativo		8 perfecto de indicativo	
insisto	insistimos	he insistido	hemos insistido
insistes	insistís	has insistido	habéis insistido
insiste	insisten	ha insistido	han insistido
2 imperfecto de indicativo		9 pluscuamperfecto de indicativo	
insistía	insistíamos	había insistido	habíamos insistido
insistías	insistíais	habías insistido	habíais insistido
insistía	insistían	había insistido	habían insistido
3 pretérito		10 pretérito anterior	
insistí	insistimos	hube insistido	hubimos insistido
insististe	insististeis	hubiste insistido	hubisteis insistido
insistió	insistieron	hubo insistido	hubieron insistido
4 futuro		11 futuro perfecto	
insistiré	insistiremos	habré insistido	habremos insistido
insistirás	insistiréis	habrás insistido	habréis insistido
insistirá	insistirán	habrá insistido	habrán insistido
5 potencial simple		12 potencial compuesto	
insistiría	insistiríamos	habría insistido	habríamos insistido
insistirías	insistiríais	habrías insistido	habríais insistido
insistiría	insistirían	habría insistido	habrían insistido
6 presente de subjuntivo		13 perfecto de subjuntivo	
insista	insistamos	haya insistido	hayamos insistido
insistas	insistáis	hayas insistido	hayáis insistido
insista	insistan	haya insistido	hayan insistido
7 imperfecto de subjuntivo		14 pluscuamperfecto de subjuntivo	
insistiera	insistiéramos	hubiera insistido	hubiéramos insistido
insistieras	insistierais	hubieras insistido	hubierais insistido
insistiera	insistieran	hubiera insistido	hubieran insistido
OR		OR	
insistiese	insistiésemos	hubiese insistido	hubiésemos insistido
insistieses	insistieseis	hubieses insistido	hubieseis insistido
insistiese	insistiesen	hubiese insistido	hubiesen insistido

imperativo	
—	insistamos
insiste; no insistas	insistid; no insistáis
insista	insistan

Words related to this verb
insistir en to insist on, to persist in
la insistencia insistence, persistence

insistente insistent
insistir en la importancia de to stress the
importance of

If you want to see a sample English verb fully conjugated
in all the tenses, check out pages 11 and 12.

The Seven Simple Tenses		The Seven Compound Tenses	
Singular	Plural	Singular	Plural
1 presente de indicativo		8 perfecto de indicativo	
me intereso	**nos interesamos**	**me he interesado**	**nos hemos interesado**
te interesas	**os interesáis**	**te has interesado**	**os habéis interesado**
se interesa	**se interesan**	**se ha interesado**	**se han interesado**
2 imperfecto de indicativo		9 pluscuamperfecto de indicativo	
me interesaba	**nos interesábamos**	**me había interesado**	**nos habíamos interesado**
te interesabas	**os interesabais**	**te habías interesado**	**os habíais interesado**
se interesaba	**se interesaban**	**se había interesado**	**se habían interesado**
3 pretérito		10 pretérito anterior	
me interesé	**nos interesamos**	**me hube interesado**	**nos hubimos interesado**
te interesaste	**os interesasteis**	**te hubiste interesado**	**os hubisteis interesado**
se interesó	**se interesaron**	**se hubo interesado**	**se hubieron interesado**
4 futuro		11 futuro perfecto	
me interesaré	**nos interesaremos**	**me habré interesado**	**nos habremos interesado**
te interesarás	**os interesaréis**	**te habrás interesado**	**os habréis interesado**
se interesará	**se interesarán**	**se habrá interesado**	**se habrán interesado**
5 potencial simple		12 potencial compuesto	
me interesaría	**nos interesaríamos**	**me habría interesado**	**nos habríamos interesado**
te interesarías	**os interesaríais**	**te habrías interesado**	**os habríais interesado**
se interesaría	**se interesarían**	**se habría interesado**	**se habrían interesado**
6 presente de subjuntivo		13 perfecto de subjuntivo	
me interese	**nos interesemos**	**me haya interesado**	**nos hayamos interesado**
te intereses	**os intereséis**	**te hayas interesado**	**os hayáis interesado**
se interese	**se interesen**	**se haya interesado**	**se hayan interesado**
7 imperfecto de subjuntivo		14 pluscuamperfecto de subjuntivo	
me interesara	**nos interesáramos**	**me hubiera interesado**	**nos hubiéramos interesado**
te interesaras	**os interesarais**	**te hubieras interesado**	**os hubierais interesado**
se interesara	**se interesaran**	**se hubiera interesado**	**se hubieran interesado**
OR		OR	
me interesase	**nos interesásemos**	**me hubiese interesado**	**nos hubiésemos interesado**
te interesases	**os interesaseis**	**te hubieses interesado**	**os hubieseis interesado**
se interesase	**se interesasen**	**se hubiese interesado**	**se hubiesen interesado**

imperativo

—	**interesémonos**
interésate; no te intereses	**interesaos; no os intereséis**
interésese	**interésense**

Words and expressions related to this verb

interesarse en to be interested in	**interesante** interesting
interesar to interest	**interesado, interesada** interested
el interés interest	**sin interés** uninteresting
en interés de on behalf of	**desinteresar** to disinterest
desinteresarse to become disinterested;	**desinteresado, desinteresada** disinterested
to lose interest	**el desinterés** disinterest

The subject pronouns are found on page 93.

introducir (278)

Gerundio introduciendo   **Part. pas. introducido**

to introduce

Regular **-ir** endings in all tenses except Tenses 3 and 7; spelling change: **c** becomes **zc** before **a** or **o**

The Seven Simple Tenses		The Seven Compound Tenses	
Singular	Plural	Singular	Plural
1 presente de indicativo		**8 perfecto de indicativo**	
introduzco	introducimos	he introducido	hemos introducido
introduces	introducís	has introducido	habéis introducido
introduce	introducen	ha introducido	han introducido
2 imperfecto de indicativo		**9 pluscuamperfecto de indicativo**	
introducía	introducíamos	había introducido	habíamos introducido
introducías	introducíais	habías introducido	habíais introducido
introducía	introducían	había introducido	habían introducido
3 pretérito		**10 pretérito anterior**	
introduje	introdujimos	hube introducido	hubimos introducido
introdujiste	introdujisteis	hubiste introducido	hubisteis introducido
introdujo	introdujeron	hubo introducido	hubieron introducido
4 futuro		**11 futuro perfecto**	
introduciré	introduciremos	habré introducido	habremos introducido
introducirás	introduciréis	habrás introducido	habréis introducido
introducirá	introducirán	habrá introducido	habrán introducido
5 potencial simple		**12 potencial compuesto**	
introduciría	introduciríamos	habría introducido	habríamos introducido
introducirías	introduciríais	habrías introducido	habríais introducido
introduciría	introducirían	habría introducido	habrían introducido
6 presente de subjuntivo		**13 perfecto de subjuntivo**	
introduzca	introduzcamos	haya introducido	hayamos introducido
introduzcas	introduzcáis	hayas introducido	hayáis introducido
introduzca	introduzcan	haya introducido	hayan introducido
7 imperfecto de subjuntivo		**14 pluscuamperfecto de subjuntivo**	
introdujera	introdujéramos	hubiera introducido	hubiéramos introducido
introdujeras	introdujerais	hubieras introducido	hubierais introducido
introdujera	introdujeran	hubiera introducido	hubieran introducido
OR		OR	
introdujese	introdujésemos	hubiese introducido	hubiésemos introducido
introdujeses	introdujeseis	hubieses introducido	hubieseis introducido
introdujese	introdujesen	hubiese introducido	hubiesen introducido

	imperativo	
—	introduzcamos
introduce; no introduzcas	introducid; no introduzcáis
introduzca	introduzcan

Words related to this verb
la introducción   introduction
introductor, introductora   introducer
introducir a una persona en la oficina
   to show a person into the office

introductivo, introductiva   introductive, introductory

Use the guide to Spanish pronunciation on pages 665–667.

The Seven Simple Tenses		The Seven Compound Tenses	
Singular	Plural	Singular	Plural
1 presente de indicativo		8 perfecto de indicativo	
invito	**invitamos**	**he invitado**	**hemos invitado**
invitas	**invitáis**	**has invitado**	**habéis invitado**
invita	**invitan**	**ha invitado**	**han invitado**
2 imperfecto de indicativo		9 pluscuamperfecto de indicativo	
invitaba	**invitábamos**	**había invitado**	**habíamos invitado**
invitabas	**invitabais**	**habías invitado**	**habíais invitado**
invitaba	**invitaban**	**había invitado**	**habían invitado**
3 pretérito		10 pretérito anterior	
invité	**invitamos**	**hube invitado**	**hubimos invitado**
invitaste	**invitasteis**	**hubiste invitado**	**hubisteis invitado**
invitó	**invitaron**	**hubo invitado**	**hubieron invitado**
4 futuro		11 futuro perfecto	
invitaré	**invitaremos**	**habré invitado**	**habremos invitado**
invitarás	**invitaréis**	**habrás invitado**	**habréis invitado**
invitará	**invitarán**	**habrá invitado**	**habrán invitado**
5 potencial simple		12 potencial compuesto	
invitaría	**invitaríamos**	**habría invitado**	**habríamos invitado**
invitarías	**invitaríais**	**habrías invitado**	**habríais invitado**
invitaría	**invitarían**	**habría invitado**	**habrían invitado**
6 presente de subjuntivo		13 perfecto de subjuntivo	
invite	**invitemos**	**haya invitado**	**hayamos invitado**
invites	**invitéis**	**hayas invitado**	**hayáis invitado**
invite	**inviten**	**haya invitado**	**hayan invitado**
7 imperfecto de subjuntivo		14 pluscuamperfecto de subjuntivo	
invitara	**invitáramos**	**hubiera invitado**	**hubiéramos invitado**
invitaras	**invitarais**	**hubieras invitado**	**hubierais invitado**
invitara	**invitaran**	**hubiera invitado**	**hubieran invitado**
OR		OR	
invitase	**invitásemos**	**hubiese invitado**	**hubiésemos invitado**
invitases	**invitaseis**	**hubieses invitado**	**hubieseis invitado**
invitase	**invitasen**	**hubiese invitado**	**hubiesen invitado**

	imperativo	
—	**invitemos**	
invita; no invites	**invitad; no invitéis**	
invite	**inviten**	

Words related to this verb

invitar a + inf.   to invite + inf.   **el invitador**   host
la invitación   invitation   **la invitadora**   hostess
un invitado, una invitada   guest   **evitar**   to avoid

Can't find the verb you're looking for?
Check the back pages of this book for a list of over 2,100 additional verbs!

The subject pronouns are found on page 93.

to go   Irregular verb

The Seven Simple Tenses		The Seven Compound Tenses	
Singular	Plural	Singular	Plural
1 presente de indicativo		**8 perfecto de indicativo**	
voy	vamos	he ido	hemos ido
vas	vais	has ido	habéis ido
va	van	ha ido	han ido
2 imperfecto de indicativo		**9 pluscuamperfecto de indicativo**	
iba	íbamos	había ido	habíamos ido
ibas	ibais	habías ido	habíais ido
iba	iban	había ido	habían ido
3 pretérito		**10 pretérito anterior**	
fui	fuimos	hube ido	hubimos ido
fuiste	fuisteis	hubiste ido	hubisteis ido
fue	fueron	hubo ido	hubieron ido
4 futuro		**11 futuro perfecto**	
iré	iremos	habré ido	habremos ido
irás	iréis	habrás ido	habréis ido
irá	irán	habrá ido	habrán ido
5 potencial simple		**12 potencial compuesto**	
iría	iríamos	habría ido	habríamos ido
irías	iríais	habrías ido	habríais ido
iría	irían	habría ido	habrían ido
6 presente de subjuntivo		**13 perfecto de subjuntivo**	
vaya	vayamos	haya ido	hayamos ido
vayas	vayáis	hayas ido	hayáis ido
vaya	vayan	haya ido	hayan ido
7 imperfecto de subjuntivo		**14 pluscuamperfecto de subjuntivo**	
fuera	fuéramos	hubiera ido	hubiéramos ido
fueras	fuerais	hubieras ido	hubierais ido
fuera	fueran	hubiera ido	hubieran ido
OR		OR	
fuese	fuésemos	hubiese ido	hubiésemos ido
fueses	fueseis	hubieses ido	hubieseis ido
fuese	fuesen	hubiese ido	hubiesen ido

	imperativo	
—		vamos (no vayamos)
ve; no vayas		id; no vayáis
vaya		vayan

Ir and irse are a very important pair of verbs for a beginning student. In the following examples, note the difference in meaning between ir and the reflexive form irse.

Use ir when you simply mean *to go:*

Voy al cine/I am going to the movies.

Use irse when you mean *to leave* in the sense of *to go away:*

Mis padres se fueron al campo para visitar a mis abuelos/
My parents left for (went away to) the country to visit my grandparents.

Sentences using ir and irse

Voy a pagar al contado.
I'm going to pay in cash.

¡Qué va! Nonsense!

¡Vámonos! Let's go! Let's leave!

¡Vete! Go away!

¡Váyase! Go away!

¿Cómo le va? How goes it? How are you?

Vaya con Dios.
Go with God. (God be with you.)

Words and expressions related to these verbs

ir de compras **to go shopping**

ir de brazo **to walk arm in arm**

ir a caballo **to go on horseback**

ir a medias **to go halves**

ir a pie **to walk (to go on foot)**

ir bien **to get along well**

ir con tiento **to go quietly, softly**

ir por **to go for, to go ahead**

irse de prisa **to rush away**

un billete de ida y vuelta **return ticket**

Proverb

Cuando el gato va a sus devociones, bailan los ratones.
When the cat is away, the mice will play.

The subject pronouns are found on page 93.

to go away

The Seven Simple Tenses		The Seven Compound Tenses	
Singular	Plural	Singular	Plural
1 presente de indicativo		8 perfecto de indicativo	
me voy	nos vamos	me he ido	nos hemos ido
te vas	os vais	te has ido	os habéis ido
se va	se van	se ha ido	se han ido
2 imperfecto de indicativo		9 pluscuamperfecto de indicativo	
me iba	nos íbamos	me había ido	nos habíamos ido
te ibas	os ibais	te habías ido	os habíais ido
se iba	se iban	se había ido	se habían ido
3 pretérito		10 pretérito anterior	
me fui	nos fuimos	me hube ido	nos hubimos ido
te fuiste	os fuisteis	te hubiste ido	os hubisteis ido
se fue	se fueron	se hubo ido	se hubieron ido
4 futuro		11 futuro perfecto	
me iré	nos iremos	me habré ido	nos habremos ido
te irás	os iréis	te habrás ido	os habréis ido
se irá	se irán	se habrá ido	se habrán ido
5 potencial simple		12 potencial compuesto	
me iría	nos iríamos	me habría ido	nos habríamos ido
te irías	os iríais	te habrías ido	os habríais ido
se iría	se irían	se habría ido	se habrían ido
6 presente de subjuntivo		13 perfecto de subjuntivo	
me vaya	nos vayamos	me haya ido	nos hayamos ido
te vayas	os vayáis	te hayas ido	os hayáis ido
se vaya	se vayan	se haya ido	se hayan ido
7 imperfecto de subjuntivo		14 pluscuamperfecto de subjuntivo	
me fuera	nos fuéramos	me hubiera ido	nos hubiéramos ido
te fueras	os fuerais	te hubieras ido	os hubierais ido
se fuera	se fueran	se hubiera ido	se hubieran ido
OR		OR	
me fuese	nos fuésemos	me hubiese ido	nos hubiésemos ido
te fueses	os fueseis	te hubieses ido	os hubieseis ido
se fuese	se fuesen	se hubiese ido	se hubiesen ido

imperativo

—	vámonos; no nos vayamos
vete; no te vayas	idos; no os vayáis
váyase; no se vaya	váyanse; no se vayan

Regular **-ar** verb endings with stem change: Tenses 1, 6;   to play (a game,
Imperative and spelling change: **g** becomes **gu** before **e**   sport)

The Seven Simple Tenses		The Seven Compound Tenses	
Singular	Plural	Singular	Plural
1 presente de indicativo		8 perfecto de indicativo	
juego	**jugamos**	**he jugado**	**hemos jugado**
juegas	**jugáis**	**has jugado**	**habéis jugado**
juega	**juegan**	**ha jugado**	**han jugado**
2 imperfecto de indicativo		9 pluscuamperfecto de indicativo	
jugaba	**jugábamos**	**había jugado**	**habíamos jugado**
jugabas	**jugabais**	**habías jugado**	**habíais jugado**
jugaba	**jugaban**	**había jugado**	**habían jugado**
3 pretérito		10 pretérito anterior	
jugué	**jugamos**	**hube jugado**	**hubimos jugado**
jugaste	**jugasteis**	**hubiste jugado**	**hubisteis jugado**
jugó	**jugaron**	**hubo jugado**	**hubieron jugado**
4 futuro		11 futuro perfecto	
jugaré	**jugaremos**	**habré jugado**	**habremos jugado**
jugarás	**jugaréis**	**habrás jugado**	**habréis jugado**
jugará	**jugarán**	**habrá jugado**	**habrán jugado**
5 potencial simple		12 potencial compuesto	
jugaría	**jugaríamos**	**habría jugado**	**habríamos jugado**
jugarías	**jugaríais**	**habrías jugado**	**habríais jugado**
jugaría	**jugarían**	**habría jugado**	**habrían jugado**
6 presente de subjuntivo		13 perfecto de subjuntivo	
juegue	**juguemos**	**haya jugado**	**hayamos jugado**
juegues	**juguéis**	**hayas jugado**	**hayáis jugado**
juegue	**jueguen**	**haya jugado**	**hayan jugado**
7 imperfecto de subjuntivo		14 pluscuamperfecto de subjuntivo	
jugara	**jugáramos**	**hubiera jugado**	**hubiéramos jugado**
jugaras	**jugarais**	**hubieras jugado**	**hubierais jugado**
jugara	**jugaran**	**hubiera jugado**	**hubieran jugado**
OR		OR	
jugase	**jugásemos**	**hubiese jugado**	**hubiésemos jugado**
jugases	**jugaseis**	**hubieses jugado**	**hubieseis jugado**
jugase	**jugasen**	**hubiese jugado**	**hubiesen jugado**

imperativo

—	**juguemos**
juega; no juegues	**jugad; no juguéis**
juegue	**jueguen**

Words and expressions related to this verb

un juguete   toy, plaything
jugador, jugadora   player
un juego   game
la casa de juego   gambling house
el juego de té   tea set (service)
juego sucio   foul (dishonest) play

jugar a los naipes   to play cards
jugar al tenis   to play tennis
jugar al béisbol   to play baseball
hacer doble juego   to be two-faced
¡Hagan juego!   Place your bets!
el juego de palabras   play on words, pun

The subject pronouns are found on page 93.   **405**

to join, to unite, to connect   Regular **-ar** verb

The Seven Simple Tenses		The Seven Compound Tenses	
Singular	Plural	Singular	Plural
1 presente de indicativo		8 perfecto de indicativo	
junto	juntamos	he juntado	hemos juntado
juntas	juntáis	has juntado	habéis juntado
junta	juntan	ha juntado	han juntado
2 imperfecto de indicativo		9 pluscuamperfecto de indicativo	
juntaba	juntábamos	había juntado	habíamos juntado
juntabas	juntabais	habías juntado	habíais juntado
juntaba	juntaban	había juntado	habían juntado
3 pretérito		10 pretérito anterior	
junté	juntamos	hube juntado	hubimos juntado
juntaste	juntasteis	hubiste juntado	hubisteis juntado
juntó	juntaron	hubo juntado	hubieron juntado
4 futuro		11 futuro perfecto	
juntaré	juntaremos	habré juntado	habremos juntado
juntarás	juntaréis	habrás juntado	habréis juntado
juntará	juntarán	habrá juntado	habrán juntado
5 potencial simple		12 potencial compuesto	
juntaría	juntaríamos	habría juntado	habríamos juntado
juntarías	juntaríais	habrías juntado	habríais juntado
juntaría	juntarían	habría juntado	habrían juntado
6 presente de subjuntivo		13 perfecto de subjuntivo	
junte	juntemos	haya juntado	hayamos juntado
juntes	juntéis	hayas juntado	hayáis juntado
junte	junten	haya juntado	hayan juntado
7 imperfecto de subjuntivo		14 pluscuamperfecto de subjuntivo	
juntara	juntáramos	hubiera juntado	hubiéramos juntado
juntaras	juntarais	hubieras juntado	hubierais juntado
juntara	juntaran	hubiera juntado	hubieran juntado
OR		OR	
juntase	juntásemos	hubiese juntado	hubiésemos juntado
juntases	juntaseis	hubieses juntado	hubieseis juntado
juntase	juntasen	hubiese juntado	hubiesen juntado

imperativo	
—	juntemos
junta; no juntes	juntad; no juntéis
junte	junten

Words and expressions related to this verb
juntar con   to associate with
juntarse   to assemble, gather together
la junta   junta, conference, convention, meeting

juntar meriendas   to join forces
vivir juntos   to live together

Can't find the verb you're looking for?
Check the back pages of this book for a list of over 2,100 additional verbs!

Regular **-ar** verb   to swear, to take an oath

The Seven Simple Tenses | The Seven Compound Tenses

Singular	Plural	Singular	Plural
1 presente de indicativo		8 perfecto de indicativo	
juro	juramos	he jurado	hemos jurado
juras	juráis	has jurado	habéis jurado
jura	juran	ha jurado	han jurado
2 imperfecto de indicativo		9 pluscuamperfecto de indicativo	
juraba	jurábamos	había jurado	habíamos jurado
jurabas	jurabais	habías jurado	habíais jurado
juraba	juraban	había jurado	habían jurado
3 pretérito		10 pretérito anterior	
juré	juramos	hube jurado	hubimos jurado
juraste	jurasteis	hubiste jurado	hubisteis jurado
juró	juraron	hubo jurado	hubieron jurado
4 futuro		11 futuro perfecto	
juraré	juraremos	habré jurado	habremos jurado
jurarás	juraréis	habrás jurado	habréis jurado
jurará	jurarán	habrá jurado	habrán jurado
5 potencial simple		12 potencial compuesto	
juraría	juraríamos	habría jurado	habríamos jurado
jurarías	juraríais	habrías jurado	habríais jurado
juraría	jurarían	habría jurado	habrían jurado
6 presente de subjuntivo		13 perfecto de subjuntivo	
jure	juremos	haya jurado	hayamos jurado
jures	juréis	hayas jurado	hayáis jurado
jure	juren	haya jurado	hayan jurado
7 imperfecto de subjuntivo		14 pluscuamperfecto de subjuntivo	
jurara	juráramos	hubiera jurado	hubiéramos jurado
juraras	jurarais	hubieras jurado	hubierais jurado
jurara	juraran	hubiera jurado	hubieran jurado
OR		OR	
jurase	jurásemos	hubiese jurado	hubiésemos jurado
jurases	juraseis	hubieses jurado	hubieseis jurado
jurase	jurasen	hubiese jurado	hubiesen jurado

imperativo

—	**juremos**
jura; no jures	**jurad; no juréis**
jure	**juren**

Words and expressions related to this verb
jurar en falso   to commit perjury
jurar decir la verdad   to swear to tell the
   truth
un juramento   oath; **juramento falso**
   perjury

juramentarse   to take an oath, to be sworn in
jurar como un carretero   to swear like a
   trooper
bajo juramento   under oath

The subject pronouns are found on page 93.

juzgar (285)

to judge

Regular **-ar** verb endings with spelling
change: **g** becomes **gu** before **e**

The Seven Simple Tenses		The Seven Compound Tenses	
Singular	Plural	Singular	Plural
1 presente de indicativo		8 perfecto de indicativo	
juzgo	juzgamos	he juzgado	hemos juzgado
juzgas	juzgáis	has juzgado	habéis juzgado
juzga	juzgan	ha juzgado	han juzgado
2 imperfecto de indicativo		9 pluscuamperfecto de indicativo	
juzgaba	juzgábamos	había juzgado	habíamos juzgado
juzgabas	juzgabais	habías juzgado	habíais juzgado
juzgaba	juzgaban	había juzgado	habían juzgado
3 pretérito		10 pretérito anterior	
juzgué	juzgamos	hube juzgado	hubimos juzgado
juzgaste	juzgasteis	hubiste juzgado	hubisteis juzgado
juzgó	juzgaron	hubo juzgado	hubieron juzgado
4 futuro		11 futuro perfecto	
juzgaré	juzgaremos	habré juzgado	habremos juzgado
juzgarás	juzgaréis	habrás juzgado	habréis juzgado
juzgará	juzgarán	habrá juzgado	habrán juzgado
5 potencial simple		12 potencial compuesto	
juzgaría	juzgaríamos	habría juzgado	habríamos juzgado
juzgarías	juzgaríais	habrías juzgado	habríais juzgado
juzgaría	juzgarían	habría juzgado	habrían juzgado
6 presente de subjuntivo		13 perfecto de subjuntivo	
juzgue	juzguemos	haya juzgado	hayamos juzgado
juzgues	juzguéis	hayas juzgado	hayáis juzgado
juzgue	juzguen	haya juzgado	hayan juzgado
7 imperfecto de subjuntivo		14 pluscuamperfecto de subjuntivo	
juzgara	juzgáramos	hubiera juzgado	hubiéramos juzgado
juzgaras	juzgarais	hubieras juzgado	hubierais juzgado
juzgara	juzgaran	hubiera juzgado	hubieran juzgado
OR		OR	
juzgase	juzgásemos	hubiese juzgado	hubiésemos juzgado
juzgases	juzgaseis	hubieses juzgado	hubieseis juzgado
juzgase	juzgasen	hubiese juzgado	hubiesen juzgado

imperativo	
—	juzguemos
juzga; no juzgues	juzgad; no juzguéis
juzgue	juzguen

Words and expressions related to this verb

a juzgar por   judging by
juzgar de   to pass judgment on
el juzgado   court of justice
el juez   judge (los jueces)
juzgar mal   to misjudge
juzgado, juzgada   judged

juez de paz, juez municipal   justice of the peace
prejuzgar   to prejudge
juzgar a un asesino   to judge a murderer
no poderse juzgar por las apariencias   not to
    be able to judge by appearances

Regular **-ar** verb endings with spelling change: **z** becomes **c** before **e**

to throw, to hurl, to fling, to launch

The Seven Simple Tenses		The Seven Compound Tenses	
Singular	Plural	Singular	Plural
1 presente de indicativo		8 perfecto de indicativo	
lanzo	**lanzamos**	**he lanzado**	**hemos lanzado**
lanzas	**lanzáis**	**has lanzado**	**habéis lanzado**
lanza	**lanzan**	**ha lanzado**	**han lanzado**
2 imperfecto de indicativo		9 pluscuamperfecto de indicativo	
lanzaba	**lanzábamos**	**había lanzado**	**habíamos lanzado**
lanzabas	**lanzabais**	**habías lanzado**	**habíais lanzado**
lanzaba	**lanzaban**	**había lanzado**	**habían lanzado**
3 pretérito		10 pretérito anterior	
lancé	**lanzamos**	**hube lanzado**	**hubimos lanzado**
lanzaste	**lanzasteis**	**hubiste lanzado**	**hubisteis lanzado**
lanzó	**lanzaron**	**hubo lanzado**	**hubieron lanzado**
4 futuro		11 futuro perfecto	
lanzaré	**lanzaremos**	**habré lanzado**	**habremos lanzado**
lanzarás	**lanzaréis**	**habrás lanzado**	**habréis lanzado**
lanzará	**lanzarán**	**habrá lanzado**	**habrán lanzado**
5 potencial simple		12 potencial compuesto	
lanzaría	**lanzaríamos**	**habría lanzado**	**habríamos lanzado**
lanzarías	**lanzaríais**	**habrías lanzado**	**habríais lanzado**
lanzaría	**lanzarían**	**habría lanzado**	**habrían lanzado**
6 presente de subjuntivo		13 perfecto de subjuntivo	
lance	**lancemos**	**haya lanzado**	**hayamos lanzado**
lances	**lancéis**	**hayas lanzado**	**hayáis lanzado**
lance	**lancen**	**haya lanzado**	**hayan lanzado**
7 imperfecto de subjuntivo		14 pluscuamperfecto de subjuntivo	
lanzara	**lanzáramos**	**hubiera lanzado**	**hubiéramos lanzado**
lanzaras	**lanzarais**	**hubieras lanzado**	**hubierais lanzado**
lanzara	**lanzaran**	**hubiera lanzado**	**hubieran lanzado**
OR		OR	
lanzase	**lanzásemos**	**hubiese lanzado**	**hubiésemos lanzado**
lanzases	**lanzaseis**	**hubieses lanzado**	**hubieseis lanzado**
lanzase	**lanzasen**	**hubiese lanzado**	**hubiesen lanzado**

imperativo	
—	**lancemos**
lanza; no lances	**lanzad; no lancéis**
lance	**lancen**

Words and expressions related to this verb

la lanza lance, spear
el lanzamiento casting, throwing, launching
el lanzador, la lanzadora thrower, pitcher (sports)
lanzarse to throw oneself
See also **arrojar.**

quebrar lanzas to quarrel
ser una lanza to be an expert
la plataforma de lanzamiento launching pad
lanzarse al agua to jump into the water

The subject pronouns are found on page 93.

to hurt oneself, to feel sorry
for, to complain, to regret

The Seven Simple Tenses		The Seven Compound Tenses	
Singular	Plural	Singular	Plural
1 presente de indicativo		8 perfecto de indicativo	
me lastimo	nos lastimamos	me he lastimado	nos hemos lastimado
te lastimas	os lastimáis	te has lastimado	os habéis lastimado
se lastima	se lastiman	se ha lastimado	se han lastimado
2 imperfecto de indicativo		9 pluscuamperfecto de indicativo	
me lastimaba	nos lastimábamos	me había lastimado	nos habíamos lastimado
te lastimabas	os lastimabais	te habías lastimado	os habíais lastimado
se lastimaba	se lastimaban	se había lastimado	se habían lastimado
3 pretérito		10 pretérito anterior	
me lastimé	nos lastimamos	me hube lastimado	nos hubimos lastimado
te lastimaste	os lastimasteis	te hubiste lastimado	os hubisteis lastimado
se lastimó	se lastimaron	se hubo lastimado	se hubieron lastimado
4 futuro		11 futuro perfecto	
me lastimaré	nos lastimaremos	me habré lastimado	nos habremos lastimado
te lastimarás	os lastimaréis	te habrás lastimado	os habréis lastimado
se lastimará	se lastimarán	se habrá lastimado	se habrán lastimado
5 potencial simple		12 potencial compuesto	
me lastimaría	nos lastimaríamos	me habría lastimado	nos habríamos lastimado
te lastimarías	os lastimaríais	te habrías lastimado	os habríais lastimado
se lastimaría	se lastimarían	se habría lastimado	se habrían lastimado
6 presente de subjuntivo		13 perfecto de subjuntivo	
me lastime	nos lastimemos	me haya lastimado	nos hayamos lastimado
te lastimes	os lastiméis	te hayas lastimado	os hayáis lastimado
se lastime	se lastimen	se haya lastimado	se hayan lastimado
7 imperfecto de subjuntivo		14 pluscuamperfecto de subjuntivo	
me lastimara	nos lastimáramos	me hubiera lastimado	nos hubiéramos lastimado
te lastimaras	os lastimarais	te hubieras lastimado	os hubierais lastimado
se lastimara	se lastimaran	se hubiera lastimado	se hubieran lastimado
OR		OR	
me lastimase	nos lastimásemos	me hubiese lastimado	nos hubiésemos lastimado
te lastimases	os lastimaseis	te hubieses lastimado	os hubieseis lastimado
se lastimase	se lastimasen	se hubiese lastimado	se hubiesen lastimado

	imperativo	
—		lastimémonos
lastímate; no te lastimes		lastimaos; no os lastiméis
lastímese		lastímense

Words and expressions related to this verb
lastimar   to hurt, damage, injure, offend
lastimarse de   to feel sorry for, to complain about
una lástima   pity; ¡Qué lástima!   What a pity! What a shame!
tener lástima   to feel sorry

Consult pages 669–677 for the section on verbs with prepositions.

Regular **-ar** verb   to wash

The Seven Simple Tenses		The Seven Compound Tenses	
Singular	Plural	Singular	Plural
1 presente de indicativo		8 perfecto de indicativo	
lavo	**lavamos**	**he lavado**	**hemos lavado**
lavas	**laváis**	**has lavado**	**habéis lavado**
lava	**lavan**	**ha lavado**	**han lavado**
2 imperfecto de indicativo		9 pluscuamperfecto de indicativo	
lavaba	**lavábamos**	**había lavado**	**habíamos lavado**
lavabas	**lavabais**	**habías lavado**	**habíais lavado**
lavaba	**lavaban**	**había lavado**	**habían lavado**
3 pretérito		10 pretérito anterior	
lavé	**lavamos**	**hube lavado**	**hubimos lavado**
lavaste	**lavasteis**	**hubiste lavado**	**hubisteis lavado**
lavó	**lavaron**	**hubo lavado**	**hubieron lavado**
4 futuro		11 futuro perfecto	
lavaré	**lavaremos**	**habré lavado**	**habremos lavado**
lavarás	**lavaréis**	**habrás lavado**	**habréis lavado**
lavará	**lavarán**	**habrá lavado**	**habrán lavado**
5 potencial simple		12 potencial compuesto	
lavaría	**lavaríamos**	**habría lavado**	**habríamos lavado**
lavarías	**lavaríais**	**habrías lavado**	**habríais lavado**
lavaría	**lavarían**	**habría lavado**	**habrían lavado**
6 presente de subjuntivo		13 perfecto de subjuntivo	
lave	**lavemos**	**haya lavado**	**hayamos lavado**
laves	**lavéis**	**hayas lavado**	**hayáis lavado**
lave	**laven**	**haya lavado**	**hayan lavado**
7 imperfecto de subjuntivo		14 pluscuamperfecto de subjuntivo	
lavara	**laváramos**	**hubiera lavado**	**hubiéramos lavado**
lavaras	**lavarais**	**hubieras lavado**	**hubierais lavado**
lavara	**lavaran**	**hubiera lavado**	**hubieran lavado**
OR		OR	
lavase	**lavásemos**	**hubiese lavado**	**hubiésemos lavado**
lavases	**lavaseis**	**hubieses lavado**	**hubieseis lavado**
lavase	**lavasen**	**hubiese lavado**	**hubiesen lavado**

imperativo

—	**lavemos**
lava; no laves	**lavad; no lavéis**
lave	**laven**

Words and expressions related to this verb

el lavatorio, el lavabo   lavatory, washroom, washstand
lavandero, lavandera   launderer
la lavandería   laundry shop

el lavamanos   washstand, washbowl
lavar en seco   to dry clean
la máquina de lavar ropa   clothes washing machine

See also **lavarse.**

to wash oneself   Reflexive regular **-ar** verb

The Seven Simple Tenses		The Seven Compound Tenses	
Singular	Plural	Singular	Plural
1 presente de indicativo		8 perfecto de indicativo	
me lavo	nos lavamos	me he lavado	nos hemos lavado
te lavas	os laváis	te has lavado	os habéis lavado
se lava	se lavan	se ha lavado	se han lavado
2 imperfecto de indicativo		9 pluscuamperfecto de indicativo	
me lavaba	nos lavábamos	me había lavado	nos habíamos lavado
te lavabas	os lavabais	te habías lavado	os habíais lavado
se lavaba	se lavaban	se había lavado	se habían lavado
3 pretérito		10 pretérito anterior	
me lavé	nos lavamos	me hube lavado	nos hubimos lavado
te lavaste	os lavasteis	te hubiste lavado	os hubisteis lavado
se lavó	se lavaron	se hubo lavado	se hubieron lavado
4 futuro		11 futuro perfecto	
me lavaré	nos lavaremos	me habré lavado	nos habremos lavado
te lavarás	os lavaréis	te habrás lavado	os habréis lavado
se lavará	se lavarán	se habrá lavado	se habrán lavado
5 potencial simple		12 potencial compuesto	
me lavaría	nos lavaríamos	me habría lavado	nos habríamos lavado
te lavarías	os lavaríais	te habrías lavado	os habríais lavado
se lavaría	se lavarían	se habría lavado	se habrían lavado
6 presente de subjuntivo		13 perfecto de subjuntivo	
me lave	nos lavemos	me haya lavado	nos hayamos lavado
te laves	os lavéis	te hayas lavado	os hayáis lavado
se lave	se laven	se haya lavado	se hayan lavado
7 imperfecto de subjuntivo		14 pluscuamperfecto de subjuntivo	
me lavara	nos laváramos	me hubiera lavado	nos hubiéramos lavado
te lavaras	os lavarais	te hubieras lavado	os hubierais lavado
se lavara	se lavaran	se hubiera lavado	se hubieran lavado
OR		OR	
me lavase	nos lavásemos	me hubiese lavado	nos hubiésemos lavado
te lavases	os lavaseis	te hubieses lavado	os hubieseis lavado
se lavase	se lavasen	se hubiese lavado	se hubiesen lavado

	imperativo	
—		lavémonos; no nos lavemos
	lávate; no te laves	lavaos; no os lavéis
	lávese; no se lave	lávense; no se laven

Words and expressions related to this verb

el lavatorio, el lavabo   lavatory, washroom,
   washstand
lavandero, lavandera   launderer

la lavandería   laundry shop
la lavativa   enema
la lavadora de vajilla   dishwashing machine

For other words and expressions related to this verb, see **lavar.**

The Seven Simple Tenses		The Seven Compound Tenses	
Singular	Plural	Singular	Plural
1 presente de indicativo		**8 perfecto de indicativo**	
leo	leemos	he leído	hemos leído
lees	leéis	has leído	habéis leído
lee	leen	ha leído	han leído
2 imperfecto de indicativo		**9 pluscuamperfecto de indicativo**	
leía	leíamos	había leído	habíamos leído
leías	leíais	habías leído	habíais leído
leía	leían	había leído	habían leído
3 pretérito		**10 pretérito anterior**	
leí	leímos	hube leído	hubimos leído
leíste	leísteis	hubiste leído	hubisteis leído
leyó	leyeron	hubo leído	hubieron leído
4 futuro		**11 futuro perfecto**	
leeré	leeremos	habré leído	habremos leído
leerás	leeréis	habrás leído	habréis leído
leerá	leerán	habrá leído	habrán leído
5 potencial simple		**12 potencial compuesto**	
leería	leeríamos	habría leído	habríamos leído
leerías	leeríais	habrías leído	habríais leído
leería	leerían	habría leído	habrían leído
6 presente de subjuntivo		**13 perfecto de subjuntivo**	
lea	leamos	haya leído	hayamos leído
leas	leáis	hayas leído	hayáis leído
lea	lean	haya leído	hayan leído
7 imperfecto de subjuntivo		**14 pluscuamperfecto de subjuntivo**	
leyera	leyéramos	hubiera leído	hubiéramos leído
leyeras	leyerais	hubieras leído	hubierais leído
leyera	leyeran	hubiera leído	hubieran leído
OR		OR	
leyese	leyésemos	hubiese leído	hubiésemos leído
leyeses	leyeseis	hubieses leído	hubieseis leído
leyese	leyesen	hubiese leído	hubiesen leído

imperativo	
—	leamos
lee; no leas	leed; no leáis
lea	lean

AN ESSENTIAL
55 VERB

AN ESSENTIAL 55 VERB

Leer

Leer is an essential verb for beginning students of Spanish. It is used in many idiomatic expressions and everyday situations.

Sentences using leer and related words

Estoy leyendo un libro de Borges.
I'm reading a book by Borges.

Me gusta leer.
I like to read.

Cuando lees entre líneas, corres el riesgo de cometer un error.
When you read between the lines, you run the risk of making a mistake.

Words and expressions related to this verb

la lectura **reading**

la lección **lesson**

lector, lectora **reader**

leer mal **to misread**

releer **to read again, to reread**

leer entre líneas **to read between the lines**

un, una leccionista **private tutor**

leer para sí **to read to oneself**

leer en voz baja **to read quietly**

leer pruebas de imprenta **to proofread**

Proverb

Después de comer, ni un sobre escrito leer.
After eating, don't even read an envelope.

The Seven Simple Tenses	The Seven Compound Tenses

Singular	Plural	Singular	Plural
1 presente de indicativo		**8 perfecto de indicativo**	
levanto	levantamos	he levantado	hemos levantado
levantas	levantáis	has levantado	habéis levantado
levanta	levantan	ha levantado	han levantado
2 imperfecto de indicativo		**9 pluscuamperfecto de indicativo**	
levantaba	levantábamos	había levantado	habíamos levantado
levantabas	levantabais	habías levantado	habíais levantado
levantaba	levantaban	había levantado	habían levantado
3 pretérito		**10 pretérito anterior**	
levanté	levantamos	hube levantado	hubimos levantado
levantaste	levantasteis	hubiste levantado	hubisteis levantado
levantó	levantaron	hubo levantado	hubieron levantado
4 futuro		**11 futuro perfecto**	
levantaré	levantaremos	habré levantado	habremos levantado
levantarás	levantaréis	habrás levantado	habréis levantado
levantará	levantarán	habrá levantado	habrán levantado
5 potencial simple		**12 potencial compuesto**	
levantaría	levantaríamos	habría levantado	habríamos levantado
levantarías	levantaríais	habrías levantado	habríais levantado
levantaría	levantarían	habría levantado	habrían levantado
6 presente de subjuntivo		**13 perfecto de subjuntivo**	
levante	levantemos	haya levantado	hayamos levantado
levantes	levantéis	hayas levantado	hayáis levantado
levante	levanten	haya levantado	hayan levantado
7 imperfecto de subjuntivo		**14 pluscuamperfecto de subjuntivo**	
levantara	levantáramos	hubiera levantado	hubiéramos levantado
levantaras	levantarais	hubieras levantado	hubierais levantado
levantara	levantaran	hubiera levantado	hubieran levantado
OR		OR	
levantase	levantásemos	hubiese levantado	hubiésemos levantado
levantases	levantaseis	hubieses levantado	hubieseis levantado
levantase	levantasen	hubiese levantado	hubiesen levantado

imperativo

—	levantemos
levanta; no levantes	levantad; no levantéis
levante	levanten

Words and expressions related to this verb
levantar los manteles to clear the table
levantar con algo to get away with
  something
el Levante Levant, East

el levantamiento elevation, raising
levantar fuego to make a disturbance
levantar la cabeza to take heart (courage)
levantar la voz to raise one's voice

See also **levantarse.**

The subject pronouns are found on page 93.

to get up, to rise Reflexive regular **-ar** verb

The Seven Simple Tenses		The Seven Compound Tenses	
Singular	Plural	Singular	Plural
1 presente de indicativo		8 perfecto de indicativo	
me levanto	nos levantamos	me he levantado	nos hemos levantado
te levantas	os levantáis	te has levantado	os habéis levantado
se levanta	se levantan	se ha levantado	se han levantado
2 imperfecto de indicativo		9 pluscuamperfecto de indicativo	
me levantaba	nos levantábamos	me había levantado	nos habíamos levantado
te levantabas	os levantabais	te habías levantado	os habíais levantado
se levantaba	se levantaban	se había levantado	se habían levantado
3 pretérito		10 pretérito anterior	
me levanté	nos levantamos	me hube levantado	nos hubimos levantado
te levantaste	os levantasteis	te hubiste levantado	os hubisteis levantado
se levantó	se levantaron	se hubo levantado	se hubieron levantado
4 futuro		11 futuro perfecto	
me levantaré	nos levantaremos	me habré levantado	nos habremos levantado
te levantarás	os levantaréis	te habrás levantado	os habréis levantado
se levantará	se levantarán	se habrá levantado	se habrán levantado
5 potencial simple		12 potencial compuesto	
me levantaría	nos levantaríamos	me habría levantado	nos habríamos levantado
te levantarías	os levantaríais	te habrías levantado	os habríais levantado
se levantaría	se levantarían	se habría levantado	se habrían levantado
6 presente de subjuntivo		13 perfecto de subjuntivo	
me levante	nos levantemos	me haya levantado	nos hayamos levantado
te levantes	os levantéis	te hayas levantado	os hayáis levantado
se levante	se levanten	se haya levantado	se hayan levantado
7 imperfecto de subjuntivo		14 pluscuamperfecto de subjuntivo	
me levantara	nos levantáramos	me hubiera levantado	nos hubiéramos levantado
te levantaras	os levantarais	te hubieras levantado	os hubierais levantado
se levantara	se levantaran	se hubiera levantado	se hubieran levantado
OR		OR	
me levantase	nos levantásemos	me hubiese levantado	nos hubiésemos levantado
te levantases	os levantaseis	te hubieses levantado	os hubieseis levantado
se levantase	se levantasen	se hubiese levantado	se hubiesen levantado

imperativo	
—	levantémonos; no nos levantemos
levántate; no te levantes	levantaos; no os levantéis
levántese; no se levante	levántense; no se levanten

Words and expressions related to this verb

levantar los manteles   to clear the table
levantar con algo   to get away with something
el Levante   Levant, East
el levantamiento   elevation, raising

See also **levantar.**

levantar la sesión   to adjourn
levantar la voz   to raise one's voice
levantarse de la cama   to get out of bed
El hombre que se levanta aún es más grande que el que no ha caído.   (Concepción Arenal)
The man who is still raising himself up is greater than the one who hasn't fallen.

Regular **-ar** verb   to clean

The Seven Simple Tenses		The Seven Compound Tenses	
Singular	Plural	Singular	Plural
1 presente de indicativo		8 perfecto de indicativo	
limpio	limpiamos	he limpiado	hemos limpiado
limpias	limpiáis	has limpiado	habéis limpiado
limpia	limpian	ha limpiado	han limpiado
2 imperfecto de indicativo		9 pluscuamperfecto de indicativo	
limpiaba	limpiábamos	había limpiado	habíamos limpiado
limpiabas	limpiabais	habías limpiado	habíais limpiado
limpiaba	limpiaban	había limpiado	habían limpiado
3 pretérito		10 pretérito anterior	
limpié	limpiamos	hube limpiado	hubimos limpiado
limpiaste	limpiasteis	hubiste limpiado	hubisteis limpiado
limpió	limpiaron	hubo limpiado	hubieron limpiado
4 futuro		11 futuro perfecto	
limpiaré	limpiaremos	habré limpiado	habremos limpiado
limpiarás	limpiaréis	habrás limpiado	habréis limpiado
llimpiará	limpiarán	habrá limpiado	habrán limpiado
5 potencial simple		12 potencial compuesto	
limpiaría	limpiaríamos	habría limpiado	habríamos limpiado
limpiarías	limpiaríais	habrías limpiado	habríais limpiado
limpiaría	limpiarían	habría limpiado	habrían limpiado
6 presente de subjuntivo		13 perfecto de subjuntivo	
limpie	limpiemos	haya limpiado	hayamos limpiado
limpies	limpiéis	hayas limpiado	hayáis limpiado
limpie	limpien	haya limpiado	hayan limpiado
7 imperfecto de subjuntivo		14 pluscuamperfecto de subjuntivo	
limpiara	limiáramos	hubiera limpiado	hubiéramos limpiado
limpiaras	limpiarais	hubieras limpiado	hubierais limpiado
limpiara	limpiaran	hubiera limpiado	hubieran limpiado
OR		OR	
limpiase	limpiásemos	hubiese limpiado	hubiésemos limpiado
limpiases	limpiaseis	hubieses limpiado	hubieseis limpiado
limpiase	limpiasen	hubiese limpiado	hubiesen limpiado

imperativo

—	limpiemos
limpia; no limpies	limpiad; no limpiéis
limpie	limpien

Words and expressions related to this verb
limpiar en seco   to dry clean; **limpiar las faltriqueras a uno**   to pick someone's pocket
la limpieza   cleaning, cleanliness; **limpieza de manos**   integrity
jugar limpio   to play fair

For other words and expressions related to this verb, see **limpiarse.**

to clean oneself　　　　　　　　　　　　Reflexive regular **-ar** verb

The Seven Simple Tenses | The Seven Compound Tenses

Singular	Plural	Singular	Plural
1　presente de indicativo		8　perfecto de indicativo	
me limpio	nos limpiamos	me he limpiado	nos hemos limpiado
te limpias	os limpiáis	te has limpiado	os habéis limpiado
se limpia	se limpian	se ha limpiado	se han limpiado
2　imperfecto de indicativo		9　pluscuamperfecto de indicativo	
me limpiaba	nos limpiábamos	me había limpiado	nos habíamos limpiado
te limpiabas	os limpiabais	te habías limpiado	os habíais limpiado
se limpiaba	se limpiaban	se había limpiado	se habían limpiado
3　pretérito		10　pretérito anterior	
me limpié	nos limpiamos	me hube limpiado	nos hubimos limpiado
te limpiaste	os limpiasteis	te hubiste limpiado	os hubisteis limpiado
se limpió	se limpiaron	se hubo limpiado	se hubieron limpiado
4　futuro		11　futuro perfecto	
me limpiaré	nos limpiaremos	me habré limpiado	nos habremos limpiado
te limpiarás	os limpiaréis	te habrás limpiado	os habréis limpiado
se limpiará	se limpiarán	se habrá limpiado	se habrán limpiado
5　potencial simple		12　potencial compuesto	
me limpiaría	nos limpiaríamos	me habría limpiado	nos habríamos limpiado
te limpiarías	os limpiaríais	te habrías limpiado	os habríais limpiado
se limpiaría	se limpiarían	se habría limpiado	se habrían limpiado
6　presente de subjuntivo		13　perfecto de subjuntivo	
me limpie	nos limpiemos	me haya limpiado	nos hayamos limpiado
te limpies	os limpiéis	te hayas limpiado	os hayáis limpiado
se limpie	se limpien	se haya limpiado	se hayan limpiado
7　imperfecto de subjuntivo		14　pluscuamperfecto de subjuntivo	
me limpiara	nos limpiáramos	me hubiera limpiado	nos hubiéramos limpiado
te limpiaras	os limpiarais	te hubieras limpiado	os hubierais limpiado
se limpiara	se limpiaran	se hubiera limpiado	se hubieran limpiado
OR		OR	
me limpiase	nos limpiásemos	me hubiese limpiado	nos hubiésemos limpiado
te limpiases	os limpiaseis	te hubieses limpiado	os hubieseis limpiado
se limpiase	se limpiasen	se hubiese limpiado	se hubiesen limpiado

imperativo

—	limpiémonos
límpiate; no te limpies	limpiaos; no os limpiéis
límpiese	límpiense

Words related to this verb
un limpiapipas　pipe cleaner　　　　　　**un limpiadientes**　toothpick
un limpianieve　snowplow　　　　　　　**un limpiachimeneas**　chimney sweep

For other words and expressions related to this verb, see **limpiar.**

Don't forget to study the section on defective and impersonal verbs. It's right after this main list.

Regular **-ar** verb   to call, to name

The Seven Simple Tenses		The Seven Compound Tenses	
Singular	Plural	Singular	Plural
1 presente de indicativo		**8 perfecto de indicativo**	
llamo	llamamos	he llamado	hemos llamado
llamas	llamáis	has llamado	habéis llamado
llama	llaman	ha llamado	han llamado
2 imperfecto de indicativo		**9 pluscuamperfecto de indicativo**	
llamaba	llamábamos	había llamado	habíamos llamado
llamabas	llamabais	habías llamado	habíais llamado
llamaba	llamaban	había llamado	habían llamado
3 pretérito		**10 pretérito anterior**	
llamé	llamamos	hube llamado	hubimos llamado
llamaste	llamasteis	hubiste llamado	hubisteis llamado
llamó	llamaron	hubo llamado	hubieron llamado
4 futuro		**11 futuro perfecto**	
llamaré	llamaremos	habré llamado	habremos llamado
llamarás	llamaréis	habrás llamado	habréis llamado
llamará	llamarán	habrá llamado	habrán llamado
5 potencial simple		**12 potencial compuesto**	
llamaría	llamaríamos	habría llamado	habríamos llamado
llamarías	llamaríais	habrías llamado	habríais llamado
llamaría	llamarían	habría llamado	habrían llamado
6 presente de subjuntivo		**13 perfecto de subjuntivo**	
llame	llamemos	haya llamado	hayamos llamado
llames	llaméis	hayas llamado	hayáis llamado
llame	llamen	haya llamado	hayan llamado
7 imperfecto de subjuntivo		**14 pluscuamperfecto de subjuntivo**	
llamara	llamáramos	hubiera llamado	hubiéramos llamado
llamaras	llamarais	hubieras llamado	hubierais llamado
llamara	llamaran	hubiera llamado	hubieran llamado
OR		OR	
llamase	llamásemos	hubiese llamado	hubiésemos llamado
llamases	llamaseis	hubieses llamado	hubieseis llamado
llamase	llamasen	hubiese llamado	hubiesen llamado

	imperativo
—	llamemos
llama; no llames	llamad; no llaméis
llame	llamen

Llamar/Llamarse

Llamar and **llamarse** are essential verbs for beginning students of Spanish. They are used in many idiomatic expressions and everyday situations. As you study the following sentences and expressions, pay attention to the differences in use between **llamar** and the reflexive verb **llamarse**.

Sentences using llamar and llamarse

—¿Cómo se llama usted?
—Me llamo Juan Morales.
—¿Y cómo se llaman sus hermanos?
—Se llaman Teresa y Pedro.
—What is your name? (How do you call yourself?)
—My name is Juan Morales.
—And what are your siblings' names?
—Their names are Teresa and Peter.

¿Puede llamar a un médico, por favor?
Can you call a doctor, please?

Words and expressions related to these verbs

llamar al doctor **to call the doctor**

llamar por teléfono **to telephone, to call**

llamar la atención sobre **to call attention to**

llamar por los nombres **to call the roll**

llamar un taxi **to call a taxi**

una llamada **call, knock, ring**

hacer una llamada telefónica **to make a phone call**

un llamador, una llamadora **caller**

Mi nombre es... **My name is...**

Can't find the verb you're looking for?
Check the back pages of this book for a list of over 2,100 additional verbs!

Reflexive regular **-ar** verb   to be called, to be named

The Seven Simple Tenses		The Seven Compound Tenses	
Singular	Plural	Singular	Plural
1 presente de indicativo		**8 perfecto de indicativo**	
me llamo	nos llamamos	me he llamado	nos hemos llamado
te llamas	os llamáis	te has llamado	os habéis llamado
se llama	se llaman	se ha llamado	se han llamado
2 imperfecto de indicativo		**9 pluscuamperfecto de indicativo**	
me llamaba	nos llamábamos	me había llamado	nos habíamos llamado
te llamabas	os llamabais	te habías llamado	os habíais llamado
se llamaba	se llamaban	se había llamado	se habían llamado
3 pretérito		**10 pretérito anterior**	
me llamé	nos llamamos	me hube llamado	nos hubimos llamado
te llamaste	os llamasteis	te hubiste llamado	os hubisteis llamado
se llamó	se llamaron	se hubo llamado	se hubieron llamado
4 futuro		**11 futuro perfecto**	
me llamaré	nos llamaremos	me habré llamado	nos habremos llamado
te llamarás	os llamaréis	te habrás llamado	os habréis llamado
se llamará	se llamarán	se habrá llamado	se habrán llamado
5 potencial simple		**12 potencial compuesto**	
me llamaría	nos llamaríamos	me habría llamado	nos habríamos llamado
te llamarías	os llamaríais	te habrías llamado	os habríais llamado
se llamaría	se llamarían	se habría llamado	se habrían llamado
6 presente de subjuntivo		**13 perfecto de subjuntivo**	
me llame	nos llamemos	me haya llamado	nos hayamos llamado
te llames	os llaméis	te hayas llamado	os hayáis llamado
se llame	se llamen	se haya llamado	se hayan llamado
7 imperfecto de subjuntivo		**14 pluscuamperfecto de subjuntivo**	
me llamara	nos llamáramos	me hubiera llamado	nos hubiéramos llamado
te llamaras	os llamarais	te hubieras llamado	os hubierais llamado
se llamara	se llamaran	se hubiera llamado	se hubieran llamado
OR		OR	
me llamase	nos llamásemos	me hubiese llamado	nos hubiésemos llamado
te llamases	os llamaseis	te hubieses llamado	os hubieseis llamado
se llamase	se llamasen	se hubiese llamado	se hubiesen llamado

imperativo

—	llamémonos; no nos llamemos
llámate; no te llames	llamaos; no os llaméis
llámese; no se llame	llámense; no se llamen

AN ESSENTIAL
55 VERB

The subject pronouns are found on page 93.
421

to arrive   Regular **-ar** verb endings with spelling change: **g** becomes **gu** before **e**

The Seven Simple Tenses		The Seven Compound Tenses	
Singular	Plural	Singular	Plural
1 presente de indicativo		8 perfecto de indicativo	
llego	llegamos	he llegado	hemos llegado
llegas	llegáis	has llegado	habéis llegado
llega	llegan	ha llegado	han llegado
2 imperfecto de indicativo		9 pluscuamperfecto de indicativo	
llegaba	llegábamos	había llegado	habíamos llegado
llegabas	llegabais	habías llegado	habíais llegado
llegaba	llegaban	había llegado	habían llegado
3 pretérito		10 pretérito anterior	
llegué	llegamos	hube llegado	hubimos llegado
llegaste	llegasteis	hubiste llegado	hubisteis llegado
llegó	llegaron	hubo llegado	hubieron llegado
4 futuro		11 futuro perfecto	
llegaré	llegaremos	habré llegado	habremos llegado
llegarás	llegaréis	habrás llegado	habréis llegado
llegará	llegarán	habrá llegado	habrán llegado
5 potencial simple		12 potencial compuesto	
llegaría	llegaríamos	habría llegado	habríamos llegado
llegarías	llegaríais	habrías llegado	habríais llegado
llegaría	llegarían	habría llegado	habrían llegado
6 presente de subjuntivo		13 perfecto de subjuntivo	
llegue	lleguemos	haya llegado	hayamos llegado
llegues	lleguéis	hayas llegado	hayáis llegado
llegue	lleguen	haya llegado	hayan llegado
7 imperfecto de subjuntivo		14 pluscuamperfecto de subjuntivo	
llegara	llegáramos	hubiera llegado	hubiéramos llegado
llegaras	llegarais	hubieras llegado	hubierais llegado
llegara	llegaran	hubiera llegado	hubieran llegado
OR		OR	
llegase	llegásemos	hubiese llegado	hubiésemos llegado
llegases	llegaseis	hubieses llegado	hubieseis llegado
llegase	llegasen	hubiese llegado	hubiesen llegado

	imperativo	
—		lleguemos
llega; no llegues		llegad; no lleguéis
llegue		lleguen

Words and expressions related to this verb
llegar a ser   to become
   Luis y Luisa quieren llegar a ser médicos.   Louis and Louise want to become doctors.
llegar a saber   to find out   llegar a   to reach
la llegada   arrival   al llegar   on arrival, upon arriving
llegar tarde   to arrive late

> Can't find the verb you're looking for?
> Check the back pages of this book for a list of over 2,100 additional verbs!

The Seven Simple Tenses		The Seven Compound Tenses	
Singular	Plural	Singular	Plural
1 presente de indicativo		**8 perfecto de indicativo**	
lleno	llenamos	he llenado	hemos llenado
llenas	llenáis	has llenado	habéis llenado
llena	llenan	ha llenado	han llenado
2 imperfecto de indicativo		**9 pluscuamperfecto de indicativo**	
llenaba	llenábamos	había llenado	habíamos llenado
llenabas	llenabais	habías llenado	habíais llenado
llenaba	llenaban	había llenado	habían llenado
3 pretérito		**10 pretérito anterior**	
llené	llenamos	hube llenado	hubimos llenado
llenaste	llenasteis	hubiste llenado	hubisteis llenado
llenó	llenaron	hubo llenado	hubieron llenado
4 futuro		**11 futuro perfecto**	
llenaré	llenaremos	habré llenado	habremos llenado
llenarás	llenaréis	habrás llenado	habréis llenado
llenará	llenarán	habrá llenado	habrán llenado
5 potencial simple		**12 potencial compuesto**	
llenaría	llenaríamos	habría llenado	habríamos llenado
llenarías	llenaríais	habrías llenado	habríais llenado
llenaría	llenarían	habría llenado	habrían llenado
6 presente de subjuntivo		**13 perfecto de subjuntivo**	
llene	llenemos	haya llenado	hayamos llenado
llenes	llenéis	hayas llenado	hayáis llenado
llene	llenen	haya llenado	hayan llenado
7 imperfecto de subjuntivo		**14 pluscuamperfecto de subjuntivo**	
llenara	llenáramos	hubiera llenado	hubiéramos llenado
llenaras	llenarais	hubieras llenado	hubierais llenado
llenara	llenaran	hubiera llenado	hubieran llenado
OR		OR	
llenase	llenásemos	hubiese llenado	hubiésemos llenado
llenases	llenaseis	hubieses llenado	hubieseis llenado
llenase	llenasen	hubiese llenado	hubiesen llenado

imperativo	
—	llenemos
llena; no llenes	llenad; no llenéis
llene	llenen

Words and expressions related to this verb

lleno, llena   full, filled
la llenura   abundance, fullness
llenamente   fully

lleno de bote a bote   full to the brim
llenar un pedido   to fill an order
llenar un formulario   to fill out a form

Use the guide to Spanish pronunciation on pages 665–667.

423

The subject pronouns are found on page 93.

to carry (away), to take (away), to wear

The Seven Simple Tenses		The Seven Compound Tenses	
Singular	Plural	Singular	Plural
1 presente de indicativo		8 perfecto de indicativo	
llevo	**llevamos**	**he llevado**	**hemos llevado**
llevas	**lleváis**	**has llevado**	**habéis llevado**
lleva	**llevan**	**ha llevado**	**han llevado**
2 imperfecto de indicativo		9 pluscuamperfecto de indicativo	
llevaba	**llevábamos**	**había llevado**	**habíamos llevado**
llevabas	**llevabais**	**habías llevado**	**habíais llevado**
llevaba	**llevaban**	**había llevado**	**habían llevado**
3 pretérito		10 pretérito anterior	
llevé	**llevamos**	**hube llevado**	**hubimos llevado**
llevaste	**llevasteis**	**hubiste llevado**	**hubisteis llevado**
llevó	**llevaron**	**hubo llevado**	**hubieron llevado**
4 futuro		11 futuro perfecto	
llevaré	**llevaremos**	**habré llevado**	**habremos llevado**
llevarás	**llevaréis**	**habrás llevado**	**habréis llevado**
llevará	**llevarán**	**habrá llevado**	**habrán llevado**
5 potencial simple		12 potencial compuesto	
llevaría	**llevaríamos**	**habría llevado**	**habríamos llevado**
llevarías	**llevaríais**	**habrías llevado**	**habríais llevado**
llevaría	**llevarían**	**habría llevado**	**habrían llevado**
6 presente de subjuntivo		13 perfecto de subjuntivo	
lleve	**llevemos**	**haya llevado**	**hayamos llevado**
lleves	**llevéis**	**hayas llevado**	**hayáis llevado**
lleve	**lleven**	**haya llevado**	**hayan llevado**
7 imperfecto de subjuntivo		14 pluscuamperfecto de subjuntivo	
llevara	**lleváramos**	**hubiera llevado**	**hubiéramos llevado**
llevaras	**llevarais**	**hubieras llevado**	**hubierais llevado**
llevara	**llevaran**	**hubiera llevado**	**hubieran llevado**
OR		OR	
llevase	**llevásemos**	**hubiese llevado**	**hubiésemos llevado**
llevases	**llevaseis**	**hubieses llevado**	**hubieseis llevado**
llevase	**llevasen**	**hubiese llevado**	**hubiesen llevado**

imperativo	
—	**llevemos**
lleva; no lleves	**llevad; no llevéis**
lleve	**lleven**

AN ESSENTIAL
55 VERB

Llevar is an essential regular –ar verb for beginning students of Spanish. It is used in many idiomatic expressions and everyday situations.

Carry something

Llevar means *to take* in the sense of carry or transport from place to place:

José llevó la silla de la cocina al comedor/ Joseph took the chair from the kitchen to the dining room.

take someone

The verb llevar is also used when you *take someone somewhere:*

Pedro llevó a María al baile anoche/Peter took Mary to the dance last night.

to wear something

Llevar also means *to wear:*

María, ¿por qué llevas la falda nueva?/ Mary, why are you wearing your new skirt?

Sentences using llevar

Lo llevo conmigo.
I'll take it with me.

Aquel hombre lleva una vida de perros.
That man leads a dog's life.

Words and expressions related to this verb

llevar a cabo **to carry through, to accomplish**

llevar una caída **to have a fall**

llevar una vida de perros **to lead a dog's life**

llevar conmigo **to take with me**

un llevador, una llevadora **carrier**

llevarse **to take away, carry off**

llevarse algo de alguien **to take something from someone**

llevarse bien con alguien **to get along well with someone**

L

Can't remember the Spanish verb you need?
Check the back pages of this book for the English-Spanish verb index!

The subject pronouns are found on page 93.

to weep, to cry, to whine   Regular -ar verb

The Seven Simple Tenses		The Seven Compound Tenses	
Singular	Plural	Singular	Plural

1 presente de indicativo

Singular	Plural
lloro	lloramos
lloras	lloráis
llora	lloran

8 perfecto de indicativo

Singular	Plural
he llorado	hemos llorado
has llorado	habéis llorado
ha llorado	han llorado

2 imperfecto de indicativo

lloraba	llorábamos
llorabas	llorabais
lloraba	lloraban

9 pluscuamperfecto de indicativo

había llorado	habíamos llorado
habías llorado	habíais llorado
había llorado	habían llorado

3 pretérito

lloré	lloramos
lloraste	llorasteis
lloró	lloraron

10 pretérito anterior

hube llorado	hubimos llorado
hubiste llorado	hubisteis llorado
hubo llorado	hubieron llorado

4 futuro

lloraré	lloraremos
llorarás	lloraréis
llorará	llorarán

11 futuro perfecto

habré llorado	habremos llorado
habrás llorado	habréis llorado
habrá llorado	habrán llorado

5 potencial simple

lloraría	lloraríamos
llorarías	lloraríais
lloraría	llorarían

12 potencial compuesto

habría llorado	habríamos llorado
habrías llorado	habríais llorado
habría llorado	habrían llorado

6 presente de subjuntivo

llore	lloremos
llores	lloréis
llore	lloren

13 perfecto de subjuntivo

haya llorado	hayamos llorado
hayas llorado	hayáis llorado
haya llorado	hayan llorado

7 imperfecto de subjuntivo

llorara	lloráramos
lloraras	llorarais
llorara	lloraran
OR	
llorase	llorásemos
llorases	lloraseis
llorase	llorasen

14 pluscuamperfecto de subjuntivo

hubiera llorado	hubiéramos llorado
hubieras llorado	hubierais llorado
hubiera llorado	hubieran llorado
OR	
hubiese llorado	hubiésemos llorado
hubieses llorado	hubieseis llorado
hubiese llorado	hubiesen llorado

imperativo

—	lloremos
llora; no llores	llorad; no lloréis
llore	lloren

Words and expressions related to this verb
lloroso, llorosa   tearful, sorrowful
el lloro   weeping, crying
llorador, lloradora   weeper
lloriquear   to whimper, to whine
llorar con un ojo   to shed crocodile tears

llorar por   to weep (cry) for
llorar por cualquier cosa   to cry about anything
llorar a lágrima viva   to cry one's eyes out
romper a llorar   to burst into tears

Regular **-ar** verb   to fight, to strive, to struggle, to wrestle

The Seven Simple Tenses		The Seven Compound Tenses	
Singular	Plural	Singular	Plural
1 presente de indicativo		**8 perfecto de indicativo**	
lucho	luchamos	he luchado	hemos luchado
luchas	lucháis	has luchado	habéis luchado
lucha	luchan	ha luchado	han luchado
2 imperfecto de indicativo		**9 pluscuamperfecto de indicativo**	
luchaba	luchábamos	había luchado	habíamos luchado
luchabas	luchabais	habías luchado	habíais luchado
luchaba	luchaban	había luchado	habían luchado
3 pretérito		**10 pretérito anterior**	
luché	luchamos	hube luchado	hubimos luchado
luchaste	luchasteis	hubiste luchado	hubisteis luchado
luchó	lucharon	hubo luchado	hubieron luchado
4 futuro		**11 futuro perfecto**	
lucharé	lucharemos	habré luchado	habremos luchado
lucharás	lucharéis	habrás luchado	habréis luchado
luchará	lucharán	habrá luchado	habrán luchado
5 potencial simple		**12 potencial compuesto**	
lucharía	lucharíamos	habría luchado	habríamos luchado
lucharías	lucharíais	habrías luchado	habríais luchado
lucharía	lucharían	habría luchado	habrían luchado
6 presente de subjuntivo		**13 perfecto de subjuntivo**	
luche	luchemos	haya luchado	hayamos luchado
luches	luchéis	hayas luchado	hayáis luchado
luche	luchen	haya luchado	hayan luchado
7 imperfecto de subjuntivo		**14 pluscuamperfecto de subjuntivo**	
luchara	lucháramos	hubiera luchado	hubiéramos luchado
lucharas	lucharais	hubieras luchado	hubierais luchado
luchara	lucharan	hubiera luchado	hubieran luchado
OR		OR	
luchase	luchásemos	hubiese luchado	hubiésemos luchado
luchases	luchaseis	hubieses luchado	hubieseis luchado
luchase	luchasen	hubiese luchado	hubiesen luchado

imperativo

—	luchemos
lucha; no luches	luchad; no luchéis
luche	luchen

Words and expressions related to this verb
luchar por + inf. to struggle + inf.
un luchador, una luchadora wrestler, fighter
la lucha battle, combat, fight, struggle, quarrel

la lucha cuerpo a cuerpo hand-to-hand fighting
luchar por la libertad to struggle for freedom

Get acquainted with what preposition goes with what verb on pages 669–677.

The subject pronouns are found on page 93.

maldecir (302)

Gerundio **maldiciendo**
Part. pas. **maldecido** (**maldito**, *when used as an adj. with* **estar**)

to curse

Irregular verb

The Seven Simple Tenses		The Seven Compound Tenses	
Singular	Plural	Singular	Plural
1 presente de indicativo		8 perfecto de indicativo	
maldigo	maldecimos	he maldecido	hemos maldecido
maldices	maldecís	has maldecido	habéis maldecido
maldice	maldicen	ha maldecido	han maldecido
2 imperfecto de indicativo		9 pluscuamperfecto de indicativo	
maldecía	maldecíamos	había maldecido	habíamos maldecido
maldecías	maldecíais	habías maldecido	habíais maldecido
maldecía	maldecían	había maldecido	habían maldecido
3 pretérito		10 pretérito anterior	
maldije	maldijimos	hube maldecido	hubimos maldecido
maldijiste	maldijisteis	hubiste maldecido	hubisteis maldecido
maldijo	maldijeron	hubo maldecido	hubieron maldecido
4 futuro		11 futuro perfecto	
maldeciré	maldeciremos	habré maldecido	habremos maldecido
maldecirás	maleciréis	habrás maldecido	habréis maldecido
maldecirá	maldecirán	habrá maldecido	habrán maldecido
5 potencial simple		12 potencial compuesto	
maldeciría	maldeciríamos	habría maldecido	habríamos maldecido
maldecirías	maldeciríais	habrías maldecido	habríais maldecido
maldeciría	maldecirían	habría maldecido	habrían maldecido
6 presente de subjuntivo		13 perfecto de subjuntivo	
maldiga	maldigamos	haya maldecido	hayamos maldecido
maldigas	maldigáis	hayas maldecido	hayáis maldecido
maldiga	maldigan	haya maldecido	hayan maldecido
7 imperfecto de subjuntivo		14 pluscuamperfecto de subjuntivo	
maldijera	maldijéramos	hubiera maldecido	hubiéramos maldecido
maldijeras	maldijerais	hubieras maldecido	hubierais maldecido
maldijera	maldijeran	hubiera maldecido	hubieran maldecido
OR		OR	
maldijese	maldijésemos	hubiese maldecido	hubiésemos maldecido
maldijeses	maldijeseis	hubieses maldecido	hubieseis maldecido
maldijese	maldijesen	hubiese maldecido	hubiesen maldecido

imperativo	
—	maldigamos
maldice; no maldigas	maldecid; no maldigáis
maldiga	maldigan

Words and expressions related to this verb

maldecir de   to speak ill of
una maldición   curse, malediction
maldiciente   slanderous
maldito, maldita   damned

un, una maldiciente   slanderer
maldecido, maldecida   wicked
maldispuesto, maldispuesta   ill-disposed
los malditos   the damned

See also **bendecir**. See also note on the bottom of verb 368.

The Seven Simple Tenses		The Seven Compound Tenses	
Singular	Plural	Singular	Plural
1 presente de indicativo		8 perfecto de indicativo	
manejo	manejamos	he manejado	hemos manejado
manejas	manejáis	has manejado	habéis manejado
maneja	manejan	ha manejado	han manejado
2 imperfecto de indicativo		9 pluscuamperfecto de indicativo	
manejaba	manejábamos	había manejado	habíamos manejado
manejabas	manejabais	habías manejado	habíais manejado
manejaba	manejaban	había manejado	habían manejado
3 pretérito		10 pretérito anterior	
manejé	manejamos	hube manejado	hubimos manejado
manejaste	manejasteis	hubiste manejado	hubisteis manejado
manejó	manejaron	hubo manejado	hubieron manejado
4 futuro		11 futuro perfecto	
manejaré	manejaremos	habré manejado	habremos manejado
manejarás	manejaréis	habrás manejado	habréis manejado
manejará	manejarán	habrá manejado	habrán manejado
5 potencial simple		12 potencial compuesto	
manejaría	manejaríamos	habría manejado	habríamos manejado
manejarías	manejaríais	habrías manejado	habríais manejado
manejaría	manejarían	habría manejado	habrían manejado
6 presente de subjuntivo		13 perfecto de subjuntivo	
maneje	manejemos	haya manejado	hayamos manejado
manejes	manejéis	hayas manejado	hayáis manejado
maneje	manejen	haya manejado	hayan manejado
7 imperfecto de subjuntivo		14 pluscuamperfecto de subjuntivo	
manejara	manejáramos	hubiera manejado	hubiéramos manejado
manejaras	manejarais	hubieras manejado	hubierais manejado
manejara	manejaran	hubiera manejado	hubieran manejado
OR		OR	
manejase	manejásemos	hubiese manejado	hubiésemos manejado
manejases	manejaseis	hubieses manejado	hubieseis manejado
manejase	manejasen	hubiese manejado	hubiesen manejado

M

	imperativo	
—		manejemos
maneja; no manejes		manejad; no manejéis
maneje		manejen

Words and expressions related to this verb
el manejo   management; driving
el manejo doméstico   housekeeping
el manejo a distancia   remote control

manejable   manageable
la manejabilidad   manageability
le mano   hand

If you want an explanation of meanings and uses of Spanish
and English verb tenses and moods, see pages 13–32.

The subject pronouns are found on page 93.

mantener (304)   Gerundio **manteniendo**   Part. pas. **mantenido**

to maintain, to keep up, to support, to provide for   Irregular verb

The Seven Simple Tenses		The Seven Compound Tenses	
Singular	Plural	Singular	Plural
1 presente de indicativo		**8 perfecto de indicativo**	
mantengo	mantenemos	he mantenido	hemos mantenido
mantienes	mantenéis	has mantenido	habéis mantenido
mantiene	mantienen	ha mantenido	han mantenido
2 imperfecto de indicativo		**9 pluscuamperfecto de indicativo**	
mantenía	manteníamos	había mantenido	habíamos mantenido
mantenías	manteníais	habías mantenido	habíais mantenido
mantenía	mantenían	había mantenido	habían mantenido
3 pretérito		**10 pretérito anterior**	
mantuve	mantuvimos	hube mantenido	hubimos mantenido
mantuviste	mantuvisteis	hubiste mantenido	hubisteis mantenido
mantuvo	mantuvieron	hubo mantenido	hubieron mantenido
4 futuro		**11 futuro perfecto**	
mantendré	mantendremos	habré mantenido	habremos mantenido
mantendrás	mantendréis	habrás mantenido	habréis mantenido
mantendrá	mantendrán	habrá mantenido	habrán mantenido
5 potencial simple		**12 potencial compuesto**	
mantendría	mantendríamos	habría mantenido	habríamos mantenido
mantendrías	mantendríais	habrías mantenido	habríais mantenido
mantendría	mantendrían	habría mantenido	habrían mantenido
6 presente de subjuntivo		**13 perfecto de subjuntivo**	
mentenga	mantengamos	haya mantenido	hayamos mantenido
mantengas	mantengáis	hayas mantenido	hayáis mantenido
mantenga	mantengan	haya mantenido	hayan mantenido
7 imperfecto de subjuntivo		**14 pluscuamperfecto de subjuntivo**	
mantuviera	mantuviéramos	hubiera mantenido	hubiéramos mantenido
mantuvieras	mantuvierais	hubieras mantenido	hubierais mantenido
mantuviera	mantuvieran	hubiera mantenido	hubieran mantenido
OR		OR	
mantuviese	mantuviésemos	hubiese mantenido	hubiésemos mantenido
mantuvieses	mantuvieseis	hubieses mantenido	hubieseis mantenido
mantuviese	mantuviesen	hubiese mantenido	hubiesen mantenido

	imperativo
—	**mantengamos**
manten; no mantengas	**mantened; no mantengáis**
mantenga	**mantengan**

Words and expressions related to this verb

mantener el orden   to keep (maintain) order
el mantenimiento, la mantenencia
   maintenance, support
mantener la palabra   to keep one's word
mantenerse   to support oneself

mantener su opinión   to maintain one's
   opinion
mantener a distancia   to keep at a distance

Regular -ar verb endings with spelling change: c becomes qu before e   to mark, to note, to observe

The Seven Simple Tenses		The Seven Compound Tenses	
Singular	Plural	Singular	Plural
1 presente de indicativo		8 perfecto de indicativo	
marco	marcamos	he marcado	hemos marcado
marcas	marcáis	has marcado	habéis marcado
marca	marcan	ha marcado	han marcado
2 imperfecto de indicativo		9 pluscuamperfecto de indicativo	
marcaba	marcábamos	había marcado	habíamos marcado
marcabas	marcabais	habías marcado	habíais marcado
marcaba	marcaban	había marcado	habían marcado
3 pretérito		10 pretérito anterior	
marqué	marcamos	hube marcado	hubimos marcado
marcaste	marcasteis	hubiste marcado	hubisteis marcado
marcó	marcaron	hubo marcado	hubieron marcado
4 futuro		11 futuro perfecto	
marcaré	marcaremos	habré marcado	habremos marcado
marcarás	marcaréis	habrás marcado	habréis marcado
marcará	marcarán	habrá marcado	habrán marcado
5 potencial simple		12 potencial compuesto	
marcaría	marcaríamos	habría marcado	habríamos marcado
marcarías	marcaríais	habrías marcado	habríais marcado
marcaría	marcarían	habría marcado	habrían marcado
6 presente de subjuntivo		13 perfecto de subjuntivo	
marque	marquemos	haya marcado	hayamos marcado
marques	marquéis	hayas marcado	hayáis marcado
marque	marquen	haya marcado	hayan marcado
7 imperfecto de subjuntivo		14 pluscuamperfecto de subjuntivo	
marcara	marcáramos	hubiera marcado	hubiéramos marcado
marcaras	marcarais	hubieras marcado	hubierais marcado
marcara	marcaran	hubiera marcado	hubieran marcado
OR		OR	
marcase	marcásemos	hubiese marcado	hubiésemos marcado
marcases	marcaseis	hubieses marcado	hubieseis marcado
marcase	marcasen	hubiese marcado	hubiesen marcado

M

	imperativo	
—		marquemos
marca; no marques		marcad; no marquéis
marque		marquen

Words and expressions related to this verb

marcar un número de teléfono   to dial a telephone number
marcado, marcada   marked, remarkable
marcadamente   markedly, notably

marcar una canasta   to score a basket (basketball)
marcar las cartas   to mark the cards
marcar un gol   to score a goal

Review the principal parts of important Spanish verbs on pages 9–10.

The subject pronouns are found on page 93.

to walk, to march, to function (machine), to run (machine) Regular **-ar** verb

The Seven Simple Tenses		The Seven Compound Tenses	
Singular	Plural	Singular	Plural
1 presente de indicativo		**8 perfecto de indicativo**	
marcho	marchamos	he marchado	hemos marchado
marchas	marcháis	has marchado	habéis marchado
marcha	marchan	ha marchado	han marchado
2 imperfecto de indicativo		**9 pluscuamperfecto de indicativo**	
marchaba	marchábamos	había marchado	habíamos marchado
marchabas	marchabais	habías marchado	habíais marchado
marchaba	marchaban	había marchado	habían marchado
3 pretérito		**10 pretérito anterior**	
marché	marchamos	hube marchado	hubimos marchado
marchaste	marchasteis	hubiste marchado	hubisteis marchado
marchó	marcharon	hubo marchado	hubieron marchado
4 futuro		**11 futuro perfecto**	
marcharé	marcharemos	habré marchado	habremos marchado
marcharás	marcharéis	habrás marchado	habréis marchado
marchará	marcharán	habrá marchado	habrán marchado
5 potencial simple		**12 potencial compuesto**	
marcharía	marcharíamos	habría marchado	habríamos marchado
marcharías	marcharíais	habrías marchado	habríais marchado
marcharía	marcharían	habría marchado	habrían marchado
6 presente de subjuntivo		**13 perfecto de subjuntivo**	
marche	marchemos	haya marchado	hayamos marchado
marches	marchéis	hayas marchado	hayáis marchado
marche	marchen	haya marchado	hayan marchado
7 imperfecto de subjuntivo		**14 pluscuamperfecto de subjuntivo**	
marchara	marcháramos	hubiera marchado	hubiéramos marchado
marcharas	marcharais	hubieras marchado	hubierais marchado
marchara	marcharan	hubiera marchado	hubieran marchado
OR		OR	
marchase	marchásemos	hubiese marchado	hubiésemos marchado
marchases	marchaseis	hubieses marchado	hubieseis marchado
marchase	marchasen	hubiese marchado	hubiesen marchado

imperativo	
—	**marchemos**
marcha; no marches	**marchad; no marchéis**
marche	**marchen**

Words and expressions related to this verb
la marcha   march
a largas marchas   speedily, with speed
¡En marcha!   Forward march!
poner en marcha   to put in motion, to start
Esto no marcha   This won't work; This
   will not do.

Todo marcha bien.   Everything is going okay.
marcharse   to go away, to leave
marcharse por las buenas   to leave for good,
   never to return

The Seven Simple Tenses		The Seven Compound Tenses	
Singular	Plural	Singular	Plural
1 presente de indicativo		8 perfecto de indicativo	
me marcho	nos marchamos	me he marchado	nos hemos marchado
te marchas	os marcháis	te has marchado	os habéis marchado
se marcha	se marchan	se ha marchado	se han marchado
2 imperfecto de indicativo		9 pluscuamperfecto de indicativo	
me marchaba	nos marchábamos	me había marchado	nos habíamos marchado
te marchabas	os marchabais	te habías marchado	os habíais marchado
se marchaba	se marchaban	se había marchado	se habían marchado
3 pretérito		10 pretérito anterior	
me marché	nos marchamos	me hube marchado	nos hubimos marchado
te marchaste	os marchasteis	te hubiste marchado	os hubisteis marchado
se marchó	se marcharon	se hubo marchado	se hubieron marchado
4 futuro		11 futuro perfecto	
me marcharé	nos marcharemos	me habré marchado	nos habremos marchado
te marcharás	os marcharéis	te habrás marchado	os habréis marchado
se marchará	se marcharán	se habrá marchado	se habrán marchado
5 potencial simple		12 potencial compuesto	
me marcharía	nos marcharíamos	me habría marchado	nos habríamos marchado
te marcharías	os marcharíais	te habrías marchado	os habríais marchado
se marcharía	se marcharían	se habría marchado	se habrían marchado
6 presente de subjuntivo		13 perfecto de subjuntivo	
me marche	nos marchemos	me haya marchado	nos hayamos marchado
te marches	os marchéis	te hayas marchado	os hayáis marchado
se marche	se marchen	se haya marchado	se hayan marchado
7 imperfecto de subjuntivo		14 pluscuamperfecto de subjuntivo	
me marchara	nos marcháramos	me hubiera marchado	nos hubiéramos marchado
te marcharas	os marcharais	te hubieras marchado	os hubierais marchado
se marchara	se marcharan	se hubiera marchado	se hubieran marchado
OR		OR	
me marchase	nos marchásemos	me hubiese marchado	nos hubiésemos marchado
te marchases	os marchaseis	te hubieses marchado	os hubieseis marchado
se marchase	se marchasen	se hubiese marchado	se hubiesen marchado

imperativo	
—	marchémonos
márchate; no te marches	marchaos; no os marchéis
márchese	márchense

For words and expressions related to this verb, see **marchar** which is related to it.

Can't find the verb you're looking for?
Check the back pages of this book for a list of over 2,100 additional verbs!

The Seven Simple Tenses		The Seven Compound Tenses	
Singular	Plural	Singular	Plural
1 presente de indicativo		8 perfecto de indicativo	
mato	matamos	he matado	hemos matado
matas	matáis	has matado	habéis matado
mata	matan	ha matado	han matado
2 imperfecto de indicativo		9 pluscuamperfecto de indicativo	
mataba	matábamos	había matado	habíamos matado
matabas	matabais	habías matado	habíais matado
mataba	mataban	había matado	habían matado
3 pretérito		10 pretérito anterior	
maté	matamos	hube matado	hubimos matado
mataste	matasteis	hubiste matado	hubisteis matado
mató	mataron	hubo matado	hubieron matado
4 futuro		11 futuro perfecto	
mataré	mataremos	habré matado	habremos matado
matarás	mataréis	habrás matado	habréis matado
matará	matarán	habrá matado	habrán matado
5 potencial simple		12 potencial compuesto	
mataría	mataríamos	habría matado	habríamos matado
matarías	mataríais	habrías matado	habríais matado
mataría	matarían	habría matado	habrían matado
6 presente de subjuntivo		13 perfecto de subjuntivo	
mate	matemos	haya matado	hayamos matado
mates	matéis	hayas matado	hayáis matado
mate	maten	haya matado	hayan matado
7 imperfecto de subjuntivo		14 pluscuamperfecto de subjuntivo	
matara	matáramos	hubiera matado	hubiéramos matado
mataras	matarais	hubieras matado	hubierais matado
matara	mataran	hubiera matado	hubieran matado
OR		OR	
matase	matásemos	hubiese matado	hubiésemos matado
matases	mataseis	hubieses matado	hubieseis matado
matase	matasen	hubiese matado	hubiesen matado

	imperativo	
—		matemos
mata; no mates		matad; no matéis
mate		maten

Words and expressions related to this verb
el mate   checkmate (chess)
dar jaque mate   to checkmate (chess)
dar mate a   to checkmate (chess)
matador, matadora   killer; el matador
  bullfighter (kills the bull)

matar el tiempo   to kill time
estar a matar con alguien   to be angry at
  someone
matar a preguntas   to bombard with
  questions

Regular **-ir** verb endings with stem change:	to measure, to weigh,
Tenses 1, 3, 6, 7; Imperative, Gerundio	to scan (verses)

The Seven Simple Tenses		The Seven Compound Tenses	
Singular	Plural	Singular	Plural
1 presente de indicativo		8 perfecto de indicativo	
mido	medimos	he medido	hemos medido
mides	medís	has medido	habéis medido
mide	miden	ha medido	han medido
2 imperfecto de indicativo		9 pluscuamperfecto de indicativo	
medía	medíamos	había medido	habíamos medido
medías	medíais	habías medido	habíais medido
medía	medían	había medido	habían medido
3 pretérito		10 pretérito anterior	
medí	medimos	hube medido	hubimos medido
mediste	medisteis	hubiste medido	hubisteis medido
midió	midieron	hubo medido	hubieron medido
4 futuro		11 futuro perfecto	
mediré	mediremos	habré medido	habremos medido
medirás	mediréis	habrás medido	habréis medido
medirá	medirán	habrá medido	habrán medido
5 potencial simple		12 potencial compuesto	
mediría	mediríamos	habría medido	habríamos medido
medirías	mediríais	habrías medido	habríais medido
mediría	medirían	habría medido	habrían medido
6 presente de subjuntivo		13 perfecto de subjuntivo	
mida	midamos	haya medido	hayamos medido
midas	midáis	hayas medido	hayáis medido
mida	midan	haya medido	hayan medido
7 imperfecto de subjuntivo		14 pluscuamperfecto de subjuntivo	
midiera	midiéramos	hubiera medido	hubiéramos medido
midieras	midierais	hubieras medido	hubierais medido
midiera	midieran	hubiera medido	hubieran medido
OR		OR	
midiese	midiésemos	hubiese medido	hubiésemos medido
midieses	midieseis	hubieses medido	hubieseis medido
midiese	midiesen	hubiese medido	hubiesen medido

	imperativo	
—		midamos
mide; no midas		medid; no midáis
mida		midan

Common idiomatic expressions using this verb

medir las calles to walk the streets out of a job
medir el suelo to fall flat on the ground
la medida measurement
pesos y medidas weights and measurements

medir sus pasos to watch one's step
medir las palabras to weigh one's words
medirse con alguien to measure oneself
   against someone

Don't forget to study the section on defective and impersonal verbs. It's right after this main list.

The subject pronouns are found on page 93.

to improve   Regular **-ar** verb

The Seven Simple Tenses		The Seven Compound Tenses	
Singular	Plural	Singular	Plural
1 presente de indicativo		8 perfecto de indicativo	
mejoro	mejoramos	he mejorado	hemos mejorado
mejoras	mejoráis	has mejorado	habéis mejorado
mejora	mejoran	ha mejorado	han mejorado
2 imperfecto de indicativo		9 pluscuamperfecto de indicativo	
mejoraba	mejorábamos	había mejorado	habíamos mejorado
mejorabas	mejorabais	habías mejorado	habíais mejorado
mejoraba	mejoraban	había mejorado	habían mejorado
3 pretérito		10 pretérito anterior	
mejoré	mejoramos	hube mejorado	hubimos mejorado
mejoraste	mejorasteis	hubiste mejorado	hubisteis mejorado
mejoró	mejoraron	hubo mejorado	hubieron mejorado
4 futuro		11 futuro perfecto	
mejoraré	mejoraremos	habré mejorado	habremos mejorado
mejorarás	mejoraréis	habrás mejorado	habréis mejorado
mejorará	mejorarán	habrá mejorado	habrán mejorado
5 potencial simple		12 potencial compuesto	
mejoraría	mejoraríamos	habría mejorado	habríamos mejorado
mejorarías	mejoraríais	habrías mejorado	habríais mejorado
mejoraría	mejorarían	habría mejorado	habrían mejorado
6 presente de subjuntivo		13 perfecto de subjuntivo	
mejore	mejoremos	haya mejorado	hayamos mejorado
mejores	mejoréis	hayas mejorado	hayáis mejorado
mejore	mejoren	haya mejorado	hayan mejorado
7 imperfecto de subjuntivo		14 pluscuamperfecto de subjuntivo	
mejorara	mejoráramos	hubiera mejorado	hubiéramos mejorado
mejoraras	mejorarais	hubieras mejorado	hubierais mejorado
mejorara	mejoraran	hubiera mejorado	hubieran mejorado
OR		OR	
mejorase	mejorásemos	hubiese mejorado	hubiésemos mejorado
mejorases	mejoraseis	hubieses mejorado	hubieseis mejorado
mejorase	mejorasen	hubiese mejorado	hubiesen mejorado

imperativo

—	mejoremos
mejora; no mejores	mejorad; no mejoréis
mejore	mejoren

Words and expressions related to this verb
la mejora, la mejoría improvement, betterment
mejor better, best
tanto mejor so much the better
desmejorar to spoil, make worse
mejorarse to get well, recover, improve oneself

mejor dicho rather
mejor que mejor even better
lo mejor the best
desmejorarse to decay, decline, get worse; lose one's health

Regular **-ar** verb   to mention

The Seven Simple Tenses		The Seven Compound Tenses	
Singular	Plural	Singular	Plural
1 presente de indicativo		8 perfecto de indicativo	
menciono	**mencionamos**	**he mencionado**	**hemos mencionado**
mencionas	**mencionáis**	**has mencionado**	**habéis mencionado**
menciona	**mencionan**	**ha mencionado**	**han mencionado**
2 imperfecto de indicativo		9 pluscuamperfecto de indicativo	
mencionaba	**mencionábamos**	**había mencionado**	**habíamos mencionado**
mencionabas	**mencionabais**	**habías mencionado**	**habíais mencionado**
mencionaba	**mencionaban**	**había mencionado**	**habían mencionado**
3 pretérito		10 pretérito anterior	
mencioné	**mencionamos**	**hube mencionado**	**hubimos mencionado**
mencionaste	**mencionasteis**	**hubiste mencionado**	**hubisteis mencionado**
mencionó	**mencionaron**	**hubo mencionado**	**hubieron mencionado**
4 futuro		11 futuro perfecto	
mencionaré	**mencionaremos**	**habré mencionado**	**habremos mencionado**
mencionarás	**mencionaréis**	**habrás mencionado**	**habréis mencionado**
mencionará	**mencionarán**	**habrá mencionado**	**habrán mencionado**
5 potencial simple		12 potencial compuesto	
mencionaría	**mencionaríamos**	**habría mencionado**	**habríamos mencionado**
mencionarías	**mencionaríais**	**habrías mencionado**	**habríais mencionado**
mencionaría	**mencionarían**	**habría mencionado**	**habrían mencionado**
6 presente de subjuntivo		13 perfecto de subjuntivo	
mencione	**mencionemos**	**haya mencionado**	**hayamos mencionado**
menciones	**mencionéis**	**hayas mencionado**	**hayáis mencionado**
mencione	**mencionen**	**haya mencionado**	**hayan mencionado**
7 imperfecto de subjuntivo		14 pluscuamperfecto de subjuntivo	
mencionara	**mencionáramos**	**hubiera mencionado**	**hubiéramos mencionado**
mencionaras	**mencionarais**	**hubieras mencionado**	**hubierais mencionado**
mencionara	**mencionaran**	**hubiera mencionado**	**hubieran mencionado**
OR		OR	
mencionase	**mencionásemos**	**hubiese mencionado**	**hubiésemos mencionado**
mencionases	**mencionaseis**	**hubieses mencionado**	**hubieseis mencionado**
mencionase	**mencionasen**	**hubiese mencionado**	**hubiesen mencionado**

M

imperativo

—	**mencionemos**
menciona; no menciones	**mencionad; no mencionéis**
mencione	**mencionen**

Words and expressions related to this verb
la mención   mention
mención honorífica   honorable mention
digno de mención   worthy of mention

en mención   under discussion
hacer mención de   to make mention of
sin mencionar a   not to mention

Review the principal parts of important Spanish verbs on pages 9–10.

The subject pronouns are found on page 93.

mentir (312)

to lie, to tell a lie

Gerundio **mintiendo**   Part. pas. **mentido**

Regular **-ir** verb endings with stem change:
Tenses 1, 3, 6, 7, Imperative, Gerundio

The Seven Simple Tenses		The Seven Compound Tenses	
Singular	Plural	Singular	Plural
1 presente de indicativo		8 perfecto de indicativo	
miento	mentimos	he mentido	hemos mentido
mientes	mentís	has mentido	habéis mentido
miente	mienten	ha mentido	han mentido
2 imperfecto de indicativo		9 pluscuamperfecto de indicativo	
mentía	mentíamos	había mentido	habíamos mentido
mentías	mentíais	habías mentido	habíais mentido
mentía	mentían	había mentido	habían mentido
3 pretérito		10 pretérito anterior	
mentí	mentimos	hube mentido	hubimos mentido
mentiste	mentisteis	hubiste mentido	hubisteis mentido
mintió	mintieron	hubo mentido	hubieron mentido
4 futuro		11 futuro perfecto	
mentiré	mentiremos	habré mentido	habremos mentido
mentirás	mentiréis	habrás mentido	habréis mentido
mentirá	mentirán	habrá mentido	habrán mentido
5 potencial simple		12 potencial compuesto	
mentiría	mentiríamos	habría mentido	habríamos mentido
mentirías	mentiríais	habrías mentido	habríais mentido
mentiría	mentirían	habría mentido	habrían mentido
6 presente de subjuntivo		13 perfecto de subjuntivo	
mienta	mintamos	haya mentido	hayamos mentido
mientas	mintáis	hayas mentido	hayáis mentido
mienta	mientan	haya mentido	hayan mentido
7 imperfecto de subjuntivo		14 pluscuamperfecto de subjuntivo	
mintiera	mintiéramos	hubiera mentido	hubiéramos mentido
mintieras	mintierais	hubieras mentido	hubierais mentido
mintiera	mintieran	hubiera mentido	hubieran mentido
OR		OR	
mintiese	mintiésemos	hubiese mentido	hubiésemos mentido
mintieses	mintieseis	hubieses mentido	hubieseis mentido
mintiese	mintiesen	hubiese mentido	hubiesen mentido

imperativo	
—	mintamos
miente; no mientas	mentid; no mintáis
mienta	mientan

Words and expressions related to this verb

una mentira a lie		**mentido, mentida** deceptive, false	
un mentirón a great lie		**mentirosamente** falsely	
una mentirilla a fib		**¡Parece mentira!** I just don't believe it!	

Can't recognize an irregular verb form? Check out pages 678–681.

Regular **-er** verb endings with spelling   to merit, to deserve
change: **c** becomes **zc** before **a** or **o**

The Seven Simple Tenses		The Seven Compound Tenses	
Singular	Plural	Singular	Plural
1 presente de indicativo		8 perfecto de indicativo	
merezco	merecemos	he merecido	hemos merecido
mereces	merecéis	has merecido	habéis merecido
merece	merecen	ha merecido	han merecido
2 imperfecto de indicativo		9 pluscuamperfecto de indicativo	
merecía	merecíamos	había merecido	habíamos merecido
merecías	merecíais	habías merecido	habíais merecido
merecía	merecían	había merecido	habían merecido
3 pretérito		10 pretérito anterior	
merecí	merecimos	hube merecido	hubimos merecido
mereciste	merecisteis	hubiste merecido	hubisteis merecido
mereció	merecieron	hubo merecido	hubieron merecido
4 futuro		11 futuro perfecto	
mereceré	mereceremos	habré merecido	habremos merecido
merecerás	mereceréis	habrás merecido	habréis merecido
merecerá	merecerán	habrá merecido	habrán merecido
5 potencial simple		12 potencial compuesto	
merecería	mereceríamos	habría merecido	habríamos merecido
merecerías	mereceríais	habrías merecido	habríais merecido
merecería	merecerían	habría merecido	habrían merecido
6 presente de subjuntivo		13 perfecto de subjuntivo	
merezca	merezcamos	haya merecido	hayamos merecido
merezcas	merezcáis	hayas merecido	hayáis merecido
merezca	merezcan	haya merecido	hayan merecido
7 imperfecto de subjuntivo		14 pluscuamperfecto de subjuntivo	
mereciera	mereciéramos	hubiera merecido	hubiéramos merecido
merecieras	merecierais	hubieras merecido	hubierais merecido
mereciera	merecieran	hubiera merecido	hubieran merecido
OR		OR	
mereciese	mereciésemos	hubiese merecido	hubiésemos merecido
merecieses	merecieseis	hubieses merecido	hubieseis merecido
mereciese	mereciesen	hubiese merecido	hubiesen merecido

M

imperativo

—	merezcamos
merece; no merezcas	mereced; no merezcáis
merezca	merezcan

Words and expressions related to this verb

merecer la pena   to be worth the trouble
el merecimiento, el mérito   merit
meritísimo, meritísima   most deserving
merced a . . .   thanks to . . .
merecidamente   deservedly

por sus propios méritos   on one's own merits
hacer mérito de   to make mention of
vuestra merced   your honor, your grace; sir
merecer una bofetada   to deserve a slap
   (in the face)

The subject pronouns are found on page 93.

mirar (314)
to look, to look at, to watch

Gerundio **mirando** Part. pas. **mirado**

Regular **-ar** verb

The Seven Simple Tenses		The Seven Compound Tenses	
Singular	Plural	Singular	Plural
1 presente de indicativo		**8 perfecto de indicativo**	
miro	miramos	he mirado	hemos mirado
miras	miráis	has mirado	habéis mirado
mira	miran	ha mirado	han mirado
2 imperfecto de indicativo		**9 pluscuamperfecto de indicativo**	
miraba	mirábamos	había mirado	habíamos mirado
mirabas	mirabais	habías mirado	habíais mirado
miraba	miraban	había mirado	habían mirado
3 pretérito		**10 pretérito anterior**	
miré	miramos	hube mirado	hubimos mirado
miraste	mirasteis	hubiste mirado	hubisteis mirado
miró	miraron	hubo mirado	hubieron mirado
4 futuro		**11 futuro perfecto**	
miraré	miraremos	habré mirado	habremos mirado
mirarás	miraréis	habrás mirado	habréis mirado
mirará	mirarán	habrá mirado	habrán mirado
5 potencial simple		**12 potencial compuesto**	
miraría	miraríamos	habría mirado	habríamos mirado
mirarías	miraríais	habrías mirado	habríais mirado
miraría	mirarían	habría mirado	habrían mirado
6 presente de subjuntivo		**13 perfecto de subjuntivo**	
mire	miremos	haya mirado	hayamos mirado
mires	miréis	hayas mirado	hayáis mirado
mire	miren	haya mirado	hayan mirado
7 imperfecto de subjuntivo		**14 pluscuamperfecto de subjuntivo**	
mirara	miráramos	hubiera mirado	hubiéramos mirado
miraras	mirarais	hubieras mirado	hubierais mirado
mirara	miraran	hubiera mirado	hubieran mirado
OR		OR	
mirase	mirásemos	hubiese mirado	hubiésemos mirado
mirases	miraseis	hubieses mirado	hubieseis mirado
mirase	mirasen	hubiese mirado	hubiesen mirado

imperativo

—	miremos
mira; no mires	mirad; no miréis
mire	miren

AN ESSENTIAL
55 VERB

AN ESSENTIAL
55 VERB

Mirar/Mirarse

Mirar and mirarse are essential verbs for beginning students of Spanish. They are used in many idiomatic expressions and everyday situations. As you study the following sentences and expressions, pay attention to the differences in use between mirar and the reflexive verb mirarse.

Sentences using mirar and mirarse

¡Mira!
Look! Look out! See here! Listen!

Cuando me afeito, me miro en el espejo.
When I shave, I look (at myself) in the mirror.

Words and expressions related to these verbs

una mirada **a look**

echar una mirada a **to take a look at**

mirar alrededor **to look around**

mirar la televisión **to watch television**

mirar por **to look after**

mirar a **to face, to look out on**

mirar por encima del hombro **to look down one's nose at** (el hombro = **shoulder**)

mirarse las uñas **to twiddle one's thumbs, to be idle** (las uñas = **fingernails**)

mirarse unos a otros **to look at each other in awe**

mirarse al espejo, mirarse en el espejo **to look at oneself in the mirror**

M

Proverb

Antes que te cases, mira lo que haces.
Look before you leap. (Before you get married, look at what you are doing.)

Can't find the verb you're looking for?
Check the back pages of this book for a list of over 2,100 additional verbs!

The subject pronouns are found on page 93.

mirarse (315)

Gerundio **mirándose**

Part. pas. **mirado**

to look at oneself, to look at each other
(uno a otro; unos a otros)

Reflexive regular **-ar** verb

The Seven Simple Tenses		The Seven Compound Tenses	
Singular	Plural	Singular	Plural
1 presente de indicativo		**8 perfecto de indicativo**	
me miro	nos miramos	me he mirado	nos hemos mirado
te miras	os miráis	te has mirado	os habéis mirado
se mira	se miran	se ha mirado	se han mirado
2 imperfecto de indicativo		**9 pluscuamperfecto de indicativo**	
me miraba	nos mirábamos	me había mirado	nos habíamos mirado
te mirabas	os mirabais	te habías mirado	os habíais mirado
se miraba	se miraban	se había mirado	se habían mirado
3 pretérito		**10 pretérito anterior**	
me miré	nos miramos	me hube mirado	nos hubimos mirado
te miraste	os mirasteis	te hubiste mirado	os hubisteis mirado
se miró	se miraron	se hubo mirado	se hubieron mirado
4 futuro		**11 futuro perfecto**	
me miraré	nos miraremos	me habré mirado	nos habremos mirado
te mirarás	os miraréis	te habrás mirado	os habréis mirado
se mirará	se mirarán	se habrá mirado	se habrán mirado
5 potencial simple		**12 potencial compuesto**	
me miraría	nos miraríamos	me habría mirado	nos habríamos mirado
te mirarías	os miraríais	te habrías mirado	os habríais mirado
se miraría	se mirarían	se habría mirado	se habrían mirado
6 presente de subjuntivo		**13 perfecto de subjuntivo**	
me mire	nos miremos	me haya mirado	nos hayamos mirado
te mires	os miréis	te hayas mirado	os hayáis mirado
se mire	se miren	se haya mirado	se hayan mirado
7 imperfecto de subjuntivo		**14 pluscuamperfecto de subjuntivo**	
me mirara	nos miráramos	me hubiera mirado	nos hubiéramos mirado
te miraras	os mirarais	te hubieras mirado	os hubierais mirado
se mirara	se miraran	se hubiera mirado	se hubieran mirado
OR		OR	
me mirase	nos mirásemos	me hubiese mirado	nos hubiésemos mirado
te mirases	os miraseis	te hubieses mirado	os hubieseis mirado
se mirase	se mirasen	se hubiese mirado	se hubiesen mirado

imperativo

—	mirémonos
mírate; no te mires	miraos; no os miréis
mírese	mírense

Reflexive regular **-ar** verb   to get wet, to wet oneself

The Seven Simple Tenses		The Seven Compound Tenses	
Singular	Plural	Singular	Plural
1 presente de indicativo		8 perfecto de indicativo	
me mojo	nos mojamos	me he mojado	nos hemos mojado
te mojas	os mojáis	te has mojado	os habéis mojado
se moja	se mojan	se ha mojado	se han mojado
2 imperfecto de indicativo		9 pluscuamperfecto de indicativo	
me mojaba	nos mojábamos	me había mojado	nos habíamos mojado
te mojabas	os mojabais	te habías mojado	os habíais mojado
se mojaba	se mojaban	se había mojado	se habían mojado
3 pretérito		10 pretérito anterior	
me mojé	nos mojamos	me hube mojado	nos hubimos mojado
te mojaste	os mojasteis	te hubiste mojado	os hubisteis mojado
se mojó	se mojaron	se hubo mojado	se hubieron mojado
4 futuro		11 futuro perfecto	
me mojaré	nos mojaremos	me habré mojado	nos habremos mojado
te mojarás	os mojaréis	te habrás mojado	os habréis mojado
se mojará	se mojarán	se habrá mojado	se habrán mojado
5 potencial simple		12 potencial compuesto	
me mojaría	nos mojaríamos	me habría mojado	nos habríamos mojado
te mojarías	os mojaríais	te habrías mojado	os habríais mojado
se mojaría	se mojarían	se habría mojado	se habrían mojado
6 presente de subjuntivo		13 perfecto de subjuntivo	
me moje	nos mojemos	me haya mojado	nos hayamos mojado
te mojes	os mojéis	te hayas mojado	os hayáis mojado
se moje	se mojen	se haya mojado	se hayan mojado
7 imperfecto de subjuntivo		14 pluscuamperfecto de subjuntivo	
me mojara	nos mojáramos	me hubiera mojado	nos hubiéramos mojado
te mojaras	os mojarais	te hubieras mojado	os hubierais mojado
se mojara	se mojaran	se hubiera mojado	se hubieran mojado
OR		OR	
me mojase	nos mojásemos	me hubiese mojado	nos hubiésemos mojado
te mojases	os mojaseis	te hubieses mojado	os hubieseis mojado
se mojase	se mojasen	se hubiese mojado	se hubiesen mojado

	imperativo	
—	mojémonos
mójate; no te mojes	mojaos; no os mojéis
mójese	mójense

Words and expressions related to this verb
mojado, mojada   wet, drenched, soaked   **mojarse por la lluvia**   to get wet from the rain
mojar   to wet, to moisten; to interfere, to meddle   **¡Cuidado! Piso mojado.**   Caution! Wet floor.
mojar en   to get mixed up in
remojar   to soak; **remojar el gaznate**   to wet one's whistle (to drink something)

The subject pronouns are found on page 93.

montar (317)　　　　　Gerundio **montando**　　　Part. pas. **montado**

to mount, to go up, to climb, to get on, to wind (a watch)　　　Regular **-ar** verb

The Seven Simple Tenses		The Seven Compound Tenses	
Singular	Plural	Singular	Plural
1　presente de indicativo		8　perfecto de indicativo	
monto	**montamos**	**he montado**	**hemos montado**
montas	**montáis**	**has montado**	**habéis montado**
monta	**montan**	**ha montado**	**han montado**
2　imperfecto de indicativo		9　pluscuamperfecto de indicativo	
montaba	**montábamos**	**había montado**	**habíamos montado**
montabas	**montabais**	**habías montado**	**habíais montado**
montaba	**montaban**	**había montado**	**habían montado**
3　pretérito		10　pretérito anterior	
monté	**montamos**	**hube montado**	**hubimos montado**
montaste	**montasteis**	**hubiste montado**	**hubisteis montado**
montó	**montaron**	**hubo montado**	**hubieron montado**
4　futuro		11　futuro perfecto	
montaré	**montaremos**	**habré montado**	**habremos montado**
montarás	**montaréis**	**habrás montado**	**habréis montado**
montará	**montarán**	**habrá montado**	**habrán montado**
5　potencial simple		12　potencial compuesto	
montaría	**montaríamos**	**habría montado**	**habríamos montado**
montarías	**montaríais**	**habrías montado**	**habríais montado**
montaría	**montarían**	**habría montado**	**habrían montado**
6　presente de subjuntivo		13　perfecto de subjuntivo	
monte	**montemos**	**haya montado**	**hayamos montado**
montes	**montéis**	**hayas montado**	**hayáis montado**
monte	**monten**	**haya montado**	**hayan montado**
7　imperfecto de subjuntivo		14　pluscuamperfecto de subjuntivo	
montara	**montáramos**	**hubiera montado**	**hubiéramos montado**
montaras	**montarais**	**hubieras montado**	**hubierais montado**
montara	**montaran**	**hubiera montado**	**hubieran montado**
OR		OR	
montase	**montásemos**	**hubiese montado**	**hubiésemos montado**
montases	**montaseis**	**hubieses montado**	**hubieseis montado**
montase	**montasen**	**hubiese montado**	**hubiesen montado**

imperativo

—	**montemos**
monta; no montes	**montad; no montéis**
monte	**monten**

Words and expressions related to this verb

montar a caballo　to ride horseback
montar en pelo　to ride bareback
montar a horcajadas　to straddle
el monte　mount, mountain
la montaña　mountain

montarse　to mount, to get on top
remontar　to frighten away, to scare away, to
　go back up, to get back on; to go back (in time)
trasmontar　to go over mountains
montar a　to amount to

Regular **-er** verb endings with stem
change: Tenses 1, 6, Imperative

to bite

The Seven Simple Tenses | The Seven Compound Tenses

Singular	Plural
1 presente de indicativo	
muerdo	mordemos
muerdes	mordéis
muerde	muerden

Singular	Plural
8 perfecto de indicativo	
he mordido	hemos mordido
has mordido	habéis mordido
ha mordido	han mordido

2 imperfecto de indicativo	
mordía	mordíamos
mordías	mordíais
mordía	mordían

9 pluscuamperfecto de indicativo	
había mordido	habíamos mordido
habías mordido	habíais mordido
había mordido	habían mordido

3 pretérito	
mordí	mordimos
mordiste	mordisteis
mordió	mordieron

10 pretérito anterior	
hube mordido	hubimos mordido
hubiste mordido	hubisteis mordido
hubo mordido	hubieron mordido

4 futuro	
morderé	morderemos
morderás	morderéis
morderá	morderán

11 futuro perfecto	
habré mordido	habremos mordido
habrás mordido	habréis mordido
habrá mordido	habrán mordido

5 potencial simple	
mordería	morderíamos
morderías	morderíais
mordería	morderían

12 potencial compuesto	
habría mordido	habríamos mordido
habrías mordido	habríais mordido
habría mordido	habrían mordido

6 presente de subjuntivo	
muerda	mordamos
muerdas	mordáis
muerda	muerdan

13 perfecto de subjuntivo	
haya mordido	hayamos mordido
hayas mordido	hayáis mordido
haya mordido	hayan mordido

7 imperfecto de subjuntivo	
mordiera	mordiéramos
mordieras	mordierais
mordiera	mordieran
OR	
mordiese	mordiésemos
mordieses	mordieseis
mordiese	mordiesen

14 pluscuamperfecto de subjuntivo	
hubiera mordido	hubiéramos mordido
hubieras mordido	hubierais mordido
hubiera mordido	hubieran mordido
OR	
hubiese mordido	hubiésemos mordido
hubieses mordido	hubieseis mordido
hubiese mordido	hubiesen mordido

M

imperativo

—	mordamos
muerde; no muerdas	morded; no mordáis
muerda	muerdan

Words and expressions related to this verb

Perro que ladra no muerde.   A barking dog
    does not bite.
una mordaza   gag
la mordacidad   mordancy

mordazmente   bitingly
una mordedura   a bite
morderse   to bite oneself
Me mordí el labio.   I bit my lip.

The subject pronouns are found on page 93.

Gerundio **muriendo** Part. pas. **muerto**

to die

Regular **-ir** verb endings with stem change:
Tenses 1, 3, 6, 7, Imperative, Gerundio, Part. pas.

The Seven Simple Tenses

The Seven Compound Tenses

Singular	Plural	Singular	Plural
1 presente de indicativo		8 perfecto de indicativo	
muero	morimos	he muerto	hemos muerto
mueres	morís	has muerto	habéis muerto
muere	mueren	ha muerto	han muerto
2 imperfecto de indicativo		9 pluscuamperfecto de indicativo	
moría	moríamos	había muerto	habíamos muerto
morías	moríais	habías muerto	habíais muerto
moría	morían	había muerto	habían muerto
3 pretérito		10 pretérito anterior	
morí	morimos	hube muerto	hubimos muerto
moriste	moristeis	hubiste muerto	hubisteis muerto
murió	murieron	hubo muerto	hubieron muerto
4 futuro		11 futuro perfecto	
moriré	moriremos	habré muerto	habremos muerto
morirás	moriréis	habrás muerto	habréis muerto
morirá	morirán	habrá muerto	habrán muerto
5 potencial simple		12 potencial compuesto	
moriría	moriríamos	habría muerto	habríamos muerto
morirías	moriríais	habrías muerto	habríais muerto
moriría	morirían	habría muerto	habrían muerto
6 presente de subjuntivo		13 perfecto de subjuntivo	
muera	muramos	haya muerto	hayamos muerto
mueras	muráis	hayas muerto	hayáis muerto
muera	mueran	haya muerto	hayan muerto
7 imperfecto de subjuntivo		14 pluscuamperfecto de subjuntivo	
muriera	muriéramos	hubiera muerto	hubiéramos muerto
murieras	murierais	hubieras muerto	hubierais muerto
muriera	murieran	hubiera muerto	hubieran muerto
OR		OR	
muriese	muriésemos	hubiese muerto	hubiésemos muerto
murieses	murieseis	hubieses muerto	hubieseis muerto
muriese	muriesen	hubiese muerto	hubiesen muerto

imperativo

—	muramos
muere; no mueras	morid; no muráis
muera	mueran

Words and expressions related to this verb
la muerte   death
mortal   fatal, mortal
la mortalidad   mortality
morir de risa   to die laughing
morirse de hambre   to starve to death (to
   die of hunger)

entremorir   to burn out, to flicker
morir de repente   to drop dead
hasta morir   until death
morirse de miedo   to be scared to death
morirse de frío   to freeze to death (to die
   of freezing cold)

Regular **-ar** verb endings with stem change: to show, to point out, to display
Tenses 1, 6, Imperative

The Seven Simple Tenses		The Seven Compound Tenses	
Singular	Plural	Singular	Plural
1 presente de indicativo		8 perfecto de indicativo	
muestro	**mostramos**	**he mostrado**	**hemos mostrado**
muestras	**mostráis**	**has mostrado**	**habéis mostrado**
muestra	**muestran**	**ha mostrado**	**han mostrado**
2 imperfecto de indicativo		9 pluscuamperfecto de indicativo	
mostraba	**mostrábamos**	**había mostrado**	**habíamos mostrado**
mostrabas	**mostrabais**	**habías mostrado**	**habíais mostrado**
mostraba	**mostraban**	**había mostrado**	**habían mostrado**
3 pretérito		10 pretérito anterior	
mostré	**mostramos**	**hube mostrado**	**hubimos mostrado**
mostraste	**mostrasteis**	**hubiste mostrado**	**hubisteis mostrado**
mostró	**mostraron**	**hubo mostrado**	**hubieron mostrado**
4 futuro		11 futuro perfecto	
mostraré	**mostraremos**	**habré mostrado**	**habremos mostrado**
mostrarás	**mostraréis**	**habrás mostrado**	**habréis mostrado**
mostrará	**mostrarán**	**habrá mostrado**	**habrán mostrado**
5 potencial simple		12 potencial compuesto	
mostraría	**mostraríamos**	**habría mostrado**	**habríamos mostrado**
mostrarías	**mostraríais**	**habrías mostrado**	**habríais mostrado**
mostraría	**mostrarían**	**habría mostrado**	**habrían mostrado**
6 presente de subjuntivo		13 perfecto de subjuntivo	
muestre	**mostremos**	**haya mostrado**	**hayamos mostrado**
muestres	**mostréis**	**hayas mostrado**	**hayáis mostrado**
muestre	**muestren**	**haya mostrado**	**hayan mostrado**
7 imperfecto de subjuntivo		14 pluscuamperfecto de subjuntivo	
mostrara	**mostráramos**	**hubiera mostrado**	**hubiéramos mostrado**
mostraras	**mostrarais**	**hubieras mostrado**	**hubierais mostrado**
mostrara	**mostraran**	**hubiera mostrado**	**hubieran mostrado**
OR		OR	
mostrase	**mostrásemos**	**hubiese mostrado**	**hubiésemos mostrado**
mostrases	**mostraseis**	**hubieses mostrado**	**hubieseis mostrado**
mostrase	**mostrasen**	**hubiese mostrado**	**hubiesen mostrado**

imperativo		
—	**mostremos**	
muestra; no muestres	**mostrad; no mostréis**	
muestre	**muestren**	

Words and expressions related to this verb

mostrador   counter (in a store where merchandise is displayed under a glass case)
mostrarse   to show oneself, to appear
Muéstreme.   Show me.

See also **demostrar.**

Check out the verb drills and verb tests with answers explained on pages 45–91.

mover (321)

Gerundio moviendo Part. pas. **movido**

to move, to persuade, to excite

Regular **-er** verb endings with stem change: Tenses 1, 6, Imperative

The Seven Simple Tenses | The Seven Compound Tenses

Singular	Plural	Singular	Plural
1 presente de indicativo		**8 perfecto de indicativo**	
muevo	movemos	he movido	hemos movido
mueves	movéis	has movido	habéis movido
mueve	mueven	ha movido	han movido
2 imperfecto de indicativo		**9 pluscuamperfecto de indicativo**	
movía	movíamos	había movido	habíamos movido
movías	movíais	habías movido	habíais movido
movía	movían	había movido	habían movido
3 pretérito		**10 pretérito anterior**	
moví	movimos	hube movido	hubimos movido
moviste	movisteis	hubiste movido	hubisteis movido
movió	movieron	hubo movido	hubieron movido
4 futuro		**11 futuro perfecto**	
moveré	moveremos	habré movido	habremos movido
moverás	moveréis	habrás movido	habréis movido
moverá	moverán	habrá movido	habrán movido
5 potencial simple		**12 potencial compuesto**	
movería	moveríamos	habría movido	habríamos movido
moverías	moveríais	habrías movido	habríais movido
movería	moverían	habría movido	habrían movido
6 presente de subjuntivo		**13 perfecto de subjuntivo**	
mueva	movamos	haya movido	hayamos movido
muevas	mováis	hayas movido	hayáis movido
mueva	muevan	haya movido	hayan movido
7 imperfecto de subjuntivo		**14 pluscuamperfecto de subjuntivo**	
moviera	moviéramos	hubiera movido	hubiéramos movido
movieras	movierais	hubieras movido	hubierais movido
moviera	movieran	hubiera movido	hubieran movido
OR		OR	
moviese	moviésemos	hubiese movido	hubiésemos movido
movieses	movieseis	hubieses movido	hubieseis movido
moviese	moviesen	hubiese movido	hubiesen movido

imperativo

—	movamos
mueve; no muevas	moved; no mováis
mueva	muevan

Words and expressions related to this verb

mover a alguien a + inf. to move someone + inf.
la movilidad mobility
el movimiento movement, motion
mover cielo y tierra to move heaven and earth
remover to move, transfer, remove; **removerse**
  to move away

conmover to move (one's emotions),
  to touch, stir, upset, shake
conmoverse to be moved, touched
promover to promote, to further

Reflexive regular **-ar** verb

to change one's clothes, to change one's place of residence, to move

The Seven Simple Tenses		The Seven Compound Tenses	
Singular	Plural	Singular	Plural
1 presente de indicativo		8 perfecto de indicativo	
me mudo	**nos mudamos**	**me he mudado**	**nos hemos mudado**
te mudas	**os mudáis**	**te has mudado**	**os habéis mudado**
se muda	**se mudan**	**se ha mudado**	**se han mudado**
2 imperfecto de indicativo		9 pluscuamperfecto de indicativo	
me mudaba	**nos mudábamos**	**me había mudado**	**nos habíamos mudado**
te mudabas	**os mudabais**	**te habías mudado**	**os habíais mudado**
se mudaba	**se mudaban**	**se había mudado**	**se habían mudado**
3 pretérito		10 pretérito anterior	
me mudé	**nos mudamos**	**me hube mudado**	**nos hubimos mudado**
te mudaste	**os mudasteis**	**te hubiste mudado**	**os hubisteis mudado**
se mudó	**se mudaron**	**se hubo mudado**	**se hubieron mudado**
4 futuro		11 futuro perfecto	
me mudaré	**nos mudaremos**	**me habré mudado**	**nos habremos mudado**
te mudarás	**os mudaréis**	**te habrás mudado**	**os habréis mudado**
se mudará	**se mudarán**	**se habrá mudado**	**se habrán mudado**
5 potencial simple		12 potencial compuesto	
me mudaría	**nos mudaríamos**	**me habría mudado**	**nos habríamos mudado**
te mudarías	**os mudaríais**	**te habrías mudado**	**os habríais mudado**
se mudaría	**se mudarían**	**se habría mudado**	**se habrían mudado**
6 presente de subjuntivo		13 perfecto de subjuntivo	
me mude	**nos mudemos**	**me haya mudado**	**nos hayamos mudado**
te mudes	**os mudéis**	**te hayas mudado**	**os hayáis mudado**
se mude	**se muden**	**se haya mudado**	**se hayan mudado**
7 imperfecto de subjuntivo		14 pluscuamperfecto de subjuntivo	
me mudara	**nos mudáramos**	**me hubiera mudado**	**nos hubiéramos mudado**
te mudaras	**os mudarais**	**te hubieras mudado**	**os hubierais mudado**
se mudara	**se mudaran**	**se hubiera mudado**	**se hubieran mudado**
OR		OR	
me mudase	**nos mudásemos**	**me hubiese mudado**	**nos hubiésemos mudado**
te mudases	**os mudaseis**	**te hubieses mudado**	**os hubieseis mudado**
se mudase	**se mudasen**	**se hubiese mudado**	**se hubiesen mudado**

M

imperativo

—	**mudémonos**
múdate; no te mudes	**mudaos; no os mudéis**
múdese	**múdense**

Words and expressions related to this verb

transmudar, trasmudar   to transmute
la mudanza   moving (change)
un carro de mudanzas   moving van
demudar   to change facial expression
mudar   to change

mudarse de casa   to move from one house to another
mudarse de ropa   to change clothes
demudarse   to be changed (face)

Do you need more drills? Have fun with the *501 Spanish Verbs* CD-ROM!

The subject pronouns are found on page 93.

nacer (323)

to be born

Gerundio **naciendo**   Part. pas. **nacido**

The Seven Simple Tenses | The Seven Compound Tenses

Singular	Plural	Singular	Plural
1 presente de indicativo		**8 perfecto de indicativo**	
nazco	nacemos	he nacido	hemos nacido
naces	nacéis	has nacido	habéis nacido
nace	nacen	ha nacido	han nacido
2 imperfecto de indicativo		**9 pluscuamperfecto de indicativo**	
nacía	nacíamos	había nacido	habíamos nacido
nacías	nacíais	habías nacido	habíais nacido
nacía	nacían	había nacido	habían nacido
3 pretérito		**10 pretérito anterior**	
nací	nacimos	hube nacido	hubimos nacido
naciste	nacisteis	hubiste nacido	hubisteis nacido
nació	nacieron	hubo nacido	hubieron nacido
4 futuro		**11 futuro perfecto**	
naceré	naceremos	habré nacido	habremos nacido
nacerás	naceréis	habrás nacido	habréis nacido
nacerá	nacerán	habrá nacido	habrán nacido
5 potencial simple		**12 potencial compuesto**	
nacería	naceríamos	habría nacido	habríamos nacido
nacerías	naceríais	habrías nacido	habríais nacido
nacería	nacerían	habría nacido	habrían nacido
6 presente de subjuntivo		**13 perfecto de subjuntivo**	
nazca	nazcamos	haya nacido	hayamos nacido
nazcas	nazcáis	hayas nacido	hayáis nacido
nazca	nazcan	haya nacido	hayan nacido
7 imperfecto de subjuntivo		**14 pluscuamperfecto de subjuntivo**	
naciera	naciéramos	hubiera nacido	hubiéramos nacido
nacieras	nacierais	hubieras nacido	hubierais nacido
naciera	nacieran	hubiera nacido	hubieran nacido
OR		OR	
naciese	naciésemos	hubiese nacido	hubiésemos nacido
nacieses	nacieseis	hubieses nacido	hubieseis nacido
naciese	naciesen	hubiese nacido	hubiesen nacido

imperativo

—	nazcamos
nace; no nazcas	naced; no nazcáis
nazca	nazcan

Words and expressions related to this verb
bien nacido (nacida)   well-bred; **mal nacido
(nacida)**   ill-bred
el nacimiento   birth
renacer   to be born again, to be reborn

nacer tarde   to be born yesterday (not much
intelligence)
nacer de pies   to be born with a silver spoon
in one's mouth

Don't forget to study the section on defective and impersonal verbs. It's right after this main list.

Regular **-ar** verb   to swim

The Seven Simple Tenses		The Seven Compound Tenses	
Singular	Plural	Singular	Plural
1 presente de indicativo		8 perfecto de indicativo	
nado	nadamos	he nadado	hemos nadado
nadas	nadáis	has nadado	habéis nadado
nada	nadan	ha nadado	han nadado
2 imperfecto de indicativo		9 pluscuamperfecto de indicativo	
nadaba	nadábamos	había nadado	habíamos nadado
nadabas	nadabais	habías nadado	habíais nadado
nadaba	nadaban	había nadado	habían nadado
3 pretérito		10 pretérito anterior	
nadé	nadamos	hube nadado	hubimos nadado
nadaste	nadasteis	hubiste nadado	hubisteis nadado
nadó	nadaron	hubo nadado	hubieron nadado
4 futuro		11 futuro perfecto	
nadaré	nadaremos	habré nadado	habremos nadado
nadarás	nadaréis	habrás nadado	habréis nadado
nadará	nadarán	habrá nadado	habrán nadado
5 potencial simple		12 potencial compuesto	
nadaría	nadaríamos	habría nadado	habríamos nadado
nadarías	nadaríais	habrías nadado	habríais nadado
nadaría	nadarían	habría nadado	habrían nadado
6 presente de subjuntivo		13 perfecto de subjuntivo	
nade	nademos	haya nadado	hayamos nadado
nades	nadéis	hayas nadado	hayáis nadado
nade	naden	haya nadado	hayan nadado
7 imperfecto de subjuntivo		14 pluscuamperfecto de subjuntivo	
nadara	nadáramos	hubiera nadado	hubiéramos nadado
nadaras	nadarais	hubieras nadado	hubierais nadado
nadara	nadaran	hubiera nadado	hubieran nadado
OR		OR	
nadase	nadásemos	hubiese nadado	hubiésemos nadado
nadases	nadaseis	hubieses nadado	hubieseis nadado
nadase	nadasen	hubiese nadado	hubiesen nadado

	imperativo	
—		nademos
nada; no nades		nadad; no nadéis
nade		naden

Words and expressions related to this verb

nadador, nadadora swimmer
la natación swimming

nadar entre dos aguas to be undecided
nadar en to revel in, to delight in, to take
great pleasure in

Consult page 668 for weather expressions using verbs.

The subject pronouns are found on page 93.

to navigate, to sail | Regular **-ar** verb endings with spelling change: **g** becomes **gu** before **e**

The Seven Simple Tenses | The Seven Compound Tenses

Singular	Plural	Singular	Plural
1　presente de indicativo		8　perfecto de indicativo	
navego	**navegamos**	**he navegado**	**hemos navegado**
navegas	**navegáis**	**has navegado**	**habéis navegado**
navega	**navegan**	**ha navegado**	**han navegado**
2　imperfecto de indicativo		9　pluscuamperfecto de indicativo	
navegaba	**navegábamos**	**había navegado**	**habíamos navegado**
navegabas	**navegabais**	**habías navegado**	**habíais navegado**
navegaba	**navegaban**	**había navegado**	**habían navegado**
3　pretérito		10　pretérito anterior	
navegué	**navegamos**	**hube navegado**	**hubimos navegado**
navegaste	**navegasteis**	**hubiste navegado**	**hubisteis navegado**
navegó	**navegaron**	**hubo navegado**	**hubieron navegado**
4　futuro		11　futuro perfecto	
navegaré	**navegaremos**	**habré navegado**	**habremos navegado**
navegarás	**navegaréis**	**habrás navegado**	**habréis navegado**
navegará	**navegarán**	**habrá navegado**	**habrán navegado**
5　potencial simple		12　potencial compuesto	
navegaría	**navegaríamos**	**habría navegado**	**habríamos navegado**
navegarías	**navegaríais**	**habrías navegado**	**habríais navegado**
navegaría	**navegarían**	**habría navegado**	**habrían navegado**
6　presente de subjuntivo		13　perfecto de subjuntivo	
navegue	**naveguemos**	**haya navegado**	**hayamos navegado**
navegues	**naveguéis**	**hayas navegado**	**hayáis navegado**
navegue	**naveguen**	**haya navegado**	**hayan navegado**
7　imperfecto de subjuntivo		14　pluscuamperfecto de subjuntivo	
navegara	**navegáramos**	**hubiera navegado**	**hubiéramos navegado**
navegaras	**navegarais**	**hubieras navegado**	**hubierais navegado**
navegara	**navegaran**	**hubiera navegado**	**hubieran navegado**
OR		OR	
navegase	**navegásemos**	**hubiese navegado**	**hubiésemos navegado**
navegases	**navegaseis**	**hubieses navegado**	**hubieseis navegado**
navegase	**navegasen**	**hubiese navegado**	**hubiesen navegado**

imperativo	
—	**naveguemos**
navega; no navegues	**navegad; no naveguéis**
navegue	**naveguen**

Words and expressions related to this verb
la **navegación**　navigation
navegación de ultramar　overseas shipping
navegar a distancia de　to steer clear away
la **nave**　ship
saber navegar　to know how to navigate
navegar a la vela　to sail

naval　naval, nautical
navegable　navigable
una **naveta**, una **navecilla**　small ship
una **nave cósmica**　spaceship
navegar los mares　to sail the seas
la **navegación fluvial**　river navigation

The Seven Simple Tenses	The Seven Compound Tenses

Singular	Plural	Singular	Plural
1 presente de indicativo		8 perfecto de indicativo	
necesito	necesitamos	he necesitado	hemos necesitado
necesitas	necesitáis	has necesitado	habéis necesitado
necesita	necesitan	ha necesitado	han necesitado
2 imperfecto de indicativo		9 pluscuamperfecto de indicativo	
necesitaba	necesitábamos	había necesitado	habíamos necesitado
necesitabas	necesitabais	habías necesitado	habíais necesitado
necesitaba	necesitaban	había necesitado	habían necesitado
3 pretérito		10 pretérito anterior	
necesité	necesitamos	hube necesitado	hubimos necesitado
necesitaste	necesitasteis	hubiste necesitado	hubisteis necesitado
necesitó	necesitaron	hubo necesitado	hubieron necesitado
4 futuro		11 futuro perfecto	
necesitaré	necesitaremos	habré necesitado	habremos necesitado
necesitarás	necesitaréis	habrás necesitado	habréis necesitado
necesitará	necesitarán	habrá necesitado	habrán necesitado
5 potencial simple		12 potencial compuesto	
necesitaría	necesitaríamos	habría necesitado	habríamos necesitado
necesitarías	necesitaríais	habrías necesitado	habríais necesitado
necesitaría	necesitarían	habría necesitado	habrían necesitado
6 presente de subjuntivo		13 perfecto de subjuntivo	
necesite	necesitemos	haya necesitado	hayamos necesitado
necesites	necesitéis	hayas necesitado	hayáis necesitado
necesite	necesiten	haya necesitado	hayan necesitado
7 imperfecto de subjuntivo		14 pluscuamperfecto de subjuntivo	
necesitara	necesitáramos	hubiera necesitado	hubiéramos necesitado
necesitaras	necesitarais	hubieras necesitado	hubierais necesitado
necesitara	necesitaran	hubiera necesitado	hubieran necesitado
OR		OR	
necesitase	necesitásemos	hubiese necesitado	hubiésemos necesitado
necesitases	necesitaseis	hubieses necesitado	hubieseis necesitado
necesitase	necesitasen	hubiese necesitado	hubiesen necesitado

N

imperativo

—	necesitemos
necesita; no necesites	necesitad; no necesitéis
necesite	necesiten

Words and expressions related to this verb

la necesidad   necessity
por necesidad   from necessity
necesario, necesaria   necessary
necesitar + inf.   to have + inf., to need + inf.

un necesitado, una necesitada   needy person
necesariamente   necessarily
Necesito un cuaderno, por favor.   I need
   a notebook, please.

Can't find the verb you're looking for?
Check the back pages of this book for a list of over 2,100 additional verbs!

The subject pronouns are found on page 93.   **453**

to deny

Regular **-ar** verb endings with spelling change: **g** becomes **gu** before **e**; stem change: Tenses 1, 6, Imperative

The Seven Simple Tenses		The Seven Compound Tenses	
Singular	Plural	Singular	Plural
1 presente de indicativo		8 perfecto de indicativo	
niego	negamos	he negado	hemos negado
niegas	negáis	has negado	habéis negado
niega	niegan	ha negado	han negado
2 imperfecto de indicativo		9 pluscuamperfecto de indicativo	
negaba	negábamos	había negado	habíamos negado
negabas	negabais	habías negado	habíais negado
negaba	negaban	había negado	habían negado
3 pretérito		10 pretérito anterior	
negué	negamos	hube negado	hubimos negado
negaste	negasteis	hubiste negado	hubisteis negado
negó	negaron	hubo negado	hubieron negado
4 futuro		11 futuro perfecto	
negaré	negaremos	habré negado	habremos negado
negarás	negaréis	habrás negado	habréis negado
negará	negarán	habrá negado	habrán negado
5 potencial simple		12 potencial compuesto	
negaría	negaríamos	habría negado	habríamos negado
negarías	negaríais	habrías negado	habríais negado
negaría	negarían	habría negado	habrían negado
6 presente de subjuntivo		13 perfecto de subjuntivo	
niegue	neguemos	haya negado	hayamos negado
niegues	neguéis	hayas negado	hayáis negado
niegue	nieguen	haya negado	hayan negado
7 imperfecto de subjuntivo		14 pluscuamperfecto de subjuntivo	
negara	negáramos	hubiera negado	hubiéramos negado
negaras	negarais	hubieras negado	hubierais negado
negara	negaran	hubiera negado	hubieran negado
OR		OR	
negase	negásemos	hubiese negado	hubiésemos negado
negases	negaseis	hubieses negado	hubieseis negado
negase	negasen	hubiese negado	hubiesen negado

	imperativo
—	neguemos
niega; no niegues	negad; no neguéis
niegue	nieguen

Words and expressions related to this verb

negador, negadora   denier
negativo, negativa   negative
la negación   denial, negation
negable   deniable

negar haber + past part.   to deny having +
past part.
negarse a   to refuse
renegar   to abhor, to deny vehemently

Can't recognize an irregular verb form? Check out pages 678–681.

Regular **-er** verb endings with spelling   to obey
change: **c** becomes **zc** before **a** or **o**

The Seven Simple Tenses		The Seven Compound Tenses	
Singular	Plural	Singular	Plural
1 presente de indicativo		8 perfecto de indicativo	
obedezco	obedecemos	he obedecido	hemos obedecido
obedeces	obedecéis	has obedecido	habéis obedecido
obedece	obedecen	ha obedecido	han obedecido
2 imperfecto de indicativo		9 pluscuamperfecto de indicativo	
obedecía	obedecíamos	había obedecido	habíamos obedecido
obedecías	obedecíais	habías obedecido	habíais obedecido
obedecía	obedecían	había obedecido	habían obedecido
3 pretérito		10 pretérito anterior	
obedecí	obedecimos	hube obedecido	hubimos obedecido
obedeciste	obedecisteis	hubiste obedecido	hubisteis obedecido
obedeció	obedecieron	hubo obedecido	hubieron obedecido
4 futuro		11 futuro perfecto	
obedeceré	obedeceremos	habré obedecido	habremos obedecido
obedecerás	obedeceréis	habrás obedecido	habréis obedecido
obedecerá	obedecerán	habrá obedecido	habrán obedecido
5 potencial simple		12 potencial compuesto	
obedecería	obedeceríamos	habría obedecido	habríamos obedecido
obedecerías	obedeceríais	habrías obedecido	habríais obedecido
obedecería	obedecerían	habría obedecido	habrían obedecido
6 presente de subjuntivo		13 perfecto de subjuntivo	
obedezca	obedezcamos	haya obedecido	hayamos obedecido
obedezcas	obedezcáis	hayas obedecido	hayáis obedecido
obedezca	obedezcan	haya obedecido	hayan obedecido
7 imperfecto de subjuntivo		14 pluscuamperfecto de subjuntivo	
obedeciera	obedeciéramos	hubiera obedecido	hubiéramos obedecido
obedecieras	obedecierais	hubieras obedecido	hubierais obedecido
obedeciera	obedecieran	hubiera obedecido	hubieran obedecido
OR		OR	
obedeciese	obedeciésemos	hubiese obedecido	hubiésemos obedecido
obedecieses	obedecieseis	hubieses obedecido	hubieseis obedecido
obedeciese	obedeciesen	hubiese obedecido	hubiesen obedecido

O

imperativo

—	obedezcamos
obedece; no obedezcas	obedeced; no obedezcáis
obedezca	obedezcan

Words related to this verb
el obedecimiento, la obediencia   obedience
obediente   obedient
obedecer las leyes   to obey the law
desobediente   disobedient

obedientemente   obediently
desobedecer   to disobey
obedecer a sus padres   to obey one's parents
la desobediencia   disobedience

to observe, to notice   Regular **-ar** verb

The Seven Simple Tenses		The Seven Compound Tenses	
Singular	Plural	Singular	Plural
1 presente de indicativo		8 perfecto de indicativo	
observo	observamos	he observado	hemos observado
observas	observáis	has observado	habéis observado
observa	observan	ha observado	han observado
2 imperfecto de indicativo		9 pluscuamperfecto de indicativo	
observaba	observábamos	había observado	habíamos observado
observabas	observabais	habías observado	habíais observado
osbervaba	observaban	había observado	habían observado
3 pretérito		10 pretérito anterior	
observé	observamos	hube observado	hubimos observado
observaste	observasteis	hubiste observado	hubisteis observado
observó	observaron	hubo observado	hubieron observado
4 futuro		11 futuro perfecto	
observaré	observaremos	habré observado	habremos observado
observarás	observaréis	habrás observado	habréis observado
observará	observarán	habrá observado	habrán observado
5 potencial simple		12 potencial compuesto	
observaría	observaríamos	habría observado	habríamos observado
observarías	observaríais	habrías observado	habríais observado
observaría	observarían	habría observado	habrían observado
6 presente de subjuntivo		13 perfecto de subjuntivo	
observe	observemos	haya observado	hayamos observado
observes	observéis	hayas observado	hayáis observado
observe	observen	haya observado	hayan observado
7 imperfecto de subjuntivo		14 pluscuamperfecto de subjuntivo	
observara	observáramos	hubiera observado	hubiéramos observado
observaras	observarais	hubieras observado	hubierais observado
observara	observaran	hubiera observado	hubieran observado
OR		OR	
observase	observásemos	hubiese observado	hubiésemos observado
observases	observaseis	hubieses observado	hubieseis observado
observase	observasen	hubiese observado	hubiesen observado

imperativo

—	observemos
observa; no observes	observad; no observéis
observe	observen

Words and expressions related to this verb
el observatorio   observatory   **la observancia**   observance
la observación   observation   **observante**   observant

Can't remember the Spanish verb you need?
Check the back pages of this book for the English-Spanish verb index!

The Seven Simple Tenses		The Seven Compound Tenses	
Singular	Plural	Singular	Plural
1 presente de indicativo		8 perfecto de indicativo	
obtengo	obtenemos	he obtenido	hemos obtenido
obtienes	obtenéis	has obtenido	habéis obtenido
obtiene	obtienen	ha obtenido	han obtenido
2 imperfecto de indicativo		9 pluscuamperfecto de indicativo	
obtenía	obteníamos	había obtenido	habíamos obtenido
obtenías	obteníais	habías obtenido	habíais obtenido
obtenía	obtenían	había obtenido	habían obtenido
3 pretérito		10 pretérito anterior	
obtuve	obtuvimos	hube obtenido	hubimos obtenido
obtuviste	obtuvisteis	hubiste obtenido	hubisteis obtenido
obtuvo	obtuvieron	hubo obtenido	hubieron obtenido
4 futuro		11 futuro perfecto	
obtendré	obtendremos	habré obtenido	habremos obtenido
obtendrás	obtendréis	habrás obtenido	habréis obtenido
obtendrá	obtendrán	habrá obtenido	habrán obtenido
5 potencial simple		12 potencial compuesto	
obtendría	obtendríamos	habría obtenido	habríamos obtenido
obtendrías	obtendríais	habrías obtenido	habríais obtenido
obtendría	obtendrían	habría obtenido	habrían obtenido
6 presente de subjuntivo		13 perfecto de subjuntivo	
obtenga	obtengamos	haya obtenido	hayamos obtenido
obtengas	obtengáis	hayas obtenido	hayáis obtenido
obtenga	obtengan	haya obtenido	hayan obtenido
7 imperfecto de subjuntivo		14 pluscuamperfecto de subjuntivo	
obtuviera	obtuviéramos	hubiera obtenido	hubiéramos obtenido
obtuvieras	obtuvierais	hubieras obtenido	hubierais obtenido
obtuviera	obtuvieran	hubiera obtenido	hubieran obtenido
OR		OR	
obtuviese	obtuviésemos	hubiese obtenido	hubiésemos obtenido
obtuvieses	obtuvieseis	hubieses obtenido	hubieseis obtenido
obtuviese	obtuviesen	hubiese obtenido	hubiesen obtenido

O

imperativo	
—	obtengamos
obtén; no obtengas	obtened; obtengáis
obtenga	obtengan

Words related to this verb
obtenible obtainable, available
obtener una colocación to get a job
la obtención obtainment

obtener buenos resultados to get good results
obtener malos resultados to get bad results

See also the verb **tener.**

The subject pronouns are found on page 93.

457

ocultarse (331)

to hide oneself

Gerundio **ocultándose**

Part. pas. **ocultado**

Reflexive regular **-ar** verb

The Seven Simple Tenses		The Seven Compound Tenses	
Singular	Plural	Singular	Plural
1 presente de indicativo		**8 perfecto de indicativo**	
me oculto	nos ocultamos	me he ocultado	nos hemos ocultado
te ocultas	os ocultáis	te has ocultado	os habéis ocultado
se oculta	se ocultan	se ha ocultado	se han ocultado
2 imperfecto de indicativo		**9 pluscuamperfecto de indicativo**	
me ocultaba	nos ocultábamos	me había ocultado	nos habíamos ocultado
te ocultabas	os ocultabais	te habías ocultado	os habíais ocultado
se ocultaba	se ocultaban	se había ocultado	se habían ocultado
3 pretérito		**10 pretérito anterior**	
me oculté	nos ocultamos	me hube ocultado	nos hubimos ocultado
te ocultaste	os ocultasteis	te hubiste ocultado	os hubisteis ocultado
se ocultó	se ocultaron	se hubo ocultado	se hubieron ocultado
4 futuro		**11 futuro perfecto**	
me ocultaré	nos ocultaremos	me habré ocultado	nos habremos ocultado
te ocultarás	os ocultaréis	te habrás ocultado	os habréis ocultado
se ocultará	se ocultarán	se habrá ocultado	se habrán ocultado
5 potencial simple		**12 potencial compuesto**	
me ocultaría	nos ocultaríamos	me habría ocultado	nos habríamos ocultado
te ocultarías	os ocultaríais	te habrías ocultado	os habríais ocultado
se ocultaría	se ocultarían	se habría ocultado	se habrían ocultado
6 presente de subjuntivo		**13 perfecto de subjuntivo**	
me oculte	nos ocultemos	me haya ocultado	nos hayamos ocultado
te ocultes	os ocultéis	te hayas ocultado	os hayáis ocultado
se oculte	se oculten	se haya ocultado	se hayan ocultado
7 imperfecto de subjuntivo		**14 pluscuamperfecto de subjuntivo**	
me ocultara	nos ocultáramos	me hubiera ocultado	nos hubiéramos ocultado
te ocultaras	os ocultarais	te hubieras ocultado	os hubierais ocultado
se ocultara	se ocultaran	se hubiera ocultado	se hubieran ocultado
OR		OR	
me ocultase	nos ocultásemos	me hubiese ocultado	nos hubiésemos ocultado
te ocultases	os ocultaseis	te hubieses ocultado	os hubieseis ocultado
se ocultase	se ocultasen	se hubiese ocultado	se hubiesen ocultado

imperativo	
—	ocultémonos
ocúltate; no te ocultes	ocultaos; no os ocultéis
ocúltese	ocúltense

Words and expressions related to this verb
ocultar   to hide, conceal
ocultar una cosa de una persona   to hide something from someone
ocultarsele a uno   to hide oneself from someone
oculto, oculta   occult; hidden, concealed; **en oculto**   secretly
las Ciencias ocultas   the Occult Sciences

The Seven Simple Tenses		The Seven Compound Tenses	
Singular	Plural	Singular	Plural
1 presente de indicativo		8 perfecto de indicativo	
ocupo	ocupamos	he ocupado	hemos ocupado
ocupas	ocupáis	has ocupado	habéis ocupado
ocupa	ocupan	ha ocupado	han ocupado
2 imperfecto de indicativo		9 pluscuamperfecto de indicativo	
ocupaba	ocupábamos	había ocupado	habíamos ocupado
ocupabas	ocupabais	habías ocupado	habíais ocupado
ocupaba	ocupaban	había ocupado	habían ocupado
3 pretérito		10 pretérito anterior	
ocupé	ocupamos	hube ocupado	hubimos ocupado
ocupaste	ocupasteis	hubiste ocupado	hubisteis ocupado
ocupó	ocuparon	hubo ocupado	hubieron ocupado
4 futuro		11 futuro perfecto	
ocuparé	ocuparemos	habré ocupado	habremos ocupado
ocuparás	ocuparéis	habrás ocupado	habréis ocupado
ocupará	ocuparán	habrá ocupado	habrán ocupado
5 potencial simple		12 potencial compuesto	
ocuparía	ocuparíamos	habría ocupado	habríamos ocupado
ocuparías	ocuparíais	habrías ocupado	habríais ocupado
ocuparía	ocuparían	habría ocupado	habrían ocupado
6 presente de subjuntivo		13 perfecto de subjuntivo	
ocupe	ocupemos	haya ocupado	hayamos ocupado
ocupes	ocupéis	hayas ocupado	hayáis ocupado
ocupe	ocupen	haya ocupado	hayan ocupado
7 imperfecto de subjuntivo		14 pluscuamperfecto de subjuntivo	
ocupara	ocupáramos	hubiera ocupado	hubiéramos ocupado
ocuparas	ocuparais	hubieras ocupado	hubierais ocupado
ocupara	ocuparan	hubiera ocupado	hubieran ocupado
OR		OR	
ocupase	ocupasemos	hubiese ocupado	hubiésemos ocupado
ocupases	ocupaseis	hubieses ocupado	hubieseis ocupado
ocupase	ocupasen	hubiese ocupado	hubiesen ocupado

O

imperativo	
—	ocupemos
ocupa; no ocupes	ocupad; no ocupéis
ocupe	ocupen

Words and expressions related to this verb
ocupado, ocupada   busy, occupied
la ocupación   occupation
ocuparse de (en)   to be busy with, in, to
   be engaged in
un, una ocupante   occupant

See also **preocuparse.**

desocupar   to vacate
ocuparse con algo   to be busy with something

The subject pronouns are found on page 93.

to offer

Regular -er verb endings with spelling change: c becomes zc before a or o

The Seven Simple Tenses		The Seven Compound Tenses	
Singular	Plural	Singular	Plural
1　presente de indicativo		8　perfecto de indicativo	
ofrezco	**ofrecemos**	**he ofrecido**	**hemos ofrecido**
ofreces	**ofrecéis**	**has ofrecido**	**habéis ofrecido**
ofrece	**ofrecen**	**ha ofrecido**	**han ofrecido**
2　imperfecto de indicativo		9　pluscuamperfecto de indicativo	
ofrecía	**ofrecíamos**	**había ofrecido**	**habíamos ofrecido**
ofrecías	**ofrecíais**	**habías ofrecido**	**habíais ofrecido**
ofrecía	**ofrecían**	**había ofrecido**	**habían ofrecido**
3　pretérito		10　pretérito anterior	
ofrecí	**ofrecimos**	**hube ofrecido**	**hubimos ofrecido**
ofreciste	**ofrecisteis**	**hubiste ofrecido**	**hubisteis ofrecido**
ofreció	**ofrecieron**	**hubo ofrecido**	**hubieron ofrecido**
4　futuro		11　futuro perfecto	
ofreceré	**ofreceremos**	**habré ofrecido**	**habremos ofrecido**
ofrecerás	**ofreceréis**	**habrás ofrecido**	**habréis ofrecido**
ofrecerá	**ofrecerán**	**habrá ofrecido**	**habrán ofrecido**
5　potencial simple		12　potencial compuesto	
ofrecería	**ofreceríamos**	**habría ofrecido**	**habríamos ofrecido**
ofrecerías	**ofreceríais**	**habrías ofrecido**	**habríais ofrecido**
ofrecería	**ofrecerían**	**habría ofrecido**	**habrían ofrecido**
6　presente de subjuntivo		13　perfecto de subjuntivo	
ofrezca	**ofrezcamos**	**haya ofrecido**	**hayamos ofrecido**
ofrezcas	**ofrezcáis**	**hayas ofrecido**	**hayáis ofrecido**
ofrezca	**ofrezcan**	**haya ofrecido**	**hayan ofrecido**
7　imperfecto de subjuntivo		14　pluscuamperfecto de subjuntivo	
ofreciera	**ofreciéramos**	**hubiera ofrecido**	**hubiéramos ofrecido**
ofrecieras	**ofrecierais**	**hubieras ofrecido**	**hubierais ofrecido**
ofreciera	**ofrecieran**	**hubiera ofrecido**	**hubieran ofrecido**
OR		OR	
ofreciese	**ofreciésemos**	**hubiese ofrecido**	**hubiésemos ofrecido**
ofrecieses	**ofrecieseis**	**hubieses ofrecido**	**hubieseis ofrecido**
ofreciese	**ofreciesen**	**hubiese ofrecido**	**hubiesen ofrecido**

imperativo

—	**ofrezcamos**
ofrece; no ofrezcas	**ofreced; no ofrezcáis**
ofrezca	**ofrezcan**

Words related to this verb

ofreciente　offering
el ofrecimiento　offer, offering
la ofrenda　gift
ofrecer + inf.　to offer + inf.
el ofrecedor, la ofrecedora　offerer

ofrecer el brazo　to offer one's arm
ofrecerse　to offer oneself
ofrecerse para hacer un trabajo　to offer
　oneself to do a job
ofrecer su ayuda　to offer your help
ofrecer ventajas　to offer advantages

The Seven Simple Tenses		The Seven Compound Tenses	
Singular	Plural	Singular	Plural
1 presente de indicativo		8 perfecto de indicativo	
oigo	oímos	he oído	hemos oído
oyes	oís	has oído	habéis oído
oye	oyen	ha oído	han oído
2 imperfecto de indicativo		9 pluscuamperfecto de indicativo	
oía	oíamos	había oído	habíamos oído
oías	oíais	habías oído	habíais oído
oía	oían	había oído	habían oído
3 pretérito		10 pretérito anterior	
oí	oímos	hube oído	hubimos oído
oíste	oísteis	hubiste oído	hubisteis oído
oyó	oyeron	hubo oído	hubieron oído
4 futuro		11 futuro perfecto	
oiré	oiremos	habré oído	habremos oído
oirás	oiréis	habrás oído	habréis oído
oirá	oirán	habrá oído	habrán oído
5 potencial simple		12 potencial compuesto	
oiría	oiríamos	habría oído	habríamos oído
oirías	oiríais	habrías oído	habríais oído
oiría	oirían	habría oído	habrían oído
6 presente de subjuntivo		13 perfecto de subjuntivo	
oiga	oigamos	haya oído	hayamos oído
oigas	oigáis	hayas oído	hayáis oído
oiga	oigan	haya oído	hayan oído
7 imperfecto de subjuntivo		14 pluscuamperfecto de subjuntivo	
oyera	oyéramos	hubiera oído	hubiéramos oído
oyeras	oyerais	hubieras oído	hubierais oído
oyera	oyeran	hubiera oído	hubieran oído
OR		OR	
oyese	oyésemos	hubiese oído	hubiésemos oído
oyeses	oyeseis	hubieses oído	hubieseis oído
oyese	oyesen	hubiese oído	hubiesen oído

O

imperativo

—	oigamos
oye; no oigas	oíd; no oigáis
oiga	oigan

AN ESSENTIAL
55 VERB

The subject pronouns are found on page 93.

AN ESSENTIAL
55 VERB

Oír

Oír is a very important irregular verb for you to learn. It is used in a great number of idiomatic expressions and everyday situations.

Sentences using oír and related words

¡Déme oídos, por favor!
Lend me an ear, please!

Oigo la voz de un amigo.
I hear the voice of a friend.

Proverbs

Las paredes tienen oídos. (Las paredes oyen.)
The walls have ears.

A palabras locas, oídos sordos.
Turn a deaf ear to crazy words.

Words and expressions related to this verb

la oída **hearing**

de oídas **by hearsay**

dar oídos **to lend an ear**

oír decir **to hear tell, to hear say**

oír hablar de **to hear of, to hear talk of**

por oídos, de oídos **by hearing**

al oído **confidentially**

el oído **hearing (sense)**

desoír **to ignore, to be deaf to**

Can't find the verb you're looking for?
Check the back pages of this book for a list of over 2,100 additional verbs!

Regular **-er** verb endings with
stem change: Tenses 1, 6, Imperative

to smell, to scent

The Seven Simple Tenses		The Seven Compound Tenses	
Singular	Plural	Singular	Plural
1 presente de indicativo		8 perfecto de indicativo	
huelo	olemos	he olido	hemos olido
hueles	oléis	has olido	habéis olido
huele	huelen	ha olido	han olido
2 imperfecto de indicativo		9 pluscuamperfecto de indicativo	
olía	olíamos	había olido	habíamos olido
olías	olíais	habías olido	habíais olido
olía	olían	había olido	habían olido
3 pretérito		10 pretérito anterior	
olí	olimos	hube olido	hubimos olido
oliste	olisteis	hubiste olido	hubisteis olido
olió	olieron	hubo olido	hubieron olido
4 futuro		11 futuro perfecto	
oleré	oleremos	habré olido	habremos olido
olerás	oleréis	habrás olido	habréis olido
olerá	olerán	habrá olido	habrán olido
5 potencial simple		12 potencial compuesto	
olería	oleríamos	habría olido	habríamos olido
olerías	oleríais	habrías olido	habríais olido
olería	olerían	habría olido	habrían olido
6 presente de subjuntivo		13 perfecto de subjuntivo	
huela	olamos	haya olido	hayamos olido
huelas	oláis	hayas olido	hayáis olido
huela	huelan	haya olido	hayan olido
7 imperfecto de subjuntivo		14 pluscuamperfecto de subjuntivo	
oliera	oliéramos	hubiera olido	hubiéramos olido
olieras	olierais	hubieras olido	hubierais olido
oliera	olieran	hubiera olido	hubieran olido
OR		OR	
oliese	oliésemos	hubiese olido	hubiésemos olido
olieses	olieseis	hubieses olido	hubieseis olido
oliese	oliesen	hubiese olido	hubiesen olido

imperativo	
—	olamos
huele; no huelas	oled; no oláis
huela	huelan

Words and expressions related to this verb
el olfato, la olfacción   olfaction (the sense of smelling, act of smelling)
olfatear   to sniff
oler a   to smell of; **oler a rosa**   to smell like a rose
No huele bien   It looks fishy. (It doesn't smell good.)

Can't recognize an irregular verb form? Check out pages 678–681.

The subject pronouns are found on page 93.

olvidar (336)
to forget

Gerundio **olvidando**

Part. pas. **olvidado**

Regular **-ar** verb

The Seven Simple Tenses		The Seven Compound Tenses	
Singular	Plural	Singular	Plural
1 presente de indicativo		**8 perfecto de indicativo**	
olvido	olvidamos	he olvidado	hemos olvidado
olvidas	olvidáis	has olvidado	habéis olvidado
olvida	olvidan	ha olvidado	han olvidado
2 imperfecto de indicativo		**9 pluscuamperfecto de indicativo**	
olvidaba	olvidábamos	había olvidado	habíamos olvidado
olvidabas	olvidabais	habías olvidado	habíais olvidado
olvidaba	olvidaban	había olvidado	habían olvidado
3 pretérito		**10 pretérito anterior**	
olvidé	olvidamos	hube olvidado	hubimos olvidado
olvidaste	olvidasteis	hubiste olvidado	hubisteis olvidado
olvidó	olvidaron	hubo olvidado	hubieron olvidado
4 futuro		**11 futuro perfecto**	
olvidaré	olvidaremos	habré olvidado	habremos olvidado
olvidarás	olvidaréis	habrás olvidado	habréis olvidado
olvidará	olvidarán	habrá olvidado	habrán olvidado
5 potencial simple		**12 potencial compuesto**	
olvidaría	olvidaríamos	habría olvidado	habríamos olvidado
olvidarías	olvidaríais	habrías olvidado	habríais olvidado
olvidaría	olvidarían	habría olvidado	habrían olvidado
6 presente de subjuntivo		**13 perfecto de subjuntivo**	
olvide	olvidemos	haya olvidado	hayamos olvidado
olvides	olvidéis	hayas olvidado	hayáis olvidado
olvide	olviden	haya olvidado	hayan olvidado
7 imperfecto de subjuntivo		**14 pluscuamperfecto de subjuntivo**	
olvidara	olvidáramos	hubiera olvidado	hubiéramos olvidado
olvidaras	olvidarais	hubieras olvidado	hubierais olvidado
olvidara	olvidaran	hubiera olvidado	hubieran olvidado
OR		OR	
olvidase	olvidásemos	hubiese olvidado	hubiésemos olvidado
olvidases	olvidaseis	hubieses olvidado	hubieseis olvidado
olvidase	olvidasen	hubiese olvidado	hubiesen olvidado

imperativo

—	olvidemos
olvida; no olvides	olvidad; no olvidéis
olvide	olviden

Words and expressions related to this verb

olvidado, olvidada   forgotten
olvidadizo, olvidadiza   forgetful
el ovido   forgetfulness, oblivion
Se me olvidó   It slipped my mind.

olvidar + inf.   to forget + inf.
olvidarse de   to forget
olvidarse de + inf.   to forget + inf.
olvidar la hora   to forget the time

Irregular verb   to oppose

The Seven Simple Tenses		The Seven Compound Tenses	
Singular	Plural	Singular	Plural
1 presente de indicativo		8 perfecto de indicativo	
opongo	oponemos	he opuesto	hemos opuesto
opones	oponéis	has opuesto	habéis opuesto
opone	oponen	ha opuesto	han opuesto
2 imperfecto de indicativo		9 pluscuamperfecto de indicativo	
oponía	oponíamos	había opuesto	habíamos opuesto
oponías	oponíais	habías opuesto	habíais opuesto
oponía	oponían	había opuesto	habían opuesto
3 pretérito		10 pretérito anterior	
opuse	opusimos	hube opuesto	hubimos opuesto
opusiste	opusisteis	hubiste opuesto	hubisteis opuesto
opuso	opusieron	hubo opuesto	hubieron opuesto
4 futuro		11 futuro perfecto	
opondré	opondremos	habré opuesto	habremos opuesto
opondrás	opondréis	habrás opuesto	habréis opuesto
opondrá	opondrán	habrá opuesto	habrán opuesto
5 potencial simple		12 potencial compuesto	
opondría	opondríamos	habría opuesto	habríamos opuesto
opondrías	opondríais	habrías opuesto	habríais opuesto
opondría	opondrían	habría opuesto	habrían opuesto
6 presente de subjuntivo		13 perfecto de subjuntivo	
oponga	opongamos	haya opuesto	hayamos opuesto
opongas	opongáis	hayas opuesto	hayáis opuesto
oponga	opongan	haya opuesto	hayan opuesto
7 imperfecto de subjuntivo		14 pluscuamperfecto de subjuntivo	
opusiera	opusiéramos	hubiera opuesto	hubiéramos opuesto
opusieras	opusierais	hubieras opuesto	hubierais opuesto
opusiera	opusieran	hubiera opuesto	hubieran opuesto
OR		OR	
opusiese	opusiésemos	hubiese opuesto	hubiésemos opuesto
opusieses	opusieseis	hubieses opuesto	hubieseis opuesto
opusiese	opusiesen	hubiese opuesto	hubiesen opuesto

imperativo	
—	opongamos
opón; no opongas	oponed; no opongáis
oponga	opongan

Words related to this verb
oponerse a   to be against
oponible   opposable
oponerse   to oppose each other
el, la oponente   opponent

la oposición   opposition
el, la oposicionista   oppositionist
oponerse a una moción   to oppose a motion

Gerundio **ordenando**   Part. pas. **ordenado**

to order, to command, to put in order, to arrange   Regular **-ar** verb

The Seven Simple Tenses		The Seven Compound Tenses	
Singular	Plural	Singular	Plural
1 presente de indicativo		**8 perfecto de indicativo**	
ordeno	ordenamos	he ordenado	hemos ordenado
ordenas	ordenáis	has ordenado	habéis ordenado
ordena	ordenan	ha ordenado	han ordenado
2 imperfecto de indicativo		**9 pluscuamperfecto de indicativo**	
ordenaba	ordenábamos	había ordenado	habíamos ordenado
ordenabas	ordenabais	habías ordenado	habíais ordenado
ordenaba	ordenaban	había ordenado	habían ordenado
3 pretérito		**10 pretérito anterior**	
ordené	ordenamos	hube ordenado	hubimos ordenado
ordenaste	ordenasteis	hubiste ordenado	hubisteis ordenado
ordenó	ordenaron	hubo ordenado	hubieron ordenado
4 futuro		**11 futuro perfecto**	
ordenaré	ordenaremos	habré ordenado	habremos ordenado
ordenarás	ordenaréis	habrás ordenado	habréis ordenado
ordenará	ordenarán	habrá ordenado	habrán ordenado
5 potencial simple		**12 potencial compuesto**	
ordenaría	ordenaríamos	habría ordenado	habríamos ordenado
ordenarías	ordenaríais	habrías ordenado	habríais ordenado
ordenaría	ordenarían	habría ordenado	habrían ordenado
6 presente de subjuntivo		**13 perfecto de subjuntivo**	
ordene	ordenemos	haya ordenado	hayamos ordenado
ordenes	ordenéis	hayas ordenado	hayáis ordenado
ordene	ordenen	haya ordenado	hayan ordenado
7 imperfecto de subjuntivo		**14 pluscuamperfecto de subjuntivo**	
ordenara	ordenáramos	hubiera ordenado	hubiéramos ordenado
ordenaras	ordenarais	hubieras ordenado	hubierais ordenado
ordenara	ordenaran	hubiera ordenado	hubieran ordenado
OR		OR	
ordenase	ordenásemos	hubiese ordenado	hubiésemos ordenado
ordenases	ordenaseis	hubieses ordenado	hubieseis ordenado
ordenase	ordenasen	hubiese ordenado	hubiesen ordenado

imperativo

—	ordenemos
ordena; no ordenes	ordenad; no ordenéis
ordene	ordenen

Words and expressions related to this verb
el orden, los órdenes   order, orders
el orden del día   order of the day
ordenadamente   in order, orderly,
   methodically

ordenarse   to become ordained, to take
   holy orders
llamar al orden   to call to order

Do you need more drills? Have fun with the *501 Spanish Verbs* CD-ROM!

Gerundio **organizando**   Part. pas. **organizado**   **organizar** (339)

Regular **-ar** verb endings with spelling change: **z** becomes **c** before **e**

to organize, to arrange, to set up

The Seven Simple Tenses | The Seven Compound Tenses

Singular	Plural	Singular	Plural
1 presente de indicativo		8 perfecto de indicativo	
organizo	organizamos	he organizado	hemos organizado
organizas	organizáis	has organizado	habéis organizado
organiza	organizan	ha organizado	han organizado
2 imperfecto de indicativo		9 pluscuamperfecto de indicativo	
organizaba	organizábamos	había organizado	habíamos organizado
organizabas	organizabais	habías organizado	habíais organizado
organizaba	organizaban	había organizado	habían organizado
3 pretérito		10 pretérito anterior	
organicé	organizamos	hube organizado	hubimos organizado
organizaste	organizasteis	hubiste organizado	hubisteis organizado
organizó	organizaron	hubo organizado	hubieron organizado
4 futuro		11 futuro perfecto	
organizaré	organizaremos	habré organizado	habremos organizado
organizarás	organizaréis	habrás organizado	habréis organizado
organizará	organizarán	habrá organizado	habrán organizado
5 potencial simple		12 potencial compuesto	
organizaría	organizaríamos	habría organizado	habríamos organizado
organizarías	organizaríais	habrías organizado	habríais organizado
organizaría	organizarían	habría organizado	habrían organizado
6 presente de subjuntivo		13 perfecto de subjuntivo	
organice	organicemos	haya organizado	hayamos organizado
organices	organicéis	hayas organizado	hayáis organizado
organice	organicen	haya organizado	hayan organizado
7 imperfecto de subjuntivo		14 pluscuamperfecto de subjuntivo	
organizara	organizáramos	hubiera organizado	hubiéramos organizado
organizaras	organizarais	hubieras organizado	hubierais organizado
organizara	organizaran	hubiera organizado	hubieran organizado
OR		OR	
organizase	organizásemos	hubiese organizado	hubiésemos organizado
organizases	organizaseis	hubieses organizado	hubieseis organizado
organizase	organizasen	hubiese organizado	hubiesen organizado

imperativo

— | organicemos
organiza; no organices | organizad; no organicéis
organice | organicen

Words and expressions related to this verb
organizado, organizada   organized
la organización   organization
organizar una fiesta   to organize a party

el organizador, la organizadora   organizer
organizable   organizable
la Organización de las Naciones Unidas (ONU)   the United Nations Organization (UNO, UN)

The subject pronouns are found on page 93.   **467**

The Seven Simple Tenses		The Seven Compound Tenses	
Singular	Plural	Singular	Plural
1 presente de indicativo		8 perfecto de indicativo	
oso	osamos	he osado	hemos osado
osas	osáis	has osado	habéis osado
osa	osan	ha osado	han osado
2 imperfecto de indicativo		9 pluscuamperfecto de indicativo	
osaba	osábamos	había osado	habíamos osado
osabas	osabais	habías osado	habíais osado
osaba	osaban	había osado	habían osado
3 pretérito		10 pretérito anterior	
osé	osamos	hube osado	hubimos osado
osaste	osasteis	hubiste osado	hubisteis osado
osó	osaron	hubo osado	hubieron osado
4 futuro		11 futuro perfecto	
osaré	osaremos	habré osado	habremos osado
osarás	osaréis	habrás osado	habréis osado
osará	osarán	habrá osado	habrán osado
5 potencial simple		12 potencial compuesto	
osaría	osaríamos	habría osado	habríamos osado
osarías	osaríais	habrías osado	habríais osado
osaría	osarían	habría osado	habrían osado
6 presente de subjuntivo		13 perfecto de subjuntivo	
ose	osemos	haya osado	hayamos osado
oses	oséis	hayas osado	hayáis osado
ose	osen	haya osado	hayan osado
7 imperfecto de subjuntivo		14 pluscuamperfecto de subjuntivo	
osara	osáramos	hubiera osado	hubiéramos osado
osaras	osarais	hubieras osado	hubierais osado
osara	osaran	hubiera osado	hubieran osado
OR		OR	
osase	osásemos	hubiese osado	hubiésemos osado
osases	osaseis	hubieses osado	hubieseis osado
osase	osasen	hubiese osado	hubiesen osado

imperativo

—	osemos
osa; no oses	osad; no oséis
ose	osen

Words and expressions related to this verb

osado, osada audacious, bold, daring la osadía audacity, boldness
osadamente boldly, daringly

Check out the verb drills and verb tests with answers explained on pages 45–91.

Regular **-ar** verb endings with spelling
change: **g** becomes **gu** before **e**

The Seven Simple Tenses		The Seven Compound Tenses	
Singular	Plural	Singular	Plural
1 presente de indicativo		8 perfecto de indicativo	
pago	pagamos	he pagado	hemos pagado
pagas	pagáis	has pagado	habéis pagado
paga	pagan	ha pagado	han pagado
2 imperfecto de indicativo		9 pluscuamperfecto de indicativo	
pagaba	pagábamos	había pagado	habíamos pagado
pagabas	pagabais	habías pagado	habíais pagado
pagaba	pagaban	había pagado	habían pagado
3 pretérito		10 pretérito anterior	
pagué	pagamos	hube pagado	hubimos pagado
pagaste	pagasteis	hubiste pagado	hubisteis pagado
pagó	pagaron	hubo pagado	hubieron pagado
4 futuro		11 futuro perfecto	
pagaré	pagaremos	habré pagado	habremos pagado
pagarás	pagaréis	habrás pagado	habréis pagado
pagará	pagarán	habrá pagado	habrán pagado
5 potencial simple		12 potencial compuesto	
pagaría	pagaríamos	habría pagado	habríamos pagado
pagarías	pagaríais	habrías pagado	habríais pagado
pagaría	pagarían	habría pagado	habrían pagado
6 presente de subjuntivo		13 perfecto de subjuntivo	
pague	paguemos	haya pagado	hayamos pagado
pagues	paguéis	hayas pagado	hayáis pagado
pague	paguen	haya pagado	hayan pagado
7 imperfecto de subjuntivo		14 pluscuamperfecto de subjuntivo	
pagara	pagáramos	hubiera pagado	hubiéramos pagado
pagaras	pagarais	hubieras pagado	hubierais pagado
pagara	pagaran	hubiera pagado	hubieran pagado
OR		OR	
pagase	pagásemos	hubiese pagado	hubiésemos pagado
pagases	pagaseis	hubieses pagado	hubieseis pagado
pagase	pagasen	hubiese pagado	hubiesen pagado

imperativo	
—	paguemos
paga; no pagues	pagad; no paguéis
pague	paguen

**AN ESSENTIAL
55 VERB**

Pagar is an essential verb to learn because it is a regular –ar verb with an important spelling change. This verb is useful in many everyday expressions, especially when traveling.

Sentences using pagar

¿Dónde se paga la cuenta?
Where is the bill paid? Where can one pay the bill?

¿Cuánto le debo? Voy a pagar al contado.
How much do I owe you? I'm going to pay in cash.

Words and expressions related to this verb

la paga **pay**

el pago, el pagamiento **payment**

pagable **payable**

pagador, pagadora **payer**

el pagaré **promissory note, IOU**

pagar un crimen **to pay for a crime**

pagar las culpas **to pay for one's sins**

pagar al contado **to pay in cash**

pagar contra entrega **C.O.D. (Collect on delivery)**

pagar la cuenta **to pay the bill**

pagar un ojo de la cara **to pay an arm and a leg; to pay through your nose**

pagar los platos rotos **to pay the cost (pay for the damage)**

Proverbs

Paga lo que debes y sabrás lo que tienes.
Pay what you owe and you'll know what you have.

Él que la hace la paga.
You have to pay the consequences. (You made your bed, now sleep in it.)

Can't remember the Spanish verb you need?
Check the back pages of this book for the English-Spanish verb index!

Regular **-ar** verb   to stop (someone or something)

The Seven Simple Tenses		The Seven Compound Tenses	
Singular	Plural	Singular	Plural
1 presente de indicativo		8 perfecto de indicativo	
paro	paramos	he parado	hemos parado
paras	paráis	has parado	habéis parado
para	paran	ha parado	han parado
2 imperfecto de indicativo		9 pluscuamperfecto de indicativo	
paraba	parábamos	había parado	habíamos parado
parabas	parabais	habías parado	habíais parado
paraba	paraban	había parado	habían parado
3 pretérito		10 pretérito anterior	
paré	paramos	hube parado	hubimos parado
paraste	parasteis	hubiste parado	hubisteis parado
paró	pararon	hubo parado	hubieron parado
4 futuro		11 futuro perfecto	
pararé	pararemos	habré parado	habremos parado
pararás	pararéis	habrás parado	habréis parado
parará	pararán	habrá parado	habrán parado
5 potencial simple		12 potencial compuesto	
pararía	pararíamos	habría parado	habríamos parado
pararías	pararíais	habrías parado	habríais parado
pararía	pararían	habría parado	habrían parado
6 presente de subjuntivo		13 perfecto de subjuntivo	
pare	paremos	haya parado	hayamos parado
pares	paréis	hayas parado	hayáis parado
pare	paren	haya parado	hayan parado
7 imperfecto de subjuntivo		14 pluscuamperfecto de subjuntivo	
parara	paráramos	hubiera parado	hubiéramos parado
pararas	pararais	hubieras parado	hubierais parado
parara	pararan	hubiera parado	hubieran parado
OR		OR	
parase	parásemos	hubiese parado	hubiésemos parado
parases	paraseis	hubieses parado	hubieseis parado
parase	parasen	hubiese parado	hubiesen parado

	imperativo	
—		paremos
para; no pares		parad; no paréis
pare		paren

Words and expressions related to this verb

parar en mal   to end badly
PARADA   STOP
la parada de coches   taxi stand
pararse en   to pay attention to

la parada del autobús   bus stop
parar en seco   dead stop
una paradeta   short stop
sin parar   right away (without stopping)

For other words and expressions related to this verb, see **pararse.**

The subject pronouns are found on page 93.

The Seven Simple Tenses		The Seven Compound Tenses	
Singular	Plural	Singular	Plural
1 presente de indicativo		8 perfecto de indicativo	
me paro	nos paramos	me he parado	nos hemos parado
te paras	os paráis	te has parado	os habéis parado
se para	se paran	se ha parado	se han parado
2 imperfecto de indicativo		9 pluscuamperfecto de indicativo	
me paraba	nos parábamos	me había parado	nos habíamos parado
te parabas	os parabais	te habías parado	os habíais parado
se paraba	se paraban	se había parado	se habían parado
3 pretérito		10 pretérito anterior	
me paré	nos paramos	me hube parado	nos hubimos parado
te paraste	os parasteis	te hubiste parado	os hubisteis parado
se paró	se pararon	se hubo parado	se hubieron parado
4 futuro		11 futuro perfecto	
me pararé	nos pararemos	me habré parado	nos habremos parado
te pararás	os pararéis	te habrás parado	os habréis parado
se parará	se pararán	se habrá parado	se habrán parado
5 potencial simple		12 potencial compuesto	
me pararía	nos pararíamos	me habría parado	nos habríamos parado
te pararías	os pararíais	te habrías parado	os habríais parado
se pararía	se pararían	se habría parado	se habrían parado
6 presente de subjuntivo		13 perfecto de subjuntivo	
me pare	nos paremos	me haya parado	nos hayamos parado
te pares	os paréis	te hayas parado	os hayáis parado
se pare	se paren	se haya parado	se hayan parado
7 imperfecto de subjuntivo		14 pluscuamperfecto de subjuntivo	
me parara	nos paráramos	me hubiera parado	nos hubiéramos parado
te pararas	os pararais	te hubieras parado	os hubierais parado
se parara	se pararan	se hubiera parado	se hubieran parado
OR		OR	
me parase	nos parásemos	me hubiese parado	nos hubiésemos parado
te parases	os paraseis	te hubieses parado	os hubieseis parado
se parase	se parasen	se hubiese parado	se hubiesen parado

imperativo

—	parémonos
párate; no te pares	paraos; no os paréis
párese	párense

Words and expressions related to this verb

la parada stop	parar to stop (someone or something)
una paradeta, una paradilla pause	no poder parar to be restless
una parada en seco dead stop	parar en mal to end badly

For other words and expressions related to this verb, see **parar**.

Get acquainted with what preposition goes with what verb on pages 669–677.

Regular **-er** verb endings with spelling
change: **c** becomes **zc** before **a** or **o**

to seem, to appear

The Seven Simple Tenses		The Seven Compound Tenses	
Singular	Plural	Singular	Plural
1 presente de indicativo		8 perfecto de indicativo	
parezco	**parecemos**	**he parecido**	**hemos parecido**
pareces	**parecéis**	**has parecido**	**habéis parecido**
parece	**parecen**	**ha parecido**	**han parecido**
2 imperfecto de indicativo		9 pluscuamperfecto de indicativo	
parecía	**parecíamos**	**había parecido**	**habíamos parecido**
parecías	**parecíais**	**habías parecido**	**habíais parecido**
parecía	**parecían**	**había parecido**	**habían parecido**
3 pretérito		10 pretérito anterior	
parecí	**parecimos**	**hube parecido**	**hubimos parecido**
pareciste	**parecisteis**	**hubiste parecido**	**hubisteis parecido**
pareció	**parecieron**	**hubo parecido**	**hubieron parecido**
4 futuro		11 futuro perfecto	
pareceré	**pareceremos**	**habré parecido**	**habremos parecido**
parecerás	**pareceréis**	**habrás parecido**	**habréis parecido**
parecerá	**parecerán**	**habrá parecido**	**habrán parecido**
5 potencial simple		12 potencial compuesto	
parecería	**pareceríamos**	**habría parecido**	**habríamos parecido**
parecerías	**pareceríais**	**habrías parecido**	**habríais parecido**
parecería	**parecerían**	**habría parecido**	**habrían parecido**
6 presente de subjuntivo		13 perfecto de subjuntivo	
parezca	**parezcamos**	**haya parecido**	**hayamos parecido**
parezcas	**parezcáis**	**hayas parecido**	**hayáis parecido**
parezca	**parezcan**	**haya parecido**	**hayan parecido**
7 imperfecto de subjuntivo		14 pluscuamperfecto de subjuntivo	
pareciera	**pareciéramos**	**hubiera parecido**	**hubiéramos parecido**
parecieras	**parecierais**	**hubieras parecido**	**hubierais parecido**
pareciera	**parecieran**	**hubiera parecido**	**hubieran parecido**
OR		OR	
pareciese	**pareciésemos**	**hubiese parecido**	**hubiésemos parecido**
parecieses	**parecieseis**	**hubieses parecido**	**hubieseis parecido**
pareciese	**pareciesen**	**hubiese parecido**	**hubiesen parecido**

P

imperativo	
—	**parezcamos**
parece; no parezcas	**pareced; no parezcáis**
parezca	**parezcan**

Words and expressions related to this verb
a lo que parece   according to what it seems
al parecer   seemingly, apparently
pareciente   similar
parecerse a   to resemble each other, to look alike
María parece contenta.   Maria seems happy.

Me parece . . .   It seems to me . . .
por el bien parecer   for the sake of
appearances
parecer cansado (cansada)   to look (seem) tired

See also **parecerse.**

The subject pronouns are found on page 93.

parecerse (345)   Gerundio **pareciéndose**   Part. pas. **parecido**

to resemble each other,
to look alike

Reflexive verb; regular **-er** verb endings with
spelling change: **c** becomes **zc** before **a** or **o**

The Seven Simple Tenses

The Seven Compound Tenses

Singular	Plural	Singular	Plural
1 presente de indicativo		8 perfecto de indicativo	
me parezco	nos parecemos	me he parecido	nos hemos parecido
te pareces	os parecéis	te has parecido	os habéis parecido
se parece	se parecen	se ha parecido	se han parecido
2 imperfecto de indicativo		9 pluscuamperfecto de indicativo	
me parecía	nos parecíamos	me había parecido	nos habíamos parecido
te parecías	os parecíais	te habías parecido	os habíais parecido
se parecía	se parecían	se había parecido	se habían parecido
3 pretérito		10 pretérito anterior	
me parecí	nos parecimos	me hube parecido	nos hubimos parecido
te pareciste	os parecisteis	te hubiste parecido	os hubisteis parecido
se pareció	se parecieron	se hubo parecido	se hubieron parecido
4 futuro		11 futuro perfecto	
me pareceré	nos pareceremos	me habré parecido	nos habremos parecido
te parecerás	os pareceréis	te habrás parecido	os habréis parecido
se parecerá	se parecerán	se habrá parecido	se habrán parecido
5 potencial simple		12 potencial compuesto	
me parecería	nos pareceríamos	me habría parecido	nos habríamos parecido
te parecerías	os pareceríais	te habrías parecido	os habríais parecido
se parecería	se parecerían	se habría parecido	se habrían parecido
6 presente de subjuntivo		13 perfecto de subjuntivo	
me parezca	nos parezcamos	me haya parecido	nos hayamos parecido
te parezcas	os parezcáis	te hayas parecido	os hayáis parecido
se parezca	se parezcan	se haya parecido	se hayan parecido
7 imperfecto de subjuntivo		14 pluscuamperfecto de subjuntivo	
me pareciera	nos pareciéramos	me hubiera parecido	nos hubiéramos parecido
te parecieras	os parecierais	te hubieras parecido	os hubierais parecido
se pareciera	se parecieran	se hubiera parecido	se hubieran parecido
OR		OR	
me pareciese	nos pareciésemos	me hubiese parecido	nos hubiésemos parecido
te parecieses	os parecieseis	te hubieses parecido	os hubieseis parecido
se pareciese	se pareciesen	se hubiese parecido	se hubiesen parecido

imperativo

—	parezcámonos
parécete; no te parezcas	pareceos; no os parezcáis
parézcase	parézcanse

Words and expressions related to this verb
parecer   to seem, to appear
a lo que parece   according to what it seems

al parecer   seemingly, apparently
pareciente   similar

See also **parecer**.

> Can't find the verb you're looking for?
> Check the back pages of this book for a list of over 2,100 additional verbs!

Regular **-ir** verb   to leave, to depart, to divide, to split

The Seven Simple Tenses		The Seven Compound Tenses	
Singular	Plural	Singular	Plural
1 presente de indicativo		8 perfecto de indicativo	
parto	partimos	he partido	hemos partido
partes	partís	has partido	habéis partido
parte	parten	ha partido	han partido
2 imperfecto de indicativo		9 pluscuamperfecto de indicativo	
partía	partíamos	había partido	habíamos partido
partías	partíais	habías partido	habíais partido
partía	partían	había partido	habían partido
3 pretérito		10 pretérito anterior	
partí	partimos	hube partido	hubimos partido
partiste	partisteis	hubiste partido	hubisteis partido
partió	partieron	hubo partido	hubieron partido
4 futuro		11 futuro perfecto	
partiré	partiremos	habré partido	habremos partido
partirás	partiréis	habrás partido	habréis partido
partirá	partirán	habrá partido	habrán partido
5 potencial simple		12 potencial compuesto	
partiría	partiríamos	habría partido	habríamos partido
partirías	partiríais	habrías partido	habríais partido
partiría	partirían	habría partido	habrían partido
6 presente de subjuntivo		13 perfecto de subjuntivo	
parta	partamos	haya partido	hayamos partido
partas	partáis	hayas partido	hayáis partido
parta	partan	haya partido	hayan partido
7 imperfecto de subjuntivo		14 pluscuamperfecto de subjuntivo	
partiera	partiéramos	hubiera partido	hubiéramos partido
partieras	partierais	hubieras partido	hubierais partido
partiera	partieran	hubiera partido	hubieran partido
OR		OR	
partiese	partiésemos	hubiese partido	hubiésemos partido
partieses	partieseis	hubieses partido	hubieseis partido
partiese	partiesen	hubiese partido	hubiesen partido

	imperativo	
—	partamos
parte; no partas	partid; no partáis
parta	partan

Words and expressions related to this verb
a partir de beginning with, starting from
tomar partido to take sides, to make up
    one's mind
la partida departure

partirse to become divided
repartir to distribute
partir algo en dos to divide something
    in two

See also **repartir.**

The subject pronouns are found on page 93.   **475**

pasar (347)   Gerundio pasando   Part. pas. pasado

to pass (by), to happen, to spend (time)   Regular **-ar** verb

The Seven Simple Tenses		The Seven Compound Tenses	
Singular	Plural	Singular	Plural
1　presente de indicativo		8　perfecto de indicativo	
paso	pasamos	he pasado	hemos pasado
pasas	pasáis	has pasado	habéis pasado
pasa	pasan	ha pasado	han pasado
2　imperfecto de indicativo		9　pluscuamperfecto de indicativo	
pasaba	pasábamos	había pasado	habíamos pasado
pasabas	pasabais	habías pasado	habíais pasado
pasaba	pasaban	había pasado	habían pasado
3　pretérito		10　pretérito anterior	
pasé	pasamos	hube pasado	hubimos pasado
pasaste	pasasteis	hubiste pasado	hubisteis pasado
pasó	pasaron	hubo pasado	hubieron pasado
4　futuro		11　futuro perfecto	
pasaré	pasaremos	habré pasado	habremos pasado
pasarás	pasaréis	habrás pasado	habréis pasado
pasará	pasarán	habrá pasado	habrán pasado
5　potencial simple		12　potencial compuesto	
pasaría	pasaríamos	habría pasado	habríamos pasado
pasarías	pasaríais	habrías pasado	habríais pasado
pasaría	pasarían	habría pasado	habrían pasado
6　presente de subjuntivo		13　perfecto de subjuntivo	
pase	pasemos	haya pasado	hayamos pasado
pases	paséis	hayas pasado	hayáis pasado
pase	pasen	haya pasado	hayan pasado
7　imperfecto de subjuntivo		14　pluscuamperfecto de subjuntivo	
pasara	pasáramos	hubiera pasado	hubiéramos pasado
pasaras	pasarais	hubieras pasado	hubierais pasado
pasara	pasaran	hubiera pasado	hubieran pasado
OR		OR	
pasase	pasásemos	hubiese pasado	hubiésemos pasado
pasases	pasaseis	hubieses pasado	hubieseis pasado
pasase	pasasen	hubiese pasado	hubiesen pasado

	imperativo	
—		pasemos
pasa; no pases		pasad; no paséis
pase		pasen

Words and expressions related to this verb
pasajero, pasajera　passenger, traveler
¡Que lo pase Ud. bien!　Good luck, good bye!
¿Qué pasa?　What's happening? What's
　going on?

el pasatiempo　amusement, pastime
¿Qué te pasa?　What's the matter with you?
¡Pase un buen día!　Have a nice day!
pasar un examen　to take an exam

Use **pasar** when you spend time: **Me gustaría pasar un año en Costa Rica**/I would
like to spend a year in Costa Rica. (See **gastar**.)

Reflexive regular **-ar** verb   to take a walk, to parade

The Seven Simple Tenses		The Seven Compound Tenses	
Singular	Plural	Singular	Plural
1 presente de indicativo		8 perfecto de indicativo	
me paseo	nos paseamos	me he paseado	nos hemos paseado
te paseas	os paseáis	te has paseado	os habéis paseado
se pasea	se pasean	se ha paseado	se han paseado
2 imperfecto de indicativo		9 pluscuamperfecto de indicativo	
me paseaba	nos paseábamos	me había paseado	nos habíamos paseado
te paseabas	os paseabais	te habías paseado	os habíais paseado
se paseaba	se paseaban	se había paseado	se habían paseado
3 pretérito		10 pretérito anterior	
me paseé	nos paseamos	me hube paseado	nos hubimos paseado
te paseaste	os paseasteis	te hubiste paseado	os hubisteis paseado
se paseó	se pasearon	se hubo paseado	se hubieron paseado
4 futuro		11 futuro perfecto	
me pasearé	nos pasearemos	me habré paseado	nos habremos paseado
te pasearás	os pasearéis	te habrás paseado	os habréis paseado
se paseará	se pasearán	se habrá paseado	se habrán paseado
5 potencial simple		12 potencial compuesto	
me pasearía	nos pasearíamos	me habría paseado	nos habríamos paseado
te pasearías	os pasearíais	te habrías paseado	os habríais paseado
se pasearía	se pasearían	se habría paseado	se habrían paseado
6 presente de subjuntivo		13 perfecto de subjuntivo	
me pasee	nos paseemos	me haya paseado	nos hayamos paseado
te pasees	os paseéis	te hayas paseado	os hayáis paseado
se pasee	se paseen	se haya paseado	se hayan paseado
7 imperfecto de subjuntivo		14 pluscuamperfecto de subjuntivo	
me paseara	nos paseáramos	me hubiera paseado	nos hubiéramos paseado
te pasearas	os pasearais	te hubieras paseado	os hubierais paseado
se paseara	se pasearan	se hubiera paseado	se hubieran paseado
OR		OR	
me pasease	nos paseásemos	me hubiese paseado	nos hubiésemos paseado
te paseases	os paseaseis	te hubieses paseado	os hubieseis paseado
se pasease	se paseasen	se hubiese paseado	se hubiesen paseado

imperativo	
—	paseémonos
paséate; no te pasees	paseaos; no os paseéis
paséese	paséense

Words and expressions related to this verb

un pase pass, permit	**un paseo campestre** picnic
un, una paseante stroller	**sacar a paseo** to take out for a walk
un paseo a walk, a promenade	**pasear** to walk (a child, a dog, etc.)
dar un paseo to take a walk	**pasear en bicicleta** to go bicycling
ir de paseo to go out for a walk	**el paseíllo** opening parade at bullfight

Proverb: **Cuando el gato no está, el ratón se pasea.** When the cat's away, the mice will play.
(When the cat's away, the mouse takes a walk.)

The subject pronouns are found on page 93.   **477**

pedir (349)	Gerundio **pidiendo**	Part. pas. **pedido**

to ask for, to request	Regular **-ir** verb endings with stem change: Tenses 1, 3, 6, 7, Imperative, Gerundio

The Seven Simple Tenses	The Seven Compound Tenses

Singular	Plural	Singular	Plural
1 presente de indicativo		8 perfecto de indicativo	
pido	pedimos	he pedido	hemos pedido
pides	pedís	has pedido	habéis pedido
pide	piden	ha pedido	han pedido
2 imperfecto de indicativo		9 pluscuamperfecto de indicativo	
pedía	pedíamos	había pedido	habíamos pedido
pedías	pedíais	habías pedido	habíais pedido
pedía	pedían	había pedido	habían pedido
3 pretérito		10 pretérito anterior	
pedí	pedimos	hube pedido	hubimos pedido
pediste	pedisteis	hubiste pedido	hubisteis pedido
pidió	pidieron	hubo pedido	hubieron pedido
4 futuro		11 futuro perfecto	
pediré	pediremos	habré pedido	habremos pedido
pedirás	pediréis	habrás pedido	habréis pedido
pedirá	pedirán	habrá pedido	habrán pedido
5 potencial simple		12 potencial compuesto	
pediría	pediríamos	habría pedido	habríamos pedido
pedirías	pediríais	habrías pedido	habríais pedido
pediría	pedirían	habría pedido	habrían pedido
6 presente de subjuntivo		13 perfecto de subjuntivo	
pida	pidamos	haya pedido	hayamos pedido
pidas	pidáis	hayas pedido	hayáis pedido
pida	pidan	haya pedido	hayan pedido
7 imperfecto de subjuntivo		14 pluscuamperfecto de subjuntivo	
pidiera	pidiéramos	hubiera pedido	hubiéramos pedido
pidieras	pidierais	hubieras pedido	hubierais pedido
pidiera	pidieran	hubiera pedido	hubieran pedido
OR		OR	
pidiese	pidiésemos	hubiese pedido	hubiésemos pedido
pidieses	pidieseis	hubieses pedido	hubieseis pedido
pidiese	pidiesen	hubiese pedido	hubiesen pedido

imperativo	
—	pidamos
pide; no pidas	pedid; no pidáis
pida	pidan

Words and expressions related to this verb
un **pedimento**   petition
hacer un **pedido**   to place an order
un **pedido**   request, order
colocar un **pedido**   to place an order
pedir prestado   to borrow
una **petición**   petition, request
un **pedidor, una pedidora**   client, petitioner
pedir socorro   to ask for help

Pedir means *to ask for something* or *to request*:
El alumno pidió un lápiz al profesor/The pupil asked the teacher for a pencil.
When you want to say *to inquire, to ask a question,* use **preguntar**: **La alumna preguntó a la profesora cómo estaba**/The pupil asked the teacher how she was.
See also **despedirse**.

Gerundio **pegando**   Part. pas. **pegado**   **pegar (350)**

Regular **-ar** verb endings with spelling change: **g** becomes **gu** before **e**

to beat, to hit, to slap, to stick, to glue, to paste

The Seven Simple Tenses

The Seven Compound Tenses

Singular	Plural
1 presente de indicativo	
pego	pegamos
pegas	pegáis
pega	pegan

Singular	Plural
8 perfecto de indicativo	
he pegado	hemos pegado
has pegado	habéis pegado
ha pegado	han pegado

2 imperfecto de indicativo	
pegaba	pebábamos
pegabas	pegabais
pegaba	pegaban

9 pluscuamperfecto de indicativo	
había pegado	habíamos pegado
habías pegado	habíais pegado
había pegado	habían pegado

3 pretérito	
pegué	pegamos
pegaste	pesgasteis
pegó	pegaron

10 pretérito anterior	
hube pegado	hubimos pegado
hubiste pegado	hubisteis pegado
hubo pegado	hubieron pegado

4 futuro	
pegaré	pegaremos
pegarás	pegaréis
pegará	pegarán

11 futuro perfecto	
habré pegado	habremos pegado
habrás pegado	habréis pegado
habrá pegado	habrán pegado

5 potencial simple	
pegaría	pegaríamos
pegarías	pegaríais
pegaría	pegarían

12 potencial compuesto	
habría pegado	habríamos pegado
habrías pegado	habríais pegado
habría pegado	habrían pegado

6 presente de subjuntivo	
pegue	peguemos
pegues	peguéis
pegue	peguen

13 perfecto de subjuntivo	
haya pegado	hayamos pegado
hayas pegado	hayáis pegado
haya pegado	hayan pegado

7 imperfecto de subjuntivo	
pegara	pegáramos
pegaras	pegarais
pegara	pegaran
OR	
pegase	pegásemos
pegases	pegaseis
pegase	pegasen

14 pluscuamperfecto de subjuntivo	
hubiera pegado	hubiéramos pegado
hubieras pegado	hubierais pegado
hubiera pegado	hubieran pegado
OR	
hubiese pegado	hubiésemos pegado
hubieses pegado	hubieseis pegado
hubiese pegado	hubiesen pegado

imperativo

—	peguemos
pega; no pegues	pegad; no peguéis
pegue	peguen

Words and expressions related to this verb

pegar fuego to set fire to	**pegarse las sábanas** to sleep late in the morning
pegar saltos to jump	**pegársele a uno** to deceive someone
pegar voces to shout	**no pegar los ojos** to spend a sleepless night
el pegamento glue	**una pegatina** sticker

For other words and expressions related to this verb, see **despegar.**

The subject pronouns are found on page 93.

to comb one's hair   Reflexive regular **-ar** verb

The Seven Simple Tenses		The Seven Compound Tenses	
Singular	Plural	Singular	Plural
1 presente de indicativo		8 perfecto de indicativo	
me peino	nos peinamos	me he peinado	nos hemos peinado
te peinas	os peináis	te has peinado	os habéis peinado
se peina	se peinan	se ha peinado	se han peinado
2 imperfecto de indicativo		9 pluscuamperfecto de indicativo	
me peinaba	nos peinábamos	me había peinado	nos habíamos peinado
te peinabas	os peinabais	te habías peinado	os habíais peinado
se peinaba	se peinaban	se había peinado	se habían peinado
3 pretérito		10 pretérito anterior	
me peiné	nos peinamos	me hube peinado	nos hubimos peinado
te peinaste	os peinasteis	te hubiste peinado	os hubisteis peinado
se peinó	se peinaron	se hubo peinado	se hubieron peinado
4 futuro		11 futuro perfecto	
me peinaré	nos peinaremos	me habré peinado	nos habremos peinado
te peinarás	os peinaréis	te habrás peinado	os habréis peinado
se peinará	se peinarán	se habrá peinado	se habrán peinado
5 potencial simple		12 potencial compuesto	
me peinaría	nos peinaríamos	me habría peinado	nos habríamos peinado
te peinarías	os peinaríais	te habrías peinado	os habríais peinado
se peinaría	se peinarían	se habría peinado	se habrían peinado
6 presente de subjuntivo		13 perfecto de subjuntivo	
me peine	nos peinemos	me haya peinado	nos hayamos peinado
te peines	os peinéis	te hayas peinado	os hayáis peinado
se peine	se peinen	se haya peinado	se hayan peinado
7 imperfecto de subjuntivo		14 pluscuamperfecto de subjuntivo	
me peinara	nos peináramos	me hubiera peinado	nos hubiéramos peinado
te peinaras	os peinarais	te hubieras peinado	os hubierais peinado
se peinara	se peinaran	se hubiera peinado	se hubieran peinado
OR		OR	
me peinase	nos peinásemos	me hubiese peinado	nos hubiésemos peinado
te peinases	os peinaseis	te hubieses peinado	os hubieseis peinado
se peinase	se peinasen	se hubiese peinado	se hubiesen peinado

imperativo	
—	peinémonos
péinate; no te peines	peinaos; no os peinéis
péinese	péinense

Words and expressions related to this verb
un peine a comb
una peineta shell comb (used by women
  as an ornament in the hair)
un peinado hairdo, hair style

un peinador dressing gown
peinar to comb; **peinarse** to comb one's hair
despeinarse to dishevel, to take down one's hair

Can't find the verb you're looking for?
Check the back pages of this book for a list of over 2,100 additional verbs!

Regular **-ar** verb endings with stem   to think
change: Tenses 1, 6, Imperative

The Seven Simple Tenses		The Seven Compound Tenses	
Singular	Plural	Singular	Plural
1 presente de indicativo		8 perfecto de indicativo	
pienso	pensamos	he pensado	hemos pensado
piensas	pensáis	has pensado	habéis pensado
piensa	piensan	ha pensado	han pensado
2 imperfecto de indicativo		9 pluscuamperfecto de indicativo	
pensaba	pensábamos	había pensado	habíamos pensado
pensabas	pensabais	habías pensado	habíais pensado
pensaba	pensaban	había pensado	habían pensado
3 pretérito		10 pretérito anterior	
pensé	pensamos	hube pensado	hubimos pensado
pensaste	pensasteis	hubiste pensado	hubisteis pensado
pensó	pensaron	hubo pensado	hubieron pensado
4 futuro		11 futuro perfecto	
pensaré	pensaremos	habré pensado	habremos pensado
pensarás	pensaréis	habrás pensado	habréis pensado
pensará	pensarán	habrá pensado	habrán pensado
5 potencial simple		12 potencial compuesto	
pensaría	pensaríamos	habría pensado	habríamos pensado
pensarías	pensaríais	habrías pensado	habríais pensado
pensaría	pensarían	habría pensado	habrían pensado
6 presente de subjuntivo		13 perfecto de subjuntivo	
piense	pensemos	haya pensado	hayamos pensado
pienses	penséis	hayas pensado	hayáis pensado
piense	piensen	haya pensado	hayan pensado
7 imperfecto de subjuntivo		14 pluscuamperfecto de subjuntivo	
pensara	pensáramos	hubiera pensado	hubiéramos pensado
pensaras	pensarais	hubieras pensado	hubierais pensado
pensara	pensaran	hubiera pensado	hubieran pensado
OR		OR	
pensase	pensásemos	hubiese pensado	hubiésemos pensado
pensases	pensaseis	hubieses pensado	hubieseis pensado
pensase	pensasen	hubiese pensado	hubiesen pensado

P

imperativo

—	pensemos
piensa; no pienses	pensad; no penséis
piense	piensen

AN ESSENTIAL
55 VERB

We think that pensar is a very useful verb for you to learn. It is used in a great number of idiomatic expressions and everyday situations. Pay attention to the stem change in Tenses 1 and 6 and in the imperative mood.

Pensar is used with the preposition de when you ask someone what he/she thinks of someone or something, i.e., when you ask for someone's opinion: ¿Qué piensa Ud. de este libro?/What do you think of this book? Pienso que es bueno/I think that it is good.

Pensar is used with the preposition en when you ask someone what or whom he/she is thinking about: Miguel, no hablas mucho; ¿en qué piensas?/Michael, you are not talking much; what are you thinking of? (of what are you thinking?); Pienso en las vacaciones de verano/I'm thinking of summer vacation.

Sentences using pensar and related words

¿Qué piensa Ud. de eso?
What do you think of that?

¿En qué piensa Ud.?
What are you thinking of?

Pensamos comprar una casa.
We intend to buy a house.

Words and expressions related to this verb

pensativo, pensativa **thoughtful, pensive**

un pensador, una pensadora

pensar + inf. **to intend + inf.**

pensar en **to think of, about**

sin pensar **thoughtlessly**

repensar **to think over (again)**

Proverb

Antes de hablar es bueno pensar.
(It's good to) think before you speak.

Don't forget to study the section on defective and impersonal verbs. It's right after this main list.

Regular **-ir** verb   to perceive

The Seven Simple Tenses		The Seven Compound Tenses	
Singular	Plural	Singular	Plural
1 presente de indicativo		8 perfecto de indicativo	
percibo	**percibimos**	**he percibido**	**hemos percibido**
percibes	**percibís**	**has percibido**	**habéis percibido**
percibe	**perciben**	**ha percibido**	**han percibido**
2 imperfecto de indicativo		9 pluscuamperfecto de indicativo	
percibía	**percibíamos**	**había percibido**	**habíamos percibido**
percibías	**percibíais**	**habías percibido**	**habíais percibido**
percibía	**percibían**	**había percibido**	**habían percibido**
3 pretérito		10 pretérito anterior	
percibí	**percibimos**	**hube percibido**	**hubimos percibido**
percibiste	**percibisteis**	**hubiste percibido**	**hubisteis percibido**
percibió	**percibieron**	**hubo percibido**	**hubieron percibido**
4 futuro		11 futuro perfecto	
percibiré	**percibiremos**	**habré percibido**	**habremos percibido**
percibirás	**percibiréis**	**habrás percibido**	**habréis percibido**
percibirá	**percibirán**	**habrá percibido**	**habrán percibido**
5 potencial simple		12 potencial compuesto	
percibiría	**percibiríamos**	**habría percibido**	**habríamos percibido**
percibirías	**percibiríais**	**habrías percibido**	**habríais percibido**
percibiría	**percibirían**	**habría percibido**	**habrían percibido**
6 presente de subjuntivo		13 perfecto de subjuntivo	
perciba	**percibamos**	**haya percibido**	**hayamos percibido**
percibas	**percibáis**	**hayas percibido**	**hayáis percibido**
perciba	**perciban**	**haya percibido**	**hayan percibido**
7 imperfecto de subjuntivo		14 pluscuamperfecto de subjuntivo	
percibiera	**percibiéramos**	**hubiera percibido**	**hubiéramos percibido**
percibieras	**percibierais**	**hubieras percibido**	**hubierais percibido**
percibiera	**percibieran**	**hubiera percibido**	**hubieran percibido**
OR		OR	
percibiese	**percibiésemos**	**hubiese percibido**	**hubiésemos percibido**
percibieses	**percibieseis**	**hubieses percibido**	**hubieseis percibido**
percibiese	**percibiesen**	**hubiese percibido**	**hubiesen percibido**

	imperativo	
—	**percibamos**
percibe; no percibas	**percibid; no percibáis**
perciba	**perciban**

Words and expressions related to this verb
la percepción   perception
la perceptibilidad   perceptibility
perceptible   perceptible, perceivable
perceptiblemente   perceptibly
perceptivo, perceptiva   perceptive
imperceptible   imperceptible

Check out the verb drills and verb tests with answers explained on pages 45–91.

The subject pronouns are found on page 93.

to lose

Regular **-er** verb endings with stem
change: Tenses 1, 6, Imperative

The Seven Simple Tenses		The Seven Compound Tenses	
Singular	Plural	Singular	Plural
1 presente de indicativo		8 perfecto de indicativo	
pierdo	perdemos	he perdido	hemos perdido
pierdes	perdéis	has perdido	habéis perdido
pierde	pierden	ha perdido	han perdido
2 imperfecto de indicativo		9 pluscuamperfecto de indicativo	
perdía	perdíamos	había perdido	habíamos perdido
perdías	perdíais	habías perdido	habíais perdido
perdía	perdían	había perdido	habían perdido
3 pretérito		10 pretérito anterior	
perdí	perdimos	hube perdido	hubimos perdido
perdiste	perdisteis	hubiste perdido	hubisteis perdido
perdió	perdieron	hubo perdido	hubieron perdido
4 futuro		11 futuro perfecto	
perderé	perderemos	habré perdido	habremos perdido
perderás	perderéis	habrás perdido	habréis perdido
perderá	perderán	habrá perdido	habrán perdido
5 potencial simple		12 potencial compuesto	
perdería	perderíamos	habría perdido	habríamos perdido
perderías	perderíais	habrías perdido	habríais perdido
perdería	perderían	habría perdido	habrían perdido
6 presente de subjuntivo		13 perfecto de subjuntivo	
pierda	perdamos	haya perdido	hayamos perdido
pierdas	perdáis	hayas perdido	hayáis perdido
pierda	pierdan	haya perdido	hayan perdido
7 imperfecto de subjuntivo		14 pluscuamperfecto de subjuntivo	
perdiera	perdiéramos	hubiera perdido	hubiéramos perdido
perdieras	perdierais	hubieras perdido	hubierais perdido
perdiera	perdieran	hubiera perdido	hubieran perdido
OR		OR	
perdiese	perdiésemos	hubiese perdido	hubiésemos perdido
perdieses	perdieseis	hubieses perdido	hubieseis perdido
perdiese	perdiesen	hubiese perdido	hubiesen perdido

imperativo

—	perdamos
pierde; no pierdas	perded; no perdáis
pierda	pierdan

AN ESSENTIAL
55 VERB

Perder

Perder is a very useful verb for a beginning student. It is used in a great number of idiomatic expressions and everyday situations. Pay attention to the stem change in Tenses 1 and 6 and in the imperative mood.

Sentences using perder and related words

El señor Santiago pierde mucho dinero.
Mr. Santiago loses a lot of money.

Este chico está perdido.
This boy is lost.

Proverbs

El que todo lo quiere, todo lo pierde.
Whoever wants everything loses everything.

El tiempo perdido no se recobra.
One can never get back lost time.

Lo que hoy se pierde, se gana mañana.
What is lost today is won tomorrow.

Words and expressions related to this verb

un perdedor, una perdedora **loser**

la pérdida **loss**

perdidamente enamorado (enamorada) **passionately in love**

perder de vista a (alguien) **to lose sight of (someone)**

estar perdido (perdida) **to be lost**

perder el juicio **to go mad (crazy)**

perder los estribos **to lose self-control**

perderse **to lose one's way, to get lost**

la perdición **loss, ruin, perdition**

P

Can't remember the Spanish verb you need?
Check the back pages of this book for the English-Spanish verb index!

The subject pronouns are found on page 93.

perdonar (355)

Gerundio perdonando   Part. pas. **perdonado**

to pardon, to forgive, to excuse

The Seven Simple Tenses		The Seven Compound Tenses	
Singular	Plural	Singular	Plural
1 presente de indicativo		8 perfecto de indicativo	
perdono	**perdonamos**	**he perdonado**	**hemos perdonado**
perdonas	**perdonáis**	**has perdonado**	**habéis perdonado**
perdona	**perdonan**	**ha perdonado**	**han perdonado**
2 imperfecto de indicativo		9 pluscuamperfecto de indicativo	
perdonaba	**perdonábamos**	**había perdonado**	**habíamos perdonado**
perdonabas	**perdonabais**	**habías perdonado**	**habíais perdonado**
perdonaba	**perdonaban**	**había perdonado**	**habían perdonado**
3 pretérito		10 pretérito anterior	
perdoné	**perdonamos**	**hube perdonado**	**hubimos perdonado**
perdonaste	**perdonasteis**	**hubiste perdonado**	**hubisteis perdonado**
perdonó	**perdonaron**	**hubo perdonado**	**hubieron perdonado**
4 futuro		11 futuro perfecto	
perdonaré	**perdonaremos**	**habré perdonado**	**habremos perdonado**
perdonarás	**perdonaréis**	**habrás perdonado**	**habréis perdonado**
perdonará	**perdonarán**	**habrá perdonado**	**habrán perdonado**
5 potencial simple		12 potencial compuesto	
perdonaría	**perdonaríamos**	**habría perdonado**	**habríamos perdonado**
perdonarías	**perdonaríais**	**habrías perdonado**	**habríais perdonado**
perdonaría	**perdonarían**	**habría perdonado**	**habrían perdonado**
6 presente de subjuntivo		13 perfecto de subjuntivo	
perdone	**perdonemos**	**haya perdonado**	**hayamos perdonado**
perdones	**perdonéis**	**hayas perdonado**	**hayáis perdonado**
perdone	**perdonen**	**haya perdonado**	**hayan perdonado**
7 imperfecto de subjuntivo		14 pluscuamperfecto de subjuntivo	
perdonara	**perdonáramos**	**hubiera perdonado**	**hubiéramos perdonado**
perdonaras	**perdonarais**	**hubieras perdonado**	**hubierais perdonado**
perdonara	**perdonaran**	**hubiera perdonado**	**hubieran perdonado**
OR		OR	
perdonase	**perdonásemos**	**hubiese perdonado**	**hubiésemos perdonado**
perdonases	**perdonaseis**	**hubieses perdonado**	**hubieseis perdonado**
perdonase	**perdonasen**	**hubiese perdonado**	**hubiesen perdonado**

	imperativo	
—		**perdonemos**
perdona; no perdones		**perdonad; no perdonéis**
perdone		**perdonen**

Words and expressions related to this verb

el perdón   pardon, forgiveness
perdonable   pardonable, forgivable
imperdonable   unpardonable

Perdóneme   Pardon me.
donar   to donate; **el don**   gift
¡Perdón!   I'm sorry!

If you want to see a sample English verb fully conjugated
in all the tenses, check out pages 11 and 12.

Regular **-ir** verb   to permit, to admit, to allow, to grant

The Seven Simple Tenses		The Seven Compound Tenses	
Singular	Plural	Singular	Plural
1 presente de indicativo		8 perfecto de indicativo	
permito	**permitimos**	**he permitido**	**hemos permitido**
permites	**permitís**	**has permitido**	**habéis permitido**
permite	**permiten**	**ha permitido**	**han permitido**
2 imperfecto de indicativo		9 pluscuamperfecto de indicativo	
permitía	**permitíamos**	**había permitido**	**habíamos permitido**
permitías	**permitíais**	**habías permitido**	**habíais permitido**
permitía	**permitían**	**había permitido**	**habían permitido**
3 pretérito		10 pretérito anterior	
permití	**permitimos**	**hube permitido**	**hubimos permitido**
permitiste	**permitisteis**	**hubiste permitido**	**hubisteis permitido**
permitió	**permitieron**	**hubo permitido**	**hubieron permitido**
4 futuro		11 futuro perfecto	
permitiré	**permitiremos**	**habré permitido**	**habremos permitido**
permitirás	**permitiréis**	**habrás permitido**	**habréis permitido**
permitirá	**permitirán**	**habrá permitido**	**habrán permitido**
5 potencial simple		12 potencial compuesto	
permitiría	**permitiríamos**	**habría permitido**	**habríamos permitido**
permitirías	**permitiríais**	**habrías permitido**	**habríais permitido**
permitiría	**permitirían**	**habría permitido**	**habrían permitido**
6 presente de subjuntivo		13 perfecto de subjuntivo	
permita	**permitamos**	**haya permitido**	**hayamos permitido**
permitas	**permitáis**	**hayas permitido**	**hayáis permitido**
permita	**permitan**	**haya permitido**	**hayan permitido**
7 imperfecto de subjuntivo		14 pluscuamperfecto de subjuntivo	
permitiera	**permitiéramos**	**hubiera permitido**	**hubiéramos permitido**
permitieras	**permitierais**	**hubieras permitido**	**hubierais permitido**
permitiera	**permitieran**	**hubiera permitido**	**hubieran permitido**
OR		OR	
permitiese	**permitiésemos**	**hubiese permitido**	**hubiésemos permitido**
permitieses	**permitieseis**	**hubieses permitido**	**hubieseis permitido**
permitiese	**permitiesen**	**hubiese permitido**	**hubiesen permitido**

P

imperativo	
—	**permitamos**
permite; no permitas	**permitid; no permitáis**
permita	**permitan**

Words and expressions related to this verb

el permiso   permit, permission
¡Con permiso!   Excuse me!
la permisión   permission
emitir   to emit
No se permite + inf.   It is not permitted to + inf.

admitir   to admit
permitirse + inf.   to take the liberty + inf.
el permiso de conducir   driver's license
transmitir   to transmit

The subject pronouns are found on page 93.

pertenecer (357)   Gerundio **perteneciendo**   Part. pas. **pertenecido**

to pertain, to appertain, to belong

Regular **-er** verb endings with spelling change: **c** becomes **zc** before **a** or **o**

The Seven Simple Tenses		The Seven Compound Tenses	
Singular	Plural	Singular	Plural
1 presente de indicativo		8 perfecto de indicativo	
pertenezco	**pertenecemos**	**he pertenecido**	**hemos pertenecido**
perteneces	**pertenecéis**	**has pertenecido**	**habéis pertenecido**
pertenece	**pertenecen**	**ha pertenecido**	**han pertenecido**
2 imperfecto de indicativo		9 pluscuamperfecto de indicativo	
pertenecía	**pertenecíamos**	**había pertenecido**	**habíamos pertenecido**
pertenecías	**pertenecíais**	**habías pertenecido**	**habíais pertenecido**
pertenecía	**pertenecían**	**había pertenecido**	**habían pertenecido**
3 pretérito		10 pretérito anterior	
pertenecí	**pertenecimos**	**hube pertenecido**	**hubimos pertenecido**
perteneciste	**pertenecisteis**	**hubiste pertenecido**	**hubisteis pertenecido**
perteneció	**pertenecieron**	**hubo pertenecido**	**hubieron pertenecido**
4 futuro		11 futuro perfecto	
perteneceré	**perteneceremos**	**habré pertenecido**	**habremos pertenecido**
pertenecerás	**perteneceréis**	**habrás pertenecido**	**habréis pertenecido**
pertenecerá	**pertenecerán**	**habrá pertenecido**	**habrán pertenecido**
5 potencial simple		12 potencial compuesto	
pertenecería	**perteneceríamos**	**habría pertenecido**	**habríamos pertenecido**
pertenecerías	**perteneceríais**	**habrías pertenecido**	**habríais pertenecido**
pertenecería	**pertenecerían**	**habría pertenecido**	**habrían pertenecido**
6 presente de subjuntivo		13 perfecto de subjuntivo	
pertenezca	**pertenezcamos**	**haya pertenecido**	**hayamos pertenecido**
pertenezcas	**pertenezcáis**	**hayas pertenecido**	**hayáis pertenecido**
pertenezca	**pertenezcan**	**haya pertenecido**	**hayan pertenecido**
7 imperfecto de subjuntivo		14 pluscuamperfecto de subjuntivo	
perteneciera	**perteneciéramos**	**hubiera pertenecido**	**hubiéramos pertenecido**
pertenecieras	**pertenecierais**	**hubieras pertenecido**	**hubierais pertenecido**
perteneciera	**pertenecieran**	**hubiera pertenecido**	**hubieran pertenecido**
OR		OR	
perteneciese	**perteneciésemos**	**hubiese pertenecido**	**hubiésemos pertenecido**
pertenecieses	**pertenecieseis**	**hubieses pertenecido**	**hubieseis pertenecido**
perteneciese	**perteneciesen**	**hubiese pertenecido**	**hubiesen pertenecido**

imperativo	
—	**pertenezcamos**
pertenece; no pertenezcas	**perteneced; no pertenezcáis**
pertenezca	**pertenezcan**

Words and expressions related to this verb

el pertenecido ownership, proprietorship
perteneciente belonging, pertaining
la pertinencia pertinence, relevance
pertinente pertinent, relevant

la pertenencia right of possession, ownership
ser de la pertenencia de to be in the domain of
la tenencia ilícita illegal possession

> If you want an explanation of meanings and uses of Spanish
> and English verb tenses and moods, see pages 13–32.

Regular **-ar** verb   to paint

The Seven Simple Tenses		The Seven Compound Tenses	
Singular	Plural	Singular	Plural
1 presente de indicativo		8 perfecto de indicativo	
pinto	**pintamos**	**he pintado**	**hemos pintado**
pintas	**pintáis**	**has pintado**	**habéis pintado**
pinta	**pintan**	**ha pintado**	**han pintado**
2 imperfecto de indicativo		9 pluscuamperfecto de indicativo	
pintaba	**pintábamos**	**había pintado**	**habíamos pintado**
pintabas	**pintabais**	**habías pintado**	**habíais pintado**
pintaba	**pintaban**	**había pintado**	**habían pintado**
3 pretérito		10 pretérito anterior	
pinté	**pintamos**	**hube pintado**	**hubimos pintado**
pintaste	**pintasteis**	**hubiste pintado**	**hubisteis pintado**
pintó	**pintaron**	**hubo pintado**	**hubieron pintado**
4 futuro		11 futuro perfecto	
pintaré	**pintaremos**	**habré pintado**	**habremos pintado**
pintarás	**pintaréis**	**habrás pintado**	**habréis pintado**
pintará	**pintarán**	**habrá pintado**	**habrán pintado**
5 potencial simple		12 potencial compuesto	
pintaría	**pintaríamos**	**habría pintado**	**habríamos pintado**
pintarías	**pintaríais**	**habrías pintado**	**habríais pintado**
pintaría	**pintarían**	**habría pintado**	**habrían pintado**
6 presente de subjuntivo		13 perfecto de subjuntivo	
pinte	**pintemos**	**haya pintado**	**hayamos pintado**
pintes	**pintéis**	**hayas pintado**	**hayáis pintado**
pinte	**pinten**	**haya pintado**	**hayan pintado**
7 imperfecto de subjuntivo		14 pluscuamperfecto de subjuntivo	
pintara	**pintáramos**	**hubiera pintado**	**hubiéramos pintado**
pintaras	**pintarais**	**hubieras pintado**	**hubierais pintado**
pintara	**pintaran**	**hubiera pintado**	**hubieran pintado**
OR		OR	
pintase	**pintásemos**	**hubiese pintado**	**hubiésemos pintado**
pintases	**pintaseis**	**hubieses pintado**	**hubieseis pintado**
pintase	**pintasen**	**hubiese pintado**	**hubiesen pintado**

imperativo

—	**pintemos**
pinta; no pintes	**pintad; no pintéis**
pinte	**pinten**

Words and expressions related to this verb
un pintor, una pintora   painter (artist)
una pintura   painting (picture)
un pintor de brocha gorda   house (sign)
   painter
una pintura al fresco   fresco painting

una pintura al óleo   oil painting
una pintura al pastel   pastel painting
pinturero, pinturera   conceited person
pintoresco, pintoresca   picturesque

The subject pronouns are found on page 93.

to make up (one's face), to tint,   Reflexive regular **-ar** verb
to color (one's hair, lips, etc.)

The Seven Simple Tenses		The Seven Compound Tenses	
Singular	Plural	Singular	Plural
1 presente de indicativo		**8 perfecto de indicativo**	
me pinto	nos pintamos	me he pintado	nos hemos pintado
te pintas	os pintáis	te has pintado	os habéis pintado
se pinta	se pintan	se ha pintado	se han pintado
2 imperfecto de indicativo		**9 pluscuamperfecto de indicativo**	
me pintaba	nos pintábamos	me había pintado	nos habíamos pintado
te pintabas	os pintabais	te habías pintado	os habíais pintado
se pintaba	se pintaban	se había pintado	se habían pintado
3 pretérito		**10 pretérito anterior**	
me pinté	nos pintamos	me hube pintado	nos hubimos pintado
te pintaste	os pintasteis	te hubiste pintado	os hubisteis pintado
se pintó	se pintaron	se hubo pintado	se hubieron pintado
4 futuro		**11 futuro perfecto**	
me pintaré	nos pintaremos	me habré pintado	nos habremos pintado
te pintarás	os pintaréis	te habrás pintado	os habréis pintado
se pintará	se pintarán	se habrá pintado	se habrán pintado
5 potencial simple		**12 potencial compuesto**	
me pintaría	nos pintaríamos	me habría pintado	nos habríamos pintado
te pintarías	os pintaríais	te habrías pintado	os habríais pintado
se pintaría	se pintarían	se habría pintado	se habrían pintado
6 presente de subjuntivo		**13 perfecto de subjuntivo**	
me pinte	nos pintemos	me haya pintado	nos hayamos pintado
te pintes	os pintéis	te hayas pintado	os hayáis pintado
se pinte	se pinten	se haya pintado	se hayan pintado
7 imperfecto de subjuntivo		**14 pluscuamperfecto de subjuntivo**	
me pintara	nos pintáramos	me hubiera pintado	nos hubiéramos pintado
te pintaras	os pintarais	te hubieras pintado	os hubierais pintado
se pintara	se pintaran	se hubiera pintado	se hubieran pintado
OR		OR	
me pintase	nos pintásemos	me hubiese pintado	nos hubiésemos pintado
te pintases	os pintaseis	te hubieses pintado	os hubieseis pintado
se pintase	se pintasen	se hubiese pintado	se hubiesen pintado

imperativo	
—	pintémonos
píntate; no te pintes	pintaos; no os pintéis
píntese	píntense

When using this verb to mean to color one's hair, lips, etc., you must mention **el pelo, los labios,** etc.

For words related to this verb, see the verb **pintar.**

Get acquainted with what preposition goes with what verb on pages 669–677.

Regular **-ar** verb   to tread (on), to step on, to trample

The Seven Simple Tenses		The Seven Compound Tenses	
Singular	Plural	Singular	Plural
1 presente de indicativo		8 perfecto de indicativo	
piso	**pisamos**	**he pisado**	**hemos pisado**
pisas	**pisáis**	**has pisado**	**habéis pisado**
pisa	**pisan**	**ha pisado**	**han pisado**
2 imperfecto de indicativo		9 pluscuamperfecto de indicativo	
pisaba	**pisábamos**	**había pisado**	**habíamos pisado**
pisabas	**pisabais**	**habías pisado**	**habíais pisado**
pisaba	**pisaban**	**había pisado**	**habían pisado**
3 pretérito		10 pretérito anterior	
pisé	**pisamos**	**hube pisado**	**hubimos pisado**
pisaste	**pisasteis**	**hubiste pisado**	**hubisteis pisado**
pisó	**pisaron**	**hubo pisado**	**hubieron pisado**
4 futuro		11 futuro perfecto	
pisaré	**pisaremos**	**habré pisado**	**habremos pisado**
pisarás	**pisaréis**	**habrás pisado**	**habréis pisado**
pisará	**pisarán**	**habrá pisado**	**habrán pisado**
5 potencial simple		12 potencial compuesto	
pisaría	**pisaríamos**	**habría pisado**	**habríamos pisado**
pisarías	**pisaríais**	**habrías pisado**	**habríais pisado**
pisaría	**pisarían**	**habría pisado**	**habrían pisado**
6 presente de subjuntivo		13 perfecto de subjuntivo	
pise	**pisemos**	**haya pisado**	**hayamos pisado**
pises	**piséis**	**hayas pisado**	**hayáis pisado**
pise	**pisen**	**haya pisado**	**hayan pisado**
7 imperfecto de subjuntivo		14 pluscuamperfecto de subjuntivo	
pisara	**pisáramos**	**hubiera pisado**	**hubiéramos pisado**
pisaras	**pisarais**	**hubieras pisado**	**hubierais pisado**
pisara	**pisaran**	**hubiera pisado**	**hubieran pisado**
OR		OR	
pisase	**pisásemos**	**hubiese pisado**	**hubiésemos pisado**
pisases	**pisaseis**	**hubieses pisado**	**hubieseis pisado**
pisase	**pisasen**	**hubiese pisado**	**hubiesen pisado**

	imperativo	
—		**pisemos**
pisa; no pises		**pisad; no piséis**
pise		**pisen**

Words and expressions related to this verb

la pisa   kicking
el piso   floor, story (of a building)
el piso alto   top floor
repisar   to pack down
pisotear   to trample

el piso principal   main floor
el piso bajo   ground floor
el pisoteo   abuse, trampling
la repisa   shelf; repisa de ventana   windowsill
¡Piso mojado!   Wet floor!

The subject pronouns are found on page 93.

491

placer (361)   Gerundio **placiendo**   Part. pas. **placido**

to gratify, to humor, to please

Regular **-er** verb endings with spelling change: **c** becomes **zc** before **a** or **o**

The Seven Simple Tenses

The Seven Compound Tenses

Singular	Plural	Singular	Plural
1 presente de indicativo		8 perfecto de indicativo	
plazco	**placemos**	**he placido**	**hemos placido**
places	**placéis**	**has placido**	**habéis placido**
place	**placen**	**ha placido**	**han placido**
2 imperfecto de indicativo		9 pluscuamperfecto de indicativo	
placía	**placíamos**	**había placido**	**habíamos placido**
placías	**placíais**	**habías placido**	**habíais placido**
placía	**placían**	**había placido**	**habían placido**
3 pretérito		10 pretérito anterior	
plací	**placimos**	**hube placido**	**hubimos placido**
placiste	**placisteis**	**hubiste placido**	**hubisteis placido**
plació	**placieron**	**hubo placido**	**hubieron placido**
4 futuro		11 futuro perfecto	
placeré	**placeremos**	**habré placido**	**habremos placido**
placerás	**placeréis**	**habrás placido**	**habréis placido**
placerá	**placerán**	**habrá placido**	**habrán placido**
5 potencial simple		12 potencial compuesto	
placería	**placeríamos**	**habría placido**	**habríamos placido**
placerías	**placeríais**	**habrías placido**	**habríais placido**
placería	**placerían**	**habría placido**	**habrían placido**
6 presente de subjuntivo		13 perfecto de subjuntivo	
plazca	**plazcamos**	**haya placido**	**hayamos placido**
plazcas	**plazcáis**	**hayas placido**	**hayáis placido**
plazca	**plazcan**	**haya placido**	**hayan placido**
7 imperfecto de subjuntivo		14 pluscuamperfecto de subjuntivo	
placiera	**placiéramos**	**hubiera placido**	**hubiéramos placido**
placieras	**placierais**	**hubieras placido**	**hubierais placido**
placiera	**placieran**	**hubiera placido**	**hubieran placido**
OR		OR	
placiese	**placiésemos**	**hubiese placido**	**hubiésemos placido**
placieses	**placieseis**	**hubieses placido**	**hubieseis placido**
placiese	**placiesen**	**hubiese placido**	**hubiesen placido**

imperativo

—	**plazcamos**
place; no plazcas	**placed; no plazcáis**
plazca	**plazcan**

Words related to this verb

el placer pleasure
la placidez contentment
placenteramente joyfully
el placero, la placera market merchant

placentero, placentera agreeable, pleasant
placible agreeable, placid; **plácido** placid, pleasant
implacable implacable, inexorable

In poetry, **plugo** is sometimes used instead of **plació**, **pluguieron** instead of **placieron**, **plegue** instead of **plazca**, **pluguiera** instead of **placiera**, and **pluguiese** instead of **placiese**.

Regular **-ar** verb endings with spelling   to chat, to talk over, to discuss
change: **c** becomes **qu** before **e**

The Seven Simple Tenses		The Seven Compound Tenses	
Singular	Plural	Singular	Plural
1 presente de indicativo		8 perfecto de indicativo	
platico	platicamos	he platicado	hemos platicado
platicas	platicáis	has platicado	habéis platicado
platica	platican	ha platicado	han platicado
2 imperfecto de indicativo		9 pluscuamperfecto de indicativo	
platicaba	platicábamos	había platicado	habíamos platicado
platicabas	platicabais	habías platicado	habíais platicado
platicaba	platicaban	había platicado	habían platicado
3 pretérito		10 pretérito anterior	
platiqué	platicamos	hube platicado	hubimos platicado
platicaste	platicasteis	hubiste platicado	hubisteis platicado
platicó	platicaron	hubo platicado	hubieron platicado
4 futuro		11 futuro perfecto	
platicaré	platicaremos	habré platicado	habremos platicado
platicarás	platicaréis	habrás platicado	habréis platicado
platicará	platicarán	habrá platicado	habrán platicado
5 potencial simple		12 potencial compuesto	
platicaría	platicaríamos	habría platicado	habríamos platicado
platicarías	platicaríais	habrías platicado	habríais platicado
platicaría	platicarían	habría platicado	habrían platicado
6 presente de subjuntivo		13 perfecto de subjuntivo	
platique	platiquemos	haya platicado	hayamos platicado
platiques	platiquéis	hayas platicado	hayáis platicado
platique	platiquen	haya platicado	hayan platicado
7 imperfecto de subjuntivo		14 pluscuamperfecto de subjuntivo	
platicara	platicáramos	hubiera platicado	hubiéramos platicado
platicaras	platicarais	hubieras platicado	hubierais platicado
platicara	platicaran	hubiera platicado	hubieran platicado
OR		OR	
platicase	platicásemos	hubiese platicado	hubiésemos platicado
platicases	platicaseis	hubieses platicado	hubieseis platicado
platicase	platicasen	hubiese platicado	hubiesen platicado

	imperativo
—	platiquemos
platica; no platiques	platicad; no platiquéis
platique	platiquen

Words related to this verb
una plática   chat, talk, conversation
un platicador, una platicadora   talker; *as an adj.,* talkative

Don't forget to study the section on defective and impersonal verbs. It's right after this main list.

The subject pronouns are found on page 93.
                                                                            493

poder (363)

Gerundio pudiendo   Part. pas. **podido**

to be able, can

Irregular **-er** verb

The Seven Simple Tenses		The Seven Compound Tenses	
Singular	Plural	Singular	Plural
1 presente de indicativo		8 perfecto de indicativo	
puedo	**podemos**	**he podido**	**hemos podido**
puedes	**podéis**	**has podido**	**habéis podido**
puede	**pueden**	**ha podido**	**han podido**
2 imperfecto de indicativo		9 pluscuamperfecto de indicativo	
podía	**podíamos**	**había podido**	**habíamos podido**
podías	**podíais**	**habías podido**	**habíais podido**
podía	**podían**	**había podido**	**habían podido**
3 pretérito		10 pretérito anterior	
pude	**pudimos**	**hube podido**	**hubimos podido**
pudiste	**pudisteis**	**hubiste podido**	**hubisteis podido**
pudo	**pudieron**	**hubo podido**	**hubieron podido**
4 futuro		11 futuro perfecto	
podré	**podremos**	**habré podido**	**habremos podido**
podrás	**podréis**	**habrás podido**	**habréis podido**
podrá	**podrán**	**habrá podido**	**habrán podido**
5 potencial simple		12 potencial compuesto	
podría	**podríamos**	**habría podido**	**habríamos podido**
podrías	**podríais**	**habrías podido**	**habríais podido**
podría	**podrían**	**habría podido**	**habrían podido**
6 presente de subjuntivo		13 perfecto de subjuntivo	
pueda	**podamos**	**haya podido**	**hayamos podido**
puedas	**podáis**	**hayas podido**	**hayáis podido**
pueda	**puedan**	**haya podido**	**hayan podido**
7 imperfecto de subjuntivo		14 pluscuamperfecto de subjuntivo	
pudiera	**pudiéramos**	**hubiera podido**	**hubiéramos podido**
pudieras	**pudierais**	**hubieras podido**	**hubierais podido**
pudiera	**pudieran**	**hubiera podido**	**hubieran podido**
OR		OR	
pudiese	**pudiésemos**	**hubiese podido**	**hubiésemos podido**
pudieses	**pudieseis**	**hubieses podido**	**hubieseis podido**
pudiese	**pudiesen**	**hubiese podido**	**hubiesen podido**

imperativo

—	**podamos**
puede; no puedas	**poded; no podáis**
pueda	**puedan**

AN ESSENTIAL
55 VERB

494

Poder is a very useful verb for a beginning student. You can use it in a vast number of idiomatic expressions and everyday situations.

Poder means *can* in the sense of *ability:*
No puedo ayudarle; lo siento/I cannot (am unable to) help you; I'm sorry.

In the preterit sense poder has the special meaning of *succeeded:* **Después de algunos minutos, Juan pudo abrir la puerta**/After a few minutes, John succeeded in opening the door.

Sentences using poder and related words

No dejes para mañana lo que puedes hacer hoy.
Don't put off until tomorrow what you can do today.

Sí, sí, se puede muy fácilmente.
Yes, yes, it can be done very easily.

La jaula nunca puede ser nido.
  (Alí Vanegas)
The cage can never be a nest.

¿Me puedo probar este vestido?
May I try on this dress?

No podemos nadar aquí. Es peligroso.
We can't swim here. It's dangerous.

Words and expressions related to this verb

el poder **power**

el poder absoluto **absolute power**

apoderar **to empower**

apoderarse de **to take possession, to take over**

poderoso, poderosa **powerful**

poderosamente **powerfully**

el poderío **power, strength**

estar en el poder **to be in power**

¿Puede usted...? **Can you...?**

¿Puede ayudarme? **Can you help me?**

No se puede. **It can't be done.**

No puede ser. **It's impossible. (It can't be.)**

no poder más **to be exhausted**

P

Proverbs

Querer es poder.
Where there's a will there's a way.

Saber es poder.
Knowledge is power.

Can't find the verb you're looking for?
Check the back pages of this book for a list of over 2,100 additional verbs!

The subject pronouns are found on page 93.

poner (364)   Gerundio **poniendo**   Part. pas. **puesto**

to put, to place, to turn on (TV, radio)   Irregular verb

The Seven Simple Tenses		The Seven Compound Tenses	
Singular	Plural	Singular	Plural
1 presente de indicativo		**8 perfecto de indicativo**	
pongo	ponemos	he puesto	hemos puesto
pones	ponéis	has puesto	habéis puesto
pone	ponen	ha puesto	han puesto
2 imperfecto de indicativo		**9 pluscuamperfecto de indicativo**	
ponía	poníamos	había puesto	habíamos puesto
ponías	poníais	habías puesto	habíais puesto
ponía	ponían	había puesto	habían puesto
3 pretérito		**10 pretérito anterior**	
puse	pusimos	hube puesto	hubimos puesto
pusiste	pusisteis	hubiste puesto	hubisteis puesto
puso	pusieron	hubo puesto	hubieron puesto
4 futuro		**11 futuro perfecto**	
pondré	pondremos	habré puesto	habremos puesto
pondrás	pondréis	habrás puesto	habréis puesto
pondrá	pondrán	habrá puesto	habrán puesto
5 potencial simple		**12 potencial compuesto**	
pondría	pondríamos	habría puesto	habríamos puesto
pondrías	pondríais	habrías puesto	habríais puesto
pondría	pondrían	habría puesto	habrían puesto
6 presente de subjuntivo		**13 perfecto de subjuntivo**	
ponga	pongamos	haya puesto	hayamos puesto
pongas	pongáis	hayas puesto	hayáis puesto
ponga	pongan	haya puesto	hayan puesto
7 imperfecto de subjuntivo		**14 pluscuamperfecto de subjuntivo**	
pusiera	pusiéramos	hubiera puesto	hubiéramos puesto
pusieras	pusierais	hubieras puesto	hubierais puesto
pusiera	pusieran	hubiera puesto	hubieran puesto
OR		OR	
pusiese	pusiésemos	hubiese puesto	hubiésemos puesto
pusieses	pusieseis	hubieses puesto	hubieseis puesto
pusiese	pusiesen	hubiese puesto	hubiesen puesto

imperativo	
—	pongamos
pon; no pongas	poned; no pongáis
ponga	pongan

AN ESSENTIAL
55 VERB

AN ESSENTIAL 55 VERB

Poner and ponerse are very useful irregular verbs for beginning students. They are used in many idiomatic expressions and everyday situations. As you study the following sentences and expressions, pay attention to the differences in use between poner and the reflexive verb ponerse.

Sentences using poner and ponerse

Magdalena puso el papel en la papelera.
Magdalene put the paper in the wastebasket.

Cuando vi el accidente, me puse pálido.
When I saw the accident, I became pale.

Mi madre se puso triste al oír la noticia desgraciada.
My mother became sad upon hearing the unfortunate news.

Words and expressions related to these verbs

poner fin a **to put a stop to**
poner coto a **to put a stop to**
poner la mesa **to set the table**
poner de acuerdo **to reach an agreement**
poner el dedo en la llaga **to hit the nail right on the head**
poner en claro **to explain clearly**
poner en marcha **to set in motion**
poner en ridículo **to ridicule**
poner los puntos sobre las íes **to dot the i's, to mind one's p's and q's**
poner por escrito **to put in writing**
posponer **to postpone**
la puesta de/del sol **sunset**
al poner del sol **at sunset**
bien puesto, bien puesta **well placed**
reponer **to replace, to put back**
poner una duda en claro **to clear up a doubt**
ponerse el abrigo **to put on one's overcoat**
ponerse de acuerdo **to reach an agreement**
ponerse cómodo **to make oneself at home**
ponerse en marcha **to start (out)**
ponerse mal **to get sick**
ponerse a + inf. **to begin, to start + inf.**
ponerse a dieta **to go on a diet**
reponerse **to calm down, to recover (one's health)**
indisponerse **to become ill**
ponerse + adj. **to become; the adjective indicates the state or condition (physical or mental) that you have become.**

P

Can't find the verb you're looking for? Check the back pages of this book for a list of over 2,100 additional verbs!

The subject pronouns are found on page 93.

ponerse (365)

Gerundio poniéndose **Part. pas. puesto**

to put on (clothing), to become, to set (of sun) Reflexive irregular verb

The Seven Simple Tenses		The Seven Compound Tenses	
Singular	Plural	Singular	Plural
1 presente de indicativo		**8 perfecto de indicativo**	
me pongo	nos ponemos	me he puesto	nos hemos puesto
te pones	os ponéis	te has puesto	os habéis puesto
se pone	se ponen	se ha puesto	se han puesto
2 imperfecto de indicativo		**9 pluscuamperfecto de indicativo**	
me ponía	nos poníamos	me había puesto	nos habíamos puesto
te ponías	os poníais	te habías puesto	os habíais puesto
se ponía	se ponían	se había puesto	se habían puesto
3 pretérito		**10 pretérito anterior**	
me puse	nos pusimos	me hube puesto	nos hubimos puesto
te pusiste	os pusisteis	te hubiste puesto	os hubisteis puesto
se puso	se pusieron	se hubo puesto	se hubieron puesto
4 futuro		**11 futuro perfecto**	
me pondré	nos pondremos	me habré puesto	nos habremos puesto
te pondrás	os pondréis	te habrás puesto	os habréis puesto
se pondrá	se pondrán	se habrá puesto	se habrán puesto
5 potencial simple		**12 potencial compuesto**	
me pondría	nos pondríamos	me habría puesto	nos habríamos puesto
te pondrías	os pondríais	te habrías puesto	os habríais puesto
se pondría	se pondrían	se habría puesto	se habrían puesto
6 presente de subjuntivo		**13 perfecto de subjuntivo**	
me ponga	nos pongamos	me haya puesto	nos hayamos puesto
te pongas	os pongáis	te hayas puesto	os hayáis puesto
se ponga	se pongan	se haya puesto	se hayan puesto
7 imperfecto de subjuntivo		**14 pluscuamperfecto de subjuntivo**	
me pusiera	nos pusiéramos	me hubiera puesto	nos hubiéramos puesto
te pusieras	os pusierais	te hubieras puesto	os hubierais puesto
se pusiera	se pusieran	se hubiera puesto	se hubieran puesto
OR		OR	
me pusiese	nos pusiésemos	me hubiese puesto	nos hubiésemos puesto
te pusieses	os pusieseis	te hubieses puesto	os hubieseis puesto
se pusiese	se pusiesen	se hubiese puesto	se hubiesen puesto

imperativo	
—	pongámonos
ponte; no te pongas	poneos; no os pongáis
póngase	pónganse

AN ESSENTIAL
55 VERB

Gerundio **poseyendo**   Part. pas. **poseído**   **poseer (366)**

Regular **-er** verb endings with stem
change: Tenses 3 and 7, Gerundio

to possess, to own

The Seven Simple Tenses		The Seven Compound Tenses	
Singular	Plural	Singular	Plural
1 presente de indicativo		8 perfecto de indicativo	
poseo	poseemos	he poseído	hemos poseído
posees	poseéis	has poseído	habéis poseído
posee	poseen	ha poseído	han poseído
2 imperfecto de indicativo		9 pluscuamperfecto de indicativo	
poseía	poseíamos	había poseído	habíamos poseído
poseías	poseíais	habías poseído	habíais poseído
poseía	poseían	había poseído	habían poseído
3 pretérito		10 pretérito anterior	
poseí	poseímos	hube poseído	hubimos poseído
poseíste	poseísteis	hubiste poseído	hubisteis poseído
poseyó	poseyeron	hubo poseído	hubieron poseído
4 futuro		11 futuro perfecto	
poseeré	poseeremos	habré poseído	habremos poseído
poseerás	poseeréis	habrás poseído	habréis poseído
poseerá	poseerán	habrá poseído	habrán poseído
5 potencial simple		12 potencial compuesto	
poseería	poseeríamos	habría poseído	habríamos poseído
poseerías	poseeríais	habrías poseído	habríais poseído
poseería	poseerían	habría poseído	habrían poseído
6 presente de subjuntivo		13 perfecto de subjuntivo	
posea	poseamos	haya poseído	hayamos poseído
poseas	poseáis	hayas poseído	hayáis poseído
posea	posean	haya poseído	hayan poseído
7 imperfecto de subjuntivo		14 pluscuamperfecto de subjuntivo	
poseyera	poseyéramos	hubiera poseído	hubiéramos poseído
poseyeras	poseyerais	hubieras poseído	hubierais poseído
poseyera	poseyeran	hubiera poseído	hubieran poseído
OR		OR	
poseyese	poseyésemos	hubiese poseído	hubiésemos poseído
poseyeses	poseyeseis	hubieses poseído	hubieseis poseído
poseyese	poseyesen	hubiese poseído	hubiesen poseído

	imperativo	
—		poseamos
posee; no poseas		poseed; no poseáis
posea		posean

Words related to this verb

el poseedor, la poseedora   owner, possessor
la posesión   possession
poseerse   to control oneself

dar posesión de   to give possession of
el posesor, la posesora   owner, possessor
desposeer   to dispossess

Review the principal parts of important Spanish verbs on pages 9–10.

to practice

Regular **-ar** verb endings with spelling change: **c** becomes **qu** before **e**

The Seven Simple Tenses	The Seven Compound Tenses

Singular	Plural	Singular	Plural
1 presente de indicativo		8 perfecto de indicativo	
practico	practicamos	he practicado	hemos practicado
practicas	practicáis	has practicado	habéis practicado
practica	practican	ha practicado	han practicado
2 imperfecto de indicativo		9 pluscuamperfecto de indicativo	
practicaba	practicábamos	había practicado	habíamos practicado
practicabas	practicabais	habías practicado	habíais practicado
practicaba	practicaban	había practicado	habían practicado
3 pretérito		10 pretérito anterior	
practiqué	practicamos	hube practicado	hubimos practicado
practicaste	practicasteis	hubiste practicado	hubisteis practicado
practicó	practicaron	hubo practicado	hubieron practicado
4 futuro		11 futuro perfecto	
practicaré	practicaremos	habré practicado	habremos practicado
practicarás	practicaréis	habrás practicado	habréis practicado
practicará	practicarán	habrá practicado	habrán practicado
5 potencial simple		12 potencial compuesto	
practicaría	practicaríamos	habría practicado	habríamos practicado
practicarías	practicaríais	habrías practicado	habríais practicado
practicaría	practicarían	habría practicado	habrían practicado
6 presente de subjuntivo		13 perfecto de subjuntivo	
practique	practiquemos	haya practicado	hayamos practicado
practiques	practiquéis	hayas practicado	hayáis practicado
practique	practiquen	haya practicado	hayan practicado
7 imperfecto de subjuntivo		14 pluscuamperfecto de subjuntivo	
practicara	practicáramos	hubiera practicado	hubiéramos practicado
practicaras	practicarais	hubieras practicado	hubierais practicado
practicara	practicaran	hubiera practicado	hubieran practicado
OR		OR	
practicase	practicásemos	hubiese practicado	hubiésemos practicado
practicases	practicaseis	hubieses practicado	hubieseis practicado
practicase	practicasen	hubiese practicado	hubiesen practicado

imperativo

—	practiquemos
practica; no practiques	practicad; no practiquéis
practique	practiquen

Words and expressions related to this verb

práctico, práctica   practical
la práctica   practice, habit
en la práctica   in practice
practicar investigaciones   to look into, to investigate

practicar un informe   to make a report
practicar una buena acción   to do a good deed
practicar el fútbol   to play soccer
practicar las artes marciales   to practice martial arts

The Seven Simple Tenses		The Seven Compound Tenses	
Singular	Plural	Singular	Plural
1 presente de indicativo		8 perfecto de indicativo	
predigo	predecimos	he predicho	hemos predicho
predices	predecís	has predicho	habéis predicho
predice	predicen	ha predicho	han predicho
2 imperfecto de indicativo		9 pluscuamperfecto de indicativo	
predecía	predecíamos	había predicho	habíamos predicho
predecías	predecíais	habías predicho	habíais predicho
predecía	predecían	había predicho	habían predicho
3 pretérito		10 pretérito anterior	
predije	predijimos	hube predicho	hubimos predicho
predijiste	predijisteis	hubiste predicho	hubisteis predicho
predijo	predijeron	hubo predicho	hubieron predicho
4 futuro		11 futuro perfecto	
predeciré	predeciremos	habré predicho	habremos predicho
predecirás	predeciréis	habrás predicho	habréis predicho
predecirá	predecirán	habrá predicho	habrán predicho
5 potencial simple		12 potencial compuesto	
predeciría	predeciríamos	habría predicho	habríamos predicho
predecirías	predeciríais	habrías predicho	habríais predicho
predeciría	predecirían	habría predicho	habrían predicho
6 presente de subjuntivo		13 perfecto de subjuntivo	
prediga	predigamos	haya predicho	hayamos predicho
predigas	predigáis	hayas predicho	hayáis predicho
prediga	predigan	haya predicho	hayan predicho
7 imperfecto de subjuntivo		14 pluscuamperfecto de subjuntivo	
predijera	predijéramos	hubiera predicho	hubiéramos predicho
perdijeras	predijerais	hubieras predicho	hubierais predicho
predijera	predijeran	hubiera predicho	hubieran predicho
OR		OR	
predijese	predijésemos	hubiese predicho	hubiésemos predicho
predijeses	predijeseis	hubieses predicho	hubieseis predicho
predijese	predijesen	hubiese predicho	hubiesen predicho

imperativo

—	predigamos
predice; no predigas	predecid; no predigáis
prediga	predigan

Words and expressions related to this verb
decir   to say, to tell
una predicción   prediction
la predicción del tiempo   weather forecasting
la dicción   diction

This verb is conjugated like the irregular verb **decir,** except in the future and conditional (Tense Nos. 4 and 5), and in the 2nd person., sing. (**tú**) of the imperative, which are regular.

predicar (369)   Gerundio **predicando**   Part. pas. **predicado**

to preach

The Seven Simple Tenses		The Seven Compound Tenses	
Singular	Plural	Singular	Plural
1 presente de indicativo		**8 perfecto de indicativo**	
predico	predicamos	he predicado	hemos predicado
predicas	predicáis	has predicado	habéis predicado
predica	predican	ha predicado	han predicado
2 imperfecto de indicativo		**9 pluscuamperfecto de indicativo**	
predicaba	predicábamos	había predicado	habíamos predicado
predicabas	predicabais	habías predicado	habíais predicado
predicaba	predicaban	había predicado	habían predicado
3 pretérito		**10 pretérito anterior**	
prediqué	predicamos	hube predicado	hubimos predicado
predicaste	predicasteis	hubiste predicado	hubisteis predicado
predicó	predicaron	hubo predicado	hubieron predicado
4 futuro		**11 futuro perfecto**	
predicaré	predicaremos	habré predicado	habremos predicado
predicarás	predicaréis	habrás predicado	habréis predicado
predicará	predicarán	habrá predicado	habrán predicado
5 potencial simple		**12 potencial compuesto**	
predicaría	predicaríamos	habría predicado	habríamos predicado
predicarías	predicaríais	habrías predicado	habríais predicado
predicaría	predicarían	habría predicado	habrían predicado
6 presente de subjuntivo		**13 perfecto de subjuntivo**	
predique	prediquemos	haya predicado	hayamos predicado
prediques	prediquéis	hayas predicado	hayáis predicado
predique	prediquen	haya predicado	hayan predicado
7 imperfecto de subjuntivo		**14 pluscuamperfecto de subjuntivo**	
predicara	predicáramos	hubiera predicado	hubiéramos predicado
predicaras	predicarais	hubieras predicado	hubierais predicado
predicara	predicaran	hubiera predicado	hubieran predicado
OR		OR	
predicase	predicásemos	hubiese predicado	hubiésemos predicado
predicases	predicaseis	hubieses predicado	hubieseis predicado
predicase	predicasen	hubiese predicado	hubiesen predicado

imperativo	
—	prediquemos
predica; no prediques	predicad; no prediquéis
predique	prediquen

Words related to this verb
la predicación preaching
un predicador preacher

una prédica sermon
predicativo, predicativa predicative

If you don't know the Spanish verb for the English verb you have in mind, look it up in the index on pages 682–706.

Regular **-ir** verb endings with stem change: to prefer
Tenses 1, 3, 6, 7, Imperative, Gerundio

The Seven Simple Tenses		The Seven Compound Tenses	
Singular	Plural	Singular	Plural
1 presente de indicativo		8 perfecto de indicativo	
prefiero	preferimos	he preferido	hemos preferido
prefieres	preferís	has preferido	habéis preferido
prefiere	prefieren	ha preferido	han preferido
2 imperfecto de indicativo		9 pluscuamperfecto de indicativo	
prefería	preferíamos	había preferido	habíamos preferido
preferías	preferíais	habías preferido	habíais preferido
prefería	preferían	había preferido	habían preferido
3 pretérito		10 pretérito anterior	
preferí	preferimos	hube preferido	hubimos preferido
preferiste	preferisteis	hubiste preferido	hubisteis preferido
prefirió	prefirieron	hubo preferido	hubieron preferido
4 futuro		11 futuro perfecto	
preferiré	preferiremos	habré preferido	habremos preferido
preferirás	preferiréis	habrás preferido	habréis preferido
preferirá	preferirán	habrá preferido	habrán preferido
5 potencial simple		12 potencial compuesto	
preferiría	preferiríamos	habría preferido	habríamos preferido
preferirías	preferiríais	habrías preferido	habríais preferido
preferiría	preferirían	habría preferido	habrían preferido
6 presente de subjuntivo		13 perfecto de subjuntivo	
prefiera	prefiramos	haya preferido	hayamos preferido
prefieras	prefiráis	hayas preferido	hayáis preferido
prefiera	prefieran	haya preferido	hayan preferido
7 imperfecto de subjuntivo		14 pluscuamperfecto de subjuntivo	
prefiriera	prefiriéramos	hubiera preferido	hubiéramos preferido
prefirieras	prefirierais	hubieras preferido	hubierais preferido
prefiriera	prefirieran	hubiera preferido	hubieran preferido
OR		OR	
prefiriese	prefiriésemos	hubiese preferido	hubiésemos preferido
prefirieses	prefirieseis	hubieses preferido	hubieseis preferido
prefiriese	prefiriesen	hubiese preferido	hubiesen preferido

imperativo	
—	prefiramos
prefiere; no prefieras	preferid; no prefiráis
prefiera	prefieran

Words related to this verb
preferiblemente   preferably
preferible   preferable
la preferencia   preference
preferido, preferida   preferred, favorite
de preferencia   preferably
preferentemente   preferably

referir   to refer, to relate
**Preferimos una habitación tranquila con
un cuarto de baño privado, por favor.**
We prefer a quiet room with a private
bathroom, please.

P

to ask, to inquire, to question   Regular **-ar** verb

The Seven Simple Tenses		The Seven Compound Tenses	
Singular	Plural	Singular	Plural
1 presente de indicativo		8 perfecto de indicativo	
pregunto	**preguntamos**	**he preguntado**	**hemos preguntado**
preguntas	**preguntáis**	**has preguntado**	**habéis preguntado**
pregunta	**preguntan**	**ha preguntado**	**han preguntado**
2 imperfecto de indicativo		9 pluscuamperfecto de indicativo	
preguntaba	**preguntábamos**	**había preguntado**	**habíamos preguntado**
preguntabas	**preguntabais**	**habías preguntado**	**habíais preguntado**
preguntaba	**preguntaban**	**había preguntado**	**habían preguntado**
3 pretérito		10 pretérito anterior	
pregunté	**preguntamos**	**hube preguntado**	**hubimos preguntado**
preguntaste	**preguntasteis**	**hubiste preguntado**	**hubisteis preguntado**
preguntó	**preguntaron**	**hubo preguntado**	**hubieron preguntado**
4 futuro		11 futuro perfecto	
preguntaré	**preguntaremos**	**habré preguntado**	**habremos preguntado**
preguntarás	**preguntaréis**	**habrás preguntado**	**habréis preguntado**
preguntará	**preguntarán**	**habrá preguntado**	**habrán preguntado**
5 potencial simple		12 potencial compuesto	
preguntaría	**preguntaríamos**	**habría preguntado**	**habríamos preguntado**
preguntarías	**preguntaríais**	**habrías preguntado**	**habríais preguntado**
preguntaría	**preguntarían**	**habría preguntado**	**habrían preguntado**
6 presente de subjuntivo		13 perfecto de subjuntivo	
pregunte	**preguntemos**	**haya preguntado**	**hayamos preguntado**
preguntes	**preguntéis**	**hayas preguntado**	**hayáis preguntado**
pregunte	**pregunten**	**haya preguntado**	**hayan preguntado**
7 imperfecto de subjuntivo		14 pluscuamperfecto de subjuntivo	
preguntara	**preguntáramos**	**hubiera preguntado**	**hubiéramos preguntado**
preguntaras	**preguntarais**	**hubieras preguntado**	**hubierais preguntado**
preguntara	**preguntaran**	**hubiera preguntado**	**hubieran preguntado**
OR		OR	
preguntase	**preguntásemos**	**hubiese preguntado**	**hubiésemos preguntado**
preguntases	**preguntaseis**	**hubieses preguntado**	**hubieseis preguntado**
preguntase	**preguntasen**	**hubiese preguntado**	**hubiesen preguntado**

imperativo	
—	**preguntemos**
pregunta; no preguntes	**preguntad; no preguntéis**
pregunte	**pregunten**

Words and expressions related to this verb

una pregunta question
hacer una pregunta to ask a question
un preguntón, una preguntona
    inquisitive individual

preguntarse to wonder, to ask oneself
preguntante inquiring
preguntador, preguntadora inquisitive

Don't confuse **pedir** and **preguntar**. **Pedir** means *to ask for something* or *to request*. **Preguntar** means *to inquire, to ask a question:* La alumna preguntó a la profesora cómo estaba/The pupil asked the teacher how she was.

Reflexive regular **-ar** verb   to be concerned, to worry, to be worried

The Seven Simple Tenses		The Seven Compound Tenses	
Singular	Plural	Singular	Plural
1 presente de indicativo		8 perfecto de indicativo	
me preocupo	nos preocupamos	me he preocupado	nos hemos preocupado
te preocupas	os preocupáis	te has preocupado	os habéis preocupado
se preocupa	se preocupan	se ha preocupado	se han preocupado
2 imperfecto de indicativo		9 pluscuamperfecto de indicativo	
me preocupaba	nos preocupábamos	me había preocupado	nos habíamos preocupado
te preocupabas	os preocupabais	te habías preocupado	os habíais preocupado
se preocupaba	se preocupaban	se había preocupado	se habían preocupado
3 pretérito		10 pretérito anterior	
me preocupé	nos preocupamos	me hube preocupado	nos hubimos preocupado
te preocupaste	os preocupasteis	te hubiste preocupado	os hubisteis preocupado
se preocupó	se preocuparon	se hubo preocupado	se hubieron preocupado
4 futuro		11 futuro perfecto	
me preocuparé	nos preocuparemos	me habré preocupado	nos habremos preocupado
te preocuparás	os preocuparéis	te habrás preocupado	os habréis preocupado
se preocupará	se preocuparán	se habrá preocupado	se habrán preocupado
5 potencial simple		12 potencial compuesto	
me preocuparía	nos preocuparíamos	me habría preocupado	nos habríamos preocupado
te preocuparías	os preocuparíais	te habrías preocupado	os habríais preocupado
se preocuparía	se preocuparían	se habría preocupado	se habrían preocupado
6 presente de subjuntivo		13 perfecto de subjuntivo	
me preocupe	nos preocupemos	me haya preocupado	nos hayamos preocupado
te preocupes	os preocupéis	te hayas preocupado	os hayáis preocupado
se preocupe	se preocupen	se haya preocupado	se hayan preocupado
7 imperfecto de subjuntivo		14 pluscuamperfecto de subjuntivo	
me preocupara	nos preocupáramos	me hubiera preocupado	nos hubiéramos preocupado
te preocuparas	os preocuparais	te hubieras preocupado	os hubierais preocupado
se preocupara	se preocuparan	se hubiera preocupado	se hubieran preocupado
OR		OR	
me preocupase	nos preocupásemos	me hubiese preocupado	nos hubiésemos preocupado
te preocupases	os preocupaseis	te hubieses preocupado	os hubieseis preocupado
se preocupase	se preocupasen	se hubiese preocupado	se hubiesen preocupado

P

	imperativo
—	preocupémonos
preocúpate; no te preocupes	preocupaos; no os preocupéis
preocúpese	preocúpense

Words related to this verb

preocupar   to preoccupy, to worry
la preocupación   preoccupation, worry
¡no se preocupe!   don't worry

preocuparse de   to take care of, to worry about; **estar preocupado**   to be worried
ocupar   to occupy

For other words and expressions related to this verb, see **ocupar.**

The subject pronouns are found on page 93.

to prepare   Regular **-ar** verb

The Seven Simple Tenses		The Seven Compound Tenses	
Singular	Plural	Singular	Plural
1 presente de indicativo		**8 perfecto de indicativo**	
preparo	preparamos	he preparado	hemos preparado
preparas	preparáis	has preparado	habéis preparado
prepara	preparan	ha preparado	han preparado
2 imperfecto de indicativo		**9 pluscuamperfecto de indicativo**	
preparaba	preparábamos	había preparado	habíamos preparado
preparabas	preparabais	habías preparado	habíais preparado
preparaba	preparaban	había preparado	habían preparado
3 pretérito		**10 pretérito anterior**	
preparé	preparamos	hube preparado	hubimos preparado
preparaste	preparasteis	hubiste preparado	hubisteis preparado
preparó	prepararon	hubo preparado	hubieron preparado
4 futuro		**11 futuro perfecto**	
prepararé	prepararemos	habré preparado	habremos preparado
prepararás	prepararéis	habrás preparado	habréis preparado
preparará	prepararán	habrá preparado	habrán preparado
5 potencial simple		**12 potencial compuesto**	
prepararía	prepararíamos	habría preparado	habríamos preparado
prepararías	prepararíais	habrías preparado	habríais preparado
prepararía	prepararían	habría preparado	habrían preparado
6 presente de subjuntivo		**13 perfecto de subjuntivo**	
prepare	preparemos	haya preparado	hayamos preparado
prepares	preparéis	hayas preparado	hayáis preparado
prepare	preparen	haya preparado	hayan preparado
7 imperfecto de subjuntivo		**14 pluscuamperfecto de subjuntivo**	
preparara	preparáramos	hubiera preparado	hubiéramos preparado
prepararas	prepararais	hubieras preparado	hubierais preparado
preparara	prepararan	hubiera preparado	hubieran preparado
OR		OR	
preparase	preparásemos	hubiese preparado	hubiésemos preparado
preparases	preparaseis	hubieses preparado	hubieseis preparado
preparase	preparasen	hubiese preparado	hubiesen preparado

imperativo

—	preparemos
prepara; no prepares	**preparad; no preparéis**
prepare	**preparen**

Words related to this verb

preparatorio, preparatoria preparatory   **la preparación** preparation
el preparativo preparation, preparative   **prepararse** to prepare oneself

Get your feet wet with verbs used in weather expressions on page 668.

Reflexive regular **-ar** verb   to be prepared, to get ready, to prepare oneself

The Seven Simple Tenses		The Seven Compound Tenses	
Singular	Plural	Singular	Plural
1 presente de indicativo		**8 perfecto de indicativo**	
me preparo	nos preparamos	me he preparado	nos hemos preparado
te preparas	os preparáis	te has preparado	os habéis preparado
se prepara	se preparan	se ha preparado	se han preparado
2 imperfecto de indicativo		**9 pluscuamperfecto de indicativo**	
me preparaba	nos preparábamos	me había preparado	nos habíamos preparado
te preparabas	os preparabais	te habías preparado	os habíais preparado
se preparaba	se preparaban	se había preparado	se habían preparado
3 pretérito		**10 pretérito anterior**	
me preparé	nos preparamos	me hube preparado	nos hubimos preparado
te preparaste	os preparasteis	te hubiste preparado	os hubisteis preparado
se preparó	se prepararon	se hubo preparado	se hubieron preparado
4 futuro		**11 futuro perfecto**	
me prepararé	nos prepararemos	me habré preparado	nos habremos preparado
te prepararás	os prepararéis	te habrás preparado	os habréis preparado
se preparará	se prepararán	se habrá preparado	se habrán preparado
5 potencial simple		**12 potencial compuesto**	
me prepararía	nos prepararíamos	me habría preparado	nos habríamos preparado
te prepararías	os prepararíais	te habrías preparado	os habríais preparado
se prepararía	se prepararían	se habría preparado	se habrían preparado
6 presente de subjuntivo		**13 perfecto de subjuntivo**	
me prepare	nos preparemos	me haya preparado	nos hayamos preparado
te prepares	os preparéis	te hayas preparado	os hayáis preparado
se prepare	se preparen	se haya preparado	se hayan preparado
7 imperfecto de subjuntivo		**14 pluscuamperfecto de subjuntivo**	
me preparara	nos preparáramos	me hubiera preparado	nos hubiéramos preparado
te prepararas	os prepararais	te hubieras preparado	os hubierais preparado
se preparara	se prepararan	se hubiera preparado	se hubieran preparado
OR		OR	
me preparase	nos preparásemos	me hubiese preparado	nos hubiésemos preparado
te preparases	os preparaseis	te hubieses preparado	os hubieseis preparado
se preparase	se preparasen	se hubiese preparado	se hubiesen preparado

P

	imperativo
—	preparémonos
prepárate; no te prepares	preparaos; no os preparéis
prepárese	preparense

Words related to this verb
preparar   to prepare   **el preparamiento, la preparación**   preparation

---

Can't find the verb you're looking for?
Check the back pages of this book for a list of over 2,100 additional verbs!

The subject pronouns are found on page 93.   **507**

presentar (375) Gerundio presentando Part. pas. presentado

to present, to display, to show, to introduce Regular -ar verb

The Seven Simple Tenses		The Seven Compound Tenses	
Singular	Plural	Singular	Plural
1 presente de indicativo		**8 perfecto de indicativo**	
presento	presentamos	he presentado	hemos presentado
presentas	presentáis	has presentado	habéis presentado
presenta	presentan	ha presentado	han presentado
2 imperfecto de indicativo		**9 pluscuamperfecto de indicativo**	
presentaba	presentábamos	había presentado	habíamos presentado
presentabas	presentabais	habías presentado	habíais presentado
presentaba	presentaban	había presentado	habían presentado
3 pretérito		**10 pretérito anterior**	
presenté	presentamos	hube presentado	hubimos presentado
presentaste	presentasteis	hubiste presentado	hubisteis presentado
presentó	presentaron	hubo presentado	hubieron presentado
4 futuro		**11 futuro perfecto**	
presentaré	presentaremos	habré presentado	habremos presentado
presentarás	presentaréis	habrás presentado	habréis presentado
presentará	presentarán	habrá presentado	habrán presentado
5 potencial simple		**12 potencial compuesto**	
presentaría	presentaríamos	habría presentado	habríamos presentado
presentarías	presentaríais	habrías presentado	habríais presentado
presentaría	presentarían	habría presentado	habrían presentado
6 presente de subjuntivo		**13 perfecto de subjuntivo**	
presente	presentemos	haya presentado	hayamos presentado
presentes	presentéis	hayas presentado	hayáis presentado
presente	presenten	haya presentado	hayan presentado
7 imperfecto de subjuntivo		**14 pluscuamperfecto de subjuntivo**	
presentara	presentáramos	hubiera presentado	hubiéramos presentado
presentaras	presentarais	hubieras presentado	hubierais presentado
presentara	presentaran	hubiera presentado	hubieran presentado
OR		OR	
presentase	presentásemos	hubiese presentado	hubiésemos presentado
presentases	presentaseis	hubieses presentado	hubieseis presentado
presentase	presentasen	hubiese presentado	hubiesen presentado

imperativo

—	presentemos
presenta; no presentes	presentad; no presentéis
presente	presenten

Words and expressions related to this verb

representar to represent
presentarse to introduce oneself
el presente present; present tense
por lo presente for the present

al presente, de presente at present
presentar armas to present arms
la presentación presentation
presentable presentable

Can't find the verb you're looking for?
Check the back pages of this book for a list of over 2,100 additional verbs!

The Seven Simple Tenses		The Seven Compound Tenses	
Singular	Plural	Singular	Plural
1 presente de indicativo		8 perfecto de indicativo	
presto	prestamos	he prestado	hemos prestado
prestas	prestáis	has prestado	habéis prestado
presta	prestan	ha prestado	han prestado
2 imperfecto de indicativo		9 pluscuamperfecto de indicativo	
prestaba	prestábamos	había prestado	habíamos prestado
prestabas	prestabais	habías prestado	habíais prestado
prestaba	prestaban	había prestado	habían prestado
3 pretérito		10 pretérito anterior	
presté	prestamos	hube prestado	hubimos prestado
prestaste	prestasteis	hubiste prestado	hubisteis prestado
prestó	prestaron	hubo prestado	hubieron prestado
4 futuro		11 futuro perfecto	
prestaré	prestaremos	habré prestado	habremos prestado
prestarás	prestaréis	habrás prestado	habréis prestado
prestará	prestarán	habrá prestado	habrán prestado
5 potencial simple		12 potencial compuesto	
prestaría	prestaríamos	habría prestado	habríamos prestado
prestarías	prestaríais	habrías prestado	habríais prestado
prestaría	prestarían	habría prestado	habrían prestado
6 presente de subjuntivo		13 perfecto de subjuntivo	
preste	prestemos	haya prestado	hayamos prestado
prestes	prestéis	hayas prestado	hayáis prestado
preste	presten	haya prestado	hayan prestado
7 imperfecto de subjuntivo		14 pluscuamperfecto de subjuntivo	
prestara	prestáramos	hubiera prestado	hubiéramos prestado
prestaras	prestarais	hubieras prestado	hubierais prestado
prestara	prestaran	hubiera prestado	hubieran prestado
OR		OR	
prestase	prestásemos	hubiese prestado	hubiésemos prestado
prestases	prestaseis	hubieses prestado	hubieseis prestado
prestase	prestasen	hubiese prestado	hubiesen prestado

imperativo

—	prestemos
presta; no prestes	prestad; no prestéis
preste	presten

Words and expressions related to this verb
pedir prestado   to borrow
tomar prestado   to borrow
prestador, prestadora   lender
un préstamo   loan

prestar atención   to pay attention
una casa de préstamos   pawn shop
un, una prestamista   money lender
la prestación   benefit, contribution

The subject pronouns are found on page 93.
                                                          509

principiar (377)   Gerundio **principiando**   Part. pas. **principiado**

to begin   Regular **-ar** verb

The Seven Simple Tenses		The Seven Compound Tenses	
Singular	Plural	Singular	Plural
1 presente de indicativo		8 perfecto de indicativo	
principio	principiamos	he principiado	hemos principiado
principias	principiáis	has principiado	habéis principiado
principia	principian	ha principiado	han principiado
2 imperfecto de indicativo		9 pluscuamperfecto de indicativo	
principiaba	principiábamos	había principiado	habíamos principiado
principiabas	principiabais	habías principiado	habíais principiado
principiaba	principiaban	había principiado	habían principiado
3 pretérito		10 pretérito anterior	
principié	principiamos	hube principiado	hubimos principiado
principiaste	principiasteis	hubiste principiado	hubisteis principiado
principió	principiaron	hubo principiado	hubieron principiado
4 futuro		11 futuro perfecto	
principiaré	principiaremos	habré principiado	habremos principiado
principiarás	principiaréis	habrás principiado	habréis principiado
principiará	principiarán	habrá principiado	habrán principiado
5 potencial simple		12 potencial compuesto	
principiaría	principiaríamos	habría principiado	habríamos principiado
principiarías	principiaríais	habrías principiado	habríais principiado
principiaría	principiarían	habría principiado	habrían principiado
6 presente de subjuntivo		13 perfecto de subjuntivo	
principie	principiemos	haya principiado	hayamos principiado
principies	principiéis	hayas principiado	hayáis principiado
principie	principien	haya principiado	hayan principiado
7 imperfecto de subjuntivo		14 pluscuamperfecto de subjuntivo	
principiara	principiáramos	hubiera principiado	hubiéramos principiado
principiaras	principiarais	hubieras principiado	hubierais principiado
principiara	principiaran	hubiera principiado	hubieran principiado
OR		OR	
principiase	principiásemos	hubiese principiado	hubiésemos principiado
principiases	principiaseis	hubieses principiado	hubieseis principiado
principiase	principiasen	hubiese principiado	hubiesen principiado

imperativo

—	principiemos
principia; no principies	principiad; no principiéis
principie	principien

Words and expressions related to this verb

el principio beginning, start; principle
a principios de at the beginning of
desde el principio from the beginning
principio de admiración inverted
exclamation point (¡)

en principio in principle
el, la principiante beginner
principio de interrogación inverted question
mark (¿)
al principio (a los principios) at first, in
the beginning
la edición principe first edition (*editio princeps*)

Regular **-ar** verb endings with stem change: Tenses 1, 6, Imperative

to test, to prove, to try, to try on

The Seven Simple Tenses		The Seven Compound Tenses	
Singular	Plural	Singular	Plural
1 presente de indicativo		8 perfecto de indicativo	
pruebo	probamos	he probado	hemos probado
pruebas	probáis	has probado	habéis probado
prueba	prueban	ha probado	han probado
2 imperfecto de indicativo		9 pluscuamperfecto de indicativo	
probaba	probábamos	había probado	habíamos probado
probabas	probabais	habías probado	habíais probado
probaba	probaban	había probado	habían probado
3 pretérito		10 pretérito anterior	
probé	probamos	hube probado	hubimos probado
probaste	probasteis	hubiste probado	hubisteis probado
probó	probaron	hubo probado	hubieron probado
4 futuro		11 futuro perfecto	
probaré	probaremos	habré probado	habremos probado
probarás	probaréis	habrás probado	habréis probado
probará	probarán	habrá probado	habrán probado
5 potencial simple		12 potencial compuesto	
probaría	probaríamos	habría probado	habríamos probado
probarías	probaríais	habrías probado	habríais probado
probaría	probarían	habría probado	habrían probado
6 presente de subjuntivo		13 perfecto de subjuntivo	
pruebe	probemos	haya probado	hayamos probado
pruebes	probéis	hayas probado	hayáis probado
pruebe	prueben	haya probado	hayan probado
7 imperfecto de subjuntivo		14 pluscuamperfecto de subjuntivo	
probara	probáramos	hubiera probado	hubiéramos probado
probaras	probarais	hubieras probado	hubierais probado
probara	probaran	hubiera probado	hubieran probado
OR		OR	
probase	probásemos	hubiese probado	hubiésemos probado
probases	probaseis	hubieses probado	hubieseis probado
probase	probasen	hubiese probado	hubiesen probado

imperativo	
—	probemos
prueba; no pruebes	probad; no probéis
pruebe	prueben

Words and expressions related to this verb

la prueba   proof, evidence, test
poner a prueba   to put to the test, to try out
probable   probable
probablemente   probably
el probador   fitting room, dressing room
¿Me puedo probar este traje?   May I try on this suit?

probar de   to taste, to take a taste of
la probatura   test, experiment
la probación   proof, probation
la probabilidad   probability
probatorio, probatoria   probative

probarse (379)

Gerundio probándose **Part. pas. probado**

to try on (clothes)

Reflexive verb; regular -ar verb endings
with stem change: Tenses 1, 6, Imperative

The Seven Simple Tenses | The Seven Compound Tenses

Singular	Plural	Singular	Plural
1 presente de indicativo		8 perfecto de indicativo	
me pruebo	nos probamos	me he probado	nos hemos probado
te pruebas	os probáis	te has probado	os habéis probado
se prueba	se prueban	se ha probado	se han probado
2 imperfecto de indicativo		9 pluscuamperfecto de indicativo	
me probaba	nos probábamos	me había probado	nos habíamos probado
te probabas	os probabais	te habías probado	os habíais probado
se probaba	se probaban	se había probado	se habían probado
3 pretérito		10 pretérito anterior	
me probé	nos probamos	me hube probado	nos hubimos probado
te probaste	os probasteis	te hubiste probado	os hubisteis probado
se probó	se probaron	se hubo probado	se hubieron probado
4 futuro		11 futuro perfecto	
me probaré	nos probaremos	me habré probado	nos habremos probado
te probarás	os probaréis	te habrás probado	os habréis probado
se probará	se probarán	se habrá probado	se habrán probado
5 potencial simple		12 potencial compuesto	
me probaría	nos probaríamos	me habría probado	nos habríamos probado
te probarías	os probaríais	te habrías probado	os habríais probado
se probaría	se probarían	se habría probado	se habrían probado
6 presente de subjuntivo		13 perfecto de subjuntivo	
me pruebe	nos probemos	me haya probado	nos hayamos probado
te pruebes	os probéis	te hayas probado	os hayáis probado
se pruebe	se prueben	se haya probado	se hayan probado
7 imperfecto de subjuntivo		14 pluscuamperfecto de subjuntivo	
me probara	nos probáramos	me hubiera probado	nos hubiéramos probado
te probaras	os probarais	te hubieras probado	os hubierais probado
se probara	se probaran	se hubiera probado	se hubieran probado
OR		OR	
me probase	nos probásemos	me hubiese probado	nos hubiésemos probado
te probases	os probaseis	te hubieses probado	os hubieseis probado
se probase	se probasen	se hubiese probado	se hubiesen probado

imperativo

—	probémonos
pruébate; no te pruebes	probaos; no os probéis
pruébese	pruébense

For words and expressions related to this verb, see **probar**.

Can't recognize an irregular verb form? Check out pages 678–681.

The Seven Simple Tenses		The Seven Compound Tenses	
Singular	Plural	Singular	Plural
1 presente de indicativo		8 perfecto de indicativo	
proclamo	**proclamamos**	**he proclamado**	**hemos proclamado**
proclamas	**proclamáis**	**has proclamado**	**habéis proclamado**
proclama	**proclaman**	**ha proclamado**	**han proclamado**
2 imperfecto de indicativo		9 pluscuamperfecto de indicativo	
proclamaba	**proclamábamos**	**había proclamado**	**habíamos proclamado**
proclamabas	**proclamabais**	**habías proclamado**	**habíais proclamado**
proclamaba	**proclamaban**	**había proclamado**	**habían proclamado**
3 pretérito		10 pretérito anterior	
proclamé	**proclamamos**	**hube proclamado**	**hubimos proclamado**
proclamaste	**proclamasteis**	**hubiste proclamado**	**hubisteis proclamado**
proclamó	**proclamaron**	**hubo proclamado**	**hubieron proclamado**
4 futuro		11 futuro perfecto	
proclamaré	**proclamaremos**	**habré proclamado**	**habremos proclamado**
proclamarás	**proclamaréis**	**habrás proclamado**	**habréis proclamado**
proclamará	**proclamarán**	**habrá proclamado**	**habrán proclamado**
5 potencial simple		12 potencial compuesto	
proclamaría	**proclamaríamos**	**habría proclamado**	**habríamos proclamado**
proclamarías	**proclamaríais**	**habrías proclamado**	**habríais proclamado**
proclamaría	**proclamarían**	**habría proclamado**	**habrían proclamado**
6 presente de subjuntivo		13 perfecto de subjuntivo	
proclame	**proclamemos**	**haya proclamado**	**hayamos proclamado**
proclames	**proclaméis**	**hayas proclamado**	**hayáis proclamado**
proclame	**proclamen**	**haya proclamado**	**hayan proclamado**
7 imperfecto de subjuntivo		14 pluscuamperfecto de subjuntivo	
proclamara	**proclamáramos**	**hubiera proclamado**	**hubiéramos proclamado**
proclamaras	**proclamaras**	**hubieras proclamado**	**hubierais proclamado**
proclamara	**proclamaran**	**hubiera proclamado**	**hubieran proclamado**
OR		OR	
proclamase	**proclamásemos**	**hubiese proclamado**	**hubiésemos proclamado**
proclamases	**proclamaseis**	**hubieses proclamado**	**hubieseis proclamado**
proclamase	**proclamasen**	**hubiese proclamado**	**hubiesen proclamado**

imperativo	
—	**proclamemos**
proclama; no proclames	**proclamad; no proclaméis**
proclame	**proclamen**

Words related to this verb
la proclamación, la proclama   proclamation   **clamar**   to cry out, to beseech
clamoroso, clamorosa   loud, resounding   **el clamor**   shout

Use the guide to Spanish pronunciation on pages 665–667.

producir (381) Gerundio **produciendo** Part. pas. **producido**

to produce, to cause | Irregular in Tenses 3 and 7, regular **-ir** endings in all others; spelling change: **c** becomes **zc** before **a** or **o**

The Seven Simple Tenses | The Seven Compound Tenses

Singular	Plural	Singular	Plural
1 presente de indicativo		**8 perfecto de indicativo**	
produzco	**producimos**	**he producido**	**hemos producido**
produces	**producís**	**has producido**	**habéis producido**
produce	**producen**	**ha producido**	**han producido**
2 imperfecto de indicativo		**9 pluscuamperfecto de indicativo**	
producía	**producíamos**	**había producido**	**habíamos producido**
producías	**producíais**	**habías producido**	**habíais producido**
producía	**producían**	**había producido**	**habían producido**
3 pretérito		**10 pretérito anterior**	
produje	**produjimos**	**hube producido**	**hubimos producido**
produjiste	**produjisteis**	**hubiste producido**	**hubisteis producido**
produjo	**produjeron**	**hubo producido**	**hubieron producido**
4 futuro		**11 futuro perfecto**	
produciré	**produciremos**	**habré producido**	**habremos producido**
producirás	**produciréis**	**habrás producido**	**habréis producido**
producirá	**producirán**	**habrá producido**	**habrán producido**
5 potencial simple		**12 potencial compuesto**	
produciría	**produciríamos**	**habría producido**	**habríamos producido**
producirías	**produciríais**	**habrías producido**	**habríais producido**
produciría	**producirían**	**habría producido**	**habrían producido**
6 presente de subjuntivo		**13 perfecto de subjuntivo**	
produzca	**produzcamos**	**haya producido**	**hayamos producido**
produzcas	**produzcáis**	**hayas producido**	**hayáis producido**
produzca	**produzcan**	**haya producido**	**hayan producido**
7 imperfecto de subjuntivo		**14 pluscuamperfecto de subjuntivo**	
produjera	**produjéramos**	**hubiera producido**	**hubiéramos producido**
produjeras	**produjerais**	**hubieras producido**	**hubierais producido**
produjera	**produjeran**	**hubiera producido**	**hubieran producido**
OR		OR	
produjese	**produjésemos**	**hubiese producido**	**hubiésemos producido**
produjeses	**produjeseis**	**hubieses producido**	**hubieseis producido**
produjese	**produjesen**	**hubiese producido**	**hubiesen producido**

imperativo

—	**produzcamos**
produce; no produzcas	**producid; no produzcáis**
produzca	**produzcan**

Words and expressions related to this verb

la productividad   productivity
productivo, productiva   productive
el producto   product, produce; proceeds
productos de belleza   cosmetics
reproducir   to reproduce
la producción   production

productos de aguja   needlework
productos de consumo   consumer goods
productos de tocador   toilet articles
un productor, una productora   producer
reproducir asexualmente   to clone

Gerundio **prohibiendo** Part. pas. **prohibido** **prohibir (382)**

Regular **-ir** verb endings with spelling change: **i** becomes   to prohibit, to forbid
í on stressed syllable (see Tenses 1, 6, Imperative)

The Seven Simple Tenses		The Seven Compound Tenses	
Singular	Plural	Singular	Plural
1 presente de indicativo		**8 perfecto de indicativo**	
prohibo	prohibimos	he prohibido	hemos prohibido
prohibes	prohibís	has prohibido	habéis prohibido
prohibe	prohiben	ha prohibido	han prohibido
2 imperfecto de indicativo		**9 pluscuamperfecto de indicativo**	
prohibía	prohibíamos	había prohibido	habíamos prohibido
prohibías	prohibíais	habías prohibido	habíais prohibido
prohibía	prohibían	había prohibido	habían prohibido
3 pretérito		**10 pretérito anterior**	
prohibí	prohibimos	hube prohibido	hubimos prohibido
prohibiste	prohibisteis	hubiste prohibido	hubisteis prohibido
prohibió	prohibieron	hubo prohibido	hubieron prohibido
4 futuro		**11 futuro perfecto**	
prohibiré	prohibiremos	habré prohibido	habremos prohibido
prohibirás	prohibiréis	habrás prohibido	habréis prohibido
prohibirá	prohibirán	habrá prohibido	habrán prohibido
5 potencial simple		**12 potencial compuesto**	
prohibirá	prohibiríamos	habría prohibido	habríamos prohibido
prohibirías	prohibiríais	habrías prohibido	habríais prohibido
prohibiría	prohibirían	habría prohibido	habrían prohibido
6 presente de subjuntivo		**13 perfecto de subjuntivo**	
prohiba	prohibamos	haya prohibido	hayamos prohibido
prohibas	prohibáis	hayas prohibido	hayáis prohibido
prohiba	prohiban	haya prohibido	hayan prohibido
7 imperfecto de subjuntivo		**14 pluscuamperfecto de subjuntivo**	
prohibiera	prohibiéramos	hubiera prohibido	hubiéramos prohibido
prohibieras	prohibierais	hubieras prohibido	hubierais prohibido
prohibiera	prohibieran	hubiera prohibido	hubieran prohibido
OR		OR	
prohibiese	prohibiésemos	hubiese prohibido	hubiésemos prohibido
prohibieses	prohibieseis	hubieses prohibido	hubieseis prohibido
prohibiese	prohibiesen	hubiese prohibido	hubiesen prohibido

	imperativo
—	prohibamos
prohibe; no prohibas	prohibid; no prohibáis
prohiba	prohiban

Words and expressions related to this verb
la prohibición   prohibition
el, la prohibicionista   prohibitionist
SE PROHIBE EL ESTACIONAMIENTO
   NO PARKING
SE PROHIBE FUMAR   NO SMOKING
No podemos nadar aquí. Es prohibido.
   We can't swim here. It's forbidden.

prohibitivo, prohibitiva   prohibitive
prohibitorio, prohibitoria   prohibitory
SE PROHIBE LA ENTRADA   KEEP OUT
SE PROHIBE ESCUPIR   NO SPITTING
SE PROHIBE FIJAR CARTELES
   POST NO BILLS

P

The Seven Simple Tenses		The Seven Compound Tenses	
Singular	Plural	Singular	Plural
1 presente de indicativo		8 perfecto de indicativo	
pronuncio	**pronunciamos**	**he pronunciado**	**hemos pronunciado**
pronuncias	**pronunciáis**	**has pronunciado**	**habéis pronunciado**
pronuncia	**pronuncian**	**ha pronunciado**	**han pronunciado**
2 imperfecto de indicativo		9 pluscuamperfecto de indicativo	
pronunciaba	**pronunciábamos**	**había pronunciado**	**habíamos pronunciado**
pronunciabas	**pronunciabais**	**habías pronunciado**	**habíais pronunciado**
pronunciaba	**pronunciaban**	**había pronunciado**	**habían pronunciado**
3 pretérito		10 pretérito anterior	
pronuncié	**pronunciamos**	**hube pronunciado**	**hubimos pronunciado**
pronunciaste	**pronunciasteis**	**hubiste pronunciado**	**hubisteis pronunciado**
pronunció	**pronunciaron**	**hubo pronunciado**	**hubieron pronunciado**
4 futuro		11 futuro perfecto	
pronunciaré	**pronunciaremos**	**habré pronunciado**	**habremos pronunciado**
pronunciarás	**pronunciaréis**	**habrás pronunciado**	**habréis pronunciado**
pronunciará	**pronunciarán**	**habrá pronunciado**	**habrán pronunciado**
5 potencial simple		12 potencial compuesto	
pronunciaría	**pronunciaríamos**	**habría pronunciado**	**habríamos pronunciado**
pronunciarías	**pronunciaríais**	**habrías pronunciado**	**habríais pronunciado**
pronunciaría	**pronunciarían**	**habría pronunciado**	**habrían pronunciado**
6 presente de subjuntivo		13 perfecto de subjuntivo	
pronuncie	**pronunciemos**	**haya pronunciado**	**hayamos pronunciado**
pronuncies	**pronunciéis**	**hayas pronunciado**	**hayáis pronunciado**
pronuncie	**pronuncien**	**haya pronunciado**	**hayan pronunciado**
7 imperfecto de subjuntivo		14 pluscuamperfecto de subjuntivo	
pronunciara	**pronunciáramos**	**hubiera pronunciado**	**hubiéramos pronunciado**
pronunciaras	**pronunciarais**	**hubieras pronunciado**	**hubierais pronunciado**
pronunciara	**pronunciaran**	**hubiera pronunciado**	**hubieran pronunciado**
OR		OR	
pronunciase	**pronunciásemos**	**hubiese pronunciado**	**hubiésemos pronunciado**
pronunciases	**pronunciaseis**	**hubieses pronunciado**	**hubieseis pronunciado**
pronunciase	**pronunciasen**	**hubiese pronunciado**	**hubiesen pronunciado**

imperativo

—	**pronunciemos**
pronuncia; no pronuncies	**pronunciad; no pronunciéis**
pronuncie	**pronuncien**

Words and expressions related to this verb
la pronunciación pronunciation
pronunciado, pronunciada pronounced
pronunciar un discurso to make
  a speech
enunciar to enunciate

pronunciar una conferencia to deliver a lecture
anunciar to announce
denunciar to denounce
renunciar to renounce
el nuncio omen
impronunciable unpronounceable

Regular **-er** verb endings with spelling
change: **g** becomes **j** before **a** or **o**

to protect

The Seven Simple Tenses		The Seven Compound Tenses	
Singular	Plural	Singular	Plural
1 presente de indicativo		8 perfecto de indicativo	
protejo	**protegemos**	**he protegido**	**hemos protegido**
proteges	**protegéis**	**has protegido**	**habéis protegido**
protege	**protegen**	**ha protegido**	**han protegido**
2 imperfecto de indicativo		9 pluscuamperfecto de indicativo	
protegía	**protegíamos**	**había protegido**	**habíamos protegido**
protegías	**protegíais**	**habías protegido**	**habíais protegido**
protegía	**protegían**	**había protegido**	**habían protegido**
3 pretérito		10 pretérito anterior	
protegí	**protegimos**	**hube protegido**	**hubimos protegido**
protegiste	**protegisteis**	**hubiste protegido**	**hubisteis protegido**
protegió	**protegieron**	**hubo protegido**	**hubieron protegido**
4 futuro		11 futuro perfecto	
protegeré	**protegeremos**	**habré protegido**	**habremos protegido**
protegerás	**protegeréis**	**habrás protegido**	**habréis protegido**
protegerá	**protegerán**	**habrá protegido**	**habrán protegido**
5 potencial simple		12 potencial compuesto	
protegería	**protegeríamos**	**habría protegido**	**habríamos protegido**
protegerías	**protegeríais**	**habrías protegido**	**habríais protegido**
protegería	**protegerían**	**habría protegido**	**habrían protegido**
6 presente de subjuntivo		13 perfecto de subjuntivo	
proteja	**protejamos**	**haya protegido**	**hayamos protegido**
protejas	**protejáis**	**hayas protegido**	**hayáis protegido**
proteja	**protejan**	**haya protegido**	**hayan protegido**
7 imperfecto de subjuntivo		14 pluscuamperfecto de subjuntivo	
protegiera	**protegiéramos**	**hubiera protegido**	**hubiéramos protegido**
protegieras	**protegierais**	**hubieras protegido**	**hubierais protegido**
protegiera	**protegieran**	**hubiera protegido**	**hubieran protegido**
OR		OR	
protegiese	**protegiésemos**	**hubiese protegido**	**hubiésemos protegido**
protegieses	**protegieseis**	**hubieses protegido**	**hubieseis protegido**
protegiese	**protegiesen**	**hubiese protegido**	**hubiesen protegido**

imperativo	
—	**protejamos**
protege; no protejas	**proteged; no protejáis**
proteja	**protejan**

Words related to this verb
la protección protection
protegido, protegida protected, favorite,
   protégé
el protector, la protectriz protector, protectress
protectorio, protectoria protective

proteger contra to protect against
proteger de to protect from
sin protección unprotected
excesivamente protector, protectora
   overprotective

The subject pronouns are found on page 93.

The Seven Simple Tenses		The Seven Compound Tenses	
Singular	Plural	Singular	Plural
1 presente de indicativo		8 perfecto de indicativo	
pudro	pudrimos	he podrido	hemos podrido
pudres	pudrís	has podrido	habéis podrido
pudre	pudren	ha podrido	han podrido
2 inperfecto de indicativo		9 pluscuamperfecto de indicativo	
pudría	pudríamos	había podrido	habíamos podrido
pudrías	pudríais	habías podrido	habíais podrido
pudría	pudrían	había podrido	habían podrido
3 pretérito		10 pretérito anterior	
pudrí *or* podrí	pudrimos	hube podrido	hubimos podrido
pudriste	pudristeis	hubiste podrido	hubisteis podrido
pudrió	pudrieron	hubo podrido	hubieron podrido
4 futuro		11 futuro perfecto	
pudriré *or* podriré	pudriremos	habré podrido	habremos podrido
pudrirás	pudriréis	habrás podrido	habréis podrido
pudrirá	pudrirán	habrá podrido	habrán podrido
5 potencial simple		12 potencial compuesto	
pudriría *or* podriría	pudriríamos	habría podrido	habríamos podrido
pudrirías	pudriríais	habrías podrido	habríais podrido
pudriría	pudrirían	habría podrido	habrían podrido
6 presente de subjuntivo		13 perfecto de subjuntivo	
pudra	pudramos	haya podrido	hayamos podrido
pudras	pudráis	hayas podrido	hayáis podrido
pudra	pudran	haya podrido	hayan podrido
7 imperfecto de subjuntivo		14 pluscuamperfecto de subjuntivo	
pudriera	pudriéramos	hubiera podrido	hubiéramos podrido
pudrieras	pudrierais	hubieras podrido	hubierais podrido
pudriera	pudrieran	hubiera podrido	hubieran podrido
OR		OR	
pudriese	pudriésemos	hubiese podrido	hubiésemos podrido
pudrieses	pudrieseis	hubieses podrido	hubieseis podrido
pudriese	pudriesen	hubiese podrido	hubiesen podrido

imperativo

—	pudramos
pudre; no pudras	pudrid; no pudráis
pudra	pudran

Words and expressions related to this verb
la pudrición   rotting
el podridero   compost heap
el pudrimiento   rotting

podrido, podrida   rotten
una olla podrida   a heavily seasoned stew

Don't forget to study the section on defective and impersonal verbs. It's right after this main list.

The Seven Simple Tenses		The Seven Compound Tenses	
Singular	Plural	Singular	Plural
1 presente de indicativo		8 perfecto de indicativo	
pulo	**pulimos**	**he pulido**	**hemos pulido**
pules	**pulís**	**has pulido**	**habéis pulido**
pule	**pulen**	**ha pulido**	**han pulido**
2 imperfecto de indicativo		9 pluscuamperfecto de indicativo	
pulía	**pulíamos**	**había pulido**	**habíamos pulido**
pulías	**pulíais**	**habías pulido**	**habíais pulido**
pulía	**pulían**	**había pulido**	**habían pulido**
3 pretérito		10 pretérito anterior	
pulí	**pulimos**	**hube pulido**	**hubimos pulido**
puliste	**pulisteis**	**hubiste pulido**	**hubisteis pulido**
pulió	**pulieron**	**hubo pulido**	**hubieron pulido**
4 futuro		11 futuro perfecto	
puliré	**puliremos**	**habré pulido**	**habremos pulido**
pulirás	**puliréis**	**habrás pulido**	**habréis pulido**
pulirá	**pulirán**	**habrá pulido**	**habrán pulido**
5 potencial simple		12 potencial compuesto	
puliría	**puliríamos**	**habría pulido**	**habríamos pulido**
pulirías	**puliríais**	**habrías pulido**	**habríais pulido**
puliría	**pulirían**	**habría pulido**	**habrían pulido**
6 presente de subjuntivo		13 perfecto de subjuntivo	
pula	**pulamos**	**haya pulido**	**hayamos pulido**
pulas	**puláis**	**hayas pulido**	**hayáis pulido**
pula	**pulan**	**haya pulido**	**hayan pulido**
7 imperfecto de subjuntivo		14 pluscuamperfecto de subjuntivo	
puliera	**puliéramos**	**hubiera pulido**	**hubiéramos pulido**
pulieras	**pulierais**	**hubieras pulido**	**hubierais pulido**
puliera	**pulieran**	**hubiera pulido**	**hubieran pulido**
OR		OR	
puliese	**puliésemos**	**hubiese pulido**	**hubiésemos pulido**
pulieses	**pulieseis**	**hubieses pulido**	**hubieseis pulido**
puliese	**puliesen**	**hubiese pulido**	**hubiesen pulido**

P

imperativo	
—	**pulamos**
pule; no pulas	**pulid; no puláis**
pula	**pulan**

Words related to this verb
el pulimento   polish, gloss   **pulimentar**   to polish; **la pulidez**   polish, elegance, shine
una pulidora   polishing machine   **pulidamente**   neatly

Can't remember the Spanish verb you need?
Check the back pages of this book for the English-Spanish verb index!

The subject pronouns are found on page 93.   **519**

to remain, to stay　　　　　　　　　　　Reflexive regular **-ar** verb

The Seven Simple Tenses		The Seven Compound Tenses	
Singular	Plural	Singular	Plural
1　presente de indicativo		8　perfecto de indicativo	
me quedo	nos quedamos	me he quedado	nos hemos quedado
te quedas	os quedáis	te has quedado	os habéis quedado
se queda	se quedan	se ha quedado	se han quedado
2　imperfecto de indicativo		9　pluscuamperfecto de indicativo	
me quedaba	nos quedábamos	me había quedado	nos habíamos quedado
te quedabas	os quedabais	te habías quedado	os habíais quedado
se quedaba	se quedaban	se había quedado	se habían quedado
3　pretérito		10　pretérito anterior	
me quedé	nos quedamos	me hube quedado	nos hubimos quedado
te quedaste	os quedasteis	te hubiste quedado	os hubisteis quedado
se quedó	se quedaron	se hubo quedado	se hubieron quedado
4　futuro		11　futuro perfecto	
me quedaré	nos quedaremos	me habré quedado	nos habremos quedado
te quedarás	os quedaréis	te habrás quedado	os habréis quedado
se quedará	se quedarán	se habrá quedado	se habrán quedado
5　potencial simple		12　potencial compuesto	
me quedaría	nos quedaríamos	me habría quedado	nos habríamos quedado
te quedarías	os quedaríais	te habrías quedado	os habríais quedado
se quedaría	se quedarían	se habría quedado	se habrían quedado
6　presente de subjuntivo		13　perfecto de subjuntivo	
me quede	nos quedemos	me haya quedado	nos hayamos quedado
te quedes	os quedéis	te hayas quedado	os hayáis quedado
se quede	se queden	se haya quedado	se hayan quedado
7　imperfecto de subjuntivo		14　pluscuamperfecto de subjuntivo	
me quedara	nos quedáramos	me hubiera quedado	nos hubiéramos quedado
te quedaras	os quedarais	te hubieras quedado	os hubierais quedado
se quedara	se quedaran	se hubiera quedado	se hubieran quedado
OR		OR	
me quedase	nos quedásemos	me hubiese quedado	nos hubiésemos quedado
te quedases	os quedaseis	te hubieses quedado	os hubieseis quedado
se quedase	se quedasen	se hubiese quedado	se hubiesen quedado

imperativo

—	quedémonos
quédate; no te quedes	quedaos; no os quedéis
quédese	quédense

AN ESSENTIAL
55 VERB

Quedarse

Quedarse is a very important reflexive verb for a beginning student. It is used in a great number of idiomatic expressions and everyday situations.

Sentences using quedarse and related words

El año pasado, me quedé dos semanas en San José.
Last year, I stayed two weeks in San José.

Quédate aquí conmigo.
Stay here with me.

¿Cuánto dinero queda?
How much money is left?

Me quedan dos dólares.
I have two dollars left (remaining).

Words and expressions related to this verb

la quedada residence, stay

quedar to remain, to be left

quedar limpio to clean out (of money); to be broke

quedar bien to turn out well

quedar mal to turn out badly

quedar de acuerdo to reach an agreement

quedarse ciego to go (be left) blind

quedarse muerto (muerta) to be speechless, dumbfounded

quedarse con la boca abierta to be left open-mouthed

Q

Do you need more drills? Have fun with the *501 Spanish Verbs* CD-ROM!

The subject pronouns are found on page 93.

quejarse (388)
to complain, to grumble

Gerundio **quejándose**

Part. pas. **quejado**

Reflexive regular **-ar** verb

The Seven Simple Tenses		The Seven Compound Tenses	
Singular	Plural	Singular	Plural
1 presente de indicativo		**8 perfecto de indicativo**	
me quejo	nos quejamos	me he quejado	nos hemos quejado
te quejas	os quejáis	te has quejado	os habéis quejado
se queja	se quejan	se ha quejado	se han quejado
2 imperfecto de indicativo		**9 pluscuamperfecto de indicativo**	
me quejaba	nos quejábamos	me había quejado	nos habíamos quejado
te quejabas	os quejabais	te habías quejado	os habíais quejado
se quejaba	se quejaban	se había quejado	se habían quejado
3 pretérito		**10 pretérito anterior**	
me quejé	nos quejamos	me hube quejado	nos hubimos quejado
te quejaste	os quejasteis	te hubiste quejado	os hubisteis quejado
se quejó	se quejaron	se hubo quejado	se hubieron quejado
4 futuro		**11 futuro perfecto**	
me quejaré	nos quejaremos	me habré quejado	nos habremos quejado
te quejarás	os quejaréis	te habrás quejado	os habréis quejado
se quejará	se quejarán	se habrá quejado	se habrán quejado
5 potencial simple		**12 potencial compuesto**	
me quejaría	nos quejaríamos	me habría quejado	nos habríamos quejado
te quejarías	os quejaríais	te habrías quejado	os habríais quejado
se quejaría	se quejarían	se habría quejado	se habrían quejado
6 presente de subjuntivo		**13 perfecto de subjuntivo**	
me queje	nos quejemos	me haya quejado	nos hayamos quejado
te quejes	os quejéis	te hayas quejado	os hayáis quejado
se queje	se quejen	se haya quejado	se hayan quejado
7 imperfecto de subjuntivo		**14 pluscuamperfecto de subjuntivo**	
me quejara	nos quejáramos	me hubiera quejado	nos hubiéramos quejado
te quejaras	os quejarais	te hubieras quejado	os hubierais quejado
se quejara	se quejaran	se hubiera quejado	se hubieran quejado
OR		OR	
me quejase	nos quejásemos	me hubiese quejado	nos hubiésemos quejado
te quejases	os quejaseis	te hubieses quejado	os hubieseis quejado
se quejase	se quejasen	se hubiese quejado	se hubiesen quejado

imperativo	
—	quejémonos
quéjate; no te quejes	quejaos; no os quejéis
quéjese	quéjense

Words and expressions related to this verb

quejarse de to complain about
la queja complaint
el quejido groan, moan

quejoso, quejosa annoyed
un quejumbrón, una quejumbrona whiner
dar quejidos to moan, groan

Get acquainted with what preposition goes with what verb on pages 669–677.

Regular **-ar** verb   to burn, to fire

The Seven Simple Tenses | The Seven Compound Tenses

Singular	Plural	Singular	Plural
1 presente de indicativo		8 perfecto de indicativo	
quemo	quemamos	he quemado	hemos quemado
quemas	quemáis	has quemado	habéis quemado
quema	queman	ha quemado	han quemado
2 imperfecto de indicativo		9 pluscuamperfecto de indicativo	
quemaba	quemábamos	había quemado	habíamos quemado
quemabas	quemabais	habías quemado	habíais quemado
quemaba	quemaban	había quemado	habían quemado
3 pretérito		10 pretérito anterior	
quemé	quemamos	hube quemado	hubimos quemado
quemaste	quemasteis	hubiste quemado	hubisteis quemado
quemó	quemaron	hubo quemado	hubieron quemado
4 futuro		11 futuro perfecto	
quemaré	quemaremos	habré quemado	habremos quemado
quemarás	quemaréis	habrás quemado	habréis quemado
quemará	quemarán	habrá quemado	habrán quemado
5 potencial simple		12 potencial compuesto	
quemaría	quemaríamos	habría quemado	habríamos quemado
quemarías	quemaríais	habrías quemado	habríais quemado
quemaría	quemarían	habría quemado	habrían quemado
6 presente de subjuntivo		13 perfecto de subjuntivo	
queme	quememos	haya quemado	hayamos quemado
quemes	queméis	hayas quemado	hayáis quemado
queme	quemen	haya quemado	hayan quemado
7 imperfecto de subjuntivo		14 pluscuamperfecto de subjuntivo	
quemara	quemáramos	hubiera quemado	hubiéramos quemado
quemaras	quemarais	hubieras quemado	hubierais quemado
quemara	quemaran	hubiera quemado	hubieran quemado
OR		OR	
quemase	quemásemos	hubiese quemado	hubiésemos quemado
quemases	quemaseis	hubieses quemado	hubieseis quemado
quemase	quemasen	hubiese quemado	hubiesen quemado

imperativo

—	quememos
quema; no quemes	quemad; no queméis
queme	quemen

Words and expressions related to this verb
la **quemadura** burn, scald, sunburn
el **quemador de gas** gas burner
la **quema** fire

quemarse las cejas to burn the midnight oil
huir de la quema to run away from trouble
quemado burned, burned out (emotionally, physically)

The subject pronouns are found on page 93.

to want, to wish   Irregular verb

The Seven Simple Tenses		The Seven Compound Tenses	
Singular	Plural	Singular	Plural
1 presente de indicativo		8 perfecto de indicativo	
quiero	queremos	he querido	hemos querido
quieres	queréis	has querido	habéis querido
quiere	quieren	ha querido	han querido
2 imperfecto de indicativo		9 pluscuamperfecto de indicativo	
quería	queríamos	había querido	habíamos querido
querías	queríais	habías querido	habíais querido
quería	querían	había querido	habían querido
3 pretérito		10 pretérito anterior	
quise	quisimos	hube querido	hubimos querido
quisiste	quisisteis	hubiste querido	hubisteis querido
quiso	quisieron	hubo querido	hubieron querido
4 futuro		11 futuro perfecto	
querré	querremos	habré querido	habremos querido
querrás	querréis	habrás querido	habréis querido
querrá	querrán	habrá querido	habrán querido
5 potencial simple		12 potencial compuesto	
querría	querríamos	habría querido	habríamos querido
querrías	querríais	habrías querido	habríais querido
querría	querrían	habría querido	habrían querido
6 presente de subjuntivo		13 perfecto de subjuntivo	
quiera	queramos	haya querido	hayamos querido
quieras	queráis	hayas querido	hayáis querido
quiera	quieran	haya querido	hayan querido
7 imperfecto de subjuntivo		14 pluscuamperfecto de subjuntivo	
quisiera	quisiéramos	hubiera querido	hubiéramos querido
quisieras	quisierais	hubieras querido	hubierais querido
quisiera	quisieran	hubiera querido	hubieran querido
OR		OR	
quisiese	quisiésemos	hubiese querido	hubiésemos querido
quisieses	quisieseis	hubieses querido	hubieseis querido
quisiese	quisiesen	hubiese querido	hubiesen querido

imperativo	
—	queramos
quiere; no quieras	quered; no queráis
quiera	quieran

AN ESSENTIAL
55 VERB

Querer

Querer is a very important irregular verb for a beginning student. It is used in a great number of idiomatic expressions and everyday situations.

Sentences using querer and related words

¿Qué quiere Ud. beber?
What do you want to drink?

¿Qué quiere decir esto?
What does this mean?

Quisiera un café, por favor.
I would like a coffee, please.

Yo quisiera saber a qué hora el avión sale para Miami.
I would like to know at what time the plane leaves for Miami.

Queremos alquilar un coche, por favor.
We want to rent a car, please.

Words and expressions related to this verb

querer decir **to mean**

querido, querida **dear**

querido amigo, querida amiga **dear friend**

querido mío, querida mía **my dear**

querer bien a **to love**

Querer es poder. **Where there's a will, there's a way.**

Q

Proverbs

El que más tiene más quiere.
The more one has, the more one wants.

El que todo lo quiere, todo lo pierde.
Whoever wants everything loses everything.

Can't find the verb you're looking for?
Check the back pages of this book for a list of over 2,100 additional verbs!

The subject pronouns are found on page 93.

quitarse (391) Gerundio **quitándose** Part. pas. **quitado**

to take off (clothing), to remove oneself, to withdraw Reflexive regular **-ar** verb

The Seven Simple Tenses		The Seven Compound Tenses	
Singular	Plural	Singular	Plural
1 presente de indicativo		**8 perfecto de indicativo**	
me quito	nos quitamos	me he quitado	nos hemos quitado
te quitas	os quitáis	te has quitado	os habéis quitado
se quita	se quitan	se ha quitado	se han quitado
2 imperfecto de indicativo		**9 pluscuamperfecto de indicativo**	
me quitaba	nos quitábamos	me había quitado	nos habíamos quitado
te quitabas	os quitabais	te habías quitado	os habíais quitado
se quitaba	se quitaban	se había quitado	se habían quitado
3 pretérito		**10 pretérito anterior**	
me quité	nos quitamos	me hube quitado	nos hubimos quitado
te quitaste	os quitasteis	te hubiste quitado	os hubisteis quitado
se quitó	se quitaron	se hubo quitado	se hubieron quitado
4 futuro		**11 futuro perfecto**	
me quitaré	nos quitaremos	me habré quitado	nos habremos quitado
te quitarás	os quitaréis	te habrás quitado	os habréis quitado
se quitará	se quitarán	se habrá quitado	se habrán quitado
5 potencial simple		**12 potencial compuesto**	
me quitaría	nos quitaríamos	me habría quitado	nos habríamos quitado
te quitarías	os quitaríais	te habrías quitado	os habríais quitado
se quitaría	se quitarían	se habría quitado	se habrían quitado
6 presente de subjuntivo		**13 perfecto de subjuntivo**	
me quite	nos quitemos	me haya quitado	nos hayamos quitado
te quites	os quitéis	te hayas quitado	os hayáis quitado
se quite	se quiten	se haya quitado	se hayan quitado
7 imperfecto de subjuntivo		**14 pluscuamperfecto de subjuntivo**	
me quitara	nos quitáramos	me hubiera quitado	nos hubiéramos quitado
te quitaras	os quitarais	te hubieras quitado	os hubierais quitado
se quitara	se quitaran	se hubiera quitado	se hubieran quitado
OR		OR	
me quitase	nos quitásemos	me hubiese quitado	nos hubiésemos quitado
te quitases	os quitaseis	te hubieses quitado	os hubieseis quitado
se quitase	se quitasen	se hubiese quitado	se hubiesen quitado

	imperativo	
—		quitémonos
quítate; no te quites		quitaos; no os quitéis
quítese		quítense

Words and expressions related to this verb
la **quita** release (from owing money), acquittance
¡**Quita** de ahí! Get away from here!
quitar to remove, to take away; to rob, to strip
una **quitanieves** snowplow
la **quitación** salary
el **quitasol** parasol (sunshade)

Check out the verb drills and verb tests with answers explained on pages 45–91.

Irregular verb   to scrape, to rub off, to erase, to wipe out, to fray

The Seven Simple Tenses		The Seven Compound Tenses	
Singular	Plural	Singular	Plural
1 presente de indicativo		8 perfecto de indicativo	
raigo	**raemos**	**he raído**	**hemos raído**
raes	**raéis**	**has raído**	**habéis raído**
rae	**raen**	**ha raído**	**han raído**
2 imperfecto de indicativo		9 pluscuamperfecto de indicativo	
raía	**raíamos**	**había raído**	**habíamos raído**
raías	**raíais**	**habías raído**	**habíais raído**
raía	**raían**	**había raído**	**habían raído**
3 pretérito		10 pretérito anterior	
raí	**raímos**	**hube raído**	**hubimos raído**
raíste	**raísteis**	**hubiste raído**	**hubisteis raído**
rayó	**rayeron**	**hubo raído**	**hubieron raído**
4 futuro		11 futuro perfecto	
raeré	**raeremos**	**habré raído**	**habremos raído**
raerás	**raeréis**	**habrás raído**	**habréis raído**
raerá	**raerán**	**habrá raído**	**habrán raído**
5 potencial simple		12 potencial compuesto	
raería	**raeríamos**	**habría raído**	**habríamos raído**
raerías	**raeríais**	**habrías raído**	**habríais raído**
rearía	**raerían**	**habría raído**	**habrían raído**
6 presente de subjuntivo		13 perfecto de subjuntivo	
raiga	**raigamos**	**haya raído**	**hayamos raído**
raigas	**raigáis**	**hayas raído**	**hayáis raído**
raiga	**raigan**	**haya raído**	**hayan raído**
7 imperfecto de subjuntivo		14 pluscuamperfecto de subjuntivo	
rayera	**rayéramos**	**hubiera raído**	**hubiéramos raído**
rayeras	**rayerais**	**hubieras raído**	**hubierais raído**
rayera	**rayeran**	**hubiera raído**	**hubieran raído**
OR		OR	
rayese	**rayésemos**	**hubiese raído**	**hubiésemos raído**
rayeses	**rayeseis**	**hubieses raído**	**hubieseis raído**
rayese	**rayesen**	**hubiese raído**	**hubiesen raído**

R

	imperativo	
	—	**raigamos**
	rae; no raigas	**raed; no raigáis**
	raiga	**raigan**

Words related to this verb
la raedura   scraping
el raedor, la raedora   scraper

raerse   to wear away, become threadbare
raedizo, raediza   easily scraped or scratched
raído, raída   worn, frayed

Do you need more drills? Have fun with the *501 Spanish Verbs* CD-ROM!

The subject pronouns are found on page 93.   **527**

realizar (393)　　Gerundio **realizando**　　Part. pas. **realizado**

to realize, to carry out, to fulfill	Regular **-ar** verb endings with spelling change: **z** becomes **c** before **e**

The Seven Simple Tenses	The Seven Compound Tenses

Singular	Plural	Singular	Plural
1　presente de indicativo		8　perfecto de indicativo	
realizo	realizamos	he realizado	hemos realizado
realizas	realizáis	has realizado	habéis realizado
realiza	realizan	ha realizado	han realizado
2　imperfecto de indicativo		9　pluscuamperfecto de indicativo	
realizaba	realizábamos	había realizado	habíamos realizado
realizabas	realizabais	habías realizado	habíais realizado
realizaba	realizaban	había realizado	habían realizado
3　pretérito		10　pretérito anterior	
realicé	realizamos	hube realizado	hubimos realizado
realizaste	realizasteis	hubiste realizado	hubisteis realizado
realizó	realizaron	hubo realizado	hubieron realizado
4　futuro		11　futuro perfecto	
realizaré	realizaremos	habré realizado	habremos realizado
realizarás	realizaréis	habrás realizado	habréis realizado
realizará	realizarán	habrá realizado	habrán realizado
5　potencial simple		12　potencial compuesto	
realizaría	realizaríamos	habría realizado	habríamos realizado
realizarías	realizaríais	habrías realizado	habríais realizado
realizaría	realizarían	habría realizado	habrían realizado
6　presente de subjuntivo		13　perfecto de subjuntivo	
realice	realicemos	haya realizado	hayamos realizado
realices	realicéis	hayas realizado	hayáis realizado
realice	realicen	haya realizado	hayan realizado
7　imperfecto de subjuntivo		14　pluscuamperfecto de subjuntivo	
realizara	realizáramos	hubiera realizado	hubiéramos realizado
realizaras	realizarais	hubieras realizado	hubierais realizado
realizara	realizaran	hubiera realizado	hubieran realizado
OR		OR	
realizase	realizásemos	hubiese realizado	hubiésemos realizado
realizases	realizaseis	hubieses realizado	hubieseis realizado
realizase	realizasen	hubiese realizado	hubiesen realizado

imperativo	
—	realicemos
realiza; no realices	realizad; no realicéis
realice	realicen

Words and expressions related to this verb
realizar su deseo　to have one's wish
la realización　fulfillment, realization, production
realizarse　to become fulfilled, to be carried out
realizable　practical

el, la realista　realist
la realidad　reality
el realismo　realism
realmente　really

528

The Seven Simple Tenses | The Seven Compound Tenses

Singular	Plural	Singular	Plural
1 presente de indicativo		8 perfecto de indicativo	
recibo	recibimos	he recibido	hemos recibido
recibes	recibís	has recibido	habéis recibido
recibe	reciben	ha recibido	han recibido
2 imperfecto de indicativo		9 pluscuamperfecto de indicativo	
recibía	recibíamos	había recibido	habíamos recibido
recibías	recibíais	habías recibido	habíais recibido
recibía	recibían	había recibido	habían recibido
3 pretérito		10 pretérito anterior	
recibí	recibimos	hube recibido	hubimos recibido
recibiste	recibisteis	hubiste recibido	hubisteis recibido
recibió	recibieron	hubo recibido	hubieron recibido
4 futuro		11 futuro perfecto	
recibiré	recibiremos	habré recibido	habremos recibido
recibirás	recibiréis	habrás recibido	habréis recibido
recibirá	recibirán	habrá recibido	habrán recibido
5 potencial simple		12 potencial compuesto	
recibiría	recibiríamos	habría recibido	habríamos recibido
recibirías	recibiríais	habrías recibido	habríais recibido
recibiría	recibirían	habría recibido	habrían recibido
6 presente de subjuntivo		13 perfecto de subjuntivo	
reciba	recibamos	haya recibido	hayamos recibido
recibas	recibáis	hayas recibido	hayáis recibido
reciba	reciban	haya recibido	hayan recibido
7 imperfecto de subjuntivo		14 pluscuamperfecto de subjuntivo	
recibiera	recibiéramos	hubiera recibido	hubiéramos recibido
recibieras	recibierais	hubieras recibido	hubierais recibido
recibiera	recibieran	hubiera recibido	hubieran recibido
OR		OR	
recibiese	recibiésemos	hubiese recibido	hubiésemos recibido
recibieses	recibieseis	hubieses recibido	hubieseis recibido
recibiese	recibiesen	hubiese recibido	hubiesen recibido

R

imperativo

—	recibamos
recibe; no recibas	recibid; no recibáis
reciba	reciban

Words and expressions related to this verb
un recibo   receipt
acusar recibo   to acknowledge receipt
la recepción   reception
recibir a cuenta   to receive on account

de recibo   acceptable; **ser de recibo**   to be
    acceptable
recibirse   to be admitted, to be received,
    to graduate

Don't miss the definitions of basic grammatical terms with
examples in English and Spanish on pages 33–44.

The subject pronouns are found on page 93.

recoger (395)　　Gerundio **recogiendo**　　Part. pas. **recogido**

to pick (up), to gather, to harvest, to collect	Regular **-er** verb endings with spelling change: **g** becomes **j** before **a** or **o**
The Seven Simple Tenses	The Seven Compound Tenses

Singular	Plural	Singular	Plural
1　presente de indicativo		**8　perfecto de indicativo**	
recojo	recogemos	he recogido	hemos recogido
recoges	recogéis	has recogido	habéis recogido
recoge	recogen	ha recogido	han recogido
2　imperfecto de indicativo		**9　pluscuamperfecto de indicativo**	
recogía	recogíamos	había recogido	habíamos recogido
recogías	recogíais	habías recogido	habíais recogido
recogía	recogían	había recogido	habían recogido
3　pretérito		**10　pretérito anterior**	
recogí	recogimos	hube recogido	hubimos recogido
recogiste	recogisteis	hubiste recogido	hubisteis recogido
recogió	recogieron	hubo recogido	hubieron recogido
4　futuro		**11　futuro perfecto**	
recogeré	recogeremos	habré recogido	habremos recogido
recogerás	recogeréis	habrás recogido	habréis recogido
recogerá	recogerán	habrá recogido	habrán recogido
5　potencial simple		**12　potencial compuesto**	
recogería	recogeríamos	habría recogido	habríamos recogido
recogerías	recogeríais	habrías recogido	habríais recogido
recogería	recogerían	habría recogido	habrían recogido
6　presente de subjuntivo		**13　perfecto de subjuntivo**	
recoja	recojamos	haya recogido	hayamos recogido
recojas	recojáis	hayas recogido	hayáis recogido
recoja	recojan	haya recogido	hayan recogido
7　imperfecto de subjuntivo		**14　pluscuamperfecto de subjuntivo**	
recogiera	recogiéramos	hubiera recogido	hubiéramos recogido
recogieras	recogierais	hubieras recogido	hubierais recogido
recogiera	recogieran	hubiera recogido	hubieran recogido
OR		OR	
recogiese	recogiésemos	hubiese recogido	hubiésemos recogido
recogieses	recogieseis	hubieses recogido	hubieseis recogido
recogiese	recogiesen	hubiese recogido	hubiesen recogido

	imperativo	
—	recojamos
recoge; no recojas	recoged; no recojáis
recoja	recojan

Words and expressions related to this verb
la recogida harvest; **la recogida de basuras** garbage collection
un recogegotas drip pan

un recogedor dustpan
recogerse to be withdrawn, isolated
recoger datos to gather information, data

For other words related to this verb, see **coger.**

Gerundio **recomendando**   Part. pas. **recomendado**   **recomendar (396)**

Regular **-ar** verb endings with stem change: Tenses 1, 6, Imperative

to recommend, to commend, to advise

The Seven Simple Tenses		The Seven Compound Tenses	
Singular	Plural	Singular	Plural
1 presente de indicativo		8 perfecto de indicativo	
recomiendo	recomendamos	he recomendado	hemos recomendado
recomiendas	recomendáis	has recomendado	habéis recomendado
recomienda	recomiendan	ha recomendado	han recomendado
2 imperfecto de indicativo		9 pluscuamperfecto de indicativo	
recomendaba	recomendábamos	había recomendado	habíamos recomendado
recomendabas	recomendabais	habías recomendado	habíais recomendado
recomendaba	recomendaban	había recomendado	habían recomendado
3 pretérito		10 pretérito anterior	
recomendé	recomendamos	hube recomendado	hubimos recomendado
recomendaste	recomendasteis	hubiste recomendado	hubisteis recomendado
recomendó	recomendaron	hubo recomendado	hubieron recomendado
4 futuro		11 futuro perfecto	
recomendaré	recomendaremos	habré recomendado	habremos recomendado
recomendarás	recomendaréis	habrás recomendado	habréis recomendado
recomendará	recomendarán	habrá recomendado	habrán recomendado
5 potencial simple		12 potencial compuesto	
recomendaría	recomendaríamos	habría recomendado	habríamos recomendado
recomendarías	recomendaríais	habrías recomendado	habríais recomendado
recomendará	recomendarían	habría recomendado	habrían recomendado
6 presente de subjuntivo		13 perfecto de subjuntivo	
recomiende	recomendemos	haya recomendado	hayamos recomendado
recomiendes	recomendéis	hayas recomendado	hayáis recomendado
recomiende	recomienden	haya recomendado	hayan recomendado
7 imperfecto de subjuntivo		14 pluscuamperfecto de subjuntivo	
recomendara	recomendáramos	hubiera recomendado	hubiéramos recomendado
recomendaras	recomendarais	hubieras recomendado	hubierais recomendado
recomendara	recomendaran	hubiera recomendado	hubieran recomendado
OR		OR	
recomendase	recomendásemos	hubiese recomendado	hubiésemos recomendado
recomendases	recomendaseis	hubieses recomendado	hubieseis recomendado
recomendase	recomendasen	hubiese recomendado	hubiesen recomendado

R

imperativo	
—	recomendemos
recomienda; no recomiendes	recomendad; no recomendéis
recomiende	recomienden

Words related to this verb
la recomendación   recommendation
recomendablemente   commendably

recomendable   commendable, praiseworthy
recomendar + inf.   to urge + inf.

If you want an explanation of meanings and uses of Spanish
and English verb tenses and moods, see pages 13–32.

The subject pronouns are found on page 93.

reconocer (397)   Gerundio **reconociendo**   Part. pas. **reconocido**

to recognize, to acknowledge, to be grateful for	Regular **-er** verb endings with spelling change: **c** becomes **zc** before **a** or **o**
The Seven Simple Tenses	The Seven Compound Tenses

Singular	Plural	Singular	Plural
1 presente de indicativo		**8 perfecto de indicativo**	
reconozco	reconocemos	he reconocido	hemos reconocido
reconoces	reconocéis	has reconocido	habéis reconocido
reconoce	reconocen	ha reconocido	han reconocido
2 imperfecto de indicativo		**9 pluscuamperfecto de indicativo**	
reconocía	reconocíamos	había reconocido	habíamos reconocido
reconocías	reconocíais	habías reconocido	habíais reconocido
reconocía	reconocían	había reconocido	habían reconocido
3 pretérito		**10 pretérito anterior**	
reconocí	reconocimos	hube reconocido	hubimos reconocido
reconociste	reconocisteis	hubiste reconocido	hubisteis reconocido
reconoció	reconocieron	hubo reconocido	hubieron reconocido
4 futuro		**11 futuro perfecto**	
reconoceré	reconoceremos	habré reconocido	habremos reconocido
reconocerás	reconoceréis	habrás reconocido	habréis reconocido
reconocerá	reconocerán	habrá reconocido	habrán reconocido
5 potencial simple		**12 potencial compuesto**	
reconocería	reconoceríamos	habría reconocido	habríamos reconocido
reconocerías	reconoceríais	habrías reconocido	habríais reconocido
reconocería	reconocerían	habría reconocido	habrían reconocido
6 presente de subjuntivo		**13 perfecto de subjuntivo**	
reconozca	reconozcamos	haya reconocido	hayamos reconocido
reconozcas	reconozcáis	hayas reconocido	hayáis reconocido
reconozca	reconozcan	haya reconocido	hayan reconocido
7 imperfecto de subjuntivo		**14 pluscuamperfecto de subjuntivo**	
reconociera	reconociéramos	hubiera reconocido	hubiéramos reconocido
reconocieras	reconocierais	hubieras reconocido	hubierais reconocido
reconociera	reconocieran	hubiera reconocido	hubieran reconocido
OR		OR	
reconociese	reconociésemos	hubiese reconocido	hubiésemos reconocido
reconocieses	reconocieseis	hubieses reconocido	hubieseis reconocido
reconociese	reconociesen	hubiese reconocido	hubiesen reconocido

imperativo	
—	reconozcamos
reconoce; no reconozcas	reconoced; no reconozcáis
reconozca	reconozcan

Words related to this verb
reconocible recognizable
el reconocimiento recognition, gratitude
el reconocimiento de la voz voice recognition
reconocimiento médico medical examination
reconocidamente gratefully

For other words and expressions related to this verb, see **conocer.**

Regular **-ar** verb endings with stem   to remember, to recall, to remind
change: Tenses 1, 6, Imperative

The Seven Simple Tenses		The Seven Compound Tenses	
Singular	Plural	Singular	Plural
1 presente de indicativo		8 perfecto de indicativo	
recuerdo	**recordamos**	**he recordado**	**hemos recordado**
recuerdas	**recordáis**	**has recordado**	**habéis recordado**
recuerda	**recuerdan**	**ha recordado**	**han recordado**
2 imperfecto de indicativo		9 pluscuamperfecto de indicativo	
recordaba	**recordábamos**	**había recordado**	**habíamos recordado**
recordabas	**recordabais**	**habías recordado**	**habíais recordado**
recordaba	**recordaban**	**había recordado**	**habían recordado**
3 pretérito		10 pretérito anterior	
recordé	**recordamos**	**hube recordado**	**hubimos recordado**
recordaste	**recordasteis**	**hubiste recordado**	**hubisteis recordado**
recordó	**recordaron**	**hubo recordado**	**hubieron recordado**
4 futuro		11 futuro perfecto	
recordaré	**recordaremos**	**habré recordado**	**habremos recordado**
recordarás	**recordaréis**	**habrás recordado**	**habréis recordado**
recordará	**recordarán**	**habrá recordado**	**habrán recordado**
5 potencial simple		12 potencial compuesto	
recordaría	**recordaríamos**	**habría recordado**	**habríamos recordado**
recordarías	**recordaríais**	**habrías recordado**	**habríais recordado**
recordaría	**recordarían**	**habría recordado**	**habrían recordado**
6 presente de subjuntivo		13 perfecto de subjuntivo	
recuerde	**recordemos**	**haya recordado**	**hayamos recordado**
recuerdes	**recordéis**	**hayas recordado**	**hayáis recordado**
recuerde	**recuerden**	**haya recordado**	**hayan recordado**
7 imperfecto de subjuntivo		14 pluscuamperfecto de subjuntivo	
recordara	**recordáramos**	**hubiera recordado**	**hubiéramos recordado**
recordaras	**recordarais**	**hubieras recordado**	**hubierais recordado**
recordara	**recordaran**	**hubiera recordado**	**hubieran recordado**
OR		OR	
recordase	**recordásemos**	**hubiese recordado**	**hubiésemos recordado**
recordases	**recordaseis**	**hubieses recordado**	**hubieseis recordado**
recordase	**recordasen**	**hubiese recordado**	**hubiesen recordado**

imperativo	
—	**recordemos**
recuerda; no recuerdes	**recordad; no recordéis**
recuerde	**recuerden**

Words and expressions related to this verb

el recuerdo   memory, recollection
los recuerdos   regards, compliments
recordable   memorable
el récord   record
una tienda de recuerdos   souvenir shop

recordar algo a uno   to remind someone of something
un recordatorio   memento, reminder
cuerdo   rational, sensible
cuerdamente   sensibly

The subject pronouns are found on page 93.   **533**

reducir (399)　Gerundio **reduciendo**　Part. pas. **reducido**

to reduce | Irregular in Tenses 3 and 7, regular **-ir** verb endings in all others; spelling change: **c** becomes **zc** before **a** or **o**

The Seven Simple Tenses		The Seven Compound Tenses	
Singular	Plural	Singular	Plural
1　presente de indicativo		8　perfecto de indicativo	
reduzco	**reducimos**	**he reducido**	**hemos reducido**
reduces	**reducís**	**has reducido**	**habéis reducido**
reduce	**reducen**	**ha reducido**	**han reducido**
2　imperfecto de indicativo		9　pluscuamperfecto de indicativo	
reducía	**reducíamos**	**había reducido**	**habíamos reducido**
reducías	**reducíais**	**habías reducido**	**habíais reducido**
reducía	**reducían**	**había reducido**	**habían reducido**
3　pretérito		10　pretérito anterior	
reduje	**redujimos**	**hube reducido**	**hubimos reducido**
redujiste	**redujisteis**	**hubiste reducido**	**hubisteis reducido**
redujo	**redujeron**	**hubo reducido**	**hubieron reducido**
4　futuro		11　futuro perfecto	
reduciré	**reduciremos**	**habré reducido**	**habremos reducido**
reducirás	**reduciréis**	**habrás reducido**	**habréis reducido**
reducirá	**reducirán**	**habrá reducido**	**habrán reducido**
5　potencial simple		12　potencial compuesto	
reduciría	**reduciríamos**	**habría reducido**	**habríamos reducido**
reducirías	**reduciríais**	**habrías reducido**	**habríais reducido**
reduciría	**reducirían**	**habría reducido**	**habrían reducido**
6　presente de subjuntivo		13　perfecto de subjuntivo	
reduzca	**reduzcamos**	**haya reducido**	**hayamos reducido**
reduzcas	**reduzcáis**	**hayas reducido**	**hayáis reducido**
reduzca	**reduzcan**	**haya reducido**	**hayan reducido**
7　imperfecto de subjuntivo		14　pluscuamperfecto de subjuntivo	
redujera	**redujéramos**	**hubiera reducido**	**hubiéramos reducido**
redujeras	**redujerais**	**hubieras reducido**	**hubierais reducido**
redujera	**redujeran**	**hubiera reducido**	**hubieran reducido**
OR		OR	
redujese	**redujésemos**	**hubiese reducido**	**hubiésemos reducido**
redujeses	**redujeseis**	**hubieses reducido**	**hubieseis reducido**
redujese	**redujesen**	**hubiese reducido**	**hubiesen reducido**

imperativo

—	**reduzcamos**
reduce; no reduzcas	**reducid; no reduzcáis**
reduzca	**reduzcan**

Words and expressions related to this verb
reducido, reducida reduced
reducible reducible
la reducibilidad reducibility

la reducción reduction
reducirse to be reduced
la reductibilidad reductibility

Regular **-ir** verb endings with stem change: to refer, to relate
Tenses 1, 3, 6, 7, Imperative, Gerundio

The Seven Simple Tenses		The Seven Compound Tenses	
Singular	Plural	Singular	Plural
1 presente de indicativo		8 perfecto de indicativo	
refiero	**referimos**	**he referido**	**hemos referido**
refieres	**referís**	**has referido**	**habéis referido**
refiere	**refieren**	**ha referido**	**han referido**
2 imperfecto de indicativo		9 pluscuamperfecto de indicativo	
refería	**referíamos**	**había referido**	**habíamos referido**
referías	**referíais**	**habías referido**	**habíais referido**
refería	**referían**	**había referido**	**habían referido**
3 pretérito		10 pretérito anterior	
referí	**referimos**	**hube referido**	**hubimos referido**
referiste	**referisteis**	**hubiste referido**	**hubisteis referido**
refirió	**refirieron**	**hubo referido**	**hubieron referido**
4 futuro		11 futuro perfecto	
referiré	**referiremos**	**habré referido**	**habremos referido**
referirás	**referiréis**	**habrás referido**	**habréis referido**
referirá	**referirán**	**habrá referido**	**habrán referido**
5 potencial simple		12 potencial compuesto	
referiría	**referiríamos**	**habría referido**	**habríamos referido**
referirías	**referiríais**	**habrías referido**	**habríais referido**
referiría	**referirían**	**habría referido**	**habrían referido**
6 presente de subjuntivo		13 perfecto de subjuntivo	
refiera	**refiramos**	**haya referido**	**hayamos referido**
refieras	**refiráis**	**hayas referido**	**hayáis referido**
refiera	**refieran**	**haya referido**	**hayan referido**
7 imperfecto de subjuntivo		14 pluscuamperfecto de subjuntivo	
refiriera	**refiriéramos**	**hubiera referido**	**hubiéramos referido**
refirieras	**refirieras**	**hubieras referido**	**hubierais referido**
refiriera	**refirieran**	**hubiera referido**	**hubieran referido**
OR		OR	
refiriese	**refiriésemos**	**hubiese referido**	**hubiésemos referido**
refirieses	**refirieseis**	**hubieses referido**	**hubieseis referido**
refiriese	**refiriesen**	**hubiese referido**	**hubiesen referido**

	imperativo	
—		**refiramos**
refiere; no refieras		**referid; no refiráis**
refiera		**refieran**

Words related to this verb
la referencia reference, account (narration)   **preferir** to prefer
referente concerning, referring, relating (to)   **el referido; la referida** the person referred to
el referéndum referendum   **conferir** to confer, to grant
transferir to transfer

R

The subject pronouns are found on page 93.

to give as a present, to make a
present of, to give as a gift

Regular **-ar** verb

The Seven Simple Tenses | The Seven Compound Tenses

Singular	Plural	Singular	Plural
1 presente de indicativo		8 perfecto de indicativo	
regalo	regalamos	he regalado	hemos regalado
regalas	regaláis	has regalado	habéis regalado
regala	regalan	ha regalado	han regalado
2 imperfecto de indicativo		9 pluscuamperfecto de indicativo	
regalaba	regalábamos	había regalado	habíamos regalado
regalabas	regalabais	habías regalado	habíais regalado
regalaba	regalaban	había regalado	habían regalado
3 pretérito		10 pretérito anterior	
regalé	regalamos	hube regalado	hubimos regalado
regalaste	regalasteis	hubiste regalado	hubisteis regalado
regaló	regalaron	hubo regalado	hubieron regalado
4 futuro		11 futuro perfecto	
regalaré	regalaremos	habré regalado	habremos regalado
regalarás	regalaréis	habrás regalado	habréis regalado
regalará	regalarán	habrá regalado	habrán regalado
5 potencial simple		12 potencial compuesto	
regalaría	regalaríamos	habría regalado	habríamos regalado
regalarías	regalaríais	habrías regalado	habríais regalado
regalaría	regalarían	habría regalado	habrían regalado
6 presente de subjuntivo		13 perfecto de subjuntivo	
regale	regalemos	haya regalado	hayamos regalado
regales	regaléis	hayas regalado	hayáis regalado
regale	regalen	haya regalado	hayan regalado
7 imperfecto de subjuntivo		14 pluscuamperfecto de subjuntivo	
regalara	regaláramos	hubiera regalado	hubiéramos regalado
regalaras	regalarais	hubieras regalado	hubierais regalado
regalara	regalaran	hubiera regalado	hubieran regalado
OR		OR	
regalase	regalásemos	hubiese regalado	hubiésemos regalado
regalases	regalaseis	hubieses regalado	hubieseis regalado
regalase	regalasen	hubiese regalado	hubiesen regalado

imperativo

—	regalemos
regala; no regales	regalad; no regaléis
regale	regalen

Words and expressions related to this verb
regalar el oído to flatter
un regalo gift, present
regaladamente comfortably

un regalejo small gift
de regalo free, gratis, complimentary

Get acquainted with what preposition goes with what verb on pages 669–677.

Gerundio **regando**   Part. pas. **regado**   **regar (402)**

Regular **-ar** verb endings with spelling change: **g** becomes   to water, to irrigate,
gu before **e**; stem change: Tense 1, 6, Imperative   to sprinkle

The Seven Simple Tenses		The Seven Compound Tenses	
Singular	Plural	Singular	Plural
1 presente de indicativo		8 perfecto de indicativo	
riego	**regamos**	**he regado**	**hemos regado**
riegas	**regáis**	**has regado**	**habéis regado**
riega	**riegan**	**ha regado**	**han regado**
2 imperfecto de indicativo		9 pluscuamperfecto de indicativo	
regaba	**regábamos**	**había regado**	**habíamos regado**
regabas	**regabais**	**habías regado**	**habíais regado**
regaba	**regaban**	**había regado**	**habían regado**
3 pretérito		10 pretérito anterior	
regué	**regamos**	**hube regado**	**hubimos regado**
regaste	**regasteis**	**hubiste regado**	**hubisteis regado**
regó	**regaron**	**hubo regado**	**hubieron regado**
4 futuro		11 futuro perfecto	
regaré	**regaremos**	**habré regado**	**habremos regado**
regarás	**regaréis**	**habrás regado**	**habréis regado**
regará	**regarán**	**habrá regado**	**habrán regado**
5 potencial simple		12 potencial compuesto	
regaría	**regaríamos**	**habría regado**	**habríamos regado**
regarías	**regaríais**	**habrías regado**	**habríais regado**
regaría	**regarían**	**habría regado**	**habrían regado**
6 presente de subjuntivo		13 perfecto de subjuntivo	
riegue	**reguemos**	**haya regado**	**hayamos regado**
riegues	**reguéis**	**hayas regado**	**hayáis regado**
riegue	**rieguen**	**haya regado**	**hayan regado**
7 imperfecto de subjuntivo		14 pluscuamperfecto de subjuntivo	
regara	**regáramos**	**hubiera regado**	**hubiéramos regado**
regaras	**regarais**	**hubieras regado**	**hubierais regado**
regara	**regaran**	**hubiera regado**	**hubieran regado**
OR		OR	
regase	**regásemos**	**hubiese regado**	**hubiésemos regado**
regases	**regaseis**	**hubieses regado**	**hubieseis regado**
regase	**regasen**	**hubiese regado**	**hubiesen regado**

R

imperativo

—	**reguemos**
riega; no riegues	**regad; no reguéis**
riegue	**rieguen**

Words and expressions related to this verb
una regata   regatta, boat race; irrigation ditch
el riego   irrigation, sprinkling, watering
irrigar   to irrigate
la irrigación   irrigation

boca de riego   hydrant
una regadora   water sprinkler
una regadura   sprinkling, watering

The subject pronouns are found on page 93.   **537**

to return, to go back, to regress   Regular **-ar** verb

The Seven Simple Tenses		The Seven Compound Tenses	
Singular	Plural	Singular	Plural
1 presente de indicativo		8 perfecto de indicativo	
regreso	regresamos	he regresado	hemos regresado
regresas	regresáis	has regresado	habéis regresado
regresa	regresan	ha regresado	han regresado
2 imperfecto de indicativo		9 pluscuamperfecto de indicativo	
regresaba	regresábamos	había regresado	habíamos regresado
regresabas	regresabais	habías regresado	habíais regresado
regresaba	regresaban	había regresado	habían regresado
3 pretérito		10 pretérito anterior	
regresé	regresamos	hube regresado	hubimos regresado
regresaste	regresasteis	hubiste regresado	hubisteis regresado
regresó	regresaron	hubo regresado	hubieron regresado
4 futuro		11 futuro perfecto	
regresaré	regesaremos	habré regresado	habremos regresado
regresarás	regresaréis	habrás regresado	habréis regresado
regresará	regresarán	habrá regresado	habrán regresado
5 potencial simple		12 potencial compuesto	
regresaría	regresaríamos	habría regresado	habríamos regresado
regresarías	regresaríais	habrías regresado	habríais regresado
regresaría	regresarían	habría regresado	habrían regresado
6 presente de subjuntivo		13 perfecto de subjuntivo	
regrese	regresemos	haya regresado	hayamos regresado
regreses	regreséis	hayas regresado	hayáis regresado
regrese	regresen	haya regresado	hayan regresado
7 imperfecto de subjuntivo		14 pluscuamperfecto de subjuntivo	
regresara	regresáramos	hubiera regresado	hubiéramos regresado
regresaras	regresarais	hubieras regresado	hubierais regresado
regresara	regresaran	hubiera regresado	hubieran regresado
OR		OR	
regresase	regresásemos	hubiese regresado	hubiésemos regresado
regreases	regresaseis	hubieses regresado	hubieseis regresado
regresase	regresasen	hubiese regresado	hubiesen regresado

imperativo	
—	regresemos
regresa; no regreses	regresad; no regreséis
regrese	regresen

Words and expressions related to this verb

progresar to progress	**el regreso** return
la regresión regression	**estar de regreso** to be back (from a trip)
regresivo, regresiva regressive	**egresado, egresada** graduate
progresar to advance, to progress	**egresar** to graduate

538

Regular **-ir** verb endings with stem change: to laugh
Tenses 1, 3, 6, 7, Imperative, Gerundio

The Seven Simple Tenses		The Seven Compound Tenses	
Singular	Plural	Singular	Plural
1 presente de indicativo		8 perfecto de indicativo	
río	reímos	he reído	hemos reído
ríes	reís	has reído	habéis reído
ríe	ríen	ha reído	han reído
2 imperfecto de indicativo		9 pluscuamperfecto de indicativo	
reía	reíamos	había reído	habíamos reído
reías	reíais	habías reído	habíais reído
reía	reían	había reído	habían reído
3 pretérito		10 pretérito anterior	
reí	reímos	hube reído	hubimos reído
reíste	reísteis	hubiste reído	hubisteis reído
rió	rieron	hubo reído	hubieron reído
4 futuro		11 futuro perfecto	
reiré	reiremos	habré reído	habremos reído
reirás	reiréis	habrás reído	habréis reído
reirá	reirán	habrá reído	habrán reído
5 potencial simple		12 potencial compuesto	
reiría	reiríamos	habría reído	habríamos reído
reirías	reiríais	habrías reído	habríais reído
reiría	reirían	habría reído	habrían reído
6 presente de subjuntivo		13 perfecto de subjuntivo	
ría	riamos	haya reído	hayamos reído
rías	riáis	hayas reído	hayáis reído
ría	rían	haya reído	hayan reído
7 imperfecto de subjuntivo		14 pluscuamperfecto de subjuntivo	
riera	riéramos	hubiera reído	hubiéramos reído
rieras	rierais	hubieras reído	hubierais reído
riera	rieran	hubiera reído	hubieran reído
OR		OR	
riese	riésemos	hubiese reído	hubiésemos reído
rieses	rieseis	hubieses reído	hubieseis reído
riese	riesen	hubiese reído	hubiesen reído

R

imperativo

—	riamos
ríe; no rías	reíd; no riáis
ría	rían

Common idiomatic expressions using this verb
reír a carcajadas   to laugh loudly   **risible**   laughable
reír de   to laught at, to make fun of   **risueño, risueña**   smiling
la risa   laugh, laughter   **soltar la risa**   to burst out in laughter

For additional words and expressions related to this verb, see **sonreír** and **reírse.**

The subject pronouns are found on page 93.   **539**

to laugh

Reflexive verb; regular **-ir** verb endings with stem change: Tenses 1, 3, 6, 7, Imperative, Gerundio

The Seven Simple Tenses		The Seven Compound Tenses	
Singular	Plural	Singular	Plural
1 presente de indicativo		8 perfecto de indicativo	
me río	**nos reímos**	**me he reído**	**nos hemos reído**
te ríes	**os reís**	**te has reído**	**os habéis reído**
se ríe	**se ríen**	**se ha reído**	**se han reído**
2 imperfecto de indicativo		9 pluscuamperfecto de indicativo	
me reía	**nos reíamos**	**me había reído**	**nos habíamos reído**
te reías	**os reíais**	**te habías reído**	**os habíais reído**
se reía	**se reían**	**se había reído**	**se habían reído**
3 pretérito		10 pretérito anterior	
me reí	**nos reímos**	**me hube reído**	**nos hubimos reído**
te reíste	**os reísteis**	**te hubiste reído**	**os hubisteis reído**
se rió	**se rieron**	**se hubo reído**	**se hubieron reído**
4 futuro		11 futuro perfecto	
me reiré	**nos reiremos**	**me habré reído**	**nos habremos reído**
te reirás	**os reiréis**	**te habrás reído**	**os habréis reído**
se reirá	**se reirán**	**se habrá reído**	**se habrán reído**
5 potencial simple		12 potencial compuesto	
me reiría	**nos reiríamos**	**me habría reído**	**nos habríamos reído**
te reirías	**os reiríais**	**te habrías reído**	**os habríais reído**
se reiría	**se reirían**	**se habría reído**	**se habrían reído**
6 presente de subjuntivo		13 perfecto de subjuntivo	
me ría	**nos riamos**	**me haya reído**	**nos hayamos reído**
te rías	**os riáis**	**te hayas reído**	**os hayáis reído**
se ría	**se rían**	**se haya reído**	**se hayan reído**
7 imperfecto de subjuntivo		14 pluscuamperfecto de subjuntivo	
me riera	**nos riéramos**	**me hubiera reído**	**nos hubiéramos reído**
te rieras	**os rierais**	**te hubieras reído**	**os hubierais reído**
se riera	**se rieran**	**se hubiera reído**	**se hubieran reído**
OR		OR	
me riese	**nos riésemos**	**me hubiese reído**	**nos hubiésemos reído**
te rieses	**os rieseis**	**te hubieses reído**	**os hubieseis reído**
se riese	**se riesen**	**se hubiese reído**	**se hubiesen reído**

	imperativo	
—		**riámonos**
ríete; no te rías		**reíos; no os riáis**
ríase		**ríanse**

Words and expressions related to this verb
reírse de   to laugh at, to make fun of
reírse de uno en sus propias barbas
  to laugh up one's sleeve
una cosa de risa   a laughing matter

reír a carcajadas   to laugh loudly
la risa   laughter; **¡Qué risa!**   What a laugh!
reírse en las barbas de alguien   to laugh in
  someone's face

For other words related to this verb, see **sonreír** and **reír**.

Regular **-ar** verb to refill, to fill again, to stuff

The Seven Simple Tenses		The Seven Compound Tenses	
Singular	Plural	Singular	Plural
1 presente de indicativo		8 perfecto de indicativo	
relleno	**rellenamos**	**he rellenado**	**hemos rellenado**
rellenas	**rellenáis**	**has rellenado**	**habéis rellenado**
rellena	**rellenan**	**ha rellenado**	**han rellenado**
2 imperfecto de indicativo		9 pluscuamperfecto de indicativo	
rellenaba	**rellenábamos**	**había rellenado**	**habíamos rellenado**
rellenabas	**rellenabais**	**habías rellenado**	**habíais rellenado**
rellenaba	**rellenaban**	**había rellenado**	**habían rellenado**
3 pretérito		10 pretérito anterior	
rellené	**rellenamos**	**hube rellenado**	**hubimos rellenado**
rellenaste	**rellenasteis**	**hubiste rellenado**	**hubisteis rellenado**
rellenó	**rellenaron**	**hubo rellenado**	**hubieron rellenado**
4 futuro		11 futuro perfecto	
rellenaré	**rellenaremos**	**habré rellenado**	**habremos rellenado**
rellenarás	**rellenaréis**	**habrás rellenado**	**habréis rellenado**
rellenará	**rellenarán**	**habrá rellenado**	**habrán rellenado**
5 potencial simple		12 potencial compuesto	
rellenaría	**rellenaríamos**	**habría rellenado**	**habríamos rellenado**
rellenarías	**rellenaríais**	**habrías rellenado**	**habríais rellenado**
rellenaría	**rellenarían**	**habría rellenado**	**habrían rellenado**
6 presente de subjuntivo		13 perfecto de subjuntivo	
rellene	**rellenemos**	**haya rellenado**	**hayamos rellenado**
rellenes	**rellenéis**	**hayas rellenado**	**hayáis rellenado**
rellene	**rellenen**	**haya rellenado**	**hayan rellenado**
7 imperfecto de subjuntivo		14 pluscuamperfecto de subjuntivo	
rellenara	**rellenáramos**	**hubiera rellenado**	**hubiéramos rellenado**
rellenaras	**rellenarais**	**hubieras rellenado**	**hubierais rellenado**
rellenara	**rellenaran**	**hubiera rellenado**	**hubieran rellenado**
OR		OR	
rellenase	**rellenásemos**	**hubiese rellenado**	**hubiésemos rellenado**
rellenases	**rellenaseis**	**hubieses rellenado**	**hubieseis rellenado**
rellenase	**rellenasen**	**hubiese rellenado**	**hubiesen rellenado**

R

imperativo	
—	**rellenemos**
rellena; no rellenes	**rellenad; no rellenéis**
rellene	**rellenen**

Words and expressions related to this verb
el relleno filling, stuffing
relleno, rellena stuffed, filled
rellenable refillable
rellenarse to stuff oneself with food
For other words and expressions related to this verb, see **llenar.**

Don't miss the definitions of basic grammatical terms with examples
in English and Spanish on pages 33–44.

The subject pronouns are found on page 93.

remitir (407)

Gerundio **remitiendo**

Part. pas. **remitido**

to remit, to forward, to transmit

Regular **-ir** verb

The Seven Simple Tenses		The Seven Compound Tenses	
Singular	Plural	Singular	Plural
1 presente de indicativo		8 perfecto de indicativo	
remito	remitimos	he remitido	hemos remitido
remites	remitís	has remitido	habéis remitido
remite	remiten	ha remitido	han remitido
2 imperfecto de indicativo		9 pluscuamperfecto de indicativo	
remitía	remitíamos	había remitido	habíamos remitido
remitías	remitíais	habías remitido	habíais remitido
remitía	remitían	había remitido	habían remitido
3 pretérito		10 pretérito anterior	
remití	remitimos	hube remitido	hubimos remitido
remitise	remitisteis	hubiste remitido	hubisteis remitido
remitió	remitieron	hubo remitido	hubieron remitido
4 futuro		11 futuro perfecto	
remitiré	remitiremos	habré remitido	habremos remitido
remitirás	remitiréis	habrás remitido	habréis remitido
remitirá	remitirán	habrá remitido	habrán remitido
5 potencial simple		12 potencial compuesto	
remitiría	remitiríamos	habría remitido	habríamos remitido
remitirías	remitiríais	habrías remitido	habríais remitido
remitiría	remitirían	habría remitido	habrían remitido
6 presente de subjuntivo		13 perfecto de subjuntivo	
remita	remitamos	haya remitido	hayamos remitido
remitas	remitáis	hayas remitido	hayáis remitido
remita	remitan	haya remitido	hayan remitido
7 imperfecto de subjuntivo		14 pluscuamperfecto de subjuntivo	
remitiera	remitiéramos	hubiera remitido	hubiéramos remitido
remitieras	remitierais	hubieras remitido	hubierais remitido
remitiera	remitieran	hubiera remitido	hubieran remitido
OR		OR	
remitiese	remitiésemos	hubiese remitido	hubiésemos remitido
remitieses	remitieseis	hubieses remitido	hubieseis remitido
remitiese	remitiesen	hubiese remitido	hubiesen remitido

imperativo	
—	remitamos
remite; no remitas	remitid; no remitáis
remita	remitan

Words and expressions related to this verb
remitirse a   to refer oneself to
el, la remitente   sender, shipper

la remisión   remission
la remisión de los pecados   remission of sins

> If you want an explanation of meanings and uses of Spanish and
> English verb tenses and moods, see pages 13–32.

Regular **-ir** verb endings in all tenses except Tenses 3 and   to scold, to quarrel
7; stem change: Tenses 1, 3, 6, 7, Imperative, Gerundio

The Seven Simple Tenses		The Seven Compound Tenses	
Singular	Plural	Singular	Plural
1 presente de indicativo		8 perfecto de indicativo	
riño	**reñimos**	**he reñido**	**hemos reñido**
riñes	**reñís**	**has reñido**	**habéis reñido**
riñe	**riñen**	**ha reñido**	**han reñido**
2 imperfecto de indicativo		9 pluscuamperfecto de indicativo	
reñía	**reñíamos**	**había reñido**	**habíamos reñido**
reñías	**reñíais**	**habías reñido**	**habíais reñido**
reñía	**reñían**	**había reñido**	**habían reñido**
3 pretérito		10 pretérito anterior	
reñí	**reñimos**	**hube reñido**	**hubimos reñido**
reñiste	**reñisteis**	**hubiste reñido**	**hubisteis reñido**
riñó	**riñeron**	**hubo reñido**	**hubieron reñido**
4 futuro		11 futuro perfecto	
reñiré	**reñiremos**	**habré reñido**	**habremos reñido**
reñirás	**reñiréis**	**habrás reñido**	**habréis reñido**
reñirá	**reñirán**	**habrá reñido**	**habrán reñido**
5 potencial simple		12 potencial compuesto	
reñiría	**reñiríamos**	**habría reñido**	**habríamos reñido**
reñirías	**reñiríais**	**habrías reñido**	**habríais reñido**
reñiría	**reñirían**	**habría reñido**	**habrían reñido**
6 presente de subjuntivo		13 perfecto de subjuntivo	
riña	**riñamos**	**haya reñido**	**hayamos reñido**
riñas	**riñáis**	**hayas reñido**	**hayáis reñido**
riña	**riñan**	**haya reñido**	**hayan reñido**
7 imperfecto de subjuntivo		14 pluscuamperfecto de subjuntivo	
riñera	**riñéramos**	**hubiera reñido**	**hubiéramos reñido**
riñeras	**riñerais**	**hubieras reñido**	**hubierais reñido**
riñera	**riñeran**	**hubiera reñido**	**hubieran reñido**
OR		OR	
riñese	**riñésemos**	**hubiese reñido**	**hubiésemos reñido**
riñeses	**riñeseis**	**hubieses reñido**	**hubieseis reñido**
riñese	**riñesen**	**hubiese reñido**	**hubiesen reñido**

imperativo	
—	**riñamos**
riñe; no riñas	**reñid; no riñáis**
riña	**riñan**

Words and expressions related to this verb
reñidor, reñidora quarreller
reñidamente stubbornly
reñir por to fight over

la riña quarrel, fight
reñir a alguien to tell someone off
una reñidura scolding

If you don't know the Spanish verb for the English verb you have
in mind, look it up in the index on pages 682–706.

The subject pronouns are found on page 93.   **543**

to mend, to repair, to notice, to observe　　Regular **-ar** verb

The Seven Simple Tenses		The Seven Compound Tenses	
Singular	Plural	Singular	Plural
1　presente de indicativo		8　perfecto de indicativo	
reparo	reparamos	he reparado	hemos reparado
reparas	reparáis	has reparado	habéis reparado
repara	reparan	ha reparado	han reparado
2　imperfecto de indicativo		9　pluscuamperfecto de indicativo	
reparaba	reparábamos	había reparado	habíamos reparado
reparabas	reparabais	habías reparado	habíais reparado
reparaba	reparaban	había reparado	habían reparado
3　pretérito		10　pretérito anterior	
reparé	reparamos	hube reparado	hubimos reparado
reparaste	reparasteis	hubiste reparado	hubisteis reparado
reparó	repararon	hubo reparado	hubieron reparado
4　futuro		11　futuro perfecto	
repararé	repararemos	habré reparado	habremos reparado
repararás	repararéis	habrás reparado	habréis reparado
reparará	repararán	habrá reparado	habrán reparado
5　potencial simple		12　potencial compuesto	
repararía	repararíamos	habría reparado	habríamos reparado
repararías	repararíais	habrías reparado	habríais reparado
repararía	repararían	habría reparado	habrían reparado
6　presente de subjuntivo		13　perfecto de subjuntivo	
repare	reparemos	haya reparado	hayamos reparado
repares	reparéis	hayas reparado	hayáis reparado
repare	reparen	haya reparado	hayan reparado
7　imperfecto de subjuntivo		14　pluscuamperfecto de subjuntivo	
reparara	reparáramos	hubiera reparado	hubiéramos reparado
repararas	repararais	hubieras reparado	hubierais reparado
reparara	repararan	hubiera reparado	hubieran reparado
OR		OR	
reparse	reparásemos	hubiese reparado	hubiésemos reparado
reparases	reparaseis	hubieses reparado	hubieseis reparado
reparse	reparasen	hubiese reparado	hubiesen reparado

imperativo	
—	reparemos
repara; no repares	reparad; no reparéis
repare	reparen

Words and expressions related to this verb

reparar en　to notice, to pay attention to
un reparo　repairs, repairing; notice
una reparación　repairing, reparation

reparaciones provisionales　temporary repairs
reparable　reparable; noteworthy
un reparador, una reparadora　repairer

Can't find the verb you're looking for?
Check the back pages of this book for a list of over 2,100 additional verbs!

The Seven Simple Tenses		The Seven Compound Tenses	
Singular	Plural	Singular	Plural
1 presente de indicativo		8 perfecto de indicativo	
reparto	**repartimos**	**he repartido**	**hemos repartido**
repartes	**repartís**	**has repartido**	**habéis repartido**
reparte	**reparten**	**ha repartido**	**han repartido**
2 imperfecto de indicativo		9 pluscuamperfecto de indicativo	
repartía	**repartíamos**	**había repartido**	**habíamos repartido**
repartías	**repartíais**	**habías repartido**	**habíais repartido**
repartía	**repartían**	**había repartido**	**habían repartido**
3 pretérito		10 pretérito anterior	
repartí	**repartimos**	**hube repartido**	**hubimos repartido**
repartiste	**repartisteis**	**hubiste repartido**	**hubisteis repartido**
repartió	**repartieron**	**hubo repartido**	**hubieron repartido**
4 futuro		11 futuro perfecto	
repartiré	**repartiremos**	**habré repartido**	**habremos repartido**
repartirás	**repartiréis**	**habrás repartido**	**habréis repartido**
repartirá	**repartirán**	**habrá repartido**	**habrán repartido**
5 potencial simple		12 potencial compuesto	
repartiría	**repartiríamos**	**habría repartido**	**habríamos repartido**
repartirías	**repartiríais**	**habrías repartido**	**habríais repartido**
repartiría	**repartirían**	**habría repartido**	**habrían repartido**
6 presente de subjuntivo		13 perfecto de subjuntivo	
reparta	**repartamos**	**haya repartido**	**hayamos repartido**
repartas	**repartáis**	**hayas repartido**	**hayáis repartido**
reparta	**repartan**	**haya repartido**	**hayan repartido**
7 imperfecto de subjuntivo		14 pluscuamperfecto de subjuntivo	
repartiera	**repartiéramos**	**hubiera repartido**	**hubiéramos repartido**
repartieras	**repartierais**	**hubieras repartido**	**hubierais repartido**
repartiera	**repartieran**	**hubiera repartido**	**hubieran repartido**
OR		OR	
repartiese	**repartiésemos**	**hubiese repartido**	**hubiésemos repartido**
repartieses	**repartieseis**	**hubieses repartido**	**hubieseis repartido**
repartiese	**repartiesen**	**hubiese repartido**	**hubiesen repartido**

R

imperativo	
—	**repartamos**
reparte; no repartas	**repartid; no repartáis**
reparta	**repartan**

Words and expressions related to this verb
repartir un dividendo to declare a dividend
la repartición, el repartimiento distribution

el reparto distribution, cast (of actors)
repartible distributable

See also **partir.**

Do you need more drills? Have fun with the *501 Spanish Verbs* CD-ROM!

repetir (411)

Gerundio **repitiendo**

Part. pas. **repetido**

to repeat

Regular **-ir** verb endings with stem change:
Tenses 1, 3, 6, 7, Imperative, Gerundio

The Seven Simple Tenses		The Seven Compound Tenses	
Singular	Plural	Singular	Plural
1 presente de indicativo		8 perfecto de indicativo	
repito	repetimos	he repetido	hemos repetido
repites	repetís	has repetido	habéis repetido
repite	repiten	ha repetido	han repetido
2 imperfecto de indicativo		9 pluscuamperfecto de indicativo	
repetía	repetíamos	había repetido	habíamos repetido
repetías	repetíais	habías repetido	habíais repetido
repetía	repetían	había repetido	habían repetido
3 pretérito		10 pretérito anterior	
repetí	repetimos	hube repetido	hubimos repetido
repetiste	repetisteis	hubiste repetido	hubisteis repetido
repitió	repitieron	hubo repetido	hubieron repetido
4 futuro		11 futuro perfecto	
repetiré	repetiremos	habré repetido	habremos repetido
repetirás	repetiréis	habrás repetido	habréis repetido
repetirá	repetirán	habrá repetido	habrán repetido
5 potencial simple		12 potencial compuesto	
repetiría	repetiríamos	habría repetido	habríamos repetido
repetirías	repetiríais	habrías repetido	habríais repetido
repetiría	repetirían	habría repetido	habrían repetido
6 presente de subjuntivo		13 perfecto de subjuntivo	
repita	repitamos	haya repetido	hayamos repetido
repitas	repitáis	hayas repetido	hayáis repetido
repita	repitan	haya repetido	hayan repetido
7 imperfecto de subjuntivo		14 pluscuamperfecto de subjuntivo	
repitiera	repitiéramos	hubiera repetido	hubiéramos repetido
repitieras	repitierais	hubieras repetido	hubierais repetido
repitiera	repitieran	hubiera repetido	hubieran repetido
OR		OR	
repitiese	repitiésemos	hubiese repetido	hubiésemos repetido
repitieses	repitieseis	hubieses repetido	hubieseis repetido
repitiese	repitiesen	hubiese repetido	hubiesen repetido

	imperativo	
—	**repitamos**
repite; no repitas	**repetid; no repitáis**
repita	**repitan**

Words related to this verb
la repetición repetition
repetidamente repeatedly
repetidor, repetidora repeating

repetidas veces over and over again
repetido, repetida repeated
¡Que se repita! Encore!

Review the principal parts of important Spanish verbs on pages 9–10.

Regular **-er** verb endings with stem change: to resolve, to solve (a problem)
Tenses 1, 6, Imperative, Past Participle

The Seven Simple Tenses		The Seven Compound Tenses	
Singular	Plural	Singular	Plural
1 presente de indicativo		8 perfecto de indicativo	
resuelvo	**resolvemos**	**he resuelto**	**hemos resuelto**
resuelves	**resolvéis**	**has resuelto**	**habéis resuelto**
resuelve	**resuelven**	**ha resuelto**	**han resuelto**
2 imperfecto de indicativo		9 pluscuamperfecto de indicativo	
resolvía	**resolvíamos**	**había resuelto**	**habíamos resuelto**
resolvías	**resolvíais**	**habías resuelto**	**habíais resuelto**
resolvía	**resolvían**	**había resuelto**	**habían resuelto**
3 pretérito		10 pretérito anterior	
resolví	**resolvimos**	**hube resuelto**	**hubimos resuelto**
resolviste	**resolvisteis**	**hubiste resuelto**	**hubisteis resuelto**
resolvió	**resolvieron**	**hubo resuelto**	**hubieron resuelto**
4 futuro		11 futuro perfecto	
resolveré	**resolveremos**	**habré resuelto**	**habremos resuelto**
resolverás	**resolveréis**	**habrás resuelto**	**habréis resuelto**
resolverá	**resolverán**	**habrá resuelto**	**habrán resuelto**
5 potencial simple		12 potencial compuesto	
resolvería	**resolveríamos**	**habría resuelto**	**habríamos resuelto**
resolverías	**resolveríais**	**habrías resuelto**	**habríais resuelto**
resolvería	**resolverían**	**habría resuelto**	**habrían resuelto**
6 presente de subjuntivo		13 perfecto de subjuntivo	
resuelva	**resolvamos**	**haya resuelto**	**hayamos resuelto**
resuelvas	**resolváis**	**hayas resuelto**	**hayáis resuelto**
resuelva	**resuelvan**	**haya resuelto**	**hayan resuelto**
7 imperfecto de subjuntivo		14 pluscuamperfecto de subjuntivo	
resolviera	**resolviéramos**	**hubiera resuelto**	**hubiéramos resuelto**
resolvieras	**resolvierais**	**hubieras resuelto**	**hubierais resuelto**
resolviera	**resolvieran**	**hubiera resuelto**	**hubieran resuelto**
OR		OR	
resolviese	**resolviésemos**	**hubiese resuelto**	**hubiésemos resuelto**
resolvieses	**resolvieseis**	**hubieses resuelto**	**hubieseis resuelto**
resolviese	**resolviesen**	**hubiese resuelto**	**hubiesen resuelto**

R

	imperativo	
		resolvamos
	resuelve; no resuelvas	**resolved; no resolváis**
	resuelva	**resuelvan**

Words and expressions related to this verb

resolver un conflicto   to settle a dispute
resolverse   to resolve (oneself)
resolverse a + inf.   to resolve + inf.
una resolución   resolution

una resolución definitiva   final decision
resolutivamente   resolutely
resoluto, resoluta   resolute
resuelto, resuelta   firm, resolute

The subject pronouns are found on page 93.

responder (413)   Gerundio **respondiendo**   Part. pas. **respondido**

to answer, to reply, to respond   Regular **-er** verb

The Seven Simple Tenses		The Seven Compound Tenses	
Singular	Plural	Singular	Plural
1 presente de indicativo		8 perfecto de indicativo	
respondo	**respondemos**	**he respondido**	**hemos respondido**
respondes	**respondéis**	**has respondido**	**habéis respondido**
responde	**responden**	**ha respondido**	**han respondido**
2 imperfecto de indicativo		9 pluscuamperfecto de indicativo	
respondía	**respondíamos**	**había respondido**	**habíamos respondido**
respondías	**respondíais**	**habías respondido**	**habíais respondido**
respondía	**respondían**	**había respondido**	**habían respondido**
3 pretérito		10 pretérito anterior	
respondí	**respondimos**	**hube respondido**	**hubimos respondido**
respondiste	**respondisteis**	**hubiste respondido**	**hubisteis respondido**
respondió	**respondieron**	**hubo respondido**	**hubieron respondido**
4 futuro		11 futuro perfecto	
responderé	**responderemos**	**habré respondido**	**habremos respondido**
responderás	**responderéis**	**habrás respondido**	**habréis respondido**
responderá	**responderán**	**habrá respondido**	**habrán respondido**
5 potencial simple		12 potencial compuesto	
respondería	**responderíamos**	**habría respondido**	**habríamos respondido**
responderías	**responderíais**	**habrías respondido**	**habríais respondido**
respondería	**responderían**	**habría respondido**	**habrían respondido**
6 presente de subjuntivo		13 perfecto de subjuntivo	
responda	**respondamos**	**haya respondido**	**hayamos respondido**
respondas	**respondáis**	**hayas respondido**	**hayáis respondido**
responda	**respondan**	**haya respondido**	**hayan respondido**
7 imperfecto de subjuntivo		14 pluscuamperfecto de subjuntivo	
respondiera	**respondiéramos**	**hubiera respondido**	**hubiéramos respondido**
respondieras	**respondierais**	**hubieras respondido**	**hubierais respondido**
respondiera	**respondieran**	**hubiera respondido**	**hubieran respondido**
OR		OR	
respondiese	**respondiésemos**	**hubiese respondido**	**hubiésemos respondido**
respondieses	**respondieseis**	**hubieses respondido**	**hubieseis respondido**
respondiese	**respondiesen**	**hubiese respondido**	**hubiesen respondido**

imperativo

—	**respondamos**
responde; no respondas	**responded; no respondáis**
responda	**respondan**

Words and expressions related to this verb
una respuesta   answer, reply, response
respondiente   respondent
la correspondencia   correspondence
correspondientemente   correspondingly
responsivo, responsiva   responsive

corresponder   to correspond
corresponder a   to reciprocate
responder a la pregunta   to answer the
     question, to respond to the question

Don't forget to study the section on defective and impersonal verbs. It's right after this main list.

Regular **-ar** verb   to retire, to withdraw

The Seven Simple Tenses		The Seven Compound Tenses	
Singular	Plural	Singular	Plural
1 presente de indicativo		**8 perfecto de indicativo**	
retiro	retiramos	he retirado	hemos retirado
retiras	retiráis	has retirado	habéis retirado
retira	retiran	ha retirado	han retirado
2 imperfecto de indicativo		**9 pluscuamperfecto de indicativo**	
retiraba	retirábamos	había retirado	habíamos retirado
retirabas	retirabais	habías retirado	habíais retirado
retiraba	retiraban	había retirado	habían retirado
3 pretérito		**10 pretérito anterior**	
retiré	retiramos	hube retirado	hubimos retirado
retiraste	retirasteis	hubiste retirado	hubisteis retirado
retiró	retiraron	hubo retirado	hubieron retirado
4 futuro		**11 futuro perfecto**	
retiraré	retiraremos	habré retirado	habremos retirado
retirarás	retiraréis	habrás retirado	habréis retirado
retirará	retirarán	habrá retirado	habrán retirado
5 potencial simple		**12 potencial compuesto**	
retiraría	retiraríamos	habría retirado	habríamos retirado
retirarías	retiraríais	habrías retirado	habríais retirado
retiraría	retirarían	habría retirado	habrían retirado
6 presente de subjuntivo		**13 perfecto de subjuntivo**	
retire	retiremos	haya retirado	hayamos retirado
retires	retiréis	hayas retirado	hayáis retirado
retire	retiren	haya retirado	hayan retirado
7 imperfecto de subjuntivo		**14 pluscuamperfecto de subjuntivo**	
retirara	retiráramos	hubiera retirado	hubiéramos retirado
retiraras	retirarais	hubieras retirado	hubierais retirado
retirara	retiraran	hubiera retirado	hubieran retirado
OR		OR	
retirase	retirásemos	hubiese retirado	hubiésemos retirado
retirases	retiraseis	hubieses retirado	hubieseis retirado
retirase	retirasen	hubiese retirado	hubiesen retirado

R

imperativo	
—	retiremos
retira; no retires	retirad; no retiréis
retire	retiren

Words and expressions related to this verb
retirarse   to retire
retirarse a dormir   to turn in (go to bed)
el retiro   retirement, withdrawal
El Retiro (El Buen Retiro)   name of a
   famous beautiful park in Madrid

la retirada   retirement, retreat
el retiramiento   retirement
pasar al retiro   to go into retirement
retirar dinero (del banco)   to make a
   withdrawal (from the bank)

The subject pronouns are found on page 93.

549

The Seven Simple Tenses		The Seven Compound Tenses	
Singular	Plural	Singular	Plural

1 presente de indicativo

		8 perfecto de indicativo	
retraso	retrasamos	he retrasado	hemos retrasado
retrasas	retrasáis	has retrasado	habéis retrasado
retrasa	retrasan	ha retrasado	han retrasado

2 imperfecto de indicativo

		9 pluscuamperfecto de indicativo	
retrasaba	retrasábamos	había retrasado	habíamos retrasado
retrasabas	retrasabais	habías retrasado	habíais retrasado
retrasaba	retrasaban	había retrasado	habían retrasado

3 pretérito

		10 pretérito anterior	
retrasé	retrasamos	hube retrasado	hubimos retrasado
retrasaste	retrasasteis	hubiste retrasado	hubisteis retrasado
retrasó	retrasaron	hubo retrasado	hubieron retrasado

4 futuro

		11 futuro perfecto	
retrasaré	retrasaremos	habré retrasado	habremos retrasado
retrasarás	retrasaréis	habrás retrasado	habréis retrasado
retrasará	retrasarán	habrá retrasado	habrán retrasado

5 potencial simple

		12 potencial compuesto	
retrasaría	retrasaríamos	habría retrasado	habríamos retrasado
retrasarías	retrasaríais	habrías retrasado	habríais retrasado
retrasaría	retrasarían	habría retrasado	habrían retrasado

6 presente de subjuntivo

		13 perfecto de subjuntivo	
retrase	retrasemos	haya retrasado	hayamos retrasado
retrases	retraséis	hayas retrasado	hayáis retrasado
retrase	retrasen	haya retrasado	hayan retrasado

7 imperfecto de subjuntivo

		14 pluscuamperfecto de subjuntivo	
retrasara	retrasáramos	hubiera retrasado	hubiéramos retrasado
retrasaras	retrasarais	hubieras retrasado	hubierais retrasado
retrasara	retrasaran	hubiera retrasado	hubieran retrasado
OR		OR	
retrasase	retrasásemos	hubiese retrasado	hubiésemos retrasado
retrasases	retrasaseis	hubieses retrasado	hubieseis retrasado
retrasase	retrasasen	hubiese retrasado	hubiesen retrasado

	imperativo	
—		retrasemos
retrasa; no retrases		retrasad; no retraséis
retrase		retrasen

Words and expressions related to this verb

retrasarse en + inf.   to be slow in, to be late + pres. part.
el retraso   delay, lag, slowness
con retraso   late (behind time)
atrasar   to be slow, slow down (watch, clock); el atraso   delay, tardiness; en atraso   in arrears
atrás   backward, back; atrás de   behind, back of; días atrás   days ago; hacia atrás   backwards; quedarse atrás   to lag behind

Gerundio reuniéndose   Part. pas. reunido   reunirse (416)

Reflexive verb; regular -ir verb endings with spelling change:
u becomes **ú** on stressed syllable in Tenses 1, 6, Imperative

to assemble, to get together,
to meet, to gather

The Seven Simple Tenses		The Seven Compound Tenses	
Singular	Plural	Singular	Plural
1 presente de indicativo		**8 perfecto de indicativo**	
me reúno	nos reunimos	me he reunido	nos hemos reunido
te reúnes	os reunís	te has reunido	os habéis reunido
se reúne	se reúnen	se ha reunido	se han reunido
2 imperfecto de indicativo		**9 pluscuamperfecto de indicativo**	
me reunía	nos reuníamos	me había reunido	nos habíamos reunido
te reunías	os reuníais	te habías reunido	os habíais reunido
se reunía	se reunían	se había reunido	se habían reunido
3 pretérito		**10 pretérito anterior**	
me reuní	nos reunimos	me hube reunido	nos hubimos reunido
te reuniste	os reunisteis	te hubiste reunido	os hubisteis reunido
se reunió	se reunieron	se hubo reunido	se hubieron reunido
4 futuro		**11 futuro perfecto**	
me reuniré	nos reuniremos	me habré reunido	nos habremos reunido
te reunirás	os reuniréis	te habrás reunido	os habréis reunido
se reunirá	se reunirán	se habrá reunido	se habrán reunido
5 potencial simple		**12 potencial compuesto**	
me reuniría	nos reuniríamos	me habría reunido	nos habríamos reunido
te reunirías	os reuniríais	te habrías reunido	os habríais reunido
se reuniría	se reunirían	se habría reunido	se habrían reunido
6 presente de subjuntivo		**13 perfecto de subjuntivo**	
me reúna	nos reunamos	me haya reunido	nos hayamos reunido
te reúnas	os reunáis	te hayas reunido	os hayáis reunido
se reúna	se reúnan	se haya reunido	se hayan reunido
7 imperfecto de subjuntivo		**14 pluscuamperfecto de subjuntivo**	
me reuniera	nos reuniéramos	me hubiera reunido	nos hubiéramos reunido
te reunieras	os reunierais	te hubieras reunido	os hubierais reunido
se reuniera	se reunieran	se hubiera reunido	se hubieran reunido
OR		OR	
me reuniese	nos reuniésemos	me hubiese reunido	nos hubiésemos reunido
te reunieses	os reunieseis	te hubieses reunido	os hubieseis reunido
se reuniese	se reuniesen	se hubiese reunido	se hubiesen reunido

imperativo	
—	reunámonos
reúnete; no te reúnas	reuníos; no os reunáis
reúnase	reúnanse

Words and expressions related to this verb
reunirse con   to meet with
la reunión   reunion, meeting, gathering
una reunión en masa   mass meeting

una reunión plenaria   full meeting
la libertad de reunión   free assemblage
una reunión extraordinaria   special meeting

For other words related to this verb, see **unir.**

R

The subject pronouns are found on page 93.

551

revocar (417) Gerundio revocando Part. pas. revocado

to revoke, to repeal

Regular **-ar** verb endings with spelling change: **c** becomes **qu** before **e**

The Seven Simple Tenses | The Seven Compound Tenses

Singular	Plural	Singular	Plural
1 presente de indicativo		8 perfecto de indicativo	
revoco	revocamos	he revocado	hemos revocado
revocas	revocáis	has revocado	habéis revocado
revoca	revocan	ha revocado	han revocado
2 imperfecto de indicativo		9 pluscuamperfecto de indicativo	
revocaba	revocábamos	había revocado	habíamos revocado
revocabas	revocabais	habías revocado	habíais revocado
revocaba	revocaban	había revocado	habían revocado
3 pretérito		10 pretérito anterior	
revoqué	revocamos	hube revocado	hubimos revocado
revocaste	revocasteis	hubiste revocado	hubisteis revocado
revocó	revocaron	hubo revocado	hubieron revocado
4 futuro		11 futuro perfecto	
revocaré	revocaremos	habré revocado	habremos revocado
revocarás	revocaréis	habrás revocado	habréis revocado
revocará	revocarán	habrá revocado	habrán revocado
5 potencial simple		12 potencial compuesto	
revocaría	revocaríamos	habría revocado	habríamos revocado
revocarías	revocaríais	habrías revocado	habríais revocado
revocaría	revocarían	habría revocado	habrían revocado
6 presente de subjuntivo		13 perfecto de subjuntivo	
revoque	revoquemos	haya revocado	hayamos revocado
revoques	revoquéis	hayas revocado	hayáis revocado
revoque	revoquen	haya revocado	hayan revocado
7 imperfecto de subjuntivo		14 pluscuamperfecto de subjuntivo	
revocara	revocáramos	hubiera revocado	hubiéramos revocado
revocaras	revocarais	hubieras revocado	hubierais revocado
revocara	revocaran	hubiera revocado	hubieran revocado
OR		OR	
revocase	revocásemos	hubiese revocado	hubiésemos revocado
revocases	revocaseis	hubieses revocado	hubieseis revocado
revocase	revocasen	hubiese revocado	hubiesen revocado

imperativo

—	revoquemos
revoca; no revoques	revocad; no revoquéis
revoque	revoquen

Words and expressions related to this verb
la revocación   revocation
revocable   revocable, reversible
revocablemente   revocably

irrevocabilidad   irrevocability
irrevocable   irrevocable, irreversible
irrevocablemente   irrevocably

> If you want to see a sample English verb fully conjugated in
> all the tenses, check out pages 11 and 12.

Regular **-er** verb endings with stem change:
Tenses 1, 6, Imperative, Past Participle

to revolve, to turn around, to
turn over, to turn upside down

The Seven Simple Tenses		The Seven Compound Tenses	
Singular	Plural	Singular	Plural
1 presente de indicativo		**8 perfecto de indicativo**	
revuelvo	revolvemos	he revuelto	hemos revuelto
revuelves	revolvéis	has revuelto	habéis revuelto
revuelve	revuelven	ha revuelto	han revuelto
2 imperfecto de indicativo		**9 pluscuamperfecto de indicativo**	
revolvía	revolvíamos	había revuelto	habíamos revuelto
revolvías	revolvíais	habías revuelto	habíais revuelto
revolvía	revolvían	había revuelto	habían revuelto
3 pretérito		**10 pretérito anterior**	
revolví	revolvimos	hube revuelto	hubimos revuelto
revolviste	revolvisteis	hubiste revuelto	hubisteis revuelto
revolvió	revolvieron	hubo revuelto	hubieron revuelto
4 futuro		**11 futuro perfecto**	
revolveré	revolveremos	habré revuelto	habremos revuelto
revolverás	revolveréis	habrás revuelto	habréis revuelto
revolverá	revolverán	habrá revuelto	habrán revuelto
5 potencial simple		**12 potencial compuesto**	
revolvería	revolveríamos	habría revuelto	habríamos revuelto
revolverías	revolveríais	habrías revuelto	habríais revuelto
revolvería	revolverían	habría revuelto	habrían revuelto
6 presente de subjuntivo		**13 perfecto de subjuntivo**	
revuelva	revolvamos	haya revuelto	hayamos revuelto
revuelvas	revolváis	hayas revuelto	hayáis revuelto
revuelva	revuelvan	haya revuelto	hayan revuelto
7 imperfecto de subjuntivo		**14 pluscuamperfecto de subjuntivo**	
revolviera	revolviéramos	hubiera revuelto	hubiéramos revuelto
revolvieras	revolvierais	hubieras revuelto	hubierais revuelto
revolviera	revolvieran	hubiera revuelto	hubieran revuelto
OR		OR	
revolviese	revolviésemos	hubiese revuelto	hubiésemos revuelto
revolvieses	revolvieseis	hubieses revuelto	hubieseis revuelto
revolviese	revolviesen	hubiese revuelto	hubiesen revuelto

R

imperativo	
—	revolvamos
revuelve; no revuelvas	revolved; no revolváis
revuelva	revuelvan

Words and expressions related to this verb
huevos revueltos scrambled eggs
la revolución revolution

el revolvimiento revolving, revolution
revueltamente confusedly

For other words and expressions related to this verb, see **devolver** and **volver.**

Try a few of the verb tests on pages 45–91 with answers explained.

to rob, to steal   Regular **-ar** verb

The Seven Simple Tenses		The Seven Compound Tenses	
Singular	Plural	Singular	Plural
1 presente de indicativo		8 perfecto de indicativo	
robo	robamos	he robado	hemos robado
robas	robáis	has robado	habéis robado
roba	roban	ha robado	han robado
2 imperfecto de indicativo		9 pluscuamperfecto de indicativo	
robaba	robábamos	había robado	habíamos robado
robabas	robabais	habías robado	habíais robado
robaba	robaban	había robado	habían robado
3 pretérito		10 pretérito anterior	
robé	robamos	hube robado	hubimos robado
robaste	robasteis	hubiste robado	hubisteis robado
robó	robaron	hubo robado	hubieron robado
4 futuro		11 futuro perfecto	
robaré	robaremos	habré robado	habremos robado
robarás	robaréis	habrás robado	habréis robado
robará	robarán	habrá robado	habrán robado
5 potencial simple		12 potencial compuesto	
robaría	robaríamos	habría robado	habríamos robado
robarías	robaríais	habrías robado	habríais robado
robaría	robarían	habría robado	habrían robado
6 presente de subjuntivo		13 perfecto de subjuntivo	
robe	robemos	haya robado	hayamos robado
robes	robéis	hayas robado	hayáis robado
robe	roben	haya robado	hayan robado
7 imperfecto de subjuntivo		14 pluscuamperfecto de subjuntivo	
robara	robáramos	hubiera robado	hubiéramos robado
robaras	robarais	hubieras robado	hubierais robado
robara	robaran	hubiera robado	hubieran robado
OR		OR	
robase	robásemos	hubiese robado	hubiésemos robado
robases	robaseis	hubieses robado	hubieseis robado
robase	robasen	hubiese robado	hubiesen robado

imperativo

—	robemos
roba; no robes	robad; no robéis
robe	roben

Words and expressions related to this verb

robarle algo a alguien   to rob somebody of something
robado, robada   stolen
un robador, una robadora   robber, thief

un antirrobo   theft protection device, burglar alarm
el robo   robbery, theft

If you want to see a sample English verb fully conjugated in all the tenses, check out pages 11 and 12.

to nibble, to gnaw

Regular **-er** verb endings with stem change:
Tenses 1, 3, 6, 7, Imperative, irreg. participles

The Seven Simple Tenses		The Seven Compound Tenses	
Singular	Plural	Singular	Plural
1 presente de indicativo		8 perfecto de indicativo	
roo or **roigo** or **royo**	**roemos**	**he roído**	**hemos roído**
roes	**roéis**	**has roído**	**habéis roído**
roe	**roen**	**ha roído**	**han roído**
2 imperfecto de indicativo		9 pluscuamperfecto de indicativo	
roía	**roíamos**	**había roído**	**habíamos roído**
roías	**roíais**	**habías roído**	**habíais roído**
roía	**roían**	**había roído**	**habían roído**
3 pretérito		10 pretérito anterior	
roí	**roímos**	**hube roído**	**hubimos roído**
roíste	**roísteis**	**hubiste roído**	**hubisteis roído**
royó	**royeron**	**hubo roído**	**hubieron roído**
4 futuro		11 futuro perfecto	
roeré	**roeremos**	**habré roído**	**habremos roído**
roerás	**roeréis**	**habrás roído**	**habréis roído**
roerá	**roerán**	**habrá roído**	**habrán roído**
5 potencial simple		12 potencial compuesto	
roería	**roeríamos**	**habría roído**	**habríamos roído**
roerías	**roeríais**	**habrías roído**	**habríais roído**
roería	**roerían**	**habría roído**	**habrían roído**
6 presente de subjuntivo		13 perfecto de subjuntivo	
roa or **roiga**	**roamos** or **roigamos**	**haya roído**	**hayamos roído**
or **roya**	or **royamos**	**hayas roído**	**hayáis roído**
roas or **roigas**	**roáis** or **roigáis**	**haya roído**	**hayan roído**
or **royas**	or **royáis**		
roa or **roiga**	**roan** or **roigan**	14 pluscuamperfecto de subjuntivo	
or **roya**	or **royan**	**hubiera roído**	**hubiéramos roído**
		hubieras roído	**hubierais roído**
7 imperfecto de subjuntivo		**hubiera roído**	**hubieran roído**
royera	**royéramos**	OR	
royeras	**royerais**	**hubiese roído**	**hubiésemos roído**
royera	**royeran**	**hubieses roído**	**hubieseis roído**
OR		**hubiese roído**	**hubiesen roído**
royese	**royésemos**		
royeses	**royeseis**		
royese	**royesen**		

imperativo	
—	**roamos** or **roigamos** or **royamos**
roe	**roed**
roa or **roiga** or **roya**	**roan** or **roigan** or **royan**

Words and expressions related to this verb
un roedor a rodent
roedor, roedora gnawing
la roedura gnawing, mark made by gnawing

roerse to bite
roerse las uñas to bite one's nails

The subject pronouns are found on page 93.

rogar (421) Gerundio rogando Part. pas. rogado

to supplicate, to ask, to ask
for, to request, to beg, to pray

Regular -ar verb endings with stem change: Tenses 1, 6,
Imperative; spelling change: **g** becomes **gu** before **e**

The Seven Simple Tenses

Singular	Plural
1 presente de indicativo	
ruego	rogamos
ruegas	rogáis
ruega	ruegan
2 imperfecto de indicativo	
rogaba	rogábamos
rogabas	rogabais
rogaba	rogaban
3 pretérito	
rogué	rogamos
rogaste	rogasteis
rogó	rogaron
4 futuro	
rogaré	rogaremos
rogarás	rogaréis
rogará	rogarán
5 potencial simple	
rogaría	rogaríamos
rogarías	rogaríais
rogaría	rogarían
6 presente de subjuntivo	
ruegue	roguemos
ruegues	roguéis
ruegue	rueguen
7 imperfecto de subjuntivo	
rogara	rogáramos
rogaras	rogarais
rogara	rogaran
OR	
rogase	rogásemos
rogases	rogaseis
rogase	rogasen

The Seven Compound Tenses

Singular	Plural
8 perfecto de indicativo	
he rogado	hemos rogado
has rogado	habéis rogado
ha rogado	han rogado
9 pluscuamperfecto de indicativo	
había rogado	habíamos rogado
habías rogado	habíais rogado
había rogado	habían rogado
10 pretérito anterior	
hube rogado	hubimos rogado
hubiste rogado	hubisteis rogado
hubo rogado	hubieron rogado
11 futuro perfecto	
habré rogado	habremos rogado
habrás rogado	habréis rogado
habrá rogado	habrán rogado
12 potencial compuesto	
habría rogado	habríamos rogado
habrías rogado	habríais rogado
habría rogado	habrían rogado
13 perfecto de subjuntivo	
haya rogado	hayamos rogado
hayas rogado	hayáis rogado
haya rogado	hayan rogado
14 pluscuamperfecto de subjuntivo	
hubiera rogado	hubiéramos rogado
hubieras rogado	hubierais rogado
hubiera rogado	hubieran rogado
OR	
hubiese rogado	hubiésemos rogado
hubieses rogado	hubieseis rogado
hubiese rogado	hubiesen rogado

imperativo

—	roguemos
ruega; no ruegues	rogad; no roguéis
ruegue	rueguen

Sentences using this verb and words related to it
A Dios rogando y con el mazo dando.   Put your faith in God and keep your powder dry.
rogador, rogadora suppliant, requester   **derogar** to abolish, to repeal
rogativo, rogativa supplicatory   **una prerrogativa** prerogative
rogar por to plead for

Regular **-er** verb with spelling
change: irregular past participle

to break, to shatter, to tear

The Seven Simple Tenses		The Seven Compound Tenses	
Singular	Plural	Singular	Plural
1 presente de indicativo		8 perfecto de indicativo	
rompo	**rompemos**	**he roto**	**hemos roto**
rompes	**rompéis**	**has roto**	**habéis roto**
rompe	**rompen**	**ha roto**	**han roto**
2 imperfecto de indicativo		9 pluscuamperfecto de indicativo	
rompía	**rompíamos**	**había roto**	**habíamos roto**
rompías	**rompíais**	**habías roto**	**habíais roto**
rompía	**rompían**	**había roto**	**habían roto**
3 pretérito		10 pretérito anterior	
rompí	**rompimos**	**hube roto**	**hubimos roto**
rompiste	**rompisteis**	**hubiste roto**	**hubisteis roto**
rompió	**rompieron**	**hubo roto**	**hubieron roto**
4 futuro		11 futuro perfecto	
romperé	**romperemos**	**habré roto**	**habremos roto**
romperás	**romperéis**	**habrás roto**	**habréis roto**
romperá	**romperán**	**habrá roto**	**habrán roto**
5 potencial simple		12 potencial compuesto	
rompería	**romperíamos**	**habría roto**	**habríamos roto**
romperías	**romperíais**	**habrías roto**	**habríais roto**
rompería	**romperían**	**habría roto**	**habrían roto**
6 presente de subjuntivo		13 perfecto de subjuntivo	
rompa	**rompamos**	**haya roto**	**hayamos roto**
rompas	**rompáis**	**hayas roto**	**hayáis roto**
rompa	**rompan**	**haya roto**	**hayan roto**
7 imperfecto de subjuntivo		14 pluscuamperfecto de subjuntivo	
rompiera	**rompiéramos**	**hubiera roto**	**hubiéramos roto**
rompieras	**rompierais**	**hubieras roto**	**hubierais roto**
rompiera	**rompieran**	**hubiera roto**	**hubieran roto**
OR		OR	
rompiese	**rompiésemos**	**hubiese roto**	**hubiésemos roto**
rompieses	**rompieseis**	**hubieses roto**	**hubieseis roto**
rompiese	**rompiesen**	**hubiese roto**	**hubiesen roto**

R

	imperativo	
—		**rompamos**
rompe; no rompas		**romped; no rompáis**
rompa		**rompan**

Words and expressions related to this verb
un rompenueces   nutcracker
una rompedura   breakage, rupture
romperse la cabeza   to rack one's brains
romper con   to break relations with
romper a + inf.   to start suddenly + inf.

romper a llorar   to break into tears
romper las relaciones   to break off relations,
  an engagement
romper el hielo   to break the ice
romperse la pierna (el brazo)   to break a leg
  (an arm) [on oneself]
roto, rota   broken

The subject pronouns are found on page 93.

557

saber (423)
to know, to know how

Gerundio **sabiendo**   Part. pas. **sabido**

The Seven Simple Tenses		The Seven Compound Tenses	
Singular	Plural	Singular	Plural
1 presente de indicativo		8 perfecto de indicativo	
sé	sabemos	he sabido	hemos sabido
sabes	sabéis	has sabido	habéis sabido
sabe	saben	ha sabido	han sabido
2 imperfecto de indicativo		9 pluscuamperfecto de indicativo	
sabía	sabíamos	había sabido	habíamos sabido
sabías	sabíais	habías sabido	habíais sabido
sabía	sabían	había sabido	habían sabido
3 pretérito		10 pretérito anterior	
supe	supimos	hube sabido	hubimos sabido
supiste	supisteis	hubiste sabido	hubisteis sabido
supo	supieron	hubo sabido	hubieron sabido
4 futuro		11 futuro perfecto	
sabré	sabremos	habré sabido	habremos sabido
sabrás	sabréis	habrás sabido	habréis sabido
sabrá	sabrán	habrá sabido	habrán sabido
5 potencial simple		12 potencial compuesto	
sabría	sabríamos	habría sabido	habríamos sabido
sabrías	sabríais	habrías sabido	habríais sabido
sabría	sabrían	habría sabido	habrían sabido
6 presente de subjuntivo		13 perfecto de subjuntivo	
sepa	sepamos	haya sabido	hayamos sabido
sepas	sepáis	hayas sabido	hayáis sabido
sepa	sepan	haya sabido	hayan sabido
7 imperfecto de subjuntivo		14 pluscuamperfecto de subjuntivo	
supiera	supiéramos	hubiera sabido	hubiéramos sabido
supieras	supierais	hubieras sabido	hubierais sabido
supiera	supieran	hubiera sabido	hubieran sabido
OR		OR	
supiese	supiésemos	hubiese sabido	hubiésemos sabido
supieses	supieseis	hubieses sabido	hubieseis sabido
supiese	supiesen	hubiese sabido	hubiesen sabido

imperativo

—	sepamos
sabe; no sepas	sabed; no sepáis
sepa	sepan

AN ESSENTIAL
55 VERB

Saber

Saber is a very useful irregular verb for you to know. It is used in a great number of idiomatic expressions and everyday situations. Don't confuse saber with conocer (verb 134).

Generally speaking, saber means to know a fact, to know something thoroughly:

¿Sabe Ud. qué hora es?/Do you know what time it is?
¿Sabe Ud. la lección?/Do you know the lesson?

When you use saber + inf., it means to know how:

¿Sabe Ud. nadar?/Do you know how to swim?
Sí, (yo) sé nadar/Yes, I know how to swim.

In the preterit tense, saber means to find out:

¿Lo sabe Ud.?/Do you know it?
Sí, lo supe ayer/Yes, I found it out yesterday.

Sentences using saber and related words

Este niño no sabe contar.
This child can't (does not know how to) count.

No sé nada de este asunto.
I don't know anything about this matter.

¿Sabe usted si hay una farmacia por aquí?
Do you know if there is a pharmacy around here?

Words and expressions related to this verb

sabio, sabia **wise, learned**

un sabidillo, una sabidilla **a know-it-all**

la sabiduría **knowledge, learning, wisdom**

Que yo sepa... **As far as I know...**

¡Quién sabe! **Who knows! Perhaps! Maybe!**

la señorita Sabelotodo **Miss Know-It-All**

el señor Sabelotodo **Mr. Know-It-All**

sabido, sabida **known**

el saber **knowledge**

saber por experiencia **to learn from experience**

saber algo como el avemaría **to know something like the back of one's hand**

S

Proverbs

Saber es poder.
Knowledge is power.

Más vale saber que haber.
Knowing is better than having. (Knowledge is worth more than possessions/things.)

The subject pronouns are found on page 93.

sacar (424)	Gerundio sacando	Part. pas. sacado

to take out, to get

The Seven Simple Tenses		The Seven Compound Tenses	
Singular	Plural	Singular	Plural
1 presente de indicativo		8 perfecto de indicativo	
saco	sacamos	he sacado	hemos sacado
sacas	sacáis	has sacado	habéis sacado
saca	sacan	ha sacado	han sacado
2 imperfecto de indicativo		9 pluscuamperfecto de indicativo	
sacaba	sacábamos	había sacado	habíamos sacado
sacabas	sacabais	habías sacado	habíais sacado
sacaba	sacaban	había sacado	habían sacado
3 pretérito		10 pretérito anterior	
saqué	sacamos	hube sacado	hubimos sacado
sacaste	sacasteis	hubiste sacado	hubisteis sacado
sacó	sacaron	hubo sacado	hubieron sacado
4 futuro		11 futuro perfecto	
sacaré	sacaremos	habré sacado	habremos sacado
sacarás	sacaréis	habrás sacado	habréis sacado
sacará	sacarán	habrá sacado	habrán sacado
5 potencial simple		12 potencial compuesto	
sacaría	sacaríamos	habría sacado	habríamos sacado
sacarías	sacaríais	habrías sacado	habríais sacado
sacaría	sacarían	habría sacado	habrían sacado
6 presente de subjuntivo		13 perfecto de subjuntivo	
saque	saquemos	haya sacado	hayamos sacado
saques	saquéis	hayas sacado	hayáis sacado
saque	saquen	haya sacado	hayan sacado
7 imperfecto de subjuntivo		14 pluscuamperfecto de subjuntivo	
sacara	sacáramos	hubiera sacado	hubiéramos sacado
sacaras	sacarais	hubieras sacado	hubierais sacado
sacara	sacaran	hubiera sacado	hubieran sacado
OR		OR	
sacase	sacásemos	hubiese sacado	hubiésemos sacado
sacases	sacaseis	hubieses sacado	hubieseis sacado
sacase	sacasen	hubiese sacado	hubiesen sacado

imperativo	
—	saquemos
saca; no saques	sacad; no saquéis
saque	saquen

Words and expressions related to this verb
sacar agua   to draw water
sacar a paseo   to take out for a walk; ensacar   to put in a bag, to bag
un saco   bag, sack; saco de noche   overnight bag; un saco de dormir   sleeping bag
un sacapuntas   pencil sharpener
una saca   withdrawal; un sacacorchos   corkscrew

The Seven Simple Tenses		The Seven Compound Tenses	
Singular	Plural	Singular	Plural
1 presente de indicativo		8 perfecto de indicativo	
sacudo	sacudimos	he sacudido	hemos sacudido
sacudes	sacudís	has sacudido	habéis sacudido
sacude	sacuden	ha sacudido	han sacudido
2 imperfecto de indicativo		9 pluscuamperfecto de indicativo	
sacudía	sacudíamos	había sacudido	habíamos sacudido
sacudías	sacudíais	habías sacudido	habíais sacudido
sacudía	sacudían	había sacudido	habían sacudido
3 pretérito		10 pretérito anterior	
sacudí	sacudimos	hube sacudido	hubimos sacudido
sacudiste	sacudisteis	hubiste sacudido	hubisteis sacudido
sacudió	sacudieron	hubo sacudido	hubieron sacudido
4 futuro		11 futuro perfecto	
sacudiré	sacudiremos	habré sacudido	habremos sacudido
sacudirás	sacudiréis	habrás sacudido	habréis sacudido
sacudirá	sacudirán	habrá sacudido	habrán sacudido
5 potencial simple		12 potencial compuesto	
sacudiría	sacudiríamos	habría sacudido	habríamos sacudido
sacudirías	sacudiríais	habrías sacudido	habríais sacudido
sacudiría	sacudirían	habría sacudido	habrían sacudido
6 presente de subjuntivo		13 perfecto de subjuntivo	
sacuda	sacudamos	haya sacudido	hayamos sacudido
sacudas	sacudáis	hayas sacudido	hayáis sacudido
sacuda	sacudan	haya sacudido	hayan sacudido
7 imperfecto de subjuntivo		14 pluscuamperfecto de subjuntivo	
sacudiera	sacudiéramos	hubiera sacudido	hubiéramos sacudido
sacudieras	sacudierais	hubieras sacudido	hubierais sacudido
sacudiera	sacudieran	hubiera sacudido	hubieran sacudido
OR		OR	
sacudiese	sacudiésemos	hubiese sacudido	hubiésemos sacudido
sacudieses	sacudieseis	hubieses sacudido	hubieseis sacudido
sacudiese	sacudiesen	hubiese sacudido	hubiesen sacudido

	imperativo	
—		sacudamos
	sacude; no sacudas	sacudid; no sacudáis
	sacuda	sacudan

Words and expressions related to this verb
un sacudimiento   shaking, jolt, jerk
un sacudión   violent jolt
una sacudida   jerk, jolt, shake

sacudir el yugo   to shake off the yoke (to become independent)
a sacudidas   in jerks

Can't find the verb you're looking for?
Check the back pages of this book for a list of over 2,100 additional verbs!

The subject pronouns are found on page 93.   **561**

The Seven Simple Tenses		The Seven Compound Tenses	
Singular	Plural	Singular	Plural
1 presente de indicativo		8 perfecto de indicativo	
salgo	salimos	he salido	hemos salido
sales	salís	has salido	habéis salido
sale	salen	ha salido	han salido
2 imperfecto de indicativo		9 pluscuamperfecto de indicativo	
salía	salíamos	había salido	habíamos salido
salías	salíais	habías salido	habíais salido
salía	salían	había salido	habían salido
3 pretérito		10 pretérito anterior	
salí	salimos	hube salido	hubimos salido
saliste	salisteis	hubiste salido	hubisteis salido
salió	salieron	hubo salido	hubieron salido
4 futuro		11 futuro perfecto	
saldré	saldremos	habré salido	habremos salido
saldrás	saldréis	habrás salido	habréis salido
saldrá	saldrán	habrá salido	habrán salido
5 potencial simple		12 potencial compuesto	
saldría	saldríamos	habría salido	habríamos salido
saldrías	saldríais	habrías salido	habríais salido
saldría	saldrían	habría salido	habrían salido
6 presente de subjuntivo		13 perfecto de subjuntivo	
salga	salgamos	haya salido	hayamos salido
salgas	salgáis	hayas salido	hayáis salido
salga	salgan	haya salido	hayan salido
7 imperfecto de subjuntivo		14 pluscuamperfecto de subjuntivo	
saliera	saliéramos	hubiera salido	hubiéramos salido
salieras	salierais	hubieras salido	hubierais salido
saliera	salieran	hubiera salido	hubieran salido
OR		OR	
saliese	saliésemos	hubiese salido	hubiésemos salido
salieses	salieseis	hubieses salido	hubieseis salido
saliese	saliesen	hubiese salido	hubiesen salido

imperativo

—	salgamos
sal; no salgas	salid; no salgáis
salga	salgan

AN ESSENTIAL 55 VERB

Salir

Salir is a very useful irregular verb for you to learn. It is used in a great number of idiomatic expressions and everyday situations.

Be careful not to confuse salir and dejar (verb 165). Use salir de when you mean *to leave* in the sense of *to go out of* (a place):

El alumno salió de la sala de clase.
The pupil left the classroom

Sentences using salir and related words

¿A qué hora sale el tren para San José?
At what time does the train leave for San José?

—**¿Dónde está su madre?**
—**Mi madre salió.**
—Where is your mother?
—My mother went out.

Words and expressions related to this verb

la salida **exit, departure**

la salida de emergencia **emergency exit**

sin salida **no exit, dead-end street**

salir de compras **to go out shopping**

salir mal **to go wrong, to do badly**

saliente **salient, prominent**

salir al encuentro de **to go to meet**

salir de **to leave from, to get out of**

salga lo que salga **come what may**

salir disparado **to take off like a shot, like an arrow**

S

Can't find the verb you're looking for?
Check the back pages of this book for a list of over 2,100 additional verbs!

The subject pronouns are found on page 93.

to jump, to leap, to hop, to spring Regular **-ar** verb

The Seven Simple Tenses		The Seven Compound Tenses	
Singular	Plural	Singular	Plural
1 presente de indicativo		8 perfecto de indicativo	
salto	saltamos	he saltado	hemos saltado
saltas	saltáis	has saltado	habéis saltado
salta	saltan	ha saltado	han saltado
2 imperfecto de indicativo		9 pluscuamperfecto de indicativo	
saltaba	saltábamos	había saltado	habíamos saltado
saltabas	saltabais	habías saltado	habíais saltado
saltaba	saltaban	había saltado	habían saltado
3 pretérito		10 pretérito anterior	
salté	saltamos	hube saltado	hubimos saltado
saltaste	saltasteis	hubiste saltado	hubisteis saltado
saltó	saltaron	hubo saltado	hubieron saltado
4 futuro		11 futuro perfecto	
saltaré	saltaremos	habré saltado	habremos saltado
saltarás	saltaréis	habrás saltado	habréis saltado
saltará	saltarán	habrá saltado	habrán saltado
5 potencial simple		12 potencial compuesto	
saltaría	saltaríamos	habría saltado	habríamos saltado
saltarías	saltaríais	habrías saltado	habríais saltado
saltaría	saltarían	habría saltado	habrían saltado
6 presente de subjuntivo		13 perfecto de subjuntivo	
salte	saltemos	haya saltado	hayamos saltado
saltes	saltéis	hayas saltado	hayáis saltado
salte	salten	haya saltado	hayan saltado
7 imperfecto de subjuntivo		14 pluscuamperfecto de subjuntivo	
saltara	saltáramos	hubiera saltado	hubiéramos saltado
saltaras	saltarais	hubieras saltado	hubierais saltado
saltara	saltaran	hubiera saltado	hubieran saltado
OR		OR	
saltase	saltásemos	hubiese saltado	hubiésemos saltado
saltases	saltaseis	hubieses saltado	hubieseis saltado
saltase	saltasen	hubiese saltado	hubiesen saltado

imperativo

—	saltemos
salta; no saltes	saltad; no saltéis
salte	salten

Words and expressions related to this verb

hacer saltar la banca to break the bank
  (in gambling)
saltar de gozo to jump with joy
saltar por to jump over
el saltimbanqui acrobat

un salto jump, leap
un salto de esquí ski jump
un salto de cisne swan dive
un salto mortal somersault
saltear to sauté

Regular **-ar** verb   to greet, to salute

The Seven Simple Tenses | The Seven Compound Tenses

Singular	Plural	Singular	Plural
1 presente de indicativo		8 perfecto de indicativo	
saludo	saludamos	he saludado	hemos saludado
saludas	saludáis	has saludado	habéis saludado
saluda	saludan	ha saludado	han saludado
2 imperfecto de indicativo		9 pluscuamperfecto de indicativo	
saludaba	saludábamos	había saludado	habíamos saludado
saludabas	saludabais	habías saludado	habíais saludado
saludaba	saludaban	había saludado	habían saludado
3 pretérito		10 pretérito anterior	
saludé	saludamos	hube saludado	hubimos saludado
saludaste	saludasteis	hubiste saludado	hubisteis saludado
saludó	saludaron	hubo saludado	hubieron saludado
4 futuro		11 futuro perfecto	
saludaré	saludaremos	habré saludado	habremos saludado
saludarás	saludaréis	habrás saludado	habréis saludado
saludará	saludarán	habrá saludado	habrán saludado
5 potencial simple		12 potencial compuesto	
saludaría	saludaríamos	habría saludado	habríamos saludado
saludarías	saludaríais	habrías saludado	habríais saludado
saludaría	saludarían	habría saludado	habrían saludado
6 presente de subjuntivo		13 perfecto de subjuntivo	
salude	saludemos	haya saludado	hayamos saludado
saludes	saludéis	hayas saludado	hayáis saludado
salude	saluden	haya saludado	hayan saludado
7 imperfecto de subjuntivo		14 pluscuamperfecto de subjuntivo	
saludara	saludáramos	hubiera saludado	hubiéramos saludado
saludaras	saludarais	hubieras saludado	hubierais saludado
saludara	saludaran	hubiera saludado	hubieran saludado
OR		OR	
saludase	saludásemos	hubiese saludado	hubiésemos saludado
saludases	saludaseis	hubieses saludado	hubieseis saludado
saludase	saludasen	hubiese saludado	hubiesen saludado

imperativo

—	saludemos
saluda; no saludes	saludad; no saludéis
salude	saluden

Words and expressions related to this verb

la salutación   greeting, salutation
el saludo   salutation, greeting, salute
el saludo final   closing (of a letter)
saludarse uno a otro   to greet each other

la salud   health; ¡A su salud!   To your health!
estar bien de salud   to be in good health
estar mal de salud   to be in bad health
¡Salud!   Bless you! (to someone who sneezes)

Consult the back pages for the section on verbs with prepositions.

The subject pronouns are found on page 93.

satisfacer (429)   Gerundio satisfaciendo   Part. pas. satisfecho
to satisfy   Irregular verb

The Seven Simple Tenses		The Seven Compound Tenses	
Singular	Plural	Singular	Plural
1 presente de indicativo		8 perfecto de indicativo	
satisfago	satisfacemos	he satisfecho	hemos satisfecho
satisfaces	satisfacéis	has satisfecho	habéis satisfecho
satisface	satisfacen	ha satisfecho	han satisfecho
2 imperfecto de indicativo		9 pluscuamperfecto de indicativo	
satisfacía	satisfacíamos	había satisfecho	habíamos satisfecho
satisfacías	satisfacíais	habías satisfecho	habíais satisfecho
satisfacía	satisfacían	había satisfecho	habían satisfecho
3 pretérito		10 pretérito anterior	
satisfice	satisficimos	hube satisfecho	hubimos satisfecho
satisficiste	satisficisteis	hubiste satisfecho	hubisteis satisfecho
satisfizo	satisficieron	hubo satisfecho	hubieron satisfecho
4 futuro		11 futuro perfecto	
satisfaré	satisfaremos	habré satisfecho	habremos satisfecho
satisfarás	satisfaréis	habrás satisfecho	habréis satisfecho
satisfará	satisfarán	habrá satisfecho	habrán satisfecho
5 potencial simple		12 potencial compuesto	
satisfaría	satisfaríamos	habría satisfecho	habríamos satisfecho
satisfarías	satisfaríais	habrías satisfecho	habríais satisfecho
satisfaría	satisfarían	habría satisfecho	habrían satisfecho
6 presente de subjuntivo		13 perfecto de subjuntivo	
satisfaga	satisfagamos	haya satisfecho	hayamos satisfecho
satisfagas	satisfagáis	hayas satisfecho	hayáis satisfecho
satisfaga	satisfagan	haya satisfecho	hayan satisfecho
7 imperfecto de subjuntivo		14 pluscuamperfecto de subjuntivo	
satisficiera	satisficiéramos	hubiera satisfecho	hubiéramos satisfecho
satisficieras	satisficierais	hubieras satisfecho	hubierais satisfecho
satisficiera	satisficieran	hubiera satisfecho	hubieran satisfecho
OR		OR	
satisficiese	satisficiésemos	hubiese satisfecho	hubiésemos satisfecho
satisficieses	satisficieseis	hubieses satisfecho	hubieseis satisfecho
satisficiese	satisficiesen	hubiese satisfecho	hubiesen satisfecho

imperativo

—	satisfagamos
satisfaz (satisface); no satisfagas	satisfaced; no satisfagáis
satisfaga	satisfagan

Words and expressions related to this verb
la satisfacción   satisfaction
a satisfacción   satisfactorily
a satisfacción de   to the satisfaction of
insatisfecho, insatisfecha   dissatisfied
insaciable   insatiable

satisfecho, satisfecha   satisfied
satisfactorio, satisfactoria   satisfactory
satisfaciente   satisfying
saciar   to satisfy, to satiate
la saciedad   satiety, satiation

Regular **-ar** verb endings with spelling
change: **c** becomes **qu** before **e**

to dry, to wipe dry

The Seven Simple Tenses		The Seven Compound Tenses	
Singular	Plural	Singular	Plural

1   presente de indicativo

seco	secamos
secas	secáis
seca	secan

8   perfecto de indicativo

he secado	hemos secado
has secado	habéis secado
ha secado	han secado

2   imperfecto de indicativo

secaba	secábamos
secabas	secabais
secaba	secaban

9   pluscuamperfecto de indicativo

había secado	habíamos secado
habías secado	habíais secado
había secado	habían secado

3   pretérito

sequé	secamos
secaste	secasteis
secó	secaron

10   pretérito anterior

hube secado	hubimos secado
hubiste secado	hubisteis secado
hubo secado	hubieron secado

4   futuro

secaré	secaremos
secarás	secaréis
secará	secarán

11   futuro perfecto

habré secado	habremos secado
habrás secado	habréis secado
habrá secado	habrán secado

5   potencial simple

secaría	secaríamos
secarías	secaríais
secaría	secarían

12   potencial compuesto

habría secado	habríamos secado
habrías secado	habríais secado
habría secado	habrían secado

6   presente de subjuntivo

seque	sequemos
seques	sequéis
seque	sequen

13   perfecto de subjuntivo

haya secado	hayamos secado
hayas secado	hayáis secado
haya secado	hayan secado

7   imperfecto de subjuntivo

secara	secáramos
secaras	secarais
secara	secaran
OR	
secase	secásemos
secases	secaseis
secase	secasen

14   pluscuamperfecto de subjuntivo

hubiera secado	hubiéramos secado
hubieras secado	hubierais secado
hubiera secado	hubieran secado
OR	
hubiese secado	hubiésemos secado
hubieses secado	hubieseis secado
hubiese secado	hubiesen secado

S

imperativo

—	sequemos
seca; no seques	secad; no sequéis
seque	sequen

Words and expressions related to this verb

seco, seca dry, dried up	**limpiar en seco** to dry-clean
la seca drought	**en seco** high and dry
secado al sol sun dried	**¡Seco y volteado!** Bottoms up!

For other words and expressions related to this verb, see **secarse**.

Use the guide to Spanish pronunciation on pages 665–667.

The subject pronouns are found on page 93.

secarse (431) Gerundio secándose Part. pas. secado

to dry oneself

Reflexive verb; regular **-ar** verb endings with spelling change: **c** becomes **qu** before **e**

The Seven Simple Tenses		The Seven Compound Tenses	
Singular	Plural	Singular	Plural
1 presente de indicativo		8 perfecto de indicativo	
me seco	nos secamos	me he secado	nos hemos secado
te secas	os secáis	te has secado	os habéis secado
se seca	se secan	se ha secado	se han secado
2 imperfecto de indicativo		9 pluscuamperfecto de indicativo	
me secaba	nos secábamos	me había secado	nos habíamos secado
te secabas	os secabais	te habías secado	os habíais secado
se secaba	se secaban	se había secado	se habían secado
3 pretérito		10 pretérito anterior	
me sequé	nos secamos	me hube secado	nos hubimos secado
te secaste	os secasteis	te hubiste secado	os hubisteis secado
se secó	se secaron	se hubo secado	se hubieron secado
4 futuro		11 futuro perfecto	
me secaré	nos secaremos	me habré secado	nos habremos secado
te secarás	os secaréis	te habrás secado	os habréis secado
se secará	se secarán	se habrá secado	se habrán secado
5 potencial simple		12 potencial compuesto	
me secaría	nos secaríamos	me habría secado	nos habríamos secado
te secarías	os secaríais	te habrías secado	os habríais secado
se secaría	se secarían	se habría secado	se habrían secado
6 presente de subjuntivo		13 perfecto de subjuntivo	
me seque	nos sequemos	me haya secado	nos hayamos secado
te seques	os sequéis	te hayas secado	os hayáis secado
se seque	se sequen	se haya secado	se hayan secado
7 imperfecto de subjuntivo		14 pluscuamperfecto de subjuntivo	
me secara	nos secáramos	me hubiera secado	nos hubiéramos secado
te secaras	os secarais	te hubieras secado	os hubierais secado
se secara	se secaran	se hubiera secado	se hubieran secado
OR		OR	
me secase	nos secásemos	me hubiese secado	nos hubiésemos secado
te secases	os secaseis	te hubieses secado	os hubieseis secado
se secase	se secasen	se hubiese secado	se hubiesen secado

imperativo

—	sequémonos
sécate; no te seques	secaos; no os sequéis
séquese	séquense

Words and expressions related to this verb
la secadora   dryer
secado, secada   dried

a secas   plainly, simply
el vino seco   dry wine

For other words and expressions related to this verb, see secar.

Don't forget to study the section on defective and impersonal verbs. It's right after this main list.

Regular -ir verb endings with stem change: to follow, to pursue, to continue
Tenses 1, 3, 6, 7, Imperative, Gerundio

The Seven Simple Tenses		The Seven Compound Tenses	
Singular	Plural	Singular	Plural
1 presente de indicativo		8 perfecto de indicativo	
sigo	seguimos	he seguido	hemos seguido
sigues	seguís	has seguido	habéis seguido
sigue	siguen	ha seguido	han seguido
2 imperfecto de indicativo		9 pluscuamperfecto de indicativo	
seguía	seguíamos	había seguido	habíamos seguido
seguías	seguíais	habías seguido	habíais seguido
seguía	seguían	había seguido	habían seguido
3 pretérito		10 pretérito anterior	
seguí	seguimos	hube seguido	hubimos seguido
seguiste	seguisteis	hubiste seguido	hubisteis seguido
siguió	siguieron	hubo seguido	hubieron seguido
4 futuro		11 futuro perfecto	
seguiré	seguiremos	habré seguido	habremos seguido
seguirás	seguiréis	habrás seguido	habréis seguido
seguirá	seguirán	habrá seguido	habrán seguido
5 potencial simple		12 potencial compuesto	
seguiría	seguiríamos	habría seguido	habríamos seguido
seguirías	seguiríais	habrías seguido	habríais seguido
seguiría	seguirían	habría seguido	habrían seguido
6 presente de subjuntivo		13 perfecto de subjuntivo	
siga	sigamos	haya seguido	hayamos seguido
sigas	sigáis	hayas seguido	hayáis seguido
siga	sigan	haya seguido	hayan seguido
7 imperfecto de subjuntivo		14 pluscuamperfecto de subjuntivo	
siguiera	siguiéramos	hubiera seguido	hubiéramos seguido
siguieras	siguierais	hubieras seguido	hubierais seguido
siguiera	siguieran	hubiera seguido	hubieran seguido
OR		OR	
siguiese	siguiésemos	hubiese seguido	hubiésemos seguido
siguieses	siguieseis	hubieses seguido	hubieseis seguido
siguiese	siguiesen	hubiese seguido	hubiesen seguido

imperativo	
—	**sigamos**
sigue; no sigas	**seguid; no sigáis**
siga	**sigan**

Words and expressions related to this verb

según   according to
al día siguiente   on the following day
las frases siguientes   the following sentences
seguir + pres. part.   to keep on + pres. part.;
  Siga leyendo   Keep on reading.
seguido, seguida   continuous

conseguir   to attain, to get, to obtain
proseguir   to continue, proceed
perseguir   to pursue
seguirle los pasos a uno   to keep one's eye
  on someone
un seguidor, una seguidora   follower

The subject pronouns are found on page 93.   **569**

señalar (433)   Gerundio **señalando**   Part. pas. **señalado**

to signal, to indicate, to point out, to show   Regular **-ar** verb

The Seven Simple Tenses		The Seven Compound Tenses	
Singular	Plural	Singular	Plural
1 presente de indicativo		**8 perfecto de indicativo**	
señalo	señalamos	he señalado	hemos señalado
señalas	señaláis	has señalado	habéis señalado
señala	señalan	ha señalado	han señalado
2 imperfecto de indicativo		**9 pluscuamperfecto de indicativo**	
señalaba	señalábamos	había señalado	habíamos señalado
señalabas	señalabais	habías señalado	habíais señalado
señalaba	señalaban	había señalado	habían señalado
3 pretérito		**10 pretérito anterior**	
señalé	señalamos	hube señalado	hubimos señalado
señalaste	señalasteis	hubiste señalado	hubisteis señalado
señaló	señalaron	hubo señalado	hubieron señalado
4 futuro		**11 futuro perfecto**	
señalaré	señalaremos	habré señalado	habremos señalado
señalarás	señalaréis	habrás señalado	habréis señalado
señalará	señalarán	habrá señalado	habrán señalado
5 potencial simple		**12 potencial compuesto**	
señalaría	señalaríamos	habría señalado	habríamos señalado
señalarías	señalaríais	habrías señalado	habríais señalado
señalaría	señalarían	habría señalado	habrían señalado
6 presente de subjuntivo		**13 perfecto de subjuntivo**	
señale	señalemos	haya señalado	hayamos señalado
señales	señaléis	hayas señalado	hayáis señalado
señale	señalen	haya señalado	hayan señalado
7 imperfecto de subjuntivo		**14 pluscuamperfecto de subjuntivo**	
señalara	señaláramos	hubiera señalado	hubiéramos señalado
señalaras	señalarais	hubieras señalado	hubierais señalado
señalara	señalaran	hubiera señalado	hubieran señalado
OR		OR	
señalase	señalásemos	hubiese señalado	hubiésemos señalado
señalases	señalaseis	hubieses señalado	hubieseis señalado
señalase	señalasen	hubiese señalado	hubiesen señalado

	imperativo	
—		señalemos
señala; no señales		señalad; no señaléis
señale		señalen

Words and expressions related to this verb

señalar un día   to set a day
señalar una fecha   to set a date
señalar con el dedo   to point out, to
  indicate (with your finger)

una seña   mark, sign, signal
por señas   by signs
dar señas de   to show signs of
una señal   sign, mark; **señal de parada**   stop sign

Can't find the verb you're looking for?
Check the back pages of this book for a list of over 2,100 additional verbs!

Reflexive verb; regular **-ar** verb endings   to sit down
with stem change: Tenses 1, 6, Imperative

The Seven Simple Tenses		The Seven Compound Tenses	
Singular	Plural	Singular	Plural
1 presente de indicativo		8 perfecto de indicativo	
me siento	nos sentamos	me he sentado	nos hemos sentado
te sientas	os sentáis	te has sentado	os habéis sentado
se sienta	se sientan	se ha sentado	se han sentado
2 imperfecto de indicativo		9 pluscuamperfecto de indicativo	
me sentaba	nos sentábamos	me había sentado	nos habíamos sentado
te sentabas	os sentabais	te habías sentado	os habíais sentado
se sentaba	se sentaban	se había sentado	se habían sentado
3 pretérito		10 pretérito anterior	
me senté	nos sentamos	me hube sentado	nos hubimos sentado
te sentaste	os sentasteis	te hubiste sentado	os hubisteis sentado
se sentó	se sentaron	se hubo sentado	se hubieron sentado
4 futuro		11 futuro perfecto	
me sentaré	nos sentaremos	me habré sentado	nos habremos sentado
te sentarás	os sentaréis	te habrás sentado	os habréis sentado
se sentará	se sentarán	se habrá sentado	se habrán sentado
5 potencial simple		12 potencial compuesto	
me sentaría	nos sentaríamos	me habría sentado	nos habríamos sentado
te sentarías	os sentaríais	te habrías sentado	os habríais sentado
se sentaría	se sentarían	se habría sentado	se habrían sentado
6 presente de subjuntivo		13 perfecto de subjuntivo	
me siente	nos sentemos	me haya sentado	nos hayamos sentado
te sientes	os sentéis	te hayas sentado	os hayáis sentado
se siente	se sienten	se haya sentado	se hayan sentado
7 imperfecto de subjuntivo		14 pluscuamperfecto de subjuntivo	
me sentara	nos sentáramos	me hubiera sentado	nos hubiéramos sentado
te sentaras	os sentarais	te hubieras sentado	os hubierais sentado
se sentara	se sentaran	se hubiera sentado	se hubieran sentado
OR		OR	
me sentase	nos sentásemos	me hubiese sentado	nos hubiésemos sentado
te sentases	os sentaseis	te hubieses sentado	os hubieseis sentado
se sentase	se sentasen	se hubiese sentado	se hubiesen sentado

	imperativo	
—	sentémonos; no nos sentemos
siéntate; no te sientes	sentaos; no os sentéis
siéntese; no se siente	siéntense; no se sienten

S

Words and expressions related to this verb

un asiento   a seat
sentado, sentada   seated
¡Siéntese Ud.!   Sit down!

sentar, asentar   to seat
una sentada   a sitting; **de una sentada**
   in one sitting
¡Vamos a sentarnos!   Let's sit down!

Can't recognize an irregular verb form? Check out pages 678–681.

The subject pronouns are found on page 93.   **571**

sentir (435) Gerundio sintiendo Part. pas. sentido

| to feel sorry, to regret, to feel | Regular -ir verb endings with stem change: Tenses 1, 3, 6, 7, Imperative, Gerundio |

The Seven Simple Tenses	The Seven Compound Tenses
Singular **Plural**	**Singular** **Plural**

1 presente de indicativo		8 perfecto de indicativo	
siento	sentimos	he sentido	hemos sentido
sientes	sentís	has sentido	habéis sentido
siente	sienten	ha sentido	han sentido

2 imperfecto de indicativo		9 pluscuamperfecto de indicativo	
sentía	sentíamos	había sentido	habíamos sentido
sentías	sentíais	habías sentido	habíais sentido
sentía	sentían	había sentido	habían sentido

3 pretérito		10 pretérito anterior	
sentí	sentimos	hube sentido	hubimos sentido
sentiste	sentisteis	hubiste sentido	hubisteis sentido
sintió	sintieron	hubo sentido	hubieron sentido

4 futuro		11 futuro perfecto	
sentiré	sentiremos	habré sentido	habremos sentido
sentirás	sentiréis	habrás sentido	habréis sentido
sentirá	sentirán	habrá sentido	habrán sentido

5 potencial simple		12 potencial compuesto	
sentiría	sentiríamos	habría sentido	habríamos sentido
sentirías	sentiríais	habrías sentido	habríais sentido
sentiría	sentirían	habría sentido	habrían sentido

6 presente de subjuntivo		13 perfecto de subjuntivo	
sienta	sintamos	haya sentido	hayamos sentido
sientas	sintáis	hayas sentido	hayáis sentido
sienta	sientan	haya sentido	hayan sentido

7 imperfecto de subjuntivo		14 pluscuamperfecto de subjuntivo	
sintiera	sintiéramos	hubiera sentido	hubiéramos sentido
sintieras	sintierais	hubieras sentido	hubierais sentido
sintiera	sintieran	hubiera sentido	hubieran sentido
OR		OR	
sintiese	sintiésemos	hubiese sentido	hubiésemos sentido
sintieses	sintieseis	hubieses sentido	hubieseis sentido
sintiese	sintiesen	hubiese sentido	hubiesen sentido

	imperativo	
—		sintamos
siente; no sientas		sentid; no sintáis
sienta		sientan

AN ESSENTIAL
55 VERB

AN ESSENTIAL 55 VERB

Sentir/Sentirse

Sentir and sentirse are an essential pair of -ir verbs for you to learn. They are used in a great number of idiomatic expressions and everyday situations. Pay attention to the stem change in Tenses 1, 3, 6, and 7, as well as in the imperative and present participle.

Sentences using sentir and sentirse

La semana pasada sentimos un fuerte terremoto.
Last week we felt a powerful earthquake.

El chico sintió la muerte de su perro.
The boy felt very sorry about the death of his dog.

Lo siento mucho.
I regret it very much. I'm very sorry.

¿Cómo se siente Ud.?
How do you feel?

Me siento mal.
I feel sick.

Words and expressions related to these verbs

el sentimiento **feeling, sentiment**

sentimentalmente **sentimentally**

el sentir **feeling, judgment**

el sentido **sense, meaning, feeling**

los sentidos **the senses**

una persona sentimental **sentimentalist**

el sentimentalismo **sentimentalism**

sentir admiración por alguien **to feel admiration for someone**

sentir en el alma **to feel/regret deeply**

sentido, sentida **sincere, sensitive**

resentirse **to feel the effects**

resentirse de algo **to resent something**

S

Can't remember the Spanish verb you need?
Check the back pages of this book for the English-Spanish verb index!

The subject pronouns are found on page 93.

sentirse (436)   Gerundio sintiéndose   Part. pas. sentido

to feel (well, ill)

Reflexive verb; regular **-ir** verb endings with stem change: Tenses 1, 3, 6, 7, Imperative, Gerundio

The Seven Simple Tenses		The Seven Compound Tenses	
Singular	Plural	Singular	Plural
1 presente de indicativo		**8 perfecto de indicativo**	
me siento	nos sentimos	me he sentido	nos hemos sentido
te sientes	os sentís	te has sentido	os habéis sentido
se siente	se sienten	se ha sentido	se han sentido
2 imperfecto de indicativo		**9 pluscuamperfecto de indicativo**	
me sentía	nos sentíamos	me había sentido	nos habíamos sentido
te sentías	os sentíais	te habías sentido	os habíais sentido
se sentía	se sentían	se había sentido	se habían sentido
3 pretérito		**10 pretérito anterior**	
me sentí	nos sentimos	me hube sentido	nos hubimos sentido
te sentiste	os sentisteis	te hubiste sentido	os hubisteis sentido
se sintió	se sintieron	se hubo sentido	se hubieron sentido
4 futuro		**11 futuro perfecto**	
me sentiré	nos sentiremos	me habré sentido	nos habremos sentido
te sentirás	os sentiréis	te habrás sentido	os habréis sentido
se sentirá	se sentirán	se habrá sentido	se habrán sentido
5 potencial simple		**12 potencial compuesto**	
me sentiría	nos sentiríamos	me habría sentido	nos habríamos sentido
te sentirías	os sentiríais	te habrías sentido	os habríais sentido
se sentiría	se sentirían	se habría sentido	se habrían sentido
6 presente de subjuntivo		**13 perfecto de subjuntivo**	
me sienta	nos sintamos	me haya sentido	nos hayamos sentido
te sientas	os sintáis	te hayas sentido	os hayáis sentido
se sienta	se sientan	se haya sentido	se hayan sentido
7 imperfecto de subjuntivo		**14 pluscuamperfecto de subjuntivo**	
me sintiera	nos sintiéramos	me hubiera sentido	nos hubiéramos sentido
te sintieras	os sintierais	te hubieras sentido	os hubierais sentido
se sintiera	se sintieran	se hubiera sentido	se hubieran sentido
OR		OR	
me sintiese	nos sintiésemos	me hubiese sentido	nos hubiésemos sentido
te sintieses	os sintieseis	te hubieses sentido	os hubieseis sentido
se sintiese	se sintiesen	se hubiese sentido	se hubiesen sentido

imperativo	
—	sintámonos
siéntete; no te sientas	sentíos; no os sintáis
siéntase	siéntanse

AN ESSENTIAL
55 VERB

The Seven Simple Tenses		The Seven Compound Tenses	
Singular	Plural	Singular	Plural
1 presente de indicativo		8 perfecto de indicativo	
separo	separamos	he separado	hemos separado
separas	separáis	has separado	habéis separado
separa	separan	ha separado	han separado
2 imperfecto de indicativo		9 pluscuamperfecto de indicativo	
separaba	separábamos	había separado	habíamos separado
separabas	separabais	habías separado	habíais separado
separaba	separaban	había separado	habían separado
3 pretérito		10 pretérito anterior	
separé	separamos	hube separado	hubimos separado
separaste	separasteis	hubiste separado	hubisteis separado
separó	separaron	hubo separado	hubieron separado
4 futuro		11 futuro perfecto	
separaré	separaremos	habré separado	habremos separado
separarás	separaréis	habrás separado	habréis separado
separará	separarán	habrá separado	habrán separado
5 potencial simple		12 potencial compuesto	
separaría	separaríamos	habría separado	habríamos separado
separarías	separaríais	habrías separado	habríais separado
separaría	separarían	habría separado	habrían separado
6 presente de subjuntivo		13 perfecto de subjuntivo	
separe	separemos	haya separado	hayamos separado
separes	separéis	hayas separado	hayáis separado
separe	separen	haya separado	hayan separado
7 imperfecto de subjuntivo		14 pluscuamperfecto de subjuntivo	
separara	separáramos	hubiera separado	hubiéramos separado
separaras	separarais	hubieras separado	hubierais separado
separara	separaran	hubiera separado	hubieran separado
OR		OR	
separase	separásemos	hubiese separado	hubiésemos separado
separases	separaseis	hubieses separado	hubieseis separado
separase	separasen	hubiese separado	hubiesen separado

	imperativo	
—		separemos
separa; no separes		separad; no separéis
separe		separen

Words and expressions related to this verb

la **separación** separation
separante separating
separar un asiento to reserve a seat
por separado separately

una **separata** reprint
separativo, separativa separative
separado, separada separate, separated
separadamente separately

Use the guide to Spanish pronunciation on pages 665–667.

The subject pronouns are found on page 93.

to be   Irregular verb

The Seven Simple Tenses		The Seven Compound Tenses	
Singular	Plural	Singular	Plural
1 presente de indicativo		8 perfecto de indicativo	
soy	somos	he sido	hemos sido
eres	sois	has sido	habéis sido
es	son	ha sido	han sido
2 imperfecto de indicativo		9 pluscuamperfecto de indicativo	
era	éramos	había sido	habíamos sido
eras	erais	habías sido	habíais sido
era	eran	había sido	habían sido
3 pretérito		10 pretérito anterior	
fui	fuimos	hube sido	hubimos sido
fuiste	fuisteis	hubiste sido	hubisteis sido
fue	fueron	hubo sido	hubieron sido
4 futuro		11 futuro perfecto	
seré	seremos	habré sido	habremos sido
serás	seréis	habrás sido	habréis sido
será	serán	habrá sido	habrán sido
5 potencial simple		12 potencial compuesto	
sería	seríamos	habría sido	habríamos sido
serías	seríais	habrías sido	habríais sido
sería	serían	habría sido	habrían sido
6 presente de subjuntivo		13 perfecto de subjuntivo	
sea	seamos	haya sido	hayamos sido
seas	seáis	hayas sido	hayáis sido
sea	sean	haya sido	hayan sido
7 imperfecto de subjuntivo		14 pluscuamperfecto de subjuntivo	
fuera	fuéramos	hubiera sido	hubiéramos sido
fueras	fuerais	hubieras sido	hubierais sido
fuera	fueran	hubiera sido	hubieran sido
OR		OR	
fuese	fuésemos	hubiese sido	hubiésemos sido
fueses	fueseis	hubieses sido	hubieseis sido
fuese	fuesen	hubiese sido	hubiesen sido

imperativo	
—	seamos
sé; no seas	sed; no seáis
sea	sean

Ser

Ser is one of the most important irregular verbs for beginning students. It is used in a vast number of idiomatic expressions and everyday situations. Be careful when you need to choose between ser and estar (verb 230). You should study the special rules for the use of estar. They're listed with that verb.

Sentences using ser and related words

¿Qué hora es?
What time is it?

Es la una.
It's one o'clock.

Son las dos.
It's two o'clock.

Será un regalo.
It will be a gift.

Para ser tan viejo, él es muy ágil.
In spite of being so old, he is very nimble.

Soy aficionado al béisbol.
I'm a baseball fan.

Mi profesora de español es amable conmigo.
My Spanish teacher is kind to me.

Te escucho. Soy de todo oídos.
I'm listening to you. I'm all ears.

Este libro es de María.
This book is Mary's.

Words and expressions related to this verb

Debe de ser... **It is probably...**

Debe ser... **It ought to be...**

Es de lamentar. **It's too bad.**

Es de mi agrado. **It's to my liking.**

Es hora de... **It is time to...**

Es (una) lástima. **It's a pity. It's too bad.**

Es que... **The fact is...**

para ser... **in spite of being...**

sea lo que sea **whatever it may be**

ser aburrido **to be boring**

ser aficionado a **to be a fan of**

ser amable con **to be kind to**

ser de **to belong to**

ser de rigor **to be indispensable**

ser de ver **to be worth seeing**

ser listo/lista **to be clever**

ser todo oídos **to be all ears**

si no fuera por... **if it were not for...**

Si yo fuera usted... **If I were you...**

S

Proverb

Dime con quién andas y te diré quién eres.
Tell me who your friends are and I will tell you who you are.

Can't find the verb you're looking for?
Check the back pages of this book for a list of over 2,100 additional verbs!

The subject pronouns are found on page 93.

servir (439)   Gerundio sirviendo   Part. pas. servido

to serve

Regular **-ir** verb endings with stem change: Tenses 1, 3, 6, 7, Imperative, Gerundio

The Seven Simple Tenses		The Seven Compound Tenses	
Singular	Plural	Singular	Plural
1 presente de indicativo		8 perfecto de indicativo	
sirvo	servimos	he servido	hemos servido
sirves	servís	has servido	habéis servido
sirve	sirven	ha servido	han servido
2 imperfecto de indicativo		9 pluscuamperfecto de indicativo	
servía	servíamos	había servido	habíamos servido
servías	servíais	habías servido	habíais servido
servía	servían	había servido	habían servido
3 pretérito		10 pretérito anterior	
serví	servimos	hube servido	hubimos servido
serviste	servisteis	hubiste servido	hubisteis servido
sirvió	sirvieron	hubo servido	hubieron servido
4 futuro		11 futuro perfecto	
serviré	serviremos	habré servido	habremos servido
servirás	serviréis	habrás servido	habréis servido
servirá	servirán	habrá servido	habrán servido
5 potencial simple		12 potencial compuesto	
serviría	serviríamos	habría servido	habríamos servido
servirías	serviríais	habrías servido	habríais servido
serviría	servirían	habría servido	habrían servido
6 presente de subjuntivo		13 perfecto de subjuntivo	
sirva	sirvamos	haya servido	hayamos servido
sirvas	sirváis	hayas servido	hayáis servido
sirva	sirvan	haya servido	hayan servido
7 imperfecto de subjuntivo		14 pluscuamperfecto de subjuntivo	
sirviera	sirviéramos	hubiera servido	hubiéramos servido
sirvieras	sirvierais	hubieras servido	hubierais servido
sirviera	sirvieran	hubiera servido	hubieran servido
OR		OR	
sirviese	sirviésemos	hubiese servido	hubiésemos servido
sirvieses	sirvieseis	hubieses servido	hubieseis servido
sirviese	sirviesen	hubiese servido	hubiesen servido

imperativo	
—	sirvamos
sirve; no sirvas	servid; no sirváis
sirva	sirvan

Words and expressions related to this verb
servidor, servidora servant, waiter, waitress
el servicio service
una servilleta table napkin
servirse to serve oneself
¡Sírvase usted! Help yourself!
el servicio de soporte técnico technical support service

Esto no sirve para nada This serves no purpose; This is good for nothing.
servir para to be good for, to be used for

578

Regular **-ar** verb endings with spelling
change: **c** becomes **qu** before **e**

to mean, to signify

The Seven Simple Tenses		The Seven Compound Tenses	
Singular	Plural	Singular	Plural
1 presente de indicativo		8 perfecto de indicativo	
significo	significamos	he significado	hemos significado
significas	significáis	has significado	habéis significado
significa	significan	ha significado	han significado
2 imperfecto de indicativo		9 pluscuamperfecto de indicativo	
significaba	significábamos	había significado	habíamos significado
significabas	significabais	habías significado	habíais significado
significaba	significaban	había significado	habían significado
3 pretérito		10 pretérito anterior	
signifiqué	significamos	hube significado	hubimos significado
significaste	significasteis	hubiste significado	hubisteis significado
significó	significaron	hubo significado	hubieron significado
4 futuro		11 futuro perfecto	
significaré	significaremos	habré significado	habremos significado
significarás	significaréis	habrás significado	habréis significado
significará	significarán	habrá significado	habrán significado
5 potencial simple		12 potencial compuesto	
significaría	significaríamos	habría significado	habríamos significado
significarías	significaríais	habrías significado	habríais significado
significaría	significarían	habría significado	habrían significado
6 presente de subjuntivo		13 perfecto de subjuntivo	
signifique	signifiquemos	haya significado	hayamos significado
signifiques	signifiquéis	hayas significado	hayáis significado
signifique	signifiquen	haya significado	hayan significado
7 imperfecto de subjuntivo		14 pluscuamperfecto de subjuntivo	
significara	significáramos	hubiera significado	hubiéramos significado
significaras	significarais	hubieras significado	hubierais significado
significara	significaran	hubiera significado	hubieran significado
OR		OR	
significase	significásemos	hubiese significado	hubiésemos significado
significases	significaseis	hubieses significado	hubieseis significado
significase	significasen	hubiese significado	hubiesen significado

S

	imperativo
—	signifiquemos
significa; no signifiques	significad; no signifiquéis
signifique	signifiquen

Words and expressions related to this verb
la **significación**   significance, meaning
significado, significada   signified
el **significado**   meaning
el **signo**   sign

significante   significant
significativo, significativa   significative,
    meaningful

Review the principal parts of important Spanish verbs on pages 9–10.

The subject pronouns are found on page 93.

to help, to aid, to assist, to succor Regular **-er** verb

The Seven Simple Tenses		The Seven Compound Tenses	
Singular	Plural	Singular	Plural
1 presente de indicativo		8 perfecto de indicativo	
socorro	socorremos	he socorrido	hemos socorrido
socorres	socorréis	has socorrido	habéis socorrido
socorre	socorren	ha socorrido	han socorrido
2 imperfecto de indicativo		9 pluscuamperfecto de indicativo	
socorría	socorríamos	había socorrido	habíamos socorrido
soccorrías	socorríais	habías socorrido	habíais socorrido
socorría	socorrían	había socorrido	habían socorrido
3 pretérito		10 pretérito anterior	
socorrí	socorrimos	hube socorrido	hubimos socorrido
socorriste	socorristeis	hubiste socorrido	hubisteis socorrido
socorrió	socorrieron	hubo socorrido	hubieron socorrido
4 futuro		11 futuro perfecto	
socorreré	socorreremos	habré socorrido	habremos socorrido
socorrerás	socorreréis	habrás socorrido	habréis socorrido
socorrerá	socorrerán	habrá socorrido	habrán socorrido
5 potencial simple		12 potencial compuesto	
socorrería	socorreríamos	habría socorrido	habríamos socorrido
socorrerías	socorreríais	habrías socorrido	habríais socorrido
socorrería	socorrerían	habría socorrido	habrían socorrido
6 presente de subjuntivo		13 perfecto de subjuntivo	
socorra	socorramos	haya socorrido	hayamos socorrido
socorras	socorráis	hayas socorrido	hayáis socorrido
socorra	socorran	haya socorrido	hayan socorrido
7 imperfecto de subjuntivo		14 pluscuamperfecto de subjuntivo	
socorriera	socorriéramos	hubiera socorrido	hubiéramos socorrido
socorrieras	socorrierais	hubieras socorrido	hubierais socorrido
socorriera	socorrieran	hubiera socorrido	hubieran socorrido
OR		OR	
socorriese	socorriésemos	hubiese socorrido	hubiésemos socorrido
socorrieses	socorrieseis	hubieses socorrido	hubieseis socorrido
socorriese	socorriesen	hubiese socorrido	hubiesen socorrido

imperativo

—	socorramos
socorre; no socorras	socorred; no socorráis
socorra	socorran

Words and expressions related to this verb
el socorro help; ¡Socorro! ¡Socorro! Help! Help!   socorrido, socorrida helpful
un puesto de socorro first-aid station   socorrista first-aid provider

Check out the verb drills and verb tests with answers explained on pages 45–91.

Regular -ar verb endings with spelling change: c becomes qu before e

to choke, to smother, to suffocate, to stifle

The Seven Simple Tenses		The Seven Compound Tenses	
Singular	Plural	Singular	Plural
1 presente de indicativo		8 perfecto de indicativo	
sofoco	sofocamos	he sofocado	hemos sofocado
sofocas	sofocáis	has sofocado	habéis sofocado
sofoca	sofocan	ha sofocado	han sofocado
2 imperfecto de indicativo		9 pluscuamperfecto de indicativo	
sofocaba	sofocábamos	había sofocado	habíamos sofocado
sofocabas	sofocabais	habías sofocado	habíais sofocado
sofocaba	sofocaban	había sofocado	habían sofocado
3 pretérito		10 pretérito anterior	
sofoqué	sofocamos	hube sofocado	hubimos sofocado
sofocaste	sofocasteis	hubiste sofocado	hubisteis sofocado
sofocó	sofocaron	hubo sofocado	hubieron sofocado
4 futuro		11 futuro perfecto	
sofocaré	sofocaremos	habré sofocado	habremos sofocado
sofocarás	sofocaréis	habrás sofocado	habréis sofocado
sofocará	sofocarán	habrá sofocado	habrán sofocado
5 potencial simple		12 potencial compuesto	
sofocaría	sofocaríamos	habría sofocado	habríamos sofocado
sofocarías	sofocaríais	habrías sofocado	habríais sofocado
sofocaría	sofocarían	habría sofocado	habrían sofocado
6 presente de subjuntivo		13 perfecto de subjuntivo	
sofoque	sofoquemos	haya sofocado	hayamos sofocado
sofoques	sofoquéis	hayas sofocado	hayáis sofocado
sofoque	sofoquen	haya sofocado	hayan sofocado
7 imperfecto de subjuntivo		14 pluscuamperfecto de subjuntivo	
sofocara	sofocáramos	hubiera sofocado	hubiéramos sofocado
sofocaras	sofocarais	hubieras sofocado	hubierais sofocado
sofocara	sofocaran	hubiera sofocado	hubieran sofocado
OR		OR	
sofocase	sofocásemos	hubiese sofocado	hubiésemos sofocado
sofocases	sofocaseis	hubieses sofocado	hubieseis sofocado
sofocase	sofocasen	hubiese sofocado	hubiesen sofocado

S

imperativo

—	sofoquemos
sofoca; no sofoques	sofocad; no sofoquéis
sofoque	sofoquen

Words and expressions related to this verb

sofocarse to get out of breath	la sofocación suffocation, choking
sofocarse por to get excited over	sofocante suffocating, stifling
sofocador, sofocadora stifling, stuffy	el sofoco suffocation

Review the principal parts of important Spanish verbs on pages 9–10.

The subject pronouns are found on page 93.

sollozar (443)

Gerundio sollozando   **Part. pas.** sollozado

to sob, to whimper

The Seven Simple Tenses		The Seven Compound Tenses	
Singular	Plural	Singular	Plural
1 presente de indicativo		**8 perfecto de indicativo**	
sollozo	sollozamos	he sollozado	hemos sollozado
sollozas	sollozáis	has sollozado	habéis sollozado
solloza	sollozan	ha sollozado	han sollozado
2 imperfecto de indicativo		**9 pluscuamperfecto de indicativo**	
sollozaba	sollozábamos	había sollozado	habíamos sollozado
sollozabas	sollozabais	habías sollozado	habíais sollozado
sollozaba	sollozaban	había sollozado	habían sollozado
3 pretérito		**10 pretérito anterior**	
sollocé	sollozamos	hube sollozado	hubimos sollozado
sollozaste	sollozasteis	hubiste sollozado	hubisteis sollozado
sollozó	sollozaron	hubo sollozado	hubieron sollozado
4 futuro		**11 futuro perfecto**	
sollozaré	sollozaremos	habré sollozado	habremos sollozado
sollozarás	sollozaréis	habrás sollozado	habréis sollozado
sollozará	sollozarán	habrá sollozado	habrán sollozado
5 potencial simple		**12 potencial compuesto**	
sollozaría	sollozaríamos	habría sollozado	habríamos sollozado
sollozarías	sollozaríais	habrías sollozado	habríais sollozado
sollozaría	sollozarían	habría sollozado	habrían sollozado
6 presente de subjuntivo		**13 perfecto de subjuntivo**	
solloce	sollocemos	haya sollozado	hayamos sollozado
solloces	sollocéis	hayas sollozado	hayáis sollozado
solloce	sollocen	haya sollozado	hayan sollozado
7 imperfecto de subjuntivo		**14 pluscuamperfecto de subjuntivo**	
sollozara	sollozáramos	hubiera sollozado	hubiéramos sollozado
sollozaras	sollozarais	hubieras sollozado	hubierais sollozado
sollozara	sollozaran	hubiera sollozado	hubieran sollozado
OR		OR	
sollozase	sollozásemos	hubiese sollozado	hubiésemos sollozado
sollozases	sollozaseis	hubieses sollozado	hubieseis sollozado
sollozase	sollozasen	hubiese sollozado	hubiesen sollozado

imperativo

—	sollocemos
solloza; no solloces	sollozad; no sollocéis
solloce	sollocen

Words related to this verb
un sollozo sob   **sollozante** sobbing
estallar en sollozos to burst into sobs

Can't find the verb you're looking for?
Check the back pages of this book for a list of over 2,100 additional verbs!

Gerundio sometiendo — Part. pas. sometido — someter (444)

Regular **-er** verb

to subdue, to subject, to surrender, to submit

The Seven Simple Tenses		The Seven Compound Tenses	
Singular	Plural	Singular	Plural
1 presente de indicativo		**8 perfecto de indicativo**	
someto	sometemos	he sometido	hemos sometido
sometes	sometéis	has sometido	habéis sometido
somete	someten	ha sometido	han sometido
2 imperfecto de indicativo		**9 pluscuamperfecto de indicativo**	
sometía	sometíamos	había sometido	habíamos sometido
sometías	sometíais	habías sometido	habíais sometido
sometía	sometían	había sometido	habían sometido
3 pretérito		**10 pretérito anterior**	
sometí	sometimos	hube sometido	hubimos sometido
sometiste	sometisteis	hubiste sometido	hubisteis sometido
sometió	sometieron	hubo sometido	hubieron sometido
4 futuro		**11 futuro perfecto**	
someteré	someteremos	habré sometido	habremos sometido
someterás	someteréis	habrás sometido	habréis sometido
someterá	someterán	habrá sometido	habrán sometido
5 potencial simple		**12 potencial compuesto**	
sometería	someteríamos	habría sometido	habríamos sometido
someterías	someteríais	habrías sometido	habríais sometido
sometería	someterían	habría sometido	habrían sometido
6 presente de subjuntivo		**13 perfecto de subjuntivo**	
someta	sometamos	haya sometido	hayamos sometido
sometas	sometáis	hayas sometido	hayáis sometido
someta	sometan	haya sometido	hayan sometido
7 imperfecto de subjuntivo		**14 pluscuamperfecto de subjuntivo**	
sometiera	sometiéramos	hubiera sometido	hubiéramos sometido
sometieras	sometierais	hubieras sometido	hubierais sometido
sometiera	sometieran	hubiera sometido	hubieran sometido
OR		OR	
sometiese	sometiésemos	hubiese sometido	hubiésemos sometido
sometieses	sometieseis	hubieses sometido	hubieseis sometido
sometiese	sometiesen	hubiese sometido	hubiesen sometido

imperativo

—	sometamos
somete; no sometas	someted; no sometáis
someta	sometan

Words and expressions related to this verb

someterse   to surrender, to humble oneself
sometido, sometida   submissive, docile
la sumisión   submission

el sometimiento   submission
someter la renuncia   to resign
someter a prueba   to put to the test

Don't forget to study the section on defective and impersonal verbs. It's right after this main list.

The subject pronouns are found on page 93.

583

to ring, to echo, to resound, to sound | Regular **-ar** verb endings with stem change: Tenses 1, 6, Imperative

The Seven Simple Tenses		The Seven Compound Tenses	
Singular	Plural	Singular	Plural
1 presente de indicativo		8 perfecto de indicativo	
sueno	sonamos	he sonado	hemos sonado
suenas	sonáis	has sonado	habéis sonado
suena	suenan	ha sonado	han sonado
2 imperfecto de indicativo		9 pluscuamperfecto de indicativo	
sonaba	sonábamos	había sonado	habíamos sonado
sonabas	sonabais	habías sonado	habíais sonado
sonaba	sonaban	había sonado	habían sonado
3 pretérito		10 pretérito anterior	
soné	sonamos	hube sonado	hubimos sonado
sonaste	sonasteis	hubiste sonado	hubisteis sonado
sonó	sonaron	hubo sonado	hubieron sonado
4 futuro		11 futuro perfecto	
sonaré	sonaremos	habré sonado	habremos sonado
sonarás	sonaréis	habrás sonado	habréis sonado
sonará	sonarán	habrá sonado	habrán sonado
5 potencial simple		12 potencial compuesto	
sonaría	sonaríamos	habría sonado	habríamos sonado
sonarías	sonaríais	habrías sonado	habríais sonado
sonaría	sonarían	habría sonado	habrían sonado
6 presente de subjuntivo		13 perfecto de subjuntivo	
suene	sonemos	haya sonado	hayamos sonado
suenes	sonéis	hayas sonado	hayáis sonado
suene	suenen	haya sonado	hayan sonado
7 imperfecto de subjuntivo		14 pluscuamperfecto de subjuntivo	
sonara	sonáramos	hubiera sonado	hubiéramos sonado
sonaras	sonarais	hubieras sonado	hubierais sonado
sonara	sonaran	hubiera sonado	hubieran sonado
OR		OR	
sonase	sonásemos	hubiese sonado	hubiésemos sonado
sonases	sonaseis	hubieses sonado	hubieseis sonado
sonase	sonasen	hubiese sonado	hubiesen sonado

	imperativo	
—		sonemos
suena; no suenes		sonad; no sonéis
suene		suenen

Words and expressions related to this verb

sonar a   to seem like
sonarse (las narices)   to blow one's nose
sonante   sonant, sonorous, sounding
el sonar   sonar

una sonata   sonata
una sonatina   sonatina
sonar la alarma   to ring the alarm
el sonido   sound

Check out the verb drills and verb tests with answers explained on pages 45–91.

Regular **-ar** verb endings with stem   to dream
change: Tenses 1, 6, Imperative

The Seven Simple Tenses		The Seven Compound Tenses	
Singular	Plural	Singular	Plural
1 presente de indicativo		8 perfecto de indicativo	
sueño	soñamos	he soñado	hemos soñado
sueñas	soñáis	has soñado	habéis soñado
sueña	sueñan	ha soñado	han soñado
2 imperfecto de indicativo		9 pluscuamperfecto de indicativo	
soñaba	soñábamos	había soñado	habíamos soñado
soñabas	soñabais	habías soñado	habíais soñado
soñaba	soñaban	había soñado	habían soñado
3 pretérito		10 pretérito anterior	
soñé	soñamos	hube soñado	hubimos soñado
soñaste	soñasteis	hubiste soñado	hubisteis soñado
soñó	soñaron	hubo soñado	hubieron soñado
4 futuro		11 futuro perfecto	
soñaré	soñaremos	habré soñado	habremos soñado
soñarás	soñaréis	habrás soñado	habréis soñado
soñará	soñarán	habrá soñado	habrán soñado
5 potencial simple		12 potencial compuesto	
soñaría	soñaríamos	habría soñado	habríamos soñado
soñarías	soñaríais	habrías soñado	habríais soñado
soñaría	soñarían	habría soñado	habrían soñado
6 presente de subjuntivo		13 perfecto de subjuntivo	
sueñe	soñemos	haya soñado	hayamos soñado
sueñes	soñéis	hayas soñado	hayáis soñado
sueñe	sueñen	haya soñado	hayan soñado
7 imperfecto de subjuntivo		14 pluscuamperfecto de subjuntivo	
soñara	soñáramos	hubiera soñado	hubiéramos soñado
soñaras	soñarais	hubieras soñado	hubierais soñado
soñara	soñaran	hubiera soñado	hubieran soñado
OR		OR	
soñase	soñásemos	hubiese soñado	hubiésemos soñado
soñases	soñaseis	hubieses soñado	hubieseis soñado
soñase	soñasen	hubiese soñado	hubiesen soñado

S

imperativo	
—	soñemos
sueña; no sueñes	soñad; no soñéis
sueñe	sueñen

Words and expressions related to this verb

soñar con to dream of	**tener sueño** to be sleepy
soñar despierto to daydream	**un sueño hecho realidad** a dream come true
soñador, soñadora dreamer	**sueño pesado** sound sleep
el sueño sleep, dream	**echar un sueño** to take a nap
el insomnio insomnia	**el sonámbulo (somnámbulo)** sleepwalker

Get acquainted with what preposition goes with what verb on pages 669–677.

The subject pronouns are found on page 93.
     585

sonreír (447)

Gerundio sonriendo **Part. pas.** sonreído

to smile

Regular **-ir** verb endings with stem change:
Tenses 1, 3, 6, 7, Imperative, Gerundio

The Seven Simple Tenses		The Seven Compound Tenses	
Singular	Plural	Singular	Plural
1 presente de indicativo		**8 perfecto de indicativo**	
sonrío	sonreímos	he sonreído	hemos sonreído
sonríes	sonreís	has sonreído	habéis sonreído
sonríe	sonríen	ha sonreído	han sonreído
2 imperfecto de indicativo		**9 pluscuamperfecto de indicativo**	
sonreía	sonreíamos	había sonreído	habíamos sonreído
sonreías	sonreíais	habías sonreído	habíais sonreído
sonreía	sonreían	había sonreído	habían sonreído
3 pretérito		**10 pretérito anterior**	
sonreí	sonreímos	hube sonreído	hubimos sonreído
sonreíste	sonreísteis	hubiste sonreído	hubisteis sonreído
sonrió	sonrieron	hubo sonreído	hubieron sonreído
4 futuro		**11 futuro perfecto**	
sonreiré	sonreiremos	habré sonreído	habremos sonreído
sonreirás	sonreiréis	habrás sonreído	habréis sonreído
sonreirá	sonreirán	habrá sonreído	habrán sonreído
5 potencial simple		**12 potencial compuesto**	
sonreiría	sonreiríamos	habría sonreído	habríamos sonreído
sonreirías	sonreiríais	habrías sonreído	habríais sonreído
sonreiría	sonreirían	habría sonreído	habrían sonreído
6 presente de subjuntivo		**13 perfecto de subjuntivo**	
sonría	sonriamos	haya sonreído	hayamos sonreído
sonrías	sonriáis	hayas sonreído	hayáis sonreído
sonría	sonrían	haya sonreído	hayan sonreído
7 imperfecto de subjuntivo		**14 pluscuamperfecto de subjuntivo**	
sonriera	sonriéramos	hubiera sonreído	hubiéramos sonreído
sonrieras	sonrierais	hubieras sonreído	hubierais sonreído
sonriera	sonrieran	hubiera sonreído	hubieran sonreído
OR		OR	
sonriese	sonriésemos	hubiese sonreído	hubiésemos sonreído
sonrieses	sonrieseis	hubieses sonreído	hubieseis sonreído
sonriese	sonriesen	hubiese sonreído	hubiesen sonreído

imperativo	
—	sonriamos
sonríe; no sonrías	sonreíd; no sonriáis
sonría	sonrían

Words and expressions related to this verb

sonriente smiling; **La Gioconda tiene una sonrisa bonita** The Mona Lisa has a pretty smile.
la sonrisa smile **no perder la sonrisa** not to lose a smile; keep smiling

For additional words and expressions related to this verb, see **reír** and **reírse.**

Get acquainted with what preposition goes with what verb on pages 669–677.

Regular **-ar** verb   to blow, to blow out

The Seven Simple Tenses		The Seven Compound Tenses	
Singular	Plural	Singular	Plural
1 presente de indicativo		8 perfecto de indicativo	
soplo	**soplamos**	**he soplado**	**hemos soplado**
soplas	**sopláis**	**has soplado**	**habéis soplado**
sopla	**soplan**	**ha soplado**	**han soplado**
2 imperfecto de indicativo		9 pluscuamperfecto de indicativo	
soplaba	**soplábamos**	**había soplado**	**habíamos soplado**
soplabas	**soplabais**	**habías soplado**	**habíais soplado**
soplaba	**soplaban**	**había soplado**	**habían soplado**
3 pretérito		10 pretérito anterior	
soplé	**soplamos**	**hube soplado**	**hubimos soplado**
soplaste	**soplasteis**	**hubiste soplado**	**hubisteis soplado**
sopló	**soplaron**	**hubo soplado**	**hubieron soplado**
4 futuro		11 futuro perfecto	
soplaré	**soplaremos**	**habré soplado**	**habremos soplado**
soplarás	**soplaréis**	**habrás soplado**	**habréis soplado**
soplará	**soplarán**	**habrá soplado**	**habrán soplado**
5 potencial simple		12 potencial compuesto	
soplaría	**soplaríamos**	**habría soplado**	**habríamos soplado**
soplarías	**soplaríais**	**habrías soplado**	**habríais soplado**
soplaría	**soplarían**	**habría soplado**	**habrían soplado**
6 presente de subjuntivo		13 perfecto de subjuntivo	
sople	**soplemos**	**haya soplado**	**hayamos soplado**
soples	**sopléis**	**hayas soplado**	**hayáis soplado**
sople	**soplen**	**haya soplado**	**hayan soplado**
7 imperfecto de subjuntivo		14 pluscuamperfecto de subjuntivo	
soplara	**sopláramos**	**hubiera soplado**	**hubiéramos soplado**
soplaras	**soplarais**	**hubieras soplado**	**hubierais soplado**
soplara	**soplaran**	**hubiera soplado**	**hubieran soplado**
OR		OR	
soplase	**soplásemos**	**hubiese soplado**	**hubiésemos soplado**
soplases	**soplaseis**	**hubieses soplado**	**hubieseis soplado**
soplase	**soplasen**	**hubiese soplado**	**hubiesen soplado**

S

imperativo	
—	**soplemos**
sopla; no soples	**soplad; no sopléis**
sople	**soplen**

Words and expressions related to this verb
un soplamocos   a punch in the nose
una sopladura   air hole
un soplón, una soplona   tattletale
saber de qué lado sopla el viento
   to know which way the wind blows

un soplete atomizador   paint sprayer
un soplo   puff; **en un soplo**   in a jiffy
soplar a la policía   to tip off the police
soplar la vela   to blow out the candle
soplar con la boca   to blow with the mouth
el viento sopla   the wind blows

The subject pronouns are found on page 93.

sorprender (449)   Gerundio sorprendiendo   Part. pas. sorprendido

to surprise, to astonish   Regular -er verb

The Seven Simple Tenses		The Seven Compound Tenses	
Singular	Plural	Singular	Plural
1 presente de indicativo		8 perfecto de indicativo	
sorprendo	sorprendemos	he sorprendido	hemos sorprendido
sorprendes	sorprendéis	has sorprendido	habéis sorprendido
sorprende	sorprenden	ha sorprendido	han sorprendido
2 imperfecto de indicativo		9 pluscuamperfecto de indicativo	
sorprendía	sorprendíamos	había sorprendido	habíamos sorprendido
sorprendías	sorprendíais	habías sorprendido	habíais sorprendido
sorprendía	sorprendían	había sorprendido	habían sorprendido
3 pretérito		10 pretérito anterior	
sorprendí	sorprendimos	hube sorprendido	hubimos sorprendido
sorprendiste	sorprendisteis	hubiste sorprendido	hubisteis sorprendido
sorprendió	sorprendieron	hubo sorprendido	hubieron sorprendido
4 futuro		11 futuro perfecto	
sorprenderé	sorprenderemos	habré sorprendido	habremos sorprendido
sorprenderás	sorprenderéis	habrás sorprendido	habréis sorprendido
sorprenderá	sorprenderán	habrá sorprendido	habrán sorprendido
5 potencial simple		12 potencial compuesto	
sorprendería	sorprenderíamos	habría sorprendido	habríamos sorprendido
sorprenderías	sorprenderíais	habrías sorprendido	habríais sorprendido
sorprendería	sorprenderían	habría sorprendido	habrían sorprendido
6 presente de subjuntivo		13 perfecto de subjuntivo	
sorprenda	sorprendamos	haya sorprendido	hayamos sorprendido
sorprendas	sorprendáis	hayas sorprendido	hayáis sorprendido
sorprenda	sorprendan	haya sorprendido	hayan sorprendido
7 imperfecto de subjuntivo		14 pluscuamperfecto de subjuntivo	
sorprendiera	sorprendiéramos	hubiera sorprendido	hubiéramos sorprendido
sorprendieras	sorprendierais	hubieras sorprendido	hubierais sorprendido
sorprendiera	sorprendieran	hubiera sorprendido	hubieran sorprendido
OR		OR	
sorprendiese	sorprendiésemos	hubiese sorprendido	hubiésemos sorprendido
sorprendieses	sorprendieseis	hubieses sorprendido	hubieseis sorprendido
sorprendiese	sorprendiesen	hubiese sorprendido	hubiesen sorprendido

imperativo

—	sorprendamos
sorprende; no sorprendas	sorprended; no sorprendáis
sorprenda	sorprendan

Words and expressions related to this verb

sorprender en el hecho   to catch in the act
una sorpresa   surprise
tomar por sorpresa   to take by surprise

coger de sorpresa   to take by surprise
sorprendente   surprising
sorprenderse   to be surprised, astonished

Get your feet wet with verbs used in weather expressions on page 668.

Regular **-ar** verb   to suspect

The Seven Simple Tenses		The Seven Compound Tenses	
Singular	Plural	Singular	Plural

1 presente de indicativo

8 perfecto de indicativo

sospecho	sospechamos	he sospechado	hemos sospechado
sospechas	sospecháis	has sospechado	habéis sospechado
sospecha	sospechan	ha sospechado	han sospechado

2 imperfecto de indicativo

9 pluscuamperfecto de indicativo

sospechaba	sospechábamos	había sospechado	habíamos sospechado
sospechabas	sospechabais	habías sospechado	habíais sospechado
sospechaba	sospechaban	había sospechado	habían sospechado

3 pretérito

10 pretérito anterior

sospeché	sospechamos	hube sospechado	hubimos sospechado
sospechaste	sospechasteis	hubiste sospechado	hubisteis sospechado
sospechó	sospecharon	hubo sospechado	hubieron sospechado

4 futuro

11 futuro perfecto

sospecharé	sospecharemos	habré sospechado	habremos sospechado
sospecharás	sospecharéis	habrás sospechado	habréis sospechado
sospechará	sospecharán	habrá sospechado	habrán sospechado

5 potencial simple

12 potencial compuesto

sospecharía	sospecharíamos	habría sospechado	habríamos sospechado
sospecharías	sospecharíais	habrías sospechado	habríais sospechado
sospecharía	sospecharían	habría sospechado	habrían sospechado

6 presente de subjuntivo

13 perfecto de subjuntivo

sospeche	sospechemos	haya sospechado	hayamos sospechado
sospeches	sospechéis	hayas sospechado	hayáis sospechado
sospeche	sospechen	haya sospechado	hayan sospechado

S

7 imperfecto de subjuntivo

14 pluscuamperfecto de subjuntivo

sospechara	sospecháramos	hubiera sospechado	hubiéramos sospechado
sospecharas	sospecharais	hubieras sospechado	hubierais sospechado
sospechara	sospecharan	hubiera sospechado	hubieran sospechado
OR		OR	
sospechase	sospechásemos	hubiese sospechado	hubiésemos sospechado
sospechases	sospechaseis	hubieses sospechado	hubieseis sospechado
sospechase	sospechasen	hubiese sospechado	hubiesen sospechado

imperativo

—	sospechemos
sospecha; no sospeches	sospechad; no sospechéis
sospeche	sospechen

Words related to this verb

sospechar de to suspect	la sospecha suspicion, doubt
sospechable suspicious	sospechoso, sospechosa suspect

Do you need more drills? Have fun with the *501 Spanish Verbs* CD-ROM!

The subject pronouns are found on page 93.

589

sostener (451) Gerundio **sosteniendo** Part. pas. **sostenido**

to sustain, to support, to maintain, to uphold Irregular verb

The Seven Simple Tenses		The Seven Compound Tenses	
Singular	Plural	Singular	Plural
1 presente de indicativo		8 perfecto de indicativo	
sostengo	sostenemos	he sostenido	hemos sostenido
sostienes	sostenéis	has sostenido	habéis sostenido
sostiene	sostienen	ha sostenido	han sostenido
2 imperfecto de indicativo		9 pluscuamperfecto de indicativo	
sostenía	sostaníamos	había sostenido	habíamos sostenido
sostenías	sosteníais	habías sostenido	habíais sostenido
sostenía	sostenían	había sostenido	habían sostenido
3 pretérito		10 pretérito anterior	
sostuve	sostuvimos	hube sostenido	hubimos sostenido
sostuviste	sostuvisteis	hubiste sostenido	hubisteis sostenido
sostuvo	sostuvieron	hubo sostenido	hubieron sostenido
4 futuro		11 futuro perfecto	
sostendré	sostendremos	habré sostenido	habremos sostenido
sostendrás	sostendréis	habrás sostenido	habréis sostenido
sostendrá	sostendrán	habrá sostenido	habrán sostenido
5 potencial simple		12 potencial compuesto	
sostendría	sostendríamos	habría sostenido	habríamos sostenido
sostendrías	sostendríais	habrías sostenido	habríais sostenido
sostendría	sostendrían	habría sostenido	habrían sostenido
6 presente de subjuntivo		13 perfecto de subjuntivo	
sostenga	sostengamos	haya sostenido	hayamos sostenido
sostengas	sostengáis	hayas sostenido	hayáis sostenido
sostenga	sostengan	haya sostenido	hayan sostenido
7 imperfecto de subjuntivo		14 pluscuamperfecto de subjuntivo	
sostuviera	sostuviéramos	hubiera sostenido	hubiéramos sostenido
sostuvieras	sostuvierais	hubieras sostenido	hubierais sostenido
sostuviera	sostuvieran	hubiera sostenido	hubieran sostenido
OR		OR	
sostuviese	sostuviésemos	hubiese sostenido	hubiésemos sostenido
sostuvieses	sostuvieseis	hubieses sostenido	hubieseis sostenido
sostuviese	sostuviesen	hubiese sostenido	hubiesen sostenido

imperativo	
—	sostengamos
sosten; no sostengas	sostened; no sostengáis
sostenga	sostengan

Words related to this verb
el sostén, el sostenimiento support, sustenance
sosteniente supporting, sustaining

sostenido, sostenida supported, sustained
el sostenedor, la sostenedora supporter
sostenerse to support or maintain oneself

For other words and expressions related to this verb, see **tener.**

Gerundio subiendo Part. pas. subido subir (452)

Regular -ir verb

to go up, to come up, to climb, to rise,
to mount, to get on (a train, bus, etc.)

The Seven Simple Tenses | The Seven Compound Tenses

Singular	Plural	Singular	Plural
1 presente de indicativo		**8 perfecto de indicativo**	
subo	subimos	he subido	hemos subido
subes	subís	has subido	habéis subido
sube	suben	ha subido	han subido
2 imperfecto de indicativo		**9 pluscuamperfecto de indicativo**	
subía	subíamos	había subido	habíamos subido
subías	subíais	habías subido	habíais subido
subía	subían	había subido	habían subido
3 pretérito		**10 pretérito anterior**	
subí	subimos	hube subido	hubimos subido
subiste	subisteis	hubiste subido	hubisteis subido
subió	subieron	hubo subido	hubieron subido
4 futuro		**11 futuro perfecto**	
subiré	subiremos	habré subido	habremos subido
subirás	subiréis	habrás subido	habréis subido
subirá	subirán	habrá subido	habrán subido
5 potencial simple		**12 potencial compuesto**	
subiría	subiríamos	habría subido	habríamos subido
subirías	subiríais	habrías subido	habríais subido
subiría	subirían	habría subido	habrían subido
6 presente de subjuntivo		**13 perfecto de subjuntivo**	
suba	subamos	haya subido	hayamos subido
subas	subáis	hayas subido	hayáis subido
suba	suban	haya subido	hayan subido
7 imperfecto de subjuntivo		**14 pluscuamperfecto de subjuntivo**	
subiera	subiéramos	hubiera subido	hubiéramos subido
subieras	subierais	hubieras subido	hubierais subido
subiera	subieran	hubiera subido	hubieran subido
OR		OR	
subiese	subiésemos	hubiese subido	hubiésemos subido
subieses	subieseis	hubieses subido	hubieseis subido
subiese	subiesen	hubiese subido	hubiesen subido

imperativo

—	subamos
sube; no subas	subid; no subáis
suba	suban

Words related to this verb
subir a   to get on (a train, etc.)
subir pasajeros   to take on passengers
súbitamente, subitáneamente   all of a sudden, suddenly
la subida   ascent, increase

súbito, súbita   sudden
subirse a una escalera   to climb a ladder
Han subido los precios.   Prices have gone up.
subir la voz   to raise one's voice

The subject pronouns are found on page 93.

591

subrayar (453)

Gerundio subrayando   **Part. pas.** subrayado

to underline, to underscore, to emphasize   Regular **-ar** verb

The Seven Simple Tenses		The Seven Compound Tenses	
Singular	Plural	Singular	Plural
1 presente de indicativo		**8 perfecto de indicativo**	
subrayo	subrayamos	he subrayado	hemos subrayado
subrayas	subrayáis	has subrayado	habéis subrayado
subraya	subrayan	ha subrayado	han subrayado
2 imperfecto de indicativo		**9 pluscuamperfecto de indicativo**	
subrayaba	subrayábamos	había subrayado	habíamos subrayado
subrayabas	subrayabais	habías subrayado	habíais subrayado
subrayaba	subrayaban	había subrayado	habían subrayado
3 pretérito		**10 pretérito anterior**	
subrayé	subrayamos	hube subrayado	hubimos subrayado
subrayaste	subrayasteis	hubiste subrayado	hubisteis subrayado
subrayó	subrayaron	hubo subrayado	hubieron subrayado
4 futuro		**11 futuro perfecto**	
subrayaré	subrayaremos	habré subrayado	habremos subrayado
subrayarás	subrayaréis	habrás subrayado	habréis subrayado
subrayará	subrayarán	habrá subrayado	habrán subrayado
5 potencial simple		**12 potencial compuesto**	
subrayaría	subrayaríamos	habría subrayado	habríamos subrayado
subrayarías	subrayaríais	habrías subrayado	habríais subrayado
subrayaría	subrayarían	habría subrayado	habrían subrayado
6 presente de subjuntivo		**13 perfecto de subjuntivo**	
subraye	subrayemos	haya subrayado	hayamos subrayado
subrayes	subrayéis	hayas subrayado	hayáis subrayado
subraye	subrayen	haya subrayado	hayan subrayado
7 imperfecto de subjuntivo		**14 pluscuamperfecto de subjuntivo**	
subrayara	subrayáramos	hubiera subrayado	hubiéramos subrayado
subrayaras	subrayarais	hubieras subrayado	hubierais subrayado
subrayara	subrayaran	hubiera subrayado	hubieran subrayado
OR		OR	
subrayase	subrayásemos	hubiese subrayado	hubiésemos subrayado
subrayases	subrayaseis	hubieses subrayado	hubieseis subrayado
subrayase	subrayasen	hubiese subrayado	hubiesen subrayado

imperativo	
—	subrayemos
subraya; no subrayes	subrayad; no subrayéis
subraye	subrayen

Words and expressions related to this verb

subrayado, subrayada   underlined, underlining
rayar   to draw lines, to rule or line paper, to cross out
un rayo de sol   sunbeam; un rayo lunar   moonbeam

el papel rayado   lined paper
rayos X   X-rays

Can't remember the Spanish verb you need?
Check the back pages of this book for the English-Spanish verb index!

Regular **-ir** verb   to subscribe, to agree to, to sign

The Seven Simple Tenses		The Seven Compound Tenses	
Singular	Plural	Singular	Plural
1 presente de indicativo		**8 perfecto de indicativo**	
subscribo	subscribimos	he subscrito	hemos subscrito
subscribes	subscribís	has subscrito	habéis subscrito
subscribe	subscriben	ha subscrito	han subscrito
2 imperfecto de indicativo		**9 pluscuamperfecto de indicativo**	
subscribía	subscribíamos	había subscrito	habíamos subscrito
subscribías	subscribíais	habías subscrito	habíais subscrito
subscribía	subscribían	había subscrito	habían subscrito
3 pretérito		**10 pretérito anterior**	
subscribí	subscribimos	hube subscrito	hubimos subscrito
subscribiste	subscribisteis	hubiste subscrito	hubisteis subscrito
subscribió	subscribieron	hubo subscrito	hubieron subscrito
4 futuro		**11 futuro perfecto**	
subscribiré	subscribiremos	habré subscrito	habremos subscrito
subscribirás	subscribiréis	habrás subscrito	habréis subscrito
subscribirá	subscribirán	habrá subscrito	habrán subscrito
5 potencial simple		**12 potencial compuesto**	
subscribiría	subscribiríamos	habría subscrito	habríamos subscrito
subscribirías	subscribiríais	habrías subscrito	habríais subscrito
subscribiría	subscribirían	habría subscrito	habrían subscrito
6 presente de subjuntivo		**13 perfecto de subjuntivo**	
subscriba	subscribamos	haya subscrito	hayamos subscrito
subscribas	subscribáis	hayas subscrito	hayáis subscrito
subscriba	subscriban	haya subscrito	hayan subscrito
7 imperfecto de subjuntivo		**14 pluscuamperfecto de subjuntivo**	
subscribiera	subscribiéramos	hubiera subscrito	hubiéramos subscrito
subscribieras	subscribierais	hubieras subscrito	hubierais subscrito
subscribiera	subscribieran	hubiera subscrito	hubieran subscrito
OR		OR	
subscribiese	subscribiésemos	hubiese subscrito	hubiésemos subscrito
subscribieses	subscribieseis	hubieses subscrito	hubieseis subscrito
subscribiese	subscribiesen	hubiese subscrito	hubiesen subscrito

	imperativo	
—	**subscribamos**	
subscribe; no subscribas	**subscribid; no subscribáis**	
subscriba	**subscriban**	

Words and expressions related to this verb

subscribirse a   to subscribe to (a magazine, etc.)   **subscriptor, subscriptora**   subscriber
la subscripción   subscription   **suscribir** (variant of **subscribir**)
subscrito, subscrita   subscribed, signed   to subscribe

For other words and expressions related to this verb, see **describir** and **escribir**.

The subject pronouns are found on page 93.   **593**

to suffer, to endure, to bear, to undergo   Regular **-ir** verb

The Seven Simple Tenses		The Seven Compound Tenses	
Singular	Plural	Singular	Plural
1 presente de indicativo		8 perfecto de indicativo	
sufro	sufrimos	he sufrido	hemos sufrido
sufres	sufrís	has sufrido	habéis sufrido
sufre	sufren	ha sufrido	han sufrido
2 imperfecto de indicativo		9 pluscuamperfecto de indicativo	
sufría	sufríamos	había sufrido	habíamos sufrido
sufrías	sufríais	habías sufrido	habíais sufrido
sufría	sufrían	había sufrido	habían sufrido
3 pretérito		10 pretérito anterior	
sufrí	sufrimos	hube sufrido	hubimos sufrido
sufriste	sufristeis	hubiste sufrido	hubisteis sufrido
sufrió	sufrieron	hubo sufrido	hubieron sufrido
4 futuro		11 futuro perfecto	
sufriré	sufriremos	habré sufrido	habremos sufrido
sufrirás	sufriréis	habrás sufrido	habréis sufrido
sufrirá	sufrirán	habrá sufrido	habrán sufrido
5 potencial simple		12 potencial compuesto	
sufriría	sufriríamos	habría sufrido	habríamos sufrido
sufrirías	sufriríais	habrías sufrido	habríais sufrido
sufriría	sufrirían	habría sufrido	habrían sufrido
6 presente de subjuntivo		13 perfecto de subjuntivo	
sufra	suframos	haya sufrido	hayamos sufrido
sufras	sufráis	hayas sufrido	hayáis sufrido
sufra	sufran	haya sufrido	hayan sufrido
7 imperfecto de subjuntivo		14 pluscuamperfecto de subjuntivo	
sufriera	sufriéramos	hubiera sufrido	hubiéramos sufrido
sufrieras	sufrierais	hubieras sufrido	hubierais sufrido
sufriera	sufrieran	hubiera sufrido	hubieran sufrido
OR		OR	
sufriese	sufriésemos	hubiese sufrido	hubiésemos sufrido
sufrieses	sufrieseis	hubieses sufrido	hubieseis sufrido
sufriese	sufriesen	hubiese sufrido	hubiesen sufrido

imperativo	
—	suframos
sufre; no sufras	sufrid; no sufráis
sufra	sufran

Words and expressions related to this verb

el sufrimiento   suffering   **sufrir una multa**   to be given a fine
sufrible   sufferable   **sufrir un accidente**   to have an accident
insufrible   insufferable   **sufrir una pérdida**   to suffer a loss
sufridor, sufridora   suffering

> If you don't know the Spanish verb for the English verb you
> have in mind, look it up in the index on pages 682–706.

Gerundio **sugiriendo**   Part. pas. **sugerido**   **sugerir (456)**

Regular **-ir** verb endings with stem change: to hint, to insinuate, to suggest
Tenses 1, 3, 6, 7, Imperative, Gerundio

The Seven Simple Tenses		The Seven Compound Tenses	
Singular	Plural	Singular	Plural
1 presente de indicativo		8 perfecto de indicativo	
sugiero	**sugerimos**	**he sugerido**	**hemos sugerido**
sugieres	**sugerís**	**has sugerido**	**habéis sugerido**
sugiere	**sugieren**	**ha sugerido**	**han sugerido**
2 imperfecto de indicativo		9 pluscuamperfecto de indicativo	
sugería	**sugeríamos**	**había sugerido**	**habíamos sugerido**
sugerías	**sugeríais**	**habías sugerido**	**habíais sugerido**
sugería	**sugerían**	**había sugerido**	**habían sugerido**
3 pretérito		10 pretérito anterior	
sugerí	**sugerimos**	**hube sugerido**	**hubimos sugerido**
sugeriste	**sugeristeis**	**hubiste sugerido**	**hubisteis sugerido**
sugirió	**sugirieron**	**hubo sugerido**	**hubieron sugerido**
4 futuro		11 futuro perfecto	
sugeriré	**sugeriremos**	**habré sugerido**	**habremos sugerido**
sugerirás	**sugeriréis**	**habrás sugerido**	**habréis sugerido**
sugerirá	**sugerirán**	**habrá sugerido**	**habrán sugerido**
5 potencial simple		12 potencial compuesto	
sugeriría	**sugeriríamos**	**habría sugerido**	**habríamos sugerido**
sugerirías	**sugeriríais**	**habrías sugerido**	**habríais sugerido**
sugeriría	**sugerirían**	**habría sugerido**	**habrían sugerido**
6 presente de subjuntivo		13 perfecto de subjuntivo	
sugiera	**sugiramos**	**haya sugerido**	**hayamos sugerido**
sugieras	**sugiráis**	**hayas sugerido**	**hayáis sugerido**
sugiera	**sugieran**	**haya sugerido**	**hayan sugerido**
7 imperfecto de subjuntivo		14 pluscuamperfecto de subjuntivo	
sugiriera	**sugiriéramos**	**hubiera sugerido**	**hubiéramos sugerido**
sugirieras	**sugirierais**	**hubieras sugerido**	**hubierais sugerido**
sugiriera	**sugirieran**	**hubiera sugerido**	**hubieran sugerido**
OR		OR	
sugiriese	**sugiriésemos**	**hubiese sugerido**	**hubiésemos sugerido**
sugirieses	**sugirieseis**	**hubieses sugerido**	**hubieseis sugerido**
sugiriese	**sugiriesen**	**hubiese sugerido**	**hubiesen sugerido**

S

imperativo

—	**sugiramos**
sugiere; no sugieras	**sugerid; no sugiráis**
sugiera	**sugieran**

Words and expressions related to this verb
una sugestión, una sugerencia   suggestion   **sugestivo, sugestiva**   suggestive
sugestionable   easily influenced   **sugerente**   suggestive

---

Can't find the verb you're looking for?
Check the back pages of this book for a list of over 2,100 additional verbs!

The subject pronouns are found on page 93.

to submerge, to plunge, to immerse, to sink	Regular **-ir** verb endings with spelling change: **g** becomes **j** before **a** or **o**
The Seven Simple Tenses	The Seven Compound Tenses

Singular	Plural	Singular	Plural
1 presente de indicativo		8 perfecto de indicativo	
sumerjo	**sumergimos**	**he sumergido**	**hemos sumergido**
sumerges	**sumergís**	**has sumergido**	**habéis sumergido**
sumerge	**sumergen**	**ha sumergido**	**han sumergido**
2 imperfecto de indicativo		9 pluscuamperfecto de indicativo	
sumergía	**sumergíamos**	**había sumergido**	**habíamos sumergido**
sumergías	**sumergíais**	**habías sumergido**	**habíais sumergido**
sumergía	**sumergían**	**había sumergido**	**habían sumergido**
3 pretérito		10 pretérito anterior	
sumergí	**sumergimos**	**hube sumergido**	**hubimos sumergido**
sumergiste	**sumergisteis**	**hubiste sumergido**	**hubisteis sumergido**
sumergió	**sumergieron**	**hubo sumergido**	**hubieron sumergido**
4 futuro		11 futuro perfecto	
sumergiré	**sumergiremos**	**habré sumergido**	**habremos sumergido**
sumergirás	**sumergiréis**	**habrás sumergido**	**habréis sumergido**
sumergirá	**sumergirán**	**habrá sumergido**	**habrán sumergido**
5 potencial simple		12 potencial compuesto	
sumergiría	**sumergiríamos**	**habría sumergido**	**habríamos sumergido**
sumergirías	**sumergiríais**	**habrías sumergido**	**habríais sumergido**
sumergiría	**sumergirían**	**habría sumergido**	**habrían sumergido**
6 presente de subjuntivo		13 perfecto de subjuntivo	
sumerja	**sumerjamos**	**haya sumergido**	**hayamos sumergido**
sumerjas	**sumerjáis**	**hayas sumergido**	**hayáis sumergido**
sumerja	**sumerjan**	**haya sumergido**	**hayan sumergido**
7 imperfecto de subjuntivo		14 pluscuamperfecto de subjuntivo	
sumergiera	**sumergiéramos**	**hubiera sumergido**	**hubiéramos sumergido**
sumergieras	**sumergierais**	**hubieras sumergido**	**hubierais sumergido**
sumergiera	**sumergieran**	**hubiera sumergido**	**hubieran sumergido**
OR		OR	
sumergiese	**sumergiésemos**	**hubiese sumergido**	**hubiésemos sumergido**
sumergieses	**sumergieseis**	**hubieses sumergido**	**hubieseis sumergido**
sumergiese	**sumergiesen**	**hubiese sumergido**	**hubiesen sumergido**

imperativo	
—	**sumerjamos**
sumerge; no sumerjas	**sumergid; no sumerjáis**
sumerja	**sumerjan**

Words related to this verb
el sumergimiento submersion, sinking
el sumergible submarine
la sumersión submersion
emerger to emerge

> If you want to see a sample English verb fully conjugated in all the tenses, check out pages 11 and 12.

The Seven Simple Tenses		The Seven Compound Tenses	
Singular	Plural	Singular	Plural
1 presente de indicativo		8 perfecto de indicativo	
supongo	suponemos	he supuesto	hemos supuesto
supones	suponéis	has supuesto	habéis supuesto
supone	suponen	ha supuesto	han supuesto
2 imperfecto de indicativo		9 pluscuamperfecto de indicativo	
suponía	suponíamos	había supuesto	habíamos supuesto
suponías	suponíais	habías supuesto	habíais supuesto
suponía	suponían	había supuesto	habían supuesto
3 pretérito		10 pretérito anterior	
supuse	supusimos	hube supuesto	hubimos supuesto
supusiste	supusisteis	hubiste supuesto	hubisteis supuesto
supuso	supusieron	hubo supuesto	hubieron supuesto
4 futuro		11 futuro perfecto	
supondré	supondremos	habré supuesto	habremos supuesto
supondrás	supondréis	habrás supuesto	habréis supuesto
supondrá	supondrán	habrá supuesto	habrán supuesto
5 potencial simple		12 potencial compuesto	
supondría	supondríamos	habría supuesto	habríamos supuesto
supondrías	supondríais	habrías supuesto	habríais supuesto
supondría	supondrían	habría supuesto	habrían supuesto
6 presente de subjuntivo		13 perfecto de subjuntivo	
suponga	supongamos	haya supuesto	hayamos supuesto
supongas	supongáis	hayas supuesto	hayáis supuesto
suponga	supongan	haya supuesto	hayan supuesto
7 imperfecto de subjuntivo		14 pluscuamperfecto de subjuntivo	
supusiera	supusiéramos	hubiera supuesto	hubiéramos supuesto
supusieras	supusierais	hubieras supuesto	hubierais supuesto
supusiera	supusieran	hubiera supuesto	hubieran supuesto
OR		OR	
supusiese	supusiésemos	hubiese supuesto	hubiésemos supuesto
supusieses	supusieseis	hubieses supuesto	hubieseis supuesto
supusiese	supusiesen	hubiese supuesto	hubiesen supuesto

S

	imperativo	
—		supongamos
supón; no supongas		suponed; no supongáis
suponga		supongan

Words related to this verb
un suponer, una suposición supposition   **proponer** to propose
poner to put   **por supuesto** of course

For additional words and expressions related to this verb, see **poner, ponerse,** and **componer.**

Gerundio **suprimiendo** Part. pas. **suprimido** (**supreso,** *as an adj.*)

to suppress, to abolish, to cancel (in mathematics),
to eliminate, to delete

Regular **-ir** verb

The Seven Simple Tenses		The Seven Compound Tenses	
Singular	Plural	Singular	Plural
1 presente de indicativo		8 perfecto de indicativo	
suprimo	**suprimios**	**he suprimido**	**hemos suprimido**
suprimes	**suprimís**	**has suprimido**	**habéis suprimido**
suprime	**suprimen**	**ha suprimido**	**han suprimido**
2 imperfecto de indicativo		9 pluscuamperfecto de indicativo	
suprimía	**suprimíamos**	**había suprimido**	**habíamos suprimido**
suprimías	**suprimíais**	**habías suprimido**	**habíais suprimido**
suprimía	**suprimían**	**había suprimido**	**habían suprimido**
3 pretérito		10 pretérito anterior	
suprimí	**suprimimos**	**hube suprimido**	**hubimos suprimido**
suprimiste	**suprimisteis**	**hubiste suprimido**	**hubisteis suprimido**
suprimió	**suprimieron**	**hubo suprimido**	**hubieron suprimido**
4 futuro		11 futuro perfecto	
suprimiré	**suprimiremos**	**habré suprimido**	**habremos suprimido**
suprimirás	**suprimiréis**	**habrás suprimido**	**habréis suprimido**
suprimirá	**suprimirán**	**habrá suprimido**	**habrán suprimido**
5 potencial simple		12 potencial compuesto	
suprimiría	**suprimiríamos**	**habría suprimido**	**habríamos suprimido**
suprimirías	**suprimiríais**	**habrías suprimido**	**habríais suprimido**
suprimiría	**suprimirían**	**habría suprimido**	**habrían suprimido**
6 presente de subjuntivo		13 perfecto de subjuntivo	
suprima	**suprimamos**	**haya suprimido**	**hayamos suprimido**
suprimas	**suprimáis**	**hayas suprimido**	**hayáis suprimido**
suprima	**supriman**	**haya suprimido**	**hayan suprimido**
7 imperfecto de subjuntivo		14 pluscuamperfecto de subjuntivo	
suprimiera	**suprimiéramos**	**hubiera suprimido**	**hubiéramos suprimido**
suprimieras	**suprimierais**	**hubieras suprimido**	**hubierais suprimido**
suprimiera	**suprimieran**	**hubiera suprimido**	**hubieran suprimido**
OR		OR	
suprimiese	**suprimiésemos**	**hubiese suprimido**	**hubiésemos suprimido**
suprimieses	**suprimieseis**	**hubieses suprimido**	**hubieseis suprimido**
suprimiese	**suprimiesen**	**hubiese suprimido**	**hubiesen suprimido**

imperativo

—	**suprimamos**
suprime; no suprimas	**suprimid; no suprimáis**
suprima	**supriman**

Words related to this verb
la **supresión** suppression
suprimido, suprimida suppressed

suprimible suppressible
supreso, supresa suppressed

Do you need more drills? Have fun with the *501 Spanish Verbs* CD-ROM!

Gerundio surgiendo   Part. pas. surgido   surgir (460)

Regular -ir verb endings with spelling change: **g** becomes **j** before **a** or **o**

to surge, to spout up, to spurt up, to spring up, to arise, to appear, to emerge, to loom up

The Seven Simple Tenses		The Seven Compound Tenses	
Singular	Plural	Singular	Plural
1 presente de indicativo		8 perfecto de indicativo	
surjo	**surgimos**	**he surgido**	**hemos surgido**
surges	**surgís**	**has surgido**	**habéis surgido**
surge	**surgen**	**ha surgido**	**han surgido**
2 imperfecto de indicativo		9 pluscuamperfecto de indicativo	
surgía	**surgíamos**	**había surgido**	**habíamos surgido**
surgías	**surgíais**	**habías surgido**	**habíais surgido**
surgía	**surgían**	**había surgido**	**habían surgido**
3 pretérito		10 pretérito anterior	
surgí	**surgimos**	**hube surgido**	**hubimos surgido**
surgiste	**surgisteis**	**hubiste surgido**	**hubisteis surgido**
surgió	**surgieron**	**hubo surgido**	**hubieron surgido**
4 futuro		11 futuro perfecto	
surgiré	**surgiremos**	**habré surgido**	**habremos surgido**
surgirás	**surgiréis**	**habrás surgido**	**habréis surgido**
surgirá	**surgirán**	**habrá surgido**	**habrán surgido**
5 potencial simple		12 potencial compuesto	
surgiría	**surgiríamos**	**habría surgido**	**habríamos surgido**
surgirías	**surgiríais**	**habrías surgido**	**habríais surgido**
surgiría	**surgirían**	**habría surgido**	**habrían surgido**
6 presente de subjuntivo		13 perfecto de subjuntivo	
surja	**surjamos**	**haya surgido**	**hayamos surgido**
surjas	**surjáis**	**hayas surgido**	**hayáis surgido**
surja	**surjan**	**haya surgido**	**hayan surgido**
7 imperfecto de subjuntivo		14 pluscuamperfecto de subjuntivo	
surgiera	**surgiéramos**	**hubiera surgido**	**hubiéramos surgido**
surgieras	**surgierais**	**hubieras surgido**	**hubierais surgido**
surgiera	**surgieran**	**hubiera surgido**	**hubieran surgido**
OR		OR	
surgiese	**surgiésemos**	**hubiese surgido**	**hubiésemos surgido**
surgieses	**surgieseis**	**hubieses surgido**	**hubieseis surgido**
surgiese	**surgiesen**	**hubiese surgido**	**hubiesen surgido**

	imperativo	
—		**surjamos**
surge; no surjas		**surgid; no surjáis**
surja		**surjan**

Words related to this verb
surgente surging, salient
resurgir to reappear

el resurgimiento reappearance, recovery

Este muchacho es muy grande; surge entre los otros muchachos.
This boy is very big; he towers over the other boys.

surgir also has the meaning of *to anchor* (nautical)
el surgidor, la surgidora person who anchors

The subject pronouns are found on page 93.

599

to sigh   Regular **-ar** verb

The Seven Simple Tenses		The Seven Compound Tenses	
Singular	Plural	Singular	Plural
1 presente de indicativo		8 perfecto de indicativo	
suspiro	suspiramos	he suspirado	hemos suspirado
suspiras	suspiráis	has suspirado	habéis suspirado
suspira	suspiran	ha suspirado	han suspirado
2 imperfecto de indicativo		9 pluscuamperfecto de indicativo	
suspiraba	suspirábamos	había suspirado	habíamos suspirado
suspirabas	suspirabais	habías suspirado	habíais suspirado
suspiraba	suspiraban	había suspirado	habían suspirado
3 pretérito		10 pretérito anterior	
suspiré	suspiramos	hube suspirado	hubimos suspirado
suspiraste	suspirasteis	hubiste suspirado	hubisteis suspirado
suspiró	suspiraron	hubo suspirado	hubieron suspirado
4 futuro		11 futuro perfecto	
suspiraré	suspiraremos	habré suspirado	habremos suspirado
suspirarás	suspiraréis	habrás suspirado	habréis suspirado
suspirará	suspirarán	habrá suspirado	habrán suspirado
5 potencial simple		12 potencial compuesto	
suspiraría	suspiraríamos	habría suspirado	habríamos suspirado
suspirarías	suspiraríais	habrías suspirado	habríais suspirado
suspiraría	suspirarían	habría suspirado	habrían suspirado
6 presente de subjuntivo		13 perfecto de subjuntivo	
suspire	suspiremos	haya suspirado	hayamos suspirado
suspires	suspiréis	hayas suspirado	hayáis suspirado
suspire	suspiren	haya suspirado	hayan suspirado
7 imperfecto de subjuntivo		14 pluscuamperfecto de subjuntivo	
suspirara	suspiráramos	hubiera suspirado	hubiéramos suspirado
suspiraras	suspirarais	hubieras suspirado	hubierais suspirado
suspirara	suspiraran	hubiera suspirado	hubieran suspirado
OR		OR	
suspirase	suspirásemos	hubiese suspirado	hubiésemos suspirado
suspirases	suspiraseis	hubieses suspirado	hubieseis suspirado
suspirase	suspirasen	hubiese suspirado	hubiesen suspirado

imperativo

—	suspiremos
suspira; no suspires	suspirad; no suspiréis
suspire	suspiren

Words and expressions related to this verb
suspirar por   to long for
el suspiro   sigh, breath; exhalar el último
   suspiro   to breathe one's last breath

el espíritu   spirit
exasperar   to exasperate
inspirar   to inspire, to inhale
la inspiración   inspiration

Don't miss the definitions of basic grammatical terms
with examples in English and Spanish on pages 33–44.

Regular **-er** endings in all tenses except
Tenses 3 and 7; irregular Gerundio

to pluck, to play (a stringed
musical instrument)

The Seven Simple Tenses		The Seven Compound Tenses	
Singular	Plural	Singular	Plural
1 presente de indicativo		8 perfecto de indicativo	
taño	tañemos	he tañido	hemos tañido
tañes	tañéis	has tañido	habéis tañido
tañe	tañen	ha tañido	han tañido
2 imperfecto de indicativo		9 pluscuamperfecto de indicativo	
tañía	tañíamos	había tañido	habíamos tañido
tañías	tañíais	habías tañido	habíais tañido
tañía	tañían	había tañido	habían tañido
3 pretérito		10 pretérito anterior	
tañí	tañimos	hube tañido	hubimos tañido
tañiste	tañisteis	hubiste tañido	hubisteis tañido
tañó	tañeron	hubo tañido	hubieron tañido
4 futuro		11 futuro perfecto	
tañeré	tañeremos	habré tañido	habremos tañido
tañerás	tañeréis	habrás tañido	habréis tañido
tañerá	tañerán	habrá tañido	habrán tañido
5 potencial simple		12 potencial compuesto	
tañería	tañeríamos	habría tañido	habríamos tañido
tañerías	tañeríais	habrías tañido	habríais tañido
tañería	tañerían	habría tañido	habrían tañido
6 presente de subjuntivo		13 perfecto de subjuntivo	
taña	tañamos	haya tañido	hayamos tañido
tañas	tañáis	hayas tañido	hayáis tañido
taña	tañan	haya tañido	hayan tañido
7 imperfecto de subjuntivo		14 pluscuamperfecto de subjuntivo	
tañera	tañéramos	hubiera tañido	hubiéramos tañido
tañeras	tañerais	hubieras tañido	hubierais tañido
tañera	tañeran	hubiera tañido	hubieran tañido
OR		OR	
tañese	tañésemos	hubiese tañido	hubiésemos tañido
tañeses	tañeseis	hubieses tañido	hubieseis tañido
tañese	tañesen	hubiese tañido	hubiesen tañido

imperativo	
—	tañamos
tañe; no tañas	tañed; no tañáis
taña	tañan

Words related to this verb
el tañido   sound, tone; twang of a stringed musical instrument;
  el tañimiento   plucking, strumming of a stringed musical instrument

Review the principal parts of important Spanish verbs on pages 9–10.

The subject pronouns are found on page 93.   **601**

telefonear (463)   Gerundio telefoneando   Part. pas. telefoneado
to telephone

The Seven Simple Tenses		The Seven Compound Tenses	
Singular	Plural	Singular	Plural
1 presente de indicativo		8 perfecto de indicativo	
telefoneo	telefoneamos	he telefoneado	hemos telefoneado
telefoneas	telefoneáis	has telefoneado	habéis telefoneado
telefonea	telefonean	ha telefoneado	han telefoneado
2 imperfecto de indicativo		9 pluscuamperfecto de indicativo	
telefoneaba	telefoneábamos	había telefoneado	habíamos telefoneado
telefoneabas	telefoneabais	habías telefoneado	habíais telefoneado
telefoneaba	telefoneaban	había telefoneado	habían telefoneado
3 pretérito		10 pretérito anterior	
telefoneé	telefoneamos	hube telefoneado	hubimos telefoneado
telefoneaste	telefoneasteis	hubiste telefoneado	hubisteis telefoneado
telefoneó	telefonearon	hubo telefoneado	hubieron telefoneado
4 futuro		11 futuro perfecto	
telefonearé	telefonearemos	habré telefoneado	habremos telefoneado
telefonearás	telefonearéis	habrás telefoneado	habréis telefoneado
telefoneará	telefonearán	habrá telefoneado	habrán telefoneado
5 potencial simple		12 potencial compuesto	
telefonearía	telefonearíamos	habría telefoneado	habríamos telefoneado
telefonearías	telefonearíais	habrías telefoneado	habríais telefoneado
telefonearía	telefonearían	habría telefoneado	habrían telefoneado
6 presente de subjuntivo		13 perfecto de subjuntivo	
telefonee	telefoneemos	haya telefoneado	hayamos telefoneado
telefonees	telefoneéis	hayas telefoneado	hayáis telefoneado
telefonee	telefoneen	haya telefoneado	hayan telefoneado
7 imperfecto de subjuntivo		14 pluscuamperfecto de subjuntivo	
telefoneara	telefoneáramos	hubiera telefoneado	hubiéramos telefoneado
telefonearas	telefonearais	hubieras telefoneado	hubierais telefoneado
telefoneara	telefonearan	hubiera telefoneado	hubieran telefoneado
OR		OR	
telefonease	telefoneásemos	hubiese telefoneado	hubiésemos telefoneado
telefoneases	telefoneaseis	hubieses telefoneado	hubieseis telefoneado
telefonease	telefoneasen	hubiese telefoneado	hubiesen telefoneado

imperativo	
—	telefoneemos
telefonea; no telefonees	telefonead; no telefoneéis
telefonee	telefoneen

Words and expressions related to this verb

el teléfono   telephone
telefonista   telephone operator
telefónico, telefónica   telephonic
marcar el número de teléfono   to dial
  a telephone number
¡diga!   hello! (when answering a phone)

la guía telefónica   telephone book
la cabina telefónica   telephone booth
el número de teléfono   telephone number
por teléfono   by telephone
una buscapersonas   pager
un teléfono celular   cell phone

Gerundio **telegrafiando**   Part. pas. **telegrafiado**   **telegrafiar (464)**

Regular **-ar** verb endings with spelling change: **i** becomes   to telegraph, to cable
í on stressed syllable (see Tenses 1, 6, Imperative)

The Seven Simple Tenses		The Seven Compound Tenses	
Singular	Plural	Singular	Plural
1 presente de indicativo		8 perfecto de indicativo	
telegrafío	telegrafiamos	he telegrafiado	hemos telegrafiado
telegrafías	telegrafiáis	has telegrafiado	habéis telegrafiado
telegrafía	telegrafían	ha telegrafiado	han telegrafiado
2 imperfecto de indicativo		9 pluscuamperfecto de indicativo	
telegrafiaba	telegrafiábamos	había telegrafiado	habíamos telegrafiado
telegrafiabas	telegrafiabais	habías telegrafiado	habíais telegrafiado
telegrafiaba	telegrafiaban	había telegrafiado	habían telegrafiado
3 pretérito		10 pretérito anterior	
telegrafié	telegrafiamos	hube telegrafiado	hubimos telegrafiado
telegrafiaste	telegrafiasteis	hubiste telegrafiado	hubisteis telegrafiado
telegrafió	telegrafiaron	hubo telegrafiado	hubieron telegrafiado
4 futuro		11 futuro perfecto	
telegrafiaré	telegrafiaremos	habré telegrafiado	habremos telegrafiado
telegrafiarás	telegrafiaréis	habrás telegrafiado	habréis telegrafiado
telegrafiará	telegrafiarán	habrá telegrafiado	habrán telegrafiado
5 potencial simple		12 potencial compuesto	
telegrafiaría	telegrafiaríamos	habría telegrafiado	habríamos telegrafiado
telegrafiarías	telegrafiaríais	habrías telegrafiado	habríais telegrafiado
telegrafiaría	telegrafiarían	habría telegrafiado	habrían telegrafiado
6 presente de subjuntivo		13 perfecto de subjuntivo	
telegrafíe	telegrafiemos	haya telegrafiado	hayamos telegrafiado
telegrafíes	telegrafiéis	hayas telegrafiado	hayáis telegrafiado
telegrafíe	telegrafíen	haya telegrafiado	hayan telegrafiado
7 imperfecto de subjuntivo		14 pluscuamperfecto de subjuntivo	
telegrafiara	telegrafiáramos	hubiera telegrafiado	hubiéramos telegrafiado
telegrafiaras	telegrafiarais	hubieras telegrafiado	hubierais telegrafiado
telegrafiara	telegrafiaran	hubiera telegrafiado	hubieran telegrafiado
OR		OR	
telegrafiase	telegrafiásemos	hubiese telegrafiado	hubiésemos telegrafiado
telegrafiases	telegrafiaseis	hubieses telegrafiado	hubieseis telegrafiado
telegrafiase	telegrafiasen	hubiese telegrafiado	hubiesen telegrafiado

imperativo	
—	telegrafiemos
telegrafía; no telegrafíes	telegrafiad; no telegrafiéis
telegrafíe	telegrafíen

Words and expressions related to this verb

el telégrafo   telegraph
el telegrama   telegram, cablegram
telegrafista   telegraph operator

la telegrafía   telegraphy
el telégrafo sin hilos   wireless telegraph
telegrafiar la intención   to telegraph (one's)
    intentions

The subject pronouns are found on page 93.   **603**

temblar (465)

Gerundio temblando

Part. pas. temblado

to tremble, to quake, to quiver, to shake, to shiver

Regular **-ar** verb endings with stem change: Tenses 1, 6, Imperative

The Seven Simple Tenses		The Seven Compound Tenses	
Singular	Plural	Singular	Plural
1 presente de indicativo		8 perfecto de indicativo	
tiemblo	temblamos	he temblado	hemos temblado
tiemblas	tembláis	has temblado	habéis temblado
tiembla	tiemblan	ha temblado	han temblado
2 imperfecto de indicativo		9 pluscuamperfecto de indicativo	
temblaba	temblábamos	había temblado	habíamos temblado
temblabas	temblabais	habías temblado	habíais temblado
temblaba	temblaban	había temblado	habían temblado
3 pretérito		10 pretérito anterior	
temblé	temblamos	hube temblado	hubimos temblado
temblaste	temblasteis	hubiste temblado	hubisteis temblado
tembló	temblaron	hubo temblado	hubieron temblado
4 futuro		11 futuro perfecto	
temblaré	temblaremos	habré temblado	habremos temblado
temblarás	temblaréis	habrás temblado	habréis temblado
temblará	temblarán	habrá temblado	habrán temblado
5 potencial simple		12 potencial compuesto	
temblaría	temblaríamos	habría temblado	habríamos temblado
temblarías	temblaríais	habrías temblado	habríais temblado
temblaría	temblarían	habría temblado	habrían temblado
6 presente de subjuntivo		13 perfecto de subjuntivo	
tiemble	temblemos	haya temblado	hayamos temblado
tiembles	tembléis	hayas temblado	hayáis temblado
tiemble	tiemblen	haya temblado	hayan temblado
7 imperfecto de subjuntivo		14 pluscuamperfecto de subjuntivo	
temblara	tembláramos	hubiera temblado	hubiéramos temblado
temblaras	temblarais	hubieras temblado	hubierais temblado
temblara	temblaran	hubiera temblado	hubieran temblado
OR		OR	
temblase	temblásemos	hubiese temblado	hubiésemos temblado
temblases	temblaseis	hubieses temblado	hubieseis temblado
temblase	temblasen	hubiese temblado	hubiesen temblado

imperativo		
—	temblemos	
tiembla; no tiembles	temblad; no tembléis	
tiemble	tiemblen	

Words and expressions related to this verb

temblante   trembling, shaking; **el temblante**   bracelet

el temblor   tremor, shaking; **temblón, temblona**   trembling

un temblor de tierra   earthquake; **un temblor de voz**   quivering of one's voice

> If you want an explanation of meanings and uses of Spanish and English verb tenses and moods, see pages 13–32.

The Seven Simple Tenses		The Seven Compound Tenses	
Singular	Plural	Singular	Plural
1 presente de indicativo		**8 perfecto de indicativo**	
temo	tememos	he temido	hemos temido
temes	teméis	has temido	habéis temido
teme	temen	ha temido	han temido
2 imperfecto de indicativo		**9 pluscuamperfecto de indicativo**	
temía	temíamos	había temido	habíamos temido
temías	temíais	habías temido	habíais temido
temía	temían	había temido	habían temido
3 pretérito		**10 pretérito anterior**	
temí	temimos	hube temido	hubimos temido
temiste	temisteis	hubiste temido	hubisteis temido
temió	temieron	hubo temido	hubieron temido
4 futuro		**11 futuro perfecto**	
temeré	temeremos	habré temido	habremos temido
temerás	temeréis	habrás temido	habréis temido
temerá	temerán	habrá temido	habrán temido
5 potencial simple		**12 potencial compuesto**	
temería	temeríamos	habría temido	habríamos temido
temerías	temeríais	habrías temido	habríais temido
temería	temerían	habría temido	habrían temido
6 presente de subjuntivo		**13 perfecto de subjuntivo**	
tema	temamos	haya temido	hayamos temido
temas	temáis	hayas temido	hayáis temido
tema	teman	haya temido	hayan temido
7 imperfecto de subjuntivo		**14 pluscuamperfecto de subjuntivo**	
temiera	temiéramos	hubiera temido	hubiéramos temido
temieras	temierais	hubieras temido	hubierais temido
temiera	temieran	hubiera temido	hubieran temido
OR		OR	
temiese	temiésemos	hubiese temido	hubiésemos temido
temieses	temieseis	hubieses temido	hubieseis temido
temiese	temiesen	hubiese temido	hubiesen temido

	imperativo	
—	temamos	
teme; no temas	temed; no temáis	
tema	teman	

Words and expressions related to this verb
temer + inf.   to fear + inf.
temer por   to fear for
temedor, temedora   afraid, fearing
temedero, temedera   dreadful, fearful
intimidar   to intimidate

el temor   fear
la temeridad   temerity, daring
temeroso, temerosa   fearful
sin temor a nada   without fearing anything
tímido, tímida   shy

Can't find the verb you're looking for?
Check the back pages of this book for a list of over 2,100 additional verbs!

605

tender (467)

Gerundio **tendiendo**

Part. pas. **tendido**

to extend, to offer, to stretch, to spread out, to hang out (washing)

Regular **-er** verb endings with stem change: Tenses 1, 6, Imperative

The Seven Simple Tenses		The Seven Compound Tenses	
Singular	Plural	Singular	Plural
1 presente de indicativo		8 perfecto de indicativo	
tiendo	tendemos	he tendido	hemos tendido
tiendes	tendéis	has tendido	habéis tendido
tiende	tienden	ha tendido	han tendido
2 imperfecto de indicativo		9 pluscuamperfecto de indicativo	
tendía	tendíamos	había tendido	habíamos tendido
tendías	tendíais	habías tendido	habíais tendido
tendía	tendían	había tendido	habían tendido
3 pretérito		10 pretérito anterior	
tendí	tendimos	hube tendido	hubimos tendido
tendiste	tendisteis	hubiste tendido	hubisteis tendido
tendió	tendieron	hubo tendido	hubieron tendido
4 futuro		11 futuro perfecto	
tenderé	tenderemos	habré tendido	habremos tendido
tenderás	tenderéis	habrás tendido	habréis tendido
tenderá	tenderán	habrá tendido	habrán tendido
5 potencial simple		12 potencial compuesto	
tendería	tenderíamos	habría tendido	habríamos tendido
tenderías	tenderíais	habrías tendido	habríais tendido
tendería	tenderían	habría tendido	habrían tendido
6 presente de subjuntivo		13 perfecto de subjuntivo	
tienda	tendamos	haya tendido	hayamos tendido
tiendas	tendáis	hayas tendido	hayáis tendido
tienda	tiendan	haya tendido	hayan tendido
7 imperfecto de subjuntivo		14 pluscuamperfecto de subjuntivo	
tendiera	tendiéramos	hubiera tendido	hubiéramos tendido
tendieras	tendierais	hubieras tendido	hubierais tendido
tendiera	tendieran	hubiera tendido	hubieran tendido
OR		OR	
tendiese	tendiésemos	hubiese tendido	hubiésemos tendido
tendieses	tendieseis	hubieses tendido	hubieseis tendido
tendiese	tendiesen	hubiese tendido	hubiesen tendido

imperativo	
—	tendamos
tiende; no tiendas	tended; no tendáis
tienda	tiendan

Words and expressions related to this verb

tender a + inf. to tend + inf.
un tendero, una tendera shopkeeper
un tenderete booth, stand (for selling merchandise)

una tienda shop, store; **tienda de pacotilla** junk store; **tienda de campaña** tent
una tienda de ultramarinos grocery store
una tendencia trend

Use the guide to Spanish pronunciation on pages 665–667.

Irregular verb to have, to hold

The Seven Simple Tenses		The Seven Compound Tenses	
Singular	Plural	Singular	Plural
1 presente de indicativo		8 perfecto de indicativo	
tengo	**tenemos**	**he tenido**	**hemos tenido**
tienes	**tenéis**	**has tenido**	**habéis tenido**
tiene	**tienen**	**ha tenido**	**han tenido**
2 imperfecto de indicativo		9 pluscuamperfecto de indicativo	
tenía	**teníamos**	**había tenido**	**habíamos tenido**
tenías	**teníais**	**habías tenido**	**habíais tenido**
tenía	**tenían**	**había tenido**	**habían tenido**
3 pretérito		10 pretérito anterior	
tuve	**tuvimos**	**hube tenido**	**hubimos tenido**
tuviste	**tuvisteis**	**hubiste tenido**	**hubisteis tenido**
tuvo	**tuvieron**	**hubo tenido**	**hubieron tenido**
4 futuro		11 futuro perfecto	
tendré	**tendremos**	**habré tenido**	**habremos tenido**
tendrás	**tendréis**	**habrás tenido**	**habréis tenido**
tendrá	**tendrán**	**habrá tenido**	**habrán tenido**
5 potencial simple		12 potencial compuesto	
tendría	**tendríamos**	**habría tenido**	**habríamos tenido**
tendrías	**tendríais**	**habrías tenido**	**habríais tenido**
tendría	**tendrían**	**habría tenido**	**habrían tenido**
6 presente de subjuntivo		13 perfecto de subjuntivo	
tenga	**tengamos**	**haya tenido**	**hayamos tenido**
tengas	**tengáis**	**hayas tenido**	**hayáis tenido**
tenga	**tengan**	**haya tenido**	**hayan tenido**
7 imperfecto de subjuntivo		14 pluscuamperfecto de subjuntivo	
tuviera	**tuviéramos**	**hubiera tenido**	**hubiéramos tenido**
tuvieras	**tuvierais**	**hubieras tenido**	**hubierais tenido**
tuviera	**tuvieran**	**hubiera tenido**	**hubieran tenido**
OR		OR	
tuviese	**tuviésemos**	**hubiese tenido**	**hubiésemos tenido**
tuvieses	**tuvieseis**	**hubieses tenido**	**hubieseis tenido**
tuviese	**tuviesen**	**hubiese tenido**	**hubiesen tenido**

T

	imperativo	
—		**tengamos**
ten; no tengas		**tened; no tengáis**
tenga		**tengan**

AN ESSENTIAL
55 VERB

Tener is one of the most important irregular verbs for beginning students. It is used in a great number of idiomatic expressions and everyday situations. Pay special attention to the stem changes!

Sentences using tener **and related words**

Tengo un dolor de muelas.
I have a toothache.

¿Tiene algo más barato?
Do you have something cheaper?

Aquí tiene usted nuestros pasaportes.
Here are our passports.

¿Tengo que trasbordar?
Do I have to transfer? (bus, train, etc.)

¡Tengo mucha hambre!
I'm very hungry!

Tenemos que salir.
We have to go out.

Aquí tiene el dinero.
Here is the money.

¿Cuántos años tienes?
How old are you?

Tengo diez y seis (*or* dieciséis) años.
I am sixteen years old.

—¿Qué tienes? ¿Qué tiene Ud.?
—What's the matter? What's the matter with you?

—No tengo nada.
—There's nothing wrong. There's nothing the matter with me.

Tengo ganas de tomar un helado.
I feel like having an ice cream.

Tengo mucho gusto en conocerle.
I am very glad to meet you.

Tenga la bondad de cerrar la puerta.
Please close the door.

El accidente tuvo lugar anoche.
The accident took place last night.

Tengo que estudiar.
I have to study.

Usted tiene razón.
You are right.

Proverbs

Anda despacio que tengo prisa.
Make haste slowly. (Easy does it.)

Aquellos son ricos, que tienen amigos.
Those who have friends are rich.

El que más tiene más quiere.
The more one has, the more one wants.

tener algo que hacer **to have something to do**

tener algo en la punta de la lengua **to have something on the tip of one's tongue**

tener apetito **to have an appetite**

tener cuidado **to be careful**

tener prisa **to be in a hurry**

tener hambre **to be hungry**

tener sed **to be thirsty**

tener frío **to be (feel) cold (persons)**

tener calor **to be (feel) warm (persons)**

tener dolor de cabeza **to have a headache**

tener dolor de estómago **to have a stomachache**

tener en cuenta **to take into account**

tener éxito **to be successful**

tener ganas de + inf. **to feel like + pres. part.**

tener gusto en + inf. **to be glad + inf.**

tener la bondad de **please, please be good enough to...**

tener la culpa de algo **to take the blame for something, to be to blame for something**

tener lugar **to take place**

tener más paciencia que Job **to have the patience of Job**

tener miedo de **to be afraid of**

tener mucha sed **to be (feel) very thirsty (persons)**

tener mucho que hacer **to have a lot to do**

tener por **to consider as**

tener que + inf. **to have + inf.**

tener que ver con **to have to do with**

tener razón **to be right**

tener sueño **to be (feel) sleepy**

tener suerte **to be lucky**

tener vergüenza de **to be ashamed of**

tenerse en pie **to stand**

retener **to retain**

T

Can't find the verb you're looking for?
Check the back pages of this book for a list of over 2,100 additional verbs!

The subject pronouns are found on page 93.

609

to examine by touch, to feel with the fingers, to attempt, to try

Regular **-ar** verb endings with stem change: Tenses 1, 6, Imperative

The Seven Simple Tenses		The Seven Compound Tenses	
Singular	Plural	Singular	Plural
1 presente de indicativo		8 perfecto de indicativo	
tiento	**tentamos**	**he tentado**	**hemos tentado**
tientas	**tentáis**	**has tentado**	**habéis tentado**
tienta	**tientan**	**ha tentado**	**han tentado**
2 imperfecto de indicativo		9 pluscuamperfecto de indicativo	
tentaba	**tentábamos**	**había tentado**	**habíamos tentado**
tentabas	**tentabais**	**habías tentado**	**habíais tentado**
tentaba	**tentaban**	**había tentado**	**habían tentado**
3 pretérito		10 pretérito anterior	
tenté	**tenamos**	**hube tentado**	**hubimos tentado**
tentaste	**tentasteis**	**hubiste tentado**	**hubisteis tentado**
tentó	**tentaron**	**hubo tentado**	**hubieron tentado**
4 futuro		11 futuro perfecto	
tentaré	**tentaremos**	**habré tentado**	**habremos tentado**
tentarás	**tentaréis**	**habrás tentado**	**habréis tentado**
tentará	**tentarán**	**habrá tentado**	**habrán tentado**
5 potencial simple		12 potencial compuesto	
tentaría	**tentaríamos**	**habría tentado**	**habríamos tentado**
tentarías	**tentaríais**	**habrías tentado**	**habríais tentado**
tentaría	**tentarían**	**habría tentado**	**habrían tentado**
6 presente de subjuntivo		13 perfecto de subjuntivo	
tiente	**tentemos**	**haya tentado**	**hayamos tentado**
tientes	**tentéis**	**hayas tentado**	**hayáis tentado**
tiente	**tienten**	**haya tentado**	**hayan tentado**
7 imperfecto de subjuntivo		14 pluscuamperfecto de subjuntivo	
tentara	**tentáramos**	**hubiera tentado**	**hubiéramos tentado**
tentaras	**tentarais**	**hubieras tentado**	**hubierais tentado**
tentara	**tentaran**	**hubiera tentado**	**hubieran tentado**
OR		OR	
tentase	**tentásemos**	**hubiese tentado**	**hubiésemos tentado**
tentases	**tentaseis**	**hubieses tentado**	**hubieseis tentado**
tentase	**tentasen**	**hubiese tentado**	**hubiesen tentado**

imperativo	
—	**tentemos**
tienta; no tientes	**tentad; no tentéis**
tiente	**tienten**

Words and expressions related to this verb
tentar a uno a + inf.   to tempt somebody + inf.
tentar al diablo   to tempt the devil (to look for trouble)
el tentador   the devil; **un tentador**   tempter; **una tentadora**   temptress
la tentación   temptation; **una tentativa**   attempt

If you want to see a sample English verb fully conjugated in all the tenses, check out pages 11 and 12.

Regular **-ar** verb   to end, to terminate, to finish

The Seven Simple Tenses		The Seven Compound Tenses	
Singular	Plural	Singular	Plural
1 presente de indicativo		8 perfecto de indicativo	
termino	terminamos	he terminado	hemos terminado
terminas	termináis	has terminado	habéis terminado
termina	terminan	ha terminado	han terminado
2 imperfecto de indicativo		9 pluscuamperfecto de indicativo	
terminaba	terminábamos	había terminado	habíamos terminado
terminabas	terminabais	habías terminado	habíais terminado
terminaba	terminaban	había terminado	habían terminado
3 pretérito		10 pretérito anterior	
terminé	terminamos	hube terminado	hubimos terminado
terminaste	terminasteis	hubiste terminado	hubisteis terminado
terminó	terminaron	hubo terminado	hubieron terminado
4 futuro		11 futuro perfecto	
terminaré	terminaremos	habré terminado	habremos terminado
terminarás	terminaréis	habrás terminado	habréis terminado
terminará	terminarán	habrá terminado	habrán terminado
5 potencial simple		12 potencial compuesto	
terminaría	terminaríamos	habría terminado	habríamos terminado
terminarías	terminaríais	habrías terminado	habríais terminado
terminaría	terminarían	habría terminado	habrían terminado
6 presente de subjuntivo		13 perfecto de subjuntivo	
termine	terminemos	haya terminado	hayamos terminado
termines	terminéis	hayas terminado	hayáis terminado
termine	terminen	haya terminado	hayan terminado
7 imperfecto de subjuntivo		14 pluscuamperfecto de subjuntivo	
terminara	termináramos	hubiera terminado	hubiéramos terminado
terminaras	terminarais	hubieras terminado	hubierais terminado
terminara	terminaran	hubiera terminado	hubieran terminado
OR		OR	
terminase	terminásemos	hubiese terminado	hubiésemos terminado
terminases	terminaseis	hubieses terminado	hubieseis terminado
terminase	terminasen	hubiese terminado	hubiesen terminado

T

imperativo	
—	terminemos
termina; no termines	terminad; no terminéis
termine	terminen

Words and expressions related to this verb

la terminación   termination, ending, completion
el término   end, ending; term
en otros términos   in other terms, in other words
determinar   to determine

llevar a término   to complete
estar en buenos términos con   to be on good terms with
la terminal aérea   air terminal
el terminal   terminal (electrical or computer)

The subject pronouns are found on page 93.

611

tirar (471)

Gerundio tirando

Part. pas. tirado

to pull, to draw, to pitch (a ball), to
shoot (a gun), to throw, to fling

Regular **-ar** verb

The Seven Simple Tenses		The Seven Compound Tenses	
Singular	Plural	Singular	Plural
1 presente de indicativo		8 perfecto de indicativo	
tiro	tiramos	he tirado	hemos tirado
tiras	tiráis	has tirado	habéis tirado
tira	tiran	ha tirado	han tirado
2 imperfecto de indicativo		9 pluscuamperfecto de indicativo	
tiraba	tirábamos	había tirado	habíamos tirado
tirabas	tirabais	habías tirado	habíais tirado
tiraba	tiraban	había tirado	habían tirado
3 pretérito		10 pretérito anterior	
tiré	tiramos	hube tirado	hubimos tirado
tiraste	tirasteis	hubiste tirado	hubisteis tirado
tiró	tiraron	hubo tirado	hubieron tirado
4 futuro		11 futuro perfecto	
tiraré	tiraremos	habré tirado	habremos tirado
tirarás	tiraréis	habrás tirado	habréis tirado
tirará	tirarán	habrá tirado	habrán tirado
5 potencial simple		12 potencial compuesto	
tiraría	tiraríamos	habría tirado	habríamos tirado
tirarías	tiraríais	habrías tirado	habríais tirado
tiraría	tirarían	habría tirado	habrían tirado
6 presente de subjuntivo		13 perfecto de subjuntivo	
tire	tiremos	haya tirado	hayamos tirado
tires	tiréis	hayas tirado	hayáis tirado
tire	tiren	haya tirado	hayan tirado
7 imperfecto de subjuntivo		14 pluscuamperfecto de subjuntivo	
tirara	tiráramos	hubiera tirado	hubiéramos tirado
tiraras	tirarais	hubieras tirado	hubierais tirado
tirara	tiraran	hubiera tirado	hubieran tirado
OR		OR	
tirase	tirásemos	hubiese tirado	hubiésemos tirado
tirases	tiraseis	hubieses tirado	hubieseis tirado
tirase	tirasen	hubiese tirado	hubiesen tirado

imperativo	
—	tiremos
tira; no tires	tirad; no tiréis
tire	tiren

Words and expressions related to this verb
tirar a to shoot at
tirar una línea to draw a line
a tiro within reach; **a tiro de piedra** within a stone's throw; **ni a tiros** not for love nor
money; **al tiro** right away
tirar la toalla to throw in the towel; **tirarse al agua** to jump in the water

If you don't know the Spanish verb for the English verb you
have in mind, look it up in the index on pages 682–706.

Regular **-ar** verb endings with spelling
change: **c** becomes **qu** before **e**

to play (music or a musical
instrument), to touch

The Seven Simple Tenses		The Seven Compound Tenses	
Singular	Plural	Singular	Plural
1 presente de indicativo		8 perfecto de indicativo	
toco	**tocamos**	**he tocado**	**hemos tocado**
tocas	**tocáis**	**has tocado**	**habéis tocado**
toca	**tocan**	**ha tocado**	**han tocado**
2 imperfecto de indicativo		9 pluscuamperfecto de indicativo	
tocaba	**tocábamos**	**había tocado**	**habíamos tocado**
tocabas	**tocabais**	**habías tocado**	**habíais tocado**
tocaba	**tocaban**	**había tocado**	**habían tocado**
3 pretérito		10 pretérito anterior	
toqué	**tocamos**	**hube tocado**	**hubimos tocado**
tocaste	**tocasteis**	**hubiste tocado**	**hubisteis tocado**
tocó	**tocaron**	**hubo tocado**	**hubieron tocado**
4 futuro		11 futuro perfecto	
tocaré	**tocaremos**	**habré tocado**	**habremos tocado**
tocarás	**tocaréis**	**habrás tocado**	**habréis tocado**
tocará	**tocarán**	**habrá tocado**	**habrán tocado**
5 potencial simple		12 potencial compuesto	
tocaría	**tocaríamos**	**habría tocado**	**habríamos tocado**
tocarías	**tocaríais**	**habrías tocado**	**habríais tocado**
tocaría	**tocarían**	**habría tocado**	**habrían tocado**
6 presente de subjuntivo		13 perfecto de subjuntivo	
toque	**toquemos**	**haya tocado**	**hayamos tocado**
toques	**toquéis**	**hayas tocado**	**hayáis tocado**
toque	**toquen**	**haya tocado**	**hayan tocado**
7 imperfecto de subjuntivo		14 pluscuamperfecto de subjuntivo	
tocara	**tocáramos**	**hubiera tocado**	**hubiéramos tocado**
tocaras	**tocarais**	**hubieras tocado**	**hubierais tocado**
tocara	**tocaran**	**hubiera tocado**	**hubieran tocado**
OR		OR	
tocase	**tocásemos**	**hubiese tocado**	**hubiésemos tocado**
tocases	**tocaseis**	**hubieses tocado**	**hubieseis tocado**
tocase	**tocasen**	**hubiese tocado**	**hubiesen tocado**

imperativo

—	**toquemos**
toca; no toques	**tocad; no toquéis**
toque	**toquen**

Common idiomatic expressions using this verb

¿**Sabe Ud. tocar el piano?**   Do you know
  how to play the piano?
Sí, yo sé tocar el piano.   Yes, I know how
  to play the piano.
tocar a la puerta   to knock on the door
Alguien toca a la puerta/Someone is knocking on (at) the door.
Don't confuse **tocar** with **jugar** (verb 282), which also means *to play*.

el tocadiscos   record player
Aquel hombre está tocado.   That man is crazy.
tocar a uno   to be someone's turn; **Le toca
  a Juan.**   It's John's turn.

The subject pronouns are found on page 93.

The Seven Simple Tenses		The Seven Compound Tenses	
Singular	Plural	Singular	Plural
1 presente de indicativo		8 perfecto de indicativo	
tomo	tomamos	he tomado	hemos tomado
tomas	tomáis	has tomado	habéis tomado
toma	toman	ha tomado	han tomado
2 imperfecto de indicativo		9 pluscuamperfecto de indicativo	
tomaba	tomábamos	había tomado	habíamos tomado
tomabas	tomabais	habías tomado	habíais tomado
tomaba	tomaban	había tomado	habían tomado
3 pretérito		10 pretérito anterior	
tomé	tomamos	hube tomado	hubimos tomado
tomaste	tomasteis	hubiste tomado	hubisteis tomado
tomó	tomaron	hubo tomado	hubieron tomado
4 futuro		11 futuro perfecto	
tomaré	tomaremos	habré tomado	habremos tomado
tomarás	tomaréis	habrás tomado	habréis tomado
tomará	tomarán	habrá tomado	habrán tomado
5 potencial simple		12 potencial compuesto	
tomaría	tomaríamos	habría tomado	habríamos tomado
tomarías	tomaríais	habrías tomado	habríais tomado
tomaría	tomarían	habría tomado	habrían tomado
6 presente de subjuntivo		13 perfecto de subjuntivo	
tome	tomemos	haya tomado	hayamos tomado
tomes	toméis	hayas tomado	hayáis tomado
tome	tomen	haya tomado	hayan tomado
7 imperfecto de subjuntivo		14 pluscuamperfecto de subjuntivo	
tomara	tomáramos	hubiera tomado	hubiéramos tomado
tomaras	tomarais	hubieras tomado	hubierais tomado
tomara	tomaran	hubiera tomado	hubieran tomado
OR		OR	
tomase	tomásemos	hubiese tomado	hubiésemos tomado
tomases	tomaseis	hubieses tomado	hubieseis tomado
tomase	tomasen	hubiese tomado	hubiesen tomado

imperativo	
—	tomemos
toma; no tomes	tomad; no toméis
tome	tomen

AN ESSENTIAL
55 VERB

Tomar

Tomar is an essential verb for beginning students of Spanish. It is useful in numerous idiomatic expressions and everyday situations.

Sentences using tomar and related words

¿A qué hora toma Ud. el desayuno?
At what time do you have breakfast?

Tomo el desayuno a las siete y media.
I have breakfast at seven thirty.

¿Qué toma Ud. en el desayuno?
What do you have for breakfast?

Mi amigo tomó el tren esta mañana
a las siete.
My friend took the train this morning
at seven o'clock.

¡Toma!
Here!

Tome, aquí tiene el dinero que le debo.
Here you are, here's the money I owe you.

Words and expressions related to this verb

tomar el tren **to catch/take the train**

tomar el sol **to take a sunbath**

tomar asiento **to take a seat**

tomar en cuenta **to consider**

tomar parte en **to take part in**

tomar por **to take for**

tomar el pelo a uno **to pull someone's leg** (el pelo/**hair**)

una tomadura de pelo **a joke**

una toma de sangre **blood sample**

T

Can't find the verb you're looking for?
Check the back pages of this book for a list of over 2,100 additional verbs!

The subject pronouns are found on page 93.

tostar (474)　　　　Gerundio **tostando**　　　　Part. pas. **tostado**

to toast, to tan, to roast (coffee)　　　**Regular -ar verb endings with stem change: Tenses 1, 6, Imperative**

The Seven Simple Tenses		The Seven Compound Tenses	
Singular	Plural	Singular	Plural
1　presente de indicativo		8　perfecto de indicativo	
tuesto	tostamos	he tostado	hemos tostado
tuestas	tostáis	has tostado	habéis tostado
tuesta	tuestan	ha tostado	han tostado
2　imperfecto de indicativo		9　pluscuamperfecto de indicativo	
tostaba	tostábamos	había tostado	habíamos tostado
tostabas	tostabais	habías tostado	habíais tostado
tostaba	tostaban	había tostado	habían tostado
3　pretérito		10　pretérito anterior	
tosté	tostamos	hube tostado	hubimos tostado
tostaste	tostasteis	hubiste tostado	hubisteis tostado
tostó	tostaron	hubo tostado	hubieron tostado
4　futuro		11　futuro perfecto	
tostaré	tostaremos	habré tostado	habremos tostado
tostarás	tostaréis	habrás tostado	habréis tostado
tostará	tostarán	habrá tostado	habrán tostado
5　potencial simple		12　potencial compuesto	
tostaría	tostaríamos	habría tostado	habríamos tostado
tostarías	tostaríais	habrías tostado	habríais tostado
tostaría	tostarían	habría tostado	habrían tostado
6　presente de subjuntivo		13　perfecto de subjuntivo	
tueste	tostemos	haya tostado	hayamos tostado
tuestes	tostéis	hayas tostado	hayáis tostado
tueste	tuesten	haya tostado	hayan tostado
7　imperfecto de subjuntivo		14　pluscuamperfecto de subjuntivo	
tostara	tostáramos	hubiera tostado	hubiéramos tostado
tostaras	tostarais	hubieras tostado	hubierais tostado
tostara	tostaran	hubiera tostado	hubieran tostado
OR		OR	
tostase	tostásemos	hubiese tostado	hubiésemos tostado
tostases	tostaseis	hubieses tostado	hubieseis tostado
tostase	tostasen	hubiese tostado	hubiesen tostado

imperativo

—	tostemos
tuesta; no tuestes	tostad; no tostéis
tueste	tuesten

Words and expressions related to this verb
un tostador　toaster, toasting machine
pan tostado　toast, toasted bread; **una tostada**　piece of toast
el tostón　crouton; **dar el tostón a uno**　to get on someone's nerves
el tostadero de café　coffee roaster
dar la tostada a uno　to cheat someone

Regular **-ar** verb   to work, to labor

The Seven Simple Tenses		The Seven Compound Tenses	
Singular	Plural	Singular	Plural
1 presente de indicativo		8 perfecto de indicativo	
trabajo	trabajamos	he trabajado	hemos trabajado
trabajas	trabajáis	has trabajado	habéis trabajado
trabaja	trabajan	ha trabajado	han trabajado
2 imperfecto de indicativo		9 pluscuamperfecto de indicativo	
trabajaba	trabajábamos	había trabajado	habíamos trabajado
trabajabas	trabajabais	habías trabajado	habíais trabajado
trabajaba	trabajaban	había trabajado	habían trabajado
3 pretérito		10 pretérito anterior	
trabajé	trabajamos	hube trabajado	hubimos trabajado
trabajaste	trabajasteis	hubiste trabajado	hubisteis trabajado
trabajó	trabajaron	hubo trabajado	hubieron trabajado
4 futuro		11 futuro perfecto	
trabajaré	trabajaremos	habré trabajado	habremos trabajado
trabajarás	trabajaréis	habrás trabajado	habréis trabajado
trabajará	trabajarán	habrá trabajado	habrán trabajado
5 potencial simple		12 potencial compuesto	
trabajaría	trabajaríamos	habría trabajado	habríamos trabajado
trabajarías	trabajaríais	habrías trabajado	habríais trabajado
trabajaría	trabajarían	habría trabajado	habrían trabajado
6 presente de subjuntivo		13 perfecto de subjuntivo	
trabaje	trabajemos	haya trabajado	hayamos trabajado
trabajes	trabajéis	hayas trabajado	hayáis trabajado
trabaje	trabajen	haya trabajado	hayan trabajado
7 imperfecto de subjuntivo		14 pluscuamperfecto de subjuntivo	
trabajara	trabajáramos	hubiera trabajado	hubiéramos trabajado
trabajaras	trabajarais	hubieras trabajado	hubierais trabajado
trabajara	trabajaran	hubiera trabajado	hubieran trabajado
OR		OR	
trabajase	trabajásemos	hubiese trabajado	hubiésemos trabajado
trabajases	trabajaseis	hubieses trabajado	hubieseis trabajado
trabajase	trabajasen	hubiese trabajado	hubiesen trabajado

T

imperativo

—	trabajemos
trabaja; no trabajes	trabajad; no trabajéis
trabaje	trabajen

Words and expressions related to this verb

el trabajo work
trabajador, trabajadora worker
trabajar de manos to do manual work
el trabajo de media jornada part-time employment

trabajar en + inf. to strive + inf.
tener trabajo que hacer to have work to do
trabajar a tiempo parcial to work part-time
los trabajos forzados hard labor

The subject pronouns are found on page 93.

traducir (476)

to translate

Gerundio **traduciendo**   Part. pas. **traducido**

Irregular in Tenses 3 and 7, regular **-ir** endings in all others; spelling change: **c** becomes **zc** before **a** or **o**

The Seven Simple Tenses		The Seven Compound Tenses	
Singular	Plural	Singular	Plural
1 presente de indicativo		8 perfecto de indicativo	
traduzco	traducimos	he traducido	hemos traducido
traduces	traducís	has traducido	habéis traducido
traduce	traducen	ha traducido	han traducido
2 imperfecto de indicativo		9 pluscuamperfecto de indicativo	
traducía	traducíamos	había traducido	habíamos traducido
traducías	traducíais	habías traducido	habíais traducido
traducía	traducían	había traducido	habían traducido
3 pretérito		10 pretérito anterior	
traduje	tradujimos	hube traducido	hubimos traducido
tradujiste	tradujisteis	hubiste traducido	hubisteis traducido
tradujo	tradujeron	hubo traducido	hubieron traducido
4 futuro		11 futuro perfecto	
traduciré	traduciremos	habré traducido	habremos traducido
traducirás	traduciréis	habrás traducido	habréis traducido
traducirá	traducirán	habrá traducido	habrán traducido
5 potencial simple		12 potencial compuesto	
traduciría	traduciríamos	habría traducido	habríamos traducido
traducirías	traduciríais	habrías traducido	habríais traducido
traduciría	traducirían	habría traducido	habrían traducido
6 presente de subjuntivo		13 perfecto de subjuntivo	
traduzca	traduzcamos	haya traducido	hayamos traducido
traduzcas	traduzcáis	hayas traducido	hayáis traducido
traduzca	traduzcan	haya traducido	hayan traducido
7 imperfecto de subjuntivo		14 pluscuamperfecto de subjuntivo	
tradujera	tradujéramos	hubiera traducido	hubiéramos traducido
tradujeras	tradujerais	hubieras traducido	hubierais traducido
tradujera	tradujeran	hubiera traducido	hubieran traducido
OR		OR	
tradujese	tradujésemos	hubiese traducido	hubiésemos traducido
tradujeses	tradujeseis	hubieses traducido	hubieseis traducido
tradujese	tradujesen	hubiese traducido	hubiesen traducido

imperativo	
—	traduzcamos
traduce; no traduzcas	traducid; no traduzcáis
traduzca	traduzcan

Words related to this verb
la traducción   translation
traducible   translatable
traductor, traductora   translator
traducir del inglés al español   to translate from English to Spanish

traducir del español al inglés   to translate from Spanish to English
una traducción fiel   a faithful translation
intraducible   untranslatable

618

Gerundio **trayendo**   Part. pas. **traído**   **traer (477)**
Irregular verb   to bring

The Seven Simple Tenses | The Seven Compound Tenses

Singular	Plural	Singular	Plural
1 presente de indicativo		**8 perfecto de indicativo**	
traigo	traemos	he traído	hemos traído
traes	traéis	has traído	habéis traído
trae	traen	ha traído	han traído
2 imperfecto de indicativo		**9 pluscuamperfecto de indicativo**	
traía	traíamos	había traído	habíamos traído
traías	traíais	habías traído	habíais traído
traía	traían	había traído	habían traído
3 pretérito		**10 pretérito anterior**	
traje	trajimos	hube traído	hubimos traído
trajiste	trajisteis	hubiste traído	hubisteis traído
trajo	trajeron	hubo traído	hubieron traído
4 futuro		**11 futuro perfecto**	
traeré	traeremos	habré traído	habremos traído
traerás	traeréis	habrás traído	habréis traído
traerá	traerán	habrá traído	habrán traído
5 potencial simple		**12 potencial compuesto**	
traería	traeríamos	habría traído	habríamos traído
traerías	traeríais	habrías traído	habríais traído
traería	traerían	habría traído	habrían traído
6 presente de subjuntivo		**13 perfecto de subjuntivo**	
traiga	traigamos	haya traído	hayamos traído
traigas	traigáis	hayas traído	hayáis traído
traiga	traigan	haya traído	hayan traído
7 imperfecto de subjuntivo		**14 pluscuamperfecto de subjuntivo**	
trajera	trajéramos	hubiera traído	hubiéramos traído
trajeras	trajerais	hubieras traído	hubierais traído
trajera	trajeran	hubiera traído	hubieran traído
OR		OR	
trajese	trajésemos	hubiese traído	hubiésemos traído
trajeses	trajeseis	hubieses traído	hubieseis traído
trajese	trajesen	hubiese traído	hubiesen traído

imperativo

—	traigamos
trae; no traigas	traed; no traigáis
traiga	traigan

The subject pronouns are found on page 93.

619

AN ESSENTIAL 55 VERB

Traer

Traer is a very useful irregular verb for beginning students. It is used in a great number of idiomatic expressions and everyday situations. Pay special attention to the stem changes!

Sentences using traer

Tráigame una silla, por favor.
Bring me a chair, please.

¿Qué te trae por aquí?
What brings you here?

Words and expressions related to this verb

el traje **costume, dress, suit**

el traje de baño **bathing suit**

el traje hecho **ready-made suit**

el traje a la medida **tailor-made suit**

¡trae! ¡traiga! **Give it here! Give it to me!**

traer y llevar **to spread rumors**

contraer **to contract**

traer entre manos **to have in mind**

traer a la mente **to bring to mind**

trajear **to clothe**

traer buena suerte **to bring good luck**

traer mala suerte **to bring bad luck**

traer cola **to bring trouble**

Can't find the verb you're looking for?
Check the back pages of this book for a list of over 2,100 additional verbs!

The Seven Simple Tenses		The Seven Compound Tenses	
Singular	Plural	Singular	Plural
1 presente de indicativo		8 perfecto de indicativo	
trato	tratamos	he tratado	hemos tratado
tratas	tratáis	has tratado	habéis tratado
trata	tratan	ha tratado	han tratado
2 imperfecto de indicativo		9 pluscuamperfecto de indicativo	
trataba	tratábamos	había tratado	habíamos tratado
tratabas	tratabais	habías tratado	habíais tratado
trataba	trataban	había tratado	habían tratado
3 pretérito		10 pretérito anterior	
traté	tratamos	hube tratado	hubimos tratado
trataste	tratasteis	hubiste tratado	hubisteis tratado
trató	trataron	hubo tratado	hubieron tratado
4 futuro		11 futuro perfecto	
trataré	trataremos	habré tratado	habremos tratado
tratarás	trataréis	habrás tratado	habréis tratado
tratará	tratarán	habrá tratado	habrán tratado
5 potencial simple		12 potencial compuesto	
trataría	trataríamos	habría tratado	habríamos tratado
tratarías	trataríais	habrías tratado	habríais tratado
trataría	tratarían	habría tratado	habrían tratado
6 presente de subjuntivo		13 perfecto de subjuntivo	
trate	tratemos	haya tratado	hayamos tratado
trates	tratéis	hayas tratado	hayáis tratado
trate	traten	haya tratado	hayan tratado
7 imperfecto de subjuntivo		14 pluscuamperfecto de subjuntivo	
tratara	tratáramos	hubiera tratado	hubiéramos tratado
trataras	tratarais	hubieras tratado	hubierais tratado
tratara	trataran	hubiera tratado	hubieran tratado
OR		OR	
tratase	tratásemos	hubiese tratado	hubiésemos tratado
tratases	trataseis	hubieses tratado	hubieseis tratado
tratase	tratasen	hubiese tratado	hubiesen tratado

	imperativo	
—	tratemos
trata; no trates	**tratad; no tratéis**
trate	**traten**

Words and expressions related to this verb

tratar de + inf.   to try + inf.
tratar con   to deal with
el trato   agreement; treatment
tratable   amiable, friendly

tratarse con   to have to do with
un tratado   treatise; treaty
¡Trato hecho!   It's a deal!
el tratamiento de textos   word processing

The subject pronouns are found on page 93.

621

tropezar (479)   Gerundio **tropezando**   Part. pas. **tropezado**

to stumble, to blunder

Regular **-ar** verb endings with stem change: Tenses 1, 6, Imperative; spelling change: **z** becomes **c** before **e**

The Seven Simple Tenses		The Seven Compound Tenses	
Singular	Plural	Singular	Plural
1 presente de indicativo		8 perfecto de indicativo	
tropiezo	**tropezamos**	**he tropezado**	**hemos tropezado**
tropiezas	**tropezáis**	**has tropezado**	**habéis tropezado**
tropieza	**tropiezan**	**ha tropezado**	**han tropezado**
2 imperfecto de indicativo		9 pluscuamperfecto de indicativo	
tropezaba	**tropezábamos**	**había tropezado**	**habíamos tropezado**
tropezabas	**tropezabais**	**habías tropezado**	**habíais tropezado**
tropezaba	**tropezaban**	**había tropezado**	**habían tropezado**
3 pretérito		10 pretérito anterior	
tropecé	**tropezamos**	**hube tropezado**	**hubimos tropezado**
tropezaste	**tropezasteis**	**hubiste tropezado**	**hubisteis tropezado**
tropezó	**tropezaron**	**hubo tropezado**	**hubieron tropezado**
4 futuro		11 futuro perfecto	
tropezaré	**tropezaremos**	**habré tropezado**	**habremos tropezado**
tropezarás	**tropezaréis**	**habrás tropezado**	**habréis tropezado**
tropezará	**tropezarán**	**habrá tropezado**	**habrán tropezado**
5 potencial simple		12 potencial compuesto	
tropezaría	**tropezaríamos**	**habría tropezado**	**habríamos tropezado**
tropezarías	**tropezaríais**	**habrías tropezado**	**habríais tropezado**
tropezaría	**tropezarían**	**habría tropezado**	**habrían tropezado**
6 presente de subjuntivo		13 perfecto de subjuntivo	
tropiece	**tropecemos**	**haya tropezado**	**hayamos tropezado**
tropieces	**tropecéis**	**hayas tropezado**	**hayáis tropezado**
tropiece	**tropiecen**	**haya tropezado**	**hayan tropezado**
7 imperfecto de subjuntivo		14 pluscuamperfecto de subjuntivo	
tropezara	**tropezáramos**	**hubiera tropezado**	**hubiéramos tropezado**
tropezaras	**tropezarais**	**hubieras tropezado**	**hubierais tropezado**
tropezara	**tropezaran**	**hubiera tropezado**	**hubieran tropezado**
OR		OR	
tropezase	**tropezásemos**	**hubiese tropezado**	**hubiésemos tropezado**
tropezases	**tropezaseis**	**hubieses tropezado**	**hubieseis tropezado**
tropezase	**tropezasen**	**hubiese tropezado**	**hubiesen tropezado**

imperativo	
—	**tropecemos**
tropieza; no tropieces	**tropezad; no tropecéis**
tropiece	**tropiecen**

Words and expressions related to this verb
tropezar con alguien   to run across someone, to meet someone unexpectedly
la tropezadura   stumbling
tropezador, tropezadora   tripper, stumbler
dar un tropezón   to trip, to stumble

Don't miss the definitions of basic grammatical terms with examples in English and Spanish on pages 33–44.

Regular **-ir** verb   to connect, to unite, to join, to bind, to attach

The Seven Simple Tenses		The Seven Compound Tenses	
Singular	Plural	Singular	Plural
1 presente de indicativo		8 perfecto de indicativo	
uno	**unimos**	**he unido**	**hemos unido**
unes	**unís**	**has unido**	**habéis unido**
une	**unen**	**ha unido**	**han unido**
2 imperfecto de indicativo		9 pluscuamperfecto de indicativo	
unía	**uníamos**	**había unido**	**habíamos unido**
unías	**uníais**	**habías unido**	**habíais unido**
unía	**unían**	**había unido**	**habían unido**
3 pretérito		10 pretérito anterior	
uní	**unimos**	**hube unido**	**hubimos unido**
uniste	**unisteis**	**hubiste unido**	**hubisteis unido**
unió	**unieron**	**hubo unido**	**hubieron unido**
4 futuro		11 futuro perfecto	
uniré	**uniremos**	**habré unido**	**habremos unido**
unirás	**uniréis**	**habrás unido**	**habréis unido**
unirá	**unirán**	**habrá unido**	**habrán unido**
5 potencial simple		12 potencial compuesto	
uniría	**uniríamos**	**habría unido**	**habríamos unido**
unirías	**uniríais**	**habrías unido**	**habríais unido**
uniría	**unirían**	**habría unido**	**habrían unido**
6 presente de subjuntivo		13 perfecto de subjuntivo	
una	**unamos**	**haya unido**	**hayamos unido**
unas	**unáis**	**hayas unido**	**hayáis unido**
una	**unan**	**haya unido**	**hayan unido**
7 imperfecto de subjuntivo		14 pluscuamperfecto de subjuntivo	
uniera	**uniéramos**	**hubiera unido**	**hubiéramos unido**
unieras	**unierais**	**hubieras unido**	**hubierais unido**
uniera	**unieran**	**hubiera unido**	**hubieran unido**
OR		OR	
uniese	**uniésemos**	**hubiese unido**	**hubiésemos unido**
unieses	**unieseis**	**hubieses unido**	**hubieseis unido**
uniese	**uniesen**	**hubiese unido**	**hubiesen unido**

	imperativo	
—		**unamos**
une; no unas		**unid; no unáis**
una		**unan**

Words and expressions related to this verb

unido, unida   united
los Estados Unidos   the United States
la unión   union, agreement, harmony

unirse   to be united; to get married
La unión hace la fuerza   There is strength in unity.
las Naciones Unidas (ONU)   the United Nations (UN)

For other words and expressions related to this verb, see **reunirse.**

Check out the verb drills and verb tests with answers explained on pages 45–91.

The subject pronouns are found on page 93.   **623**

usar (481)
Gerundio usando
Part. pas. usado

to use, to employ, to wear

Regular -ar verb

The Seven Simple Tenses		The Seven Compound Tenses	
Singular	Plural	Singular	Plural
1 presente de indicativo		8 perfecto de indicativo	
uso	usamos	he usado	hemos usado
usas	usáis	has usado	habéis usado
usa	usan	ha usado	han usado
2 imperfecto de indicativo		9 pluscuamperfecto de indicativo	
usaba	usábamos	había usado	habíamos usado
usabas	usabais	habías usado	habíais usado
usaba	usaban	había usado	habían usado
3 pretérito		10 pretérito anterior	
usé	usamos	hube usado	hubimos usado
usaste	usasteis	hubiste usado	hubisteis usado
usó	usaron	hubo usado	hubieron usado
4 futuro		11 futuro perfecto	
usaré	usaremos	habré usado	habremos usado
usarás	usaréis	habrás usado	habréis usado
usará	usarán	habrá usado	habrán usado
5 potencial simple		12 potencial compuesto	
usaría	usaríamos	habría usado	habríamos usado
usarías	usaríais	habrías usado	habríais usado
usaría	usarían	habría usado	habrían usado
6 presente de subjuntivo		13 perfecto de subjuntivo	
use	usemos	haya usado	hayamos usado
uses	uséis	hayas usado	hayáis usado
use	usen	haya usado	hayan usado
7 imperfecto de subjuntivo		14 pluscuamperfecto de subjuntivo	
usara	usáramos	hubiera usado	hubiéramos usado
usaras	usarais	hubieras usado	hubierais usado
usara	usaran	hubiera usado	hubieran usado
OR		OR	
usase	usásemos	hubiese usado	hubiésemos usado
usases	usaseis	hubieses usado	hubieseis usado
usase	usasen	hubiese usado	hubiesen usado

imperativo

—	usemos
usa; no uses	usad; no uséis
use	usen

Words and expressions related to this verb
¿Usa usted guantes?   Do you wear gloves?
el uso   use, usage
usado, usada   used
desusar   to disuse

en buen uso   in good condition
en uso   in use, in service
usar + inf.   to be used + inf.
desusarse   to be no longer in use

Gerundio **utilizando**   Part. pas. **utilizado**   **utilizar (482)**

Regular **-ar** verb endings with spelling change: **z** becomes **c** before **e**

to utilize

The Seven Simple Tenses		The Seven Compound Tenses	
Singular	Plural	Singular	Plural
1 presente de indicativo		8 perfecto de indicativo	
utilizo	utilizamos	he utilizado	hemos utilizado
utilizas	utilizáis	has utilizado	habéis utilizado
utiliza	utilizan	ha utilizado	han utilizado
2 imperfecto de indicativo		9 pluscuamperfecto de indicativo	
utilizaba	utilizábamos	había utilizado	habíamos utilizado
utilizabas	utilizabais	habías utilizado	habíais utilizado
utilizaba	utilizaban	había utilizado	habían utilizado
3 pretérito		10 pretérito anterior	
utilicé	utilizamos	hube utilizado	hubimos utilizado
utilizaste	utilizasteis	hubiste utilizado	hubisteis utilizado
utilizó	utilizaron	hubo utilizado	hubieron utilizado
4 futuro		11 futuro perfecto	
utilizaré	utilizaremos	habré utilizado	habremos utilizado
utilizarás	utilizaréis	habrás utilizado	habréis utilizado
utilizará	utilizarán	habrá utilizado	habrán utilizado
5 potencial simple		12 potencial compuesto	
utilizaría	utilizaríamos	habría utilizado	habríamos utilizado
utilizarías	utilizaríais	habrías utilizado	habríais utilizado
utilizaría	utilizarían	habría utilizado	habrían utilizado
6 presente de subjuntivo		13 perfecto de subjuntivo	
utilice	utilicemos	haya utilizado	hayamos utilizado
utilices	utilicéis	hayas utilizado	hayáis utilizado
utilice	utilicen	haya utilizado	hayan utilizado
7 imperfecto de subjuntivo		14 pluscuamperfecto de subjuntivo	
utilizara	utilizáramos	hubiera utilizado	hubiéramos utilizado
utilizaras	utilizarais	hubieras utilizado	hubierais utilizado
utilizara	utilizaran	hubiera utilizado	hubieran utilizado
OR		OR	
utilizase	utilizásemos	hubiese utilizado	hubiésemos utilizado
utilizases	utilizaseis	hubieses utilizado	hubieseis utilizado
utilizase	utilizasen	hubiese utilizado	hubiesen utilizado

	imperativo
—	utilicemos
utiliza; no utilices	**utilizad; no utilicéis**
utilice	**utilicen**

U

Words and expressions related to this verb
la utilización   utilization
utilizable   usable, available
útil   useful
el útil   tool

la utilidad   utility, usefulness
la utilidad pública   public utility
ser útil   to serve, to be useful
el programa de utilidad   utility program

The subject pronouns are found on page 93.

vaciar (483)	Gerundio vaciando	Part. pas. vaciado

to empty	Regular -ar verb endings with spelling change: i becomes í on stressed syllable (see Tenses 1, 6, Imperative)

The Seven Simple Tenses		The Seven Compound Tenses	
Singular	Plural	Singular	Plural
1 presente de indicativo		8 perfecto de indicativo	
vacío	vaciamos	he vaciado	hemos vaciado
vacías	vaciáis	has vaciado	habéis vaciado
vacía	vacían	ha vaciado	han vaciado
2 imperfecto de indicativo		9 pluscuamperfecto de indicativo	
vaciaba	vaciábamos	había vaciado	habíamos vaciado
vaciabas	vaciabais	habías vaciado	habíais vaciado
vaciaba	vaciaban	había vaciado	habían vaciado
3 pretérito		10 pretérito anterior	
vacié	vaciamos	hube vaciado	hubimos vaciado
vaciaste	vaciasteis	hubiste vaciado	hubisteis vaciado
vació	vaciaron	hubo vaciado	hubieron vaciado
4 futuro		11 futuro perfecto	
vaciaré	vaciaremos	habré vaciado	habremos vaciado
vaciarás	vaciaréis	habrás vaciado	habréis vaciado
vaciará	vaciarán	habrá vaciado	habrán vaciado
5 potencial simple		12 potencial compuesto	
vaciaría	vaciaríamos	habría vaciado	habríamos vaciado
vaciarías	vaciaríais	habrías vaciado	habríais vaciado
vaciaría	vaciarían	habría vaciado	habrían vaciado
6 presente de subjuntivo		13 perfecto de subjuntivo	
vacíe	vaciemos	haya vaciado	hayamos vaciado
vacíes	vaciéis	hayas vaciado	hayáis vaciado
vacíe	vacíen	haya vaciado	hayan vaciado
7 imperfecto de subjuntivo		14 pluscuamperfecto de subjuntivo	
vaciara	vaciáramos	hubiera vaciado	hubiéramos vaciado
vaciaras	vaciarais	hubieras vaciado	hubierais vaciado
vaciara	vaciaran	hubiera vaciado	hubieran vaciado
OR		OR	
vaciase	vaciásemos	hubiese vaciado	hubiésemos vaciado
vaciases	vaciaseis	hubieses vaciado	hubieseis vaciado
vaciase	vaciasen	hubiese vaciado	hubiesen vaciado

	imperativo	
—	vaciemos	
vacía; no vacíes	vaciad; no vaciéis	
vacíe	vacíen	

Words and expressions related to this verb
el vacío   void; vacancy; un vacío de aire   air pocket (aviation)
vacío, vacía   empty; evacuar   to evacuate
vacuo, vacua   empty

Don't miss the definitions of basic grammatical terms
with examples in English and Spanish on pages 33–44.

Irregular verb   to be worth, to cost

The Seven Simple Tenses		The Seven Compound Tenses	
Singular	Plural	Singular	Plural
1 presente de indicativo		8 perfecto de indicativo	
valgo	valemos	he valido	hemos valido
vales	valéis	has valido	habéis valido
vale	valen	ha valido	han valido
2 imperfecto de indicativo		9 pluscuamperfecto de indicativo	
valía	valíamos	había valido	habíamos valido
valías	valíais	habías valido	habíais valido
valía	valían	había valido	habían valido
3 pretérito		10 pretérito anterior	
valí	valimos	hube valido	hubimos valido
valiste	valisteis	hubiste valido	hubisteis valido
valió	valieron	hubo valido	hubieron valido
4 futuro		11 futuro perfecto	
valdré	valdremos	habré valido	habremos valido
valdrás	valdréis	habrás valido	habréis valido
valdrá	valdrán	habrá valido	habrán valido
5 potencial simple		12 potencial compuesto	
valdría	valdríamos	habría valido	habríamos valido
valdrías	valdríais	habrías valido	habríais valido
valdría	valdrían	habría valido	habrían valido
6 presente de subjuntivo		13 perfecto de subjuntivo	
valga	valgamos	haya valido	hayamos valido
valgas	valgáis	hayas valido	hayáis valido
valga	valgan	haya valido	hayan valido
7 imperfecto de subjuntivo		14 pluscuamperfecto de subjuntivo	
valiera	valiéramos	hubiera valido	hubiéramos valido
valieras	valierais	hubieras valido	hubierais valido
valiera	valieran	hubiera valido	hubieran valido
OR		OR	
valiese	valiésemos	hubiese valido	hubiésemos valido
valieses	valieseis	hubieses valido	hubieseis valido
valiese	valiesen	hubiese valido	hubiesen valido

V

	imperativo	
—	valgamos
val *or* **vale; no valgas**	**valed; no valgáis**
valga	**valgan**

Sentences using this verb and words related to it
Más vale pájaro en mano que ciento volando.   A bird in the hand is worth two in the bush.
Más vale tarde que nunca.   Better late than never.
el valor   value, price, valor   **valorar**   to appraise, to increase the value
valor facial   face value   **No vale la pena**   It's not worth the trouble.
la valía   value, worth   **valeroso**   courageous

The subject pronouns are found on page 93.

to stay awake, to guard, to watch over　　　　　Regular -ar verb

The Seven Simple Tenses		The Seven Compound Tenses	
Singular	Plural	Singular	Plural
1　presente de indicativo		**8　perfecto de indicativo**	
velo	velamos	he velado	hemos velado
velas	veláis	has velado	habéis velado
vela	velan	ha velado	han velado
2　imperfecto de indicativo		**9　pluscuamperfecto de indicativo**	
velaba	velábamos	había velado	habíamos velado
velabas	velabais	habías velado	habíais velado
velaba	velaban	había velado	habían velado
3　pretérito		**10　pretérito anterior**	
velé	velamos	hube velado	hubimos velado
velaste	velasteis	hubiste velado	hubisteis velado
veló	velaron	hubo velado	hubieron velado
4　futuro		**11　futuro perfecto**	
velaré	velaremos	habré velado	habremos velado
velarás	velaréis	habrás velado	habréis velado
velará	velarán	habrá velado	habrán velado
5　potencial simple		**12　potencial compuesto**	
velaría	velaríamos	habría velado	habríamos velado
velarías	velaríais	habrías velado	habríais velado
velaría	velarían	habría velado	habrían velado
6　presente de subjuntivo		**13　perfecto de subjuntivo**	
vele	velemos	haya velado	hayamos velado
veles	veléis	hayas velado	hayáis velado
vele	velen	haya velado	hayan velado
7　imperfecto de subjuntivo		**14　pluscuamperfecto de subjuntivo**	
velara	veláramos	hubiera velado	hubiéramos velado
velaras	velarais	hubieras velado	hubierais velado
velara	velaran	hubiera velado	hubieran velado
OR		OR	
velase	velásemos	hubiese velado	hubiésemos velado
velases	velaseis	hubieses velado	hubieseis velado
velase	velasen	hubiese velado	hubiesen velado

	imperativo	
—		velemos
vela; no veles		velad; no veléis
vele		velen

Words and expressions related to this verb
un velador　watchman, night guard; wooden candlestick
la vela　vigil; candle; **en vela**　without sleeping; **quedarse en velas**　to stay up (during the night)
velar a　to watch over (someone); **un velatorio**　wake
pasar la noche en vela　to toss and turn all night [or] to spend a sleepless night

Regular **-er** verb endings with spelling change: **c** becomes **z** before **a** or **o**

to conquer, to overcome, to defeat

The Seven Simple Tenses		The Seven Compound Tenses	
Singular	Plural	Singular	Plural
1 presente de indicativo		8 perfecto de indicativo	
venzo	vencemos	he vencido	hemos vencido
vences	vencéis	has vencido	habéis vencido
vence	vencen	ha vencido	han vencido
2 imperfecto de indicativo		9 pluscuamperfecto de indicativo	
vencía	vencíamos	había vencido	habíamos vencido
vencías	vencíais	habías vencido	habíais vencido
vencía	vencían	había vencido	habían vencido
3 pretérito		10 pretérito anterior	
vencí	vencimos	hube vencido	hubimos vencido
venciste	vencisteis	hubiste vencido	hubisteis vencido
venció	vencieron	hubo vencido	hubieron vencido
4 futuro		11 futuro perfecto	
venceré	venceremos	habré vencido	habremos vencido
vencerás	venceréis	habrás vencido	habréis vencido
vencerá	vencerán	habrá vencido	habrán vencido
5 potencial simple		12 potencial compuesto	
vencería	venceríamos	habría vencido	habríamos vencido
vencerías	venceríais	habrías vencido	habríais vencido
vencería	vencerían	habría vencido	habrían vencido
6 presente de subjuntivo		13 perfecto de subjuntivo	
venza	venzamos	haya vencido	hayamos vencido
venzas	venzáis	hayas vencido	hayáis vencido
venza	venzan	haya vencido	hayan vencido
7 imperfecto de subjuntivo		14 pluscuamperfecto de subjuntivo	
venciera	venciéramos	hubiera vencido	hubiéramos vencido
vencieras	vencierais	hubieras vencido	hubierais vencido
venciera	vencieran	hubiera vencido	hubieran vencido
OR		OR	
venciese	venciésemos	hubiese vencido	hubiésemos vencido
vencieses	vencieseis	hubieses vencido	hubieseis vencido
venciese	venciesen	hubiese vencido	hubiesen vencido

	imperativo
—	venzamos
vence; no venzas	venced; no venzáis
venza	venzan

Words and expressions related to this verb

vencedor, vencedora   victor
vencible   conquerable
invencible   invincible

darse por vencido   to give in
vencerse   to control oneself
la invencibilidad   invincibility

See also **convencer**.

The subject pronouns are found on page 93.

Gerundio **vendiendo** Part. pas. **vendido**

to sell   Regular **-er** verb

The Seven Simple Tenses		The Seven Compound Tenses	
Singular	Plural	Singular	Plural
1 presente de indicativo		8 perfecto de indicativo	
vendo	vendemos	he vendido	hemos vendido
vendes	vendéis	has vendido	habéis vendido
vende	venden	ha vendido	han vendido
2 imperfecto de indicativo		9 pluscuamperfecto de indicativo	
vendía	vendíamos	había vendido	habíamos vendido
vendías	vendíais	habías vendido	habíais vendido
vendía	vendían	había vendido	habían vendido
3 pretérito		10 pretérito anterior	
vendí	vendimos	hube vendido	hubimos vendido
vendiste	vendisteis	hubiste vendido	hubisteis vendido
vendió	vendieron	hubo vendido	hubieron vendido
4 futuro		11 futuro perfecto	
venderé	venderemos	habré vendido	habremos vendido
venderás	venderéis	habrás vendido	habréis vendido
venderá	venderán	habrá vendido	habrán vendido
5 potencial simple		12 potencial compuesto	
vendería	venderíamos	habría vendido	habríamos vendido
venderías	venderíais	habrías vendido	habríais vendido
vendería	venderían	habría vendido	habrían vendido
6 presente de subjuntivo		13 perfecto de subjuntivo	
venda	vendamos	haya vendido	hayamos vendido
vendas	vendáis	hayas vendido	hayáis vendido
venda	vendan	haya vendido	hayan vendido
7 imperfecto de subjuntivo		14 pluscuamperfecto de subjuntivo	
vendiera	vendiéramos	hubiera vendido	hubiéramos vendido
vendieras	vendierais	hubieras vendido	hubierais vendido
vendiera	vendieran	hubiera vendido	hubieran vendido
OR		OR	
vendiese	vendiésemos	hubiese vendido	hubiésemos vendido
vendieses	vendieseis	hubieses vendido	hubieseis vendido
vendiese	vendiesen	hubiese vendido	hubiesen vendido

imperativo

—	vendamos
vende; no vendas	vended; no vendáis
venda	vendan

Words and expressions related to this verb

vendedor, vendedora seller, sales person
la venta sale
el precio de venta selling price
Aquí se venden libros. Books are sold here.

vender a comisión to sell on commission
vender al contado to sell for cash
revender to resell
estar en venta to be on sale

Can't recognize an irregular verb form? Check out pages 678–682.

The Seven Simple Tenses		The Seven Compound Tenses	
Singular	Plural	Singular	Plural
1 presente de indicativo		**8 perfecto de indicativo**	
vengo	**venimos**	**he venido**	**hemos venido**
vienes	**venís**	**has venido**	**habéis venido**
viene	**vienen**	**ha venido**	**han venido**
2 imperfecto de indicativo		**9 pluscuamperfecto de indicativo**	
venía	**veníamos**	**había venido**	**habíamos venido**
venías	**veníais**	**habías venido**	**habíais venido**
venía	**venían**	**había venido**	**habían venido**
3 pretérito		**10 pretérito anterior**	
vine	**vinimos**	**hube venido**	**hubimos venido**
viniste	**vinisteis**	**hubiste venido**	**hubisteis venido**
vino	**vinieron**	**hubo venido**	**hubieron venido**
4 futuro		**11 futuro perfecto**	
vendré	**vendremos**	**habré venido**	**habremos venido**
vendrás	**vendréis**	**habrás venido**	**habréis venido**
vendrá	**vendrán**	**habrá venido**	**habrán venido**
5 potencial simple		**12 potencial compuesto**	
vendría	**vendríamos**	**habría venido**	**habríamos venido**
vendrías	**vendríais**	**habrías venido**	**habríais venido**
vendría	**vendrían**	**habría venido**	**habrían venido**
6 presente de subjuntivo		**13 perfecto de subjuntivo**	
venga	**vengamos**	**haya venido**	**hayamos venido**
vengas	**vengáis**	**hayas venido**	**hayáis venido**
venga	**vengan**	**haya venido**	**hayan venido**
7 imperfecto de subjuntivo		**14 pluscuamperfecto de subjuntivo**	
viniera	**viniéramos**	**hubiera venido**	**hubiéramos venido**
vinieras	**vinierais**	**hubieras venido**	**hubierais venido**
viniera	**vinieran**	**hubiera venido**	**hubieran venido**
OR		OR	
viniese	**viniésemos**	**hubiese venido**	**hubiésemos venido**
vinieses	**vinieseis**	**hubieses venido**	**hubieseis venido**
viniese	**viniesen**	**hubiese venido**	**hubiesen venido**

V

imperativo

—	**vengamos**
ven; no vengas	**venid; no vengáis**
venga	**vengan**

AN ESSENTIAL
55 VERB

To come or arrive

Venir

Venir is a very important irregular verb for beginning students. It is used in a great number of idiomatic expressions and everyday situations. Pay special attention to the stem changes!

Sentences using venir

La semana que viene voy a hacer un viaje.
Next week, I'm going to take a trip.

La señora González y su marido vienen de Venezuela.
Mrs. González and her husband come from (are from) Venezuela.

Prefiero quedarme en casa porque viene una tormenta.
I'd rather stay home because a storm is coming.

Words and expressions related to this verb

la venida **arrival, coming**

la semana que viene **next week**

el mes que viene **next month**

el porvenir **the future**

en lo porvenir **in the future**

venidero, venidera **future**

Venga lo que venga. **Come what may.**

Viene a ser lo mismo. **It amounts to the same thing.**

venir a las manos **to come to blows**

venir a buscar **to come for, to get**

venir a la mente **to come to mind**

venir a la cabeza **to come to mind**

venir a ser lo mismo **to amount to the same thing**

bienvenido, bienvenida **welcome**

dar la bienvenida a **to welcome**

¡Bienvenido! ¡Bienvenida! **Welcome!**

Can't find the verb you're looking for?
Check the back pages of this book for a list of over 2,100 additional verbs!

632

The Seven Simple Tenses		The Seven Compound Tenses	
Singular	Plural	Singular	Plural
1 presente de indicativo		**8 perfecto de indicativo**	
veo	vemos	he visto	hemos visto
ves	veis	has visto	habéis visto
ve	ven	ha visto	han visto
2 imperfecto de indicativo		**9 pluscuamperfecto de indicativo**	
veía	veíamos	había visto	habíamos visto
veías	veíais	habías visto	habíais visto
veía	veían	había visto	habían visto
3 pretérito		**10 pretérito anterior**	
vi	vimos	hube visto	hubimos visto
viste	visteis	hubiste visto	hubisteis visto
vio	vieron	hubo visto	hubieron visto
4 futuro		**11 futuro perfecto**	
veré	veremos	habré visto	habremos visto
verás	veréis	habrás visto	habréis visto
verá	verán	habrá visto	habrán visto
5 potencial simple		**12 potencial compuesto**	
vería	veríamos	habría visto	habríamos visto
verías	veríais	habrías visto	habríais visto
vería	verían	habría visto	habrían visto
6 presente de subjuntivo		**13 perfecto de subjuntivo**	
vea	veamos	haya visto	hayamos visto
veas	veáis	hayas visto	hayáis visto
vea	vean	haya visto	hayan visto
7 imperfecto de subjuntivo		**14 pluscuamperfecto de subjuntivo**	
viera	viéramos	hubiera visto	hubiéramos visto
vieras	vierais	hubieras visto	hubierais visto
viera	vieran	hubiera visto	hubieran visto
OR		OR	
viese	viésemos	hubiese visto	hubiésemos visto
vieses	vieseis	hubieses visto	hubieseis visto
viese	viesen	hubiese visto	hubiesen visto

	imperativo	
—		veamos
ve; no veas		ved; no veáis
vea		vean

V

AN ESSENTIAL
55 VERB

The subject pronouns are found on page 93.

AN ESSENTIAL 55 VERB

to see or to view

Ver

Ver is a very useful irregular verb for beginning students. It is used in a vast number of idiomatic expressions and everyday situations. Pay special attention to the stem changes!

Sentences using ver

Hay que verlo para creerlo.
You have to see it to believe it.

Está por ver.
It remains to be seen.

¿Vio Ud. el pájaro en el árbol?
Did you see the bird in the tree?

Words and expressions related to this verb

la vista **sight, seeing, view, vision**

visto, vista **in view of**

a vista de pájaro **a bird's eye view**

vivir para ver **to live and learn**

a mi ver **in my opinion**

¡Ya se ve! **Of course! Certainly!**

¡A ver! **Let's see!**

¡Vamos a ver! **Let's see!**

no tener nada que ver con **to have nothing to do with**

la visión **vision**

visible **visible**

la visibilidad **visibility**

un vistazo **a glance**

echar un vistazo a **to take a look at**

verse las caras **to deal with it (have it out) face to face**

Proverbs

Ver es creer.
Seeing is believing.

De decir a hacer hay mucho que ver.
There is a great difference (much to see) between saying and doing.

Hasta que no lo veas, no lo creas.
Don't believe it until you see it.

Can't remember the Spanish verb you need?
Check the back pages of this book for the English-Spanish verb index!

Regular **-ar** endings with spelling change: to verify, to check
c becomes **qu** before **e**

The Seven Simple Tenses		The Seven Compound Tenses	
Singular	Plural	Singular	Plural
1 presente de indicativo		8 perfecto de indicativo	
verifico	**verificamos**	**he verificado**	**hemos verificado**
verificas	**verificáis**	**has verificado**	**habéis verificado**
verifica	**verifican**	**ha verificado**	**han verificado**
2 inperfecto de indicativo		9 pluscuamperfecto de indicativo	
verificaba	**verificábamos**	**había verificado**	**habíamos verificado**
verificabas	**verificabais**	**habías verificado**	**habíais verificado**
verificaba	**verificaban**	**había verificado**	**habían verificado**
3 pretérito		10 pretérito anterior	
verifiqué	**verificamos**	**hube verificado**	**hubimos verificado**
verificaste	**verificasteis**	**hubiste verificado**	**hubisteis verificado**
verificó	**verificaron**	**hubo verificado**	**hubieron verificado**
4 futuro		11 futuro perfecto	
verificaré	**verificaremos**	**habré verificado**	**habremos verificado**
verificarás	**verificaréis**	**habrás verificado**	**habréis verificado**
verificará	**verificarán**	**habrá verificado**	**habrán verificado**
5 potencial simple		12 potencial compuesto	
verificaría	**verificaríamos**	**habría verificado**	**habríamos verificado**
verificarías	**verificaríais**	**habrías verificado**	**habríais verificado**
verificaría	**verificarían**	**habría verificado**	**habrían verificado**
6 presente de subjuntivo		13 perfecto de subjuntivo	
verifique	**verifiquemos**	**haya verificado**	**hayamos verificado**
verifiques	**verifiquéis**	**hayas verificado**	**hayáis verificado**
verifique	**verifiquen**	**haya verificado**	**hayan verificado**
7 imperfecto de subjuntivo		14 pluscuamperfecto de subjuntivo	
verificara	**verificáramos**	**hubiera verificado**	**hubiéramos verificado**
verificaras	**verificarais**	**hubieras verificado**	**hubierais verificado**
verificara	**verificaran**	**hubiera verificado**	**hubieran verificado**
OR		OR	
verificase	**verificásemos**	**hubiese verificado**	**hubiésemos verificado**
verificases	**verificaseis**	**hubieses verificado**	**hubieseis verificado**
verificase	**verificasen**	**hubiese verificado**	**hubiesen verificado**

V

imperativo	
—	**verifiquemos**
verifica; no verifiques	**verificad; no verifiquéis**
verifique	**verifiquen**

Words and expressions related to this verb
la **verificación**   verification, checking
el **verificador, la verificadora**   inspector

verificador, verificadora   verifying
verificarse   to come true, take place

vestirse (491)

Gerundio **vistiéndose**   Part. pas. **vestido**

to dress oneself,
to get dressed

Reflexive verb; regular **-ir** verb endings with stem
change: Tenses 1, 3, 6, 7, Imperative, Gerundio

The Seven Simple Tenses			The Seven Compound Tenses	
Singular	Plural		Singular	Plural
1 presente de indicativo			**8 perfecto de indicativo**	
me visto	nos vestimos		me he vestido	nos hemos vestido
te vistes	os vestís		te has vestido	os habéis vestido
se viste	se visten		se ha vestido	se han vestido
2 imperfecto de indicativo			**9 pluscuamperfecto de indicativo**	
me vestía	nos vestíamos		me había vestido	nos habíamos vestido
te vestías	os vestíais		te habías vestido	os habíais vestido
se vestía	se vestían		se había vestido	se habían vestido
3 pretérito			**10 pretérito anterior**	
me vestí	nos vestimos		me hube vestido	nos hubimos vestido
te vestiste	os vestisteis		te hubiste vestido	os hubisteis vestido
se vistió	se vistieron		se hubo vestido	se hubieron vestido
4 futuro			**11 futuro perfecto**	
me vestiré	nos vestiremos		me habré vestido	nos habremos vestido
te vestirás	os vestiréis		te habrás vestido	os habréis vestido
se vestirá	se vestirán		se habrá vestido	se habrán vestido
5 potencial simple			**12 potencial compuesto**	
me vestiría	nos vestiríamos		me habría vestido	nos habríamos vestido
te vestirías	os vestiríais		te habrías vestido	os habríais vestido
se vestiría	se vestirían		se habría vestido	se habrían vestido
6 presente de subjuntivo			**13 perfecto de subjuntivo**	
me vista	nos vistamos		me haya vestido	nos hayamos vestido
te vistas	os vistáis		te hayas vestido	os hayáis vestido
se vista	se vistan		se haya vestido	se hayan vestido
7 imperfecto de subjuntivo			**14 pluscuamperfecto de subjuntivo**	
me vistiera	nos vistiéramos		me hubiera vestido	nos hubiéramos vestido
te vistieras	os vistierais		te hubieras vestido	os hubierais vestido
se vistiera	se vistieran		se hubiera vestido	se hubieran vestido
OR			OR	
me vistiese	nos vistiésemos		me hubiese vestido	nos hubiésemos vestido
te vistieses	os vistieseis		te hubieses vestido	os hubieseis vestido
se vistiese	se vistiesen		se hubiese vestido	se hubiesen vestido

imperativo	
—	vistámonos; no nos vistamos
vístete; no te vistas	vestíos; no os vistáis
vístase; no se vista	vístanse; no se vistan

Words and expressions related to this verb

vestir   to clothe, to dress
desvestirse   to undress oneself, to get
   undressed
el vestido   clothing, clothes, dress
vestidos usados   secondhand clothing

bien vestido   well-dressed
vestir de uniforme   to dress in uniform
vestir de blanco   to dress in white
el vestuario   wardrobe; cloakroom
la vestimenta   clothes, garments

636

The Seven Simple Tenses		The Seven Compound Tenses	
Singular	Plural	Singular	Plural

1   presente de indicativo

		8 perfecto de indicativo	
viajo	viajamos	he viajado	hemos viajado
viajas	viajáis	has viajado	habéis viajado
viaja	viajan	ha viajado	han viajado

2   imperfecto de indicativo

		9 pluscuamperfecto de indicativo	
viajaba	viajábamos	había viajado	habíamos viajado
viajabas	viajabais	habías viajado	habíais viajado
viajaba	viajaban	había viajado	habían viajado

3   pretérito

		10 pretérito anterior	
viajé	viajamos	hube viajado	hubimos viajado
viajaste	viajasteis	hubiste viajado	hubisteis viajado
viajó	viajaron	hubo viajado	hubieron viajado

4   futuro

		11 futuro perfecto	
viajaré	viajaremos	habré viajado	habremos viajado
viajarás	viajaréis	habrás viajado	habréis viajado
viajará	viajarán	habrá viajado	habrán viajado

5   potencial simple

		12 potencial compuesto	
viajaría	viajaríamos	habría viajado	habríamos viajado
viajarías	viajaríais	habrías viajado	habríais viajado
viajaría	viajarían	habría viajado	habrían viajado

6   presente de subjuntivo

		13 perfecto de subjuntivo	
viaje	viajemos	haya viajado	hayamos viajado
viajes	viajéis	hayas viajado	hayáis viajado
viaje	viajen	haya viajado	hayan viajado

7   imperfecto de subjuntivo

		14 pluscuamperfecto de subjuntivo	
viajara	viajáramos	hubiera viajado	hubiéramos viajado
viajaras	viajarais	hubieras viajado	hubierais viajado
viajara	viajaran	hubiera viajado	hubieran viajado
OR		OR	
viajase	viajásemos	hubiese viajado	hubiésemos viajado
viajases	viajaseis	hubieses viajado	hubieseis viajado
viajase	viajasen	hubiese viajado	hubiesen viajado

V

imperativo

—	viajemos
viaja; no viajes	viajad; no viajéis
viaje	viajen

Words and expressions related to this verb

el viaje trip	**¡Buen viaje!** Have a good trip!
hacer un viaje to take a trip	**un viaje de negocios** business trip
un viaje de ida y vuelta round trip	**un viaje redondo** round trip
viajero, viajera traveler	**viajes espaciales** space travel
el viaje de novios honeymoon	**el viaje de recreo** pleasure trip

Do you need more drills? Have fun with the *501 Spanish Verbs* CD-ROM!

to watch (over), to keep guard, to look out for   Regular **-ar** verb

The Seven Simple Tenses		The Seven Compound Tenses	
Singular	Plural	Singular	Plural
1 presente de indicativo		8 perfecto de indicativo	
vigilo	vigilamos	he vigilado	hemos vigilado
vigilas	vigiláis	has vigilado	habéis vigilado
vigila	vigilan	ha vigilado	han vigilado
2 imperfecto de indicativo		9 pluscuamperfecto de indicativo	
vigilaba	vigilábamos	había vigilado	habíamos vigilado
vigilabas	vigilabais	habías vigilado	habíais vigilado
vigilaba	vigilaban	había vigilado	habían vigilado
3 pretérito		10 pretérito anterior	
vigilé	vigilamos	hube vigilado	hubimos vigilado
vigilaste	vigilasteis	hubiste vigilado	hubisteis vigilado
vigiló	vigilaron	hubo vigilado	hubieron vigilado
4 futuro		11 futuro perfecto	
vigilaré	vigilaremos	habré vigilado	habremos vigilado
vigilarás	vigilaréis	habrás vigilado	habréis vigilado
vigilará	vigilarán	habrá vigilado	habrán vigilado
5 potencial simple		12 potencial compuesto	
vigilaría	vigilaríamos	habría vigilado	habríamos vigilado
vigilarías	vigilaríais	habrías vigilado	habríais vigilado
vigilaría	vigilarían	habría vigilado	habrían vigilado
6 presente de subjuntivo		13 perfecto de subjuntivo	
vigile	vigilemos	haya vigilado	hayamos vigilado
vigiles	vigiléis	hayas vigilado	hayáis vigilado
vigile	vigilen	haya vigilado	hayan vigilado
7 imperfecto de subjuntivo		14 pluscuamperfecto de subjuntivo	
vigilara	vigiláramos	hubiera vigilado	hubiéramos vigilado
vigilaras	vigilarais	hubieras vigilado	hubierais vigilado
vigilara	vigilaran	hubiera vigilado	hubieran vigilado
OR		OR	
vigilase	vigilásemos	hubiese vigilado	hubiésemos vigilado
vigilases	vigilaseis	hubieses vigilado	hubieseis vigilado
vigilase	vigilasen	hubiese vigilado	hubiesen vigilado

imperativo	
—	vigilemos
vigila; no vigiles	vigilad; no vigiléis
vigile	vigilen

Words and expressions related to this verb

vigilar de cerca to keep a close watch on
el, la vigilante vigilante; vigilant, wakeful
la vigilancia vigilance, watchfulness, surveillance

vigilantemente vigilantly
vigilar sobre *or* **por** to watch over
comer de vigilia to abstain from meat
vigilante de noche night watchman

The Seven Simple Tenses		The Seven Compound Tenses	
Singular	Plural	Singular	Plural
1 presente de indicativo		**8 perfecto de indicativo**	
visito	visitamos	he visitado	hemos visitado
visitas	visitáis	has visitado	habéis visitado
visita	visitan	ha visitado	han visitado
2 imperfecto de indicativo		**9 pluscuamperfecto de indicativo**	
visitaba	visitábamos	había visitado	habíamos visitado
visitabas	visitabais	habías visitado	habíais visitado
visitaba	visitaban	había visitado	habían visitado
3 pretérito		**10 pretérito anterior**	
visité	visitamos	hube visitado	hubimos visitado
visitaste	visitasteis	hubiste visitado	hubisteis visitado
visitó	visitaron	hubo visitado	hubieron visitado
4 futuro		**11 futuro perfecto**	
visitaré	visitaremos	habré visitado	habremos visitado
visitarás	visitaréis	habrás visitado	habréis visitado
visitará	visitarán	habrá visitado	habrán visitado
5 potencial simple		**12 potencial compuesto**	
visitaría	visitaríamos	habría visitado	habríamos visitado
visitarías	visitaríais	habrías visitado	habríais visitado
visitaría	visitarían	habría visitado	habrían visitado
6 presente de subjuntivo		**13 perfecto de subjuntivo**	
visite	visitemos	haya visitado	hayamos visitado
visites	visitéis	hayas visitado	hayáis visitado
visite	visiten	haya visitado	hayan visitado
7 imperfecto de subjuntivo		**14 pluscuamperfecto de subjuntivo**	
visitara	visitáramos	hubiera visitado	hubiéramos visitado
visitaras	visitarais	hubieras visitado	hubierais visitado
visitara	visitaran	hubiera visitado	hubieran visitado
OR		OR	
visitase	visitásemos	hubiese visitado	hubiésemos visitado
visitases	visitaseis	hubieses visitado	hubieseis visitado
visitase	visitasen	hubiese visitado	hubiesen visitado

V

imperativo	
—	visitemos
visita; no visites	visitad; no visitéis
visite	visiten

Words and expressions related to this verb

una visita visit

visitante visitor

visitarse to visit one another

hacer una visita to pay a call, a visit

una visitación visitation

pagar la visita to return a visit

tener visita to have company

una visita acompañada guided tour

Can't recognize an irregular verb form? Check out pages 678–681.

The subject pronouns are found on page 93.

The Seven Simple Tenses		The Seven Compound Tenses	
Singular	Plural	Singular	Plural
1 presente de indicativo		8 perfecto de indicativo	
vivo	vivimos	he vivido	hemos vivido
vives	vivís	has vivido	habéis vivido
vive	viven	ha vivido	han vivido
2 imperfecto de indicativo		9 pluscuamperfecto de indicativo	
vivía	vivíamos	había vivido	habíamos vivido
vivías	vivíais	habías vivido	habíais vivido
vivía	vivían	había vivido	habían vivido
3 pretérito		10 pretérito anterior	
viví	vivimos	hube vivido	hubimos vivido
viviste	vivisteis	hubiste vivido	hubisteis vivido
vivió	vivieron	hubo vivido	hubieron vivido
4 futuro		11 futuro perfecto	
viviré	viviremos	habré vivido	habremos vivido
vivirás	viviréis	habrás vivido	habréis vivido
vivirá	vivirán	habrá vivido	habrán vivido
5 potencial simple		12 potencial compuesto	
viviría	viviríamos	habría vivido	habríamos vivido
vivirías	viviríais	habrías vivido	habríais vivido
viviría	vivirían	habría vivido	habrían vivido
6 presente de subjuntivo		13 perfecto de subjuntivo	
viva	vivamos	haya vivido	hayamos vivido
vivas	viváis	hayas vivido	hayáis vivido
viva	vivan	haya vivido	hayan vivido
7 imperfecto de subjuntivo		14 pluscuamperfecto de subjuntivo	
viviera	viviéramos	hubiera vivido	hubiéramos vivido
vivieras	vivierais	hubieras vivido	hubierais vivido
viviera	vivieran	hubiera vivido	hubieran vivido
OR		OR	
viviese	viviésemos	hubiese vivido	hubiésemos vivido
vivieses	vivieseis	hubieses vivido	hubieseis vivido
viviese	viviesen	hubiese vivido	hubiesen vivido

imperativo

—	vivamos
vive; no vivas	vivid; no viváis
viva	vivan

AN ESSENTIAL 55 VERB

Vivir

Vivir is a very useful regular –ir verb for beginning students. It is used in a vast number of idiomatic expressions and everyday situations.

Sentences using vivir

Vivimos en esta casa desde hace veinte años.
We have been living in this house for twenty years.

Tenemos con que vivir.
We have enough to live on.

Words and expressions related to this verb

vivo, viva **living**

sin vida **lifeless**

vivir de **to live on**

la vida **life**

en vida **living, alive**

estar en vida **to be alive**

ganarse la vida **to earn one's living**

una lengua viva **a living language**

vivir del aire **to live on thin air**

vivir para ver **to live and learn (live to see)**

vivir a oscuras **to live in ignorance**

revivir **to revive**

vivir bien **to live well**

¿Quién vive? **Who goes there?**

¡Viva la reina! **Long live the queen!**

¡Viva el rey! **Long live the king!**

¡La vida es así! **That's life!**

Proverb

Comer para vivir y no vivir para comer.
One should eat to live and not live to eat.

V

Can't find the verb you're looking for?
Check the back pages of this book for a list of over 2,100 additional verbs!

The subject pronouns are found on page 93.

volar (496)   Gerundio volando   Part. pas. volado

to fly

Regular **-ar** verb endings with stem change: Tenses 1, 6, Imperative

The Seven Simple Tenses		The Seven Compound Tenses	
Singular	Plural	Singular	Plural
1 presente de indicativo		8 perfecto de indicativo	
vuelo	volamos	he volado	hemos volado
vuelas	voláis	has volado	habéis volado
vuela	vuelan	ha volado	han volado
2 imperfecto de indicativo		9 pluscuamperfecto de indicativo	
volaba	volábamos	había volado	habíamos volado
volabas	volabais	habías volado	habíais volado
volaba	volaban	había volado	habían volado
3 pretérito		10 pretérito anterior	
volé	volamos	hube volado	hubimos volado
volaste	volasteis	hubiste volado	hubisteis volado
voló	volaron	hubo volado	hubieron volado
4 futuro		11 futuro perfecto	
volaré	volaremos	habré volado	habremos volado
volarás	volaréis	habrás volado	habréis volado
volará	volarán	habrá volado	habrán volado
5 potencial simple		12 potencial compuesto	
volaría	volaríamos	habría volado	habríamos volado
volarías	volaríais	habrías volado	habríais volado
volaría	volarían	habría volado	habrían volado
6 presente de subjuntivo		13 perfecto de subjuntivo	
vuele	volemos	haya volado	hayamos volado
vueles	voléis	hayas volado	hayáis volado
vuele	vuelen	haya volado	hayan volado
7 imperfecto de subjuntivo		14 pluscuamperfecto de subjuntivo	
volara	voláramos	hubiera volado	hubiéramos volado
volaras	volarais	hubieras volado	hubierais volado
volara	volaran	hubiera volado	hubieran volado
OR		OR	
volase	volásemos	hubiese volado	hubiésemos volado
volases	volaseis	hubieses volado	hubieseis volado
volase	volasen	hubiese volado	hubiesen volado

imperativo	
—	volemos
vuela; no vueles	volad; no voléis
vuele	vuelen

Words and expressions related to this verb
el vuelo   flight
Más vale pájaro en mano que ciento volando   A bird in the hand is worth two in the bush.
Las horas vuelan   The hours go flying by.   **¡Como vuela el tiempo!**   How time flies!
volear   to volley (a ball); **el voleo**   volley
el volante   steering wheel

Don't forget to study the section on defective and impersonal verbs. It's right after this main list.

Regular **-er** verb endings with stem change: to return, to go back
Tenses 1, 6, Imperative, Past Participle

The Seven Simple Tenses		The Seven Compound Tenses	
Singular	Plural	Singular	Plural
1 presente de indicativo		8 perfecto de indicativo	
vuelvo	**volvemos**	**he vuelto**	**hemos vuelto**
vuelves	**volvéis**	**has vuelto**	**habéis vuelto**
vuelve	**vuelven**	**ha vuelto**	**han vuelto**
2 imperfecto de indicativo		9 pluscuamperfecto de indicativo	
volvía	**volvíamos**	**había vuelto**	**habíamos vuelto**
volvías	**volvíais**	**habías vuelto**	**habíais vuelto**
volvía	**volvían**	**había vuelto**	**habían vuelto**
3 pretérito		10 pretérito anterior	
volví	**volvimos**	**hube vuelto**	**hubimos vuelto**
volviste	**volvisteis**	**hubiste vuelto**	**hubisteis vuelto**
volvió	**volvieron**	**hubo vuelto**	**hubieron vuelto**
4 futuro		11 futuro perfecto	
volveré	**volveremos**	**habré vuelto**	**habremos vuelto**
volverás	**volveréis**	**habrás vuelto**	**habréis vuelto**
volverá	**volverán**	**habrá vuelto**	**habrán vuelto**
5 potencial simple		12 potencial compuesto	
volvería	**volveríamos**	**habría vuelto**	**habríamos vuelto**
volverías	**volveríais**	**habrías vuelto**	**habríais vuelto**
volvería	**volverían**	**habría vuelto**	**habrían vuelto**
6 presente de subjuntivo		13 perfecto de subjuntivo	
vuelva	**volvamos**	**haya vuelto**	**hayamos vuelto**
vuelvas	**volváis**	**hayas vuelto**	**hayáis vuelto**
vuelva	**vuelvan**	**haya vuelto**	**hayan vuelto**
7 imperfecto de subjuntivo		14 pluscuamperfecto de subjuntivo	
volviera	**volviéramos**	**hubiera vuelto**	**hubiéramos vuelto**
volvieras	**volvierais**	**hubieras vuelto**	**hubierais vuelto**
volviera	**volvieran**	**hubiera vuelto**	**hubieran vuelto**
OR		OR	
volviese	**volviésemos**	**hubiese vuelto**	**hubiésemos vuelto**
volvieses	**volvieseis**	**hubieses vuelto**	**hubieseis vuelto**
volviese	**volviesen**	**hubiese vuelto**	**hubiesen vuelto**

imperativo

—	**volvamos**
vuelve; no vuelvas	**volved; no volváis**
vuelva	**vuelvan**

V

Volver is a very useful –er verb for beginning students. It is used in a vast number of idiomatic expressions and everyday situations. Be careful to make the stem change in Tenses 1 and 6, as well as the imperative and past participle.

Sentences using volver

¿A qué hora vuelve Ud. a casa?
At what time are you going back home?

¿Cuándo podré volver?
When may I return?

Vuelve la página, por favor.
Turn the page, please.

Words and expressions related to this verb

volver en sí **to regain consciousness, to come to**

volver sobre sus pasos **to retrace one's steps**

volver atrás **to turn back**

una vuelta **a turn, revolution, turning**

dar una vuelta **to take a stroll**

volverse triste **to become sad**

un revólver **revolver, pistol**

revolver **to revolve, shake (up), to turn around**

volver con las manos vacías **to return empty-handed**

volverse **to turn (oneself) around**

volverse loco **to go mad**

devolver un artículo **to return an article**

devolver **to return, go back**

Can't remember the Spanish verb you need?
Check the back pages of this book for the English-Spanish verb index!

The Seven Simple Tenses		The Seven Compound Tenses	
Singular	Plural	Singular	Plural
1 presente de indicativo		8 perfecto de indicativo	
voto	votamos	he votado	hemos votado
votas	votáis	has votado	habéis votado
vota	votan	ha votado	han votado
2 imperfecto de indicativo		9 pluscuamperfecto de indicativo	
votaba	votábamos	había votado	habíamos votado
votabas	votabais	habías votado	habíais votado
votaba	votaban	había votado	habían votado
3 pretérito		10 pretérito anterior	
voté	votamos	hube votado	hubimos votado
votaste	votasteis	hubiste votado	hubisteis votado
votó	votaron	hubo votado	hubieron votado
4 futuro		11 futuro perfecto	
votaré	votaremos	habré votado	habremos votado
votarás	votaréis	habrás votado	habréis votado
votará	votarán	habrá votado	habrán votado
5 potencial simple		12 potencial compuesto	
votaría	votaríamos	habría votado	habríamos votado
votarías	votaríais	habrías votado	habríais votado
votaría	votarían	habría votado	habrían votado
6 presente de subjuntivo		13 perfecto de subjuntivo	
vote	votemos	haya votado	hayamos votado
votes	votéis	hayas votado	hayáis votado
vote	voten	haya votado	hayan votado
7 imperfecto de subjuntivo		14 pluscuamperfecto de subjuntivo	
votara	votáramos	hubiera votado	hubiéramos votado
votaras	votarais	hubieras votado	hubierais votado
votara	votaran	hubiera votado	hubieran votado
OR		OR	
votase	votásemos	hubiese votado	hubiésemos votado
votases	votaseis	hubieses votado	hubieseis votado
votase	votasen	hubiese votado	hubiesen votado

imperativo	
—	votemos
vota; no votes	votad; no votéis
vote	voten

Words and expressions related to this verb

votar en pro   to vote for; **votar en contra**   to vote against

el votador, la votadora   voter

el voto   vote, vow; **voto de gracias**   vote of thanks; **voto activo**   right to vote;
   voto de confianza   vote of confidence; **echar votos**   to curse, to swear
la votación   voting; **la votación a mano alzada**   voting by show of hands
la votación secreta   secret ballot

V

Get acquainted with what preposition goes with what verb on pages 669–677.

The subject pronouns are found on page 93.   **645**

yacer (499) Gerundio yaciendo Part. pas. yacido

to lie down, to be lying
down, to lie in a grave

Regular **-er** verb endings; spelling
change (see Tenses 1, 6, and Imperative)

The Seven Simple Tenses

The Seven Compound Tenses

Singular	Plural	Singular	Plural
1 presente de indicativo		8 perfecto de indicativo	
yazco *or* yazgo	yacemos	he yacido	hemos yacido
or yago		has yacido	habéis yacido
yaces	yacéis	ha yacido	han yacido
yace	yacen		
		9 pluscuamperfecto de indicativo	
2 imperfecto de indicativo		había yacido	habíamos yacido
yacía	yacíamos	habías yacido	habíais yacido
yacías	yacíais	había yacido	habían yacido
yacía	yacían		
		10 pretérito anterior	
3 pretérito		hube yacido	hubimos yacido
yací	yacimos	hubiste yacido	hubisteis yacido
yaciste	yacisteis	hubo yacido	hubieron yacido
yació	yacieron		
		11 futuro perfecto	
4 futuro		habré yacido	habremos yacido
yaceré	yaceremos	habrás yacido	habréis yacido
yacerás	yaceréis	habrá yacido	habrán yacido
yacerá	yacerán		
		12 potencial compuesto	
5 potencial simple		habría yacido	habríamos yacido
yacería	yaceríamos	habrías yacido	habríais yacido
yacerías	yaceríais	habría yacido	habrían yacido
yacería	yacerían		
		13 perfecto de subjuntivo	
6 presente de subjuntivo		haya yacido	hayamos yacido
yazca *or* yazga	yazcamos *or* yazgamos	hayas yacido	hayáis yacido
or yaga	*or* yagamos	haya yacido	hayan yacido
yazcas *or* yazgas	yazcáis *or* yazgáis		
or yagas	*or* yagáis	14 pluscuamperfecto de subjuntivo	
yazca *or* yazga	yazcan *or* yazgan	hubiera yacido	hubiéramos yacido
or yaga	*or* yagan	hubieras yacido	hubierais yacido
		hubiera yacido	hubieran yacido
7 imperfecto de subjuntivo		OR	
yaciera	yaciéramos	hubiese yacido	hubiésemos yacido
yacieras	yacierais	hubieses yacido	hubieseis yacido
yaciera	yacieran	hubiese yacido	hubiesen yacido
OR			
yaciese	yaciésemos		
yacieses	yacieseis		
yaciese	yaciesen		

imperativo

—	yazcamos *or* yazgamos *or* yagamos
yaz *or* yace; no yazcas	yaced; no yazcáis
yazca *or* yazga *or* yaga	yazcan *or* yazgan *or* yagan

Words and expressions related to this verb
la yacija   bed, couch; grave, tomb
el yacimiento   mineral deposit

Aquí yace don Juan   Here lies Don Juan.
una estatua yacente   statue lying in state
   (usually on a catafalque)

646

Regular **-ar** verb   to buzz, to hum, to flutter around

The Seven Simple Tenses		The Seven Compound Tenses	
Singular	Plural	Singular	Plural
1 presente de indicativo		**8 perfecto de indicativo**	
zumbo	zumbamos	he zumbado	hemos zumbado
zumbas	zumbáis	has zumbado	habéis zumbado
zumba	zumban	ha zumbado	han zumbado
2 imperfecto de indicativo		**9 pluscuamperfecto de indicativo**	
zumbaba	zumbábamos	había zumbado	habíamos zumbado
zumbabas	zumbabais	habías zumbado	habíais zumbado
zumbaba	zumbaban	había zumbado	habían zumbado
3 pretérito		**10 pretérito anterior**	
zumbé	zumbamos	hube zumbado	hubimos zumbado
zumbaste	zumbasteis	hubiste zumbado	hubisteis zumbado
zumbó	zumbaron	hubo zumbado	hubieron zumbado
4 futuro		**11 futuro perfecto**	
zumbaré	zumbaremos	habré zumbado	habremos zumbado
zumbarás	zumbaréis	habrás zumbado	habréis zumbado
zumbará	zumbarán	habrá zumbado	habrán zumbado
5 potencial simple		**12 potencial compuesto**	
zumbaría	zumbaríamos	habría zumbado	habríamos zumbado
zumbarías	zumbaríais	habrías zumbado	habríais zumbado
zumbaría	zumbarían	habría zumbado	habrían zumbado
6 presente de subjuntivo		**13 perfecto de subjuntivo**	
zumbe	zumbemos	haya zumbado	hayamos zumbado
zumbes	zumbéis	hayas zumbado	hayáis zumbado
zumbe	zumben	haya zumbado	hayan zumbado
7 imperfecto de subjuntivo		**14 pluscuamperfecto de subjuntivo**	
zumbara	zumbáramos	hubiera zumbado	hubiéramos zumbado
zumbaras	zumbarais	hubieras zumbado	hubierais zumbado
zumbara	zumbaran	hubiera zumbado	hubieran zumbado
OR		OR	
zumbase	zumbásemos	hubiese zumbado	hubiésemos zumbado
zumbases	zumbaseis	hubieses zumbado	hubieseis zumbado
zumbase	zumbasen	hubiese zumbado	hubiesen zumbado

Y
Z

	imperativo	
—		zumbemos
zumba; no zumbes		zumbad; no zumbéis
zumbe		zumben

Words and expressions related to this verb

Me zumban los cincuenta años. I am close to fifty years old.
zumbarse de to make fun of
zumbar una bofetada to give a hard slap
Bala que zumba no mata. A bullet that buzzes doesn't kill.

un zumbo, un zumbido buzz, hum; **un zumbido de ocupado** busy signal of a telephone
un zumbador buzzer

zurcir (501) Gerundio zurciendo Part. pas. zurcido

to darn, to mend

The Seven Simple Tenses		The Seven Compound Tenses	
Singular	Plural	Singular	Plural
1 presente de indicativo		8 perfecto de indicativo	
zurzo	zurcimos	he zurcido	hemos zurcido
zurces	zurcís	has zurcido	habéis zurcido
zurce	zurcen	ha zurcido	han zurcido
2 imperfecto de indicativo		9 pluscuamperfecto de indicativo	
zurcía	zurcíamos	había zurcido	habíamos zurcido
zurcías	zurcíais	habías zurcido	habíais zurcido
zurcía	zurcían	había zurcido	habían zurcido
3 pretérito		10 pretérito anterior	
zurcí	zurcimos	hube zurcido	hubimos zurcido
zurciste	zurcisteis	hubiste zurcido	hubisteis zurcido
zurció	zurcieron	hubo zurcido	hubieron zurcido
4 futuro		11 futuro perfecto	
zurciré	zurciremos	habré zurcido	habremos zurcido
zurcirás	zurciréis	habrás zurcido	habréis zurcido
zurcirá	zurcirán	habrá zurcido	habrán zurcido
5 potencial simple		12 potencial compuesto	
zurciría	zurciríamos	habría zurcido	habríamos zurcido
zurcirías	zurciríais	habrías zurcido	habríais zurcido
zurciría	zurcirían	habría zurcido	habrían zurcido
6 presente de subjuntivo		13 perfecto de subjuntivo	
zurza	zurzamos	haya zurcido	hayamos zurcido
zurzas	zurzáis	hayas zurcido	hayáis zurcido
zurza	zurzan	haya zurcido	hayan zurcido
7 imperfecto de subjuntivo		14 pluscuamperfecto de subjuntivo	
zurciera	zurciéramos	hubiera zurcido	hubiéramos zurcido
zurcieras	zurcierais	hubieras zurcido	hubierais zurcido
zurciera	zurcieran	hubiera zurcido	hubieran zurcido
OR		OR	
zurciese	zurciésemos	hubiese zurcido	hubiésemos zurcido
zurcieses	zurcieseis	hubieses zurcido	hubieseis zurcido
zurciese	zurciesen	hubiese zurcido	hubiesen zurcido

imperativo

—	zurzamos
zurce; no zurzas	zurcid; no zurzáis
zurza	zurzan

Words related to this verb
la zurcidura darning, mending
zurcido, zurcida darned, mended

un huevo de zurcir darning ball (egg)
la aguja de zurcir darning needle

Don't forget to study the section on defective and impersonal verbs. It's right after this main list.

Appendixes

Defective and impersonal verbs

Gerundio **aboliendo**	Part. pas. **abolido**	**abolir**
Regular **-ir** verb endings		to abolish

The Seven Simple Tenses		The Seven Compound Tenses	
Singular	Plural	Singular	Plural
1 presente de indicativo		8 perfecto de indicativo	
—	abolimos	he abolido	hemos abolido
—	abolís	has abolido	habéis abolido
—	—	ha abolido	han abolido
2 imperfecto de indicativo		9 pluscuamperfecto de indicativo	
abolía	abolíamos	había abolido	habíamos abolido
abolías	abolíais	habías abolido	habíais abolido
abolía	abolían	había abolido	habían abolido
3 pretérito		10 pretérito anterior	
abolí	abolimos	hube abolido	hubimos abolido
aboliste	abolisteis	hubiste abolido	hubisteis abolido
abolió	abolieron	hubo abolido	hubieron abolido
4 futuro		11 futuro perfecto	
aboliré	aboliremos	habré abolido	habremos abolido
abolirás	aboliréis	habrás abolido	habréis abolido
abolirá	abolirán	habrá abolido	habrán abolido
5 potencial simple		12 potencial compuesto	
aboliría	aboliríamos	habría abolido	habríamos abolido
abolirías	aboliríais	habrías abolido	habríais abolido
aboliría	abolirían	habría abolido	habrían abolido
6 presente de subjuntivo		13 perfecto de subjuntivo	
Not in use		haya abolido	hayamos abolido
		hayas abolido	hayáis abolido
7 imperfecto de subjuntivo		haya abolido	hayan abolido
aboliera	aboliéramos		
abolieras	abolierais	14 pluscuamperfecto de subjuntivo	
aboliera	abolieran	hubiera abolido	hubiéramos abolido
OR		hubieras abolido	hubierais abolido
aboliese	aboliésemos	hubiera abolido	hubieran abolido
abolieses	abolieseis	OR	
aboliese	aboliesen	hubiese abolido	hubiésemos abolido
		hubieses abolido	hubieseis abolido
		hubiese abolido	hubiesen abolido

imperativo	
—	—
—	abolid
—	—

Abolir is a defective verb.

bastar

Gerundio bastando   Part. pas. **bastado**

to be enough, to be sufficient, to suffice

The Seven Simple Tenses		The Seven Compound Tenses	
Singular	Plural	Singular	Plural
1 presente de indicativo		8 perfecto de indicativo	
basta	**bastan**	**ha bastado**	**han bastado**
2 imperfecto de indicativo		9 pluscuamperfecto de indicativo	
bastaba	**bastaban**	**había bastado**	**habían bastado**
3 pretérito		10 pretérito anterior	
bastó	**bastaron**	**hubo bastado**	**hubieron bastado**
4 futuro		11 futuro perfecto	
bastará	**bastarán**	**habré bastado**	**habrán bastado**
5 potencial simple		12 potencial compuesto	
bastaría	**bastarían**	**habría bastado**	**habrían bastado**
6 presente de subjuntivo		13 perfecto de subjuntivo	
que baste	**que basten**	**haya bastado**	**hayan bastado**
7 imperfecto de subjuntivo		14 pluscuamperfecto de subjuntivo	
que bastara	**que bastaran**	**hubiera bastado**	**hubieran bastado**
OR		OR	
que bastase	**que bastasen**	**hubiese bastado**	**hubiesen bastado**

imperativo

¡Que baste!   **¡Que basten!**

Common expression related to this verb
¡Basta!   Enough! That will do!
This is an impersonal verb and it is used mainly in the third person singular and plural.
It is a regular **ar** verb and can be conjugated in all the persons.

Gerundio **costando**   Part. pas. **costado**   **costar**

Regular **-ar** verb endings with stem   to cost
change: Tenses 1, 6, Imperative

The Seven Simple Tenses | The Seven Compound Tenses

Singular	Plural	Singular	Plural
1 presente de indicativo		8 perfecto de indicativo	
cuesta	**cuestan**	**ha costado**	**han costado**
2 imperfecto de indicativo		9 pluscuamperfecto de indicativo	
costaba	**costaban**	**había costado**	**habían costado**
3 pretérito		10 pretérito anterior	
costó	**costaron**	**hubo costado**	**hubieron costado**
4 futuro		11 futuro perfecto	
costará	**costarán**	**habrá costado**	**habrán costado**
5 potencial simple		12 potencial compuesto	
costaría	**costarían**	**habría costado**	**habrían costado**
6 presente de subjuntivo		13 perfecto de subjuntivo	
que cueste	**que cuesten**	**que haya costado**	**que hayan costado**
7 imperfecto de subjuntivo		14 pluscuamperfecto de subjuntivo	
que costara	**que costaran**	**que hubiera costado**	**que hubieran costado**
OR		OR	
que costase	**que costasen**	**que hubiese costado**	**que hubiesen costado**

imperativo

¡Que cueste!   **¡Que cuesten!**

Sentences using this verb and words and expressions related to it
—**¿Cuánto cuesta este libro?**   **Cuesta + inf.**   It is difficult to . . .
—**Cuesta diez euros.**   **Cuesta creerlo.**   It's difficult to believe it.

costoso, costosa   costly, expensive   **costar un ojo de la cara**   to be very expensive
el costo   price, cost   (to cost an arm and a leg)
el costo de la vida   the cost of living   **cueste lo que cueste**   at any cost
costear   to finance

Defective and impersonal verbs   653

embaír

Gerundio embayendo   **Part. pas. embaído**

to trick, to deceive

The Seven Simple Tenses		The Seven Compound Tenses	
Singular	**Plural**	**Singular**	**Plural**
1 presente de indicativo		8 perfecto de indicativo	
—	embaímos	he embaído	hemos embaído
—	embaís	has embaído	habéis embaído
—	—	ha embaído	han embaído
2 imperfecto de indicativo		9 pluscuamperfecto de indicativo	
embaía	embaíamos	había embaído	habíamos embaído
embaías	embaíais	habías embaído	habíais embaído
embaía	embaían	había embaído	habían embaído
3 pretérito		10 pretérito anterior	
embaí	embaímos	hube embaído	hubimos embaído
embaíste	embaísteis	hubiste embaído	hubisteis embaído
embayó	embayeron	hubo embaído	hubieron embaído
4 futuro		11 futuro perfecto	
embairé	embairemos	habré embaído	habremos embaído
embairás	embairéis	habrás embaído	habréis embaído
embairá	embairán	habrá embaído	habrán embaído
5 potencial simple		12 potencial compuesto	
embairía	embairíamos	habría embaído	habríamos embaído
embairías	embairíais	habrías embaído	habríais embaído
embairía	embairían	habría embaído	habrían embaído
7 imperfecto de subjuntivo		13 perfecto de subjuntivo	
embayera	embayéramos	haya embaído	hayamos embaído
embayeras	embayerais	hayas embaído	hayáis embaído
embayera	embayeran	haya embaído	hayan embaído
OR			
embayese	embayésemos	14 pluscuamperfecto de subjuntivo	
embayeses	embayeseis	hubiera embaído	hubiéramos embaído
embayese	embayesen	hubieras embaído	hubierais embaído
		hubiera embaído	hubieran embaído
		OR	
		hubiese embaído	hubiésemos embaído
		hubieses embaído	hubieseis embaído
		hubiese embaído	hubiesen embaído

	imperativo	
—		—
—	embaíd	
—		—

Embaír is a defective verb. It is used only in the tenses given above.

Gerundio encantando	Part. pas. encantado	encantar
Regular -ar verb endings		to delight, to love, to bewitch

The Seven Simple Tenses		The Seven Compound Tenses	
Singular	Plural	Singular	Plural
1 presente de indicativo		8 perfecto de indicativo	
encanta	encantan	ha encantado	han encantado
2 imperfecto de indicativo		9 pluscuamperfecto de indicativo	
encantaba	encantaban	había encantado	habían encantado
3 pretérito		10 pretérito anterior	
encantó	encantaron	hubo encantado	hubieron encantado
4 futuro		11 futuro perfecto	
encantará	encantarán	habrá encantado	habrán encantado
5 potencial simple		12 potencial compuesto	
encantaría	encantarían	habría encantado	habrían encantado
6 presente de subjuntivo		13 perfecto de subjuntivo	
encante	encanten	haya encantado	hayan encantado
7 imperfecto de subjuntivo		14 pluscuamperfecto de subjuntivo	
encantara	encantaran	hubiera encantado	hubieran encantado
OR		OR	
encantase	encantasen	hubiese encantado	hubiesen encantado

imperativo

Singular
¡Que me encante!   ¡Que nos encante!
¡Que te encante!   ¡Que os encante!
¡Que le encante!   ¡Que les encante!

Plural
¡Que me encanten!   ¡Que nos encanten!
¡Que te encanten!   ¡Que os encanten!
¡Que le encanten!   ¡Que les encanten!

Words and expressions related to this verb
encantado, encantada   delighted, enchanted
encantador, encantadora   delightful
¡Encantado!   Pleased/delighted to meet you!
Me encanta ir a caballo.   I love to go horseback riding. (Horseback riding is delightful to me.)
Nos encantan los chocolates.   We love chocolates. (Chocolates are delightful to us.)

This verb is commonly used in the third person singular or plural, as in the above examples. See also **gustar**, which is used in a similar way.

Defective and impersonal verbs   655

gustar
to be pleasing (to), to like

Gerundio gustando   **Part. pas. gustado**

Regular **-ar** verb

The Seven Simple Tenses		The Seven Compound Tenses	
Singular	Plural	Singular	Plural
1 presente de indicativo ·		8 perfecto de indicativo	
gusta	**gustan**	**ha gustado**	**han gustado**
2 imperfecto de indicativo		9 pluscuamperfecto de indicativo	
gustaba	**gustaban**	**había gustado**	**habían gustado**
3 pretérito		10 pretérito anterior	
gustó	**gustaron**	**hubo gustado**	**hubieron gustado**
4 futuro		11 futuro perfecto	
gustará	**gustarán**	**habrá gustado**	**habrán gustado**
5 potencial simple		12 potencial compuesto	
gustaría	**gustarían**	**habría gustado**	**habrían gustado**
6 presente de subjuntivo		13 perfecto de subjuntivo	
que guste	**que gusten**	**que haya gustado**	**que hayan gustado**
7 imperfecto de subjuntivo		14 pluscuamperfecto de subjuntivo	
que gustara	**que gustaran**	**que hubiera gustado**	**que hubieran gustado**
OR		OR	
que gustase	**que gustasen**	**que hubiese gustado**	**que hubiesen gustado**

imperativo

      ¡Que guste!   **¡Que gusten!**

AN ESSENTIAL
55 VERB

AN ESSENTIAL 55 VERB

Gustar

Gustar is an essential regular –ar verb for beginning students of Spanish. It is used in many everyday expressions and situations. Please note that this verb is commonly used in the third person singular or plural, as in the examples below.

(a) Essentially, the verb gustar means *to be pleasing to...*

(b) In English, we say, for example, *I like ice cream.* In Spanish, we say Me gusta el helado; that is to say, "Ice cream is pleasing to me (Literally: To me, ice cream is pleasing)."

(c) In English, the thing that you like is the direct object. In Spanish, the thing that you like is the subject. Also, in Spanish, the person who likes the thing is the indirect object: to me, to you, etc. For example: "A Roberto le gusta el helado/Robert likes ice cream (Literally: "To Robert, ice cream is pleasing to him)."

(d) In Spanish, therefore, the verb gustar is used in the third person, either in the singular or plural, when you talk about something that you like—something that is pleasing to you. Therefore, the verb form must agree with the subject; if the thing that is liked is singular, the verb is third person singular: Me gusta el café/I like coffee. If the thing that is liked is plural, the verb gustar is third person plural: "Me gustan el café y la leche/I like coffee and milk (Literally: Coffee and milk are pleasing to me)."

(e) When you mention the person or the persons who like something, you must use the preposition a in front of the person. You must also use the indirect object pronoun that is associated with the person: A los muchachos y a las muchachas les gusta jugar/Boys and girls like to play. (Literally: To boys and girls, to play is pleasing to them.)

Sentences using gustar and related words

Me gusta el café. I like coffee.

Me gusta leer. I like to read.

Te gusta leer. You (*familiar*) like to read.

Me gustan la leche y el café. I like milk and coffee.

A María le gustan los dulces. Mary likes candy.

A José y a Elena les gustan los deportes. Joseph and Helen like sports.

Nos gustan mucho las películas policíacas. We like detective movies very much.

Me gustaría un pastel. I would like a pastry.

A Felipe le gusta el helado. Philip likes ice cream.

A las chicas les gustó la película. The girls liked the movie.

Nos gustó el cuento. We liked the story.

A mi amigo le gustaron los chocolates. My friend liked the chocolates.

Words and expressions related to this verb

el gusto **taste, pleasure, liking**

gustoso, gustosa **tasty, pleasing**

dar gusto **to please**

tener gusto en **to be glad to**

helar

Gerundio **helando**   Part. pas. **helado**

to freeze

Regular -ar verb endings with stem change: Tenses 1, 6; Imperative

The Seven Simple Tenses	The Seven Compound Tenses
Singular Plural	Singular Plural
1 presente de indicativo **hiela** OR **está helando**	8 perfecto de indicativo **ha helado**
2 imperfecto de indicativo **helaba** OR **estaba helando**	9 pluscuamperfecto de indicativo **había helado**
3 pretérito **heló**	10 pretérito anterior **hubo helado**
4 futuro **helará**	11 futuro perfecto **habrá helado**
5 potencial simple **helaría**	12 potencial compuesto **habría helado**
6 presente de subjuntivo **hiele**	13 perfecto de subjuntivo **haya helado**
7 imperfecto de subjuntivo **helara** OR **helase**	14 pluscuamperfecto de subjuntivo **hubiera helado** OR **hubiese helado**

imperativo
¡Que hiele! (Let it freeze!)

Words and expressions related to this verb
la helada   frost (**helada blanca**/hoarfrost)
el hielo   ice
el helado   ice cream; sherbet (**el sorbete**)
la heladería   ice cream shop

la heladora   ice cream machine
el heladero   ice cream man (ice cream vendor)
romper el hielo   to break the ice

This verb is presented here in the third person singular referring to the weather. It can be used as a personal verb in the three persons of the singular and plural. The verb is then conjugated like a regular -ar type verb. Remember that when the vowel **e** in the stem is stressed, it changes to **ie**, as in the verb **pensar** among the 501 verbs in this book.

Gerundio **importando**   Part. pas. **importado**   **importar**

The Seven Simple Tenses		The Seven Compound Tenses	
Singular	Plural	Singular	Plural
1 presente de indicativo		8 perfecto de indicativo	
importa	**importan**	**ha importado**	**han importado**
2 imperfecto de indicativo		9 pluscuamperfecto de indicativo	
importaba	**importaban**	**había importado**	**habían importado**
3 pretérito		10 pretérito anterior	
importó	**importaron**	**hubo importado**	**hubieron importado**
4 futuro		11 futuro perfecto	
importará	**importarán**	**habrá importado**	**habrán importado**
5 potencial simple		12 potencial compuesto	
importaría	**importarían**	**habría importado**	**habrían importado**
6 presente de subjuntivo		13 perfecto de subjuntivo	
que importe	**que importen**	**que haya importado**	**que hayan importado**
7 imperfecto de subjuntivo		14 pluscuamperfecto de subjuntivo	
que importara	**que importaran**	**que hubiera importado**	**que hubieran importado**
OR		OR	
que importase	**que importasen**	**que hubiese importado**	**que hubiesen importado**

imperativo

¡Que importe!   **¡Que importen!**

Words and expressions related to this verb

No importa.   It does not matter.
Eso no importa.   That does not matter.
No me importaría.   It wouldn't matter to me.
la importancia   importance
importante   important

dar importancia a   to value
de gran importancia   of great importance
darse importancia   to be pretentious
¿Qué importa?   What difference does it make?

This verb can be conjugated regularly in all the persons but it is used most commonly as an impersonal verb in the third person.

llover	Gerundio **lloviendo**	Part. pas. **llovido**

to rain

Regular **-er** verb endings with stem change: Tenses 1, 6; Imperative

The Seven Simple Tenses	The Seven Compound Tenses

Singular Plural	Singular Plural
1 presente de indicativo	8 perfecto de indicativo
llueve	**ha llovido**
OR	
está lloviendo	
2 imperfecto de indicativo	9 pluscuamperfecto de indicativo
llovía	**había llovido**
OR	
estaba lloviendo	
3 pretérito	10 pretérito anterior
llovió	**hubo llovido**
4 futuro	11 futuro perfecto
lloverá	**habrá llovido**
5 potencial simple	12 potencial compuesto
llovería	**habría llovido**
6 presente de subjuntivo	13 perfecto de subjuntivo
llueva	**haya llovido**
7 imperfecto de subjuntivo	14 pluscuamperfecto de subjuntivo
lloviera	**hubiera llovido**
OR	OR
lloviese	**hubiese llovido**

imperativo
¡Que llueva!   Let it rain!

Words and expressions related to this verb

la lluvia rain	**la llovizna** drizzle
lluvioso, lluviosa rainy	**llover chuzos** to rain canes (cats and dogs)
llover a cántaros to rain in torrents	**tiempo lluvioso** rainy weather
llueva o no rain or shine	**lloviznar** to drizzle

Gerundio **nevando**	Part. pas. **nevado**	**nevar**

Regular **-ar** verb endings with stem
change: Tenses 1, 6; Imperative

to snow

The Seven Simple Tenses	The Seven Compound Tenses

Singular Plural	Singular Plural
1 presente de indicativo	8 perfecto de indicativo
nieva	**ha nevado**
OR	
está nevando	
2 imperfecto de indicativo	9 pluscuamperfecto de indicativo
nevaba	**había nevado**
OR	
estaba nevando	
3 pretérito	10 pretérito anterior
nevó	**hubo nevado**
4 futuro	11 futuro perfecto
nevará	**habrá nevado**
5 potencial simple	12 potencial compuesto
nevaría	**habría nevado**
6 presente de subjuntivo	13 perfecto de subjuntivo
nieve	**haya nevado**
7 imperfecto de subjuntivo	14 pluscuamperfecto de subjuntivo
nevara	**hubiera nevado**
OR	OR
nevase	**hubiese nevado**

imperativo
¡Que nieve!   Let it snow!

Words and expressions related to this verb
la nieve   snow
  Me gusta la nieve.   I like snow.
nevado, nevada   snowy, snow covered
la nevada   snowfall; the state of Nevada, U.S.A.
¿Hay mucha nieve aquí en el invierno?   Is there much snow here in winter?

la nevera   refrigerator
un copo de nieve   snowflake
una bola de nieve   snowball

Defective and impersonal verbs   **661**

ocurrir	Gerundio ocurriendo	Part. pas. ocurrido
to occur, to happen		Regular **-ir** verb

The Seven Simple Tenses		The Seven Compound Tenses	
Singular	Plural	Singular	Plural
1 presente de indicativo		8 perfecto de indicativo	
ocurre	**ocurren**	**ha ocurrido**	**han ocurrido**
2 imperfecto de indicativo		9 pluscuamperfecto de indicativo	
ocurría	**ocurrían**	**había ocurrido**	**habían ocurrido**
3 pretérito		10 pretérito anterior	
ocurrió	**ocurrieron**	**hubo ocurrido**	**hubieron ocurrido**
4 futuro		11 futuro perfecto	
ocurrirá	**ocurrirán**	**habrá ocurrido**	**habrán ocurrido**
5 potencial simple		12 potencial compuesto	
ocurriría	**ocurrirían**	**habría ocurrido**	**habrían ocurrido**
6 presente de subjuntivo		13 perfecto de subjuntivo	
ocurra	**ocurran**	**haya ocurrido**	**hayan ocurrido**
7 imperfecto de subjuntivo		14 pluscuamperfecto de subjuntivo	
ocurriera	**ocurrieran**	**hubiera ocurrido**	**hubieran ocurrido**
OR		OR	
ocurriese	**ocurriesen**	**hubiese ocurrido**	**hubiesen ocurrido**

imperativo

¡Que ocurra!	**¡Que ocurran!**
Let it occur!	Let them occur!

Words related to this verb
ocurrente occurring; funny, witty, humorous
la ocurrencia occurrence, happening, event; witticism

This verb is generally used in the third person singular and plural.

Gerundio **soliendo**　　　　　Part. pas. **solido**　　　　　**soler**

Regular -er verb endings with stem change: Tenses 1 and 6

to be accustomed to, to be in the habit of, to have the custom of

The Seven Simple Tenses		The Seven Compound Tenses	
Singular	Plural	Singular	Plural
1 presente de indicativo		8 perfecto de indicativo	
suelo	solemos	he solido	hemos solido
sueles	soléis	has solido	habéis solido
suele	suelen	ha solido	han solido
2 imperfecto de indicativo		9 pluscuamperfecto de indicativo	
solía	solíamos	había solido	habíamos solido
solías	solíais	habías solido	habíais solido
solía	solían	había solido	habían solido
3 pretérito		10 pretérito anterior	
solí	solimos	hube solido	hubimos solido
soliste	solisteis	hubiste solido	hubisteis solido
solió	solieron	hubo solido	hubieron solido
4 futuro		11 futuro perfecto	
[not in use]		[not in use]	
5 potencial simple		12 potencial compuesto	
[not in use]		[not in use]	
6 presente de subjuntivo		13 perfecto de subjuntivo	
suela	solamos	haya solido	hayamos solido
suelas	soláis	hayas solido	hayáis solido
suela	suelan	haya solido	hayan solido
7 imperfecto de subjuntivo		14 pluscuamperfecto de subjuntivo	
soliera	soliéramos	hubiera solido	hubiéramos solido
solieras	solierais	hubieras solido	hubierais solido
soliera	solieran	hubiera solido	hubieran solido
OR		OR	
soliese	soliésemos	hubiese solido	hubiésemos solido
solieses	solieseis	hubieses solido	hubieseis solido
soliese	soliesen	hubiese solido	hubiesen solido

imperativo
[not in use]

This verb is defective and it is used primarily in the five simple tenses given above. When used, it is followed by an infinitive.

suceder

Gerundio sucediendo   Part. pas. **sucedido**

to happen

Regular **-er** verb

The Seven Simple Tenses		The Seven Compound Tenses	
Singular	Plural	Singular	Plural
1 presente de indicativo		8 perfecto de indicativo	
sucede	**suceden**	**ha sucedido**	**han sucedido**
2 imperfecto de indicativo		9 pluscuamperfecto de indicativo	
sucedía	**sucedían**	**había sucedido**	**habían sucedido**
3 pretérito		10 pretérito anterior	
sucedió	**sucedieron**	**hubo sucedido**	**hubieron sucedido**
4 futuro		11 futuro perfecto	
sucederá	**sucederán**	**habrá sucedido**	**habrán sucedido**
5 potencial simple		12 potencial compuesto	
sucedería	**sucederían**	**habría sucedido**	**habrían sucedido**
6 presente de subjuntivo		13 perfecto de subjuntivo	
suceda	**sucedan**	**haya sucedido**	**hayan sucedido**
7 imperfecto de subjuntivo		14 pluscuamperfecto de subjuntivo	
sucediera	**sucedieran**	**hubiera sucedido**	**hubieran sucedido**
OR		OR	
sucediese	**sucediesen**	**hubiese sucedido**	**hubiesen sucedido**

imperativo

¡Que suceda!	¡Que sucedan!
Let it happen!	Let them happen!

Words and expressions related to this verb
suceder a   to succeed to (a high position, etc.)   **un sucedido**   event, happening
suceder con   to happen to   **sucediente**   succeeding, following

Suceda lo que sucediere.   Come what may.
The verb form **sucediere** is the future subjunctive. For the formation and use of the future
subjunctive, see page 30.

The verb **suceder** is usually used impersonally. However, if you wish to use it to mean *to succeed,*
conjugate it like **deber.** To express *to succeed (to be successful in something),* many people use
tener éxito. See **tener.**

664   Defective and impersonal verbs

Basic guide to Spanish pronunciation

The purpose of this guide is to help you pronounce Spanish words as correctly as possible so you can communicate effectively. It is not intended to perfect your pronunciation of Spanish; that is accomplished by imitating correct spoken Spanish, which you must hear from persons who pronounce Spanish accurately.

Latin American pronunciation is generally the same as you will hear in many regions of Spain, but there are some areas where Castilian pronunciation is dominant. For example, the letter c before e or i and the letter z are pronounced *th*, as in the English word *thin*, and the double (ll) is similar to the sound in the English word *million*. This is something you should be aware of in case you are visiting those areas of Spain where you will hear those sounds.

The simple rule of stressed vowel sounds in Spanish is as follows:

1. When a word ends in a vowel, n, or s, you must stress the vowel that *precedes* the last vowel or final syllable. For example, you should stress the first syllable in casa and comen, but you should stress the second syllable (-me-) in comemos because the word ends in the letter s and -me- is the next to last syllable.
2. When a word ends in a consonant other than n or s, you must stress the last vowel in the word. For example, you should stress -lor in calor, -bril in abril, -roz in arroz, and -lud in salud.
3. When the pronunciation of a word does not follow the above two rules, you must write an accent mark over the vowel that is stressed. The only way to know this is to hear the word pronounced accurately so you will know whether or not an accent mark is needed. For example, the last syllable of jabón is stressed, even though you would expect the stress to fall on the vowel that precedes it. That is why there is an accent on –bón. The word árbol has an accent over the a in the first syllable because normally one would stress the vowel in the last syllable. However, the stress falls on ár- instead of –bol.

An accent mark is written over a vowel at times to distinguish the meaning between two words that are spelled identically. Examples:

sí (yes)	él (he)	ése (that one)
si (if)	el (the)	ese libro (that book)

In some Spanish-speaking countries, the simple vowel e is at times pronounced open or closed and it can sound like *ay* in the English word *say* or *eh* as in the English word *egg*. In other countries, the final s in a word is not pronounced. This does not mean that one pronunciation is wrong and the other is correct. These are simply regional differences that have come about over decades and centuries of change. In fact, the meaning of a particular word may sometimes vary from place to place.

Now, become familiar with the following pronunciation guide. Remember that the approximate pronunciations in English serve only as a guide to pronouncing the Spanish.

Guide to Spanish Pronunciation

Approximate pronunciation

Sound	Spanish Word	English Word (Approximate sound)
Vowel, semivowel, and diphthong sounds		
a	l*a*	f*a*ther
ai	b*ai*le	*eye*
ay	h*ay*	*eye*
au	*au*la	c*ow*
e	l*e*	l*e*t
ei	r*ei*no	th*ey*
ey	l*ey*	th*ey*
i	t*i*	s*ee*
o	y*o*	*o*rder
oi	*oi*go	t*oy*
oy	est*oy*	t*oy*
u	t*u*	t*oo*
ya	env*ia*r	*y*ard
ya	*ya*	*y*ard
ye	t*ie*ne	*y*es
ye	*ye*ndo	*y*es
yo	*io*do	*y*ore
yo	*yo*do	*y*ore
yu	v*iu*da	*you*
yu	*yu*go	*you*
wa	c*ua*ndo	*wa*nt
we	b*ue*no	*wa*y
wi	su*i*zo	*wee*k
wo	c*uo*ta	*wo*ke

Other sounds

h	*j*usto	*h*elp
h	*g*eneral	*h*elp
h	*g*igante	*h*elp

Note: The letter *h* in a Spanish word is not pronounced.

y	*y*o	*y*es
y	*ll*ave	*y*es

Approximate pronunciation

Sound	Spanish Word	English Word (Approximate sound)
Consonant sounds		
b	*b*ien	*b*oy
b	*v*a	*b*oy
d	*d*ar	*th*is
f	*f*alda	*f*an
g	*g*ato	*g*ap
g	*g*oma	*g*ap
g	*g*usto	*g*ap
k	*c*asa	*c*ap
k	*c*ulpa	*c*ap
k	*q*ue	*c*ap
k	*q*uito	*c*ap
l	*l*a	*l*ard
m	*m*e	*m*ay
n	*n*o	*n*o
ñ	ni*ñ*o	ca*ny*on
p	*p*a*p*á	*p*a*p*a
r	pe*r*o	Ap*r*il
rr	pe*rr*o	bu*rr*, g*r-r-r*
s	*s*opa	*s*oft
s	*c*ero	*s*oft
s	*c*ita	*s*oft
s	*z*umo	*s*oft
t	*t*u	si*t*
ch	mu*ch*o	*ch*ur*ch*

Triphthong sounds

Sound	Spanish Word	English Word (Approximate sound)
yai	env*iái*s	*yi*pe
yau	m*iau*	m*eow*
yei	env*iéi*s	*yea*
wai	g*uai*na	*wi*se
wai	Urug*uay*	*wi*se
wau	g*uau*	*wow*
wei	contin*uéi*s	*wai*t
wei	b*uey*	*wai*t

Weather expressions using verbs

Weather expressions using hacer and hay

¿Qué tiempo hace?   What is the weather like?
Hace buen tiempo.   The weather is good.
Hace calor.   It is warm (hot).
Hace fresco hoy.   It is cool today.
Hace frío.   It is cold.
Hace mal tiempo.   The weather is bad.
Hace sol.   It is sunny.
Hace viento.   It is windy.
¿Qué tiempo hacía cuando usted salió esta mañana?   What was the
    weather like when you went out this morning?
Hacía mucho frío ayer por la noche.   It was very cold yesterday evening.
Hacía mucho viento.   It was very windy.
¿Qué tiempo hará mañana?   What will the weather be like tomorrow?
Se dice que hará mucho calor.   They say it will be very hot.
Hay lodo.   It is muddy.   Había lodo.   It was muddy.
Hay luna.   The moon is shining or There is moonlight.   Había luna ayer
    por la noche.   There was moonlight yesterday evening.
¿Hay mucha nieve aquí en el invierno?   Is there much snow here in winter?
Hay neblina.   It is foggy.   Había mucha neblina.   It was very foggy.
Hay polvo.   It is dusty.   Había mucho polvo.   It was very dusty.

Other weather expressions using other verbs

Está lloviendo ahora.   It is raining now.
Está nevando.   It is snowing.
Esta mañana llovía cuando tomé el autobús.   This morning it was raining
    when I took the bus.
Estaba lloviendo cuando tomé el autobús.   It was raining when I took the
    bus.
Estaba nevando cuando me desperté.   It was snowing when I woke up.
¿Nieva mucho aquí en el invierno?   Does it snow much here in winter?
Las estrellas brillan.   The stars are shining.
¿Le gusta a usted la lluvia?   Do you like rain?
¿Le gusta a usted la nieve?   Do you like snow?
Sí. Me gusta la lluvia y me gusta la nieve.   Yes, I like rain and I like snow.
Pero no me gustan los días ventosos.   But I don't like windy days.
El viento sopla.   The wind blows.
El cielo está cubierto hoy.   The sky is overcast today.

Verbs with prepositions

Spanish verbs are used with certain prepositions or no preposition at all. At times, the preposition used with a particular verb changes the meaning entirely, e.g., **contar** means *to count, to relate,* or *to tell;* **contar con** means *to rely on, to count on.*

When you look up a verb among the 501 to find its verb forms (or in the section of Over 2,100 Spanish Verbs Conjugated Like Model Verbs), also consult all the categories given below so that you will learn what preposition that verb requires, if any.

The following are used frequently in Spanish readings and in conversation.

A. *Verbs of motion take the prep. a + inf.*

apresurarse a   to hasten to, to hurry to
dirigirse a   to go to, to go toward
ir a   to go to
regresar a   to return to
salir a   to go out to
venir a   to come to
volver a   to return to

Examples:
Me apresuré a tomar el tren.   I hurried to take the train.
El profesor se dirigió a abrir la puerta.   The teacher went to open the door.
María fue a comer.   Mary went to eat.

B. *The following verbs take the prep. a + inf.*

acertar a   to happen to
acostumbrarse a   to become used to, to become accustomed to
aficionarse a hacer algo   to become fond of doing something
alcanzar a   to succeed in (doing something)
aprender a   to learn to, to learn how to
aspirar a   to aspire to
atreverse a   to dare to
ayudar a (hacer algo)   to help to
comenzar a   to begin to
condenar a   to condemn to
convidar a   to invite to
decidirse a   to decide to
dedicarse a   to devote oneself to
detenerse a   to pause to, to stop to
disponerse a   to get ready to
echarse a   to begin to, to start to

empezar a   to begin to, to start to
enseñar a   to teach to
exponerse a   to run the risk of
invitar a   to invite to
negarse a   to refuse to
obligar a   to oblige to, to obligate to
ponerse a   to begin to, to start to
prepararse a   to prepare (oneself) to
principiar a   to begin to, to start to
resignarse a   to resign oneself to
resolverse a   to make up one's mind to
someter a   to submit to, to subdue to
venir a   to end up by
volver a   to (do something) again

Examples:
Me acostumbré a estudiar mis lecciones todas las noches.   I became used
   to studying my lessons every evening.
No me atreví a responder.   I did not dare to answer.
El hombre comenzó a llorar.   The man began to cry.
Me dispuse a salir.   I got ready to go out.
Me eché a llorar.   I began to cry.
El señor Gómez se negó a ir.   Mr. Gómez refused to go.
Juana se puso a correr.   Jane began to run.
El muchacho volvió a jugar.   The boy played again.

C. *The following verbs take the prep. a + noun (or pronoun if that is the required dependent element)*

acercarse a   to approach
acostumbrarse a   to become accustomed to, to become used to
aficionarse a   to become fond of
asemejarse a   to resemble, to look like
asistir a   to attend, to be present at
asomarse a   to appear at
cuidar a alguien   to take care of someone
dar a   to face, to overlook, to look out upon, to look out over
dedicarse a   to devote oneself to
echar una carta al correo   to mail, to post a letter
echar la culpa a alguien   to blame someone, to put the blame on someone
jugar a   to play (a game, sport, cards)
llegar a ser   to become
llevar a cabo   to carry out, to accomplish
oler a   to smell of, to smell like
parecerse a   to resemble, to look like
querer a   to love

saber a   to taste of, to taste like, to have the flavor of
ser aficionado a   to be fond of, to be a fan of
sonar a   to sound like
subir a   to get on, to get into (a bus, a train, a vehicle)
tocarle a una persona   to be a person's turn

Examples:
Nos acercamos a la ciudad.   We are approaching the city.
Una muchacha bonita se asomó a la puerta.   A pretty girl appeared at
   the door.
Mi cuarto da al jardín.   My room faces the garden.
Me dedico a mis estudios.   I devote myself to my studies.
Enrique llegó a ser profesor de matemáticas.   Henry became a
   mathematics teacher.
Jorge llevó a cabo sus responsabilidades.   George carried out his
   responsibilities.
Mi hermano se parece a mi padre y yo me parezco a mi madre.   My brother
   resembles my father and I resemble my mother.
Quiero a mi patria.   I love my country.
Soy aficionado a los deportes.   I am fond of sports.
Subí al tren.   I got on the train.
Le toca a Juan.   It is John's turn.

D. *The following verbs take the prep. con + inf.*

amenazar con   to threaten to
contar con   to count on, to rely on
contentarse con   to be satisfied with
soñar con   to dream of, to dream about

Examples:
Cuento con tener éxito.   I am counting on being successful.
Me contento con quedarme en casa.   I am satisfied with staying at home.
Sueño con ir a Chile.   I dream of going to Chile.

E. *The following verbs take the prep. con + noun (or pronoun if that is the required dependent element)*

acabar con   to finish, to put an end to, to make an end of, to finish off
casarse con   to marry, to get married to
conformarse con   to put up with
contar con   to count on, to rely on
contentarse con   to be satisfied with
cumplir con   to fulfill
dar con   to meet, to find, to come upon
encontrarse con   to run into, to meet by chance
entenderse con   to come to an understanding with
meterse con   to pick a quarrel with

quedarse con   to keep, to hold on to
soñar con   to dream of, to dream about
tropezar con   to come upon, to run across unexpectedly, to run into

Examples:
José se casó con Ana.   Joseph married Anna.
Me conformo con tus ideas.   I put up with your ideas.
Contamos con nuestros padres.   We count on our parents.
Me contento con poco dinero.   I am satisfied with little money.
Siempre cumplo con mi promesa.   I always fulfill my promise.
Anoche di con mis amigos en el cine.   Last night I met my friends at
    the movies.
Ayer por la tarde me encontré con un amigo mío.   Yesterday afternoon
    I ran into a friend of mine.
Me quedo con el dinero.   I am keeping the money; I am holding on to
    the money.
Sueño con un verano agradable.   I am dreaming of a pleasant summer.

F. *The following verbs take the prep. de + inf.*

acabar de   to have just
acordarse de   to remember to
alegrarse de   to be glad to
arrepentirse de   to repent
cansarse de   to become tired of
cesar de   to cease, to stop
dejar de   to stop, to fail to
encargarse de   to take charge of
haber de   *see* verb 257.
ocuparse de   to be busy with, to attend to
olvidarse de   to forget to
tratar de   to try to
tratarse de   to be a question of

Examples:
Guillermo acaba de llegar.   William has just arrived.
Felipe acababa de partir.   Philip had just left.
Me alegro de hablarle.   I am glad to talk to you.
Me canso de esperar el autobús.   I'm getting tired of waiting for the bus.
Cesó de llover.   It stopped raining.
Jaime dejó de escribir la redacción.   James failed to write the composition.
Mi padre se ocupa de preparar la comida. My father is busy preparing
    the meal.
Andrés se olvidó de estudiar.   Andrew forgot to study.
Siempre trato de hacer un buen trabajo.   I always try to do a good job.
Se trata de abstenerse.   It is a question of abstaining.

abusar de to abuse, to overindulge in
acordarse de to remember
alejarse de to go away from
apartarse de to keep away from
apoderarse de to take possession of
aprovecharse de to take advantage of
bajar de to get out of, to descend from, to get off
burlarse de to make fun of
cambiar de to change (trains, buses, clothes, etc.)
cansarse de to become tired of
carecer de to lack
compadecerse de to feel sorry for, to pity, to sympathize with
constar de to consist of
cuidar de algo to take care of something
depender de to depend on
despedirse de to say good-bye to, to take leave of
despojarse de to take off (clothing)
disfrutar de to enjoy
enamorarse de to fall in love with
encogerse de hombros to shrug one's shoulders
enterarse de to find out about
fiarse de alguien to trust someone
gozar de algo to enjoy something
ocuparse de to be busy with, to attend to
oír hablar de to hear of, to hear about
olvidarse de to forget
pensar de to think of (pensar de is used when asking for an opinion)
perder de vista to lose sight of
ponerse de acuerdo to come to an agreement
preocuparse de to worry about, to be concerned about
quejarse de to complain about
reírse de to laugh at
saber de memoria to know by heart, to memorize
salir de to go out of, to leave from
servir de to serve as
servirse de to make use of, to use
tratarse de to be a question of, to deal with

Examples:
Me acuerdo de aquel hombre. I remember that man.
Vamos a aprovecharnos de esta oportunidad. Let's take advantage of this opportunity.

Después de bajar del tren, fui a comer.   After getting off the train, I went to eat.
Todos los días cambio de ropa.   Every day I change my clothes.
Me canso de este trabajo.   I am getting tired of this work.
Esta composición carece de calidad.   This composition lacks quality.
Me compadezco de ese pobre hombre.   I pity that poor man.
Ahora tengo que despedirme de usted.   Now I have to say good-bye.
Eduardo se enamoró de Carmen.   Edward fell in love with Carmen.
Mi madre se ocupa de mi padre que está enfermo.   My mother is busy with my father who is sick.
Oí hablar de la boda de Anita.   I heard about Anita's wedding.
Carlos se olvidó del aniversario de sus padres.   Charles forgot about his parents' anniversary.
¿Qué piensa Ud. de nuestro profesor de español?   What do you think of our Spanish teacher?
¡Mira! ¡El mono se ríe de nosotros!   Look! The monkey is laughing at us.
Siempre salgo de casa a las ocho de la mañana.   I always leave (from, go out of) the house at eight in the morning.
En nuestro club, Cristóbal sirve de presidente.   In our club, Christopher serves as president.

H. *The following verbs generally take the prep. en + inf.*

acabar en   to end in
complacerse en   to be pleased to, to delight in
consentir en   to consent to
convenir en   to agree to, to agree on
empeñarse en   to persist in, to insist on
esforzarse en   to strive for, to force onself to, to try hard to
insistir en   to insist on
quedar en   to agree to, to agree on
tardar en   to be late (to delay) in

Examples:
La señora Pardo consintió en asistir a la conferencia.   Mrs. Pardo consented to attending the meeting.
El muchacho se empeñó en salir.   The boy insisted on going out.
Mis amigos insistieron en venir a verme.   My friends insisted on coming to see me.
El avión tardó en llegar.   The plane was late in arriving.

I. *The following verbs generally take the prep. en + noun (or pronoun if that is the required dependent element)*

apoyarse en   to lean against, to lean on
confiar en   to rely on, to trust in
consistir en   to consist of

convertirse en   to become, to convert to
entrar en   to enter (into), to go into
fijarse en   to stare at, to notice, to take notice, to observe
meterse en   to get involved in, to plunge into
pensar en   to think of, to think about [pensar en is used when asking or when stating what or whom a person is thinking of]
ponerse en camino   to set out, to start out
reparar en   to notice, to observe
volver en sí   to regain consciousness, to be oneself again

Examples:
Me apoyé en la puerta.   I leaned against the door.
Entré en el restaurante.   I entered (I went into) the restaurant.
¿En qué piensa Ud.?   What are you thinking of?
Pienso en mi trabajo.   I am thinking of my work.
¿En quién piensa Ud.?   Whom are you thinking of?
Pienso en mi madre.   I am thinking of my mother.
¿En quiénes piensa Ud.?   Whom are you thinking of?
Pienso en mis padres.   I am thinking of my parents.

J. *The following verbs generally take the prep. por + inf., noun, pronoun, adj., if that is the required dependent element*

acabar por   to end up by
dar por   to consider, to regard as
darse por   to pretend (to be something), to think oneself (to be something)
estar por   to be in favor of
interesarse por   to take an interest in
pasar por   to be considered as
preguntar por   to ask for, to inquire about
tener por   to consider something, to have an opinion on something
tomar por   to take someone for

Examples:
Domingo acabó por casarse con Elena.   Dominic finally ended up by marrying Helen.
¿Mi libro de español? Lo doy por perdido.   My Spanish book? I consider it lost.
La señorita López se da por actriz.   Miss López pretends to be an actress.
Estamos por quedarnos en casa esta noche.   We are in favor of staying at home this evening.
El señor Pizarro pasa por experto.   Mr. Pizarro is considered an expert.
Pregunto por el señor Pardo. ¿Está en casa?   I am asking for Mr. Pardo. Is he at home?

K. *Verb + NO PREPOSITION + inf. The following verbs do not ordinarily take a preposition when followed by an infinitive*

deber + inf.   must, ought to
Debo hacer mis lecciones.   I must (ought to) do my lessons.

dejar + inf.   to allow to, to let
Mi madre me dejó salir.   My mother allowed me to go out.
Dejé caer mi libro.   I dropped my book (I let my book fall).

desear + inf.   to desire to, to wish to
Deseo tomar un café.   I wish to have a cup of coffee.

esperar + inf.   to expect to, to hope to
Espero ir a la América del Sur este invierno.   I expect to go to South America this winter.

hacer + inf.   to do, to make, to have something made or done
Tú me haces llorar.   You make me cry.
Mi padre hace construir una casita.   My father is having a small house built [by someone].

Note that the use of *hacer + inf.* can be described as the "causative (causal)" use of *hacer* when there is an inf. directly after. it. The construction *hacer + inf.* indicates that something is being made or being done by someone. Further examples: *hacer firmar*/to have (something) signed (by someone); *hacer confesar*/to have (someone) confess or to make (someone) confess. This causative use of *hacer* is used in a verb tense that is needed + inf. form of the verb which tells what action is being done or being made: *Mi padre hizo construir una casita*/My father had a little house built; *Le haré confesar*/I shall make him confess; *El señor López lo hizo firmar la carta*/Mr. López made him sign the letter.

necesitar + inf.   to need
Necesito pasar una hora en la biblioteca.   I need to spend an hour in the library.

oír + inf.   to hear
Le oí entrar por la ventana.   I heard him enter through the window.
He oído hablar de su buena fortuna.   I have heard (talk) about your good fortune.
He oído decir que la señora Sierra está enferma.   I have heard (tell) that Mrs. Sierra is sick.

pensar + inf.   to intend to, to plan to
Pienso hacer un viaje a México.   I plan to take a trip to Mexico.

poder + inf.   to be able to, can
Puedo venir a verle a la una.   I can come to see you at one o'clock.

preferir + inf.   to prefer
Prefiero quedarme en casa esta noche.   I prefer to stay at home this evening.

prometer + inf.   to promise
Prometo venir a verle a las ocho.   I promise to come to see you at eight o'clock.

querer + inf. to want to, to wish to
Quiero comer ahora. I want to eat now.
¿Qué quiere decir este muchacho? What does this boy mean?

saber + inf. to know how to
¿Sabe Ud. nadar? Do you know how to swim?
Sí, yo sé nadar. Yes, I know how to swim.

ver + inf. to see
Veo venir el tren. I see the train coming.

L. The following verbs do not ordinarily require a preposition, whereas in English a preposition is used

agradecer to thank for, to be thankful (to someone) for (something)
Le agradecí su paciencia. I thanked him for his patience.

aprovechar to take advantage of
¿No quiere Ud. aprovechar la oportunidad? Don't you want to take advantage of the opportunity?

buscar to look for, to search for
Busco mi libro. I am looking for my book.

esuchar to listen to
Escucho la música. I am listening to the music.

esperar to wait for
Espero el autobús. I am waiting for the bus.

guardar cama to stay in bed
La semana pasada guardé cama. Last week I stayed in bed.

lograr to succeed in
El alumno logró hacerlo. The pupil succeeded in doing it.

mirar to look at
Miro el cielo. I am looking at the sky.

pagar to pay for
Pagué los billetes. I paid for the tickets.

pedir to ask for
Pido un libro. I am asking for a book.

soler + inf. to be accustomed to, to be in the habit of
(Yo) suelo acompañar a mis amigos en el autobús. I am in the habit of accompanying my friends on the bus.

Index of common irregular Spanish verb forms identified by infinitives

The purpose of this index is to help you identify those verb forms that cannot be readily identified because they are irregular in some way. For example, if you come across the verb form *fui* (which is very common) in your Spanish readings, this index will tell you that *fui* is a form of *ir* or *ser*. Then you look up *ir* and *ser* in this book and you will find that verb form on the page where all the forms of *ir* and *ser* are given.

Verb forms whose first three or four letters are the same as the infinitive have not been included because they can easily be identified by referring to the alphabetical listing of the 501 verbs in this book.

After you find the verb of an irregular verb form, if it is not given among the 501 verbs, consult the list of Over 2,100 Spanish Verbs Conjugated Like Model Verbs, which begins on page 707.

A
abierto   abrir
acierto, *etc.*   acertar
acuerdo, *etc.*   acordar
acuesto, *etc.*   acostarse
alce, *etc.*   alzar
andes   andar
anduve, *etc.*   andar
apruebo, *etc.*   aprobar
ase, *etc.*   asir
asgo, *etc.*   asir
ataque, *etc.*   atacar
ate, *etc.*   atar

C
cabré, *etc.*   caber
caí, *etc.*   caer
caía, *etc.*   caer
caigo, *etc.*   caer
calce, *etc.*   calzar
caliento, *etc.*   calentar
cayera, *etc.*   caer
cierro, *etc.*   cerrar
cojo, *etc.*   coger
colija, *etc.*   colegir
consigo, *etc.*   conseguir
cuece, *etc.*   cocer
cuelgo, *etc.*   colgar
cuento, *etc.*   contar
cuesta, *etc.*   costar (Def. and Imp.)

cuezo, *etc.*   cocer
cupe, *etc.*   caber
cupiera, *etc.*   caber

D
da, *etc.*   dar
dad   dar
das   dar
dé   dar
demos   dar
den   dar
des   dar
di, *etc.*   dar, decir
dice, *etc.*   decir
diciendo   decir
dicho   decir
diera, *etc.*   dar
diese, *etc.*   dar
digo, *etc.*   decir
dije, *etc.*   decir
dimos, *etc.*   dar
dio   dar
diré, *etc.*   decir
diría, *etc.*   decir
diste   dar
doy   dar
duelo, *etc.*   doler
duermo, *etc.*   dormir
durmamos   dormir
durmiendo   dormir

E

eliges, *etc.*   elegir
eligiendo   elegir
eligiera, *etc.*   elegir
elijo, *etc.*   elegir
era, *etc.*   ser
eres   ser
es   ser
estoy   estar
estuve, *etc.*   estar
exija, *etc.*   exigir

F

fíe, *etc.*   fiar
finja, *etc.*   fingir
fío, *etc.*   fiar
friego, *etc.*   fregar
friendo   freír
friera, *etc.*   freír
frío, *etc.*   freír
frito   freír
fue, *etc.*   ir, ser
fuera, *etc.*   ir, ser
fuese, *etc.*   ir, ser
fui, *etc.*   ir, ser

G

gima, *etc.*   gemir
gimiendo   gemir
gimiera, *etc.*   gemir
gimiese, *etc.*   gemir
gimo, *etc.*   gemir
goce, *etc.*   gozar
gocé   gozar

H

ha   haber
había, *etc.*   haber
habré, *etc.*   haber
haga, *etc.*   hacer
hago, *etc.*   hacer
han   haber
haría, *etc.*   hacer
has   haber
haya, *etc.*   haber
haz   hacer
he   haber
hecho   hacer

hemos   haber
hice, *etc.*   hacer
hiciera, *etc.*   hacer
hiciese, *etc.*   hacer
hiela   helar (Def. and Imp.)
hiele   helar (Def. and Imp.)
hiera, *etc.*   herir
hiero, *etc.*   herir
hiramos   herir
hiriendo   herir
hiriera, *etc.*   herir
hiriese, *etc.*   herir
hizo   hacer
hube, *etc.*   haber
hubiera, *etc.*   haber
hubiese, *etc.*   haber
huela, *etc.*   oler
huelo, *etc.*   oler
huya, *etc.*   huir
huyendo   huir
huyera, *etc.*   huir
huyese, *etc.*   huir
huyo, *etc.*   huir

I

iba, *etc.*   ir
id   ir
ido   ir
idos   irse
irgo, *etc.*   erguir
irguiendo   erguir
irguiera, *etc.*   erguir
irguiese, *etc.*   erguir

J

juego, *etc.*   jugar
juegue, *etc.*   jugar

L

lea, *etc.*   leer
leído   leer
leo, *etc.*   leer
leyendo   leer
leyera, *etc.*   leer
leyese, *etc.*   leer
llueva   llover (Def. and Imp.)
llueve   llover (Def. and Imp.)

M

mida, *etc.*   medir
midiendo   medir
midiera, *etc.*   medir
midiese, *etc.*   medir
mido, *etc.*   medir
mienta, *etc.*   mentir
miento, *etc.*   mentir
mintiendo   mentir
mintiera, *etc.*   mentir
mintiese, *etc.*   mentir
muerda, *etc.*   morder
muerdo, *etc.*   morder
muero, *etc.*   morir
muerto   morir
muestre, *etc.*   mostrar
muestro, *etc.*   mostrar
mueva, *etc.*   mover
muevo, *etc.*   mover
muramos   morir
muriendo   morir
muriera, *etc.*   morir
muriese, *etc.*   morir

N

nazca, *etc.*   nacer
nazco   nacer
niego, *etc.*   negar
niegue, *etc.*   negar
nieva   nevar (Def. and Imp.)
nieve   nevar (Def. and Imp.)

O

oíd   oír
oiga, *etc.*   oír
oigo, *etc.*   oír
oliendo   oler
oliera, *etc.*   oler
oliese, *etc.*   oler
oye, *etc.*   oír
oyendo   oír
oyera, *etc.*   oír
oyese, *etc.*   oír

P

pida, *etc.*   pedir
pidamos   pedir
pidiendo   pedir
pidiera, *etc.*   pedir

pidiese, *etc.*   pedir
pido, *etc.*   pedir
pienso, *etc.*   pensar
pierda, *etc.*   perder
pierdo, *etc.*   perder
plegue   placer
plugo   placer
pluguiera   placer
pluguieron   placer
pluguiese   placer
ponga, *etc.*   poner
pongámonos   ponerse
ponte   ponerse
pruebe, *etc.*   probar
pruebo, *etc.*   probar
pude, *etc.*   poder
pudiendo   poder
pudiera, *etc.*   poder
pudiese, *etc.*   poder
puedo, *etc.*   poder
puesto   poner
puse, *etc.*   poner
pusiera, *etc.*   poner
pusiese, *etc.*   poner

Q

quepo, *etc.*   caber
quiebro   quebrar
quiero, *etc.*   querer
quise, *etc.*   querer
quisiera, *etc.*   querer
quisiese, *etc.*   querer

R

raí, *etc.*   raer
raía, *etc.*   raer
raiga, *etc.*   raer
raigo, *etc.*   raer
rayendo   raer
rayera, *etc.*   raer
rayese, *etc.*   raer
ría, *etc.*   reír
riamos   reír
riego, *etc.*   regar
riendo   reír
riera, *etc.*   reír
riese, *etc.*   reír
riña, *etc.*   reñir
riñendo   reñir

riñera, *etc.*   reñir
riñese, *etc.*   reñir
riño, *etc.*   reñir
río, *etc.*   reír
roto   romper
ruego, *etc.*   rogar
ruegue, *etc.*   rogar

S

sal, salgo, *etc.*   salir
saque, *etc.*   sacar
sé   saber, ser
sea, *etc.*   ser
sed   ser
sepa, *etc.*   saber
seque, *etc.*   secar
sido   ser
siendo   ser
siento, *etc.*   sentar, sentir
sigo, *etc.*   seguir
siguiendo   seguir
siguiera, *etc.*   seguir
siguiese, *etc.*   seguir
sintiendo   sentir
sintiera, *etc.*   sentir
sintiese, *etc.*   sentir
sintió   sentir
sirviendo   servir
sirvo, *etc.*   servir
sois   ser
somos   ser
son   ser
soy   ser
suela, *etc.*   soler (Def. and Imp.)
suelo, *etc.*   soler (Def. and Imp.)
suelto, *etc.*   soltar
sueno, *etc.*   sonar
sueño, *etc.*   soñar
supe, *etc.*   saber
supiera, *etc.*   saber
supiese, *etc.*   saber
surja, *etc.*   surgir

T

ten, tengo   tener
tiemblo, *etc.*   temblar
tiendo, *etc.*   tender
tienes, *etc.*   tener
tiento, *etc.*   tentar
toque, *etc.*   tocar

traigo, *etc.*   traer
traje, *etc.*   traer
tuesto, *etc.*   tostar
tuve, *etc.*   tener

U

uno, *etc.*   unir

V

va   ir
vais   ir
val, valgo, *etc.*   valer
vámonos   irse
vamos   ir
van   ir
vas   ir
vaya, *etc.*   ir
ve   ir, ver
vea, *etc.*   ver
ved   ver
ven   venir, ver
vendré, *etc.*   venir
venga, vengo   venir
veo, *etc.*   ver
ves   ver
vete   irse
vi   ver
viendo   ver
viene, *etc.*   venir
viera, *etc.*   ver
viese, *etc.*   ver
vimos, *etc.*   ver
vine, *etc.*   venir
vio   ver
viste   ver, vestir
vistiendo   vestir
vistiéndose   vestirse
vistiese   vestirse
visto   ver, vestir
voy   ir
vuelo, *etc.*   volar
vuelto   volver
vuelvo, *etc.*   volver

Y

yaz   yacer
yazco, *etc.*   yacer
yendo   ir
yergo, *etc.*   erguir
yerro, *etc.*   errar

English-Spanish verb index

The purpose of this index is to give you instant access to the Spanish verb for the English verb you have in mind to use. This saves you time if you do not have a standard English-Spanish dictionary handy.

When you find the Spanish verb you need, look up the form of the model verb that has a similar conjugation (*e.g.*, to alarm is alarmar, which is conjugated like verb 54, which is amar). If there is no verb number listed (*e.g.*, abrir) that means that the Spanish verb is one of the 501 model verbs. If you see "Def. and Imp." instead of a verb number, look in the list of defective and impersonal verbs. It's right after the main verb listing.

The preposition *to* in front of the English verb has been omitted.

A

abandon abandonar (473)
abandon desamparar (342)
abandon desertar (11)
abdicate abdicar (99)
abduct abducir (132)
abhor aborrecer (344)
abjure abjurar (284)
abnegate abnegar (327)
abolish abolir (Def. and Imp.)
abominate abominar (107)
abound abundar (39)
abrogate abrogar (421)
absolve absolver
absorb absorber (128)
abstain abstenerse
abstract abstraer (477)
abuse abusar (25)
abuse maltratar (478)
accede acceder (128)
accelerate apresurar (64) acelerar
accentuate acentuar (141)
accept aceptar
acclaim aclamar
acclimatize aclimatar (308)
accommodate acomodar (259)
accompany acompañar
accumulate acaudalar (259)
accumulate acumular (85)
accumulate amontonar (107)
accumulate cumular (259)

accuse culpar (332)
accuse acusar
ache doler
achieve lograr (29)
acquire adquirir
acquit absolver
act actuar (141)
act foolishly disparatar (308)
act foolishly tontear (206)
activate activar (288)
adapt adaptar (11)
adapt oneself amoldarse (39, 289)
add adicionar (54)
add añadir
add up sumar (54)
adhere adherir (435)
adjudge adjudicar (424)
adjust ajustar (259)
adjust arreglar
administrate administrar (215)
admire admirar
admit admitir
adopt adoptar
adore adorar
adorn adornar (54)
adorn ornamentar (11)
adorn ornar (249)
adulate adular (259)
advance anticipar (332)
advance adelantar
advance avanzar
advise asesorar (409)
advise avisar (340)
advise aconsejar
affect afectar (11)

affirm afirmar (243)
afflict afligir (188)
Africanize africanizar (339)
age envejecer (344)
aggravate exacerbar (9)
aggravate agravar
agitate agitar
agree acceder (128)
agree asentir (370)
agree concertar (352)
agree concurrir (495)
agree acordarse
agree (upon) acordar
agree to pactar (11)
agree to transigir con (188)
aid ayudar
aim apuntar (11)
alarm alarmar (54)
alert alertar (11)
alienate alienar (249)
alleviate aliviar (232)
alleviate mitigar (341)
allow consentir (435)
allow dejar
alter alterar (409)
alternate alternar (107)
amass (a fortune) amasar (2)
amaze asombrar (113)
amaze pasmar (54)
ambush emboscar (424)
amend enmendar (352)
Americanize americanizar (339)
amplify amplificar (117)
amuse divertir (370, 194)
amuse entretener (468)

be delinquent   delinquir
be delirious   delirar   (409)
be disdainful   desdeñarse
(88)
be displeased   disgustarse
(250, 289)
be enough   bastar   (Def.
and Imp.)
be frightened, scared
asustarse
be hindered   embarazarse
(339, 289)
be ignorant of   ignorar
be important   importar
(Def. and Imp.)
be in danger   peligrar   (259)
be in discord   desacordar
(19)
be in fashion   estilarse   (289)
be in need of   carecer de
(333)
be in the habit of   soler
(Def. and Imp.)
be incumbent upon
incumbir   (353)
be interested in   interesarse
be lacking   faltar
be left over   sobrar   (409)
be mischievous   travesear
(175)
be mistaken   aberrar   (54)
be mistaken   equivocarse
be moved   emocionarse
(355, 289)
be negligent   descuidarse
(153)
be obstinate, stubborn
obstinarse   (289)
be overloaded with   cargarse
de   (111, 112)
be pleasing (to)   gustar
(Def. and Imp.)
be plentiful   abundar   (39)
be proud   enorgullecerse
(344, 102)
be reborn   renacer   (323)
be rejuvenated
rejuvenecerse   (344, 102)
be seasick   marearse   (175,
289)
be shipwrecked   naufragar
(341)
be shipwrecked   zozobrar
(259)
be silent   callarse
be startled   sobresaltarse
(427, 289)

be titled, called   titularse
(289)
be understood   entenderse
(214)
be upset   afligirse   (188, 8)
be urgent   urgir   (188)
be vaccinated   vacunarse
(114, 289)
be worth   valer
bear   aguantar   (54)
beat   batir   (1)
beat   machar   (306)
beat   pegar
beat again   rebatir   (1)
beautify   embellecer   (344)
become   devenir   (488)
become a member   asociarse
(232, 289)
become a widow, widower
enviudar   (39)
become accustomed to
acostumbrarse   (22, 289)
become accustomed to
habituarse   (141, 289)
become affiliated   afiliarse
(232, 289)
become angry   enfadarse
become angry   enojarse
become conceited   infatuarse
(141, 289)
become damaged   dañarse
(88)
become empty   vaciarse
(483, 289)
become famous   afamarse
(112)
become flattened   chafarse
(289)
become fond   apegarse
(341, 289)
become fond of   aficionarse
a   (338)
become fond of   encariñarse
(213, 289)
become forgetful
desacordarse   (20)
become frightened
acobardarse   (39, 289)
become independent
independizarse   (339, 289)
become involved   envolverse
(219, 80)
become involved   implicarse
(424, 289)
become night   oscurecer
(344)

become pregnant
embarazarse   (339, 289)
become rich   enriquecerse
(344, 102)
become sunburned   tostarse
(289, 474)
become tired   cansarse
become vacant   vacar   (424)
become void   caducar
(424)
beg   mendigar   (341)
beg   rogar
begin   entablar   (259)
begin   iniciar   (383)
begin   empezar
begin   principiar
behave   actuar   (141)
behave   comportarse   (11,
289)
behave   portarse   (11, 289)
behave childishly   niñear
(206)
belch   eructar   (54)
believe   creer
bellow   rugir   (188)
bend   doblegar   (341)
bend on your knees
arrodillarse   (261, 289)
benefit   beneficiar   (232)
bequeath   dotar   (11)
bequeath   legar   (341)
besiege   sitiar   (232)
bet   apostar   (474)
betray   traicionar   (107)
bewilder   atolondrar   (409)
bifurcate   bifurcar   (424,
289)
bill   facturar   (409)
bind   aligar   (421)
bind   atar   (308)
bind   encuadernar   (107)
bind   liar   (256)
bind   trabar   (54)
bite   morder
blame   culpar   (332)
blame oneself   culparse
(189)
blaspheme   blasfemar
(247)
blaze   llamear   (206)
bleach   blanquear   (206)
bleed   desangrar   (409)
bleed   sangrar   (215)
bless   bendecir
blind   cegar   (327)
blind   obcecar   (99)
blink   parpadear   (206)

blink   pestañear   (206)
block   atascar   (424)
block   bloquear   (206)
block   obstaculizar   (339)
block   obstruir   (264)
bloom   florecer   (344)
blot   manchar   (306)
blow   soplar
blow (one's nose)   sonarse
   (las narices)   (445, 289)
blow (wind)   ventar   (352)
blow up   inflar   (259)
blunt   despuntar   (11)
blush   enrojecerse   (344,
   102)
blush   sonrojarse   (86, 289)
blush   sonrosarse   (2, 289)
board   abordar   (54)
boast   alardear   (54)
boast   farolear   (54)
boast   jactarse   (48)
boast of   ufanarse de   (88)
boil   hervir   (370)
boil   bullir
bombard   bombardear
   (206)
boot up (computer)   arrancar
border on   limitar   (308)
bore   aburrir
bother   estorbar   (9)
bother   importunar   (107)
bother   incomodar   (39)
bother   molestar   (250)
bottle   embotellar   (261)
bounce   brincar   (430)
box   boxear   (206)
brag   alardear   (54)
brag   farolear   (54)
brag   jactarse   (48)
brag about oneself   preciarse
   (289)
braid   trenzar   (81)
brake   frenar   (107)
branch out   ramificarse
   (424, 289)
brawl   bregar   (341)
bread   empanar   (107)
break   destrozar   (339)
break   fracturar   (409)
break   infringir   (188)
break   quebrar   (352)
break   romper
break into pieces   cachar
   (200)
break off   tranzar   (81)
break up   fraccionar   (355)
breakfast   desayunarse

breast-feed   lactar   (11)
breathe   alentar   (352)
breathe   respirar   (227)
breathe in   aspirar   (29)
breathe out   espirar   (409)
bribe   sobornar   (107)
brick   ladrillar   (261)
bring   aportar   (11)
bring   traer
bring back   retraer   (477)
bring close   aproximar
   (107)
bring forward   anticipar
   (332)
bring in   involucrar   (259)
bring near   arrimar   (54)
bring near   acercar
bring to a close   clausurar
   (409)
bring up   educar   (424)
bring up (rear)   criar
bring up to date   actualizar
   (339)
bronze   broncear
bruise   machucar   (424)
bruise   magullar   (261)
brush   gratar   (249)
brush   cepillar
bubble   burbujear   (54)
bud   brotar   (308)
build   edificar   (424)
build   erigir   (188)
build   construir
bungle   embarullar   (261)
burden   gravar   (249)
burn   arder   (63)
burn   abrasar
burn   quemar
burn again   requemar
   (389)
burp   eructar   (54)
burst   estallar   (261)
burst   reventar   (352)
burst out laughing   carcajear
   (54)
bury   enterrar   (116)
bury   sepultar   (427)
bury   soterrar   (352)
button up   abotonarse
   (355, 289)
button up   abrochar   (259)
buy   comprar
buy a subscription   abonar
   (54)
buy up   acaparar   (342)
buzz   zumbar

C

cage   enjaular   (259)
calculate   calcular   (259)
calculate   computar   (279)
calibrate   calibrar   (259)
call   llamar
call upon   invocar   (424)
calm   apaciguar   (83)
calm   aplacar   (424)
calm   calmar   (54)
calm   pacificar   (424)
calm   quietar   (308)
calm (oneself) down
   calmarse   (54, 289)
calm down   acallar   (261)
calm down   sosegar   (327)
calm oneself   quietarse   (289)
camp   acampar   (332)
cancel   cancelar   (54)
cancel   rescindir   (60)
cancel an exchange
   descambiar   (106)
capitulate   capitular   (259)
captain   capitanear   (175)
captivate   cautivar   (288)
capture   captar   (54)
capture   capturar   (409)
capture   cautivar   (288)
caress   acariciar   (57)
carry   llevar
carry off   arrebatar   (308)
carve   cincelar   (259)
carve   esculpir   (157)
carve   labrar   (409)
carve   tajar   (86)
carve   tallar   (261)
cash   cobrar   (259)
cast   fundir   (60)
cast a spell on
   encantar   (Def. and
   Imp.)
castrate   capar   (332)
castrate   castrar   (54)
catalog   catalogar
   (341)
catch   atrapar   (332)
catch   prender   (63)
catch a cold
   acatarrarse   (409, 289)
catch a cold
   constiparse   (332, 289)
catch a cold   enfriarse
   (256, 289)
catch a cold   resfriarse
   (256, 289)
catch a glimpse
   entrever   (489)
cause   acarrear   (206)

cause   causar   (481)
cause   ocasionar   (355)
cause   suscitar   (308)
cease   cesar   (235)
cede   ceder   (413)
celebrate   solemnizar   (339)
celebrate   celebrar
celebrate (mass)   oficiar   (57)
censure   censurar   (72)
center   centrar   (259)
centralize   centralizar   (339)
certify   certificar
challenge   desafiar   (256)
challenge   retar   (254)
change   alterar   (409)
change   modificar   (424)
change   permutar   (308)
change   cambiar
change residence   trasladarse   (289)
characterize   caracterizar
charge   cobrar   (259)
charm   encantar   (Def. and Imp.)
chase   cazar   (81)
chase away   zapear   (206)
chastise   castigar   (341)
chat   dialogar   (341)
chat   charlar
chat   platicar
chat (Internet)   chatear   (175)
chatter   charlar   (259)
chatter   garlar   (259)
cheat   estafar   (259)
cheat   timar   (231)
cheat   truhanear   (206)
check   comprobar   (378)
check   revisar   (2)
check, verify   chequear   (175)
cheer on   jalear   (206)
cheer up   reconfortar   (11)
chew   mascar   (99)
chew   masticar   (99)
chew   ronchar   (225)
chill   enfriar   (218)
chisel   cincelar   (259)
choose   optar   (11)
choose   seleccionar   (355)
choose   escoger
circulate   circular   (71)
cite   citar
civilize   civilizar   (90)
clamp   abrazar
clap hands   palmear   (206)

clarify   aclarar   (409)
clarify   clarificar   (117)
clarify   esclarecer   (344)
clarify   aclarar
classify   acopiar   (106)
classify   calificar   (117)
classify   clasificar   (117)
clean   limpiar
clean oneself   limpiarse
cleanse   lustrar   (215)
clear   desembarazar   (339)
clear   despejar   (86)
clear up   escampar   (332)
climb   escalar   (259)
climb   trepar   (332)
clip   tundir   (346)
clog   atorar   (409)
close   obturar   (284)
close   cerrar
close halfway   entrecerrar   (116)
clothe   arropar   (332)
clothe   envestir   (491)
clothe   vestir   (491)
cloud   nublar   (259)
clown around   monear   (206)
coagulate   coagular   (259)
coagulate   cuajar   (86)
coexist   coexistir   (495)
coincide   coincidir   (60)
collaborate   colaborar   (409)
collate   compaginar   (107)
collect   acopiar   (106)
collect   coleccionar   (107)
collect   recolectar   (11)
collect   colegir
collect   recoger
collect (money)   colectar   (11)
collide   chocar   (424)
color   colorar   (32)
color   colorear   (175)
comb one's hair   peinarse
combat   combatir   (1)
combine   combinar   (107)
combine   fusionar   (107)
come   advenir   (488)
come   venir
come apart   separarse   (289, 437)
come from   provenir   (488)
come in   ingresar   (2)
come to the rescue   acudir
comfort   confortar   (11)
comfort   desahogar   (341)

comfort   reconfortar   (11)
command   capitanear   (175)
command   comandar   (109)
command   mandar   (259)
commemorate   conmemorar   (409)
commemorate   solemnizar   (339)
commence   comenzar
commend   encomendar   (352)
comment   comentar   (109)
comment   glosar   (2)
commit   cometer   (91)
commit perjury   perjurar   (284)
commit suicide   suicidarse   (39, 289)
communicate   comunicar   (234)
compare   comparar   (342)
compare   contraponer   (364)
compare   equiparar   (342)
compensate   compensar   (2)
compete   competir   (411)
compile   compilar   (259)
compile   recopilar   (259)
complain   quejarse
complete   completar   (308)
complete   acabar
complicate   complicar   (76)
compliment   obsequiar   (228)
compose   componer
compress   comprimir   (267)
compute   computar   (279)
computerize   informatizar   (339)
conceal   esconder   (413)
conceal   ocultar   (11)
concede   conceder   (413)
conceive   concebir   (349)
conceive   ingeniar   (232)
concentrate   concentrar   (215)
conclude   concluir   (268)
concur   concurrir   (495)
condemn   condenar   (114)
condemn   justiciar   (57)
conduct   conducir
confess   confesar
confide   fiar
confine   confinar   (107)
confirm   confirmar   (243)
confiscate   confiscar   (99)

confiscate secuestrar (409)
conform amoldarse (39, 289)
conform conformar (244)
confront afrontar (109)
confront confrontar (11)
confront enfrentar (11)
confuse confundir (60)
confuse desorientar (11)
confuse embrollar (261)
congeal congelar (259)
congest congestionar (107)
congratulate congratular (259)
congratulate cumplimentar (11)
congratulate felicitar
conjugate conjugar (297)
connect acoplar (259)
connect conectar (11)
connect enchufar (54)
connect ensamblar (259)
connect vincular (71)
connote connotar (308)
conquer conquistar (250)
conquer vencer
consecrate consagrar (259)
consent consentir (435)
conserve conservar (9)
consider considerar (227)
consist of consistir (495)
console confortar (11)
console consolar (138)
consolidate cimentar (352)
consolidate consolidar (39)
conspire conspirar (314)
constitute constituir
construct edificar (424)
construct erigir (188)
construct construir
consult asesorar (409)
consult consultar (308)
consume apurar (67)
consume consumir (267)
consume devorar (409)
consume ingerir (435)
contain contener
contaminate contaminar (107)
contemplate contemplar (259)
contend alegar (341)
continue durar (409)
continue proseguir (432)

continue continuar
contract contraer (477)
contract contratar (478)
contradict contradecir (past part. contradicho) (302)
contradict contrariar (256)
contrast contraponer (364)
contrast contrastar (250)
contribute aportar (11)
contribute colaborar (409)
contribute contribuir
control controlar (259)
convalesce convalecer (333)
convene convenir
converge confluir (271)
converse conversar (340)
converse departir (346)
converse dialogar (341)
convert convertir
convince convencer
convoke convocar
cook cocer (321, 486)
cook guisar (25)
cook cocinar
cool enfriar (218)
cool with a fan abanar (249)
cooperate cooperar (409)
coordinate coordinar (107)
copy calcar (424)
copy copiar (106)
correct enmendar (352)
correct corregir
correspond corresponder (413)
corrupt corromper (422)
corrupt pervertir (410)
cost costar (Def. and Imp.)
cost valer
cough toser (91)
counsel aconsejar
count contar
counteract contrarrestar (250)
counterbalance contrapesar (2)
couple acoplar (259)
cover cobijar (54)
cover tapar (332)
cover cubrir
cover (distance) recorrer (148)
cover up disimular (71)
crack hender (164)
crack tronchar (54)
cram embutir (60)

cram down food embocar (424)
crash aplastar (250)
crash chocar (424)
crave for apetecer (59)
crawl gatear (175)
crease arrugar (341)
crease chafar (259)
create crear
cripple tullecer (333)
cripple tullir (97)
criticize criticar (117)
crop (hair) trasquilar (259)
cross atravesar (352)
cross travesar (79)
cross atravesar
cross cruzar
cross oneself signarse (289)
cross out rayar (453)
cross out tachar (200)
crouch agacharse (225, 289)
crowd aglomerarse (409, 289)
crown coronar (107)
crown with laurels laurear (175)
crumple (clothes) chafar (259)
crunch chascar (99)
crunch ronchar (225)
crush abrumar, brumar (247)
crush brumar, abrumar (247)
crush golpear (175)
crush machacar (424)
crush machar (306)
crush machucar (424)
crush majar (86)
crush triturar (72)
cry lagrimar (231)
cry llorar
cry out clamar (15)
cry out vocear (206)
cultivate cultivar (288)
cure curar (72)
cure sanar (54)
curl rizar (339)
curl up acurrucarse (424, 289)
curse blasfemar (247)
curse imprecar (424)
curse maldecir
cut recortar (149)

687

cut   segar   (327)
cut   tallar   (261)
cut   cortar
cut around   retajar   (86)
cut into pieces   trocear (206)
cut into   decentar   (352)
cut off   capar   (332)
cut short   truncar   (424)

D

damage   averiar   (256)
damage   damnificar   (424)
damage   dañar   (109)
damage   deteriorar   (409)
damage   lesionar   (355)
damage   maleficiar   (383)
damage   perjudicar   (424)
dampen   humedecer   (344)
dance   danzar   (81)
dance   bailar
dare   desafiar   (256)
dare   atreverse
dare   osar
darken   ensombrecer   (344)
darken   obscurecer   (333)
darn   zurcir
date (a letter, an account)   datar   (308)
daydream   fantasear   (206)
daze   aturdir   (60)
dazzle   deslumbrar   (259)
dazzle   ofuscar   (99)
dazzle   relumbrar   (51)
deactivate   desactivar   (259)
deaden   amortiguar   (83)
deafen   ensordecer   (344)
deal   traficar   (424)
debate   cuestionar   (473)
debate   debatir   (407)
decant   trasegar   (327)
deceive   engañar   (213)
deceive   mistificar   (424)
deceive oneself   engañarse (88)
decide   decidir
decipher   descifrar   (409)
declaim   declamar   (54)
declare   alegar   (341)
declare   declarar
decline   declinar   (107)
decline   desmedrar   (259)
decorate   decorar   (32)
decorate   ornar   (249)
decree   decretar   (308)
dedicate   dedicar   (424)
deduce   deducir   (132)

deduct   deducir   (132)
deepen   ahondar   (41)
defame   difamar   (54)
defame   infamar   (54)
defame   oprobiar   (232)
defeat   derrotar   (308)
defeat   vencer
defend   amparar   (409)
defend   defender
defer   aplazar   (339)
defer   deferir   (370)
defer   diferir   (370)
define   definir   (346)
deform   afear   (54)
deform   deformar   (244)
defraud   defraudar   (39)
defrost   descongelar   (259)
defy   afrontar   (109)
degrade   degradar   (39)
dehumanize   deshumanizar (339)
dehydrate   deshidratar   (308)
delay   atrasar   (2)
delay   demorar   (409)
delay   dilatar   (308)
delay   retrasar
delegate   delegar   (341)
delegate   legar   (341)
deliberate   deliberar   (409)
delight   encantar   (Def. and Imp.)
delineate   delinear   (175)
deliver   entregar
delve into   cavar   (9)
demand   demandar   (199)
demarcate   demarcar   (424)
demolish   arrasar   (2)
demolish   demoler   (321)
demonstrate   demostrar
denigrate   denigrar   (409)
denominate   denominar (107)
denote   denotar   (11)
denounce   delatar   (308)
denounce   denunciar
deny   denegar   (327)
deny   negar
deny oneself   abnegarse (289, 327)
depart   partir
depend   depender
depend on   atenerse
depict   figurar   (72)
depilate   depilar   (259)
deplore   deplorar   (32)
depopulate   despoblar (209)

deport   deportar   (11)
depose   destronar   (355)
deposit   depositar   (259)
deposit (money)   ingresar (2)
depreciate   depreciar   (383)
depreciate   desvalorar (409)
depreciate   desvalorizar (47)
depress   agobiar   (232)
depress   deprimir   (267)
deprive   privar   (288)
derive   derivar   (259)
derogate   derogar   (421)
descend   descender   (354)
descend   bajar
describe   describir
desert   desertar   (11)
deserve   merecer
design   diseñar   (213)
design   dibujar
designate   designar   (114)
desire   desear
desist   desistir   (495)
despise   despreciar   (57)
despise   vilipendiar   (232)
destine   destinar   (107)
destroy   arruinar   (107)
destroy   destruir
detach   despegar
detail   detallar   (261)
detain   arrestar   (54)
detain   detener
deteriorate   empeorarse (409, 289)
determine   determinar (470)
detest   aborrecer   (344)
detest   detestar   (250)
dethrone   destronar   (355)
detonate   detonar   (355)
detoxify   desintoxicar (424)
devaluate   devaluar   (141)
devalue   desvalorar   (409)
devalue   desvalorizar   (47)
devalue   devaluar   (141)
develop   desarrollar   (261)
deviate   desviar   (218)
devote oneself   dedicarse
devour   devorar   (409)
diagnose   diagnosticar (424)
diaper   empañar   (213)
dictate   dictar   (11)
die   fallecer   (344)

die morir
differ diferir (370)
differ discrepar (332)
differ disentir (435)
differentiate diferenciar
(57)
dig zahondar (336)
dig a ditch zanjar (86)
digest digerir (370)
digress divagar (341)
dilate dilatar (308)
dilute aguar (83)
dilute diluir (271)
dilute jetar (308)
dim amortiguar (83)
diminish disminuir (271)
diminish minimizar (339)
diminish minorar (409)
dine cenar
direct adiestrar (352)
direct dirigir
dirty ensuciar (383)
disable inhabilitar (308)
disable tullecer (333)
disable tullir (97)
disagree discrepar (332)
disagree divergir (188)
disappear desaparecer (59)
disarm desarmar (54)
disarrange desordenar
(338)
disarticulate desarticular
(71)
disassemble desensamblar
(259)
discard descartar (11)
discern divisar (2)
discharge despedir (349,
178)
discipline disciplinar (107)
disclose revelar (259)
disconcert desconcertar
(352)
disconnect desconectar
(259)
disconnect desenchufar
(259)
discontinue descontinuar
(141)
discontinue discontinuar
(141)
discount descontar (138)
discourage desanimar (54)
discourage descorazonar
(355)
discourage desesperar
(227)

discourse discursar (25)
discover atinar (107)
discover descubrir
discredit desacreditar (308)
discredit desvalorar (409)
discriminate discriminar
(107)
discuss discutir
disdain desdeñar (213)
disembark desembarcar
(424)
disenchant desencantar
(109)
disfigure desfigurar (409)
disgrace deshonrar (409)
dishearten descorazonar
(355)
dishonor deshonrar (409)
disillusion desengañar
(213)
disillusion desilusionar
(355)
disinfect desinfectar (259)
disinherit desheredar (39)
disintegrate desintegrar
(409)
dismantle desmantelar
(259)
dismantle desmontar (11)
dismiss despedir (349,
178)
dismiss destituir (271)
dismount desmontar (11)
disobey desobedecer (328)
disorganize desorganizar
(339)
dispense dispensar
display visualizar (339)
displease disgustar (250)
dispose disponer (364)
dispossess desposeer (152)
disprove desmentir (312)
disqualify descalificar (117)
disrobe desarropar (332)
dissemble disimular (71)
disseminate diseminar
(107)
dissent disentir (435)
dissipate disipar (332)
dissolve derretir (349)
dissolve diluir (271)
dissolve disolver (321)
dissolve jetar (308)
dissuade disuadir (346)
distill destilar (259)
distinguish diferenciar
(57)

distinguish distinguir
distort tergiversar (2)
distract distraer (477)
distract divertir (370, 194)
distress afligir (188)
distress atormentar (11)
distribute distribuir (264)
distribute repartir
disturb descomponer (364)
disturb disturbar (9)
disturb perturbar (9)
disturb turbar (9)
disunite desunir (480)
dive zambullir (97)
diverge divergir (188)
diversify diversificar (424)
divert desviar (218)
divide compartir (346)
divide dividir (346)
divide into syllables silabear
(175)
divine adivinar
divulge divulgar (341)
do hacer
document documentar
(11)
domesticate domesticar
(424)
dominate dominar (107)
donate donar (355)
dot jalonar (355)
dot puntar (494)
doubt dudar
download (Internet)
descargar (111)
download (Internet)
telecargar (111)
doze dormitar (308)
drag arrastrar (215)
dramatize dramatizar
(339)
draw diseñar (213)
draw figurar (72)
draw trazar (81)
draw lines, sketch
linear (175)
draw near
aproximarse (289)
draw near acercarse
dream soñar
drench calar (259)
drench empapar (342)
dress oneself vestirse
dress up acicalarse
(259, 289)
dribble (sports)
driblar (259)

drift   derivar   (259)
drink   beber
drink a toast   brindar   (54)
drip   gotear   (206)
drive   impulsar   (2)
drive   manejar   (86)
drive or chase away
  ahuyentar   (11)
drive out   expulsar   (2)
drizzle   lloviznar   (288)
drown   ahogarse   (289, 421)
drum   tamborear   (175)
dry   secar
dry oneself   secarse
dub   doblar   (259)
duplicate   multicopiar
  (232)
duplicate, copy   duplicar
  (424)
dye   teñir   (408)
dye   tintar   (254)

E

earn   ganar
ease   aliviar   (232)
ease   desahogar   (341)
eat   jamar   (54)
eat   comer
eat away   carcomer   (128)
eclipse   ensombrecer   (344)
economize   ahorrar
economize on   economizar
  (339)
edit   redactar   (215)
educate   educar   (424)
effect   efectuar   (141)
elaborate   elaborar   (93)
elapse (time)   transcurrir
  (495)
elbow   codear   (54)
elect   elegir
electrify   electrificar   (424)
electrify   electrizar   (339)
elevate   elevar   (259)
elevate   remontar   (317)
eliminate   eliminar   (107)
elucidate   elucidar   (39)
elude   eludir   (60)
emanate   emanar   (107)
emancipate   emancipar
  (332)
embark   embarcar   (99)
embellish   aderezar   (339)
embellish   embellecer
  (344)
embrace   abrazar
embroil   embrollar   (261)

emerge   emerger   (123)
emigrate   emigrar   (273)
emit   emitir   (346)
employ   emplear
empower   agilitar   (11)
empower   apoderar   (61)
empty   vaciar
emulate   emular   (259)
enamor   enamorar   (54)
enclose   cercar   (12)
enclose   encerrar
encode   cifrar   (259)
encounter   encontrar
encourage   alentar   (352)
encourage   esforzar   (49)
encourage   jalear   (206)
encrust   incrustar   (250)
end   acabar
endeavor   empeñarse   (213,
  289)
endeavor   procurar   (72)
endorse   endosar   (2)
endow   dotar   (11)
endure   aguantar   (54)
endure   padecer   (333)
endure   soportar   (427)
enervate   enervar   (9)
engrave   grabar   (249)
enjoy   disfrutar
enjoy   gozar
enjoy onself   divertirse
enlarge   amplificar   (117)
enlarge   agrandar
enlighten   ilustrar   (215)
enlighten   alumbrar
enlist   alistarse   (11, 289)
enlist   enrolar   (259)
ennoble   ennoblecer   (344)
enrage   ensañar   (213)
enroll   alistarse   (11, 289)
enroll   inscribirse
entangle   enredar   (39)
enter   ingresar   (2)
enter   entrar
entertain   divertir   (370,
  194)
entertain   entretener   (468)
entertain   recrear   (175)
entertain oneself   recrearse
  (289)
enthuse   apasionar   (107)
entitle   titular   (71)
entrust   cometer   (91)
entrust   confiar   (240)
enumerate   enumerar   (409)
enunciate   enunciar
envy   envidiar   (232)

equal   equivaler   (484)
equal   igualar   (259)
equalize   igualar   (259)
equip   equipar   (332)
equip   habilitar   (308)
eradicate   erradicar   (424)
erase   obliterar   (227)
erase   borrar
erect   erigir   (188)
err   aberrar   (54)
err   errar
escape   escapar   (332)
escape from   zafarse de
  (54, 289)
establish   arraigar   (341)
establish   fundar   (39)
establish   instaurar   (409)
establish   establecer
estimate   estimar
eulogize   elogiar   (232)
evade   esquivar   (259)
evade   evadir   (60)
evaluate   evaluar   (141)
evaporate   evaporar   (409)
evoke   evocar   (424)
evolve   evolucionar   (107)
exacerbate   exacerbar   (9)
exaggerate   decantar   (109)
exaggerate   exagerar   (259)
exalt   ensalzar   (339)
exalt   sublimar   (54)
examine   examinar   (107)
exasperate   exasperar   (227)
exceed   sobrepasar   (2)
exchange   chamar   (54)
exchange   intercambiar
  (232)
exchange   permutar   (308)
exchange   trocar   (19, 424)
exchange   cambiar
excite   apasionar   (107)
excite   excitar   (254)
exclaim   exclamar   (54)
exclude   excluir   (268)
excuse   dispensar   (2)
excuse   excusar   (25)
execute   justiciar   (57)
execute   ejecutar
exemplify   ejemplificar
  (424)
exercise   ejercitar   (308)
exercise   ejercer
exhale   espirar   (409)
exhale   exhalar   (261)
exhaust   apurar   (67)
exhaust   agotar
exhibit   exhibir   (353)

English-Spanish verb index

forecast   pronosticar   (424)
forego   abnegar   (327)
foresee   prever   (489)
foreshadow   prefigurar
   (284)
foretell   hadar   (324)
foretell   ominar   (107)
foretell   pronosticar   (424)
foretell   vaticinar   (470)
foretell   adivinar
forge   forjar   (86)
forget   olvidar
fork   bifurcarse   (424, 289)
form   formar
formalize   formalizar   (339)
formulate   formular   (71)
fortify   fortalecer   (344)
found   fundar   (39)
fracture   fracturar   (409)
fragment   fragmentar   (11)
free   liberar   (409)
free   libertar   (11)
freeze   congelar   (259)
freeze   helar   (Def. and
   Imp.)
frequent   frecuentar   (11)
fret   apurarse
frighten   aterrorizar   (339)
frighten   espantar   (109)
frustrate   frustrar   (215)
fry   freír
fry lightly   sofreír   (404)
fulfill   cumplir
fumigate   fumigar   (341)
function   funcionar
furnish   amueblar   (259)
furnish   habilitar   (308)
furnish   suministrar   (215)

G

gage   calibrar   (259)
Gallicize   afrancesar   (2)
gallop   galopar   (54)
galvanize   galvanizar   (339)
gather   acopiar   (106)
gather   amontonar   (107)
gather   agregar
gather   recoger
gather around   aglomerarse
   (409, 289)
generalize   generalizar
   (339)
generate   generar   (215)
gesticulate   gesticular   (259)
gesture   gesticular   (259)
get a doctorate   doctorarse
   (409, 289)

get along well with
   simpatizar con   (339)
get away from   alejarse de
   (86, 289)
get burned   asurarse   (112)
get cold   enfriarse   (256,
   289)
get cozy   acurrucarse
   (424, 289)
get dark   atardecer   (344)
   (3rd person only)
get dark   oscurecer   (344)
get divorced   divorciarse
get engaged or married
   desposarse   (2, 289)
get excited, enthusiastic
   entusiasmarse   (54, 289)
get into debt   endeudarse
   (39, 289)
get late   atardecer   (344)
   (3rd person only)
get married   casarse
get ready   alistarse   (11,
   289)
get revenge   vengarse   (341,
   289)
get sick, ill   enfermarse
get thin   adelgazar   (339)
get tipsy   alumbrarse
get up   levantarse
get up early   madrugar
   (341)
get used to   acostumbrarse
   (22, 289)
get wet   mojarse
gild   dorar   (32)
give   donar   (355)
give   dar
give a little more   yapar
   (332)
give as a present, gift
   regalar
give asylum   asilar   (259)
give back   restituir   (264)
give birth   parir   (495)
give up   capitular   (259)
give up   claudicar   (424)
glide   planear   (206)
glitter   destellar   (261)
glorify   ensalzar   (339)
glorify   exaltar   (11)
glorify   glorificar   (424)
gloss   glosar   (2)
glow   arder   (63)
glow   resplandecer   (344)
gnaw   carcomer   (128)
gnaw   remorder   (318)

gnaw   tascar   (99)
go   ir
go away   irse
go away   marcharse
go backwards   recular   (71)
go beyond the limits
   translimitar   (254)
go crazy   enloquecerse
   (344, 102)
go down   abajar, bajar
   (86)
go forward   adelantarse
go in the direction of
   rumbar a   (54)
go on a pilgrimage, journey
   peregrinar   (107)
go round   tornear   (206)
go round, turn   versar   (25)
go through   atravesar   (352)
go to bed   acostarse
go toward   dirigirse a   (188,
   8)
go up   subir
go without   abnegarse
   (289, 327)
gobble down   zampar
   (332)
gobble up   soplarse   (289,
   448)
gossip   chismear   (259)
govern   regir   (203)
govern   gobernar
graduate   graduarse   (141,
   289)
graduate in   licenciarse   (57,
   289)
grant   impartir   (495)
grant   otorgar   (421)
grasp   empuñar   (213)
grasp   prender   (63)
grasp   agarrar
grasp   asir
grasp   coger
gratify   contentar   (109)
gravitate   gravitar   (254)
graze   rasar   (2)
grease   engrasar   (2)
grieve   afligirse   (188, 8)
grieve   apurarse
grieve   gemir
grimace   gesticular   (259)
grind   moler   (321)
grind   triturar   (72)
grip   apretar   (352)
group   agrupar
grow   crecer
grow tired   aburrirse

growl refunfuñar (213)
grumble refunfuñar (213)
grumble gruñir
guarantee avalar (259)
guard guardar (259)
guess adivinar
guide guiar
guide by remote control
  teleguiar (256)
gurgle gorgotear (206)
gurgle gorjear (206)

H

hail granizar (339)
half-hear entreoír (334)
halt atajar (86)
hammer golpetear (175)
hammer macear (175)
hammer martillar (261)
handcuff esposar (340)
hang pender (63)
hang suspender (91)
hang (up) colgar
hang tapestry tapizar (339)
happen acaecer (344) (3rd
  person only)
happen acontecer (43) (3rd
  person only)
happen ocurrir (Def. and
  Imp.)
happen suceder (Def. and
  Imp.)
happen supervenir (488)
harass acosar (2)
harm damnificar (424)
harm maleficiar (383)
harm perjudicar (424)
harm herir
harvest recolectar (11)
hate detestar (250)
hate odiar (232)
haul halar (259)
have tener
have (auxiliary verb) haber
have a snack, refreshment
  merendar (352)
have an accident, be hurt or
  injured accidentar (11)
have fanciful ideas
  quimerizar (81)
have illusions ilusionarse
  (289)
head encabezar (339)
heal cicatrizar (339)
heal sanar (54)
hear oír
heat (up) calentar

heave alzar
help acorrer (148)
help ayudar
help secorrer
hiccup jipar (332)
hide encubrir (495)
hide esconder (413)
hide ocultar (11)
hide oneself esconderse
  (413, 80)
hide oneself ocultarse
hierarchize jerarquizar
  (339)
hinder desayudar (84)
hinder estorbar (9)
hire acomodar (259)
hire arrendar (352)
hispanicize hispanizar
  (339)
hit golpear (175)
hit twice (a ball) retacar
  (76)
hoard acaparar (342)
hoist izar (339)
hold up saltear (206)
honor honrar (32)
honor laurear (175)
hook up interconectar (11)
hope esperar
howl ulular (259)
hug abrazar
hum cantalear (54)
humiliate humillar (261)
humiliate mortificar (424)
hunt cazar (81)
hurl oneself abalanzarse
  (81)
hurry apresurar (64)
hurry acelerar
hurry apresurarse
hurt llagar (298)
hurt doler
hurt herir
hush acallar (261)
hydrate hidratar (308)
hypnotize hipnotizar (339)

I

idealize idealizar (339)
identify identificar (117)
idle cantonear (54)
idle gandulear (206)
idle haraganear (206)
idle vaguear (206)
idolize idolatrar (259)
ignite enardecer (344)
ignore arrinconar (107)

ignore desoír (334)
illuminate iluminar (107)
illuminate alumbrar
illustrate ejemplificar
  (424)
illustrate ilustrar (215)
imagine figurarse (72, 289)
imagine imaginar (107)
imbibe embeber (91)
imbibe embeber
imbue imbuir (264)
imitate imitar (254)
immerse inmergir (188)
immigrate inmigrar
immobilize inmovilizar
  (339)
immolate inmolar (259)
immunize inmunizar (339)
impale impulsar (2)
impede embargar (341)
impede obstar (215)
impede impedir
implicate implicar (424)
implore implorar (300)
implore interpelar (259)
implore suplicar (117)
importune importunar
  (107)
impose imponer (364)
imprecate imprecar (424)
impress impresionar (107)
imprint imprimir
imprison encarcelar (259)
imprison recluir (271)
improve mejorar
improvise improvisar (2)
impugn impugnar (107)
impute imputar (308)
inaugurate inaugurar
  (409)
incapacitate inhabilitar
  (308)
incite alborotar (11)
incite azuzar (339)
incite incitar (279)
incite quillotrar (259)
incite encender
incline inclinar (107)
incline ladear (206)
include ensolver (497)
include incluir
inconvenience
  desacomodar (39)
inconvenience
  incomodar (39)
incorporate
  incorporar (409)

693

increase   acrecentar   (352)
increase   acrecer   (151)
increase   aumentar   (317)
increase   engrandecer
  (344)
increase   incrementar   (11)
increase   multiplicar   (424)
increase   agrandar
increase in value   valorar
  (54, 409)
increase in value   valorear
  (54, 206)
increase production
  bonificar   (117)
inculcate   inculcar   (424)
incur   incurrir   (495)
indemnify   indemnizar
  (339)
indent   dentar   (352)
indicate   indicar
indispose   indisponer   (364)
individualize   individualizar
  (339)
induce   inducir
induce a liking for   aficionar
  (338)
indulge oneself   regalarse
  (401, 289)
industrialize   industrializar
  (339)
infect   infectar   (11)
infer   inferir   (400)
infiltrate   infiltrar   (215)
inflame   inflamar   (54)
inflate   hinchar   (306)
inflate   inflar   (259)
inflict   infligir   (188)
influence   influenciar   (383)
influence   influir
inform   avisar   (340)
inform   enterar   (215)
inform   informar   (244)
inform   noticiar   (383)
inform   notificar   (117)
inform oneself   informarse
infringe   infringir   (188)
infuriate   enfurecer   (344)
infuriate   ensañar   (213)
infuriate   indignar   (107)
ingest   ingerir   (435)
inhabit   habitar
inhale   aspirar   (29)
inhale   inhalar   (259)
inherit   heredar
inhibit   cohibir   (382)
inhibit   inhibir   (353)
initial   rubricar   (424)

initiate   iniciar   (383)
inject   inyectar   (11)
injure   agraviar   (54)
injure   damnificar   (424)
injure   dañar   (109)
injure   injuriar   (232)
injure   llagar   (298)
injure   maleficiar   (383)
innovate   innovar   (259)
inoculate   inocular   (71)
inquire   inquirir   (33)
inscribe   inscribir
insert   insertar   (11)
insinuate   insinuar   (141)
insist   insistir
inspect   inspeccionar   (355)
inspire   alentar   (352)
inspire   inspirar   (29)
install   instalar   (259)
instigate   instigar   (341)
institute   instituir   (264)
instruct   adiestrar   (352)
instruct   instruir   (271)
insult   denigrar   (409)
insult   injuriar   (232)
insult   insultar   (11)
insult   ofender   (63)
insult each other   trabarse de
  palabras   (289)
integrate   integrar   (259)
intellectualize
  intelectualizar   (339)
intend to   pretender   (63)
intensify   intensificar   (424)
intercalate   intercalar   (259)
intercede   interceder   (63)
intercept   atajar   (86)
intercept   interceptar   (11)
interchange   intercambiar
  (232)
interconnect   interconectar
  (11)
interfere   entrometerse
  (444, 102)
interfere   interferir   (435)
interlace   entrelazar   (339)
intermingle   entremezclar
  (259)
intern   internar   (107)
interpose   interponer   (364)
interpret   deletrear   (206)
interpret   interpretar   (376)
interpret   trujamanear
  (206)
interrogate   interrogar
  (297)
interrupt   atajar   (86)

interrupt   interrumpir
  (452)
intertwine   entrelazar   (339)
intervene   intervenir   (488)
interview   entrevistar   (494)
intimidate   intimidar   (199)
intoxicate   intoxicar   (424)
intrigue   intrigar   (341)
introduce   involucrar   (259)
introduce   introducir
intuit   intuir   (271)
inundate   inundar   (39)
invade   invadir   (60)
invalidate   invalidar   (39)
invent   ingeniar   (232)
invent   inventar   (279)
invert   invertir   (370)
invest (as a title)   investir
  (349)
invest money   invertir
  (370)
investigate   curiosear   (175)
investigate   investigar
  (421)
investigate   averiguar
invite   convidar   (39)
invite   invitar
invoice   facturar   (409)
invoke   invocar   (424)
involve   involucrar   (259)
iron   planchar   (225)
irradiate   irradiar   (232)
irrigate   irrigar   (341)
irrigate   sorregar   (327)
irritate   chinchar   (259)
irritate   enfadar   (210)
irritate   enojar   (212)
irritate   irritar   (279)
isolate   aislar   (218)
Italianize   italianizar   (339)

J

jest   bufonear   (348)
join   acoplar   (259)
join   afiliarse   (232, 289)
join   anudar   (39)
join   ensamblar   (259)
join   trabar   (54)
join   juntar
join (a group)   incorporarse
  (409, 289)
joke   bromear   (206)
joke   bufonearse   (348)
journey   transitar   (254)
joust   justar   (11)
judge   sentenciar   (57)
judge   juzgar

jump brincar (430)
jump saltar
justify justificar (117)
juxtapose yuxtaponer
(364)

K

keep guardar (259)
keep awake desvelar (259)
keep away from apartarse
(11, 289)
kick patalear (206)
kick patear (206)
kick (a ball) pelotear (175)
kidnap secuestrar (409)
kill matar
kill off rematar (308)
kiss besar (235)
knead amasar (2)
knead sobar (54)
kneel down hincarse (424,
289)
knife acuchillar
knit tricotar (254)
knit (eyebrows) fruncir
(501)
knock down revolcar (19,
424)
knock down tumbar (9)
knock down varear (175)
knock down abatir
know conocer
know saber

L

label rotular (71)
lacerate lacerar (409)
lack carecer de (333)
laicize laicizar (339)
lament lamentar (11)
laminate laminar (107)
lance alanzar (286)
lance lancear (175)
land aterrizar (47)
last durar (409)
last a long time perdurar
(215)
lather enjabonar (355)
lather jabonar (473)
laugh reír
laugh reírse
launch botar
launch lanzar
lay aside deponer (364)
lay the foundation cimentar
(352)
lay waste yermar (54)

lead encabezar (339)
lead conducir
leaf through hojear (175)
lean ladear (206)
lean on/upon reclinarse
en/sobre (289)
lean out asomarse (112)
learn aprender
lease arrendar (352)
leave partir
leave salir
legislate legislar (259)
legitimize legitimar (54)
lend prestar
lengthen alargar (421)
lessen achicar (424)
lessen apocar (99)
let go largar (341)
let go soltar (209)
level aplanar (107)
level arrasar (2)
level nivelar (259)
liberate emancipar (332)
liberate independizar
(339)
liberate liberar (409)
liberate libertar (11)
lick lamer (91)
lie mentir
lie down acostarse
lie down yacer
lift alzar
lift levantar
light up esclarecer (344)
like gustar (Def. and Imp.)
limit limitar (308)
line up enfilar (259)
liquefy licuar (141)
liquefy liquidar (39)
liquidate liquidar (39)
list catalogar (341)
listen (to) escuchar
litigate litigar (341)
live vivir
live together convivir
(495)
load cargar
loaf cantonear (54)
loaf gandulear (206)
loaf haraganear
loaf vaguear (206)
loathe repugnar (107)
localize localizar (81)
locate localizar (81)
locate situar (141)
locate ubicar (424)
lock candar (109)

lodge alojar (86)
lodge hospedar (39)
long for anhelar (259)
long for apetecer (59)
look mirar
look after atender (164)
look at oneself, each other
mirarse
look at over again remirar
(314)
look for buscar
loosen aflojar (86)
loosen zafar (54)
lose perder
lose hope desesperarse
(227, 289)
lose interest desinteresarse
(277)
lose one's appetite
desganarse (289)
lose one's patience
impacientarse (11, 289)
lose the habit of
desacostumbrarse (259,
289)
lose weight adelgazar
(339)
lose weight enflaquecer
(344)
love encantar (Def. and
Imp.)
love amar
love encantar (Def. and
Imp.)
lower rebajar (86)
lower bajar
lubricate lubricar (469)
lunch almorzar

M

macerate macerar
(409)
magnetize magnetizar
(339)
magnify magnificar
(424)
maintain mantener
make hacer
make a bad marriage
malcasarse (112)
make a pact pactar
(11)
make a speech discursar
(25)
make a speech perorar
(409)
make a will, testament
testar (54)
make agile agilitar
(11)

make an appointment citar
make an effort esforzarse (49, 289)
make angry despechar (225)
make bitter amargar (341)
make breathless desalentar (103)
make cheaper abaratar (308)
make cheese quesear (175)
make clear clarar (16)
make deeper ahondar (41)
make even nivelar (259)
make eyes at galantear (175)
make famous afamar (54)
make frequent use of trillar (259)
make known divulgar (341)
make legal formalizar (339)
make old envejecer (344)
make one's debut debutar (308)
make ready aprestar (376)
make sad entristecer (344)
make someone crazy alocar (472)
make sour agriar (54)
make ugly afear (54)
make uneven desnivelar (259)
make uniform uniformar (244)
make untidy desaliñar (213)
make untidy desarreglar (259)
make up (one's face) pintarse
make use of aprovechar (66)
make use of utilizarse (289, 482)
make worse empeorar (409)
maltreat maltratar (478)
manage gestionar (355)
manage manejar
manage regir (203)
manifest manifestar (352)
manipulate manipular (71)
manufacture confeccionar (107)
manufacture manufacturar (284)

marinate adobar (259)
mark jalonar (355)
mark marcar
mark again remarcar (305)
mark with an accent acentuar (141)
mark with buoys abalizar (339)
martyr martirizar (339)
marvel at maravillarse (261, 289)
mash majar (86)
massage sobar (54)
match emparejar (86)
match equiparar (342)
match parear (175)
materialize materializar (339)
matter importar (Def. and Imp.)
mature madurar (409)
maul machucar (424)
measure acompasar (347)
measure medir
meddle entrometerse (444, 102)
mediate mediar (232)
meditate meditar (254)
melt derretir (349)
melt fundir (60)
mend coser (128)
mend remendar (352)
mend zurcir
mention mencionar
mention mentar (352)
merge fusionar (107)
merit merecer
metamorphose metamorfosear (175)
methodize metodizar (339)
migrate trashumar (54)
mine minar (107)
mislead descaminar (107)
mislead despistar (250)
mistake equivocar (220)
mistrust desconfiar (256)
misunderstand malentender (164)
mitigate mitigar (341)
mix amasar (2)
mix mezclar (259)
mix together barajar (86)
mix up embarullar (261)
mix up triscar (99)

mobilize movilizar (339)
mock chufar (259)
mock escarnecer (344)
model modelar (259)
moderate moderar (409)
modernize actualizar (339)
modernize modernizar (339)
modify modificar (424)
modulate modular (71)
moisten humedecer (344)
monkey around monear (206)
moralize moralizar (339)
mortgage hipotecar (424)
mortify macerar (409)
mortify mortificar (424)
motivate motivar (9)
mount montar
move abalar (54)
move conmover (321)
move mover
move mudarse
move ahead adelantarse
move near arrimarse (54, 289)
move out desalojar (165)
move to new land trashumar (54)
mow segar (327)
muddle embarullar (261)
muffle amortiguar (83)
muffle ensordecer (344)
muffle silenciar (57)
multiply multiplicar (424)
mumble chistar
mummify momificar (424)
murder asesinar (107)
murmur murmurar (72)
murmur susurrar (54)
mutilate mutilar (71)
mutter murmurar (72)

N

nail clavar (54)
name nombrar (113)
name llamar
narrate narrar (215)
narrate relatar (308)
narrow estrachar (200)
nationalize nacionalizar (90)
naturalize naturalizar (90)
navigate navegar
need faltar
need necesitar

neglect   descuidar   (39)
negotiate   gestionar   (355)
negotiate   negociar   (383)
negotiate   tramitar   (254)
nibble   tascar   (99)
nibble   roer
nod one's head when sleepy
  cabecear   (54)
normalize   normalizar
  (339)
not know   desconocer   (134)
not recognize   desconocer
  (134)
note   notar   (308)
notice   acatar   (11)
notice   guipar   (54)
notify   noticiar   (383)
notify   notificar   (117)
nourish   alimentar   (291)
nourish   nutrir   (346)
nudge   codear   (54)
number   numerar   (227)
nurse   lactar   (11)
nurse   mamar   (54)

O

obey   acatar   (11)
obey   obedecer
object   objetar   (308)
objectify   objetivar   (9)
oblige   obligar   (341)
obliterate   obliterar   (227)
observe   observar
obsess   obsesionar   (355)
obstruct   atascar   (424)
obstruct   atorar   (409)
obstruct   bloquear   (206)
obstruct   estorbar   (9)
obstruct   obstaculizar   (339)
obstruct   obstar   (215)
obstruct   obstruir   (264)
obtain   obtener
occasion   ocasionar   (355)
occlude   ocluir   (271)
occupy   ocupar
occur   acontecer   (43) (3rd
  person only)
occur   ocurrir   (Def. and
  Imp.)
offend   agraviar   (54)
offend   injuriar   (232)
offend   ofender   (63)
offer   brindar   (54)
offer   ofrecer
officiate   oficiar   (57)
oil   engrasar   (2)
omit   omitir   (30)

open   destapar   (332)
open   abrir
open halfway   entreabrir
  (495)
operate   operar   (227)
operate (vehicle)   manejar
operate by remote control
  teledirigir   (188)
opine   opinar   (107)
oppose   contrariar   (256)
oppose   oponer
oppress   abrumar, brumar
  (247)
oppress   agobiar   (232)
oppress   brumar, abrumar
  (247)
oppress   oprimir   (267)
opt   optar   (11)
optimize   optimar   (54)
orchestrate   instrumentar
  (11)
orchestrate   orquestar   (250)
order   mandar   (259)
organize   estructurar   (284)
organize   metodizar   (339)
organize   organizar
orient   orientar   (11)
originate   originar   (107)
oscillate   oscilar   (71)
outrage   ultrajar   (86)
overcome   acometer   (444)
overdraw   sobregirar   (107)
overexcite   sobreexcitar
  (308)
overexpose   sobreexponer
  (364)
overflow   desbordar   (39)
overflow   reverter   (354)
overload   sobrecargar   (111)
overshadow   ensombrecer
  (344)
overthrow   destronar   (355)
overthrow   tumbar   (9)
overthrow   abatir
overthrow   derribar
overturn   volcar   (424, 496)
overwhelm   abrumar,
  brumar   (247)
overwhelm   agobiar   (232)
overwhelm   aplastar   (250)
owe   deber
oxidize   oxidar   (39)

P

pacify   acallar   (261)
pacify   apaciguar   (83)
pacify   pacificar   (424)

pack   embalar   (259)
pack   empacar   (424)
pack   empaquetar   (308)
paginate   paginar   (107)
paint   pintar
paint a portrait   retratar
  (478)
pair   parear   (175)
pair off   emparejar   (86)
palatalize   palatalizar   (339)
palliate   paliar   (232)
palpitate   palpitar   (254)
pamper   mimar   (314)
pant   jadear   (206)
parade   desfilar   (259)
paralyze   paralizar   (339)
paraphrase   parafrasear
  (175)
pardon   perdonar
park   aparcar   (424)
park   parquear   (206)
park (a vehicle)   estacionar
  (355)
parody   parodiar   (232)
participate   participar   (332)
particularize   particularizar
  (339)
pass (by)   pasar
patent   patentar   (11)
patrol   patrullar   (261)
patrol   rondar   (215)
pause   pausar   (25)
pay   pagar
pay a debt   saldar   (54)
pay homage to   homenajear
  (175)
pay off   amortizar   (339)
pay tribute   tributar   (215)
pedal   pedalear   (206)
peel   pelar   (259)
penalize   penalizar
  (339)
penetrate   penetrar
  (215)
pension   pensionar
  (107)
perceive   percibir
percolate   trascolarse
  (289, 474)
perfect   afinar   (107)
perfect   perfeccionar
  (355)
perforate   perforar
  (409)
perform (a duty)
  desempeñar
perfume   perfumar
  (247)

periphrase   perifrasear (175)
perish   perecer   (344)
permit   dejar
permit   permitir
perpetrate a crime   perpetrar (409)
perpetuate   perpetuar   (141)
persevere   perseverar   (409)
persist   empeñarse   (213, 289)
persist   persistir   (74)
personalize   personalizar (339)
personify   personalizar   (339)
personify   personificar (424)
perspire   sudar   (54)
perspire   transpirar   (314)
persuade   persuadir   (346)
pertain   pertenecer
pervert   pervertir   (410)
pest   acosar   (2)
pester   fastidiar   (232)
photocopy   fotocopiar (106)
photograph   fotografiar (464)
pierce   picar   (424)
pierce   traspasar   (347)
pile up   amontonar   (107)
pile up   hacinar   (107)
pillage   saquear   (206)
pilot   pilotar   (54)
pilot   pilotear   (54)
place in front   anteponer (364)
plague   plagar   (341)
plait   trenzar   (81)
plan   planear   (206)
plan   planificar   (424)
plant   plantar   (109)
plate (with silver or gold) chapar   (332)
play (game, sport)   jugar
play (music)   tocar
play piano   teclear   (206)
play the lead in protagonizar   (339)
please   complacer   (361)
please   contentar   (109)
please   agradar
please   placer
pleat   plegar   (327, 341)
plot   conspirar   (314)
plot   intrigar   (341)
plot   tramar   (54)

plot   urdir   (346)
plow   arar   (54)
plow   laborar   (409)
plow   surcar   (424)
pluck   tañer
plug   obturar   (284)
plug   taponar   (355)
plug in   enchufar   (54)
plunge   zambullir   (97)
plunge into water   zapuzar (81)
pluralize   pluralizar   (339)
pocket   embolsar   (2)
pocket a ball in billiards trucar   (424)
point   apuntar   (11)
point out   mencionar
point out   mostrar
poison   atosigar   (341)
poison   envenenar   (107)
poison   intoxicar   (424)
polemicize   polemizar (339)
polish   alisar   (2)
polish   bruñir   (255)
polish   limar   (231)
polish   lustrar   (215)
polish   sutilizar   (339)
polish   pulir
polish again   repulir   (386)
politicize   politizar   (339)
ponder   cavilar   (259)
pontificate   pontificar (424)
popularize   popularizar (339)
popularize   vulgarizar (339)
populate   poblar   (474)
pose   posar   (481)
possess   poseer
postpone   aplazar   (339)
postpone   diferir   (370)
postpone   posponer   (364)
postulate   postular   (71)
pound   golpetear   (175)
pound   macear   (175)
pound   machacar   (424)
pour   verter   (354)
practice   ejercitar   (308)
practice   practicar
praise   alabar   (259)
praise   exaltar   (11)
praise   glorificar   (424)
praise   loar   (259)
prattle   charlar   (259)
prattle   garlar   (259)

pray   orar   (32)
pray   rezar   (53)
preach   sermonear   (175)
preach   predicar
precede   preceder   (63)
precipitate   precipitar (254)
predestine   predestinar (107)
predetermine   predeterminar (107)
predict   augurar   (409)
predict   ominar   (107)
predict   pronosticar   (424)
predict   vaticinar   (470)
predict   predecir
predispose   predisponer (364)
predominate   predominar (107)
prefabricate   prefabricar (424)
prefer   preferir
prefigure   prefigurar   (284)
preheat   precalentar   (352)
prejudge   prejuzgar   (341)
premeditate   premeditar (308)
prepare   aparar   (342)
prepare   aprestar   (376)
prepare   preparar
prepare onself   prepararse
presage   presagiar   (232)
prescribe   prescribir   (224)
present   presentar
preserve   conservar   (9)
preserve   preservar   (288)
preside over   presidir   (60)
press   oprimir   (267)
press   prensar   (2)
pressure   presionar   (355)
presume   presumir   (267)
presuppose   presuponer (364)
pretend   aparentar   (11)
pretend   simular   (71)
prevail   prevaler   (484)
prevail, take root   prevalecer (344)
price   cotizar   (339)
print   estampar   (332)
probe   sondar   (39)
proceed   proceder   (413)
proclaim   proclamar
produce   generar   (215)
produce   producir
profane   profanar   (107)

reduce   apocar   (99)
reduce   ensolver   (497)
reduce   limitar   (308)
reduce   reducir
reduce prices   abaratar
    (308)
reduce swelling   deshinchar
    (306)
reduce swelling   desinflamar
    (54)
reduplicate   reduplicar
    (424)
reelect   reelegir   (203)
refer   referir
refine   afinar   (107)
refine   refinar   (107)
refine   sutilizar   (339)
reflect   reflejar   (86)
reflect   reflexionar   (107)
reform   reformar   (244)
refresh   refrescar   (424)
refrigerate   refrigerar   (409)
refund   restituir   (264)
refuse   denegar   (327)
refuse   rehusar   (481)
refute   impugnar   (107)
regenerate   regenerar   (409)
register   matricular   (71)
register   registrar   (215)
regress   regresar
regret   arrepentirse de
    (436)
regret   lastimarse
reheat   recalentar   (103)
reign   reinar   (107)
reimburse   reembolsar   (2)
reimburse   reintegrar   (259)
reinforce   reforzar   (49)
reinstall   reinstalar   (259)
reiterate   reiterar   (72)
reject   desechar   (200)
reject   rechazar   (81)
rejoice   alegrarse
relate   relacionar   (355)
relate   relatar   (308)
relate   vincular   (71)
relax   relajarse   (86, 289)
release   largar   (341)
release   liberar   (409)
release   libertar   (11)
release   soltar   (209)
relegate   relegar   (341)
relish   paladear   (206)
reload   recargar   (111)
rely on   atenerse
remain   permanecer   (323)
remain   quedarse

remeasure   remedir   (309)
remedy   remediar   (232)
remember   rememorar   (32)
remember   acordarse
remember   recordar
remember incorrectly
    trascordarse   (20)
remit   remitir
remove   apartar   (11)
remove   remover   (321)
remove   substraer   (477)
remove hair   depilar   (259)
remunerate   remunerar
    (409)
renege   renegar   (327)
renew   renovar   (209)
renounce   abjurar   (284)
renounce   renunciar   (383)
renovate   renovar   (209)
rent   arrendar   (352)
rent   rentar   (11)
rent   alquilar
reorganize   reorganizar
    (339)
repaint   repintar   (358)
repair   reparar
repay   retribuir   (264)
repeat   repetir
repel   rechazar   (81)
repel   repeler   (91)
repent for   arrepentirse de
    (436)
replace   reemplazar   (339)
replant   replantar   (109)
reply   replicar   (99)
reprehend   vituperar   (409)
represent   representar   (375)
repress   represar   (376)
repress   reprimir   (267)
reprimand   amonestar   (11)
reprimand   reconvenir
    (488)
reprimand   zaherir   (263)
reprint   reeditar   (254)
reproach   reprochar   (200)
reproach   reprocharse
    (200, 289)
reproach   zaherir   (263)
reproduce   reproducir
    (381)
reprove   reprobar   (378)
repudiate   repudiar   (232)
repulse   repeler   (91)
repulse   repulsar   (2)
repute   reputar   (308)
request   postular   (71)
require   requerir   (370)

require   exigir
reread   releer   (290)
rescind   rescindir   (60)
rescue   librar   (259)
rescue   rescatar   (308)
rescue   salvar   (288)
resell   revender   (487)
resemble   semejar   (86)
resemble each other
    parecerse
reserve   reservar   (288)
reside   morar   (409)
reside   residir   (60)
resign oneself   resignarse
    (107, 289)
resist   resistir   (74)
resolve   solucionar   (355)
resolve   resolver
resort to   recurrir   (495)
resound   resonar   (209)
respect   respetar   (54)
respect the law   acatar   (11)
respire   respirar   (227)
respond   responder
rest   holgar   (125)
rest   reposar   (2)
rest   descansar
restore   restaurar   (259)
restrain   cohibir   (382)
restrain oneself   repararse
    (409, 289)
result   resultar   (427)
resume   reasumir   (495)
resurge   resurgir   (460)
resuscitate   resucitar   (254)
retain   retener   (468)
retard   atrasar   (2)
retard   retardar   (199)
retard   retrasar
rethink   repensar   (352)
retie   reatar   (308)
retire   jubilar   (259)
retire   retirar
retouch   retocar   (472)
retransmit   retransmitir
    (30)
return   devolver
return   volver
return someone's greeting
    resaludar   (428)
reunify   reunificar   (424)
revalue   revalorar   (409)
revalue   revalorizar   (339)
reveal   revelar   (259)
reverberate   reverberar
    (409)
revere   venerar   (409)

revert   revertir   (34)
review   repasar   (347)
review   rever   (489)
review   revisar   (2)
revise   enmendar   (352)
revise   rever   (489)
revise   revisar   (2)
revive   reanimar   (107)
revive   revivir   (495)
revoke   abrogar   (421)
revoke   revocar
revolt   rebelarse   (259, 289)
revolutionize   revolucionar
   (355)
revolve   revolver
reward   gratificar   (424)
reward   premiar   (232)
reward   recompensar   (2)
rhyme   rimar   (54)
ridicule   escarnecer   (344)
ridicule   ridiculizar   (339)
ridicule   burlarse
rinse   enjuagar   (298)
rip   rasgar   (341)
ripen   madurar   (409)
ripple   ondear   (206)
risk   arriesgar   (341)
risk   aventurarse   (48)
rival   emular   (259)
rival   rivalizar   (339)
roam   vagabundear   (463)
roam   vagar   (341)
roar   rugir   (188)
roast   asar   (2)
rob   hurtar   (11)
rob   saltear   (206)
rob   robar
roll   liar   (256)
roll   rodar   (474)
roll   rular   (71)
roll up   enrollar   (261)
roll up sleeve, pants
   remangar   (341)
root up   arrancar
rot   pudrir
rotate   rotar   (308)
round off   redondear   (206)
row   bogar   (421)
row   remar   (54)
rub   frotar   (498)
rub   gratar   (249)
rub together   transfregar
   (327)
ruin   arruinar   (107)
ruin   desbaratar   (109)
ruin   destrozar   (339)
ruin   hundir   (60)

ruin   malear   (206)
rule   regir   (203)
ruminate   rumiar   (62)
run   correr
run (street)   desembocar
   (424)
run away   fugarse   (341,
   289)
run to someone's aide
   acorrer   (148)
rush   apresurarse
rush about   trajinar   (107)
rust   oxidar   (39)

S

sack   saquear   (206)
sacrifice   sacrificar   (117)
sadden   apenar   (107)
saddle   ensillar   (261)
sail   zarpar   (332)
sail   navegar
salivate   salivar   (288)
salt   salar   (71)
salute   saludar
sample   catar   (308)
sanction   sancionar   (107)
satirize   satirizar   (339)
satisfy   satisfacer
saturate   saturar   (284)
sauté   sofreír   (404)
save   librar   (259)
save   salvar   (288)
save   ahorrar
savor   paladear   (206)
savor   saborear   (206)
saw   serrar   (116)
say   decir
say good-bye to   despedirse
say stupid things   gansear
   (175)
scare   espantar   (109)
scare away   zapear   (206)
scatter   esparcir
scheme   intrigar   (341)
scheme   urdir   (346)
scold   regañar   (213)
scold   reñir
scorch   chamuscar   (99)
score goals   golear   (206)
scrape   raspar   (332)
scrape   rozar   (81)
scrape   raer
scratch   arañar   (213)
scratch   rascar   (99)
scratch   rozar   (81)
scream   chillar   (259)
screech   ulular   (259)

scribble   emborronar   (54)
scribble   garabatear   (463)
scrub   fregar
scrutinize   escudriñar
   (213)
sculpt   esculpir   (157)
seal   sellar   (261)
search carefully   rebuscar
   (99)
season   aderezar   (339)
season   adobar   (259)
season   aliñar   (213)
season   condimentar   (11)
season   salpimentar   (352)
season   sazonar   (355)
seat   asentar   (352)
second   secundar   (39)
secularize   secularizar
   (339)
secure   sujetar   (308)
seduce   seducir   (381)
see   ver
seek   buscar
seem   parecer
segment   segmentar   (11)
segregate   segregar   (421)
seize   empuñar   (213)
seize   prender   (63)
seize   agarrar
seize   asir
seize   coger
select   seleccionar   (355)
sell   vender
send   despachar   (225)
send   enviar
send over and over again
   remandar   (259)
sense   intuir   (271)
sentence someone
   sentenciar   (57)
separate   desunir   (480)
separate   separarse
   (289, 437)
separate   separar
serve   servir
serve in the army   militar
   (308)
set aside   apartar   (11)
set down   asentar   (352)
set on fire   incendiar
   (106)
set on fire   inflamar
   (54)
set on fire   abrasar
settle   saldar   (54)
sew   coser   (128)
shake   abalar   (54)
shake   menear   (206)

shake   retemblar   (352)
shake   sacudir
shake about   zarandar   (54, 41)
shake about   zarandear   (54, 206)
shame   avergonzar
share   compartir   (346)
shatter   estrellar   (261)
shave   afeitar   (35)
shave (one's beard)   rasurarse   (292)
shave oneself   afeitarse
shear   trasquilar   (259)
shear   tundir   (346)
shelter   abrigar   (297)
shelter   albergar   (341)
shelter   cobijar   (54)
shield   blindar   (39)
shield   escudar   (39)
shine   brillar   (259)
shine   lucir   (495) (before a or o, c becomes zc in Tenses 1, 6 and imperative)
shine   relucir   (495) (before a or o, c becomes zc in Tenses 1, 6 and imperative)
shine   resplandecer   (344)
shiver   tiritar   (308)
shock   escandalizar   (339)
shoe   calzar
shoot   disparar   (409)
shoot   fusilar   (259)
shoot at   abalear   (206)
shoplift   ladronear   (206)
shorten   abreviar   (232)
shorten   achicar   (424)
shorten   acortar   (11)
shout   rugir   (188)
shout   vocear   (206)
shout   vociferar   (227)
shout   gritar
shovel   palear   (206)
show   manifestar   (352)
show   mostrar
show off   alardear   (54)
show off   farolear   (54)
show off   garbear   (175)
show off   ostentar   (11)
shower oneself   ducharse
shriek   chillar   (259)
shuffle   barajar   (86)
shut   clausurar   (409)
sift   tamizar   (339)
sigh   suspirar
sign   signar   (114)
sign   firmar

sign on   enrolar   (259)
signal   señalar
signify   significar
silence   acallar   (261)
silence   silenciar   (57)
simplify   simplificar   (117)
simulate   simular   (71)
sin   pecar   (424)
sing   cantar
sing in tune   entonar   (355)
sing softly   cantalear   (54)
sing softly   canturrear   (232)
sing to sleep   arrullar   (261)
singe   chamuscar   (99)
single out   singularizar   (339)
sink   sumir   (459)
sink in   hincar   (424)
sip   sorber   (91)
sit down   sentarse
situate   situar   (141)
situate   ubicar   (424)
skate   patinar   (107)
sketch   trazar   (81)
ski   esquiar
skid   patinar   (107)
skim   hojear   (175)
skip   brincar   (430)
slacken   aflojar   (86)
slander   calumniar   (232)
slander   difamar   (54)
slander   infamar   (54)
slap   cachetear   (206)
slap   sopapear   (206)
slap in the face   abofetear   (54)
slap in the face   acachetear   (54)
slash   acuchillar
sleep   dormir
slice   tajar   (86)
slice   tronzar   (81)
slice (meat)   trinchar   (54)
slide   patinar   (107)
slow down   retardar   (199)
smash   destrozar   (339)
smash   estrellar   (261)
smash   quebrar   (352)
smell   apestar   (11)
smell   olfatear   (206)
smell   oler
smile   sonreír
smoke   humear   (175)
smoke   fumar
smooth   alisar   (2)

smooth   aplanar   (107)
smooth   limar   (231)
smooth   suavizar   (339)
snatch   arrebatar   (308)
sneeze   estornudar   (39)
sniff   olfatear   (206)
sniff   ventar   (352)
snitch   sisar   (9)
snooze   dormitar   (308)
snore   roncar   (424)
snow   nevar   (Def. and Imp.)
snow heavily   ventiscar   (424)
snow lightly   neviscar   (424)
soak   empapar   (342)
soak   remojar   (239)
soak in   embeber   (91)
soap   enjabonar   (355)
soap   jabonar   (473)
sob   sollozar
soften   ablandar   (41)
soften   ablandecer   (344)
soften   endulzar   (339)
soften   suavizar   (339)
soil   ensuciar   (383)
solder   soldar   (209)
solve   solucionar   (355)
soothe   apaciguar   (83)
soothe   aplacar   (424)
soothe   sedar   (54)
sound   sondar   (39)
sound   sonar
sow   sembrar   (352)
spank   zurrar   (54)
spark   chispear   (175)
sparkle   chispear   (175)
sparkle   destellar   (261)
speak   hablar
spear   lancear   (175)
specialize   especializarse   (339, 289)
specify   particularizar   (339)
specify   precisar   (2)
speed   acelerar
speed up   acelerar   (409)
spell   deletrear   (206)
spend (time)   pasar
spend the summer   veranear   (463)
spew   gormar   (244)
spill   derramar   (259)
spin   girar   (215)
spit   escupir   (346)
splash   salpicar   (424)

split hender (164)
split tronchar (54)
spoil desbaratar (109)
spoil deteriorar (409)
spoil malear (206)
spoil mimar (314)
spot manchar (306)
spray rociar (62)
spread diseminar (107)
spread propagar (341)
spread (a disease, enthusiasm, hate) contagiar (232)
sprinkle rociar (62)
sprout brotar (308)
spruce up acicalarse (259, 289)
spy on acechar (200)
spy on espiar (256)
squander derrochar (225)
squander devorar (409)
squander disipar (332)
squander malgastar (250)
squeeze oprimir (267)
stagger tambalear (206)
stagger titubear (175)
stain ensuciar (383)
stain manchar (306)
stain tacar (472)
stain teñir (408)
stain with blood ensangrentar (352)
stake out jalonar (355)
stammer balbucir (386)
stammer tartamudear (206)
stammer balbucear
stamp estampar (332)
stand out destacar (424)
stand out sobresalir (426)
standardize tipificar (424)
standardize uniformar (244)
stare at ojear (175)
start emprender (63)
start entablar (259)
start comenzar
start empezar
startle sobresaltar (427)
starve hambrear (206)
state alegar (341)
stay permanecer (323)
stay quedarse
stay awake velar
steal hurtar (11)
steam humear (175)
stereotype estereotipar (332)

stick on adherir (435)
stick to aferrarse (352, 289)
stigmatize estigmatizar (339)
stimulate estimular (259)
stink apestar (11)
stink heder (354)
stir up alborotar (11)
stir up azuzar (339)
stir up fomentar (11)
stock surtir (346)
stone apedrear (206)
stoop agacharse (225, 289)
stop cesar (235)
stop desistir (495)
stop (oneself) detenerse
stop (oneself) pararse
stop (someone or something) parar
stop worrying despreocuparse (372)
store almacenar (114)
straighten aliñar (213)
strain colar (474)
strain trascolar (474)
strangle estrangular (259)
strengthen esforzar (49)
stretch estirar (409)
stretch oneself desperezarse
stride along trancar (424)
strike golpear (175)
strive afanarse (289)
strive empeñarse (213, 289)
structure estructurar (284)
struggle pujar (54)
struggle luchar
study estudiar
stuff embutir (60)
stuff rellenar
stuff with drugs, medicines jarapotear (206)
stumble trompicar (424)
stumble tropezar
stun atontar (11)
stun aturdir (60)
stutter tartamudear (206)
subject sujetar (308)
subjugate subyugar (325)
sublet subarrendar (352)
submerge sumir (459)
submerge sumergir
submit someter
subordinate subordinar (338)
subscribe suscribir (454)
subscribe subscribir

subscribe oneself abonarse (54, 289)
subsidize subvencionar (311)
subsist subsistir (74)
substitute substituir (264)
substitute sustituir (271)
subtract substraer (477)
subtract sustraer (477)
subvert subvertir (263)
succeed in acertar
suck chupar
suffer padecer (333)
suffer sufrir
suffer from a complex acomplejarse (86, 289)
suffice bastar (Def. and Imp.)
suffocate asfixiar (232)
suffocate sofocar
suggest sugerir
summarize resumir (480)
superimpose sobreponer (364)
superpose superponer (364)
supervene sobrevenir (488)
supplant suplantar (109)
supplicate suplicar (117)
supply deparar (342)
supply proporcionar (107)
supply proveer (152)
supply suministrar (215)
supply surtir (346)
support apoyar (453)
support soportar (427)
suppose suponer
suppress suprimir
surf (Internet) *slang* surfear (206)
surge surgir
surpass sobrepasar (2)
surpass superar (54)
surprise extrañar (213)
surprise sorprender
surrender capitular (259)
surrender entregarse (216, 289)
surrender rendir (349)
surround rodear (206)
surround oneself with rodearse de (206, 289)
survive sobrevivir (495)

suspect maliciar (383)
suspect sospechar
suspend suspender (91)
sustain sostener
swallow tragar (421)
swallow soft food without
chewing papar (332)
swear jurar
sweat sudar (54)
sweat transpirar (314)
sweep barrer
sweeten endulzar (339)
swell hinchar (306)
swim nadar
swindle estafar (259)
swindle timar (231)
swirl (snow) ventiscar
(424)
symbolize simbolizar
(339)
synchronize sincronizar
(339)
systematize metodizar
(339)
systematize sistematizar
(339)

T

take (food) tomar
take a long time tardar
(199)
take a walk pasearse
take advantage
aprovecharse
take care of custodiar
(232)
take care of oneself cuidarse
take courses cursar (2)
take hold of aferrarse
(352, 289)
take in ingerir (435)
take notice fijarse
take off (airplane) despegar
take off (clothing) quitarse
take off shoes descalzar
(339)
take on asumir (267)
take out sacar
take place supervenir (488)
take possession of
adueñarse (213, 289)
take power, possession
apoderarse
take refuge asilar (259)
take refuge refugiarse
(232, 289)
take root arraigar (341)

talk hablar
talk foolishly disparatar
(308)
talk nonsense necear (206)
tally tarjar (86)
tame domesticar (424)
tan broncear
tangle enredar (39)
tap one's feet zapatear
(463)
taste catar (308)
taste paladear (206)
taste saborear (206)
teach instruir (271)
teach enseñar
tear lacerar (409)
tear rasgar (341)
tear off desgajar (54)
tear shreds trizar (81)
tear to pieces despedazar
(339)
tease embromar (54)
teethe dentar (352)
telegraph telegrafiar
telephone telefonear
televise televisar (2)
tell contar
terminate terminar
terrify aterrorizar (339)
test ensayar (54)
test, try probar
testify testificar (117)
thank agradecer
thaw descongelar (259)
theorize teorizar (339)
think pensar
think over recapacitar
(308)
think up idear (175)
threaten amenazar (339)
throw disparar (409)
throw arrojar
throw echar
throw lanzar
throw (away) botar
throw back, repel relanzar
(286)
thunder tronar (474)
tidy aliñar (213)
tie aligar (421)
tie amarrar (409)
tie atar (308)
tie empatar (308)
tie liar (256)
tie knots anudar (39)
tie together anudar (39)
tie together enlazar (339)

tighten estrachar (200)
tile tejar (86)
till laborar (409)
tilt ladear (206)
tint colorear (175)
tint tintar (254)
title titular (71)
toast tostar
toast again retostar (474)
tolerate tolerar (227)
torture atormentar (11)
torture torturar (72)
totter titubear (175)
touch palpar (332)
touch tocar
tow remolcar (424)
trace trazar (81)
trade comerciar (57)
traffic traficar (424)
train adiestrar (352)
train capacitar (308)
train ejercitar (308)
train entrenar (107)
trample pisotear (175)
trample pisar
trample down atropellar
(261)
tranquilize tranquilizar
(339)
transact tramitar (254)
transcend trascender (354)
transcribe transcribir
(224)
transfer transferir (370)
transfer transponer (364)
transfer trasferir (370)
transfer trasladar (215)
transform transformar
(244)
transgress infringir (188)
translate traducir
translate over again
retraducir (476)
transmigrate transmigrar
(273)
transmit transmitir (30)
transplant trasplantar (11)
transport acarrear (206)
transport transportar
(427)
travel transitar (254)
travel viajar
tread on pisar
treat attentively agasajar
(86)
tremble retemblar (352)
tremble temblar

warm (up) calentar
warm up acalorar (409)
warn alertar (11)
warn avisar (340)
warn prevenir (488)
warn advertir
wash enjabonar (355)
wash lavar
wash again relavar
  (288)
wash oneself again relavarse
  (289)
wash onself lavarse
waste derrochar (225)
waste desperdiciar (57)
waste malgastar (250)
waste gastar
watch acechar (200)
watch (over) vigilar
watch over velar
water regar
water (eyes) lagrimear
  (206)
weaken desfallecer (344)
wear llevar
wear out deteriorar (409)
weave tejer (91)
weep lagrimar (231)
weep lagrimear (206)
weep llorar
weigh pesar (25)
weigh sopesar (2)
weigh again repesar (25)
weigh anchor zarpar
  (332)

weigh down sobrecargar
  (111)
welcome acoger (123)
weld soldar (209)
westernize occidentalizar
  (339)
whimper lloriquear
  (206)
whine lloriquear (206)
whip fustigar (341)
whirl up in the air
  revolotear (206)
whisper chuchear (259)
whisper rechistar (250)
whisper susurrar (54)
whistle chiflar (259)
whistle silbar (9)
whiten blanquear (206)
widen ampliar (256)
wiggle menear (206)
win ganar
wink guiñar (213)
wink parpadear (206)
wink pestañear (206)
wipe out aniquilar (259)
wish desear
wish querer
withdraw from apartarse
  (11, 289)
wobble bambolear (206)
wolf down soplarse (289,
  448)
work laborar (409)
work labrar (409)
work obrar (113)

work trabajar
work hard afanarse (289)
worry inquietar (308)
worry remorder (318)
worry turbar (9)
worry apurarse
worry preocuparse
worry excessively
  torturarse (289)
worsen empeorarse (409,
  289)
wound lesionar (355)
wound llagar (298)
wound herir
wound by gunshot abalear
  (206)
wound with words zaherir
  (263)
wrap up envolver
wreck desbaratar (109)
wring out exprimir (267)
wrinkle arrugar (341)
write escribir
write off amortizar (339)
wrong agraviar (54)

X

x-ray radiografiar (256)

Y

yawn bostezar
yearn anhelar (259)
yield ceder (413)
yoke uncir (501)

Over 2,100 Spanish verbs conjugated like model verbs

The number after each verb is the page number in this book where a model verb is shown fully conjugated. At times there are two page references; for example, sonarse (to blow one's nose) is conjugated like sonar (verb 445) because the o in the stem changes to ue and it is like lavarse (verb 289), which is a reflexive -ar type verb, as is sonarse. Don't forget to use the reflexive pronouns with reflexive verbs. Consult the entry **reflexive pronoun and reflexive verb** in the section on definitions of basic grammatical terms with examples beginning on page 33. If you see "Def. and Imp." instead of a verb number, look in the list of defective and impersonal verbs. It's right after the main verb listing.

Note: The English definitions are a guide to the most common meanings. In some cases we have also included a preposition when it is likely that you will use it along with the verb. There are obviously many more definitions for the verbs in this list. Think of the definitions as a way to make sure that you're looking up the right word!

A

abajar, bajar   to go down (86)

abalanzar   to balance (81)

abalanzarse   to hurl oneself (81)

abalar   to move, shake (54)

abalear   to shoot at, to wound or kill by gunshot (206)

abalizar   to mark with buoys (339)

abanar   to cool with a fan (249)

abandonar   to abandon (473)

abanicar   to fan (117)

abaratar   to make cheaper, reduce prices (308)

abdicar   to abdicate (99)

abducir   to abduct (132)

aberrar   to err, be mistaken (54)

abjurar   to abjure, renounce (284)

ablandar   to soften (41)

ablandecer   to soften (344)

abnegar   to abnegate, forego (327)

abnegarse   to go without, deny oneself (289, 327)

abofetear   to slap in the face (54)

abominar   to abominate (107)

abonar   to buy a subscription (54)

abonarse   to subscribe oneself (54, 289)

abordar   to board (54)

aborrecer   to abhor, detest (344)

abotonarse   to button up (355, 289)

abreviar   to reduce, shorten (232)

abrigar   to shelter, protect (297)

abrochar   to button up, fasten (259)

abrogar   to abrogate, revoke, annul (421)

abrumar, brumar   to crush, oppress, overwhelm (247)

absorber   to absorb (128)

abstraer   to abstract (477)

abundar   to abound, be plentiful (39)

abusar   to abuse (25)

acachetear   to slap in the face (54)

acaecer   to happen (344) (3rd person only)

acallar   to silence, quiet, hush, pacify, calm down (261)

acalorar   to warm up (409)

acamar   to flatten (54)

acampar   to camp (332)

acaparar   to buy up, hoard (342)

acariciar   to caress (57)

acarrear   to transport, cause (206)

acatar   to obey, respect the law, notice, realize (11)

acatarrarse   to catch a cold (409, 289)

acaudalar   to accumulate (259)

acceder   to accede, agree (128)

accidentar   to have an accident, be hurt or injured (11)

acechar   to watch, spy on (200)

acelerar   to speed up, expedite (409)

acentuar   to accentuate, mark with an accent   (141)

achicar   to reduce, lessen, shorten   (424)

acicalarse   to dress up, spruce up   (259, 289)

aclarar   to clarify, explain   (409)

aclimatar   to acclimatize   (308)

acobardarse   to become frightened, turn cowardly   (39, 289)

acoger   to receive hospitably, welcome   (123)

acometer   to attack, undertake, overcome   (444)

acomodar   to accommodate, arrange, hire   (259)

acompasar   to measure   (347)

acomplejarse   to suffer from a complex   (86, 289)

acongojarse   to be anguished   (86, 289)

acontecer   to happen, occur   (43) (3rd person only)

acopiar   to classify, collect, gather   (106)

acoplar   to connect, join, couple   (259)

acorrer   to run to someone's aide, help, assist   (148)

acortar   to shorten, reduce   (11)

acosar   to harass, pursue, pest   (2)

acostar   to put to bed   (21)

acostumbrarse   to become accustomed, get used to   (22, 289)

acrecentar   to increase   (352)

acrecer   to augment, increase   (151)

activar   to activate   (288)

actualizar   to modernize, bring up to date   (339)

actuar   to act, behave   (141)

acumular   to accumulate   (85)

acurrucarse   to curl up, get cozy   (424, 289)

adaptar   to adapt   (11)

adelgazar   to lose weight, get thin   (339)

aderezar   to season, flavor, embellish   (339)

adherir   to adhere, stick on   (435)

adicionar   to add   (54)

adiestrar   to train, instruct, direct   (352)

adjudicar   to award, adjudge   (424)

administrar   to administrate   (215)

adobar   to season, flavor, marinate   (259)

adornar   to adorn   (54)

adscribir   to ascribe, assign, attribute   (224)

adueñarse   to take possession of   (213, 289)

adular   to adulate, flatter   (259)

advenir   to arrive, come   (488)

afamar   to make famous   (54)

afamarse   to become famous   (112)

afanarse   to work hard, strive   (259, 289)

afear   to deform, make ugly   (54)

afectar   to affect   (11)

afeitar   to shave   (35)

aferrarse   to take hold of, stick to   (352, 289)

afianzar   to fasten   (286)

aficionar   to induce a liking for   (338)

aficionarse a   to become fond of   (338)

afiliarse   to join, become affiliated   (232, 289)

afinar   to tune (instrument), perfect, refine   (107)

afirmar   to affirm, assert   (243)

afligir   to afflict, distress   (188)

afligirse   to grieve, be upset   (188, 8)

aflojar   to loosen, slacken, let go   (86)

afluir   to flow   (264)

afrancesar   to Gallicize   (2)

africanizar   to Africanize   (339)

afrontar   to confront, face, defy   (109)

agacharse   to stoop, crouch   (225, 289)

agasajar   to treat attentively   (86)

agilitar   to make agile, empower, facilitate   (11)

aglomerarse   to crowd, gather around   (409, 289)

agobiar   to overwhelm, oppress, depress   (232)

agraviar   to wrong, injure, offend   (54)

agriar   to make sour   (54)

aguantar   to bear, endure   (54)

aguar   to dilute   (83)

ahogarse   to drown   (289, 421)

ahondar   to deepen, make deeper   (41)

ahuyentar   to drive or chase away   (11)

aislar   to isolate   (218)

ajustar   to adjust, fit   (259)

alabar   to praise   (259)

alambrar   to fence with wire   (51)

alanzar   to lance   (286)

alardear   to boast, brag, show off   (54)

alargar   to lengthen   (421)

alarmar   to alarm   (54)

albergar   to shelter   (341)

alborotar   to stir up, arouse, incite   (11)

alegar   to contend, state, declare   (341)

alejarse de   to get away from   (86, 289)

alentar   to breathe; encourage, inspire   (352)

alertar   to alert, warn   (11)

alienar   to alienate   (249)

aligar   to bind, tie   (421)

alimentar   to feed, nourish   (291)

aliñar   to straighten, tidy, season   (213)

alisar   to smooth, polish   (2)

alistarse   to enroll, enlist, get ready   (11, 289)

aliviar   to alleviate, ease   (232)

almacenar   to store   (114)

alocar   to make someone crazy   (472)

alojar   to lodge, give accommodation to   (86)

alterar   to alter, change (409)

alternar   to alternate   (107)

amargar   to make bitter (341)

amarrar   to fasten, tie   (409)

amasar   to knead, mix, amass (a fortune)   (2)

amenazar   to threaten (339)

americanizar   to Americanize   (339)

amoldarse   to adapt oneself, conform   (39, 289)

amonestar   to reprimand (11)

amontonar   to pile up, gather, accumulate   (107)

amortiguar   to muffle, deaden, dim   (83)

amortizar   to write off, pay off   (339)

amparar   to protect, defend (409)

ampliar   to widen, extend (256)

amplificar   to amplify, enlarge   (117)

amueblar   to furnish   (259)

analizar   to analyze   (90)

anglicanizar   to anglicize (339)

anhelar   to long for, yearn (259)

animar   to animate   (54)

aniquilar   to annihilate, wipe out   (259)

anotar   to annotate, write notes about   (54)

anteponer   to place in front, place before   (364)

anticipar   to anticipate, bring forward, advance   (332)

anudar   to tie knots, tie together, join   (39)

anular   to annul   (259)

apaciguar   to pacify, calm, soothe   (83)

aparar   to prepare   (342)

aparcar   to park   (424)

aparentar   to feign, pretend, assume   (11)

apartar   to remove, set aside (11)

apartarse   to keep away from, withdraw from   (11, 289)

apasionar   to excite, enthuse (107)

apedrear   to stone, attack (206)

apegarse   to become fond, become attached to   (341, 289)

apenar   to sadden   (107)

apestar   to stink, smell, annoy   (11)

apetecer   to crave for, long for   (59)

aplacar   to appease, calm, soothe   (424)

aplanar   to flatten, smooth, level   (107)

aplastar   to crash, overwhelm   (250)

aplazar   to postpone, defer (339)

aplicar   to apply   (99)

aplicarse   to apply oneself (424, 289)

apocar   to lessen, reduce (99)

apoderar   to empower   (61)

aportar   to bring, contribute, furnish   (11)

apostar   to bet, wager   (474)

apoyar   to support   (453)

aprehender   to apprehend (63)

aprestar   to make ready, prepare   (376)

apresurar   to accelerate, hurry   (64)

apretar   to grip, press   (352)

apropiar   to appropriate money, adapt   (106)

aprovechar   to make use of (66)

aproximar   to approach, bring close or move near (107)

aproximarse   to draw near, approach   (107, 289)

apuntar   to aim, point   (11)

apurar   to purify, exhaust, consume   (67)

arabizar   to Arabize   (339)

arañar   to scratch   (213)

arar   to plow   (54)

archivar   to file   (259)

arder   to burn, glow   (63)

argüir   to argue, reason (264)

armar   to arm   (54)

arraigar   to take root, establish   (341)

arrasar   to level, flatten, demolish, raze   (2)

arrastrar   to pull, drag, drag down   (215)

arrebatar   to snatch, carry off   (308)

arrendar   to lease, let, rent, hire   (352)

arrepentirse de   to repent for, regret   (436)

arrestar   to arrest   (250)

arrestar   to arrest, detain (54)

arribar   to arrive, reach   (9)

arriesgar   to risk, venture (341)

arrimar   to bring, draw near (54)

arrimarse   to bring close or move near   (54, 289)

arrinconar   to corner, put away, ignore   (107)

arrodillarse   to bend on your knees   (261, 289)

arropar   to clothe, wrap up (332)

arrugar   to wrinkle, crease (341)

arruinar   to ruin, destroy (107)

arrullar   to lull or sing to sleep   (261)

asaltar   to assault, attack (427)

asar   to roast   (2)

asentar   to seat, set down (352)

asentir   to assent, agree (370)

asesinar   to assassinate, murder   (107)

asesorar   to advise, consult   (409)

aseverar   to assert (409)

asfixiar   to asphyxiate, suffocate   (232)

asignar   to assign, apportion, give   (114)

asilar   to give or grant asylum, take refuge (259)

asociarse   to associate, become a member (232, 289)

asomar   to appear slowly (as through an opening)   (473)
asomarse   to lean out, look out (as out of a window) (112)
asombrar   to amaze, astonish (113)
asombrarse de   to be astonished, surprised at (409, 289)
aspirar   to breathe in, inhale (29)
asumir   to assume, take on (267)
asurarse   to get burned (112)
atajar   to intercept, halt, interrupt   (86)
atar   to bind, tie   (308)
atardecer   to get late, dark (344) (3rd person only)
atascar   to obstruct, block (424)
atender   to look after, attend to, pay attention   (164)
atentar   to attempt   (11)
aterrizar   to land   (47)
aterrorizar   to terrify, frighten   (339)
atestiguar   to attest   (83)
atinar   to find, discover, hit upon   (107)
atolondrar   to bewilder (409)
atontar   to stun, confuse (11)
atorar   to obstruct, clog, stop up   (409)
atormentar   to torture, trouble, distress   (11)
atosigar   to poison   (341)
atracar   to hold up, assault (424)
atrapar   to catch   (332)
atrasar   to retard, delay, slow down   (2)
atravesar   to cross, cross over, go through   (352)
atribuir   to attribute   (264)
atropellar   to trample down, run over, knock down (261)
aturdir   to daze, stun, bewilder, confuse   (60)
augurar   to augur, predict (409)

aumentar   to augment, increase   (317)
ausentarse   to be absent, absent oneself   (11, 289)
autorizar   to authorize   (90)
avalar   to guarantee, be the guarantor of   (259)
avenir   to reconcile   (488)
aventurarse   to venture, risk (48)
avergonzarse   to be ashamed (82, 289)
averiar   to damage, spoil, break   (256)
avisar   to advise, inform, warn, notify   (340)
avivar   to spur on, brighten, arouse   (9)
ayunar   to fast, go without food   (171)
azuzar   to stir up, arouse, incite   (339)

B

balancear   to balance, rock, vacillate   (175)
balbucir   to stammer   (386)
bambolear   to wobble (206)
bañar   to bathe   (88)
barajar   to shuffle, mix together, quarrel   (86)
basar   to base, support, be based, rely on   (2)
bastar   to be enough, be sufficient, suffice   (Def. and Imp.)
batallar   to fight, battle, struggle   (261)
batir   to beat, whip   (1)
beneficiar   to benefit, sell at a discount   (232)
besar   to kiss   (235)
bifurcarse   to bifurcate, fork, branch   (424, 289)
blanquear   to whiten, bleach (206)
blasfemar   to blaspheme, curse   (247)
blindar   to armor, shield (39)
bloquear   to blockade, block, obstruct   (206)
bogar   to row   (421)
bombardear   to bombard, bomb   (206)

bonificar   to increase production   (117)
boxear   to box   (206)
bregar   to fight, brawl (341)
brillar   to shine   (259)
brincar   to bounce, jump, skip   (430)
brindar   to offer, invite, drink a toast   (54)
bromear   to joke, jest   (206)
brotar   to bud, sprout, break out   (308)
brumar, abrumar   to crush, oppress, overwhelm   (247)
bruñir   to polish, burnish (255)
bufonearse   to jest, joke (348)
burbujear   to bubble   (54)

C

cabecear   to nod one's head when sleepy   (54)
cachar   to break into pieces (200)
cachetear   to slap   (206)
caducar   to become void, expire (a right, passport) (424)
calar   to drench, soak   (259)
calcar   to trace, copy (424)
calcular   to calculate   (259)
calibrar   to calibrate, gage, measure   (259)
calificar   to assess, rate, classify   (117)
calmar   to calm   (54)
calmarse   to calm (oneself) down   (54, 289)
calumniar   to slander   (232)
camorrear   to quarrel   (54)
cancelar   to cancel, strike out (54)
candar   to lock   (109)
cantalear   to hum, sing softly (54)
cantonear   to idle, loaf, wander about   (54)
canturrear   to sing softly (232)
capacitar   to train, equip, train oneself, be competent (308)
capar   to castrate, cut off (332)

capitanear   to command, captain   (175)

capitular   to capitulate, surrender, give up   (259)

captar   to capture, win trust   (54)

capturar   to capture, apprehend   (409)

caracterizarse   to be characterized or distinguished   (339, 289)

carcajear   to burst out laughing   (54)

carcomer   to eat away, gnaw   (128)

carecer de   to be in need of, to lack   (333)

cargarse de   to be overloaded with   (111, 112)

castigar   to chastise, punish   (341)

castrar   to castrate, to dry a wound   (54)

catalogar   to catalog, list   (341)

catar   to sample, taste   (308)

causar   to cause   (481)

cautivar   to capture, captivate, charm   (288)

cavar   to dig, delve into   (9)

cavilar   to ponder   (259)

cazar   to hunt, chase   (81)

ceder   to cede, yield   (413)

cegar   to blind, block up, to grow blind   (327)

censurar   to censure   (72)

centralizar   to centralize   (339)

centrar   to center, focus   (259)

cercar   to fence in, enclose   (12)

cesar   to cease, stop   (235)

chafar   to crease, crumple (clothes)   (259)

chafarse   to become flattened   (289)

chamar   to barter, exchange   (54)

chamuscar   to singe, scorch   (99)

chapar   to cover, plate with silver or gold   (332)

charlar   to chatter, prattle   (259)

chascar   to crunch   (99)

chatear   to chat (Internet)   (175)

chequear   to check, verify   (175)

chiflar   to whistle, blow a whistle   (259)

chillar   to scream, shriek   (259)

chinchar   to annoy, irritate   (259)

chismear   to gossip   (259)

chispear   to spark, sparkle   (175)

chocar   to collide, crash   (424)

chuchear   to whisper   (259)

chufar   to mock   (259)

cicatrizar   to heal   (339)

cifrar   to encode   (259)

cimentar   to consolidate, lay the foundation   (352)

cincelar   to chisel, carve   (259)

circular   to circulate, move   (71)

civilizar   to civilize, become civilized   (90)

clamar   to cry out, wail   (15)

clarar   to make clear, explain   (16)

clarificar   to clarify   (117)

clasificar   to classify   (117)

claudicar   to give up, back down   (424)

clausurar   to bring to a close, shut   (409)

clavar   to nail   (54)

coagular   to coagulate   (259)

cobijar   to cover, shelter   (54)

cobrar   to cash, charge   (259)

cocer   to cook   (321, 486)

codear   to elbow, nudge   (54)

coexistir   to coexist   (495)

cohibir   to inhibit, restrain   (382)

coincidir   to coincide, agree   (60)

colaborar   to collaborate, contribute   (409)

colar   to filter, strain   (474)

colear   to wag, move   (54)

coleccionar   to collect   (107)

colectar   to collect (money)   (11)

colorar   to color, give color to   (32)

colorear   to color, tint   (175)

comandar   to command   (109)

combatir   to combat, fight   (1)

combinar   to combine   (107)

comentar   to comment   (109)

comerciar   to trade, deal   (57)

cometer   to commit, entrust   (91)

compaginar   to arrange in order, collate   (107)

comparar   to compare   (342)

compartir   to divide, share   (346)

compensar   to compensate, indemnify   (2)

competir   to compete, contest   (411)

compilar   to compile   (259)

complacer   to please   (361)

completar   to complete   (308)

complicar   to complicate   (76)

comportarse   to behave   (11, 289)

comprimir   to compress   (267)

comprobar   to check, verify   (378)

computar   to compute, calculate   (279)

comunicar   to communicate   (234)

concebir   to conceive, imagine   (349)

conceder   to concede   (413)

concentrar   to concentrate   (215)

concertar   to arrange, agree   (352)

concluir   to conclude   (268)

concurrir   to agree, attend, concur   (495)
condenar   to condemn   (114)
condimentar   to season   (11)
conectar   to connect   (11)
confeccionar   to manufacture   (107)
confiar   to trust, entrust   (240)
confinar   to confine, border   (107)
confirmar   to confirm   (243)
confiscar   to confiscate   (99)
confluir   to converge   (271)
conformar   to conform   (244)
confortar   to comfort, console, cheer   (11)
confrontar   to confront   (11)
confundir   tó confuse, perplex   (60)
congelar   to congeal, freeze   (259)
congestionar   to congest   (107)
congratular   to congratulate, rejoice   (259)
conjugar   to conjugate   (297)
conmemorar   to commemorate, celebrate   (409)
conmover   to move, touch   (321)
connotar   to connote, imply   (308)
conquistar   to conquer, win   (250)
consagrar   to consecrate, devote   (259)
consentir   to consent, allow   (435)
conservar   to conserve, preserve, keep   (9)
considerar   to consider   (227)
consistir   to consist of, be composed of   (495)
consolar   to console   (138)
consolidar   to consolidate   (39)
conspirar   to conspire, plot   (314)

constar   to be clear, consistent   (109)
constatar   to prove, verify   (309)
constiparse   to catch a cold   (332, 289)
consultar   to consult   (308)
consumir   to consume, use up   (267)
contagiar   to give or spread (a disease, enthusiasm, hate)   (232)
contaminar   to contaminate, pollute, corrupt   (107)
contemplar   to contemplate, meditate   (259)
contentar   to gratify, please   (109)
contentarse   to be contented   (11, 289)
contradecir (past part. contradicho)   to contradict   (302)
contraer   to contract, shorten, catch   (477)
contrapesar   to counterbalance   (2)
contraponer   to compare, contrast   (364)
contrariar   to oppose, go against, contradict   (256)
contrarrestar   to counteract, block, stop   (250)
contrastar   to contrast   (250)
contratar   to contract, engage, hire   (478)
controlar   to control   (259)
convalecer   to convalesce   (333)
conversar   to converse   (340)
convidar   to invite   (39)
convivir   to live together   (495)
cooperar   to cooperate   (409)
coordinar   to coordinate   (107)
copiar   to copy   (106)
coquetear   to flirt   (175)
coronar   to crown, queen   (107)
corresponder   to correspond   (413)
corromper   to corrupt   (422)

coser   to sew, mend   (128)
costar   to cost   (Def. and Imp.)
costear   to finance   (175)
cotizar   to quote, price   (339)
criticar   to criticize   (117)
cuajar   to coagulate, congeal, curdle   (86)
cuestionar   to debate, discuss   (473)
culpar   to blame, accuse   (332)
culparse   to blame oneself   (189)
cultivar   to cultivate, grow   (288)
cumplimentar   to congratulate   (11)
cumular   to accumulate   (259)
curar   to cure   (72)
curiosear   to pry, investigate, snoop   (175)
cursar   to study, take courses   (2)
custodiar   to guard, take care of   (232)

D

damnificar   to damage, harm, injure   (424)
dañar   to damage, injure   (109)
dañarse   to become damaged, injured   (88)
danzar   to dance   (81)
datar   to date (a letter, an account)   (308)
debatir   to debate   (407)
debutar   to make one's debut, open (a play)   (308)
decantar   to exaggerate, pour off   (109)
decentar   to cut into, begin cutting   (352)
declamar   to declaim, recite   (54)
declinar   to decline, get weak   (107)
decorar   to decorate   (32)
decretar   to decree, resolve   (308)
dedicar   to dedicate   (424)
deducir   to deduce, infer, deduct   (132)

deferir   to defer, delegate (370)

definir   to define (346)

deformar   to deform (244)

defraudar   to deceive, deprive, defraud (39)

degradar   to demote, degrade, reduce in rank (39)

delatar   to denounce, accuse (308)

delegar   to delegate (341)

deletrear   to spell, interpret (206)

deliberar   to deliberate, ponder, confer (409)

delinear   to draw, delineate, design (175)

delirar   to be delirious, talk nonsense (409)

demandar   to demand, petition, sue (199)

demarcar   to demarcate, delimit (424)

demoler   to demolish, pull down (321)

demorar   to delay (409)

denegar   to deny, refuse (327)

denigrar   to denigrate, disparage, insult (409)

denominar   to denominate, name (107)

denotar   to denote (11)

dentar   to teethe, provide with teeth; indent (352)

deparar   to provide, supply (342)

departir   to converse (346)

depilar   to depilate, remove hair (259)

deplorar   to deplore (32)

deponer   to lay aside, put aside (364)

deportar   to deport, exile (11)

depositar   to deposit, place, put (259)

depreciar   to depreciate (383)

deprimir   to depress (267)

derivar   to incline, drift, derive (259)

derogar   to derogate, abolish (421)

derramar   to spill (259)

derretir   to melt, dissolve (349)

derrochar   to squander, waste (225)

derrotar   to defeat (308)

desabrigar   to uncover, undress, deprive of protection (341)

desacomodar   to inconvenience, bother (39)

desacordar   to be in discord (19)

desacordarse   to become forgetful (20)

desacostumbrarse   to lose the habit of, to break oneself of the habit of (259, 289)

desacreditar   to discredit, disgrace (308)

desactivar   to deactivate (259)

desafiar   to challenge, dare, oppose (256)

desahogar   to comfort, ease (341)

desajustar   to put out of order, disarrange (250)

desalentar   to make breathless, put out of breath (103)

desaliñar   to make untidy, crease (213)

desalojar   to move out, vacate (165)

desamparar   to abandon, forsake (342)

desangrar   to bleed, bleed dry, drain, empty (409)

desanimar   to discourage (54)

desaparecer   to disappear (59)

desapreciar   to underestimate (62)

desaprender   to unlearn (63)

desarmar   to disarm, take apart (54)

desarraigar   to uproot, extirpate, expel (341)

desarreglar   to make untidy, disarrange (259)

desarrollar   to develop (261)

desarropar   to undress, disrobe (332)

desarticular   to disarticulate (71)

desayudar   to hinder, impede (84)

desbaratar   to ruin, wreck, spoil 109)

desbordar   to overflow (39)

descalificar   to disqualify (117)

descalzar   to take off shoes (339)

descambiar   to cancel an exchange (106)

descaminar   to mislead, lead astray (107)

descargar   to unload; to download (Internet) (111)

descartar   to discard, put aside (11)

descender   to descend, go down (354)

descifrar   to decipher, decode, make out (409)

descolgar   to unhook, take down from a hanging position (125)

descollar   to protrude, stand out (138)

descomponer   to disarrange, disrupt, disturb (364)

desconcertar   to disconcert, upset (352)

desconectar   to disconnect, switch off (259)

desconfiar   to distrust, mistrust (256)

descongelar   to thaw, defrost, unfreeze (259)

desconocer   to not know, not recognize (134)

descontar   to discount, deduct, disregard (138)

descontinuar   to discontinue, cease, suspend (141)

descorazonar   to discourage, dishearten (355)

descorchar   to uncork (306)

descuidar   to neglect, forget (39)

descuidarse   to be negligent, careless (153)

desdecir   to fall short of, not live up to (368)

desdeñar   to disdain, scorn (213)
desdeñarse   to be disdainful (88)
desechar   to reject (200)
desembalar   to unpack (259)
desembarazar   to clear, get rid of obstacles (339)
desembarcar   to disembark, unload (424)
desembocar   to flow (river), run (street) (424)
desempacar   to unpack, unwrap (424)
desencantar   to disenchant (109)
desenchufar   to unplug, disconnect (259)
desengañar   to disillusion (213)
desenlazar   to unfasten, untie, unravel (lit.) (339)
desenrollar   to unroll, unwind (261)
desensamblar   to disassemble (259)
desenterrar   to exhume, unearth (352)
desenvolver   to unwrap (497)
desequilibrar   to throw off balance, unbalance (259)
desertar   to desert, abandon (11)
desesperar   to discourage, exasperate (227)
desesperarse   to become or get desperate, lose hope (227, 289)
desfallecer   to weaken, faint (344)
desfavorecer   to put at a disadvantage, not to flatter or suit (344)
desfigurar   to disfigure (409)
desfijar   to pull out, unfix (241)
desfilar   to parade (259)
desgajar   to rip off, tear off (54)
desganarse   to lose one's appetite (289)
desheredar   to disinherit (39)

deshidratar   to dehydrate (308)
deshinchar   to reduce swelling (306)
deshonrar   to dishonor, disgrace (409)
deshumanizar   to dehumanize (339)
designar   to designate (114)
desilusionar   to disillusion (355)
desinfectar   to disinfect (259)
desinflamar   to reduce swelling or inflammation (54)
desintegrar   to disintegrate, break up, split (409)
desinteresarse   to lose interest (277)
desintoxicar   to detoxify (424)
desistir   to desist, stop, give up (495)
deslumbrar   to dazzle, blind, overwhelm (259)
desmantelar   to dismantle (259)
desmayarse   to faint, swoon (453, 289)
desmedrar   to decline, deteriorate (259)
desmentir   to disprove, prove false (312)
desmontar   to dismount, dismantle (11)
desnivelar   to make uneven, tilt (259)
desnudar   to undress, strip (324)
desnudarse   to undress oneself (289)
desobedecer   to disobey (328)
desocupar   to vacate (332)
desoír   to ignore, not listen (334)
desordenar   to disarrange (338)
desorganizar   to disorganize (339)
desorientar   to confuse, mislead (11)
despachar   to complete, see to, send (225)

despechar   to vex, make angry or resentful (225)
despedazar   to break, tear to pieces (339)
despedir   to dismiss, fire, discharge (349, 178)
despejar   to clear, clear up (weather) (86)
desperdiciar   to waste, squander (57)
despertar   to wake up (someone) (352, 181)
despistar   to lead astray, mislead (250)
desplegar   to unfold, spread out, unfurl (327)
despoblar   to depopulate, lay waste, clear (209)
desposarse   to get engaged or married (2, 289)
desposeer   to dispossess (152)
despreciar   to despise, scorn, snub (57)
despreocuparse   to stop worrying, forget, neglect (372)
despuntar   to blunt (11)
destacar   to highlight, stand out (424)
destapar   to uncork, open, uncover (332)
destellar   to flash, sparkle, glitter (261)
desterrar   to banish, exile (352)
destilar   to distill, exude, filter (259)
destinar   to destine, intend, send, earmark (107)
destituir   to dismiss, discharge, deprive (271)
destornillar   to unscrew (261)
destronar   to dethrone, overthrow, depose (355)
destrozar   to break, tear, smash, ruin (339)
desunir   to separate, disunite (480)
desvalorar   to devalue, depreciate, discredit (409)
desvalorizar   to depreciate, devalue (47)
desvelar   to keep awake (259)

desviar   to divert, deviate (218)

detallar   to detail, specify, sell retail   (261)

deteriorar   to damage, spoil, wear out   (409)

determinar   to determine, set, decide   (470)

detestar   to detest, hate (250)

detonar   to detonate, explode (355)

devaluar   to devaluate, devalue   (141)

devenir   to happen, come about, become   (488)

devorar   to devour, consume, squander   (409)

diagnosticar   to diagnose (424)

dialogar   to converse, chat (341)

dictar   to dictate   (11)

difamar   to defame, slander (54)

diferenciar   to differentiate, distinguish, differ   (57)

diferir   to differ, defer, postpone, delay   (370)

digerir   to digest   (370)

dilatar   to dilate, expand, delay, spread   (308)

diluir   to dilute, dissolve, weaken   (271)

dirigirse a   to go to, toward (188, 8)

disciplinar   to discipline, teach   (107)

discontinuar   to discontinue, cease   (141)

discrepar   to differ, disagree (332)

discriminar   to distinguish, discriminate   (107)

discursar   to discourse, make a speech   (25)

diseminar   to disseminate, spread   (107)

diseñar   to design, draw (213)

disentir   to dissent, differ (435)

disgustar   to annoy, displease (250)

disgustarse   to be displeased, annoyed   (250, 289)

disimular   to cover up, dissemble, pretend   (71)

disipar   to dissipate, squander, dispel   (332)

disminuir   to diminish (271)

disolver   to dissolve   (321)

disparar   to fire, shoot, throw   (409)

disparatar   to talk or act foolishly   (308)

dispersar   to disperse   (2)

disponer   to lay out, arrange, dispose   (364)

distraer   to distract   (477)

distribuir   to distribute (264)

disturbar   to disturb   (9)

disuadir   to dissuade   (346)

divagar   to digress, wander (341)

divergir   to diverge, disagree, differ   (188)

diversificar   to diversify (424)

divertir   to amuse, distract, entertain   (370, 194)

dividir   to divide   (346)

divisar   to discern, make out (2)

divulgar   to divulge, make known   (341)

doblar   to fold, turn, dub (259)

doblegar   to fold, bend (341)

doctorarse   to get a doctorate (409, 289)

documentar   to document (11)

domesticar   to domesticate, tame, subdue   (424)

dominar   to dominate   (107)

donar   to donate, give (355)

dorar   to gild, cover with gold   (32)

dormitar   to doze, snooze (308)

dotar   to endow, bequeath, give a dowry   (11)

dramatizar   to dramatize (339)

driblar   to dribble (sports) (259)

duplicar   to duplicate, copy (424)

durar   to last, continue (409)

E

economizar   to economize on (339)

edificar   to build, construct, erect   (424)

editar   to publish   (254)

educar   to educate, instruct, rear, bring up   (424)

efectuar   to effect, carry out (141)

ejemplificar   to exemplify, illustrate   (424)

ejercitar   to exercise, practice, train   (308)

elaborar   to elaborate; manufacture   (93)

electrificar   to electrify (424)

electrizar   to electrify   (339)

elevar   to elevate, ennoble (259)

eliminar   to eliminate   (107)

elogiar   to eulogize, praise (232)

elucidar   to elucidate, explain   (39)

eludir   to elude, avoid   (60)

emanar   to emanate, flow (107)

emancipar   to emancipate, liberate   (332)

embalar   to pack   (259)

embarazarse   to be hindered, become pregnant   (339, 289)

embarcar   to embark, go on board   (99)

embargar   to impede, hamper   (341)

embarullar   to muddle, mix up, bungle   (261)

embeber   to soak in, soak up, suck in, imbibe   (91)

embelesar   to fascinate, enthrall   (2)

embellecer   to beautify, embellish   (344)

embocar   to cram down food, gulp down (424)

embolsar   to pocket (2)

emborronar   to scribble (54)

emboscar   to ambush (424)

embotellar   to bottle, jam (261)

embrollar   to confuse, embroil (261)

embromar   to tease, banter at (54)

embutir   to stuff, cram (60)

emerger   to emerge (123)

emigrar   to emigrate (273)

emitir   to emit, send forth (346)

emocionarse   to be moved, be touched inside (355, 289)

empacar   to pack (424)

empanar   to bread (107)

empañar   to diaper, swaddle (213)

empapar   to drench, soak (342)

empaquetar   to pack, wrap (308)

emparejar   to match, pair off (86)

empatar   to tie, be equal (308)

empeñarse   to strive, endeavor, persist (213, 289)

empeorar   to make worse, become worse (409)

empeorarse   to worsen, deteriorate (409, 289)

emprender   to undertake, start (63)

empujar   to push (86)

empuñar   to grasp, seize (213)

emular   to emulate, rival (259)

enamorar   to enamor, inspire love (54)

enamorarse de   to fall in love (289)

enardecer   to ignite, set aflame (344)

encabezar   to head, lead (339)

encantar   to charm, cast a spell on, love, be delighted with (Def. and Imp.)

encarcelar   to imprison (259)

encarecer   to raise prices (344)

encargar   to put in charge, entrust (111)

encariñarse   to become fond of (213, 289)

enchufar   to connect, plug in (54)

encomendar   to commend, entrust (352)

encuadernar   to bind (107)

encubrir   to hide, conceal (495)

endeudarse   to get into debt (39, 289)

endosar   to endorse (2)

endulzar   to sweeten, soften (339)

enervar   to enervate, weaken (9)

enfadar   to anger, irritate (210)

enfilar   to line up, put in a line (259)

enflaquecer   to lose weight, slim down (344)

enfocar   to focus (424)

enfrentar   to confront, face (11)

enfriar   to cool, chill (218)

enfriarse   to get cold, catch a cold (256, 289)

enfurecer   to make furious, infuriate (344)

engañar   to deceive (213)

engañarse   to deceive oneself, be mistaken (88)

engordar   to fatten, grow fat, put on weight (54)

engrandecer   to increase, enhance, exaggerate (344)

engrasar   to grease, oil (2)

enjabonar   to soap, wash, lather (355)

enjaular   to cage, imprison (259)

enjuagar   to rinse (298)

enlazar   to tie together, connect (339)

enloquecerse   to go crazy or mad, become enchanted with (344, 102)

enmendar   to amend, revise, correct (352)

ennoblecer   to ennoble (344)

enojar   to annoy, irritate (212)

enorgullecerse   to be proud (344, 102)

enredar   to tangle, entangle, confuse (39)

enriquecerse   to become rich, prosper (344, 102)

enrojecerse   to blush, turn red (344, 102)

enrolar   to sign on, enlist (259)

enrollar   to wind, roll up (261)

ensalzar   to exalt, glorify (339)

ensamblar   to connect, join (259)

ensañar   to infuriate, enrage (213)

ensangrentar   to stain with blood, shed blood (352)

ensayar   to test, try, rehearse (54)

ensillar   to saddle (261)

ensolver   to include, reduce, condense (497)

ensombrecer   to darken, overshadow, eclipse (344)

ensordecer   to deafen, muffle (344)

ensuciar   to dirty, soil, stain (383)

entablar   to begin, start (259)

entenderse   to understand each other, be understood (214)

enterar   to inform (215)

enterarse de   to find out about (289)

enterrar   to bury, inter; forget (116)

entonar   to sing in tune, harmonize (355)

entreabrir   to open halfway, ajar (495)

entrecerrar   to close halfway, ajar (116)

entregarse   to surrender, give in (216, 289)

entrelazar   to intertwine, interlace (339)

entremezclar   to intermingle (259)

entrenar   to train (107)

entreoír   to half-hear, hear vaguely (334)

entretener   to entertain, amuse (468)

entretenerse   to amuse oneself (77)

entrever   to catch a glimpse (489)

entrevistar   to interview (494)

entristecer   to make sad (344)

entrometerse   to meddle, interfere (444, 102)

entusiasmarse   to get excited, enthusiastic (54, 289)

enumerar   to enumerate (409)

envejecer   to age, make old (344)

envenenar   to poison (107)

envestir   to clothe (491)

envidiar   to envy (232)

enviudar   to become a widow, widower (39)

envolverse   to become involved (219, 80)

equilibrar   to balance (259)

equipar   to equip (332)

equiparar   to compare, match, make equal (342)

equivaler   to equal (484)

equivocar   to mistake (220)

erradicar   to eradicate, uproot (424)

erigir   to erect, build, construct (188)

eructar   to belch, burp (54)

escalar   to climb (259)

escampar   to clear up (332)

escandalizar   to shock (339)

escapar   to escape (332)

escarnecer   to ridicule, mock (344)

esclarecer   to light up, clarify (344)

esconder   to conceal, hide (413)

esconderse   to hide oneself (413, 80)

escudar   to shield, protect (39)

escudriñar   to scrutinize, examine (213)

esculpir   to sculpt, carve, engrave (157)

escupir   to spit (346)

esforzar   to strengthen, encourage (49)

esforzarse   to make an effort (49, 289)

espantar   to frighten, scare (109)

especializarse   to specialize (339, 289)

espiar   to spy on (256)

espirar   to breathe out, exhale (409)

esposar   to handcuff (340)

esquivar   to avoid, evade (259)

estacionar   to station, park (a vehicle) (355)

estafar   to swindle, cheat (259)

estallar   to burst, explode, break out (261)

estampar   to print, stamp, emboss, engrave (332)

estereotipar   to stereotype (332)

estigmatizar   to stigmatize, brand (339)

estilarse   to be in fashion, in use (289)

estimular   to stimulate, encourage (259)

estirar   to stretch, extend (409)

estorbar   to obstruct, hinder, bother (9)

estornudar   to sneeze (39)

estrachar   to narrow, tighten (200)

estrangular   to strangle (259)

estrellar   to smash, shatter (261)

estructurar   to structure, organize (284)

evadir   to evade, avoid (60)

evaluar   to evaluate, assess (141)

evaporar   to evaporate, disappear (409)

evaporizar   to vaporize (339)

evitar   to avoid (254)

evocar   to evoke, recall (424)

evolucionar   to evolve (107)

exacerbar   to exacerbate, aggravate (9)

exagerar   to exaggerate (259)

exaltar   to glorify, extol, praise (11)

examinar   to examine (107)

exasperar   to exasperate (227)

excitar   to excite, stimulate (254)

exclamar   to exclaim (54)

excluir   to exclude (268)

excusar   to excuse (25)

exhalar   to exhale (261)

exhibir   to exhibit, display (353)

existir   to exist (276)

expedir   to expedite (349)

experimentar   to experience (11)

explorar   to explore (32)

exponer   to expose (364)

exportar   to export (109)

exprimir   to squeeze, wring out (267)

expulsar   to expel, drive out (2)

extender   to extend (354)

extinguir   to extinguish (193)

extirpar   to extirpate (332)

extraer   to extract, draw out (477)

extrañar   to surprise (213)

F

facilitar   to facilitate (238)

facturar   to invoice, bill (409)

fallar   to trump, fail (261)

fallecer   to die (344)

falsear   to falsify, misrepresent (206)

falsificar   to falsify, forge (424)

familiarizar   to familiarize (339)

familiarizarse   to familiarize oneself with (339, 289)

fantasear   to daydream (206)

farolear   to boast, brag, show off (54)

fascinar   to fascinate (107)

fastidiar   to annoy, pester (232)

fatigar   to fatigue, tire (421)

favorecer   to favor, improve the appearance of   (344)
fecundar   to fertilize   (39)
fermentar   to ferment   (11)
fertilizar   to fertilize   (339)
figurar   to depict, draw, represent   (72)
figurarse   to imagine   (72, 289)
fijar   to fix, fasten   (241)
filmar   to film, shoot   (54)
filtrar   to filter   (259)
finalizar   to finish, conclude   (339)
financiar   to finance   (57)
florecer   to bloom   (344)
flotar   to float   (308)
fluctuar   to fluctuate, rise and fall   (141)
fluir   to flow   (271)
fomentar   to foment, stir up, promote   (11)
forjar   to forge, form, make, invent   (86)
formalizar   to formalize, make legal   (339)
formular   to formulate   (71)
fortalecer   to fortify   (344)
forzar   to force   (49)
fotocopiar   to photocopy   (106)
fotografiar   to photograph   (464)
fraccionar   to break up   (355)
fracturar   to fracture, break, rupture   (409)
fragmentar   to fragment   (11)
frecuentar   to frequent   (11)
frenar   to brake   (107)
frotar   to rub   (498)
fruncir   to knit (eyebrows); to purse (lips)   (501)
frustrar   to frustrate   (215)
fugarse   to flee, run away   (341, 289)
fumigar   to fumigate   (341)
fundar   to found, establish, build   (39)
fundir   to melt, cast, join, go out (bulb)   (60)
fusilar   to shoot   (259)
fusionar   to combine, merge   (107)
fustigar   to whip   (341)

G

galantear   to woo, make eyes at   (175)
galopar   to gallop   (54)
galvanizar   to galvanize   (339)
gandulear   to idle, loaf   (206)
gansear   to say, do stupid things   (175)
garabatear   to scribble   (463)
garbear   to show off   (175)
garlar   to chatter, prattle   (259)
gatear   to crawl   (175)
generalizar   to generalize   (339)
generar   to generate, produce   (215)
gesticular   to gesture, grimace, gesticulate   (259)
gestionar   to negotiate, manage   (355)
girar   to turn around, spin   (215)
glorificar   to glorify, praise   (424)
glosar   to glose, comment   (2)
golear   to score goals   (206)
golpear   to crush, hit, strike   (175)
golpetear   to pound, hammer   (175)
gorgotear   to gurgle, bubble   (206)
gorjear   to warble, gurgle   (206)
gormar   to vomit, spew   (244)
gotear   to drip   (206)
grabar   to engrave   (249)
graduarse   to graduate   (141, 289)
granizar   to hail   (339)
gratar   to brush, rub   (249)
gratificar   to recompense, reward   (424)
gravar   to burden   (249)
gravitar   to gravitate   (254)
guardar   to keep, guard, save   (259)
guerrear   to war, fight   (175)
guiñar   to wink   (213)

guipar   to notice, see   (54)
guisar   to cook   (25)
gustar   to be pleasing (to), to like   (Def. and Imp.)

H

habilitar   to qualify, furnish, equip   (308)
habituarse   to become accustomed to   (141, 289)
hacinar   to pile up, stack   (107)
hadar   to foretell   (324)
halagar   to flatter   (341)
halar   to haul, tow   (259)
hambrear   to starve   (206)
haraganear   to idle, loaf   (206)
hay   (See haber) (verb 257)
heder   to stink   (354)
helar   to freeze   (Def. and Imp.)
hender   to split, crack   (164)
hervir   to boil   (370)
hidratar   to hydrate   (308)
hincar   to sink, drive in   (424)
hincarse   to kneel down, sink   (424, 289)
hinchar   to swell, inflate, blow up   (306)
hipnotizar   to hypnotize   (339)
hipotecar   to mortgage   (424)
hispanizar   to hispanicize   (339)
hojear   to skim, leaf through   (175)
holgar   to rest, be idle   (125)
homenajear   to pay homage to   (175)
honrar   to honor   (32)
hornear   to bake   (206)
hospedar   to lodge, put up   (39)
humear   to smoke, steam   (175)
humedecer   to dampen, moisten   (344)
humillar   to humiliate, humble   (261)
hundir   to sink, ruin   (60)
hurtar   to rob, steal   (11)

I

idealizar   to idealize   (339)
idear   to think up, invent (175)
identificar   to identify (117)
idolatrar   to idolize   (259)
igualar   to equal, equalize, even out   (259)
iluminar   to illuminate   (107)
ilusionar   to fascinate   (248)
ilusionarse   to have illusions (289)
ilustrar   to illustrate; enlighten, explain   (215)
imaginar   to imagine   (107)
imbuir   to imbue   (264)
imitar   to imitate   (254)
impacientarse   to lose one's patience   (11, 289)
impartir   to grant, concede (495)
implicar   to implicate   (424)
implicarse   to become involved   (424, 289)
implorar   to implore   (300)
imponer   to impose   (364)
importar   to matter, be important   (Def. and Imp.)
importunar   to bother, importune   (107)
imprecar   to curse, imprecate (424)
impresionar   to impress (107)
improvisar   to improvise   (2)
impugnar   to refute, impugn, contest   (107)
impulsar   to drive, impale, to propel   (2)
imputar   to charge with, impute   (308)
inaugurar   to inaugurate, open   (409)
incendiar   to set on fire (106)
incitar   to incite   (279)
inclinar   to incline, tilt (107)
incomodar   to bother, inconvenience   (39)
incorporar   to incorporate, help someone sit up (in bed) (409)
incorporarse   to join (a group), sit up (in bed)   (409, 289)

incrementar   to increase, augment   (11)
incrustar   to encrust, inlay (250)
inculcar   to inculcate   (424)
incumbir   to be incumbent upon, be the duty, obligation of   (353)
incurrir   to incur, commit (495)
indemnizar   to indemnify, compensate   (339)
independizar   to liberate, emancipate   (339)
independizarse   to become independent   (339, 289)
indignar   to infuriate, anger (107)
indisponer   to upset, indispose   (364)
individualizar   to individualize, make personal (339)
industrializar   to industrialize   (339)
infamar   to defame, slander, discredit   (54)
infatuarse   to become conceited   (141, 289)
infectar   to infect   (11)
inferir   to infer   (400)
infiltrar   to infiltrate   (215)
inflamar   to set on fire, inflame, arouse   (54)
inflar   to inflate, blow up (259)
infligir   to inflict   (188)
influenciar   to influence (383)
informar   to inform   (244)
informatizar   to computerize (339)
infringir   to infringe, transgress, break   (188)
ingeniar   to invent, conceive, think up   (232)
ingerir   to ingest, take in, consume   (435)
ingresar   to come in, enter, enroll, register; deposit (money)   (2)
inhabilitar   to disable, incapacitate, disqualify (308)
inhalar   to inhale   (259)
inhibir   to inhibit   (353)

iniciar   to initiate, begin (383)
injuriar   to offend, insult, injure   (232)
inmergir   to immerse   (188)
inmolar   to immolate, sacrifice   (259)
inmovilizar   to immobilize, paralyze   (339)
inmunizar   to immunize (339)
innovar   to innovate   (259)
inocular   to inoculate   (71)
inquietar   to disturb, worry, trouble   (308)
inquirir   to inquire, investigate   (33)
insertar   to insert, include (11)
insinuar   to insinuate, hint (141)
inspeccionar   to inspect, examine   (355)
inspirar   to inspire   (29)
instalar   to install, fit out, settle   (259)
instar   to urge, press   (11)
instaurar   to establish, set up (409)
instigar   to instigate, stir up (341)
instituir   to institute, found (264)
instruir   to instruct, teach (271)
instrumentar   to orchestrate (11)
insultar   to insult   (11)
integrar   to integrate, compose, make up (259)
intelectualizar   to intellectualize   (339)
intensificar   to intensify (424)
intentar   to try, attempt (11)
intercalar   to insert, intercalate   (259)
intercambiar   to interchange, exchange (232)
interceder   to intercede (63)
interceptar   to intercept   (11)

Over 2,100 Spanish verbs

interconectar to interconnect, hook up (11)
interferir to interfere (435)
internar to intern, commit (107)
interpelar to appeal, implore (259)
interponer to interpose (364)
interpretar to interpret (376)
interrogar to interrogate, question (297)
interrumpir to interrupt, block (452)
intervenir to intervene, interfere, participate (488)
intimidar to intimidate (199)
intoxicar to poison, intoxicate (424)
intrigar to intrigue, plot, scheme (341)
intuir to intuit, sense (271)
inundar to flood, inundate (39)
invadir to invade, trespass (60)
invalidar to invalidate (39)
inventar to invent (279)
invertir to invert, turn upside down; invest money (370)
investigar to investigate (421)
investir to invest (as a title), endow (349)
invocar to appeal, call upon, invoke (424)
involucrar to involve, introduce, bring in (259)
inyectar to inject (11)
irradiar to irradiate (232)
irrigar to irrigate (341)
irritar to irritate (279)
italianizar to Italianize (339)
izar to hoist (339)

J

jabonar to soap, lather (473)
jacarear to annoy; to roam the streets at night making merry (206)
jactarse to boast, brag (48)
jadear to pant (206)

jalar to pull (259)
jalear to encourage, cheer on (206)
jalonar to mark, stake out, dot (355)
jamar to eat (54)
jarapotear to stuff with drugs, medicines (206)
jerarquizar to arrange hierarchically, to hierarchize (339)
jetar to dilute, dissolve (308)
jipar to hiccup (332)
jubilar to retire (259)
justar to joust, tilt (11)
justiciar to condemn, execute (57)
justificar to justify (117)

L

laborar to work, till, plow (409)
labrar to work, carve, bring about (409)
lacerar to lacerate, tear, damage (409)
lactar to nurse, breast-feed (11)
ladear to lean, tilt, incline (206)
ladrar to bark (54)
ladrillar to brick (261)
ladronear to shoplift (206)
lagrimar to cry, weep, shed tears (231)
lagrimear to water (eyes), weep (206)
laicizar to laicize (339)
lamentar to lament (11)
lamer to lick (91)
laminar to laminate (107)
lancear to spear, lance (175)
largar to let go, release, loosen, give (341)
laurear to crown with laurels, honor (175)
legar to delegate, bequeath (341)
legislar to legislate (259)
legitimar to legitimize (54)
lesionar to damage, wound (355)
liar to tie, bind, roll (256)
liberar to liberate, free, release (409)

libertar to liberate, free, release (11)
librar to save, rescue, release (259)
licenciarse to graduate in (57, 289)
licuar to liquefy (141)
lidiar to fight, combat, fight bulls (232)
limar to file, polish, smooth (231)
limitar to limit, reduce, border on (308)
linear to draw lines, sketch (175)
liquidar to liquefy, liquidate, sell off (39)
litigar to litigate, dispute (341)
llagar to injure, hurt, wound (298)
llamear to blaze, flame (206)
lloriquear to whimper, whine (206)
llover to rain (Def. and Imp.)
lloviznar to drizzle (288)
loar to praise (259)
localizar to localize, locate, find (81)
lograr to achieve, attain, get (29)
lubricar to lubricate (469)
lucir to shine (495) (before a or o, c becomes zc in Tenses 1, 6 and imperative)
lustrar to polish, cleanse (215)

M

macear to hammer, pound (175)
macerar to macerate, mortify (409)
machacar to pound, crush (424)
machar to beat, crush (306)
machucar to crush, bruise, maul (424)
madrugar to get up early (341)
madurar to mature, ripen (409)
magnetizar to magnetize, hypnotize (339)

magnificar   to magnify (424)

magullar   to batter, bruise (261)

majar   to crush, mash   (86)

malcasarse   to make a bad marriage   (112)

malear   to ruin, spoil   (206)

maleficiar   to damage, harm, injure   (383)

malentender   to misunderstand   (164)

malgastar   to squander, waste   (250)

maliciar   to fear, suspect (383)

maltratar   to maltreat, abuse (478)

mamar   to suck, nurse (54)

manar   to flow, run, spring (107)

manchar   to spot, stain, blot (306)

mandar   to command, order (259)

manifestar   to demonstrate, show, manifest   (352)

manipular   to manipulate (71)

manufacturar   to manufacture   (284)

maquillarse   to put on makeup   (289)

maravillarse   to marvel at, be amazed   (261, 289)

marearse   to feel dizzy, be seasick   (175, 289)

martillar   to hammer   (261)

martirizar   to martyr, torture (339)

mascar   to chew, masticate (99)

masticar   to chew, masticate (99)

materializar   to materialize (339)

matricular   to register, get registered   (71)

mediar   to mediate, intercede (232)

meditar   to meditate   (254)

mendigar   to beg   (341)

menear   to move, shake, wiggle   (206)

mentar   to mention, name (352)

merendar   to have a snack, refreshment   (352)

metamorfosear   to metamorphose, change (175)

meter   to put in, into   (444)

metodizar   to organize, systematize, methodize (339)

mezclar   to mix   (259)

militar   to serve in the army (308)

mimar   to pamper, spoil, indulge   (314)

minar   to mine, bore, tunnel through, undermine   (107)

minimizar   to reduce, lessen, diminish   (339)

minorar   to diminish, lessen, reduce   (409)

mistificar   to falsify, trick, deceive   (424)

mitigar   to mitigate, allay, alleviate   (341)

modelar   to model, pattern, shape   (259)

moderar   to moderate, control   (409)

modernizar   to modernize (339)

modificar   to modify, change (424)

modular   to modulate   (71)

moler   to grind, crush, mill (321)

molestar   to bother, annoy (250)

momificar   to mummify (424)

monear   to clown (monkey) around   (206)

moralizar   to moralize   (339)

morar   to reside, dwell (409)

mortificar   to mortify, humiliate, wound, hurt (424)

motivar   to motivate   (9)

movilizar   to mobilize (339)

multicopiar   to duplicate (232)

multiplicar   to multiply, increase   (424)

murmurar   to murmur, mutter   (72)

mutilar   to mutilate   (71)

N

nacionalizar   to nationalize, naturalize   (90)

narrar   to narrate   (215)

naturalizar   to naturalize (90)

naufragar   to sink, be wrecked, shipwrecked (341)

nausear   to feel nauseated, sick   (206)

necear   to talk nonsense (206)

negociar   to negotiate   (383)

nevar   to snow   (Def. and Imp.)

neviscar   to snow lightly (424)

niñear   to behave childishly (206)

nivelar   to level, make even (259)

nombrar   to name, appoint (113)

normalizar   to normalize, restore to normal   (339)

notar   to note   (308)

noticiar   to inform, notify (383)

notificar   to notify, inform (117)

nublar   to cloud, mar   (259)

numerar   to number   (227)

nutrir   to feed, nourish (346)

O

obcecar   to blind   (99)

objetar   to object (308)

objetivar   to objectify (9)

obligar   to oblige, compel   (341)

obliterar   to obliterate, erase   (227)

obrar   to build, work (113)

obscurecer   to darken (333)

obsequiar   to entertain, compliment   (228)

obsesionar   to obsess (355)

obstaculizar   to hinder, obstruct, block   (339)

obstar   to obstruct, impede, hinder   (215)

obstinarse   to be obstinate, stubborn   (289)

obstruir   to obstruct, to block   (264)

obturar   to plug, close, fill   (284)

ocasionar   to occasion, cause, jeopardize   (355)

occidentalizar   to westernize   (339)

ocluir   to occlude, shut   (271)

ocultar   to hide, conceal   (11)

ocurrir   to occur, happen   (Def. and Imp.)

odiar   to hate   (232)

ofender   to offend, insult   (63)

oficiar   to officiate, celebrate (mass)   (57)

ofuscar   to dazzle   (99)

ojear   to eye, stare at   (175)

olfatear   to smell, sniff   (206)

ominar   to predict, foretell, forecast   (107)

omitir   to omit   (30)

ondear   to undulate, wave, ripple   (206)

ondular   to undulate, wind   (71)

operar   to operate   (227)

opinar   to opine, think, have an opinion   (107)

oprimir   to oppress, press, squeeze   (267)

oprobiar   to defame, revile, disgrace   (232)

optar   to opt, choose   (11)

optimar   to optimize   (54)

orar   to pray   (32)

orientar   to orient, guide, direct, position   (11)

originar   to originate, give rise to, cause   (107)

orillar   to edge, trim, go around, settle   (261)

ornamentar   to ornament, adorn   (11)

ornar   to adorn, decorate   (249)

orquestar   to orchestrate   (250)

oscilar   to oscillate, swing   (71)

oscurecer   to get dark, become night   (344)

ostentar   to show, show off, flaunt   (11)

otorgar   to grant, concede   (421)

oxidar   to oxidize, rust   (39)

P

pacificar   to pacify, calm   (424)

pactar   to agree to, come to an agreement, make a pact   (11)

padecer   to suffer, endure   (333)

paginar   to paginate   (107)

paladear   to savor, taste, relish   (206)

palatalizar   to palatalize   (339)

palear   to shovel   (206)

paliar   to palliate   (232)

palidecer   to turn pale   (344)

palmear   to clap hands   (206)

palpar   to feel, touch   (332)

palpitar   to palpitate, beat, throb   (254)

papar   to swallow soft food without chewing   (332)

parafrasear   to paraphrase   (175)

paralizar   to paralyze   (339)

parear   to pair, match   (175)

parir   to give birth   (495)

parodiar   to parody   (232)

parpadear   to blink, wink   (206)

parquear   to park   (206)

participar   to participate   (332)

particularizar   to specify, particularize   (339)

pasmar   to leave flabbergasted, astound, astonish, amaze   (54)

patalear   to kick   (206)

patear   to kick   (206)

patentar   to patent   (11)

patinar   to skate, skid, slide   (107)

patrullar   to patrol   (261)

pausar   to pause   (25)

pecar   to sin   (424)

pedalear   to pedal   (206)

pelar   to peel   (259)

pelear   to fight   (206)

peligrar   to be in danger, be threatened   (259)

pelotear   to kick (a ball); audit   (175)

penalizar   to penalize   (339)

pender   to hang   (63)

penetrar   to penetrate   (215)

pensionar   to pension   (107)

perdurar   to last a long time   (215)

perecer   to perish   (344)

peregrinar   to go on a pilgrimage, journey   (107)

perfeccionar   to perfect, improve, brush up (knowledge)   (355)

perforar   to perforate, pierce   (409)

perfumar   to perfume   (247)

perifrasear   to periphrase   (175)

perjudicar   to damage, harm   (424)

perjurar   to commit perjury   (284)

permanecer   to remain, stay   (323)

permutar   to exchange, change, swap   (308)

perorar   to make or deliver a speech   (409)

perpetrar   to perpetrate a crime   (409)

perpetuar   to perpetuate   (141)

perseguir   to pursue   (432)

perseverar   to persevere, continue   (409)

persistir   to persist   (74)

personalizar   to personalize, personify, embody   (339)

personificar   to personify   (424)

persuadir   to persuade   (346)

perturbar   to disturb, upset, become upset   (9)

pervertir   to pervert, corrupt   (410)

pesar   to weigh   (25)

pescar   to fish   (99)

pestañear   to wink, blink   (206)

picar   to prick, puncture, pierce   (424)

pilotar   to pilot   (54)

pilotear   to pilot   (54)
pisotear   to trample   (175)
plagar   to infest, plague
(341)
planchar   to iron   (225)
planear   to plan, design,
glide   (206)
planificar   to plan   (424)
plantar   to plant   (109)
plantear   to expound, set
forth, state   (206)
plegar   to fold, pleat   (327,
341)
pluralizar   to pluralize, use
the plural   (339)
poblar   to populate   (474)
polemizar   to polemicize,
argue   (339)
politizar   to politicize   (339)
pontificar   to pontificate
(424)
popularizar   to popularize
(339)
portarse   to behave   (11, 289)
posar   to pose, put, lay down
(481)
posponer   to postpone
(364)
postular   to postulate,
request, demand, be a
candidate for   (71)
precalentar   to preheat   (352)
preceder   to precede   (63)
preciar   to appraise, value
(62)
preciarse   to brag about
oneself   (289)
precipitar   to precipitate
(254)
precisar   to specify   (2)
predestinar   to predestine
(107)
predeterminar   to
predetermine   (107)
predisponer   to predispose
(364)
predominar   to predominate
(107)
prefabricar   to prefabricate
(424)
prefigurar   to foreshadow,
prefigure   (284)
prejuzgar   to prejudge
(341)
premeditar   to premeditate
(308)

premiar   to reward, give
award, a prize   (232)
prender   to seize, grasp,
catch   (63)
prensar   to press   (2)
preponer   to put before
(364)
presagiar   to presage,
portend, forebode   (232)
prescribir   to prescribe
(224)
preservar   to preserve   (288)
presidir   to preside over,
chair   (60)
presionar   to pressure, push
(355)
presumir   to presume, be
presumptuous   (267)
presuponer   to presuppose
(364)
pretender   to seek, try for,
want, intend to   (63)
prevalecer   to prevail, take
root   (344)
prevaler   to prevail   (484)
prevenir   to warn   (488)
prever   to foresee   (489)
privar   to deprive   (288)
proceder   to proceed   (413)
procesar   to prosecute
(403)
procurar   to endeavor, try,
strive for   (72)
profanar   to profane,
desecrate   (107)
proferir   to utter, say   (370)
profesar   to profess   (403)
programar   to program
(54)
progresar   to progress
(235)
proliferar   to proliferate
(409)
prolongar   to prolong   (341)
prometer   to promise   (444)
promover   to promote, cause
(321)
promulgar   to promulgate,
announce   (341)
pronosticar   to forecast,
foretell, predict   (424)
propagar   to propagate,
spread   (341)
proponer   to propose   (364)
proporcionar   to furnish,
supply, provide   (107)

proscribir   to proscribe,
banish   (224)
proseguir   to continue,
follow up, proceed   (432)
prosperar   to prosper   (227)
protagonizar   to play the
lead in, star   (339)
protestar   to protest   (308)
proveer   to provide, supply
(152)
provenir   to originate, come
from   (488)
provocar   to provoke   (99)
proyectar   to project, plan,
throw   (11)
publicar   to publish, issue
(99)
pugnar   to fight   (54)
pujar   to struggle   (54)
pulsar   to pulse, throb   (25)
pulverizar   to pulverize,
shatter   (339)
punchar   to pierce, puncture
(306)
puntar   to dot   (494)
puntualizar   to arrange, fix,
settle   (339)
puntuar   to punctuate, mark,
grade   (141)
purgar   to purge, clean,
purify   (341)
purificar   to purify, cleanse
(424)

Q

quebrar   to break, smash
(352)
querellarse   to file a legal
complaint, bring suit
against   (261, 289)
quesear   to make
cheese   (175)
quietar   to quiet, calm
(308)
quietarse   to calm
oneself   (289)
quillotrar   to incite,
excite   (259)
quimerizar   to have
fanciful ideas   (81)

R

rabiar   to rage   (106)
racionalizar   to
rationalize   (339)
racionar   to ration
(107)

radiar   to radiate   (232)
radiografiar   to x-ray   (256)
ramificarse   to ramify, branch out   (424, 289)
rasar   to graze, skim, raze   (2)
rascar   to scratch, itch   (99)
rasgar   to rip, tear   (341)
raspar   to scrape   (332)
rastrillar   to rake   (261)
rasurarse   to shave (one's beard)   (292)
ratificar   to ratify   (424)
rayar   to rule, underline, cross, strike out   (453)
razonar   to reason (out)   (355)
reaccionar   to react   (355)
reactivar   to reactivate   (259)
reafirmar   to reaffirm, reassert   (243)
realzar   to raise, highlight, enhance   (339)
reanimar   to reanimate, revive   (107)
reaparecer   to reappear   (59)
rearmar   to rearm   (54)
reasegurar   to reassure, reinsure   (72)
reasumir   to resume, reassume   (495)
reatar   to tie again, retie   (308)
rebajar   to lower, reduce, bring down   (86)
rebatir   to knock down again, beat again   (1)
rebelarse   to rebel, revolt   (259, 289)
rebotar   to bounce, rebound   (308)
rebuscar   to search carefully, search into   (99)
recaer   to fall again, back, relapse   (101)
recalentar   to reheat, warm up, warm over   (103)
recapacitar   to think over, consider   (308)
recapitular   to recapitulate   (71)
recargar   to reload, overload   (111)
rechazar   to reject, repel   (81)

rechistar   to whisper   (250)
reciclar   to recycle   (259)
recircular   to recycle, distribute   (71)
recitar   to recite   (254)
reclamar   to reclaim, claim, demand, protest   (15)
reclinar   to recline, lean   (107)
reclinarse en/sobre   to lean on/upon   (289)
recluir   to shut, lock in (away), imprison   (271)
reclutar   to recruit   (308)
recobrar   to recover, regain, get back   (259)
recolectar   to harvest, collect   (11)
recompensar   to reward, recompense   (2)
reconciliar   to reconcile   (232)
reconciliarse   to reconcile   (232, 289)
reconfortar   to comfort, cheer up   (11)
reconstituir   to reconstitute   (271)
reconstruir   to rebuild, reconstruct   (264)
reconvenir   to reprimand, rebuke   (488)
recopilar   to compile   (259)
recorrer   to go, travel, cover (distance)   (148)
recortar   to cut, trim   (149)
recrear   to amuse, entertain   (175)
recrearse   to amuse, entertain oneself   (289)
recriminar   to recriminate   (107)
rectificar   to rectify, right a wrong, correct   (424)
recular   to recoil, go backwards   (71)
recuperar   to recuperate, recover   (227)
recuperar   to recuperate, retrieve, recover   (409)
recurrir   to turn to, appeal to, resort to   (495)
redactar   to edit   (215)
redoblar   to intensify, redouble   (259)
redondear   to round off   (206)

reduplicar   to intensify, redouble, reduplicate   (424)
reeditar   to reprint, publish again   (254)
reelegir   to reelect, elect again   (203)
reembolsar   to reimburse, repay   (2)
reemplazar   to replace   (339)
refinar   to refine   (107)
reflejar   to reflect   (86)
reflexionar   to reflect   (107)
reformar   to reform, alter, revise   (244)
reforzar   to reinforce, strengthen   (49)
refrescar   to refresh, cool, revive, brush up   (424)
refrigerar   to cool, refrigerate, refresh   (409)
refugiarse   to take refuge, shelter   (232, 289)
refunfuñar   to grumble, growl   (213)
regalarse   to indulge oneself   (401, 289)
regañar   to scold   (213)
regenerar   to regenerate   (409)
regir   to govern, rule, manage   (203)
registrar   to register, record, examine   (215)
rehacer   to do over, redo   (260)
rehuir   to avoid, shun   (264)
rehusar   to refuse   (481)
reinar   to reign, rule   (107)
reinstalar   to reinstate, reinstall   (259)
reintegrar   to reimburse, refund   (259)
reiterar   to reiterate, repeat   (72)
rejuvenecerse   to be rejuvenated   (344, 102)
relacionar   to relate   (355)
relajarse   to relax   (86, 289)
relanzar   to throw back, repel   (286)
relatar   to relate, narrate   (308)
relavar   to wash again   (288)
relavarse   to wash oneself again   (289)

releer   to reread, read again (290)

relegar   to relegate   (341)

relucir   to shine, glitter, gleam   (495) (before a or o, c becomes zc in Tenses 1, 6 and imperative)

relumbrar   to dazzle, sparkle (51)

remandar   to send over and over again   (259)

remangar   to turn, roll up sleeve, pants   (341)

remar   to row   (54)

remarcar   to mark again (305)

rematar   to kill off, terminate, finish off   (308)

remediar   to remedy   (232)

remedir   to remeasure   (309)

rememorar   to remember (32)

remendar   to mend   (352)

remeter   to put back   (444)

remirar   to look at over again   (314)

remojar   to soak   (239)

remolcar   to tow   (424)

remontar   to elevate, raise; frighten away   (317)

remorder   to worry, gnaw (318)

remover   to remove, take away; move   (321)

remunerar   to remunerate, pay   (409)

renacer   to be born again, be reborn   (323)

rendir   to defeat, surrender (349)

renegar   to renege, deny; abhor   (327)

renovar   to renew, renovate (209)

rentar   to yield, produce, rent (11)

renunciar   to renounce (383)

reorganizar   to reorganize (339)

repararse   to restrain oneself (409, 289)

repasar   to review, go over again   (347)

repeler   to repulse, repel, throw out   (91)

repensar   to rethink, reconsider   (352)

repesar   to weigh again   (25)

repintar   to repaint   (358)

replantar   to replant   (109)

replicar   to retort, reply (99)

reponer   to put back   (364)

reponerse   to recover, get over   (364, 102)

reposar   to rest, lie, be buried (2)

represar   to repress, hold back   (376)

representar   to represent (375)

reprimir   to repress   (267)

reprobar   to reprove, fail in an exam   (378)

reprochar   to reproach (200)

reprocharse   to reproach (200, 289)

reproducir   to reproduce (381)

repudiar   to repudiate (232)

repugnar   to loathe, detest, disgust   (107)

repulir   to polish again (386)

repulsar   to repulse, reject (2)

reputar   to deem, consider, repute   (308)

requemar   to burn again, overcook   (389)

requerir   to require   (370)

resaltar   to bounce, rebound (427)

resaludar   to return someone's greeting   (428)

rescatar   to ransom, rescue (308)

rescindir   to cancel, rescind, annul   (60)

resentirse   to feel the effects (435, 8)

reservar   to reserve   (288)

resfriarse   to catch a cold (256, 289)

residir   to reside, live   (60)

resignarse   to resign oneself (107, 289)

resistir   to resist   (74)

resonar   to resound, ring (209)

respetar   to respect   (54)

respirar   to breathe, respire (227)

resplandecer   to shine, blaze, glow   (344)

restaurar   to restore   (259)

restituir   to refund, give back (264)

resucitar   to resuscitate, bring back to life   (254)

resultar   to result   (427)

resumir   to summarize, sum up   (480)

resurgir   to resurge, spring up again   (460)

retacar   to hit twice (a ball) (76)

retajar   to cut around   (86)

retar   to challenge   (254)

retardar   to retard, slow down   (199)

retemblar   to shake, tremble (352)

retener   to retain   (468)

retocar   to touch up, retouch (472)

retorcer   to twist   (321, 486)

retostar   to toast again   (474)

retraducir   to translate over again   (476)

retraer   to bring again, bring back   (477)

retransmitir   to retransmit, rebroadcast   (30)

retratar   to paint a portrait (478)

retribuir   to repay, reward (264)

retrotraer   to antedate, date back   (477)

reunificar   to reunify (424)

revalorar   to revalue (409)

revalorizar   to revalue (339)

revelar   to reveal, disclose   (259)

revender   to resell (487)

reventar   to burst, explode   (352)

rever   to review, revise (489)

reverberar   to reverberate, be reflected   (409)

reverter   to overflow (354)

Over 2,100 Spanish verbs

revertir   to revert   (34)
revisar   to revise, check, review   (2)
revivir   to revive   (495)
revolar   to fly again   (496)
revolcar   to knock down   (19, 424)
revolcarse   to wallow, roll about   (21, 19, 424)
revolotear   to whirl up in the air   (206)
revolucionar   to revolutionize   (355)
rezar   to pray   (53)
ridiculizar   to ridicule   (339)
rimar   to rhyme   (54)
rivalizar   to rival   (339)
rizar   to curl   (339)
rociar   to spray, sprinkle   (62)
rodar   to roll   (474)
rodear   to surround   (206)
rodearse de   to surround oneself with   (206, 289)
roncar   to snore   (424)
ronchar   to crunch, chew   (225)
rondar   to patrol, prowl   215)
rotar   to rotate   (308)
rotular   to label   (71)
rozar   to scrape, scratch, rub   (81)
rubricar   to initial, sign and seal   (424)
rugir   to roar, bellow, shout   (188)
rular   to roll   (71)
rumbar a   to go in the direction of   (54)
rumiar   to ruminate, meditate   (62)

S

saborear   to savor, taste, relish   (206)
sacrificar   to sacrifice   (117)
salar   to salt, season with salt   (71)
saldar   to settle, pay a debt   (54)
salivar   to salivate   (288)
salpicar   to splash   (424)
salpimentar   to season   (352)

saltear   to hold up, rob   (206)
salvar   to save, rescue   (288)
sanar   to cure, heal   (54)
sancionar   to sanction, authorize; punish   (107)
sangrar   to bleed   (215)
sangrarse   to be bled   (215, 289)
saquear   to pillage, loot, sack   (206)
satirizar   to satirize   (339)
saturar   to saturate   (284)
sazonar   to season, flavor   (355)
secuestrar   to confiscate, kidnap, hijack   (409)
secularizar   to secularize   (339)
secundar   to second, support   (39)
sedar   to soothe, quiet   (54)
seducir   to seduce   (381)
segar   to cut, mow   (327)
segmentar   to segment   (11)
segregar   to segregate   (421)
seleccionar   to select, choose   (355)
sellar   to seal, stamp   (261)
sembrar   to sow   (352)
semejar   to resemble   (86)
sentenciar   to sentence someone; judge   (57)
separarse   to separate, come apart   (289, 437)
sepultar   to bury   (427)
sermonear   to preach, lecture   (175)
serrar   to saw   (116)
signar   to sign   (114)
signarse   to cross oneself   (289)
silabear   to pronounce syllable by syllable, divide into syllables   (175)
silbar   to whistle   (9)
silenciar   to muffle, silence   (57)
simbolizar   to symbolize   (339)
simpatizar con   to get along well with   (339)
simplificar   to simplify   (117)

simular   to simulate, feign, pretend   (71)
sincronizar   to synchronize   (339)
singularizar   to single out, distinguish   (339)
sintonizar   to tune   (339)
sisar   to snitch   (9)
sistematizar   to systematize   (339)
sitiar   to besiege   (232)
situar   to situate, place, locate   (141)
sobar   to knead, massage, rub, slap   (54)
sobornar   to bribe   (107)
sobrar   to have, be left over   (409)
sobrecargar   to overload, weigh down   (111)
sobreexcitar   to overexcite   (308)
sobreexponer   to overexpose   (364)
sobregirar   to overdraw   (107)
sobrepasar   to surpass, exceed   (2)
sobreponer   to superimpose   (364)
sobresalir   to stand out, excel   (426)
sobresaltar   to attack, startle   (427)
sobresaltarse   to be startled   (427, 289)
sobrevenir   to supervene, occur later   (488)
sobrevivir   to survive   (495)
sofreír   to sauté, fry lightly   (404)
soldar   to solder, weld   (209)
solemnizar   to celebrate, commemorate   (339)
soler   to be accustomed to, be in the habit of, have the custom of   (Def. and Imp.)
soltar   to let go, release   (209)
solucionar   to solve, resolve   (355)
sonarse (las narices)   to blow (one's nose)   (445, 289)
sondar   to sound, investigate, probe   (39)

sonorizar   to voice (phonetics)   (339)
sonrojarse   to blush   (86, 289)
sonrosarse   to blush, turn pink   (2, 289)
sopapear   to slap   (206)
sopesar   to weigh, examine (2)
soplarse   to gobble up, wolf down   (289, 448)
soportar   to support, endure, put up with   (427)
sorber   to sip   (91)
sorregar   to irrigate   (327)
sortear   to raffle; avoid, dodge   (206)
sosegar   to quiet, calm down (327)
soterrar   to bury; hide (352)
suavizar   to smooth, soften (339)
subarrendar   to sublet, sublease   (352)
subastar   to auction   (54)
sublimar   to exalt   (54)
subordinar   to subordinate (338)
subsistir   to subsist   (74)
substituir   to substitute (264)
substraer   to subtract, take away, remove   (477)
subvencionar   to subsidize (311)
subvenir   to provide for needs   (488)
subvertir   to subvert, disturb (263)
subyugar   to subjugate, captivate   (325)
suceder   to happen   (Def. and Imp.)
sudar   to sweat, perspire (54)
suicidarse   to commit suicide (39, 289)
sujetar   to secure, fasten; subdue, subject   (308)
sumar   to add, add up   (54)
suministrar   to furnish, provide, supply   (215)
sumir   to sink, submerge (459)
superar   to surpass, exceed (54)

superponer   to superpose (364)
supervenir   to happen, take place   (488)
suplantar   to supplant, take the place of   (109)
suplicar   to supplicate, entreat, implore   (117)
surcar   to plow   (424)
surfear   to surf (Internet) *slang*   (206)
surtir   to supply, stock, provide   (346)
suscitar   to provoke, cause, arouse   (308)
suscribir   to subscribe (454)
suspender   to suspend, hang (91)
sustituir   to substitute   (271)
sustraer   to subtract, take away   (477)
susurrar   to murmur, whisper   (54)
sutilizar   to file, refine, polish, taper   (339)

T

tacar   to mark, stain   (472)
tachar   to cross out, strike out, eliminate   (200)
tajar   to slice, carve, chop   (86)
talar   to fell, cut down   (54)
tallar   to carve, engrave, cut (261)
tambalear   to stagger   (206)
tamborear   to drum, beat, pitter-patter (rain)   (175)
tamizar   to sift   (339)
tapar   to cover   (332)
tapiar   to wall up, wall in (232)
tapizar   to upholster, hang tapestry   (339)
taponar   to plug, stop up (355)
tardar   to take a long time (199)
tarjar   to tally   (86)
tartamudear   to stammer, stutter   (206)
tascar   to gnaw, nibble   (99)
teclear   play piano, type; to run one's fingers over piano or typewriter keys   (206)
tejar   to tile   (86)
tejer   to weave   (91)

telecargar   to download (Internet)   (111)
teledirigir   to operate by remote control   (188)
teleguiar   to guide by remote control   (256)
televisar   to televise   (2)
teñir   to dye, stain   (408)
teorizar   to theorize   (339)
tergiversar   to distort, twist, misrepresent   (2)
testar   to make a will, testament   (54)
testificar   to testify, bear witness   (117)
timar   to cheat, swindle (231)
timarse con   to flirt with (289)
timbrar   to put a seal or stamp on   (22)
tintar   to tint, dye   (254)
tipificar   to standardize, typify   (424)
tiranizar   to tyrannize (339)
tiritar   to shiver   (308)
titubear   to stagger, totter, hesitate   (175)
titular   to title, entitle   (71)
titularse   to be titled, called (289)
tolerar   to tolerate   (227)
tontear   to act foolishly (206)
torcer   to twist   (321, 486)
tornar   to turn   (288)
tornear   to go round   (206)
torturar   to torture (72)
torturarse   to worry excessively   (289)
toser   to cough   (91)
tostarse   to become sunburned   (289, 474)
trabar   to bind, join, lock   (54)
trabarse de palabras   to insult each other (289)
traficar   to deal, trade, traffic   (424)
tragar   to swallow (421)
traicionar   to betray (107)
trajinar   to rush about (107)

tramar   to plot   (54)

tramitar   to negotiate, transact   (254)

trancar   to stride along (424)

tranquilizar   to tranquilize (339)

transcribir   to transcribe (224)

transcurrir   to pass, elapse (time)   (495)

transferir   to transfer   (370)

transformar   to transform (244)

transfregar   to rub together (327)

transigir con   to agree to (188)

transitar   to journey, travel (254)

translimitar   to go beyond the limits   (254)

transmigrar   to transmigrate (273)

transmitir   to transmit   (30)

transpirar   to perspire, sweat (314)

transponer   to transfer (364)

transportar   to transport (427)

tranzar   to break off, cut off; braid   (81)

trascender   to transcend (354)

trascolar   to filter, strain (474)

trascolarse   to percolate (289, 474)

trascordarse   to remember incorrectly, forget   (20)

trasegar   to decant   (327)

trasferir   to transfer   (370)

trashumar   to migrate, move to new land   (54)

trasladar   to transfer, move (215)

trasladarse   to move, change residence   (289)

traspasar   to pierce   (347)

trasplantar   to transplant (11)

trasquilar   to shear, clip, crop (hair)   (259)

trastornar   to turn upside down, upset, disturb   (54)

trasvolar   to fly over, fly across   (496)

tratarse de   to be a question of   (289, 478)

travesar   to cross, cross over, go through   (79)

travesear   to be mischievous (175)

trazar   to trace, draw, sketch (81)

trenzar   to braid, plait   (81)

trepar   to climb, mount (332)

tributar   to pay tribute   (215)

tricotar   to knit   (254)

trillar   to make frequent use of   (259)

trinar   to trill, warble   (107)

trinchar   to slice (meat) (54)

triplicar   to triplicate, triple (424)

triscar   to mix up   (99)

triturar   to crush, grind (72)

triunfar   to triumph   (54)

trizar   to tear to shreds   (81)

trocar   to exchange   (19, 424)

trocear   to cut into pieces (206)

trompicar   to trip, stumble (424)

tronar   to thunder   (474)

tronchar   to crack, split (54)

tronzar   to slice   (81)

trotar   to trot   (478)

trucar   to pocket a ball in billiards   (424)

truhanear   to cheat, trick (206)

trujamanear   to interpret (206)

truncar   to truncate, cut short, down   (424)

tullecer   to cripple, disable (333)

tullir   to cripple, disable (97)

tumbar   to knock down, knock over, overthrow   (9)

tundir   to clip, shear; beat, thrash   (346)

turbar   to disturb, upset, worry   (9)

tutear   to use the tú form with someone   (206)

tutearse   to use the tú form with each other   (206, 289)

U

ubicar   to locate, situate (424)

ufanarse de   to boast of (88)

ultimar   to finish off   (107)

ultrajar   to outrage   (86)

ulular   to ululate, howl, screech, hoot   (259)

uncir   to yoke   (501)

undular   to undulate   (71)

ungir   to anoint   (188)

unificar   to unify   (117)

uniformar   to make uniform, standardize   (244)

untar   to apply ointment, spread butter on   (371)

urbanizar   to urbanize, develop, educate   (339)

urdir   to scheme, plot (346)

urgir   to urge, be urgent (188)

usurpar   to usurp, encroach (332)

utilizarse   to use, make use of   (289, 482)

V

vacar   to become vacant (424)

vaciarse   to become empty (483, 289)

vacilar   to vacillate   (115)

vacunar   to vaccinate (114)

vacunarse   to be vaccinated (114, 289)

vagabundear   to roam, idle, loaf   (463)

vagar   to roam, wander (341)

vaguear   to idle, loaf   (206)

validar   to validate   (39)

vallar   to fence in, barricade (261)

valorar   to value, increase in value   (54, 409)

valorear   to value, increase in value   (54, 206)

valorizar   to value   (339)

valsar   to waltz   (25)
varear   to knock, beat down (175)
variar   to vary   (483)
vaticinar   to vaticinate, prophesy, predict, foretell (470)
vedar   to prohibit, forbid (54)
vendar   to bandage   (54)
venerar   to venerate, revere (409)
vengar   to avenge   (421)
vengarse   to get revenge (341, 289)
ventar   to sniff, scent; blow (wind)   (352)
ventilar   to ventilate   (71)
ventiscar   to snow heavily, blow (blizzard), swirl (snow) (424)
veranear   to spend the summer   (463)
versar   to go round, turn (25)
versificar   to versify, write verses   (117)
verter   to pour   (354)
vestir   to clothe   (491)
vibrar   to vibrate   (259)
vilipendiar   to vilify, despise (232)

vincular   to relate, connect (71)
vindicar   to vindicate   (424)
violar   to violate, rape (259)
visar   to visa, examine and endorse   (25)
visualizar   to visualize, display   (339)
vituperar   to reprehend, applaud   (409)
vocalizar   to vocalize   (81)
vocear   to shout, cry out (206)
vociferar   to vociferate, shout   (227)
volcar   to overturn, turn over, tilt   (424, 496)
voltear   to turn over, roll over   (206)
vomitar   to vomit   (254)
vulgarizar   to popularize, vulgarize   (339)

Y

yapar   to give a little more, add a tip   (332)
yermar   to strip, lay waste (54)
yuxtaponer   to juxtapose (364)

Z

zafar   to loosen, untie   (54)
zafarse de   to escape from, get out of   (54, 289)
zaherir   to wound with words, reproach, reprimand (263)
zahondar   to dig   (336)
zambullir   to dive, plunge (97)
zampar   to stuff, cram food down one's throat, gobble down   (332)
zanjar   to dig a ditch   (86)
zapatear   to tap one's feet (463)
zapear   to chase away, scare away   (206)
zapuzar   to plunge into water (81)
zarandar   to shake about (54, 41)
zarandear   to shake about (54, 206)
zarpar   to weigh anchor, sail (332)
zozobrar   to be shipwrecked, capsize   (259)
zunchar   to fasten with a band   (306)
zurrar   to spank, wallop (54)

Minimum Systems Requirement for the Flash Standalone Executable

Windows:
* Pentium II or higher recommended
* Windows 98, ME, NT4, 2000, XP
* 64 MB of installed RAM, 128 MB recommended
* 1024 × 768 color display

Apple:
* Power Macintosh Power PC processor (G3 or higher recommended)
* Mac OS® X 10.2–10.4 64 MB of installed RAM
* 128 MB recommended
* CD-ROM drive
* 1024 × 768 color display

Launching Instructions for the PC	Launching Instructions for the Mac
Windows Users:	**Macintosh Users:**
Insert the CD-ROM into your CD-ROM drive. The application should start in a few moments. If it doesn't, follow the steps below.	The CD will open to the desktop automatically when inserted into the CD drive. Double click the 501 Verbs Flash icon to launch the program.
1. Click on the Start button on the Desktop and select Run.	
2. Type "D:/501Verbs" (where D is the letter of your CD-ROM drive).	
3. Click OK.	